# PIEŚŃ
# MAORYSÓW

Nakładem Wydawnictwa Sonia Draga
ukazała się następująca powieść tej autorki:

*W krainie białych obłoków*

# SARAH LARK

# PIEŚŃ MAORYSÓW

Z języka niemieckiego przełożyli
Anna Krochmal, Robert Kędzierski

WYDAWNICTWO
SONIA DRAGA

Tytuł oryginału:
DAS LIED DER MAORI

Copyright © 2008 by Bastei Lübbe GmbH & Co. KG, Köln

Copyright © 2012 for the Polish edition by Wydawnictwo Sonia Draga
Copyright © 2012 for the Polish translation by Wydawnictwo Sonia Draga

Projekt graficzny okładki: Mariusz Banachowicz
Zdjęcie autora: © Sarah Lark

Redakcja: Marzena Kwietniewska-Talarczyk
Korekta: Jolanta Olejniczak-Kulan, Iwona Wyrwisz

ISBN: 978-83-7508-534-1

Sprzedaż wysyłkowa:
www.merlin.com.pl
www.empik.com
www.soniadraga.pl

WYDAWNICTWO SONIA DRAGA Sp. z o. o.
Pl. Grunwaldzki 8-10, 40-127 Katowice
tel. 32 782 64 77, fax 32 253 77 28
e-mail: info@soniadraga.pl
www.soniadraga.pl

Skład i łamanie:
Wydawnictwo Sonia Draga

Katowice 2015. Wydanie I

Druk:
Abedik S.A.; Poznań

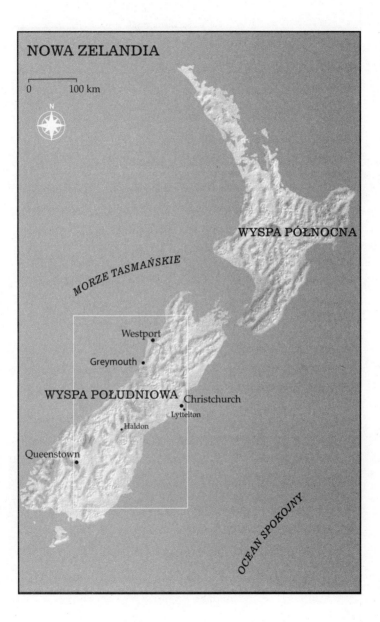

NOWA ZELANDIA

0    100 km

N

WYSPA PÓŁNOCNA

MORZE TASMAŃSKIE

Westport

Greymouth

WYSPA POŁUDNIOWA

Christchurch

Lyttelton

Haldon

Queenstown

OCEAN SPOKOJNY

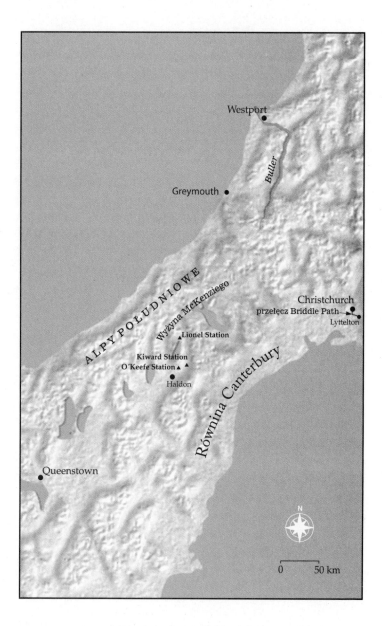

Westport

Buller

Greymouth

ALPY POŁUDNIOWE

Wyżyna McKenziego

Christchurch
przełęcz Briddle Path
Lyttelton

Lionel Station

Kiward Station
O'Keefe Station
Haldon

Równina Canterbury

Queenstown

N

0        50 km

# 1
## Queenstown, Canterbury Plains
# 1893

# 1

– Pani O'Keefe?

William Martyn spoglądał zdumiony na rudowłosą delikatną dziewczynę, która przywitała go w recepcji pensjonatu. Mężczyźni w obozie poszukiwaczy złota opisali mu Helen O'Keefe jako starszą damę, swego rodzaju smoczycę, która w dodatku wraz z wiekiem coraz bardziej zionie ogniem. Mówiło się, że w hotelu Miss Helen obowiązują surowe obyczaje. Palenie było zabronione, podobnie jak alkohol, nie wspominając już o sprowadzaniu gości płci przeciwnej, o ile nie przedłożono wcześniej aktu ślubu. Opowieści poszukiwaczy złota kazały oczekiwać raczej więzienia niż pensjonatu. Ale przynajmniej w jej lokalu nie było pcheł i wszy, była natomiast łaźnia.

Ta ostatnia informacja ostatecznie przekonała Williama, by puścić mimo uszu ostrzeżenia przyjaciół. Po trzech dniach spędzonych w starej owczarni, którą poszukiwacze złota zaadaptowali na schronienie, był gotów na wszystko, byle tylko uciec przed panoszącym się tam robactwem. Był nawet gotów znosić „Smoczycę" Helen O'Keefe.

A tu tymczasem nie powitał go żaden smok, lecz wyjątkowo śliczna zielonooka istotka, której twarz otaczała burza nieujarzmionych rudych loków. Mówiąc wprost, był to najprzyjemniejszy widok, jakiego William doświadczył od chwili, gdy zszedł ze statku w nowozelandzkim porcie Dunedin. Jego nastrój, od tygodni już najgorszy z możliwych, wyraźnie się poprawił.

Dziewczyna się roześmiała.

– Nie! Jestem Elaine O'Keefe. Helen to moja babcia.

William się uśmiechnął. Wiedział, że zrobi tym wrażenie. W Irlandii na twarzach dziewcząt zawsze pojawiał się wyraz zainteresowania, gdy dostrzegały kpiarskie iskierki w jego niebieskich oczach.

– Niemal tego żałuję. W przeciwnym razie od razu przyszedłby mi do głowy świetny interes. Woda z Queenstown – odkryjcie źródło młodości!

Elaine zachichotała. Miała szczupłą twarz i może trochę zbyt zadarty nos, pokryty niezliczonymi piegami.

– Powinien pan porozmawiać sobie z moim ojcem. On też lubi tak mówić: „Jest dobra łopata, to i wszystko dobre. Poszukiwacze złota, kupujcie w składzie O'Kay!".

– Wezmę to sobie do serca – przyrzekł William i rzeczywiście odnotował w pamięci tę nazwę. – A jak wygląda sytuacja? Dostanę tu pokój?

Dziewczyna się zawahała.

– Jest pan poszukiwaczem złota? Cóż… no więc mamy jeszcze wolne pokoje, ale są dość drogie. Większości poszukiwaczy złota nie stać na taką kwaterę…

– Wyglądam na takiego? – zapytał William z udawaną surowością w głosie, marszcząc przy tym czoło pod gęstą czupryną jasnych włosów.

Elaine przyglądała mu się, nie okazując żadnego zażenowania. Na pierwszy rzut oka nie różnił się zbytnio od pozostałych poszukiwaczy złota, jakich codziennie można było zobaczyć w Queenstown. Wyglądał na lekko ubrudzonego i obdartego, nosił woskowany płaszcz, spodnie z niebieskiego dżinsu i wysokie buty. Uważniejsze spojrzenie pozwoliło jednak Elaine – która była w końcu córką kupca – dostrzec jakość jego odzieży: pod otwartymi połami płaszcza widziała drogą skórzaną kurtkę, na nogach skórzane czapsy, buty też miał solidne i z dobrego materiału, a wstążka wokół jego szerokiego stetsona spleciona była z końskiego włosia. Coś takiego musiało kosztować mały majątek. Również jego sakwy, które z początku miał niedbale przewieszone przez ramię, a teraz oparł na podłodze między nogami, wyglądały na porządną i kosztowną robotę.

Wszystko to z pewnością nie było typowe dla poszukiwaczy szczęścia, jacy przybywali tu do Queenstown, by szukać złota w potokach i wśród gór. Tylko nielicznym udało się wzbogacić. Większość z nich wcześniej czy później opuszczała miasto tak samo biedna i obdarta, jak tu przybywała. Inna sprawa, że mężczyźni na ogół nie oszczędzali pieniędzy ze swych urobków, lecz natychmiast roztrwaniali je w mieście. Do pieniędzy tak naprawdę doszli tylko ci z przybyłych, którzy osiedlili się tu na stałe i otworzyli jakiś interes. Należeli do nich rodzice Elaine, Miss Helen ze swoim pensjonatem, Stuart Peters z kuźnią i stajnią, Ethan z biurem telegraficznym i pocztą. No i oczywiście był jeszcze cieszący się złą sławą, ale lubiany przez wszystkich bar na Main Street oraz położony naprzeciwko dom uciech o nazwie Hotel Daphne.

William, z lekko kpiącym uśmiechem na ustach, cierpliwie zniósł badawcze spojrzenie Elaine. Dziewczyna spojrzała w jego młodą twarz; gdy tak wykrzywiał usta, w jego policzkach tworzyły się dołeczki. I był świeżo ogolony! To też było nietypowe. Większość poszukiwaczy złota sięgała po brzytwę co najwyżej pod koniec tygodnia, gdy u Daphne organizowano tańce.

Elaine postanowiła sprowokować trochę nowego gościa. Być może w ten sposób wytrąci go z równowagi.

– Przynajmniej nie śmierdzi pan tak bardzo jak pozostali.

William się roześmiał.

– Jak do tej pory jezioro oferuje darmowe kąpiele. Ale już niedługo, jak mi mówiono, bo zrobi się za zimno. Zresztą złoto ponoć lubi zapach potu. Ten, kto najrzadziej się kąpie, wybiera z rzeki najwięcej samorodków.

Elaine nie mogła się powstrzymać od śmiechu.

– Nie powinien pan tego traktować poważnie. Inaczej będzie pan miał kłopoty z babcią. Proszę, gdyby zechciał pan to wypełnić... – Podsunęła mu formularz meldunkowy, próbując nie patrzeć zbyt ciekawie nad ladą. Starając się, by tego nie zauważył, czytała, co William wypełniał swym zamaszystym charakterem pisma. To też było nietypowe; niewielu poszukiwaczy złota potrafiło dobrze pisać.

William Martyn... Serce Elaine zaczęło uderzać odrobinę szybciej, gdy przeczytała jego nazwisko. Piękne nazwisko.

– Co mam tu wpisać? – zapytał William i wskazał na rubrykę z miejscem zamieszkania. – Dopiero co przybyłem. To mój pierwszy adres w Nowej Zelandii.

Elaine nie była już w stanie ukryć swego zainteresowania.

– Naprawdę? A skąd pan przybył? Nie, niech mi pan pozwoli zgadnąć. Moja babcia zawsze tak robi, gdy pojawiają się nowi klienci. Można poznać po akcencie, skąd ktoś przyjechał...

W przypadku większości imigrantów było to łatwe. Oczywiście czasami można się było pomylić. Dla Elaine, na przykład, Szwedzi, Holendrzy i Niemcy brzmieli prawie tak samo. Ale Szkotów i Irlandczyków potrafiła już zazwyczaj odróżnić bez problemu, szczególnie zaś łatwo można było poznać londyńczyków. Eksperci potrafili nawet powiedzieć, z jakiej dzielnicy ktoś pochodził. W przypadku Williama ocena była jednak trudna. Brzmiał jak Anglik, ale jego wymowa była jakby bardziej miękka, trochę przeciągał samogłoski.

– Jest pan z Walii – zgadywała Elaine, licząc trochę na szczęście. Jej babka ze strony matki, Gwyneira McKenzie-Warden, była Walijką, a wymowa Williama trochę przypominała sposób, w jaki mówiła babcia. Z drugiej strony Gwyneira nie mówiła jakimś wyraźnym dialektem. Była córką właściciela ziemskiego i jej guwernantki zawsze zwracały uwagę na pozbawioną akcentu angielszczyznę.

William potrząsnął głową, nie uśmiechając się jednak, na co Elaine liczyła.

– Jak pani wpadła na coś takiego? – zdziwił się. – Jestem Irlandczykiem, z hrabstwa Connemara.

Elaine się zaczerwieniła. Nigdy by jej to nie przyszło do głowy, choć w miejscach, gdzie szukano złota, nie brakowało Irlandczyków. Ci jednak posługiwali się zazwyczaj raczej prostackim dialektem, podczas gdy William wysławiał się w sposób jak najbardziej wyszukany.

Jakby chciał podkreślić swoje pochodzenie, wpisał do rubryki drukowanymi literami: Rezydencja Martynów, Connemara.

Nie wyglądało to tak, jakby chodziło o chatę jakiegoś chłopa, już raczej wskazywało na posiadłość…

– Zatem pokażę panu teraz pokój – powiedziała Elaine. Właściwie nie powinna sama odprowadzać gości na górę, a cóż dopiero mężczyzn. Babka Helen wpoiła jej, że do tego zadania powinna wzywać któregoś służącego albo którąś z pracujących u nich dziewczyn. Jednak w przypadku tego mężczyzny Elaine z przyjemnością zrobiła wyjątek. Wyszła zza lady recepcji, starając się przybrać wyprostowaną postawę, której nauczyła ją babcia, tłumacząc, że jest stosowna dla damy: głowa uniesiona z naturalnym wdziękiem, ramiona do tyłu. I żeby tylko nie zacząć się poruszać w ten wyzywający sposób, jak to robią dziewczyny Daphne!

Elaine miała nadzieję, że jej nie w pełni jeszcze dojrzałe piersi i dopiero co zasznurowana niezwykle wąska talia będą dostatecznie widoczne. W gruncie rzeczy nienawidziła sznurowanego gorsetu. Ale jeśli z tego powodu ten mężczyzna miałby zwrócić na nią uwagę...

William szedł za nią i cieszył się, że dziewczyna nie może go w tej chwili obserwować. Nie był w stanie się powstrzymać, by nie wpatrywać się pożądliwie w jej delikatne, ale we właściwych miejscach już odpowiednio zaokrąglone kobiece kształty. Czas spędzony w więzieniu, osiem tygodni na morzu i teraz ta jazda konno z Dunedin do złotonośnych obszarów w Queenstown... W sumie od prawie czterech miesięcy nie zbliżył się nawet do kobiety.

Tak właściwie to niewyobrażalnie długo. Najwyższy czas, by jakoś temu tutaj zaradzić! Chłopacy w obozie poszukiwaczy złota oczywiście wychwalali dziewczyny od Daphne; ponoć były ładne, a pokoje czyste. Ale wizja, że mógłby poflirtować z tą słodką, małą rudowłosą, podobała mu się znacznie bardziej niż myśl o szybkim zaspokojeniu w objęciach jakiejś biednej prostytutki.

Pokój, którego drzwi Elaine mu otworzyła, też mu się spodobał. Był porządny i prosto, ale z wyczuciem urządzony meblami z jasnego drewna. Na ścianach wisiały obrazki, był też dzban z wodą do mycia.

– Może pan również korzystać z łaźni – wyjaśniła Elaine, czerwieniąc się przy tym lekko. – Ale musi pan to wcześniej zameldować. Proszę pytać babcię, Mary albo Laurie.

Po tych słowach chciała się odwrócić do wyjścia, ale William delikatnie ją przytrzymał.

– A pani? Pani nie mogę pytać? – zapytał czułym głosem, uważnie jej się przypatrując.

Elaine uśmiechnęła się, mile połechtana pochlebstwem.

– Nie, zwykle mnie tutaj nie ma. Dzisiaj tylko zastępuję babcię. Ale... normalnie pomagam w składzie O'Kay. To sklep mojego ojca.

William skinął głową. A więc była nie tylko śliczna, ale też z dobrego domu. Ta dziewczyna podobała mu się coraz bardziej. A różnych narzędzi do wydobywania złota będzie i tak potrzebował.

– Zajrzę tam niebawem – stwierdził.

* * *

Elaine dosłownie unosiła się nad schodami. To było uczucie, jakby jej serce zamieniło się w balonik z gorącym powietrzem, który przy najlżejszym podmuchu wzniesie się w górę, pokonując wszelkie przyciąganie. Jej stopy prawie nie dotykały podłogi, a włosy zdawały się rozwiewać na wietrze, choć oczywiście w domu nie czuć było nawet najsłabszego podmuchu. Elaine promieniała; czuła się tak, jakby miała wziąć udział w jakiejś wielkiej, zaczynającej się właśnie przygodzie, i była przy tym tak piękna i niezwyciężona jak bohaterki tych zeszytowych powieści, które potajemnie czytywała w sklepiku Ethana.

Z takim wyrazem twarzy wyszła do ogrodu okalającego wielki dom, w którym mieścił się prowadzony przez Helen O'Keefe pensjonat. Elaine dobrze go znała; urodziła się w tym domu. Jej rodzice zbudowali go dla powiększającej się rodziny, gdy interesy zaczęły przynosić pierwsze zyski. Ale później stwierdzili, że w centrum Queenstown jest dla nich zbyt głośno i za ciasno. Zwłaszcza matka Elaine, Fleurette, która wychowywała się na wielkiej farmie owiec na Canterbury Plains, tęskniła za wiejskim życiem. Z tego powodu jej rodzice wybudowali nowy dom na bajecznej działce nad rzeką, której brakowało właściwie tylko jednego: złóż złota. Ojciec Elaine zarejestrował ją nawet początkowo jako działkę górniczą, ale niezależnie od tego, jak wiele talentów posiadał, w roli poszukiwacza złota okazał się beznadziejnym przypadkiem. Na szczęście Fleurette dostatecznie szybko się na tym poznała i nie zainwestowała swego posagu w bezsensowne przedsięwzięcie „kopalni złota", lecz w dostawy towarów. Głównie w łopaty i sita do płukania złota, które poszukiwacze dosłownie wyrywali sobie z rąk. I tak oto powstał później skład O'Kay.

Nowy dom nad rzeką Fleurette dowcipnie nazwała rezydencją Nugget, a z czasem nazwę tę zaczęto stosować powszechnie. Elaine dorastała tam szczęśliwie ze swoimi braćmi. Mieli konie i psy, a nawet kilka owiec, zupełnie jak w stronach, skąd pochodziła jej matka. Ruben przeklinał zawsze, gdy co roku musiał strzyc zwierzęta, a jego synów, Stephena i George'a, też niezbyt pociągało farmerskie życie. Elaine czuła zupełnie inaczej. Dla niej mały dom nigdy nie upodobnił się nawet do Kiward Station, wielkiej farmy owiec, którą na Canterbury Plains prowadziła babcia Gwyneira. Sama strasznie pragnęłaby żyć i pracować na takiej farmie i zazdrościła trochę swojej kuzynce, która miała ją w przyszłości odziedziczyć.

Elaine nie była jednak dziewczyną, która za dużo by nad tym rozmyślała. Uważała, że prawie równie interesujące jak praca na farmie jest zastępowanie babci w pensjonacie. Poza tym nie miała zbytniej ochoty iść do college'u jak jej starszy brat Stephen; studiował teraz prawo w Dunedin i tym samym spełniał marzenia ojca, który sam w młodości pragnął zostać prawnikiem. Ruben O'Keefe był niemal od dwudziestu lat sędzią pokoju w Queenstown i nie było dla niego nic przyjemniejszego na świecie niż prowadzenie prawniczych rozważań ze Stephenem. Młodszy z braci Elaine, George, uczęszczał jeszcze do szkoły, wyglądało jednak na to, że przejmie rodzinne obowiązki prowadzenia handlu. Już teraz z zapałem pomagał w sklepie i miał tysiące pomysłów, jak coś usprawnić.

Helen O'Keefe, która jak dotąd nic nie wiedziała o radosnym nastroju swej wnuczki ani o jego powodzie, nowo przybyłym Williamie Martynie, eleganckim ruchem napełniła herbatą filiżankę swego gościa Daphne O'Rourke.

To publiczne spotkanie przy herbatce sprawiało obu damom piekielną przyjemność. Wiedziały, że pół Queenstown plotkuje po cichu o dziwnej relacji obu właścicielek „hoteli". Helen ani trochę to nie żenowało. Jakieś czterdzieści lat temu Daphne, wówczas zaledwie trzynastoletnie dziewczę, wysłano do Nowej Zelandii pod jej opieką. Londyński przytułek dla sierot chciał się pozbyć kilku wychowanek, a w Nowej Zelandii potrzebne były dziewczyny do pomocy w gospodarstwie. Również dla Helen była to podróż w nieznane, na spotkanie przyszłości z nieznanym jej jeszcze mężczyzną. Kościół anglikański opłacił jej podróż jako opiekunce dziewczyny.

Helen, która wcześniej była guwernantką w Londynie, wykorzystała trzymiesięczną podróż, starając się nadać dziewczynie trochę towarzyskiej ogłady. Wspomnienie tego wciąż jeszcze drażniło Daphne. Jej zatrudnienie w charakterze służącej okazało się fiaskiem, podobnie zresztą jak małżeństwo Helen – choć po dłuższym czasie. Obie kobiety znalazły się w trudnej sytuacji, ale wykorzystały to najlepiej, jak mogły.

Odwróciły się, słysząc na tarasie na tyłach domu kroki Elaine. Helen uniosła pełną głębokich zmarszczek twarz. Zadarty nos zdradzał pokrewieństwo z Elaine. Jej włosy, kiedyś ciemnobrązowe i o lekko kasztanowym odcieniu, teraz przeplatały już siwe pasemka, wciąż jednak były długie i mocne. Helen wiązała je zazwyczaj w wielki, opadający na kark węzeł. W jej szarych oczach połyskiwała życiowa mądrość, ale wciąż była w nich też ciekawość – zwłaszcza teraz, gdy dostrzegła promienną minę Elaine.

– No, no, dziecko! Wyglądasz, jakbyś dostała właśnie prezent pod choinkę. Cóż się takiego stało?

Daphne, której kocie rysy zdawały się trochę twarde nawet wówczas, gdy się uśmiechała, nie oceniała Elaine w tak niewinny sposób. Widziała już ten wyraz twarzy u dziesiątek dziewcząt, które były przekonane, że wśród klientów natrafiły na swego księcia z bajki. A później Daphne godzinami musiała te dziewczyny pocieszać, gdy okazywało się, że książę z bajki to jednak żaba, albo wręcz obrzydliwa ropucha. Tak więc, gdy Elaine zbliżała się do nich teraz radosnym krokiem, twarz Daphne wyrażała czujność.

– Mamy nowego gościa! – wyjaśniła Elaine z zapałem. – Poszukiwacza złota z Irlandii.

Helen zmarszczyła czoło. Daphne roześmiała się, a w jej błyszczących zielonych oczach można było dostrzec kpinę.

– Nie pomylił przypadkiem drogi, Lainie? Irlandzcy poszukiwacze złota zazwyczaj lądują u moich dziewczyn.

Elaine potrząsnęła stanowczo głową.

– To nie jeden z tych… Przepraszam, Miss Daphne, chciałam powiedzieć… – pogubiła się w słowach. – To dżentelmen… tak myślę.

Zmarszczki na czole Helen stały się jeszcze głębsze. Miała już swoje doświadczenia z dżentelmenami.

– Kochanie – powiedziała Daphne ze śmiechem – nie ma czegoś takiego jak irlandzcy dżentelmeni. Cała tamtejsza szlachta wywodzi się z Anglii, bo wyspa jest od wieków w angielskich rękach. Jest to zresztą stan, który sprawia, że Irlandczycy wciąż jeszcze wyją jak wilki, a już zwłaszcza gdy wypiją sobie kilka szklanek. Większość naczelników klanów pozbawiono władzy i zastąpili ich angielscy szlachcice. A ci nie zajmują się od tej pory niczym innym jak wzbogacaniem się na Irlandczykach. W dodatku pozwalają, by tysiące ich dzierżawców głodowało. Prawdziwi dżentelmeni! Ale twój poszukiwacz złota z pewnością do takich nie należy! Tacy nie zostawiają swojej ziemi.

– Skąd pani tyle wie o Irlandii? – spytała zaciekawiona Elaine. Właścicielka domu uciech ją fascynowała, rzadko się jednak zdarzało, żeby miała okazję z nią porozmawiać.

Daphne się uśmiechnęła.

– Słodziutka, jestem Irlandką. Przynajmniej według papierów. A gdy imigranci chcą mi się wyżalić, niesamowicie ich to pociesza. Wyćwiczyłam się nawet, żeby mówić z akcentem… – ciągnęła dalej Daphne z wyraźnie irlandzką wymową, i nawet Helen się roześmiała. W rzeczywistości Daphne urodziła się gdzieś w londyńskiej dzielnicy portowej, nosiła jednak nazwisko irlandzkiej emigrantki. Bridie O'Rourke nie przeżyła morskiej podróży, jednak dzięki pewnemu angielskiemu marynarzowi w ręce Daphne trafił jej paszport.

„Dawaj, Paddy, możesz do mnie mówić Bridie".

Elaine zachichotała.

– No, tak to on jednak nie mówi… William, ten nowy gość.

– William? – zapytała wstrząśnięta Helen. – Ten młody mężczyzna przedstawił ci się imieniem?

Elaine szybko spuściła głowę, by nie wzbudzić niechęci wobec nowego lokatora.

– Oczywiście, że nie. Wyczytałam to z karty meldunkowej. Nazywa się Martyn. William Martyn.

– To nie brzmi jak irlandzkie nazwisko – zauważyła Daphne. – Nazwisko nieirlandzkie, mówi bez akcentu… To mi nie wygląda tak jak trzeba. Gdybym była na pani miejscu, dobrze bym mu się przyjrzała, Miss Helen!

Elaine obrzuciła ją wrogim spojrzeniem.

– To porządny człowiek, wiem o tym! Kupi nawet narzędzia w naszym sklepie…

Ta myśl ją pocieszyła. Skoro William przyjdzie do nich do sklepu, to znów go zobaczy, wszystko jedno, co babcia o tym myśli.

– Ach! I to oczywiście sprawia, że jest szlachetnym człowiekiem?! – kpiła Daphne. – No, dajmy już spokój, Miss Helen. Porozmawiajmy o czymś innym. Słyszałam, że oczekuje pani gości z Kiward Station. Czy to Miss Gwyn?

Elaine przysłuchiwała się jeszcze chwilę rozmowie, po czym się wycofała. O odwiedzinach jej drugiej babci oraz kuzynki dość już w końcu mówiono przez ostatni tydzień. W dodatku krótka wizyta Gwyneiry nie była żadną sensacją. Często odwiedzała swoje dzieci i wnuki, a przede wszystkim przyjaźniła się blisko z Helen O'Keefe. Kiedy zatrzymywała się w jej hotelu, często plotkowały do późna w nocy. Niezwykłe natomiast było to, że tym razem Gwyn miała towarzyszyć kuzynka Elaine, Kura. Jak dotąd coś takiego się nie zdarzyło i wydawało się troszkę… owiane skandalem! Matka Elaine i babcia ściszały zazwyczaj głos, gdy poruszały ten temat, nie pozwalano też dzieciom, by czytały listy od Gwyneiry. Zdawało się, że Kura niewiele sobie robi z podróży do swych krewnych w Queenstown.

Elaine prawie nie znała Kury, choć były w tym samym wieku. Kura była o dobry rok młodsza od Elaine. Mimo to podczas nieczęstych odwiedzin Elaine w Kiward Station niewiele miały sobie do powiedzenia. Ich charaktery za bardzo się różniły. Tak więc, gdy tylko Elaine przybywała do Kiward Station, nie miała w głowie nic prócz jazdy konnej i zaganiania owiec. Fascynował ją bezmiar niekończących się pastwisk i setki dających wełnę owiec, które się na nich pasły. W dodatku jej matka podczas pobytu na farmie naprawdę rozkwitała. Cieszyło ją, gdy ścigały się konno, pędząc w stronę ośnieżonych szczytów, które mimo ostrego galopu zdawały się nie zbliżać nawet o cal.

Kura natomiast najchętniej spędzała czas w domu lub w ogrodzie, niemal nie spuszczając z oczu nowego fortepianu, który przybył z Anglii do Christchurch razem z transportem towaru dla O'Keefe'ów. Elaine uważała ją z tego powodu za dość głupią, ale oczywiście miały wtedy zaledwie dwanaście lat. I jakąś rolę odgrywała też na pewno zazdrość. Kura była dziedziczką Kiward Station. To do niej miały kiedyś należeć wszystkie te konie, owce i psy – i nawet nie potrafiła tego docenić!

Teraz Elaine miała już szesnaście lat, a Kura piętnaście. Z pewnością dziewczęta znajdą więcej wspólnych zainteresowań, i tym razem to Elaine będzie mogła pokazać kuzynce swój świat! Na pewno spodoba jej się w małym, pełnym życia Queenstown nad jeziorem Wakatipu, z tymi górami, o tyle bliższymi niż na Canterbury Plains. Życie w miasteczku było ekscytujące; ci wszyscy poszukiwacze złota z wszelkich możliwych krajów i ten pionierski duch, który nie ograniczał ludzi jedynie do chęci przetrwania. Queenstown miało świetny amatorski teatr prowadzony przez pastora, grupy taneczne, a kilku

Irlandczyków założyło zespół i grali w pubie albo w ośrodku parafialnym irlandzką muzykę.

Elaine pomyślała, że i o tym musi koniecznie wspomnieć Williamowi. Może będzie miał ochotę pójść z nią na tańce? Teraz, gdy już pozostawiła samym sobie sceptyczne damy w ogrodzie, na jej twarz powrócił promienny blask. Pełna nadziei skierowała się z powrotem w stronę recepcji. Może William znów będzie tamtędy przechodził...

Najpierw jednak pojawiła się babcia Helen. Uprzejmie podziękowała Elaine za to, że ją zastąpiła, i dała do zrozumienia, że jej obecność nie jest już konieczna. Powoli się ściemniało i z pewnością był to jeden z powodów, dla których Helen i Daphne nie przedłużały swojego spotkania. Pod wieczór otwierano pub, więc Daphne musiała dopilnować porządku. Helen chciała szybko rzucić okiem na wpis meldunkowy nowego gościa, który wywarł tak silne wrażenie na jej wnuczce. Daphne, która już się zbierała do wyjścia, zajrzała jej przez ramię.

– Pochodzi z posiadłości Martynów... Brzmi szlachecko – stwierdziła. – Ale czy to rzeczywiście dżentelmen?

– Tego szybko się dowiem – odparła zdecydowanie Helen.

Daphne skinęła głową i uśmiechnęła się lekko. Tego młodzieńca oczekuje teraz godne inkwizycji przesłuchanie. Helen nie bardzo zważała na emocjonalne związki.

– I uważaj na tę małą! – rzuciła jeszcze Daphne na odchodne. – Już traci głowę dla tego irlandzkiego cud-chłopca, a to może mieć poważne konsekwencje. Zwłaszcza w przypadku dżentelmena.

Ku zdziwieniu Helen ocena nowego gościa wcale nie wypadła tak źle. Wręcz przeciwnie: gdy młody mężczyzna pierwszy raz pokazał jej się na oczy, był świeżo ogolony i porządnie ubrany – Helen zauważyła, że jego marynarka była z najlepszego sukna. Grzecznie zapytał, gdzie mógłby zjeść kolację, a Helen zaproponowała mu, żeby się stołował u niej, tak jak inni goście pensjonatu. Właściwie należało coś takiego zgłosić wcześniej, ale jej pracowite kucharki, Mary i Laurie, jakoś wyczarują dodatkową kolację. Tak oto William zasiadł za bogato zastawionym stołem w gustownie urządzonej jadalni, w towarzystwie dość sztywnej młodej kobiety, która pracowała w niedawno otwartej szkole, oraz dwóch pracowników banku. Z początku irytowała go obsługa: Mary i Laurie, dwie wesołe, krągłe blondynki, okazały się bliźniaczkami i William, choć uważnie im się przyjrzał, nie umiał ich odróżnić. Pozostali goście zapewnili go jednak ze śmiechem, że to zupełnie normalne i że jedynie Helen O'Keefe potrafi je odróżnić. Słysząc to, Helen się uśmiechnęła. Wiedziała, że Daphne też to potrafi.

Wspólny posiłek stwarzał oczywiście idealne warunki, by trochę popytać Williama Martyna. Helen nawet nie musiała zadawać mu pytań sama, robili to za nią jej zaciekawieni goście.

Tak, naprawdę jest Irlandczykiem, potwierdził William wiele razy, i nawet dość opryskliwym tonem, kiedy pracownicy banku zwrócili mu uwagę na brak akcentu. Jego ojciec hodował owce w hrabstwie Connemara. Ta informacja utwierdziła Helen w przekonaniu, jakiego nabrała od razu, gdy tylko usłyszała Williama: był świetnie wykształconym młodym człowiekiem, któremu nigdy nie pozwolono by mówić z silnym, pospolitym akcentem.

– Ale jest pan angielskiego pochodzenia, prawda? – dopytywał się jeden z bankierów. Pochodził z Londynu i zdawał się mieć jakieś pojęcie o Irlandczykach.

– Rodzina mego ojca przybyła z Anglii przed dwustu laty! – wyjaśnił rozdrażnionym głosem William. – A skoro już chcą panowie mówić o imigrantach…

Bankier uniósł ręce w uspokajającym geście.

– Już dobrze, mój przyjacielu! Jak widzę, jest pan patriotą. Cóż więc wygnało pana z Zielonej Wyspy? Kłopoty z tą sprawą wokół *home rule*? Można się było spodziewać, że lordowie to odrzucą. Ale skoro pan sam…

– Nie jestem żadnym wielkim właścicielem ziemskim – zauważył lodowatym tonem William. – A już tym bardziej earlem. Być może mój ojciec w pewnym sensie sympatyzuje z Izbą Lordów, ale… – Zagryzł wargi. – Przepraszam państwa. To nie miejsce na takie rozmowy.

Helen postanowiła zmienić temat, nim ten narwaniec zacznie reagować z jeszcze większą popędliwością. Jeśli chodzi o temperament, to z pewnością był Irlandczykiem. I na dodatek poróżnił się z ojcem. Możliwe, że to było powodem jego wyjazdu.

– I teraz zamierza pan szukać złota, Mr Martyn? – zapytała jakby od niechcenia. – Zarezerwował już pan jakąś działkę?

William wzruszył ramionami. Nagle zaczął sprawiać wrażenie niepewnego.

– Nie bezpośrednio – odparł z wahaniem. – Oferowano mi kilka miejsc, które są ponoć obiecujące, ale nie mogę się zdecydować...

– Powinien pan sobie znaleźć wspólnika – doradził starszy z bankierów. – Najlepiej kogoś doświadczonego. Na złotonośnych terenach jest dość weteranów, którzy przeżyli gorączkę złota w Australii.

William wydął usta.

– I co miałbym zrobić ze wspólnikiem, który szuka złota od dziesięciu lat i wciąż jeszcze nic nie znalazł? Mogę sobie tego oszczędzić.

– W jego błękitnych oczach można było dostrzec pogardę.

Bankierzy się roześmiali. Helen natomiast uznała, że ta wielkopańska poza jest raczej nie na miejscu.

– Może i ma pan trochę racji – stwierdził w końcu bankier. – Ale tu nikt nie zrobił na tym wielkiego majątku. Jeśli chciałby pan poważnej porady, młody człowieku, to niech pan zapomni o całym tym szukaniu złota. Niech się pan lepiej zajmie czymś, na czym się pan zna. Nowa Zelandia to prawdziwy raj dla tych, którzy chcą założyć firmę. Praktycznie każdy normalny zawód pozwala zarobić więcej niż to kopanie za złotem.

„Ciekawe tylko, czy ten młodzieniec wyuczył się jakiegoś porządnego zawodu" – pomyślała Helen. Jak dotąd wydawał jej się dobrze wychowanym, lecz jednak dość rozpieszczonym paniczem z bogatego domu. Zobaczymy, jak zareaguje, gdy podczas szukania złota na jego palcach pojawią się pierwsze odciski.

# 2

– Co wy tu wyrabiacie?

I tak już kiepski nastrój James McKenzie wyładowywał na synu i jego dwóch przyjaciołach, Honem i Maace. Trzej chłopcy przymocowali kosz do jednej z dodających egzotycznej atmosfery kordylin, które rosły przy wjeździe na Kiward Station, i teraz rzucali do niego piłką. W każdym razie do chwili, gdy ujrzeli zdenerwowane oblicze ojca Jacka.

Nie rozumieli, dlaczego był na nich taki wściekły. No dobrze, może ogrodnik nie byłby zadowolony, że zamienili podjazd w boisko. W końcu to on grabił biały żwir na ścieżce i pielęgnował rabaty. Matka Jacka też przykładała wagę do wyglądu podjazdu przed Kiward Station i może nie byłaby zachwycona, widząc tu kosz do gry i zdeptaną trawę. Ojcu Jacka takie drobiazgi były jednak zwykle obojętne. Chłopcy prędzej by się po nim spodziewali, że złapie piłkę, która spadła mu właśnie pod nogi, i sam spróbuje nią trafić do kosza.

– Czy nie powinniście być o tej porze w szkole?

Ach, a więc o to chodziło! Jack uśmiechnął się do ojca z wyraźną ulgą.

– W sumie tak, ale Miss Witherspoon puściła nas już do domu. Musi się pakować, no i… do podróży. Nawet nie wiedziałem, że też jedzie.

Na twarzach chłopców – zarówno na piegowatej Jacka, jak i na szerokich, brązowych twarzach młodych Maorysów – widoczna była radość, że trafiło im się kilka dodatkowych dni wolnego. James natomiast mógłby teraz wybuchnąć, tak jak stał. Heather Witherspoon, młoda wychowawczyni, była znacznie lepszym celem niż trójka koszykarzy.

– A to mi nowina! – grzmiał McKenzie. – Nie róbcie sobie przedwczesnych nadziei. Szybko wybiję tej damie z głowy takie plany!

Teraz rzeczywiście podniósł piłkę, rzucił nią do kosza i ku swemu zdumieniu trafił.

Monday, suczka, która niemal nie odstępowała od jego nogi, z zapałem rzuciła się na piłkę. Jackowi z trudem udało się ją ubiec. Aż strach pomyśleć, co by było, gdyby przegryzła prawdziwą piłkę do koszykówki, na którą z taką niecierpliwością czekał, nim dostarczono ją wreszcie z Ameryki. Christchurch, najbliżej od Kiward Station położona osada, powoli przeistaczała się w prawdziwe miasto, ale drużyny koszykówki jeszcze tam nie mieli.

James uśmiechnął się do syna, Monday zaś – śliczna, trójbarwna suczka collie – równie obrażonym co pożądliwym wzrokiem wodziła za piłką.

Jack przywołał ją do siebie i pogłaskał. Z ulgą odpowiedział uśmiechem na uśmiech Jamesa. Najwyraźniej znów wszystko było w porządku. Ojciec i syn kłócili się rzadko; byli też bardzo do siebie podobni – choć rudy odcień włosów i piegi syn odziedziczył po Gwyneirze – a i charaktery też mieli jednakowe. Już jako malutki chłopiec Jack chodził za ojcem niczym szczeniaczki jego psów pasterskich po stajniach i szopach, siadał przed nim w siodle, przy czym jazda nigdy nie była dla niego dość szybka, i tarzał się z psami na sianie. Teraz miał już trzynaście lat i był prawdziwą pomocą na farmie. Podczas ostatniego letniego spędu owiec mógł po raz pierwszy pojechać z ojcem i był niesamowicie dumny, że pozwolono mu pracować razem z innymi. James i Gwyneira McKenzie też czuli podobnie. Oboje wciąż na nowo cieszyli się cudem tego późno urodzonego dziecka. Żadne z nich nie myślało już przecież o dziecku, gdy po nieskończonych latach nieszczęśliwej miłości, rozstań, nieporozumień i przeciwności losu wreszcie powiedzieli sobie „tak". Gwyneira miała wówczas już ponad czterdzieści lat i nikt na świecie nie przypuszczał, że jeszcze zajdzie w ciążę. Mały Jack nie przejął się tym jednak, a nawet mu się aż za bardzo spieszyło: przyszedł na świat siedem miesięcy po ślubie, po zupełnie bezproblemowej ciąży i stosunkowo lekkim porodzie.

Choć zmierzając podjazdem w stronę domu, James wciąż czuł rozdrażnienie, na myśl o Jacku uśmiechnął się lekko. Wszystko, co wiązało się z tym dzieckiem, było proste: Jack był nieskomplikowany, rozgarnięty, świetnie sobie radził z pracami na farmie i byłby zapewne bardzo dobrym uczniem, gdyby tylko ta Miss Witherspoon wysilała się trochę bardziej!

James zmarszczył czoło. Już sama myśl o młodej nauczycielce, którą Gwyneira sprowadziła tu przede wszystkim dla swojej wnuczki Kury, wywoływała w nim wściekłość. A przy tym nie robił o to żadnych wyrzutów swojej żonie: Kura-maro-tini, córka jej syna i jego żony, Maoryski o imieniu Marama, wymagała sprowadzenia guwernantki. Dziewczyna naprawdę wchodziła już Gwyneirze na głowę, a co dopiero swojej matce, Maramie. W dodatku Gwyneira nie była szczególnie utalentowanym pedagogiem. O ile miała cierpliwość do koni i psów, szybko traciła nerwy, jeśli przychodziło jej pilnować, żeby litery nie były pisane zbyt krzywo. Marama była spokojniejsza, ale dwa lata temu ponownie wyszła za mąż i miała teraz inne sprawy na głowie. Poza tym sama ukończyła zaledwie zaimprowizowaną przez Helen „szkołę w buszu" – a od dziedziczki Kiward Station Gwyneira oczekiwała jednak lepszego wykształcenia.

Heather Witherspoon wydawała się idealnym wyborem, choć James podejrzewał, że Gwyn wybrała ją przede wszystkim dlatego, że jej imię, „Heather", brzmiało trochę podobnie do „Helen". James zawsze ufał Gwyneirze, gdy dobierała postrzygaczy, ale jeśli chodziło o ocenę kwalifikacji nauczycieli, to tej umiejętności już jej brakowało. I zainteresowania. Tak oto decyzja podjęta została szybko i bez głębszego zastanowienia – no i teraz mieli tę Heather na głowie. Z pewnością miała świetne wykształcenie, ale w sumie była jeszcze prawie dzieckiem, i to wcale nie mniej rozpieszczonym niż ich wychowanka Kura. James już dawno chętnie by się z nią rozstał; przecież w dzisiejszych czasach podróż do Nowej Zelandii nie musiała oznaczać wyjazdu na całe życie. Od czasu parowców rejsy stały się krótsze i bezpieczniejsze. Po ośmiu tygodniach, już w Anglii, Miss Witherspoon mogłaby znów oczarowywać ludzi swoimi zdolnościami. Tyle tylko, że taka decyzja byłaby całkowicie sprzeczna z wolą Kury-maro-tini, która błyskawicznie zaprzyjaźniła się ze swoją guwernantką. A wybuchu gniewu tej dziewczyny nie zamierzała ryzykować ani Gwyneira, ani Marama!

James zazgrzytał zębami ze złości i odłożył płaszcz w przedpokoju. Kiedyś był to westybul, w którym podejmowano gości, ze srebrną wazą i małym stoliczkiem, na którym zostawiano karty wizytowe.

Gwyneira już dawno usunęła stąd tę wazę. Zarówno ona, jak i maoryskie służące uważały, że ciągłe czyszczenie srebra to zbyteczne zajęcie. Teraz stał tu niebieski wazon z gałązkami żelazownika, dodając pomieszczeniu przytulności.

James nie był jednak w nastroju, żeby podziwiać ten widok; wciąż jeszcze gotował się z gniewu na młodą nauczycielkę. Już od dwóch lat rodzina McKenziech przyglądała się, jak Miss Witherspoon w karygodny sposób pozwala sobie na zaniedbywanie obowiązków wobec Jacka i pozostałych dzieci! A przy tym zawarta z nią umowa jasno określała, że oprócz opłacanych prywatnie godzin z Kurą, ma się też troszczyć o podstawowe wykształcenie dzieci z maoryskiej wioski. Powinna codziennie prowadzić tam zajęcia. Jackowi by to nie przeszkadzało, a Kurze z pewnością też by nie zaszkodziło, gdyby brały udział w tych lekcjach. Heather Witherspoon starała się jednak od nich wywinąć tak często, jak tylko mogła. Dorośli tubylcy, mówiła, wzbudzają w niej lęk, a ich dzieci nie może znieść. A jeśli już zniżała się do tego, by poprowadzić dla nich lekcje, dostosowywała przerabiany materiał do Kury, co dla większości dzieci z wioski było zbyt trudne i je nudziło. Heather Witherspoon czytała im na przykład książki dla dziewcząt, przeważnie takie, w których małe księżniczki spotykał los Kopciuszka, nim na koniec zostały wynagrodzone za wszelkie dobre uczynki. Dla tutejszych dzieci przedstawiany w nich świat był zupełnie obcy, Heather nie czyniła zaś najmniejszych wysiłków, by im go przybliżyć. A maoryskich chłopców takie historie doprowadzały po prostu do szału. Co ich obchodziły cierpliwie znoszące przeciwieństwa losu księżniczki? Chcieli historii o piratach, rycerzach i przygodach.

James obrzucił szybkim spojrzeniem przedpokój, którego Gwyneira używała teraz jako biura. Jego żony tu nie było, przeszedł więc zastawiony drogimi angielskimi meblami salon, mrucząc pod nosem. Czy ta cała Miss Witherspoon nie mogłaby im przeczytać *Wyspy skarbów* albo historii o Robin Hoodzie, albo rycerzu Lancelocie, którymi tak zachwycali się w dzieciństwie Fleurette i Ruben?

Z dawnego salonu dla panów, który zamieniono w swego rodzaju szkolną salę i pokój do ćwiczeń muzycznych, dobiegały dźwięki fortepianu. James szybko tam zajrzał, istniała przecież możliwość, że jego ofiara udzielała właśnie Kurze lekcji muzyki. W gruncie rzeczy James nie oczekiwał niczego innego. To było typowe, że Kura wolała pozostawić wszelkie przygotowania do wyjazdu na głowie babci i guwernantki, sama oddając się przyjemnościom. Później będzie się skarżyć, że nie zapakowano dla niej właściwych ubrań.

James zatrzasnął drzwi, nie odzywając się do szczupłej, czarnowłosej dziewczyny. Jakoś nie działała na niego uderzająca piękność Kury, której egzotyczną urodę wychwalał praktycznie każdy, kto widział ją po raz pierwszy. A niektórym na jej widok zapierało wręcz dech od czasu, gdy Kura zaczęła coraz bardziej stawać się kobietą. James nadal, tak jak wcześniej, dostrzegał w niej jedynie dziecko – rozpuszczone dziecko – i to takie, którego humory doprowadzały często do rozpaczy jej rodzinę i pracujących w Kiward Station ludzi.

Wspinając się po szerokich schodach łączących salon i pomieszczenia gospodarcze na dole z pokojami na górnym piętrze, James usłyszał gniewne głosy dobiegające z pokoju Kury. Gwyneira i Miss Witherspoon. James wyszczerzył zęby. Najwyraźniej żona go ubiegła.

– Nie, Miss Heather, Kura w żadnym razie pani nie potrzebuje. Przez kilka tygodni obędzie się bez lekcji śpiewu, przy czym nie przypominam sobie, bym zatrudniała tu panią jako nauczycielkę muzyki. I tak wciąż pani narzeka, że tutaj już niczego nie jest pani w stanie Kury nauczyć! A jeśli chodzi o lekcje gry na fortepianie i pozostałe przedmioty… jeśli Kura bez tego wszystkiego, o czym pani mówi, miałaby uschnąć niczym kwiat na pustyni, to może panią zastąpić moja przyjaciółka Helen. Helen nauczyła alfabetu więcej dzieci, niż jest sobie pani w stanie wyobrazić, i gra też w kościele na organach!

James śmiał się w duchu. Gwyneira naprawdę wiedziała, jak besztać ludzi. Wiele razy miał okazję sam tego doświadczyć – i za każdym razem nie był do końca pewien, czy ma wpaść w gniew, czy w podziw. Choćby sama poza, jaką przyjmowała Gwyn podczas swoich tyrad! Normalnie robiła wrażenie raczej niskiej i szczupłej, choć bardzo energicznej. Jeśli jednak wpadała we wściekłość, jej rude włosy wyglądały jak naładowane elektrycznością, a niesamowite błękitne oczy ciskały iskry. I wciąż nie było po niej widać, ile ma już lat. Co prawda próbowała od niedawna ujarzmić swe loki, wiążąc je w węzeł na karku, jednak kilku kosmykom zawsze udawało się uwolnić.

Oczywiście czas nie oszczędził jej twarzy i przydał kilku zmarszczek. Gwyn niezbyt często używała parasolki na słońcu, podobnie zresztą jak na deszczu – od zawsze wystawiała swą skórę na wpływy natury Canterbury Plains. Jamesowi nigdy nie przyszło do głowy, by któraś z tych zmarszczek mu przeszkadzała. To samo dotyczyło pionowej linii między jej brwiami, która tworzyła się, gdy Gwyneira była na coś zła. Tak jak teraz. – Żadnych „ale"!

Heather Witherspoon musiała powiedzieć coś, czego James nie dosłyszał.

– Miejsce, w którym pani naprawdę jest potrzebna, Miss Heather, jest tutaj! Niektóre maoryskie dzieci wciąż jeszcze nie potrafią pisać i czytać. A mojemu synowi też przydałyby się zajęcia, które byłyby stosowniejszym dla niego wyzwaniem. Tak więc niech pani rozpakuje z powrotem swoje rzeczy i weźmie się za właściwą pracę. W tej chwili dzieci powinny mieć zajęcia w szkole. A zamiast tego grają na dworze w piłkę!

A więc to również nie umknęło Gwyn. James zaklaskał w dłonie, gdy gwałtownie wyszła z pokoju.

Gwyneira wystraszyła się, gdy na niego wpadła. A potem uśmiechnęła się do niego.

– Co tu robisz? Też jesteś na wojennej ścieżce? Samowola naszej Miss Heather naprawdę przekracza wszelkie granice!

James skinął głową. Humor zawsze mu się poprawiał, gdy Gwyneira była przy nim. Minęło już szesnaście lat, i nie było dnia, żeby byli rozdzieleni, ale jej widok wciąż jeszcze go uszczęśliwiał. Wielka szkoda, że teraz nie będzie jej miał przy sobie, możliwe nawet, że przez parę tygodni.

Gwyneira natychmiast zauważyła jego kiepski nastrój.

– Co się z tobą dzieje? Przez cały czas chodzisz z miną jak gradowa chmura! Nie odpowiada ci, że wyjeżdżamy?

Z początku Gwyneira chciała zejść za mężem po schodach, ale usłyszała Kurę grającą na fortepianie. Oboje jak na komendę skręcili do swoich pokoi. W salonie ściany mogły mieć uszy.

– Czy mi to pasuje, to w ogóle nie ma znaczenia – stwierdził ponuro James. – Po prostu nie wiem, czy cała ta podróż to taki dobry pomysł…

– Żeby zapanować nad Kurą? – zapytała Gwyn. – Nie zaprzeczaj. Słyszałam, jak rozmawiałeś o tym w stajni z Andym McAranem. To niezbyt dyskretne, jeśli chcesz znać moje zdanie…

Gwyneira wyjęła kilka rzeczy z szafy i spakowała je do jednej z walizek. Tym samym dawała mu znać, że decyzja o podróży już zapadła.

Rozdrażnienie Jamesa przeradzało się w prawdziwy gniew.

– To Andy tak się wyraził. A jeśli już chcesz wiedzieć, to powiedział: Musicie zrozumieć, że trzeba jakoś zapanować nad tą małą, bo jak nie, to Tonga wyswata ją z pierwszym lepszym maoryskim łobuzem, który mu będzie posłuszny. Więc jak według ciebie powinienem zareagować? Zwolnić Andy'ego McArana? Za to, że powiedział prawdę?

Andy McAran należał do ludzi, którzy pracowali w Kiward Station najdłużej. Podobnie jak James, Andy był tu już w czasach, gdy Gwyneira przybyła z Anglii do Nowej Zelandii jako narzeczona dziedzica posiadłości Lucasa Wardena. Andy, James i Gwyn właściwie nie mieli przed sobą tajemnic.

Gwyneira porzuciła prowokacyjny ton. Usiadła na skraju łóżka. Monday natychmiast przylgnęła do jej nóg, łasząc się.

– No to co powinniśmy zrobić? – zapytała, głaszcząc suczkę. – Zapanować nad nią… Łatwo powiedzieć, ale Kura to nie jest pies czy koń. Nie mogę jej po prostu kazać…

– Gwyn, twoje psy i konie zawsze cię chętnie słuchały, i to bez przemocy, bo od początku je porządnie wychowywałaś. Z miłością, ale konsekwentnie. Kurze za to pozwalasz na wszystko! A Marama też nigdy za bardzo nie pomagała. – James chętnie wziąłby żonę w ramiona, by pozbawić swe słowa ostrości, postanowił jednak tego nie robić. Najwyższa pora, żeby poważnie o tym porozmawiać.

Gwyneira zagryzła wargi. Temu nie mogła zaprzeczyć. Tak naprawdę to Kurze-maro-tini, dziedziczce Kiward Station i nadziei zarówno lokalnego plemienia Maorysów, jak i białych założycieli farmy, nikt jeszcze nie wytyczył granic. Nie zrobili tego ani Maorysi, którzy nigdy nie traktowali swych dzieci zbyt surowo, pozostawiając ich zdyscyplinowanie otoczeniu, gdzie musiały przeżyć, ani też Gwyneira, która powinna była lepiej wiedzieć, co dla niej najlepsze. W końcu już w przypadku Paula, jej syna, a ojca Kury, za bardzo popuściła cugle. Paul był owocem gwałtu; nigdy nie była w stanie naprawdę go pokochać. Efekty były takie, że jako dziecko był trudny, później wyrósł na gniewnego, porywczego młodzieńca, a zatargi z wodzem Maorysów Tongą w końcu przyniosły mu śmierć. Tonga, młody i wykształcony, ostatecznie zatriumfował, a zgodnie z orzeczeniem gubernatora zakup ziemi dla Kiward Station został uznany za niezgodny z prawem. Gwyneira, chcąc zachować farmę, musiała się zgodzić na odszkodowanie dla rdzennych mieszkańców. Warunki postawione przez Tongę były jednak niemożliwe do przyjęcia. Dopiero Marama doprowadziła do zawarcia pokoju. Dziecko mające w sobie krew *pakeha* i Maorysów miało zostać dziedzicem Kiward Station, a tym samym ziemia należałaby do wszystkich. Nikt też nie odmawiał Maorysom prawa, by tu obozowali, Tonga zaś ze swej strony nie rościł praw do gruntów będących sercem farmy.

Gwyneira i większość ludzi z maoryskiego plemienia byli bardzo zadowoleni z takiego rozwiązania. Jedynie w młodym wodzu wciąż jeszcze gotował się gniew na *pakeha*, znienawidzonych białych osadników. Paul Warden przez całe życie z nim rywalizował nie tylko o prawo do ziemi, ale też o Maramę. Po śmierci Paula Tonga z pewnością liczył na to, że po stosownym okresie żałoby Marama zwróci na niego uwagę. Z początku jednak Marama w ogóle nie była zainteresowana nowym partnerem; wraz z dzieckiem przeprowadziła się do dworku. A później nie zdecydowała się na Tongę ani na żadnego innego mężczyznę ze swego plemienia, lecz zakochała się na zabój w jednym z postrzygaczy, którzy całą grupą przybyli wiosną do Kiward Station. Młody mężczyzna żywił do niej podobne uczucia i szybko doszli do porozumienia. Rihari również był Maorysem, należał jednak do innego plemienia. Mimo wszystko zdecydował się zostać. Był miły w obyciu i przyjazny, natychmiast też połapał się w sytuacji: nie było szans na to, żeby zabrać Kurę z Kiward Station, a Marama nie zgodziłaby się odejść z nim sama do Otago, gdzie żyło jego plemię. Poprosił więc o przyjęcie do jej plemienia, Tonga zaś, zgrzytając zębami, wyraził zgodę. Od tego czasu para żyła w wiosce Maorysów, a Kura, na własne życzenie, pozostała w dworku.

W ostatnim jednak czasie jej ścieżki coraz częściej wiodły do wioski nad jeziorem, przy czym odwiedzanie matki było jedynie pretekstem. Kura odkryła miłość. Zalecał się do niej młody Tiare – i to wcale nie w tak niewinny sposób, jaki był normalny wśród dzieci *pakeha* w tym samym wieku.

Gwyneira, która swego czasu ze spokojem tolerowała miłostki swej córki Fleur i Rubena O'Keefe'a, tym razem była zaniepokojona. Znane jej było dość swobodne podejście Maorysów do seksu. Mężczyzna i kobieta mogli się kochać do woli. Małżeństwo uznawano dopiero wówczas, gdy we wspólnym domu plemienia dzielili łoże. To, co mogło się dziać wcześniej, plemienia nie interesowało, a dzieci zawsze były mile widziane. Kurze zdawały się odpowiadać takie zwyczaje – Marama zaś najwyraźniej nie zamierzała w tej kwestii niczego przedsięwziąć.

Gwyneira, James i wszyscy pozostali myślący inaczej ludzie z Kiward Station obawiali się jednak wpływów Tongi. Naturalnie Gwyneira liczyła na to, że Kura wyjdzie za mąż za białego mężczyznę o podobnej pozycji – dziewczyna jednak jak dotąd nie chciała o tym słyszeć. Piętnastolatka wbiła sobie do głowy, że chce zostać śpiewaczką, a jej niezwykle piękny głos i muzykalność stwarzały ku temu świetne warunki. Ale kariera śpiewaczki operowej w tak młodym kraju, w dodatku o tak purytańskich obyczajach? W Christchurch dopiero teraz rozpoczęto wznoszenie katedry, w innych częściach kraju dopiero budują linie kolejowe... Nikt nie myślał o teatrze dla Kury Warden! Heather Witherspoon wbiła oczywiście Kurze do głowy pomysły z konserwatorium w Europie, naopowiadała jej o operach w Londynie, Paryżu i Mediolanie, które tylko czekają na talent jej pokroju... Ale nawet gdyby Gwyneira – i Tonga – wyrazili na to zgodę, Kura była przecież Maoryską, egzotyczną pięknością, którą każdy podziwiał. Tylko czy traktowano by ją poważnie? Czy traktowano by ją jak śpiewaczkę, czy może byłaby jedynie egzotycznym kuriozum? Co by się stało z tym dzieckiem, gdyby Gwyneira rzeczywiście wysłała je do Europy?

Zdawało się, że Tonga już teraz chciał rozwiązać ten problem po swojemu. Nie tylko Andy McAran podejrzewał, że za młodzieńczą miłością Kury stoi pociągający za sznurki Tonga. Tiare był jego kuzynem; związek z nim umocniłby znacznie pozycję Maorysów w Kiward Station. A przecież chłopak miał dopiero szesnaście lat i Gwyneira nie uważała, żeby był zbyt bystry. Tiare w roli pana na Kiward Station, obok zupełnie niezainteresowanej farmą, brzdąkającej na fortepianie Kury! Dla Tongi byłby to z pewnością życiowy sukces, ale dla Gwyn coś takiego było nie do pomyślenia.

– Zabranie Kury na kilka tygodni do Queenstown nic nie pomoże – stwierdził James. – Wręcz przeciwnie. Tam dopiero dziesiątki poszukiwaczy złota padną przed nią na kolana. Będzie się pławić w komplementach, każdy będzie uważał, że jest czarująca, i na koniec znów to jej będzie na wierzchu. A kiedy wróci, wciąż będzie miała Tiare. A jeśli ci się wydaje, że w jakiś sposób się go pozbędziesz, Tonga z pewnością znajdzie innego. W ten sposób niczego nie osiągniesz, Gwyn.

– Ale przecież ona będzie coraz starsza i rozsądniejsza – wtrąciła Gwyn.

James przewrócił oczami.

– Widzisz jakieś tego oznaki? Jak dotąd jest tylko coraz bardziej szalona! A ta cała Heather Witherspoon też niezbyt pomaga. Najchętniej odesłałbym ją od razu do Anglii, wszystko jedno, czy spodobałoby się to naszej księżniczce czy nie.

– Ale jeśli Kura się zaprze, też nic nie osiągniemy. W ten sposób popchniemy ją tylko w ręce tych Maorysów…

James przysiadł na łóżku obok Gwyn. Wtuliła się w niego, szukając pociechy.

– Że też to wszystko musi być takie skomplikowane – westchnęła w końcu. – Wolałabym, żeby to Jack był dziedzicem, wtedy nie musielibyśmy się niczym martwić.

James wzruszył ramionami.

– Nie musielibyśmy się też martwić, gdyby Fleurette była spadkobierczynią. Ale nie, Gerald Warden musiał koniecznie spłodzić jeszcze jednego męskiego potomka, choćby gwałtem. Mam przynajmniej tę satysfakcję, że teraz na pewno przewraca się w grobie! Nie dość, że jego Kiward Station znalazło się w rękach kogoś, kto w połowie jest Maorysem, to w dodatku jest to dziewczyna!

Gwyneira nie mogła powstrzymać uśmiechu. Jeśli chodziło o kwestię dziedziczenia, to Maorysi byli w tej sprawie znacznie rozsądniejsi. Gdy Marama urodziła dziewczynkę, nie było to dla nich żadnym problemem; dla nich mężczyźni i kobiety mieli te same prawa. Szkoda tylko, że Kura była tak zupełnie inna i po energicznej, choć może nie tak utalentowanej artystycznie Gwyneirze odziedziczyła jedynie lazurowobłękitne oczy.

– Teraz zabiorę ją najpierw do Queenstown – odezwała się w końcu zdecydowanym głosem Gwyn. – Może Helen poukłada jej co nieco w głowie. Może ktoś patrzący na to bardziej z boku lepiej do niej dotrze. Helen też przecież gra na fortepianie. Potraktuje Kurę poważnie.

– A ja będę musiał radzić sobie bez ciebie – nadąsał się James. – Spęd…

Gwyneira roześmiała się i objęła go za szyję.

– Ten spęd dostarczy ci dość zajęć. Jack już się nie może doczekać. A ty powinieneś wziąć z sobą Miss Heather. Na wozie z kuchnią. Może wtedy sama będzie chciała stąd odejść!

Nastał marzec, więc przed nadchodzącą zimą trzeba było odnaleźć na wpół dziko pasące się w górach owce, by zapędzić je na farmę. Co roku zajęcie to pochłaniało kilka dni i wymagało zaangażowania wszystkich żyjących na farmie.

– Lepiej uważaj ze swoimi radami! – James dotknął ręką jej włosów i delikatnie ją pocałował. Jej bliskość nie pozostawiła go obojętnym. Co mogło zaszkodzić odrobinę miłości w południe? – Zakochałem się już kiedyś w kobiecie, która jechała z nami na wozie z kuchnią.

Gwyneira się uśmiechnęła. Jej oddech też przyspieszył. Odczekała spokojnie, aż James poradzi sobie ze wszystkimi haczykami i pętelkami jej letniej sukni.

– Ale nie była kucharką – stwierdziła. – Dobrze pamiętam, jak od razu pierwszego dnia zagoniłeś mnie do spędzania rozproszonych owiec.

James pocałował jej ramię, a później schylił się nad jej wciąż jeszcze jędrnymi piersiami.

– Chodziło mi o to, by ratować życie pozostałych ludzi – odparł z uśmiechem. – Po tym, jak spróbowaliśmy twojej kawy, musiałem się ciebie jakoś pozbyć…

Podczas gdy Gwyneira i James cieszyli się chwilą spokoju, Heather Witherspoon poszła do swej podopiecznej. Zastała Kurę przy fortepianie. Będzie jej musiała przekazać decyzję, jaką podjęła jej babcia, a mianowicie, że nauczycielka nie pojedzie do Queenstown.

Kura przyjęła to wyjątkowo spokojnie.

– Ach, przecież i tak nie zostaniemy tam zbyt długo – zauważyła. – Co można robić u tych zacofańców? Gdyby to chociaż było Dunedin. Ale ta dziura pełna poszukiwaczy złota? A z tymi ludźmi i tak właściwie prawie nie jestem spokrewniona. Fleurette jest tak jakby półciotką, a Stephen, Elaine i George to tacy jakby ćwierćkuzyni, prawda? Co miałabym mieć z nimi wspólnego?

Kura znów zwróciła swą piękną twarz w stronę nut. Na szczęście w Queenstown też był fortepian, co do tego się upewniła. I może ta Miss Helen rzeczywiście wie coś o muzyce, może nawet więcej od Miss Heather? Za Tiare i tak nie będzie tęsknić. Oczywiście to było miłe, pozwalać mu się podziwiać, całować i pieścić, ale nigdy by nie zaryzykowała możliwości zajścia z nim w ciążę! Może babcia Gwyn uważa ją w tych sprawach za głupią, Miss Heather zaś i tak się od razu czerwieni, gdy słyszy coś o „tych rzeczach”, ale matka Kury nie była w tej kwestii pruderyjna; dziewczyna świetnie wiedziała, skąd się biorą dzieci. I jednego była pewna: z Tiare dziecka mieć nie chciała. Tak naprawdę podtrzymywała ten związek tylko dlatego, żeby trochę podrażnić babcię Gwyn.

Jak się nad tym dobrze zastanowić, to Kura w ogóle nie chciała mieć dzieci, a choć była dziedziczką, żywiła wobec Kiward Station całkowitą obojętność. Była gotowa pozostawić za sobą wszystko i każdego, jeśli miałoby to ją przybliżyć do prawdziwego celu. Kura chciała się zajmować muzyką, chciała śpiewać. I nie miało znaczenia, ile razy babcia Gwyn użyje słowa „niemożliwe” – Kura-maro-tini będzie się trzymać swego marzenia!

# 3

William Martyn zawsze dotąd uważał płukanie złota za czynność spokojną, by nie rzec kontemplacyjną. Trzyma się sito w strumieniu, potrząsa trochę – i zostają w nim samorodki złota. Może nie od razu i nie za każdym razem, ale dostatecznie często, żeby po jakimś czasie stać się milionerem. Rzeczywistość w Queenstown pokazała jednak, że sprawa wygląda zgoła inaczej. A ściślej mówiąc, William nie znalazł żadnego złota, zanim nie wszedł w spółkę z Joeyem Teaserem. I to mimo faktu, że w składzie O'Kay zdecydował się na zakup najlepszej jakości sprzętu, mając przy tym przyjemność pogawędzić z Elaine O'Keefe. Ta mała nie mogła przy tym ukryć swego zachwytu, że znów go widzi. W miarę jak mijał pierwszy dzień pracy, William coraz intensywniej zastanawiał się nad tym, czy przypadkiem prawdziwa żyła złota nie kryje się w znajomości z tą dziewczyną. O ile w ogóle miał czas, by się nad czymś zastanawiać. Joey, doświadczony poszukiwacz złota, miał czterdzieści pięć lat, choć wyglądał raczej na sześćdziesiąt. Próbował już szczęścia w Australii i na zachodnim wybrzeżu. Ocenił działkę Williama jako obiecującą i natychmiast zaczął ścinać drzewa na budowę rynny do wypłukiwania kruszcu. William przyglądał mu się nieco zdezorientowany, na co Joey wcisnął mu do ręki piłę i kazał ciąć pnie na deski.

– Nie można… nie można tych desek kupić? – dopytywał się nieszczęśliwym głosem William po tym, jak jego pierwsze próby okazały się żałosne. Jeśli naprawdę zamierzali zbudować dwudziestometrową rynnę, jak to planował Joey, będą potrzebowali co najmniej dwóch tygodni, zanim pokaże się w niej pierwsze złoto.

Joey przewrócił oczami.

– Wszystko można kupić, chłopcze, jeśli tylko ma się na to pieniądze. Ale czy my je mamy? Ja w każdym razie nie mam. A ty powinieneś swoje zachować. I tak żyjesz sobie dość dobrze w pensjonacie i z całym tym kramem, który sobie kupiłeś...

Oprócz najważniejszych narzędzi do wydobywania złota William kupił też w porządny sprzęt do obozowania i broń na polowanie. Może się przecież zdarzyć, że będzie czasem musiał spędzić noc na swojej działce – a już najpóźniej wtedy, gdy znajdzie na niej złoto, którego trzeba będzie pilnować. A w takim wypadku William nie miał najmniejszej ochoty spać pod gołym niebem.

– Tutaj mamy przynajmniej drzewa, siekierę i piłę. A więc najlepiej będzie, jeśli sami zbudujemy rynnę do płukania. Teraz ty bierz się do siekiery. Przy ścinaniu drzew raczej nie da się czegoś zrobić nie tak. Ja wezmę piłę i zajmę się fachową robotą!

Od tej chwili William ścinał drzewa, choć i to nie szło mu zbyt szybko. Do tej pory poradził sobie dopiero z dwoma bukanami. A praca kosztowała sporo potu. Marzli jeszcze, kiedy rano wiosłowali, płynąc ku jego działce, teraz jednak, około dziesiątej, harowali już rozebrani do pasa... William aż nie mógł uwierzyć, że nie minęło nawet pół dnia.

„Niech pan się lepiej zajmie czymś, na czym się pan zna". William wciąż powracał w myślach do rady jednego z bankierów. Z początku ją zignorował, jak zwykłą czczą gadaninę bojącego się ryzyka urzędasa, teraz jednak życie poszukiwacza złota nie jawiło mu się już jako aż tak ciekawa przygoda. Jasne, pracowało się na świeżym powietrzu, a tereny wokół Queenstown były fantastyczne. Gdy już poradził sobie jakoś z pierwszym rozczarowaniem, trudno mu było tego nie zauważyć. Już choćby same te majestatyczne góry wokół jeziora Wakatipu, które zdawały się jakby obejmować tę krainę. I ta gra kolorów, i bujna roślinność – zwłaszcza teraz, jesienią, kiedy pokazywała całą paletę barw w czerwonych, liliowych i brązowych odcieniach. Niektóre rośliny wydawały się egzotyczne, jak choćby podobna do palmy kordylina, inne były dość dziwne, jak fioletowy łubin, który o tej porze roku szczególnie intensywnie rozsiewał swą woń. Powietrze było czyste jak kryształ, podobnie jak potoki. Jeśli jednak William spędzi jeszcze kilka dni, pracując z Joeyem, z pewnością już wkrótce zacznie nienawidzić przynajmniej drzew i strumieni.

W miarę upływu dnia Joey coraz bardziej pokazywał swoją naturę nadzorcy niewolników. A to William pracował według niego za wolno, a to zbyt często robił sobie przerwy, a to Joey wołał, żeby przestał machać siekierą, bo potrzebuje go do pomocy przy cięciu. W dodatku strasznie ordynarnie przeklinał, gdy coś poszło nie tak – co niestety zdarzało się zazwyczaj wtedy, kiedy to William chwytał za piłę.

– No, ale jeszcze się tego nauczysz, chłopcze! – starał się go pocieszyć, gdy już się uspokoił. – W domu pewnie nie tak często używałeś rąk do pracy, co?

William chciał najpierw gwałtownie temu zaprzeczyć, ale doszedł do wniosku, że stary może mieć rację. No dobrze, pracował na polach. Razem z dzierżawcami, i to w ostatnich latach, kiedy uświadomił sobie, jaka niesprawiedliwość panuje w dobrach jego ojca. Frederic Martyn wymagał wiele i mało dawał w zamian – właściwie to ludzie nie byli w stanie zebrać dość, żeby opłacić dzierżawę. W dobrych latach niewiele im pozostawało na życie, jeśli zaś zbiory nie były udane, nie mieli skąd oczekiwać pomocy. Od czasów wielkiego głodu w latach sześćdziesiątych niektórym rodzinom wcale nie wiodło się lepiej. Praktycznie w każdym domu były jakieś ofiary. W dodatku brakowało prawie całego pokolenia – kiedy William sam był mały, niemal żadne wiejskie dziecko nie przeżyło epidemii zarazy ziemniaka. Teraz robotę na polu wykonywali albo bardzo młodzi, albo też całkiem starzy i dla nich wszystkich wysiłek był zbyt wielki, a perspektywy na przyszłość żadne.

Frederic Martyn w ogóle się tym nie przejmował, a matka Williama, choć Irlandka, też nie podejmowała żadnych wysiłków, żeby się wstawić za swoimi ludźmi. William zaczął więc w milczącym proteście pomagać dzierżawcom w pracach polowych. Później zaangażował się w działalność Irlandzkiej Ligi Ziemskiej, która miała im pomóc w uzyskaniu niższych opłat za dzierżawę gruntów.

Z początku Frederic Martyn zdawał się podchodzić raczej z rozbawieniem niż z niepokojem do socjalnego zaangażowania syna. William i tak nie będzie miał zbyt dużo do powiedzenia w jego włościach, a jego starszy syn raczej nie okazywał ludziom przyjaznych uczuć. Gdy jednak Liga Ziemska zaczęła osiągać pierwsze sukcesy, jego kpiny i szydercze słowa o zaangażowaniu Williama stawały się coraz bardziej złośliwe, skłaniając Williama do jeszcze bardziej stanowczej opozycji wobec postawy ojca.

A gdy w końcu syn poparł bunt dzierżawców – o ile sam go wręcz nie wzniecił – ojciec nie miał już dla niego żadnego pobłażania. Wysłał

Williama do Dublina. Niech trochę postudiuje, choćby nawet prawo, będzie mógł sobie wówczas doradzać tym dzierżawcom i działać na ich rzecz. Jeśli o to chodziło, Martyn potrafił być wspaniałomyślny. Najważniejsze, żeby już nie buntował mu ludzi!

Z początku William z zapałem zabrał się do pracy, ale studiowanie niuansów angielskiego prawa szybko zdało mu się zbyt nudne, skoro i tak wkrótce miała powstać irlandzka konstytucja. Żywo śledził debaty związane z *home rule*, które miały dać Irlandczykom znacznie więcej praw do współdecydowania w sprawach dotyczących ich wyspy. A gdy Izba Lordów odrzuciła te żądania…

Ale o tym William nie chciał teraz więcej rozmyślać. Sprawa była zbyt przykra i miała fatalne dla niego skutki. W każdym razie mógł skończyć znacznie gorzej, a nie tutaj, w uroczym otoczeniu przyjaznego Queenstown.

– Co tak w ogóle robiłeś tam w Irlandii? – wypytywał go Joey. Obaj wiosłowali zmęczeni w drodze powrotnej po zakończonym wreszcie dniu pracy. Na Williama czekała łazienka i dobra kolacja w pensjonacie Miss Helen, na Joeya zaś wieczór w oparach whisky w obozowisku poszukiwaczy złota u Skippera.

William wzruszył ramionami.

– Pracowałem na owczej farmie.

W sumie odpowiadało to nawet prawdzie. W rozległej posiadłości Martynów były wspaniałe pastwiska. To dlatego Frederic Martyn praktycznie nie poniósł strat podczas zarazy ziemniaka. Ponieśli je natomiast jego dzierżawcy i robotnicy rolni, którzy żywili się tym, co mogli zebrać ze swych poletek.

– A nie wolałbyś się wybrać na Canterbury Plains? – dopytywał się spokojnie Joey. – Tam są miliony owiec.

William słyszał o tym. Tyle tylko, że jego praca na farmie polegała głównie na zarządzaniu, a nie faktycznej fizycznej robocie. Teoretycznie wiedział, jak się strzyże owce, ale nigdy jeszcze tego nie robił, a już z pewnością nie byłby w stanie dorównać takim rekordzistom, jak mężczyźni z kolonii postrzygaczy z Canterbury Plains. Najlepsi z nich potrafili uwolnić z wełny nawet osiemset owiec w ciągu jednego dnia! Praktycznie było to nie mniej owiec niż w sumie pasło się na farmie Martynów. Z drugiej strony, być może na którejś z farm na wschodzie potrzebowaliby zdolnego zarządcy, który potrafiłby kierować pracami – a William czuł, że takiej pracy mógłby podołać. Ale w ten sposób raczej by się nie wzbogacił, a mimo całego swego społecznego zaangażowania na dłuższą metę wcale nie zamierzał pogarszać sobie stopy życiowej.

Joey się roześmiał.

– W każdym razie pewności siebie i wiary to ci nie brakuje! No, tu możesz wysiadać… – Skierował łódź do brzegu. Rzeka wiła się ze wschodu, mijając Queenstown i uchodząc do jeziora na południu miasta, poniżej obozu poszukiwaczy złota. – Odbiorę cię tu znowu jutro rano, o szóstej, wypoczętego i rześkiego!

Joey z rozbawieniem pomachał swemu nowemu partnerowi, William zaś mozolnie ruszył w stronę miasta. W łodzi bolały go wszystkie kości. O następnym dniu spędzonym na ścinaniu drzew nawet nie chciało mu się teraz myśleć.

Ale przynajmniej zaraz na Main Street przytrafiło mu się coś przyjemnego. Z chińskiej pralni wyszła z koszem bielizny Elaine O'Keefe, kierując się w stronę pensjonatu Miss Helen.

William obdarzył ją uśmiechem.

– Miss Elaine! To piękniejszy widok niż samorodek złota! Mogę ponieść?

Mimo bolących mięśni sięgnął po kosz jak prawdziwy dżentelmen. Elaine nie miała nic przeciwko temu. Z radością pozbyła się ciężaru i teraz szła swobodnie obok niego. Na tyle, na ile można poruszać się swobodnie, a jednocześnie jak prawdziwa dama. Z ciężkim koszem w rękach byłoby to raczej niemożliwe. Jak to wyraziła kiedyś szyderczo Miss Daphne? „Żeby być damą, trzeba móc sobie na to pozwolić".

– A więc znalazł pan dzisiaj już dużo samorodków? – zapytała Elaine. William zastanawiał się, czy była naiwna, czy też w jej pytaniu kryła się ironia. Postanowił, że potraktuje to jako próbę przekomarzania się. Przecież Elaine całe życie spędziła w Queenstown. Musiała wiedzieć, że człowiek nie wzbogaca się tak szybko na złotonośnych działkach.

– Złoto w pani włosach jest pierwszym, jakie znalazłem dzisiejszego dnia – przyznał, choć przynajmniej dodał do tego wyznania komplement: – Ale to złoto ma już, niestety, piękną właścicielkę. Jest pani bogata, Miss Elaine!

– A pan powinien zamieszkać z Maorysami. Szybko zrobiliby z pana *tohunga*. Mistrza *whaikorero*... – zachichotała Elaine.

– Czego takiego? – zapytał William. Jak dotąd nie spotkał jeszcze żadnego Maorysa, nikogo z autochtonicznych mieszkańców Nowej Zelandii. W Wakatipu i w całym Otago żyły ich plemiona, ale Queenstown, rozwijające się miasto poszukiwaczy złota, było dla Maorysów zbyt gorączkowe. Rzadko się zdarzało, by któryś z nich zabłądził do miasta, choć kilku mężczyzn przyłączyło się ostatnio do poszukiwaczy złota. Większość z nich nie opuściła swych wiosek i rodzin dobrowolnie. Ich życie leżało w gruzach i należeli do przegranych – podobnie jak większość białych mężczyzn, którzy szukali tu szczęścia. Nie różnili się w zachowaniu i żaden z nich nie używał takich dziwnych słów.

– *Whaikorero*. To sztuka pięknego mówienia. A *tohunga* oznacza „mistrz" lub „ekspert". Maorysi twierdzą, że mój ojciec taki jest. Lubią jego uzasadnienia wyroków...

Elaine otworzyła Williamowi drzwi pensjonatu. Wzbraniał się jednak, by wejść przed nią i zgrabnie przytrzymał Elaine otwartą furtkę stopą. Dziewczyna promieniała.

William przypomniał sobie, że jej ojciec był sędzią pokoju, a jej brat Stephen studiował prawo. Może sam powinien rozważyć, czy nie pójść w tym kierunku?

– Cóż, moje studia prawnicze nie zaszły tak daleko – zauważył jakby od niechcenia. – Zna pani język Maorysów, Miss Elaine?

Elaine wzruszyła ramionami. Tak jak tego oczekiwał, na wzmiankę o studiach prawniczych jej oczy się zaświeciły.

– Nie tak dobrze jak powinnam. Mieszkaliśmy dość daleko od najbliższego plemienia. Ale moja matka i ojciec znają go dobrze; na równinach chodzili do szkoły razem z maoryskimi dziećmi. Tak właściwie to widzę Maorysów tylko wtedy, gdy pojawiają się jakieś konflikty między nimi i *pakeha*, a mój ojciec musi łagodzić spór. A to na szczęście przytrafia się rzadko. Naprawdę studiował pan prawo?

William opowiedział jej mgliście o trzech semestrach studiów w Dublinie. Ale teraz i tak musieli się już rozdzielić. Gdy wchodzili do pensjonatu, przeciąg poruszył dzwoneczkami na ganku, na co ukazały się niezwłocznie Mary i Laurie, świergocząc do Williama i Elaine. Jedna z bliźniaczek odebrała pranie od Williama, nie potrafiąc się powstrzymać od okazania podziwu za jego pomoc; druga poinformowała go, że kąpiel jest już gotowa. Ale musi się pospieszyć, bo jedzenie za chwilę trafi na stół; wszyscy pozostali stołujący się w pensjonacie goście już tu są i z pewnością nikt z nich nie będzie chciał czekać.

William pożegnał grzecznie wyraźnie rozczarowaną Elaine. W tym kierunku będzie musiał przypuścić kolejny atak.

– Co można robić tu, w Queenstown, jeśli chciałoby się sprawić damie jakąś przyzwoitą przyjemność i gdzieś ją zaprosić? – wypytywał dwóch młodych bankierów krótki czas później podczas kolacji.

Wolałby, by Miss Helen tego nie słyszała, ale starsza pani miała najwyraźniej wyostrzony słuch. W każdym razie w sposób nierzucający się w oczy, lecz jednak zauważalny, jej uwaga skupiła się na rozmowie mężczyzn.

– Zależy od tego, na ile jest przyzwoita – westchnął bankier. – To już zależy od tej damy. Są tu ladies, dla których żadna przyjemność nie jest dość cnotliwa… – Mężczyzna wiedział, o czym mówi. Od tygodni próbował zwrócić na siebie uwagę mieszkającej w pensjonacie młodej nauczycielki. – Takie można co najwyżej poprowadzić w niedzielę do kościoła… Co niekoniecznie da się nazwać przyjemnością. Jednak normalną młodą damę można zaprosić na piknik, o ile akurat jakiś się odbywa. A może nawet na tańce, ponieważ kółko taneczne gospodyń zachęca do tanecznych uciech. U Daphne jest tak oczywiście w każdą sobotę, ale to z kolei trudno uznać za przyzwoite…

– Niech pan po prostu poprosi młodą Miss O'Keefe, żeby pokazała panu miasto – podsunął starszy z bankierów. – Z pewnością chętnie to zrobi, w końcu tutaj wyrosła. A spacer to z całą pewnością niewinna rzecz.

– O ile nie ruszy z nią do okolicznych lasów – stwierdziła oschle Miss Helen. – Jeśli zaś w przypadku rzeczonej młodej damy faktycznie chodzi o moją wnuczkę, a więc o szczególnie młodą damę, to być może powinien pan najpierw poprosić o zgodę jej ojca…

– Co tak naprawdę wiesz o tym młodym człowieku?

Była to co prawda inna kolacja, ale poruszony temat dotyczył tego samego. W tym przypadku to Ruben O'Keefe wypytywał swoją córkę. Choć William jak dotąd nie odważył się jej zaprosić, natknął się na

Elaine już następnego dnia. I znów „zupełnie przypadkowo", tym razem przed wejściem do zakładu pogrzebowego. Miejsce nie było zbyt szczęśliwie dobrane, mimo bowiem całej fantazji Elaine nie przychodziło do głowy nic takiego, co musiałaby tam pilnie załatwić. Poza tym Frank Baker, grabarz, był dobrym znajomym jej ojca, a jego żona była straszną plotkarą. O uczuciach Elaine O'Keefe do Williama Martyna – „faceta z obozu poszukiwaczy złota", jak z pewnością przedstawiła go Mrs Baker – wiedziało już całe miasteczko.

– On jest prawdziwym dżentelmenem, tato. Naprawdę. Jego ojciec ma posiadłość w Irlandii. I studiował nawet prawo! – oznajmiła Elaine, to ostatnie zresztą nie bez dumy. To był jej as z rękawa.

– Aha. A potem wywędrował, żeby szukać złota? Mają już w Irlandii za dużo adwokatów czy co? – drążył Ruben.

– Ty też chciałeś kiedyś szukać złota! – przypomniała mu córka.

Ruben się roześmiał. Z Elaine też pewnie byłby niezły prawnik. W gruncie rzeczy przychodziło mu to z trudem, żeby być wobec niej surowym, bo choć bardzo kochał swoich synów, córkę wręcz ubóstwiał. Elaine przypominała jednak aż za bardzo jego ukochaną Fleurette. Pomijając kolor oczu i zadarty nos, była całkiem podobna do matki i do babki. Odcień jej rudych włosów był trochę inny niż u jej krewnych. Włosy Elaine były ciemniejsze i może trochę delikatniejsze, i bardziej kręcone niż włosy Fleurette czy Gwyneiry. Szary kolor spokojnych oczu i brązowe włosy odziedziczyli po Rubenie tylko synowie. Szczególnie o Stephenie mówiono, że to „wykapany ojciec". Jego najmłodszy syn Georgie był przedsiębiorczy i zawsze skory do figli. W gruncie rzeczy wszystko świetnie pasowało: Stephen ze względu na swe zainteresowania prawem będzie kroczyć śladami ojca, Georgie zaś interesował się handlem i marzył o otwarciu filii składu O'Kay. Ruben był szczęśliwym człowiekiem.

– Z Williamem Martynem związany jest pewien skandal – wtrąciła Fleurette, stawiając na stole suflet. To samo danie oferowano dzisiaj w pensjonacie Helen; tak więc Fleurette dziś nie gotowała, lecz zamówiła u Laurie i Mary „kolację na wynos". W sklepie jednak nie była.

– Skąd to wiesz? – zapytał Ruben, a osłupiała Elaine mało nie upuściła widelca.

– Jak to: skandal? – wymamrotała pod nosem.

Wciąż jeszcze elfia twarz Fleurette rozpromieniła się. Zawsze była wybitnie utalentowanym szpiegiem. Ruben świetnie pamiętał, jak wyjawiła mu kiedyś „tajemnicę O'Keefe'ów i Kiward Station".

– Cóż, odwiedziłam dziś po południu Brewsterów – powiedziała lekko. Ruben i Fleurette znali Petera i Teporę Brewsterów od dzieciństwa. Peter był handlowcem, zajmował się importem i eksportem i na początku trudnił się handlem wełną na Canterbury Plains. Później jednak jego żona Tepora, Maoryska, odziedziczyła ziemię w Otago, więc oboje się tu przeprowadzili. Mieszkali niedaleko od plemienia Tepory, dziesięć mil na zachód od Queenstown, a Peter kierował odsprzedażą wydobywanego tu złota do wszystkich krajów na świecie. – Niedawno mieli gości z Irlandii. Chesfieldów.

– I sądzisz, że William Martyn jest w Irlandii tak znany, że każdy tam o nim słyszał? – dopytywał się Ruben. – Jak mogłaś wpaść na taki pomysł?

– Ale miałam rację, prawda? – odpowiedziała z szelmowskim uśmiechem Fleurette. – Ale żarty na bok, oczywiście nie mogłam tego wiedzieć. Lord i lady Chesfield należą jednak bez wątpienia do wywodzącej się z Anglii szlachty. Zgodnie zaś z tym, czego dowiedziała się babcia Helen, ten młody człowiek wywodzi się z podobnych kręgów. A Irlandia nie jest w końcu taka wielka.

– Więc co takiego wywinął ten skarb naszej Elaine? – dopytywał się z zaciekawieniem Georgie, złośliwie szczerząc zęby do siostry.

– On nie jest moim skarbem! – wybuchła Elaine, powstrzymała się jednak od dalszych uwag. Ona też chciała wiedzieć, z jakim skandalem związany jest William Martyn.

– No cóż, tak dokładnie to też tego nie wiem. Chesfieldowie ograniczyli się jedynie do aluzji. W każdym razie Frederic Martyn jest jak najbardziej poważnym właścicielem ziemskim i tu nasza Lainie ma rację. Tyle tylko, że William nic nie dziedziczy, jest młodszym z synów. Poza tym był czarną owcą w rodzinie. Sympatyzował z Irlandzką Ligą Ziemską…

– To przemawia raczej za tym chłopakiem – wtrącił Ruben. – To, na co pozwalają sobie Anglicy w Irlandii, jest zbrodnią. Jak można dopuścić, żeby połowa ludności umierała z głodu, gdy samemu siedzi się na pełnych spichrzach? Dzierżawcy pracują za głodowe zarobki, a właściciele ziemscy są coraz grubsi i obrastają w tłuszcz. To wspaniałe, że ten młody człowiek wstawia się za chłopami!

Elaine się rozpromieniła.

Jej matka natomiast wyglądała raczej na zatroskaną.

– Nie, jeśli takie zaangażowanie przeradza się w działalność terrorystyczną – zauważyła. – A właśnie coś takiego sugerowała lady Chesfield. William Martyn miał brać udział w jakimś zamachu.

Ruben zmarszczył czoło.

– A kiedyż to? O ile wiem, ostatnie wielkie protesty w Dublinie miały miejsce w 1867 roku. A o jakichś pojedynczych przejawach aktywności Bractwa Republikańskiego czy podobnych organizacji nic nie pisano w „Timesie". – Co prawda angielskie gazety docierały zwykle do Rubena z kilkutygodniowym opóźnieniem, ale czytał je uważnie.

Fleurette wzruszyła ramionami.

– Prawdopodobnie udaremniono to dostatecznie wcześnie. A może tylko to planowali, sama nie wiem. W końcu ten cały William nie siedzi w jakimś więzieniu, lecz całkiem otwarcie i pod prawdziwym nazwiskiem stara się o względy naszej córki. Ach tak, w związku z tą sprawą padło jeszcze inne nazwisko. Chodziło o niejakiego Johna Morleya…

Ruben się roześmiał.

– Wobec tego to z pewnością jakaś pomyłka. John Morley z Blackburn to Chief Secretary w Irlandii i urzęduje w Dublinie. Popiera *home rule*. A to oznacza, że jest po stronie Irlandczyków. Zabicie go absolutnie nie mogłoby leżeć w interesie Ligi Ziemskiej.

Fleurette zaczęła nakładać na talerze.

– No przecież mówiłam, że Chesfieldowie wyrażali się niezbyt jasno – stwierdziła. – Całkiem możliwe, że nic się za tym wszystkim nie kryje. Jedno jest w każdym razie pewne: William Martyn jest teraz tutaj, a nie w swojej ukochanej Irlandii. To dziwne jak na patriotę. Jeśli już wyjeżdżają z własnej woli, to co najwyżej do Ameryki, gdzie mogą trafić na takich jak oni. Ale obecność irlandzkiego działacza na złotonośnych polach Queenstown wydaje mi się dość niezwykła.

– Ale to przecież nic złego! – rzuciła gorliwie Elaine. – Może chce znaleźć złoto, a potem odkupić ziemię od ojca i…

– Bardzo prawdopodobne – wtrącił Georgie. – Dlaczego nie miałby od razu odkupić od królowej całej Irlandii?

– W każdym razie powinniśmy się przyjrzeć temu młodzieńcowi – zakończył rozmowę na ten temat Ruben. – O ile rzeczywiście ma cię zabrać na spacer. – Mrugnął do córki, która na ten widok mało się nie udławiła. – Bo takie właśnie wyraził pragnienie, a ptaszki mi wyćwierkały, że możesz go przy tym zaprosić na kolację. No dobrze, a teraz zajmijmy się tobą, Georgie. Cóż to takiego usłyszałem dziś rano od Miss Carpenter o twoich postępach w matematyce?

Podczas gdy jej brat starał się jakoś wywinąć od jasnej odpowiedzi, Elaine z przejęcia prawie nie była w stanie jeść. William Martyn się nią interesował! Chciał ją zabrać na spacer! Może nawet na tańce! A może na początek do kościoła. Tak, to by było wspaniałe! Każdy mógłby zobaczyć, że Elaine O'Keefe jest ciesząc się powodzeniem młodą damą, której udało się zainteresować sobą jedynego brytyjskiego dżentelmena, jaki zabłąkał się do Queenstown. Inne dziewczęta pękną z zazdrości! A już na pewno jej kuzynka. Ta Kura-maro-tini, o której wszyscy opowiadają, jaka jest piękna. I o związanej z jej odwiedzinami mrocznej tajemnicy, która na pewno musi mieć coś wspólnego z jakimś mężczyzną! Bo jakież to inne mroczne tajemnice można mieć? Elaine aż nie mogła się doczekać zaproszenia od Williama. I dokąd to weźmie ją na spacer?

Elaine poszła w końcu z Williamem na spacer – po tym, jak grzecznie ją zapytał, czy miałaby ochotę oprowadzić go po Queenstown. Elaine zadawała sobie co prawda pytanie, na co był mu potrzebny przewodnik. W końcu Queenstown składało się praktycznie tylko z Main Street, to zaś, gdzie jest zakład fryzjerski, kuźnia, urząd pocztowy i General Store, właściwie nie wymagało żadnych objaśnień. Interesujący był co najwyżej hotel należący do Daphne, ale ten lokal Elaine i William mieli obejść szerokim łukiem. Elaine zdecydowała się w końcu poszerzyć trochę znaczenie słowa „miasto" i poprowadzić swego towarzysza drogą biegnącą wzdłuż jeziora.

– Wakatipu jest potężne, choć przez to, że jest otoczone górami, wcale nie wydaje się takie wielkie. W rzeczywistości jednak zajmuje obszar ponad stu pięćdziesięciu mil kwadratowych. I nieustannie jest w ruchu. Woda wciąż się podnosi i opada. Maorysi mówią, że to bicie serca olbrzyma, który śpi na dnie jeziora. Ale to oczywiście tylko taka historia. Maorysi znają wiele takich bajek, wie pan?

William się roześmiał.

– Mój kraj też jest bogaty w takie historie. O wróżkach i lwach morskich, które podczas pełni przybierają ludzką postać...

Elaine z zapałem skinęła głową.

– Tak, wiem. Mam książkę z irlandzkimi baśniami. A mój koń nosi imię jednej z wróżek. „Banshee". Chciałby pan kiedyś poznać moją Banshee? To cob. Moja druga babcia przywiozła przodków Banshee z Walii...

William starał się sprawiać wrażenie, że słucha uważnie, ale konie niespecjalnie go interesowały. Banshee byłaby mu obojętna, nawet gdyby Gwyneira Warden sprowadziła jej przodków z Connemary. Dużo ważniejsze dla niego było to, że tego wieczoru zaraz po spacerze miał poznać rodziców Elaine, Rubena i Fleurette O'Keefe'ów. Oczywiście widział ich już wcześniej, a nawet krótko z nimi rozmawiał. W końcu wszystkich zakupów dokonywał przecież w ich sklepie. Teraz oto został jednak zaproszony na kolację, a więc nawiąże prywatną znajomość. A wyglądało na to, że było to naprawdę konieczne. Rano Joey wypowiedział mu współpracę. Stary poszukiwacz złota w pierwszych dniach starał się być cierpliwy, ale „brak zaciętości" u Williama, jak sam to nazwał, po niecałym tygodniu zszarpał mu nerwy. Sam William natomiast uważał za coś zupełnie normalnego, by pracę przy rynnie do wypłukiwania złota traktować trochę lżej po pierwszych, najcięższych dniach. Przecież najpierw musiały mu przestać dokuczać zakwasy w mięśniach. A czasu było dość. W każdym razie Williamowi się nie spieszyło. Joey jednak wyjaśnił mu dobitnie, że dla niego każdy dzień bez znalezionego złota jest dniem straconym. A przy tym wcale nie marzyły mu się jakieś wielkie samorodki, wystarczyłoby mu choćby trochę złotego piasku, który zapewniłby mu środki na whisky oraz gulasz czy baraninę.

– Z takim rozpieszczonym bachorem jak ty do niczego się nie dojdzie! – zrugał Williama. Najwyraźniej znalazł sobie jakiegoś innego partnera, który mógł się wykazać posiadaniem działki i gotów był dzielić zyski z Joeyem. Własna działka Joeya była już dawno wyeksploatowana i najwidoczniej nie przyniosła mu szczęścia.

W każdym razie William musiał teraz pracować sam albo znaleźć sobie jakieś inne zajęcie. Skłaniał się raczej ku temu drugiemu rozwiązaniu. Już teraz wczesne poranki i późne godziny wieczorne dawały mu przedsmak tego, jak wygląda zima w górach. W lipcu i w sierpniu Queenstown będzie całe zasypane śniegiem, co z pewnością wygląda ślicznie. Ale jak płukać złoto nad zamarzniętą rzeką? William potrafił sobie wyobrazić coś znacznie przyjemniejszego. Może Ruben O'Keefe będzie miał jakiś pomysł.

William widział już dom O'Keefe'ów, przepływając rzeką. W porównaniu z dworkiem Martynów nie był zbyt imponujący – przytulny dom z drewna, z ogrodem, stajnią i budynkami gospodarczymi. Ale tutaj, w tym nowym kraju, trzeba było patrzeć inaczej na to, co uważano za rezydencję. Pomijając dość prymitywną architekturę, posiadłość Nugget miała coś wspólnego z domami angielskich posiadaczy ziemskich – na przykład psy, które rzucały się na obcego, gdy tylko wkraczał na jej teren. Matka Williama miała psy rasy corgi, tutaj natomiast preferowano collie. Budy dla psów, jak wyjaśniła mu wciąż zachwycona Elaine, również były sprowadzone z Walii. Matka Elaine, Fleurette, przywiozła tu z sobą suczkę Gracie z Canterbury Plains, Gracie zaś pilnie się rozmnożyła. Po co były tu potrzebne psy, stanowiło dla Williama zagadkę, jednak dla Elaine i jej rodziny po prostu tu było ich miejsce. Ruben O'Keefe nie wrócił jeszcze do domu, tak więc William zmuszony był obejrzeć stajnię i zapoznać się z ulubioną klaczą Elaine, Banshee.

– Ona jest naprawdę szczególna, bo jest siwkiem. Wśród cobów to naprawdę rzadkość. Moja babcia miała jedynie karosze i kasztany. Ale Banshee wywodzi się od walijskiego kuca górskiego, którego matka dostała, gdy była dzieckiem. Żył bardzo długo i nawet sama jeszcze na nim jeździłam.

Elaine bezustannie trajkotała, ale Williamowi nieszczególnie to przeszkadzało. Uważał, że dziewczyna jest zachwycająca, a jej tryskający energią temperament poprawiał mu nastrój. Elaine wydawała się kimś, kto nawet przez chwilę nie może usiedzieć spokojnie. Poza tym naprawdę dziś zadbała, żeby ślicznie dla niego wyglądać. Miała na sobie sukienkę w kolorze soczystej trawy, przyozdobioną brązową koronką. Z pomocą jedwabnej wstążki starała się związać włosy w koński ogon, ale była to beznadziejna próba; jeszcze zanim zakończyła oprowadzanie go po mieście, jej włosy były tak potargane, jakby w ogóle ich nie czesała. William zaczął się zastanawiać, jak by to było pocałować tę psotnicę. Miał doświadczenia z dziewczynami z Dublina, takimi, które robiły to za pieniądze, oraz z córkami swych irlandzkich dzierżawców; niektóre dziewczęta były naprawdę chętne, jeśli przysparzało to dodatkowo jakichś ulg ich rodzinom, inne były strasznie cnotliwe. Elaine budziła w nim inne uczucia; chciał ją chronić. Z początku widział w niej raczej kuszącego podlotka niż kobietę. Z pewnością byłoby to pasjonujące doświadczenie, ale co by było, gdyby dziewczyna wzięła to na serio? Bez wątpienia była zakochana po uszy. Elaine nie potrafiła inaczej; uczucia, które żywiła dla Williama, były jednoznaczne.

Oczywiście nie uszło to uwagi Fleurette O'Keefe. I wcale nie była mniej zatroskana, witając teraz dwójkę młodych ludzi na werandzie swego domu.

– Witamy w posiadłości Nugget, panie Martyn – powiedziała, uśmiechając się i wyciągając rękę do Williama. – Proszę wejść, zapraszam na aperitif. Mój mąż wkrótce się pojawi, musi się tylko przebrać.

Ku zdziwieniu Williama domowy barek O'Keefe'ów był dobrze zaopatrzony. Fleurette i Ruben zdawali się koneserami wina. Ojciec Elaine odkorkował najpierw bordo, żeby mogło pooddychać przed jedzeniem, ale mieli też wyśmienitą whisky. William zakołysał szklanką, tak by alkohol w niej zawirował, a potem wznieśli z Rubenem toast.

– Za pańskie nowe życie w nowym kraju! Jestem pewien, że tęskni pan za Irlandią, ale ten kraj też ma przyszłość. Jeśli się na to pozwoli, nietrudno go pokochać.

William trącił się z nim szklanką.

– Za pańską przepiękną córkę, która w tak bajeczny sposób pokazała mi to miasto! – odparł. – Bardzo dziękuję za oprowadzenie mnie po mieście, Elaine. Od dziś będę patrzył na ten kraj jedynie pani oczyma.

Elaine aż promieniała. Upiła łyk wina.

Georgie przewrócił oczami. No proszę, i niech tylko spróbuje powiedzieć, że nie jest zakochana!

– Naprawdę był pan w Bractwie Republikańskim, Mr Martyn? – zapytał ciekawie chłopak. Słyszał o irlandzkim ruchu niepodległościowym i był spragniony niezwykłych historii.

William zaczął nagle sprawiać wrażenie zaniepokojonego.

– W Bractwie Republikańskim? Nie rozumiem…

Co tak właściwie wiedziała ta rodzina o jego wcześniejszym życiu? Rubenowi wyraźnie nie podobała się powstała sytuacja. Ten młody mężczyzna w ciągu pierwszych pięciu minut ich znajomości w żadnym razie nie powinien się był dowiedzieć o szpiegowskich poczynaniach Fleurette.

– Georgie, co to ma znaczyć? Oczywiście, że Mr Martyn nie był w Bractwie. Ten ruch praktycznie w Irlandii rozwiązano. Kiedy miała miejsce ostatnia rebelia, Mr Martyn musiał być jeszcze w wieku, w jakim się nosi pieluchy! Proszę wybaczyć, mister…

– Proszę mi mówić William.

– William. Mój syn słyszał pogłoski… Dla młodych każdy Irlandczyk jest tutaj bohaterem ruchu wyzwoleńczego.

William się uśmiechnął.

– Niestety nie każdy nim jest, George – zwrócił się bezpośrednio do brata Elaine. – W przeciwnym razie wyspa już dawno byłaby wolna… Ale zostawmy ten temat. Piękną posiadłość mają tu państwo…

Ruben i Fleurette opowiedzieli trochę o historii posiadłości Nugget, przy czym mężczyzna potraktował historię swych bezowocnych poszukiwań złota z dużą dozą humoru. Williamowi dodało to odwagi. Skoro ojciec Elaine sam nie odniósł sukcesów, kopiąc za złotem, z pewnością będzie potrafił zrozumieć jego problemy. Początkowo jednak nie poruszał w ogóle tej kwestii, zamiast tego zdając się podczas całej kolacji na O'Keefe'ów, jeśli chodziło o tematy rozmowy. Jak można tego było oczekiwać, szczegółowo o niego wypytywali, ale to nie wyprowadziło Williama z równowagi. Grzecznie udzielał prawdziwych w gruncie rzeczy informacji o swym pochodzeniu i wykształceniu. To ostatnie odpowiadało wymogom jego klasy społecznej. Przez pierwsze lata miał guwernera, później był elitarny angielski internat, a w końcu college. Tego ostatniego William co prawda nie ukończył, ale pominął to w swym opowiadaniu. Opowiadał też mgliście o pracy w posiadłości swego ojca. Mówiąc o studiach prawniczych w Dublinie, nie omieszkał trochę przyozdobić swej historii. Wiedział, że Ruben O'Keefe się tym interesuje, a ponieważ ojciec Elaine szybko przeszedł na temat *home rule*, William mógł gładko prowadzić z nim rozmowę.

Pod koniec kolacji był raczej przekonany, że zrobił dobre wrażenie. Ruben O'Keefe wydawał się rozluźniony i przyjazny.

– A jak tam idzie kopanie złota? – zapytał w końcu. – Zbliżył się pan już do bogactwa?

To był stosowny moment. William przybrał zafrasowaną minę.

– Obawiam się, że to była błędna decyzja – stwierdził. – Nie chcę przez to powiedzieć, że mnie nie ostrzegano. Już choćby pańska urocza córka podczas naszego pierwszego spotkania zwróciła uwagę na to, że wydobywanie złota to zajęcie dla marzycieli, a nie poważnych osadników. – Uśmiechnął się w stronę Elaine.

Ruben sprawiał wrażenie zdumionego.

– Ale tydzień temu mówił pan jeszcze zupełnie inaczej! Czyż nie nabył pan przypadkiem całego ekwipunku, wliczając w to obozowy namiot?

William wykonał coś na kształt przepraszającego gestu.

– Czasami kroczenie po błędnych ścieżkach musi kosztować. – W jego słowach pobrzmiewał żal. – Ale kilka dni spędzonych na działce kazało mi spojrzeć na to wszystko trzeźwiej. To, co się wydobywa, po prostu nijak się ma do nakładów…

– To zależy! – wtrącił gorliwie Georgie. – Razem z przyjaciółmi płukaliśmy w zeszłym tygodniu złoto i Eddie, syn kowala, znalazł grudkę złota, za którą dostał trzydzieści osiem dolarów!

– Ale ty tyrałeś przez cały dzień i nie masz z tego nawet dolara – przypomniała mu Elaine.

Georgie wzruszył ramionami.

– Po prostu miałem pecha.

Ruben pokiwał głową.

– I tym samym mielibyśmy podsumowany temat gorączki złota. To loteria, i rzadko ma się szczęście do głównej wygranej. Z reguły to takie z góry w dół, z dołu pod górę. Ludzie ze swoich urobków ledwie mogą się utrzymać na powierzchni, ale każdy liczy na wielkie szczęście.

– Myślę, że szczęście można znaleźć gdzie indziej – stwierdził William, obdarzając Elaine krótkim spojrzeniem. Jej twarz się rozpromieniła; wszystkie jej zmysły były skoncentrowane na tym młodym mężczyźnie. To krótkie spojrzenie nie uszło jednak również uwagi Rubena i Fleurette.

Fleurette nie wiedziała, co ją niepokoi, ale mimo nienagannego zachowania młodego imigranta prześladowało ją jakieś niedobre przeczucie. Ruben zdawał się go nie podzielać. Uśmiechnął się.

– Cóż więc innego pan planuje, młody człowieku?

– Taaaak… – William dla większego wrażenia zawiesił głos, zachowując się tak, jakby sam nie zadawał sobie jeszcze tego pytania. – Tego wieczoru, gdy tu przybyłem, jeden z tutejszych pracowników banku powiedział mi, że lepiej byłoby dla mnie, gdybym się skoncentrował na tym, co naprawdę potrafię. A to oczywiście w moim przypadku oznaczałoby prowadzenie owczej farmy…

– A więc chce się pan stąd wyprowadzić? – W głosie Elaine pobrzmiewały lęk i rozczarowanie, choć starała się mówić neutralnym tonem.

William wzruszył ramionami.

– Niechętnie, Elaine, naprawdę niechętnie. Jednak centrum hodowli owiec to oczywiście Canterbury Plains…

Fleurette uśmiechnęła się do niego. W dziwny sposób jej ulżyło.

– Być może będziemy mogli pana tam komuś polecić. Moi rodzice posiadają wielką farmę w okolicach Haldon i mają świetne kontakty.

– Ale to jest tak daleko… – Elaine próbowała panować nad głosem, lecz słowa Williama trafiły ją w serce jak sztylet. Jeśli teraz wyjedzie, a ona być może już nigdy go nie zobaczy… Elaine czuła, jak krew odpływa jej z twarzy. Akurat teraz, akurat on…

Ruben O'Keefe dostrzegł zarówno ulgę na twarzy żony, jak i rozczarowanie córki. Fleurette chciałaby jak najszybciej odsunąć tego mężczyznę od Elaine, choć powody nie były dla niego do końca jasne. Jak dotąd William Martyn robił dobre wrażenie. Danie mu szansy tutaj, w Queenstown, nie oznaczało przecież jeszcze zaręczyn.

– Cóż… Być może umiejętności pana Martyna nie ograniczają się jedynie do liczenia owiec – zaczął wesołym głosem. – A co pan powie na księgowość, Williamie? Mógłbym potrzebować w sklepie kogoś, kto odciążyłby mnie od tej przykrej pisaniny. Ale oczywiście, jeśli szuka pan kierowniczego stanowiska…

Sposób, w jaki Ruben to powiedział, dawał jasno do zrozumienia, że taką możliwość uważał za iluzoryczną. Ani Gwyneira Warden, ani inni „baronowie" z owczych farm na wschodzie nie potrzebowali niedoświadczonego smarkacza z Irlandii, żeby im mówił, jak prowadzić farmę. Ruben niespecjalnie interesował się owcami, ale sam dorastał w takim miejscu i nie był głupi. Hodowla zwierząt w Nowej Zelandii miała niewiele wspólnego z hodowlą w Wielkiej Brytanii i Irlandii. Gwyneira Warden zawsze to podkreślała. Już choćby farma jego ojca była zbyt mała, żeby przynosić zyski, a przecież, bądź co bądź, miał on trzy tysiące owiec. Ojciec Gwyneiry w Walii nie miał nawet tysiąca zwierząt, a mimo to uchodził za jednego z największych hodowców w kraju. Poza tym Ruben w ogóle nie wierzył, że William mógłby dać sobie radę z takimi rozrabiakami, jacy pracowali w Nowej Zelandii w grupach postrzygaczy.

William uśmiechnął się z niedowierzaniem.

– Czy to znaczy, że oferuje mi pan pracę, Mr O'Keefe?

Ruben potakująco skinął głową.

– O ile jest pan zainteresowany. Jako księgowy nie stanie się pan bogaty, ale przynajmniej nabędzie pan doświadczenia. A gdy mój syn weźmie się już rzeczywiście za tę sprawę z filiami w innych miasteczkach – wskazał na Georgiego – będą też możliwości awansu.

William nie zamierzał kiedykolwiek robić kariery jako kierownik filii w jakimś miasteczku. Już prędzej myślał o własnej sieci sklepów albo o wżenieniu się w takową, jeżeli sprawy nadal będą się tak pomyślnie rozwijać. Jednak oferta Rubena to zawsze był jakiś początek.

Znów obdarzył Elaine spojrzeniem błyszczących oczu, tym razem o ułamek sekundy dłuższym, ona zaś z błogością odpowiedziała mu tym samym, na przemian czerwieniąc się i blednąc. Wstał i wyciągnął rękę w stronę Rubena O'Keefe'a.

– A więc jestem pańskim człowiekiem! – oświadczył z powagą.

Ruben przybił.

– Za dobrą współpracę. Powinniśmy to uczcić następną szklanką whisky. Ale tym razem tutejszą, bo przecież zamierza się pan urządzić w tym kraju.

Gdy William zebrał się w końcu do wyjścia, Elaine wyprowadziła go na dwór. Otoczenie Queenstown pokazywało się dzisiaj ze swej najpiękniejszej strony. Potężne góry rozświetlał blask księżyca, a na niebie iskrzyły się miriady gwiazd. Rzeka zdawała się płynąć żywym srebrem, las zaś wypełniony był nawoływaniem nocnych ptaków.

– To dziwne, że śpiewają w świetle księżyca – zadumał się William. – Zupełnie jakby się było w zaczarowanym lesie.

– Cóż, nie nazwałabym tego wrzasku śpiewem.

Elaine nie była właściwie szczególnie romantyczna, ale starała się, jak mogła. Niepostrzeżenie przysunęła się do niego.

– Dla ich samiczek ten wrzask jest najsłodszym śpiewem – zauważył William. – Pytanie nie polega na tym, jak dobrym w czymś się jest, lecz dla kogo.

W sercu Elaine wzbierała fala. Oczywiście! Zrobił to dla niej. To ze względu na nią zrezygnował z dobrze płatnej pracy zarządcy farmy owiec i przyjął posadę pomocnika u jej ojca. Odwróciła się w jego stronę.

– Nie musiał pan… To znaczy… wcale nie musiał pan tego robić – powiedziała mgliście.

William spojrzał w szczerą, rozjaśnioną światłem księżyca twarz, którą ku niemu uniosła. Wyrażała coś między niewinnością i oczekiwaniem.

– Czasami nie ma się wyboru – wyszeptał i pocałował ją.

Elaine poczuła, jak wraz z tym pocałunkiem eksploduje noc.

Fleurette obserwowała córkę z okna.

– Całują się! – zauważyła, nalewając sobie resztę wina z butelki z takim rozmachem, jakby chciała jednocześnie opróżnić pamięć Elaine.

Ruben się roześmiał.

– A czego innego oczekiwałaś? Są młodzi i zakochani.

Fleurette zagryzła wargi, a potem jednym łykiem opróżniła kieliszek.

– Żebyśmy tylko kiedyś tego nie pożałowali – mruknęła.

# 4

Gwyneira McKenzie zamierzała razem z Kurą przyłączyć się do transportu towarów Rubena O'Keefe'a i z taką ochroną odbyć podróż do Queenstown. Bagaże mogły oddać na wozy z towarem, a same jechać lżejszą dwukółką. Przynajmniej Gwyneira uważała, że to najprzyjemniejszy sposób podróżowania; jej wnuczka nie wyraziła na ten temat żadnej opinii. Kura nadal traktowała wyjazd do Queenstown z niemal niepokojącą obojętnością.

Na statek z dostawą dla Rubena trzeba było jednak czekać, tak więc ich wyjazd wciąż się opóźniał. Najwyraźniej pierwsze jesienne sztormy sprawiły, że rejs był ciężki. I tak oto, nim Gwyneira wreszcie mogła wyjechać, zdążył się skończyć spęd owiec – co zresztą raczej uspokoiło zatroskaną hodowczynię, niż ją rozzłościło.

– Przynajmniej mam już moje owieczki u siebie – żartowała, gdy jej mąż wraz z synem zamykali ostatnie bramki za stadami. Jack znów się wyróżnił. Robotnicy chwalili go jako „świetnego faceta", a chłopak rozpływał się nad obozowaniem w górach i jasnymi nocami, kiedy wystarczyło tylko rozpiąć śpiwór i odejść trochę na bok, by obserwować ptaki i inne nocne zwierzęta. Tych zaś na Wyspie Południowej Nowej Zelandii było pod dostatkiem. Również kiwi, ten dziwnie niezgrabny ptak, który stał się symbolem osadników, był aktywny nocą.

James McKenzie także wyglądał na zadowolonego, gdy po powrocie ze spędu zastał jeszcze w domu Gwyneirę. Oboje cieszyli się długim pożegnaniem. Gwyn nie omieszkała wyrazić przy tym swej rosnącej troski o Kurę.

– Wciąż bez zażenowania łazi jeszcze z tym maoryskim chłopakiem, choć Miss Witherspoon ją za to gani. Jeśli chodzi o przyzwoitość, to potrafi mieć oczy nawet z tyłu głowy! A Tonga znów włóczył się po farmie, jakby już wkrótce miała należeć do niego. Nie chciałam mu pokazywać, że doprowadza mnie to do szaleństwa, ale cóż, obawiam się, że można to było po mnie poznać…

James westchnął.

– Wygląda na to, że wkrótce będziesz musiała wydać tę dziewczynę za mąż, wszystko jedno za kogo. Wciąż będzie sprawiać kłopoty. Ma to… Sam nie wiem. Ale jest bardzo zmysłowa.

Gwyn spojrzała na niego z oburzeniem.

– Uważasz, że jest zmysłowa? – zapytała nieufnie.

James przewrócił oczami.

– Uważam, że jest rozpuszczona i nieznośna. Ale to nie znaczy, że nie potrafię dostrzec, co widzą w niej inni mężczyźni. Boginię mianowicie.

– James, ona ma dopiero piętnaście lat!

– Ale rozwija się piekielnie szybko. Dojrzała nawet w ciągu tych kilku dni, kiedy byliśmy na spędzie. Zawsze była śliczna, ale teraz stała się pięknością, która doprowadza mężczyzn do szaleństwa. I ona o tym wie. A co do tego Tiare, to o to akurat najmniej bym się martwił. Jeden z maoryskich pasterzy przedwczoraj ich podsłuchiwał i ponoć traktowała go jak niegrzecznego psiaka. Nie ma mowy, żeby dzieliła z nim łoże. Ludzie zazdroszczą temu chłopakowi, ale z drugiej strony musi się sporo nasłuchać od Kury i innych mężczyzn. Poczuje się szczęśliwy, gdy będzie miał dziewczynę z głowy. – James znów przyciągnął Gwyneirę do siebie.

– I myślisz, że zaraz znajdzie się jakiś inny? – spytała niepewnie Gwyn.

– Jakiś inny? Żartujesz sobie?! Wystarczy tylko, że Kura kiwnie palcem, a ustawi się kolejka aż do Christchurch!

Gwyneira westchnęła i wtuliła się w jego ramiona.

– Powiedz, James, czy ja też byłam… hmm… zmysłowa?

Transport z towarami dotarł wreszcie do Christchurch. Ciężkie kryte wozy ciągnęły wspaniałe zaprzęgi zimnokrwistych koni, prowadzone przez woźniców Rubena.

– W środku jest też miejsce do spania – wyjaśnił jeden z powożących. – Jeśli po drodze nie uda nam się znaleźć jakiejś kwatery, mężczyźni mogą spać na jednym wozie, a wam pozostawimy drugi, madame. Jeśli to panią zadowoli…

Gwyneirę jak najbardziej to zadowalało. W życiu zdarzało jej się już nocować w mniej komfortowych warunkach i w gruncie rzeczy nawet się cieszyła na tę przygodę. Była więc w świetnym humorze, gdy za krytymi wozami stanęła dwukółka, do której zaprzężono kasztanowego coba.

– Owen będzie mógł tam pokryć kilka klaczy – wyjaśniła swą decyzję, by zaprząc ogiera. – To po to, żeby Fleurette nie skończyła się linia czystej rasy cobów!

Kura, do której skierowane były te słowa, skinęła obojętnie głową. Prawdopodobnie nie zwróciła nawet uwagi na to, jakiego konia wybrała babka. Z zainteresowaniem natomiast rzucała spojrzenia na młodych woźniców na wozach z towarami – którzy zresztą też zerkali na nią z nie mniejszym pożądaniem. Obaj młodzieńcy natychmiast zaczęli jej nadskakiwać, a może lepiej można by to określić zwrotem „ubóstwiać ją". Jednak na jawne flirtowanie z małą pięknością żaden się nie odważył. Gwyneirę ogarnęła jeszcze większa gorączka podróży, gdy wreszcie pozostawili za sobą pierwsze, najbliżej położone miasteczko Haldon i skierowali się w stronę Alp. Pokryte śniegiem szczyty, poniżej których rozpościerała się niczym morze niekończąca się zieleń Canterbury Plains, fascynowały ją, odkąd przybyła do nowej ojczyzny. Doskonale pamiętała jeszcze dzień, w którym po raz pierwszy przekroczyła Bridle Path pomiędzy portem Lyttelton i Christchurch. Na koniu, a nie na mule, jak inne damy, z którymi przybyła na „Dublinie" z Londynu. Wciąż jeszcze pamiętała, jak podekscytowany był jej teść. Klacz Viviane, rasy cob, poniosła ją pewnie przez tereny, które z początku wydawały się tak zimne, skaliste i niegościnne, że jeden z wędrowców porównał je z Hills of Hell. Później jednak dotarli do najwyższego punktu, a na równinie przed nimi rozciągały się Christchurch i Canterbury Plains. Kraina, do której należała.

Gwyneira swobodnie trzymała lejce, opowiadając wnuczce o swym pierwszym spotkaniu z tą krainą. Na Kurze nie robiło to jednak żadnego wrażenia i nie skomentowała tego ani słowem. Jedynie wspomnienie Hills of Hell z piosenki *Damon Lover* wyrwało ją, jak mogło się wydawać, z obojętności. Zaczęła ją nawet cicho nucić.

Gwyneira słuchała jej i zastanawiała się, której gałęzi rodziny Kura zawdzięczała swą wrodzoną muzykalność. Z pewnością nie Silkhamom, rodzinie Gwyneiry. Siostry Gwyn z najwyższym zapałem oddawały się co prawda grze na fortepianie, ale przejawiały raczej znikome zdolności. Znacznie większy talent w tej dziedzinie miał natomiast pierwszy mąż Gwyn. Lucas Warden lubił sztukę i doskonale grał na pianinie. To zaś z pewnością miał po matce, ona jednak z kolei nie była spokrewniona z Kurą… Cóż, nad skomplikowanymi więzami rodzinnymi wśród Wardenów Gwyneira wolała się zbyt długo nie rozwodzić. Zapewne chodziło wyłącznie o Maramę, maoryską pieśniarkę, która przekazała swój talent Kurze. Gwyn sama była winna, że kupiła dziewczynie ten przeklęty fortepian po tym, jak przed laty podarowała komuś instrument Lucasa. Bez niego Kura być może ograniczyłaby się do tradycyjnych instrumentów i muzyki Maorysów.

Droga do Queenstown trwała kilka dni, przy czym podróżnym prawie zawsze udawało się znaleźć nocleg na którejś z farm. Gwyneira znała niemal wszystkich hodowców owiec w okolicy, ale tutaj powszechnie oferowano gościnę nawet obcym. Wiele farm leżało w odległych miejscach, przy rzadko uczęszczanych szlakach, więc ich właściciele cieszyli się z każdych odwiedzin, dzięki którym mogli posłuchać nowin, a czasem nawet otrzymać pocztę; tę woźnice składu O'Kay od lat zabierali z sobą, gdy udawali się w drogę.

Dotarli już prawie do Otago, a wówczas nie mieli żadnego innego wyboru, jak rozbić obóz z krytych wozów w otwartym terenie. Gwyneira starała się, żeby to wyglądało na przygodę, by wreszcie trochę rozruszać Kurę. Dziewczyna przez całą drogę siedziała zazwyczaj obojętnie obok niej i nie słyszała chyba nic prócz melodii w swej głowie.

– James i ja w takie noce często leżeliśmy, nie śpiąc, i nasłuchiwaliśmy ptaków. Posłuchaj, to jest kea. Można go usłyszeć dopiero tutaj, w górach, ale aż do Kiward Station już nie…

– W Europie są ponoć ptaki, które naprawdę potrafią śpiewać – zauważyła Kura swym melodyjnym głosem, przywołującym na myśl głos Maramy; o ile jednak głos tej drugiej brzmiał dźwięcznie i słodko, głos Kury był głęboki i aksamitny. – Prawdziwe melodie, tak mówi Miss Heather.

Gwyn przytaknęła.

– Tak, przypominam sobie. Słowiki i skowronki. Brzmią ładnie, naprawdę. Możemy kupić płytę z głosami ptaków i będziesz mogła posłuchać ich z gramofonu. – Gramofon był prezentem podarowanym Kurze przez Gwyn na ostatnią gwiazdkę.

– Wolałabym posłuchać tych głosów w naturze – westchnęła Kura.

– I wolałabym odbyć podróż do Anglii i uczyć się śpiewu zamiast jechać do Queenstown. Nie mam pojęcia po co.

Gwyneira objęła dziewczynę ramieniem. Kura już od lat tego nie lubiła, ale tutaj, w cudownej samotności pod gwiazdami, była w jakiś sposób przystępniejsza.

– Kura, wyjaśniałam ci to już z tysiąc razy. Ciąży na tobie odpowiedzialność. Kiward Station jest twoim dziedzictwem. Musisz je przejąć albo przekazać następnemu pokoleniu, jeśli cię to w ogóle nie będzie obchodzić. Może twojemu synowi albo córce, dla których będzie ono ważne…

– Nie chcę mieć dzieci, chcę śpiewać! – wyrzuciła z siebie Kura.

Gwyneira odgarnęła jej włosy z twarzy.

– Nie zawsze dostajemy to, czego chcemy, malutka. Przynajmniej nie od razu i nie teraz. Pogódź się z tym, Kura. Nie ma co marzyć o konserwatorium w Anglii. Będziesz musiała znaleźć coś innego, co uczyni cię szczęśliwą.

Gwyneira była naprawdę szczęśliwa, gdy wreszcie pojawiło się przed nimi jezioro Wakatipu, a ich oczom ukazało się Queenstown. Podróż z okazującą ponury nastrój Kurą w ostatnich dniach zdawała się dłużyć, a pod koniec nie potrafiły nawet znaleźć żadnych tematów do rozmowy. Widok czystego małego miasteczka w otoczeniu gór i olbrzymiego jeziora sprawił, że spoglądały na wszystko z większym optymizmem. Może Kura potrzebuje jedynie towarzystwa rówieśników? Z jej kuzynką Elaine z pewnością znajdą jakieś wspólne zainteresowania, a Elaine zawsze wydawała się Gwyn rozsądna. Może dzięki niej Kura spojrzy na wszystko trzeźwiej. W dobrym nastroju Gwyn wyprzedziła wozy z towarami i skierowała swego eleganckiego ogiera Owena na Main Street. Faktycznie wzbudziła trochę zainteresowania, a wielu z osadników, którzy znali ją z wcześniejszych pobytów w miasteczku, wykrzykiwało w jej stronę pozdrowienia.

Gwyn zatrzymała ogiera przed Hotelem Daphne, gdy zobaczyła przed nim dawną wychowanicę Helen rozmawiającą z jakąś dziewczyną. Gwyn również znała Daphne od ponad czterdziestu lat i w żadnym razie się tego nie wstydziła. Wygląd Daphne trochę ją jednak zaniepokoił; robiła wrażenie, jakby od ostatniej wizyty znacznie się postarzała. Zbyt wiele nocy w zadymionym barze, za dużo whisky i za wielu mężczyzn – w zawodzie Daphne człowiek starzał się szybko. Dziewczyna obok niej była natomiast prawdziwą pięknością z długimi czarnymi włosami i o białej jak śnieg cerze. Szkoda tylko, że tak mocno się malowała i że jej sukienka była do tego stopnia obszyta koronkami i falbankami, iż zamiast podkreślać naturalne piękno, zdawała się ją przytłaczać. Gwyn zastanawiała się, jak taka dziewczyna mogła trafić do przybytku Daphne.

Gwyn wysiadła i wyciągnęła rękę.

– To one znajdują mnie, Miss Gwyn. – Daphne roześmiała się i przywitała. – Wieści się rozchodzą, jeśli warunki pracy są dobre, a pokoje czyste. Niech mi pani wierzy, to niesamowicie ułatwia pracę, jeśli kąsają je tylko ci dranie, a nie do tego jeszcze pchły. Ale mojej Mony nie sposób nawet porównać z pani towarzyszką! Czy to jest ta maoryska wnuczka? A niech mnie kule biją!

Daphne chciała jedynie obrzucić krótkim spojrzeniem powóz Gwyneiry, później jednak przyssała się wzrokiem do Kury w taki sposób, jak normalnie czynili to tylko mężczyźni. Kura spoglądała niewzruszenie przed siebie. Daphne z pewnością należała do takich kobiet, przed jakimi Miss Heather zawsze ją ostrzegała.

Po pierwszym wybuchu podziwu na kociej twarzy Daphne pojawiło się jednak również zatroskanie.

– Nic dziwnego, że ma pani z tą dziewczyną problemy – zauważyła cicho, nim Gwyn znów wsiadła na wóz. – Powinna ją pani jak najszybciej wydać za mąż!

Gwyn roześmiała się w trochę wymuszony sposób i kazała koniowi ruszyć. Była trochę poirytowana. Daphne bez wątpienia była dyskretna, ale komu to jeszcze Helen i Fleurette naopowiadały, że w przypadku Kury Gwyneira i Marama czują się bezradne?

Jej gniew zniknął natychmiast, gdy tylko dotarły do składu O'Kay i dostrzegła Rubena i Fleurette rozmawiających z woźnicami. Odwrócili się w jej stronę, gdy usłyszeli głośny stukot ciężkich kopyt Owena i już po chwili Gwyn trzymała w ramionach swoją córkę.

– Fleur! Ani trochę się nie zmieniłaś! Gdy tak stoję naprzeciw ciebie, wciąż mam uczucie, jakbym odbyła podróż w czasie, a później znów spojrzała w lustro!

Fleurette się roześmiała.

– Nie wyglądasz jeszcze wcale tak staro, mamo. Dziwny to jednak widok, patrzeć, że nie zsiadasz z konia. Od kiedy to jeździsz powozem?

Gdy Gwyneira i James odwiedzali córkę, zazwyczaj siodłali tylko dwa konie. Prowiant i inne potrzebne rzeczy mieściły się w torbach przy siodłach, a Gwyn i James wciąż lubili wspólnie spędzać noce pod namiotem z gwiazd. Zazwyczaj jednak podróżowali latem, po strzyżeniu i spędzie owiec, a pogoda była wtedy znacznie znośniejsza.

Gwyn wykrzywiła twarz. Uwaga Fleurette przypomniała jej nieprzyjemną podróż.

– Kura nie jeździ konno – powiedziała, starając się, by w jej głosie nie można było wychwycić rozczarowania. – A gdzie się podziewają George i Elaine?

Związek Elaine i Williama stał się w ostatnich tygodniach jeszcze silniejszy. Nic dziwnego, przecież widywali się praktycznie codziennie. Elaine również pomagała w składzie O'Kay, a po pracy czy podczas południowej przerwy zawsze znalazł się jakiś powód, żeby mogli być razem. Elaine zaskakiwała swoją matkę nagłymi zajęciami typowymi dla gospodyni domowej. Wciąż musiała piec jakieś pasztety, które później, podczas południowej przerwy, mogła podsuwać Williamowi, albo też po niedzielnym nabożeństwie zapraszała go na piknik, w związku z czym całą sobotę spędzała na przygotowywaniu przeróżnych smakołyków. William całował ją teraz częściej, ale pocałunki te w żadnym razie nie straciły uroku. Elaine wciąż jeszcze wydawała się umierać ze szczęścia, gdy tylko brał ją w ramiona, a gdy czuła jego język w swych ustach, dosłownie rozpływała się w jego objęciach.

Ruben i Fleurette tolerowali romans córki z nowym księgowym z mieszanymi uczuciami. Fleurette wciąż była zatroskana; Ruben tymczasem przyglądał się temu wszystkiemu z pewną przychylnością. William świetnie się odnalazł w nowym miejscu pracy. Był inteligentny, znał się na prowadzeniu konta i księgowości; szybko poznał różnice między zarządzaniem farmą a składem towarów. Poza tym ujmował klientów dobrymi manierami i uprzejmym podejściem. Zwłaszcza damy lubiły, gdy je obsługiwał. Przeciwko takiemu zięciowi Ruben nie wnosił żadnych sprzeciwów – gdyby tylko pojawił się o parę lat później. Na razie Ruben O'Keefe musiał się zgodzić z żoną. Elaine była za młoda na poważniejszy związek; w żadnym razie nie pozwoliłby, żeby wyszła za mąż w tak młodym wieku. W tej kwestii młody człowiek będzie musiał wykazać gotowość, by trochę poczekać. Jeśli Williamowi starczy cierpliwości na kilka lat, to dobrze; jeśli nie, Elaine gorzko się rozczaruje. Dokładnie tego obawiała się Fleurette, Ruben traktował to jednak swobodniej. A z kim to niby William miałby uciec od jego córki? Inne tutejsze przyzwoite dziewczyny były jeszcze młodsze niż Elaine, jeśli zaś chodzi o córki jakichś nowych osadników z okolicznych farm, to nie były one dla Williama interesujące: Ruben nie sądził, by William na ślepo zakochał się w jakiejś pozbawionej środków dziewczynie, z którą wszystko musiałby zaczynać od początku. Chłopak nie miał przecież żadnych złudzeń co do tego, komu zawdzięcza pracę w składzie O'Kay.

Tak więc Ruben popuścił cugli – a Fleurette, choć zgrzytała zębami, też nie pozostało nic innego. W końcu sami wiedzieli z doświadczenia, że młodej miłości nie da się kontrolować. Ich własna historia była o wiele bardziej skomplikowana niż miłostki Elaine i Williama, a sprzeciw ich ojców i dziadków był znacznie silniejszy niż resentymenty Fleurette. A przecież zeszli się. Kraj rozległy, a naciski społeczne niezbyt silne.

Rankiem w dniu przybycia Gwyneiry do Queenstown William i Elaine wybrali się na wyprawę. William zaoferował się, że dostarczy towar do jednej z odległych farm; Elaine towarzyszyła mu z kolekcją sukienek i wyrobów pasmanteryjnych z działu damskiej konfekcji ich składu. Dzięki temu żona farmera mogła w spokoju wybierać, przymierzać i wysłuchiwać porad Elaine – był to rodzaj usługi, jaką Fleurette oferowała od samego początku istnienia ich przedsiębiorstwa i z której chętnie korzystano. Dzięki temu żyjące na odludziu kobiety miały nie tylko możliwość dokonania zakupów, ale do tego mogły jeszcze wysłuchać plotek i nowin z miasta, które w kobiecych ustach brzmią przecież zawsze inaczej niż wtedy, gdy przekazuje je woźnica.

Oczywiście Elaine zorganizowała też dla Williama piknik i w dodatku zwędziła nawet z zapasów ojca butelkę lekkiego australijskiego wina. Na jednym z idyllicznych stoków nad jeziorem spożyli książęcy posiłek, wsłuchując się przy tym w bicie serca olbrzyma, które sprawiało, że woda unosiła się i opadała. Na koniec Elaine zgodziła się nawet, żeby William rozpiął odrobinę jej suknię, odsłaniając trochę piersi, tak by mógł je pieścić i zasypywać pocałunkami. Owładnęły nią te nowe doznania; ze szczęścia mogłaby wziąć w ramiona cały świat i nawet na chwilę nie wypuszczała dłoni Williama ze swej ręki. On zaś, również zadowolony z przebiegu dnia, rozluźniony prowadził zaprzęg, trzymając w dłoniach lejce, przynajmniej do chwili, gdy obie klacze z zainteresowaniem uniosły głowy, rżąc w stronę kasztanowego konia stojącego przed sklepem. Elaine natychmiast rozpoznała tego ogiera.

– To jest Owen! Rozpłodowy ogier babci Gwyn! Och, Williamie, że też zabrała go z sobą! Banshee będzie mogła mieć źrebaka! A Caitlin i Ceredwen od razu mają ochotę z nim flirtować. Czy to nie wspaniałe?

Caitlin i Ceredwen były to klacze rasy cob zaprzężone do ich lekkiego wozu, i teraz ciężko je było utrzymać na wodzy. Czworonożne damy najwyraźniej wiedziały, czego chcą. William skrzywił się zdegustowany. Elaine była z pewnością dobrze wychowana, ale czasami zachowywała się jak prostacka córka farmera! Jak mogła tak bez skrępowania i całkiem otwarcie mówić o sprawach hodowli? Zastanawiał się, czy nie powinien jej zganić, ale Elaine zdążyła już zeskoczyć z wozu i pędziła w stronę nonszalancko, choć elegancko ubranej starszej damy, w której bez trudu rozpoznał jej babkę. Patrząc na Fleurette, można było wiedzieć, jak Elaine będzie wyglądała jako czterdziestolatka, Gwyneira zaś dawała wyobrażenie, jak będzie się prezentować w wieku lat sześćdziesięciu.

William nie wiedział, czy się uśmiechnąć, czy westchnąć. To była ta jedyna kropla dziegciu w beczce miodu, jeśli chodziło o jego starania o Elaine: jeśli zdecyduje się na tę dziewczynę, nie będą na niego czekać już żadne niespodzianki. Zarówno w życiu zawodowym, jak i prywatnym będzie posuwał się naprzód jak pociąg po szynach.

Zatrzymał zaprzęg za ciężkim wozem i zadbał o to, żeby dobrze przywiązać konie. Następnie ruszył spokojnym krokiem, by przed-

stawiono mu babcię Elaine i jej kuzynkę. Pewnie kolejna wersja rudzielca z talią jak osa.

Tymczasem Elaine witała się z Gwyneirą, którą Fleurette dopiero
co wypuściła ze swych objęć. Najwyraźniej babcia właśnie przybyła.

Gwyneira pocałowała Elaine, uściskała ją, a potem odsunęła trochę od siebie, żeby się jej przyjrzeć.

– A więc jesteś, Lainie! Jaka piękna wyrosłaś, prawdziwa kobieta!
Wyglądasz tak jak twoja matka, gdy była w twoim wieku. Mam nadzieję, że jesteś taką samą psotnicą. Bo jeśli nie, to mam dla ciebie niewłaściwy prezent… Gdzie on się w ogóle podziewa? Kura, masz może
koszyk z psem? I co ty w ogóle jeszcze robisz w tym powozie? Wysiadaj
i przywitaj się ze swoją kuzynką! – W głosie Gwyn zabrzmiało lekkie
rozdrażnienie. Kura nie musiała przecież w tak ostentacyjny sposób
okazywać, że te odwiedziny w Queenstown są jej w sumie obojętne.

Ale dziewczyna najwyraźniej czekała jedynie na to, by ją zawołano.
Spokojnie, zwinnymi, wdzięcznymi ruchami Kura-maro-tini Warden
uniosła się, by przejąć Queenstown w posiadanie. I zauważyła z satys-
fakcją, że jej występ przyniósł oczekiwane skutki. Nawet na twarzach
jej ciotki i kuzynki dostrzec można było zachwyt, niemal cześć.

Elaine ledwie mogła się uważać za ładną. Miłość do Williama dobrze jej jednak robiła. Promieniowała nią; jej skóra była gładka i za-
różowiona, włosy błyszczały, a spojrzenie wydawało się bystrzejsze
i wyrazistsze. Jednak na widok kuzynki natychmiast zamieniła się
w brzydkie kaczątko – jak z pewnością każda dziewczyna, której natura nie obdarzyła tak obficie jak córkę Paula Wardena. Elaine ujrzała
dziewczynę wyższą od niej o pół głowy, co z pewnością nie wynikało tylko z tego, że w naturalny sposób poruszała się wyprostowana
i z kocią gracją.

Skóra kuzynki miała kolor kawy, takiej, do której szczodrze dodano dużo gęstej białej śmietanki. Jej cera miała lekki złoty połysk, dzięki któremu wydawała się ciepła i kusząca. Włosy Kury, gładkie, długie do pasa, głęboko czarne i lśniące, opadały na ramiona dziewczyny
niczym zasłona z onyksów. Długie rzęsy i miękko wygięte brwi były
równie czarne, przez co oczy, lazurowe, błyszczące i wielkie jak oczy
jej babci Gwyn, wyglądały naprawdę niezwykle. W jej spojrzeniu nie

było jednak tych drwiących i wesołych iskier jak u Gwyn, sprawiały wrażenie spokojnych i rozmarzonych, niemal znudzonych, co dodawało tej egzotycznej piękności pewnej tajemniczości. Również ciężkie powieki nadawały jej twarzy wyraz marzycielki, która tylko czeka na to, by ją obudzić ze snu.

Ciemnoczerwone, pełne usta Kury błyszczały wilgocią. Zęby miała małe, doskonale równe i białe jak śnieg, przez co wyglądała urzekająco. Twarz jej była drobna, szyja długa i pięknie wygięta. Miała na sobie ciemnoczerwoną, prostą suknię podróżną, ale kształty jej ciała odznaczały się pięknie nawet w takim habicie. Jej piersi były twarde i pełne, biodra szerokie. Kołysały się zmysłowo przy każdym kroku, ale ruchy te nie sprawiały wrażenia wyuczonych, jak u dziewczyn Daphne, lecz były naturalne.

Czarna pantera… William widział kiedyś jedno z tych zwierząt w londyńskim zoo. Zwinne ruchy dziewczyny i jej ogniste piękno natychmiast obudziły w nim te wspomnienia. William nie potrafił się powstrzymać, by nie uśmiechnąć się do Kury, i aż zabrakło mu tchu w piersiach, gdy odpowiedziała uśmiechem. Oczywiście bardzo krótkim, bo cóż boginię mogła obchodzić twarz jakiegoś młodego mężczyzny stojącego z boku?

– Ty… eee… jesteś Kura? – Fleurette pierwsza zapanowała nad sobą i uśmiechnęła się do dziewczyny w trochę wymuszony sposób. – Muszę przyznać, że cię nie poznałam… Widać, że karygodnie zaniedbaliśmy nasze wizyty w Kiward Station. Pamiętasz jeszcze Elaine? A Georgiego?

Właśnie skończyły się zajęcia w szkole i George zbliżał się do sklepu, gdy Kura odegrała swe wyreżyserowane przedstawienie, któremu przyglądał się z równie głupawym i zaciekawionym wyrazem twarzy jak pozostali mężczyźni. Teraz jednak natychmiast skorzystał z szansy, wysunął się przed matkę i stanął przed przepiękną kuzynką. Gdyby tylko wiedział, co teraz powiedzieć!

– *Kia ora* – wydusił w końcu z nadzieją, że wyda się jej obyty w świecie. Kura była przecież Maoryską; spodoba jej się zapewne, jeśli przywita ją w jej mowie.

Kura się uśmiechnęła.

– Dzień dobry, George.

Głos niczym pieśń. George przypominał sobie, że słyszał już gdzieś to porównanie, ale uważał je wtedy za bardzo głupie. Ale to było, zanim usłyszał, jak Kura-maro-tini Warden mówi „dzień dobry"...

Elaine starała się otrząsnąć z przygniatającego wrażenia. Musiała przyznać, że Kura była piękna, ale przecież przede wszystkim to jej kuzynka, zupełnie normalna dziewczyna i w dodatku młodsza od niej. Nie było powodu, by się na nią tak gapić. Elaine uśmiechnęła się i spróbowała przywitać z Kurą zupełnie normalnie. Jednak jej „Cześć, Kura" zabrzmiało trochę sztywno.

Kura zamierzała właśnie coś odpowiedzieć, ale w tym momencie skomlenie i wycie dobiegające z pojazdu ukradło jej przedstawienie. W koszu, którego Kura oczywiście nie wyjęła, wysiadając, o swoją wolność heroicznie walczył szczeniaczek.

– Co to takiego? – zapytała Elaine. Jej głos znów brzmiał normalnie. Podniecona podeszła do wozu, niemal całkiem zapominając o Kurze.

Gwyneira ruszyła za nią i otworzyła kosz.

– Pomyślałam, że zrobię coś dla podtrzymania tradycji. Państwo pozwolą, oto Kiward Callista. To praprawnuczka mojej pierwszej suczki border collie, która przybyła tu ze mną z Walii.

– To dla... dla mnie? – wyjąkała Elaine, patrząc na maleńki trójbarwny pyszczek z wielkimi czujnymi oczami, które już teraz wydawały się wyrażać uwielbienie dla swej wyzwolicielki.

– Jakbyśmy nie mieli już dość psów! – krzyknęła Fleurette. Jednak również ona uznała nowego czworonożnego członka rodziny za ciekawszego od chłodnej Kury.

Tego samego nie można było powiedzieć o Rubenie, George'u, a przede wszystkim o Williamie. George wciąż starał się wymyślić jakąś mądrą uwagę, jego ojciec zaś dopiero teraz przymierzał się do tego, by formalnie powitać Kurę w Queenstown.

– Bardzo się cieszymy, że będziemy cię mogli bliżej poznać – powiedział. – Miss Gwyn wspominała, że interesujesz się muzyką i sztuką. Może więc bardziej spodoba ci się w mieście niż tam u was, na równinach.

– Choć być może oferta kulturalna naszego małego miasteczka pozostawia trochę do życzenia. – Williamowi znów udało się odzyskać panowanie nad sobą, a tym samym nad swymi zdolnościami *whaiko-*

*rero.* – Jestem jednak pewien, że każdy da z siebie wszystko, jeśli pani, Kuro, będzie zasiadać wśród publiczności. Albo też odbierze im głos, bo i z tym oczywiście musimy się liczyć… – uśmiechnął się.

Kura nie reagowała tak błyskawicznie jak większość dziewczyn. Zamiast obdarzyć go spontanicznym uśmiechem, zachowała poważną minę. Ale wzbudził zainteresowanie, tyle zdążył dostrzec w jej oczach. William podjął kolejną próbę.

– Pani sama również gra, prawda? Elaine mi opowiadała. Jest pani utalentowaną pianistką. Jaką muzykę pani preferuje, klasyczną czy ludową?

Najwyraźniej była to właściwa strategia. Oczy Kury zabłysły.

– Kocham operę. Pragnę zostać śpiewaczką. Ponadto nie widzę żadnych przeszkód, by łączyć elementy klasyczne z folklorystycznymi. Wiem, że uchodzi to za dość ryzykowne, ale uważam, że można to robić również w sztuce na najwyższym poziomie. Próbowałam łączyć niektóre stare maoryskie pieśni z akompaniamentem na fortepianie i rezultat jest całkiem kuszący…

Elaine nie zauważyła rozmowy między Kurą i Williamem. W tej chwili interesował ją tylko mały piesek. Jednak spojrzenia Fleurette i Gwyn się spotkały.

– Kim jest ten młodzieniec? – spytała Gwyn. – Wielki Boże! Od tygodnia siedzę obok niej i próbuję zacząć jakąś rozmowę, a ona przez całą podróż powiedziała może ze trzy zdania. I oto…

Fleurette zacisnęła usta.

– No cóż. Nasz William wie, jak zadawać właściwe pytania. Od kilku tygodni pracuje dla Rubena. Jest bystry i ma jasno sprecyzowane plany na przyszłość. Usilnie zabiega o względy Elaine.

– Elaine? Ale przecież ona jest jeszcze dzieckiem… – Gwyn urwała. Elaine była prawie dwa lata starsza od Kury. A w przypadku tej drugiej sama myślała już o rychłym wydaniu jej za mąż.

– My też uważamy, że jest na to jeszcze za młoda. Cała reszta nawet pasuje. To irlandzki właściciel ziemski, szlachcic…

Gwyneira pokiwała głową z lekko zdziwionym wyrazem twarzy.

– Do diaska, cóż on wobec tego robi tutaj, zamiast dbać o swoją ziemię w Irlandii? A może wyrzucili go dzierżawcy? – Nawet do Haldon docierały już czasami angielskie gazety.

– To długa historia – odparła Fleurette. – Ale myślę, że powinnyśmy już wkroczyć. Jeśli Kura zacznie od tego, że wzbudzi zazdrość Lainie, czarno widzę to rodzinne spotkanie.

William zdążył się już tymczasem przedstawić i wypowiedzieć kilka mądrych uwag o starych irlandzkich pieśniach, które mają szansę podbić świat.

– Istnieje na przykład wersja *The Maids of Mourne Shore* do tekstu Williama Butlera Yeatsa. My, Irlandczycy, właściwie nie lubimy, gdy stare gaelickie pieśni śpiewa się po angielsku, ale w tym przypadku…

– Znam tę pieśń. Czy nie nazywa się przypadkiem *Down by the Sally Gardens*? Moja guwernantka mnie jej nauczyła.

Kura najwyraźniej świetnie się bawiła rozmową, co zdążył zauważyć także Ruben.

– Williamie, czy nie wolałby się pan znów zatroszczyć o sklep? – zapytał przyjaznym, ale stanowczym tonem. – Moja rodzina i ja wybieramy się zaraz do domu, ale Miss Helen z pewnością chętnie przyśle panu do pomocy jedną z bliźniaczek. Musi pan przecież przyjąć nowe towary… A z pewnością jeszcze nieraz nadarzy się okazja, by mógł pan porozmawiać z bratanicą mojej żony o muzyce.

William świetnie zrozumiał aluzję. Pożegnał się i poczuł bardziej niż połechtany, gdy zauważył rozczarowanie Kury. Przez cały ten czas jakoś zapomniał o Elaine, ale teraz, gdy chciał się odwrócić i odejść, zwróciła na siebie uwagę.

– Williamie, zobacz, co mam! – Rozpromieniona trzymała przed samym nosem dyszący wełnisty kłębek. – To jest Callie. Przywitaj się, Callie! – Ujęła łapkę szczeniaczka i pomachała nią. Piesek zaszczekał cichutko, ale z wyraźnym oburzeniem. Elaine się roześmiała. Jeszcze kilka godzin temu William uważał, że takiemu uśmiechowi nie można się oprzeć, ale teraz… przy Kurze Elaine wydawała się dziecinna.

– Cóż za uroczy piesek, Lainie – powiedział z pewnym przymusem. – Ale muszę już iść. Twój ojciec chce sobie wziąć wolne, a jest mnóstwo roboty. – Wskazał na towary, które trzeba było rozładować i spisać.

Elaine kiwnęła głową.

– No tak. A ja muszę się teraz zatroszczyć o tę Kurę. Och, śliczna jest. Ale poza tym raczej niezbyt interesująca.

Georgie doszedł do tego samego wniosku po tym, jak przez całą drogę do posiadłości Nugget próbował zainteresować Kurę rozmową. Dziewczyna mieszkała na farmie owiec, spróbował więc najpierw poruszyć temat hodowli.

– Ile owiec macie teraz w Kiward Station?

Kura nawet na niego nie spojrzała.

– Jakieś dziesięć tysięcy, Georgie – odpowiedziała zamiast niej Gwyn. – Ale ich liczba wciąż się zmienia. Coraz bardziej koncentrujemy się na hodowli bydła, odkąd pojawiły się statki z chłodniami, które umożliwiają eksportowanie mięsa.

Kura nawet nie drgnęła. Ale była Maoryską. Z pewnością będzie chciała porozmawiać o swoim ludzie.

– Czy we właściwy sposób wypowiedziałem *kia ora*? – dopytywał się. – Z pewnością płynnie mówisz po maorysku, Kura?

– Tak – odpowiedziała mu jedną sylabą.

George łamał sobie głowę. Kura była piękna, a piękni ludzie z pewnością najchętniej mówią o sobie.

– Kura-maro-tini to niezwykłe imię! – rzucił chłopak. – Czy ma jakieś specjalne znaczenie?

– Nie.

George zrezygnował. Po raz pierwszy zdarzyło mu się zainteresować jakąś dziewczyną, ale ten przypadek zdawał się beznadziejny. Jeśli już się kiedyś ożeni, to przynajmniej z kobietą, która będzie z nim rozmawiać, wszystko jedno, jak będzie wyglądać.

Fleurette, która podała herbatę, też nie odniosła większych sukcesów, jeśli chodzi o konwersację. Kura weszła do domu, który był umeblowany w dość prosty sposób – O'Keefe'owie powierzyli wykonanie mebli miejscowym stolarzom, zamiast sprowadzić sobie jakieś z Anglii. Dziewczyna obrzuciła wszystko nieokreślonym, ale bez wątpienia niełaskawym spojrzeniem i od tej pory milczała. Od czasu do czasu zerkała pożądliwie w stronę fortepianu stojącego w kącie salonu, była jednak zbyt dobrze wychowana, żeby po prostu do niego podejść. Tak więc zamiast tego ponuro chrupała herbatnika.

– Smakują ci ciastka? – dopytywała się Fleurette. – Elaine sama je upiekła, choć co prawda nie dla nas, a raczej dla swego przyjaciela… – Mrugnęła do córki, ta jednak była całkowicie skupiona na szczeniaczku. Gwyneira westchnęła. W gruncie rzeczy prezent był świetnie dobrany, zważywszy jednak, że celem było lepsze poznanie się obu kuzynek, piesek okazał się raczej przeszkodą.

– Tak, dziękuję – odpowiedziała Kura.

– Chcesz jeszcze herbaty? Z pewnością jesteś spragniona po podróży, a o ile znam twoją babcię, po drodze piłyście tylko czarną kawę i wodę, jak na jakimś spędzie. – Fleurette się roześmiała.

– Tak, poproszę – powiedziała Kura.

– Jakie są twoje pierwsze wrażenia w Queenstown? – Fleurette usilnie starała się tak sformułować pytanie, żeby nie można było na nie odpowiedzieć po prostu „tak" albo „nie", czy też „dziękuję" albo „tak, poproszę".

Kura wzruszyła ramionami.

Trochę więcej szczęścia miała później Helen, która przybyła razem z Rubenem. Pojechał po nią i przywiózł ją tu, gdy tylko udało jej się wyrwać z hotelu.

Teraz całkiem swobodnie rozmawiała z Kurą o jej studiach muzycznych, dziełach, które ćwiczyła na fortepianie, i jej upodobaniach, jeśli chodzi o różnych kompozytorów. Przy tym wygląd dziewczyny zdawał się nie wywierać na Helen najmniejszego wrażenia; zachowywała się wobec niej zupełnie naturalnie. Kurze z początku wydawało się to dziwne, ale lody topniały. Niestety, nikt z pozostałych nie potrafił nic dodać do tego tematu, tak więc Kurze również tym razem udawało się tłumić każdą rozmowę przy stole. Z wyjątkiem Elaine, która była zajęta pieskiem, wszyscy śmiertelnie się nudzili.

– Może zechciałabyś nam coś zaśpiewać… – podsunęła wreszcie Helen. Czuła, jak zwłaszcza w Gwyn i Fleurette narasta napięcie. Georgie uciekł już do swego pokoju, Ruben zaś zdawał się oddawać jakimś prawniczym rozważaniom. – Elaine mogłaby ci akompaniować.

Elaine przyzwoicie grała na fortepianie. Muzycznie była znacznie bardziej doświadczona od Gwyneiry, dla której lekcje muzyki w Walii musiały być prawdziwą męką. Helen uczyła Elaine od lat i była dumna ze swych sukcesów. Z pewnością był to jeden z powodów jej propozycji. Kura nie powinna sobie od razu myśleć, że wszyscy inni Nowozelandczycy to troglodyci.

Elaine uniosła się chętnie. Kura natomiast patrzyła raczej sceptycznie i sprawiała wrażenie naprawdę wstrząśniętej, gdy usłyszała pierwsze takty wygrywane przez kuzynkę. Callie dostroiła się do tych dźwięków i zawyła w najwyższej tonacji. Reszta towarzystwa odebrała śpiew szczeniaczka jako przekomiczny. Elaine śmiała się do łez, później jednak wystawiła go za drzwi. Oczywiście Callie w rozdzierający serce sposób wyła teraz w sąsiednim pokoju, burząc tym samym koncentrację swej młodej pani. Prawdopodobnie to było przyczyną, że Elaine kilka razy uderzyła w fałszywy ton. Kura przewróciła oczami.

– Jeśli nie masz nic przeciwko temu, wolałabym akompaniować sobie sama – powiedziała. Elaine ponownie jakby skurczyła się w sobie, jak wtedy, gdy Kura wysiadała z powozu. Po chwili jednak odrzuciła głowę. A niech sobie jej kuzynka ma ten fortepian! Wtedy przynajmniej będzie mogła znów się zająć Callie.

Muzyka, która dobiegła do niej zza zamkniętych drzwi, sprawiła, że Elaine poczuła się jeszcze mniejsza. Fortepian nigdy nie brzmiał tak cudownie, gdy to ona grała, a nawet gdy grała babcia Helen. Musiało chodzić o sposób uderzania w klawisze, albo może po prostu Kura grała z serca; Elaine tego nie wiedziała. Czuła jedynie, że nigdy tak nie opanuje gry, nawet gdyby ćwiczyła przez całe życie.

– Chodź, wyjdźmy stąd – szepnęła do pieska. – Jeszcze zanim zacznie śpiewać. Na dziś mam już dość perfekcji oraz idealnej urody.

Próbowała myśleć o Williamie i jego pocałunkach w zatoce nad jeziorem. I jak zwykle poprawiło jej to nastrój. Kochał ją, kochał… Serce Elaine starało się śpiewać piękniej niż Kura.


– I co o niej myślisz?

Cierpliwość Gwyneiry wystawiona została na długą próbę, nim wreszcie mogła mieć Helen tylko dla siebie. Ale zanim można było posłać dzieci do łóżek, najpierw była herbatka i skromny rodzinny obiad. Elaine i Georgie poszli dobrowolnie zaraz po jedzeniu, a Kura też wydawała się zadowolona, że może się wycofać. Musi jeszcze napisać list, wyjaśniła, a Gwyneira potrafiła sobie świetnie wyobrazić, co takiego napisze do Miss Witherspoon o jej rodzinie.

Helen wypiła łyk wina. Lubiła to bordo, które Ruben regularnie sprowadzał z Francji. Przez zbyt wiele lat musiała rezygnować z takich drobnych przyjemności życia.

– Co chciałabyś usłyszeć? Jak piękna jest Kura? Przecież sama wiesz. Jak muzykalna? To też wiesz. Problem polega tylko na tym, że ona sama też o tym wie. Aż nadto dobrze.

Gwyneira się roześmiała.

– Trafiłaś w samo sedno. Jest potwornie zarozumiała. Ale co tak na przykład myślisz o jej głosie? Rzeczywiście nadaje się do opery?

Helen wzruszyła ramionami.

– Od czterdziestu pięciu lat nie byłam na żadnym przedstawieniu operowym. Co mam na to powiedzieć? A co myśli jej nauczycielka? Powinna się przecież na tym znać.

Gwyneira przewróciła oczami.

– Miss Witherspoon nie została zaangażowana jako nauczycielka muzyki. Tak naprawdę powinna dbać o porządne wykształcenie dzieci z Kiward Station. Wygląda jednak na to, że grubo się pomyliłam co do tej damy. Pochodzi z bardzo dobrego domu, wiesz? Świetne wychowanie, pensjonat w Szwajcarii… na papierze wyglądało to wszystko znakomicie. Ale później jej ojciec przeliczył się w jakimś interesie, stracił majątek i rzucił się z okna. I nagle mała Heather musiała zadbać o siebie sama. Niestety ciężko jej się z tym pogodzić. Ledwie tylko się pojawiła, nawkładała Kurze do głowy wszystkie te rzeczy, o których sama myślała.

Helen się uśmiechnęła.

– Ale chyba musiała studiować muzykę. Kura wspaniale gra na fortepianie, a jej głos… no cóż, słychać w tym trochę fachowego wykształcenia.

– Miss Witherspoon pobierała w Szwajcarii lekcje śpiewu i fortepianu – wyjaśniła Gwyn. – Jak długo, o to nie pytałam. Wiem tylko, że się uskarża, iż trwało to o wiele za krótko i nie jest już w stanie niczego więcej nauczyć Kury. Ale wszystko, co ma cokolwiek wspólnego z muzyką, wsiąka w Kurę jak w gąbkę. Nawet Marama mówi, że nie potrafi jej już niczego nauczyć, a jak wiesz, uchodzi przecież za *tohunga*.

Marama była uznaną maoryską śpiewaczką i instrumentalistką.

– Cóż, może rzeczywiście nadaje się do opery. Jakieś konserwatorium mogłoby Kurze dobrze zrobić. Wtedy byłaby jedną z wielu i być może nie ubóstwiano by tak wszystkiego, co ma z nią jakiś związek.

– Nie ubóstwiam jej – oburzyła się Gwyn.

Helen się roześmiała.

– Nie, ty się jej boisz, a to jeszcze gorzej! Boisz się, że to dziecko może wywinąć kiedyś coś takiego, co doprowadzi do utraty Kiward Station...

Gwyn westchnęła.

– Ale przecież nie mogę jej wysłać do Londynu...

– To chyba lepsze niż popychanie jej w ręce jakiegoś maoryskiego chłopaka, który będzie jedynie marionetką Tongi. Spójrz na to tak, Gwyn: nawet jeśli Kura wyjedzie do Londynu i wyjdzie za mąż w Europie, pozostanie dziedziczką. A skoro Kiward Station jej nie interesuje, to również nie sprzeda farmy, przynajmniej tak długo, jak długo nie będą jej potrzebne pieniądze. A przecież pieniędzy nie brakuje, prawda?

Gwyn potrząsnęła głową.

– Możemy jej zaoferować hojną pensję.

Helen potakująco kiwnęła głową.

– A więc zrób tak! Jeśli wyjdzie za mąż za oceanem, karty oczywiście będą rozdawane na nowo, ale aż tak niebezpieczne chyba to nie będzie. O ile nie wpadnie w ręce jakiegoś oszusta albo hazardzisty, czy jakiegoś innego kryminalisty, jej mąż z pewnością położy rękę na farmie w Nowej Zelandii, która co miesiąc będzie mu przysparzać nowych dochodów. I to samo dotyczy jej dzieci. Jeśli któreś z nich poczuje powołanie, żeby zostać farmerem, może nawet tu przyjedzie. A może po prostu będą wolały mieć z tego pieniądze i prowadzić miłe życie.

Gwyneira zagryzła wargi.

– To znaczy, że nadal będziemy musieli dbać o ciągły dopływ pieniędzy, a potem Jack, jeśli to on przejmie farmę. Nie będziemy mogli sobie wtedy pozwolić na trudniejsze czasy.

– Ale z tego, co mówisz, wygląda na to, że Jack zdaje się wyrastać na zdolnego farmera – stwierdziła Helen. – Jak wyglądają stosunki między nim a Kurą? Miałabyś coś przeciwko, gdyby przejął farmę?

Gwyn ponownie zaprzeczyła.

– Jack jest jej obojętny. Zresztą jak wszystko inne na świecie, czego nie da się zapisać nutami.

– No właśnie! To nie będzie też za długo rozważać, co by mogło być, gdyby na farmie sprawy nie miały się za dobrze. Nie musisz zaraz myśleć o najgorszym. Nigdzie nie jest napisane, że Kura będzie zawsze zależna od waszego finansowego wsparcia. Przecież może się rozwinąć i zostać znaną na świecie gwiazdą operową opływającą w dostatki. Albo też dzięki swej urodzie wyjdzie za mąż za jakiegoś księcia. Jakoś nie mogę sobie wyobrazić, że będziecie musieli na tę dziewczynę przez całe życie łożyć z waszych kieszeni. Jest na to zbyt piękna i zbyt pewna siebie.

Gwyneira długo jeszcze leżała tej nocy, rozmyślając o propozycjach Helen. Być może jej dotychczasowe kategoryczne odrzucanie planów Kury było rzeczywiście błędem? Choćby nie wiadomo jak szukać, trudno było znaleźć coś, co trzymałoby Kurę w Kiward Station – gdyby Tonga nie zdołał zrealizować swoich planów, Kura mogłaby sprzedać farmę, gdy tylko stanie się pełnoletnia. Jak dotąd Gwyn w ogóle nie brała pod uwagę takiej możliwości, ale Helen w dobitny sposób jej to pokazała. Jej opiekuńcza rola wobec Kury w przewidywalnym czasie dobiegnie końca, a wtedy Kiward Station mogła zostać wydana na łaskę i niełaskę kapryśnej młodej kobiety.

Nad ranem, gdy niebo zaczynało już szarzeć, Gwyn niemal podjęła decyzję. Będzie musiała porozmawiać o tym jeszcze z Jamesem, ale jeśli przedłoży mu argumenty Helen, to dojdzie on do tych samych wniosków.

Kura-maro-tini Warden jeszcze nigdy nie była tak bliska spełnienia swych marzeń, jak tego pięknego jesiennego dnia – dnia, w którym William Martyn przyszedł na obiad do posiadłości Nugget.

# 5

Ruben O'Keefe solidnie się wynudził podczas pierwszego wieczoru z Gwyn i Kurą – i nie miał ochoty, by to się szybko znów powtórzyło. Zresztą nie zostaną one zbyt długo w ich posiadłości, dom położony był zanadto na uboczu, zwłaszcza dla gościa, który nigdy nie dosiadał konia! Helen miała wolny pokój dla swej przyjaciółki i jej wnuczki, i Gwyn wkrótce zamierzała się tam przenieść. Pierwsze dni odwiedzin poświęcała jednak głównie Fleurette i Elaine. Elaine musiała jej pokazać, jakie postępy poczyniła w jeździe konnej. Dziewczyna aż się paliła, żeby babcia przejechała się na Banshee i powiedziała, co sądzi o jej ukochanym koniu, a Fleurette i Gwyn oczywiście zamierzały w najdrobniejszych szczegółach opowiedzieć sobie wszystkie plotki z Kiward Station i Haldon. Ruben nie miał nic przeciwko temu, by jego żona i teściowa miło spędzały z sobą czas, a już tym bardziej nie miał nic przeciw planom Elaine. Jego córka od samego przybycia Gwyn mówiła tylko o tym, żeby pojeździć na ogierze, z którym przybyła jej babcia – przynajmniej wtedy, kiedy akurat nie rozmawiała ze swoim nowym psem. O ile Kura-maro-tini milczała, Elaine nie mogła się powstrzymać od ciągłego trajkotania i Rubena zgrozą przepełniała perspektywa kolejnych posiłków z dwoma podlotkami, z których jeden był zbyt mrukliwy, a drugi zdecydowanie zbyt rozochocony. Gdy tak rozmyślał, do sklepu wszedł William, który pracowicie inwentaryzował towary z nowej dostawy. Rubenowi przyszedł wtedy do głowy świetny pomysł, jak temu wszystkiemu zaradzić.

Jego młody księgowy i być może przyszły zięć poprzedniego dnia z ożywieniem rozmawiał z Kurą. Poza tym potrafił zadbać o to, żeby Elaine nie mówiła jedynie o psach i koniach; Williama nie obchodziły ani jedne, ani drugie, to Ruben zdążył już zauważyć. W obecności zaś Williama Elaine poruszała tylko te tematy, które odpowiadały Williamowi. Fleurette to drażniło, ale Ruben uważał, że to całkiem praktyczne. Na tyle praktyczne, że koło południa, gdy William uporał się z gigantycznym zadaniem zinwentaryzowania wszystkich nowych towarów i poukładaniem ich na półkach – samodzielnie i po mistrzowsku – zdecydował się na zaproszenie go do domu.

– Wpadnij do nas dziś wieczorem na kolację, Williamie. Elaine się ucieszy, a z bratanicą mojej żony też się chyba od razu dobrze rozumiałeś.

William Martyn sprawiał wrażenie zaskoczonego i ucieszonego. Oczywiście, że przyjdzie, przecież i tak nie ma żadnych innych planów – musi tylko poinformować Helen i bliźniaczki, że nie będzie go na kolacji. Tak więc podczas południowej przerwy William udał się do pensjonatu, gdzie zastał Elaine grającą na fortepianie z Callie u stóp. Piesek towarzyszył jej występom z rozdzierającym wyciem, a bliźniaczki aż się pokładały ze śmiechu. Służący oraz jeden z pracowników banku też świetnie się bawili. Nawet ponura Miss Carpenter pozwoliła sobie na uśmiech.

– Uważam, że śpiewa znacznie lepiej od mojej zarozumiałej kuzynki – wyjaśniała właśnie Elaine. – Ale na szczęście jak do tej pory wcale nie zamierza występować w operze.

William nie wiedział, dlaczego te niewinne docinki go drażnią, ale już wcześniej poczuł lekką złość, gdy Ruben O'Keefe wyrażał się pogardliwie o zachowaniu bratanicy swej żony. Jak oni mogli uważać Kurę za mrukliwą? Ale szybko wybaczył to swojemu szefowi; przecież dziękował niebiosom za zaproszenie od niego. Od chwili, gdy po południu poprzedniego dnia po raz ostatni widział Kurę, myślał tylko o tym, kiedy znów ją spotka i co jej wtedy powie. Bez wątpienia była niezwykle mądrą dziewczyną. Oczywiście nie miał najmniejszej ochoty rozmawiać z nią o takich błahostkach jak…

W tej chwili Elaine zobaczyła swego przyjaciela i jej oczy zabłysły. Liczyła na to, że spotka Williama w mieście, i postarała się, by ładnie wyglądać na tę okazję. Zielona opaska podtrzymywała jej włosy, by nie opadały na twarz; ubrała się w batystową sukienkę w zielono-brązową kratkę, na noszenie której było już właściwie zbyt chłodno.

– Chodź, Williamie! – zawołała dźwięcznym głosem. – Zagraj ze mną! A może nie masz czasu? Przyrzekam, że uspokoję na ten czas Callie.

Mary – a może to była Laurie – natychmiast pojęła aluzję i zabrała pieska, żeby go ukryć w kuchni. Laurie – a może to była Mary – postawiła w tym czasie drugi taboret przy Elaine.

William potrafił trochę grać na fortepianie i wcześniej udało mu się wywołać zachwyt Elaine, gdy wspólnie zagrali kilka łatwych kompozycji na cztery ręce. Teraz jednak się opierał.

– Ale przecież nie tutaj, przy wszystkich, Lainie! Może dziś wieczorem. Twój ojciec zaprosił mnie na kolację.

– Naprawdę? – Elaine zawirowała wesoło na taborecie. – Jak cudownie! Wczoraj prawie zanudził się na śmierć z moją okropną kuzynką. To taka nudziara, że aż trudno uwierzyć. Zresztą sam zobaczysz. Jest naprawdę śliczna, ale poza tym… Gdybym była na miejscu babci Gwyn, wolałabym jak najszybciej wysłać ją do Londynu.

William znów musiał zwalczyć narastające w nim niezadowolenie. „Naprawdę śliczna?". Dziewczyna, którą on widział, była boginią! I co takiego Elaine mówiła o tym, żeby ją gdzieś wysłać? Do tego nie może dopuścić, on…

William! Gwałtownie przywołał się do porządku. A co jemu do tej dziewczyny? Kura Warden absolutnie nic go nie obchodziła; nie powinien się w nic pakować. Uśmiechnął się sztucznie do Elaine.

– Chyba nie może być aż tak źle. A tak przy okazji, to ty wyglądasz dziś równie ślicznie.

Następnie pożegnał się, żeby pójść poszukać Helen, Elaine zaś popatrzyła za nim z rozczarowaniem. „Równie ślicznie…?". Zazwyczaj słyszała od Williama bardziej wyszukane komplementy.

Po południu Fleurette O'Keefe dowiedziała się, że Ruben zaprosił Williama, i nie była specjalnie zachwycona. Tak naprawdę przygotowała tylko małą, nieformalną kolację. Nawet Helen nie miała dziś przyjść. Ale skoro miał się zjawić William, trzeba będzie spędzić więcej czasu na gotowaniu i serwować wszystko bardziej elegancko, a w dodatku będzie musiała z nim rozmawiać, a Fleurette wcale nie przychodziło to łatwo. Jakoś nie darzyła prawdziwą sympatią tego elokwentnego Irlandczyka; nigdy nie wiedziała, kiedy William wyraża swoją opinię, a kiedy po prostu przypochlebia się jej albo jej mężowi. Poza tym wcale nie zapomniała tych aluzji, które słyszała od Mrs Chesfield. Zamach na Głównego Sekretarza Irlandii… Jeśli William naprawdę był w to zamieszany, to mógł być niebezpieczny.

Ponadto Fleurette nie przeoczyła spojrzeń, jakimi wszyscy bez wyjątku mężczyźni z jej otoczenia obdarzali Kurę. Uważała, że to nie jest dobry pomysł, żeby narażać młodego przyjaciela Elaine na taką pokusę. Ale teraz nie można już było tego zmienić. William przyjął zaproszenie, a Kura-maro-tini okazała zadziwiające ożywienie, gdy Fleurette poinformowała o tym Gwyn i ją.

– Powinnam włożyć tę czerwoną suknię! – powiedziała dziewczyna. – I w ogóle muszę się trochę doprowadzić do porządku. Mogłabyś mi przysłać na górę jakąś dziewczynę do pomocy, ciociu Fleur? Ciężko jest zasznurować samej gorset.

Kura była przyzwyczajona do służby w domu. Gwyn próbowała co prawda ograniczyć pomoc domową i kuchenną do minimum, ale rezydencja w Kiward Station była zbyt duża, by samodzielnie utrzymać ją w porządku, a jeśli chodziło o umiejętności Gwyn w roli gospodyni domowej, to nie przejawiała ona ku temu szczególnych skłonności. Tak więc pod przewodnictwem „kamerdynera" Maui oraz dwóch najważniejszych służących, Moany i Ani, pracowało u nich kilka maoryskich dziewczyn. Gdy Kura była mała, dziewczyny dbały o dziecko, później zaś bystra Ani została kimś w rodzaju jej pokojówki, która dbała o ubrania i pomagała jej się czesać.

Fleur spojrzała na bratanicę, jakby ta była niespełna rozumu.

– Możesz się przecież ubrać sama, Kura! Nie prowadzimy tu jakiegoś wielkiego domu! Mamy tylko jednego służącego i ogrodnika, który w dodatku zajmuje się jeszcze stajniami. Nie sądzę, żeby któryś z nich miał ochotę ci pomóc w sznurowaniu.

Kura nie zaszczyciła jej odpowiedzią i z grymasem na twarzy poszła na górę. Fleurette potrząsnęła głową, spoglądając na Gwyneirę.

– Co za pomysły ma ta mała? Bo to, że uważa się za lepszą od nas, zwykłych śmiertelników, zdążyłam już zauważyć. Ale chyba nie pozwalasz jej mieć własnej pokojówki?!

Gwyn z rezygnacją wzruszyła ramionami.

– Bardzo dba o swój wygląd. A Miss Witherspoon jeszcze ją w tym utwierdza.

Fleurette przewróciła oczami.

– Pierwsze, co bym zrobiła, to zwolniłabym tę Miss Witherspoon!
Gwyn przygotowała się na kłótnię z córką, taką samą, jakie od lat wciąż prowadziła z Jamesem – i coraz bardziej skłaniała się ku sugestii Helen. Pobyt w Anglii mógłby Kurze naprawdę dobrze zrobić! Jeśli się okaże, że jest zbyt młoda, by studiować w konserwatorium, może znajdzie się jakaś szkoła dla dziewcząt? Gwyn pomyślała o mundurkach i solidnie wypełnionym planie zajęć... Ale czy Kura nie będzie jej potem przez całe życie nienawidzić?

William przybył punktualnie, i gdy po raz drugi zobaczył Kurę, zastygł z tym samym wyrazem szacunku na twarzy co poprzedniego dnia. Zwłaszcza że tym razem dziewczyna nie miała na sobie skromnego podróżnego kostiumu, lecz wymyślnie uszytą czerwoną suknię z kwiecistym wzorem. Pasowały do niej głębokie barwy; sprawiały, że jej skóra zdawała się jeszcze bardziej świetlista, i stanowiły śliczny kontrast dla jej gęstych czarnych włosów. Uczesała je dzisiaj z przedziałkiem pośrodku, a opadające wzdłuż twarzy splecione kosmyki związała w warkocz z tyłu głowy. Podkreślało to jej klasyczne rysy, wysokie kości policzkowe, fascynujące oczy i egzotyczny urok. William Martyn nie wahałby się klęknąć przed taką pięknością.

Grzeczność wymagała jednak, żeby najpierw zatroszczył się o Elaine, która miała siedzieć obok niego przy stole. Ponieważ Fleurette zdecydowała się przygotować bardziej wykwintne dania, zaprosiła również Helen i jej wieloletniego przyjaciela, konstabla policji McDunna. Ten przysadzisty wąsaty mężczyzna z szacunkiem podprowadził Helen do stołu, William zaś pospieszył, by zrobić to samo z Lainie. Towarzyszem Kury przy stole miał być George, który zdążył już stracić całe zainteresowanie piękną kuzynką. Dość obojętnie odsunął dla niej krzesło. William z zachwytem stwierdził, że Kura będzie siedzieć naprzeciw niego.

– Zadomowiła się już pani w Queenstown, Miss Warden? – zapytał wreszcie, gdy etykieta pozwalała już na swobodne rozmowy przy stole.

Kura się uśmiechnęła.

– Proszę mówić do mnie Kura, Mr William... – Jej głos zamieniał każde najprostsze zdanie w melodię przepięknej pieśni. Nawet Leonard McDunn spojrzał na nią znad swej zimnej przekąski, gdy usłyszał odpowiedź dziewczyny. – A jeśli chodzi o odpowiedź na pańskie pytanie… nawykłam do bezkresów równin. Krajobraz tutaj jest śliczny, ale wibracje zupełnie inne.

Gwyn zmarszczyła czoło. Wibracje? Elaine i Georgie musieli powstrzymać się od śmiechu.

William promieniał.

– Och, rozumiem, co pani ma na myśli. Każdy krajobraz ma swoją melodię. Czasem słyszę w snach, jak śpiewa Connemara…

Zmieszana Elaine spojrzała na niego z ukosa.

– Pochodzi pan z Irlandii, młody człowieku? – zapytał McDunn, wyraźnie starając się sprowadzić rozmowę na bardziej doczesne tematy. – Co to będzie z tym Home Rule Bill, o którym wszyscy mówią? I jaka jest sytuacja w kraju? Największych wichrzycieli mają chyba pod kontrolą? O Bractwie Republikańskim słyszałem ostatnio, że namawiają w Ameryce do napaści na Kanadę, by założyć tam nową Irlandię. Co za idiotyczny plan…

William przytaknął.

– Tu muszę się z panem zgodzić, sir. Irlandia to Irlandia. Nie można po prostu stworzyć jej gdzieś indziej na nowo.

– Irlandia jest pełna własnych brzmień. Melodie, w których czuć melancholię, jednak mają w sobie coś z porywającej wesołości.

Elaine zaczęła się zastanawiać, czy Kura również nie ćwiczyła się w sztuce *whaikorero*. A może przeczytała gdzieś to zdanie?

– Czasem jest to radość rozdzierająca serce – potwierdził William.

– Tylko do czasu, aż zwolennikom ustawy nie uda się przekonać Izby Lordów – wtrącił Ruben.

– Co zresztą przypomina mi o pewnej sprawie… – Fleurette wtrąciła się w dyskusję słodkim, spokojnym głosem, jakiego zawsze używała, gdy budziła się w niej natura szpiega. – Słyszał pan coś o zamachu na Mr Morleya z Blackburn, Leonardzie? Na Głównego Sekretarza Irlandii? – Kątem oka obserwowała Williama. Młody mężczyzna mało się nie zakrztusił kawałkiem pieczeni. Elaine również nie umknęła jego reakcja.

– Coś ci dolega, Williamie? – zapytała zatroskana.

William zbył pytanie niecierpliwym ruchem ręki.

Konstabl wzruszył ramionami.

– Ach, Fleur, w tym kraju zawsze coś się dzieje. O ile wiem, wciąż dochodzi tam do aresztowań jakichś niedoszłych terrorystów. Czasem dostaję jakieś wnioski o ekstradycję, jeśli te dranie im się wymykają. Ale tutaj jeszcze nigdy żadnego nie złapaliśmy, oni wszyscy uciekają do Stanów i z reguły odzyskują tam zdrowy rozsądek. Głupie wybryki młodych, ale w ostatnich latach, dzięki Bogu, bez żadnych groźnych skutków.

William się uniósł.

– Uważa pan, że walka o wolną Irlandię to głupie wybryki młodych? – zapytał ze złością.

Elaine położyła mu dłoń na ramieniu.

– Pssst, kochany. Nikt przecież nie miał tego na myśli. William jest patriotą, panie Leonardzie.

William strącił jej rękę.

Leonard się uśmiechnął.

– Większość Irlandczyków to patrioci. I jak najbardziej z nimi sympatyzujemy, Mr Martyn. Ale to przecież nie powód, żeby do kogoś strzelać albo wysadzać coś w powietrze! Proszę pomyśleć o postronnych, którzy często ponoszą wtedy szkody.

Na to William nie odpowiedział; zdążył już zauważyć, że znajduje się właśnie na najlepszej drodze, żeby źle się zachować.

– A więc jest pan bojownikiem o wolność, Mr Williamie? – odezwała się nagle Kura-maro-tini. Jej wielkie oczy starały się podchwycić jego spojrzenie. Nie miał pojęcia, czy w nich zmalał, czy też znacznie urósł.

– Niekoniecznie tak bym to określił – mruknął, starając się nadać głosowi skromny ton.

– Ale William angażował się w Irlandzkiej Lidze Ziemskiej – wyjaśniła z dumą Elaine, i tym razem jej ręka powędrowała na jego ramię, jakby chciała tym samym pokazać, że on należy do niej. Callie warknęła pod stołem. Piesek najwyraźniej nie lubił, gdy ktoś dotykał jego pani, a kiedy to ona kogoś dotykała, było jeszcze gorzej. – Wstawił się za dzierżawcami na farmie swego ojca.

– Pański ojciec ma farmę? – spytała zaciekawiona Gwyneira.

William przytaknął ruchem głowy.

– Tak madame, hodowlę owiec. Ale jestem młodszym synem, więc nic nie dziedziczę. Sam muszę zadbać o swoje szczęście.

– Owce… my też ich trochę mamy – zauważyła Kura, jakby zwierzęta były dla niej jakimś uciążliwym dodatkiem.

Natomiast Fleurette nie umknął fakt, z jakim zainteresowaniem William słuchał, gdy Gwyneira zaczęła opowiadać o Kiward Station.

Dla Elaine wieczór upływał podobnie jak poprzedni. A przecież był przy niej William i właściwie nie powinna się wcale nudzić, mając go u boku. Dotąd zawsze skupiał się na niej, żartował, ukradkiem dotykał ją pod stołem albo mimochodem głaskał czule jej rękę. Dziś jednak cała jego uwaga skupiła się na Kurze. Być może nie powinna była tak wyraźnie mówić, jak bardzo ta dziewczyna ją drażni. Z pewnością William chciał to teraz jakoś załagodzić. Ale kilka miłych słów mógłby chyba zachować dla swojej ukochanej! Elaine pocieszała się myślą, że później będzie go mogła odprowadzić. Będzie ją całował pod rozgwieżdżonym niebem, jak przy wielu wcześniejszych okazjach, i będą mogli zamienić kilka intymnych słów. Ale najpierw trzeba gdzieś zamknąć Callie. Suczka protestowała coraz zacieklej, gdy tylko William zbliżał się do jej pani.

Gdyby tylko ten muzyczny występ Kury wreszcie się skończył! Poprzedniego dnia też grała dla całej rodziny i gości, a William zdawał się słuchać ze szczerym zainteresowaniem. Kura oczywiście grała bardzo dobrze; choć Elaine była zazdrosna, musiała jej to przyznać. A dziś grała irlandzkie pieśni, najwyraźniej dla Williama. Elaine poczuła ukłucie zazdrości.

– Też coś zaśpiewaj – powiedziała Helen, która zauważyła rosnącą frustrację Elaine. – Przecież znasz te pieśni.

Elaine spojrzała pytająco na Gwyneirę, a ta również przytaknęła.

– To z pewnością będzie miłe – stwierdziła. Ale Gwyneira uważałaby również za „miłe", gdyby pozwolono Callie wyć przy akompaniamencie Kury.

Elaine odważnie wstała, wsłuchiwała się przez chwilę i dołączyła do Kury, która zagrała pierwsze takty *Sally Gardens*. Dla Helen wszystko to brzmiało naprawdę ładnie. Czysty sopran Elaine wspaniale harmonizował z głębokim głosem Kury. Poza tym dziewczęta pięknie wyglądały obok siebie: czarnowłosa, egzotyczna Kura i delikatna Elaine o jasnej cerze. Z pewnością wielki poeta Yeats tak sobie właśnie wyobrażał rudowłosą irlandzką dziewczynę, pisząc tekst tej piosenki. Helen powiedziała coś do Williama, ale ten zdawał się jej w ogóle nie słuchać, zbyt pochłonięty widokiem dziewcząt – albo przynajmniej jednej z nich.

Kura przerwała jednak już po kilku taktach.

– Nie potrafię śpiewać, gdy nie trafiasz w ton – powiedziała z wyrzutem.

Twarz Elaine oblała się rumieńcem.

– Ja…

– To było fis, a ty śpiewałaś F – wyjaśniła jej bezlitośnie Kura. Elaine najchętniej zapadłaby się pod ziemię.

– Kura, to jest piosenka ludowa – odezwała się Helen. – Nie trzeba tak niewolniczo trzymać się nut.

– Można jedynie śpiewać dobrze albo fałszować – upierała się Kura. – Gdyby zaśpiewała gis albo nawet G…

Elaine wróciła na swoje miejsce.

– No to śpiewaj sama! – powiedziała hardo.

I Kura tak właśnie zrobiła.


Elaine wciąż jeszcze była w złym humorze, gdy krótko potem towarzystwo zaczęło się rozchodzić. Zajście to wszystkich otrzeźwiło, zwłaszcza że nikt nie zwrócił uwagi na drobny błąd Elaine. Fleurette w duchu dziękowała Bogu, że Gwyn i jej wnuczka następnego dnia się wyprowadzą. A przy tym lubiła przecież, gdy matka u niej była. Ale musiała to przed sobą przyznać: jeśli chodzi o Kurę, to darzyła tę dziewczynę równie niewielką sympatią co Williama. A przy tym znów zwróciła uwagę na tę sprawę z zamachem. Czy Ruben też zauważył reakcję Williama?


Elaine również o tym rozmyślała, gdy odprowadzała Williama. Wreszcie znów wziął ją w ramiona, ale tym razem nie było to tak oszałamiające jak zawsze, sprawiało nawet wrażenie przykrego obowiązku. A piękne słowa, które wypowiadał, też już jej tak nie zachwycały.

– Ta muzyka… i moja rudowłosa najdroższa… czuję się, jakbym był w Sally Gardens. – William roześmiał się i pocałował ją czule. – Dziwna sprawa z tymi melodiami, jakby dzięki nim budził się we mnie duch Irlandii.

„Wibracje…" – Elaine miała to już na końcu języka, ale powstrzymała się w ostatniej chwili. William nie powinien myśleć, że się z niego naśmiewa.

– Chciałbym, żeby kraj był wolny i żebym mógł do niego wrócić.

Elaine zmarszczyła czoło.

– A nie możesz, kiedy Irlandia jest pod angielską administracją? Chyba nie jesteś poszukiwany?

William się roześmiał, choć zabrzmiało to trochę sztucznie.

– Oczywiście, że mogę. Skąd ci to przyszło do głowy? Po prostu nie chcę wrócić do kraju, który jest w okowach.

Elaine wciąż była sceptyczna. Z niepokojem szukała jego spojrzenia.

– Williamie, ty chyba nie masz nic wspólnego z tym zamachem? Na tego… jak on się nazywa? Morley?

– Wicehrabia Morley z Blackburn. – William wypowiedział te słowa w taki sposób, że zabrzmiało to niemal jak groźba. – Główny Sekretarz Irlandii, największy z ciemiężców.

– Ale to nie ty strzelałeś do niego albo podłożyłeś bombę, prawda? – zapytała trwożliwie Elaine. William spojrzał na nią roziskrzonymi oczami.

– Gdybym to ja do niego strzelał, byłby już martwy. Jestem dobrym strzelcem. A bomba… Niestety, nie udało nam się do niego zbliżyć.

Elaine była przerażona.

– Ale próbowałeś? Albo przynajmniej wiedziałeś o tym? William…!

– Jeśli nikt nic nie zrobi, mój kraj nigdy nie będzie wolny. A jeśli im nie pokażemy, że jesteśmy gotowi na wszystko…

William zamilkł, a jego twarz stężała. Elaine, która jeszcze przed chwilą przytulała się do niego, cofnęła się trochę.

– Ale mój ojciec mówił, że wicehrabia Morley popiera Home Rule Bill – powiedziała zdziwiona.

– Za czy przeciw, jakie to ma znaczenie? Jest przedstawicielem Anglii. Poprzez niego trafiamy w Izbę Lordów i całą tę przeklętą bandę! – William wciąż jeszcze czuł w sobie tę samą wściekłość jak wtedy, gdy Paddy'ego Murphy'ego i jego samego zatrzymano przy wejściu do rządowego budynku. Bombę znaleziono u jego przyjaciela.

To był przypadek, który zresztą uratował mu życie. William przyznał się szczerze do współwiny, jednak ojciec pociągnął za pewne sznurki i porozmawiał z właściwymi ludźmi. Ostatecznie Paddy, biedny syn dzierżawcy, skończył na szubienicy, Williama zaś puszczono wolno. Pod warunkiem jednak nieoficjalnego zobowiązania ze strony Frederica Martyna, że jego syn możliwie jak najszybciej opuści Irlandię. William wolałby się udać do Nowego Jorku, ale dla jego ojca nie było to dostatecznie daleko.

– Wtedy może znów będę musiał wysłuchiwać o twoich nowych szalonych wybrykach. Tam aż się roi od buntowników! – oświadczył synowi i następnego dnia wykupił mu bilet na rejs do Nowej Zelandii. Do Dunedin na Wyspie Południowej, z dala od jakichkolwiek komórek bojowników o wolność.

A teraz ta dziewczyna zarzuca mu jeszcze, że być może chciał zamordować niewłaściwą osobę!

– Uważam, że to ma jednak jakieś znaczenie – stwierdziła odważnie Elaine. – Na wojnie zabija się przecież tylko wrogów, a nie sojuszników.

– Nie rozumiesz tego po prostu! – William odwrócił się wzburzony. – Jesteś dziewczyną…

Elaine spojrzała na niego wściekle roziskrzonymi oczami.

– Dziewczyny nie mają o tym pojęcia, tak?! Wygląda na to, że trafiłeś do niewłaściwego kraju, Williamie. U nas kobiety mogą nawet głosować.

– Jeszcze się okaże, co z tego wyniknie! – wyrwało się Williamowi. Natychmiast tego pożałował. Nie zamierzał rozzłościć Elaine. Ale była taka dziecinna!

W głowie słyszał śpiewny głos Kury. Kura go rozumiała. Sprawiała wrażenie doroślejszej, choć z metryki wynikało, że jest młodsza od swej kuzynki. Ale była bardziej rozwinięta, bardziej kobieca…

Przyłapał się na tym, że myśli o pełnych piersiach i szerokich biodrach Kury, gdy przyciąga ku sobie Elaine.

– Tak mi przykro, Lainie, ale Irlandia… Nie możesz mi tak po prostu wyskakiwać z takimi sprawami. Uspokój się już, Lainie, bądź miła!

Elaine z początku odsuwała się rozzłoszczona od Williama, ale potem pozwoliła się udobruchać. Na jego pocałunek nie odpowiedziała jednak od razu. Wciąż czuła się trochę poirytowana, gdy w końcu się z nim pożegnała.

William pomachał jej, gdy jego kanu ruszało z biegiem rzeki. Następnego dnia musi być wobec niej szczególnie miły, nawet jeśli jej fochy działają mu na nerwy. Przecież chciałby jeszcze zobaczyć Kurę, a na razie droga do Kury wiedzie tylko przez Elaine.

# 6

Jesień w Queenstown kusiła wieloma kulturalnymi i sportowymi wydarzeniami, organizowanymi głównie przez wspólnotę parafialną. Niektórzy z ważniejszych farmerów również organizowali uroczystości i naturalnie O'Keefe'owie bywali na nie zapraszani – wraz z ich gośćmi z Canterbury Plains. William, tak jak na to liczył, dostał zaproszenie dzięki Elaine. Oczywiście towarzyszył jej podczas organizowanych na cele dobroczynne parafialnych pikników i kiermaszów, wieczorków muzycznych i gry w bingo. Ku radości, jak też zaskoczeniu Gwyn, przyłączała się do nich również Kura i wyglądało na to, że dobrze się bawi. Do tej pory wszelkie uroczystości w Kiward Station lub na sąsiednich farmach niezbyt chętnie zaszczycała swą obecnością.

– Na początku odnosiłam wrażenie, że Lainie i Kura niezbyt się polubią – powiedziała do Helen. – A teraz wciąż chodzą gdzieś razem.

– Tylko Lainie nie robi przy tym wrażenia zbyt szczęśliwej – zauważyła przenikliwie Helen.

– Szczęśliwej? To dziecko wygląda jak zwierzę w klatce – rzuciła Daphne. Obie „właścicielki hoteli" spotkały się na cotygodniowej herbatce, a Gwyn oczywiście przyłączyła się do nich. – Na pani miejscu coś bym zrobiła, Miss Helen. Kurze chodzi o tego drania, chłopaka Lainie.

– Daphne! Jak ty się wyrażasz?! – oburzyła się Helen.

Daphne przewróciła oczami.

– Przepraszam, Miss Helen. Myślę jednak… no więc, moim zdaniem Miss Warden wykazuje niestosowne zainteresowanie wielbicielem Miss O'Keefe.

Gwyn się uśmiechnęła. Daphne wiedziała, jak dostosować sposób wysławiania się do sytuacji. Jej samej oczywiście też nie umknęło zainteresowanie Kury Williamem – i nie wiedziała za bardzo, jak powinna to oceniać. Oczywiście wobec Elaine było to nieuczciwe, ale z drugiej strony dziesięć razy bardziej wolała jako wielbiciela swej wnuczki William Martyna niż tego maoryskiego chłopaka Tiare.

– Przecież jak dotąd Mr Martyn zachowuje się wobec dziewcząt absolutnie bez zarzutu – zauważyła Helen. – Ja w każdym razie nie zauważyłam jeszcze, żeby faworyzował którąś z nich.

– O to właśnie chodzi – powiedziała Daphne. – Powinien faworyzować Elaine. Przecież na początku wzbudził w niej nadzieje. A teraz w najlepszym wypadku poświęca jej tyle samo uwagi co Kurze. Coś takiego musi ją głęboko ranić.

– Ach, Daphne, przecież to jeszcze dzieci – wtrąciła bez przekonania Gwyn. – Jak na razie nie może starać się na poważnie o żadną z nich.

Daphne uniosła brwi.

– Dzieci! – parsknęła. – Niech się panie nie łudzą. Lepiej niech panie uważają! Pani Helen na delikatną duszyczkę Elaine, a Miss Gwyn na swoją dziedziczkę. Nawet jeśli są panie przekonane, że wdzięk Kury nie spędza snu z powiek temu Martynowi... to w łóżku może przecież robić inne rzeczy. Na przykład liczyć owieczki, Miss Gwyn. Bardzo wiele owieczek.

Kura Warden sama nie wiedziała, co się z nią dzieje. Dlaczego chodzi na parafialne pikniki i pozwala, żeby wzdychali do niej ci wszyscy prostacy? Dlaczego słucha trzeciorzędnych muzyków i zachowuje się przy tym tak, jakby podobało jej się ich dyletanckie rzępolenie? Czemu traci czas na przejażdżki łodzią i pikniki, i prawi przy tym banały o pięknym krajobrazie wokół jeziora Wakatipu? Wszystko to było męczące i bez sensu, a jednak miało swój urok, bo dzięki temu była razem z Williamem. Nigdy dotąd nie przeżyła czegoś, co można by z tym porównać; ludzie byli jej do tej pory raczej obojętni. Publiczność, lustro pozwalające sprawdzać wpływ jej samej, ale nic poza tym. I oto pojawił się tu ten William ze swoim bezczelnym uśmiechem, dołeczkami, błyszczącymi oczyma i niepojęcie jasnymi, słomianymi włosami. Kura jeszcze nigdy nie widziała ludzi o takich złocistych włosach, co najwyżej Szwedów albo Norwegów w Christchurch, ci jednak zazwyczaj byli bladzi i o jasnej cerze, William zaś miał opaloną skórę, która stanowiła wspaniały kontrast dla jego gęstych blond włosów. I jeszcze te czujne niebieskie oczy, które podążały za nią, gdziekolwiek się ruszyła. Komplementy, jakie jej prawił – nie pozwalając sobie na to, by były choć odrobinę lubieżne. Jego maniery były nienaganne. Czasem aż zbyt nienaganne…

Kura często pragnęła, żeby William starał się do niej zbliżyć w bardziej zmysłowy sposób, tak jak często próbował tego Tiare. Oczywiście odepchnęłaby go, ale gdyby choć położył rękę na jej biodrze, poczułaby puls ziemi. „Puls ziemi" – tak nazywała to Marama, kiedy kobieta czuła to mrowienie między nogami, to błogie unoszenie się gorąca w ciele, bicie serca w oczekiwaniu. Przy Tiare Kura rzadko czuła coś takiego, ale William wyzwalał to uczucie nawet wtedy, gdy jego noga przypadkiem dotykała jej sukni. Kura pragnęła wyraźniejszych znaków, lecz William zawsze zachowywał się poprawnie. Jak dotąd nie pozwolił sobie na więcej niż przelotny dotyk dłoni, gdy na przykład pomagał jej wysiąść z łodzi albo z powozu. Kura czuła jednak, że ten dotyk nie był ani przypadkowy, ani niewinny. Również Williama elektryzowały ich spotkania, on także płonął, i Kura podsycała ten ogień, jak tylko mogła.

A przy tym byłaby zdumiona, gdyby jej powiedziano, jak bardzo rani tym Elaine. W ogóle nie dostrzegała jej nieszczęśliwej miny ani tego, że coraz częściej odpowiadała monosylabami. Co prawda Kura nie zaprzestałaby swych zabiegów, żeby oszczędzić kuzynkę. Kura w ogóle nie myślała o Elaine; dla niej była tylko kolejną niemuzykalną i przeciętną istotą, jakie zaludniały tę ziemię, ale wyglądało na to, że bogowie widocznie też nie byli doskonali. Z pewnością rzadko udawało im się stworzyć takie arcydzieło jak Kura. Albo William Martyn. Czuła z nim pokrewieństwo dusz. Natomiast ludzie tacy jak Elaine… Kura dostrzegała między sobą a kuzynką nie więcej podobieństw niż między motylem a ćmą.

Z tego też powodu świadomie nie zwracała uwagi na to, co rozgrywało się między Elaine a Williamem. Kura nie miała żadnych problemów z tym, by pozostawiać swego wybrańca sam na sam z kuzynką. Tak więc William wciąż jeszcze odprowadzał Elaine do domu, wciąż jeszcze ją całował. To była jedyna rzecz, która tej jesieni dodawała jej sił.

Elaine przeżywała piekielne męczarnie, słysząc jak Kura i William z sobą rozmawiają – o muzyce i sztuce, o operze, o najnowszych książkach – o rzeczach, które w Queenstown nikogo tak naprawdę nie zajmowały. A przecież Elaine wcale nie była niewykształcona. Jako wnuczka Helen O'Keefe w nieunikniony sposób miała kontakt z kulturą. Teraz więc, skoro William najwyraźniej interesował się sztuką, świadomie starała się poznać wszystkie nowości w tej dziedzinie – przynajmniej gdy idzie o literaturę – by spróbować wyrobić sobie jakieś własne zdanie. Ale Elaine była osobą pragmatyczną. Więcej niż jeden wiersz dziennie sprawiał, że czuła się rozdrażniona, a potężna dawka poezji zawarta w całym tomie zdawała się ją przygniatać. Elaine nie lubiła też być zmuszana do interpretowania historii, nim nie pojęła ich sensu, a potem nie dostrzegła ich piękna. Potrafiła płakać i śmiać się, podążając za losami bohaterów książki, ale nudziły ją bezustanne samouwielbienie, ckliwe monologi i niekończące się opisy krajobrazów. Jeśli miałaby być szczera, to najchętniej podkradała czasopisma literackie matki, delektując się powieściami w odcinkach, i to takimi, w których kobiety cierpiały i kochały.

Ale tego nie mogła oczywiście powiedzieć przy Kurze, a teraz również przy Williamie. Ten ostatni wcale nie wydawał jej się takim miłośnikiem sztuki, gdy się poznali. A teraz nagle można było odnieść wrażenie, że nic go bardziej nie uszczęśliwia niż recytowanie wierszy razem z Kurą czy też słuchanie jej gry na fortepianie. Jego rozwlekłe rozmowy z Kurą psuły Elaine wszelkie zabawy, które sprawiały jej przyjemność, takie jak pikniki czy regaty. I w dodatku wyglądało na to, że nigdy nic nie robi tak jak trzeba! Gdy podskoczyła, by krzycząc na całe gardło, kibicować ósemce, w której wiosłował George, Kura i William popatrzyli na nią tak, jakby na środku Main Street zrzuciła z siebie gorset. A kiedy podczas parafialnego pikniku swobodnie rzuciła się do tańca z innymi tancerzami, tych dwoje dosłownie odsuwało się od niej. Najgorsze jednak było to, że Elaine z nikim nie mogła o tym porozmawiać. Czasem wydawało jej się, że oszaleje, bo widocznie była jedyną osobą, która dostrzegała wszystkie te zmiany w zachowaniu Williama.

Ojciec wciąż był zachwycony jego zaangażowaniem w sklepie, a babcia Helen uważała, że to zupełnie normalne, jeśli młody człowiek zachowuje się „poprawnie". Przecież Elaine nie mogła jej powiedzieć, że William już wcześniej ją całował i głaskał w miejscach… cóż, takich, których prawdziwa dama raczej nie udostępnia. Do matki nie miała ochoty się zwracać, bo wiedziała, że Fleurette nigdy naprawdę nie polubiła Williama. A babcia Gwyn... w normalnych okolicznościach byłaby z pewnością najlepszym partnerem do rozmowy. Elaine też w końcu zauważyła, że to ciągłe mówienie Kury o sztuce i jej niekończące się wykłady o teorii muzyki również jej dają się we znaki. Ale babcia Gwyn kochała Kurę ponad wszystko. Na krytykowanie wnuczki reagowała w najlepszym wypadku lodowatym milczeniem albo wręcz ujmowała się za Kurą. Stosunek Williama do Kury też zdawała się tolerować; a przynajmniej nie miała nic przeciwko temu młodemu człowiekowi. Elaine często widywała Gwyn i Williama pogrążonych w rozmowie. Nic dziwnego, skoro William ze swym wrodzonym talentem *whaikorero* mógł równie dobrze mówić o owcach, jak i o muzyce.

Tymczasem nadeszła zima. W górach leżał już śnieg, a teraz padało również w Queenstown, i do tego hulał porywisty wiatr. Gwyneira kupiła Kurze futro, dziewczyna wyglądała w nim jak południowa księżniczka, która się tu zagubiła. Widok czarnych włosów i egzotycznych rysów okolonych szerokim kapturem płaszcza ze srebrnych lisów zadziwiał wszystkich i znów kierował ich spojrzenia na wnuczkę Gwyneiry. Elaine przeżywała piekielne męki, gdy William troskliwie pomagał niezręcznej dziewczynie przejść przez oblodzoną ulicę i śmiał się, kiedy ta próbowała poczuć muzykę płatków śniegu. Dla Elaine opadały one bezgłośnie. Do tej pory była już prawie całkiem przekonana, że jest absolutnie niemuzykalna i że nie ma w niej ani odrobiny romantyzmu. W końcu jednak nie wytrzymała. Zapyta Williama, czy ją jeszcze kocha. Okazja ku temu nadarzyła się już w jeden z najbliższych wieczorów. Helen zorganizowała w swym pensjonacie wieczorek muzyczny. Na okolicznych farmach mieszkało kilku miłośników muzyki klasycznej, którzy sami też grywali na skrzypcach, altówkach czy kontrabasie. Chętnie przybywali do Queenstown, by razem muzykować i spędzali noc w pensjonacie Helen. Wcześniej podczas tych kameralnych koncertów Elaine grywała na fortepianie, teraz jednak grała oczywiście Kura. Elaine w obecności kuzynki już od dłuższego czasu nie miała odwagi zbliżyć się do żadnego instrumentu. Również O'Keefe'owie nocowali tego dnia w mieście; pogoda sprawiała, że długa droga do posiadłości Nugget byłaby zbyt uciążliwa. Tak więc zaraz po koncercie, gdy wszyscy siedzieli jeszcze odprężeni, popijając wino z kieliszków, Elaine i William mogli się wymknąć i obdarzyć kilkoma ukradkowymi pieszczotami. Elaine miała jednak przy tym wrażenie, że William raczej niechętnie opuścił krąg wielbicieli Kury. Jej kuzynka wiodła rej w towarzystwie: komplementom dla jej gry i urody nie było końca. „Czy William naprawdę o mnie myśli – przemknęło Elaine przez głowę – gdy tuli mnie teraz do siebie i całuje? A może wyobraża sobie, że trzyma w ramionach Kurę?".

– Czy ty właściwie jeszcze mnie lubisz? – wyrwało jej się, gdy w końcu ją puścił. – To znaczy, naprawdę lubisz? Czy jesteś… jesteś jeszcze we mnie zakochany?

William spojrzał na nią przyjaźnie.

– Głuptasku! Czy byłbym tutaj, gdyby było inaczej?

To właśnie Elaine chciała wiedzieć. Znów jednak potraktował ją szorstko i nazwał „głupią".

– Poważnie, Williamie. Czy uważasz, że Kura jest piękniejsza ode mnie? – Elaine miała nadzieję, że jej pytanie nie zabrzmiało błagalnie.

William potrząsnął głową i zdawał się niemal zirytowany.

– Lainie, różnica między tobą i Kurą polega na tym, że ona nigdy nie zadałaby mi takiego pytania! – Z tymi słowami zostawił ją tak jak stała i wszedł do budynku. Obraził się? Dlatego że podejrzewała go o fałszywe uczucia? A może dlatego, że nie chciał patrzeć jej w twarz?

Kura stała za zasłoną i obserwowała to zajście. Faktycznie. Całuje Elaine. Podejrzewała coś takiego, ale nigdy dotąd tego nie widziała. Kura nie czuła złości. Skoro William całuję tę dziewczynę, to zapewne traktuje to niezbyt poważnie. Mężczyźni potrzebują dziewcząt; tego też nauczyła się od Maorysów. Jeśli przez dłuższy czas nie mają kobiety, stają się nie do zniesienia. Ale William zasługiwał na więcej. Bez wątpienia był dżentelmenem. Kura ostrożnie da mu do zrozumienia, że również w pulsie ziemi jest muzyka – i że przyjemnie jest ją zgłębiać z kimś, kto ją słyszy.

W czerwcu Ruben O'Keefe i jego rodzina otrzymali dziwne zaproszenie. Szwedzi z obozu poszukiwaczy złota świętowali noc przesilenia letniego – nie zwracając uwagi na to, że 21 czerwca był w Nowej Zelandii nie najdłuższym, ale najkrótszym dniem w roku, i że o tej porze nie rozkwitały łąki, lecz w najlepszym wypadku kwiaty ze szronu na szybach. Coś takiego nie przeszkadzało jednak surowym ludziom Północy; na tej półkuli piwo i wódka smakowały równie dobrze, ogień palił się tak samo, a taniec też rozgrzewał – jedynie ze zbieraniem kwiatów mógł być problem. Ale to i tak dotyczyło przecież raczej dziewcząt, mężczyźni mogli więc z tego zrezygnować. A po to, żeby w ogóle zjawiło się dość dziewcząt, poszukiwacze złota zaprosili również Daphne i jej dziewczyny.

– Im lżejsza dziewczyna, tym łatwiej jej przyjdzie skakać z nami przez ogień! – powiedział Søren, jeden z organizatorów tego niezwykłego święta. – Ale swoją córkę też pan może przyprowadzić, Mr Ruben. Przecież wiemy, kto tu jest damą!

Fleurette uważała, że to zabawny pomysł. Czytała o tradycjach przesilenia letniego i koniecznie chciała tańczyć przy ogniach świętego Jana. Ruben przyjął zaproszenie już choćby z tego powodu, że wielu poszukiwaczy złota zaliczało się do jego najlepszych klientów. Helen jednak odmówiła.

– Za zimno na moje stare kości. Niech dzieci potańczą, Gwyn, a my urządzimy sobie miły wieczór. Daphne też może przyjść, jeśli chce.

Daphne ze śmiechem potrząsnęła głową.

– Akurat, Miss Helen! Muszę mieć na oku moje dziewczyny! – wyjaśniła. – Nie mogę dopuścić, żeby oddały się tym łobuzom w prezencie i może przyniosły mi jeszcze w brzuchach małych Szwedów! To skakanie przez ognisko ma być takim rytuałem płodności, więc trzeba uważać…

Elaine cieszyła się na zabawę, Kura jednak podchodziła do tego z mieszanymi uczuciami. Znów będą tam strasznie nieprzyjemni faceci i kapela fałszująca co drugą nutę. Będzie marznąć, a wszyscy wokół będą mówić głupie rzeczy. Ale William też miał tam przyjść i zapowiadano tańce. Może nawet porządne tańce, a nie takie drętwe dreptanie jak na parafialnych piknikach. Kura uczyła się tańca od Miss Heather; znała przynajmniej walca i fokstrota. To byłoby bajeczne, móc kołysać się z Williamem w takt prawdziwej muzyki, spoczywać w jego ramionach unoszona rytmem… Oczywiście przy takiej okazji musiałaby mieć na sobie suknię balową! Kura żałowała trochę, że żadnej nie posiada. Ale przecież O'Keefe'owie by ją wyśmiali. Podczas tej imprezy wszyscy będą ubrani tak, żeby tylko nie było im zimno.

Na placu, gdzie organizowano imprezę, dziewczyny, drżąc, opatulały się w płaszcze i wielkie chusty. Kilka Szwedek ubrało się w stroje ludowe. Wszystko wyglądało przy tym nierzeczywiście, było już bowiem od dawna ciemno, nad pokrytymi śniegiem górami stał księżyc, a majowe drzewko i tańczące wokół niego dziewczyny w czerwonych, ozdobionych kolorowymi wstążkami czepkach ogrzewały się co prawda ciepłem ognisk, wyglądały jednak tak, jakby przebyły przedziwną podróż w czasie. Mężczyźni dbali o to, żeby nikt za bardzo nie zmarzł. Wódka, piwo i grzane wino dla kobiet lały się strumieniami i rozgrzewały od środka. Mała gromadka Daphne była już dość podochocona i flirtowała z poszukiwaczami złota. Dwie Szwedki wyjaśniły im, o co chodzi z tańcem wokół majowego drzewka, a dziewczyny, chichocząc, zaplątały się w kolorowych tasiemkach.

Elaine przyglądała się temu z zainteresowaniem, Kura zaś sprawiała wrażenie, jakby ją to mierziło. Z początku sączyły wino małymi łykami, ale gdy trochę zmarzły, zaczęły doceniać gorący napój, który szybko uwolnił je od lęku przed dotykiem. Elaine rwała się, by się przyłączyć do tańczących. Teraz wirowała ze śmiechem wokół majowego drzewka, trzymając się za ręce z jasnowłosą, niebieskooką dziewczyną o imieniu Inger. Później Inger podeszła do niej i do Kury, wyciągając w ich stronę kilka zwiędłych roślin.

– Proszę, przecież nie macie jeszcze kwiatów! A powinnyście! W dniu przesilenia letniego każda dziewczyna musi uzbierać siedem różnych ziół i w noc świętego Jana położyć je pod poduszką. Wtedy przyśni jej się mężczyzna, za którego wyjdzie za mąż.

Inger mówiła ze śmiesznym akcentem, ale zdawała się bardzo miła. Elaine z podziękowaniem przyjęła od niej tę raczej smutną wiązankę. Kura natomiast nie zaszczyciła jej nawet spojrzeniem. Znów była ponura i znudzona. William rozmawiał z Rubenem i kilkoma poszukiwaczami złota po drugiej stronie ogniska, Elaine zaś już od dawna nie próbowała zabawiać jej rozmową.

– Zerwałyśmy je dzisiaj skoro świt, jak nakazuje obyczaj – wyjaśniła Inger pochodzenie „kwiatów", choć trzeba przyznać, że plony tych zbiorów nie były zbyt imponujące. – To tylko zioła i rośliny pokojowe. Jeśli więc przyśnią wam się sami kucharze albo domatorzy, to nie traktujcie tego zbyt poważnie.

Elaine roześmiała się i zapytała dziewczynę o Szwecję. Inger chętnie opowiedziała jej o sobie. Wyemigrowała razem z młodym chłopakiem, którego szczerze i gorąco kochała. Ale gdy tylko dotarli do Dunedin, znalazł sobie inną.

– Zabawne, prawda? – zapytała Inger ze swym miłym akcentem, w jej głosie było jednak słychać, jak bardzo ją to zraniło. – Bierze sobie taki z sobą dziewczynę, a potem... A pieniądze na podróż i tak ja zarobiłam.

Zapewne w pozycji horyzontalnej, młoda Szwedka dawała bowiem do zrozumienia, że dla tego mężczyzny zrobiłaby wszystko.

Elaine przyjrzała się Williamowi. Czy dla niego też zrobiłaby wszystko? A czy on zrobiłby wszystko dla niej?

Impreza rozkręciła się dość późno, gdy jednak ogniska w końcu się dopaliły, wszyscy mogli powiedzieć, że dobrze się bawili – wszyscy z wyjątkiem Kury. Myślała o innych tańcach, wyjaśniła z godnością, gdy podpity młody poszukiwacz złota nabrał odwagi, by ją poprosić. W końcu dała się jednak namówić Williamowi i skoczyła razem z nim przez ogień. Elaine przyglądała się temu z ponurą miną. Czy to nie był zwyczaj zakochanych?

W końcu Ruben i Fleurette stwierdzili, że pora ruszać do domu, nim świętowanie stanie się zbyt dzikie. Już teraz Daphne musiała pilnie zerkać na swoje dziewczęta; przymknęła jednak oko, gdy Inger całowała się z Sørenem. „Być może tej nocy Inger będzie o nim śnić" – pomyślała Elaine, starannie zbierając swoje kwiaty. Søren zdawał się miłym gościem, a tę jasnowłosą Szwedkę los mógłby obdarzyć czymś lepszym niż praca w domu uciech.

Ruben i Fleurette prosto z obozu poszukiwaczy złota postanowili wracać do posiadłości Nugget. Nie zamierzali spędzać tej nocy w mieście, ponieważ ich maoryska służba też bawiła się na jakimś święcie, tak więc George został sam w domu – i była to sytuacja, na którą mocno się uskarżał. On również chętnie poszalałby przy ognisku, ale przecież następnego dnia musiał iść do szkoły. Fleurette bardzo zależało na tym, żeby sprawdzić, czy ich chłopiec grzecznie leży w łóżku.

Elaine nalegała jednak, by razem z Williamem i Kurą pojechać do miasta. Zostawiła konia w stajni u Helen, a na zabawę przybyła z tą dwójką powozem. Miała więc teraz wymówkę.

– Ale przecież możesz sobie tutaj pożyczyć od kogoś konia. – Ruben nie mógł jej zrozumieć. – Dlaczego w ogóle zostawiłaś Banshee w mieście? Mogłaś przecież spokojnie jechać na niej za powozem.

Fleurette uspokajająco położyła mu rękę na ramieniu. Dlaczego mężczyźni byli tacy niewrażliwi?! Sama świetnie rozumiała, że Elaine ani na sekundę nie chciała zostawić swego wielbiciela z Kurą.

– Wyjaśnię ci to później – wyszeptała do męża, na co Ruben zamilkł. – Ale nie zostawaj zbyt długo, Lainie. Jedź szybko i nigdzie się nie zatrzymuj!

William przysłuchiwał się temu skonsternowany. Uważał, że to niewłaściwe dla damy, by miała sama pokonać konno tak długą drogę, i to w dodatku nocą. Czy oczekiwano od niego, żeby jej towarzyszył? Elaine uśmiechnęła się tylko, gdy bez wielkiego entuzjazmu jej to zaproponował. W pensjonacie napiła się jeszcze herbaty. Po przejażdżce powozem musiała się trochę rozgrzać, a Helen i Gwyn i tak siedziały przy kominku.

– Williamie, przecież ci ucieknę! Ty nawet za dnia skarżysz się, że galopuję jak szalona po tej „niebezpiecznej drodze". Teraz, nocą, tylko byś mnie spowalniał.

„To z pewnością prawda, ale nie wyraziła się zbyt zręcznie – pomyślała Helen. – W końcu żaden mężczyzna nie lubi, żeby mu mówić, że jest lękliwym jeźdźcem". William spojrzał na dziewczynę ze skwaszoną miną, ale Elaine tego nie zauważyła. Radośnie opowiadała o drzewku majowym i o kwiatach, które musi sobie włożyć pod poduszkę.

„To jeszcze dziecko" – myślał William i było to dla niego jak usprawiedliwienie, że tak szorstko go potraktowała... i że był zakochany w Kurze.

Gdy krótko potem Elaine ruszała w drogę do domu, odprowadził ją na dwór. To było oczywiste; był przecież dżentelmenem. Pożegnalny pocałunek wypadł raczej skromnie, Elaine zdawała się jednak tego nie zauważać. Tak blisko czujnych oczu surowej babci też nie odważyłaby się na czułości, Helen zaś z pewnością stałaby się czujna, gdyby Callie dalej szczekała. Mała suczka wciąż nie lubiła, gdy William obejmował i całował jej panią. William niemal z ulgą patrzył na Elaine, gdy dosiadała Banshee. Żeby rozgrzać konia, pojedzie spokojnie aż do końca Main Street, później zaś ruszy żwawiej, ścigana przez tego szalonego małego psa. Pewnie nawet będzie ją to bawić. William zwiesił głowę. Wiele rzeczy w zachowaniu Elaine było mu obcych. Zupełnie inaczej było z Kurą...

Kura-maro-tini wymknęła się z domu. Światło w salonie Helen właśnie zgasło. Dziewczynę odesłano do jej pokoju, mieszkała jednak na parterze. Z okna obserwowała, jak William żegna się z Elaine.

William cieszył się, że pocałunek z Elaine nie był zbyt namiętny. Wcale nie chciał, żeby Kura, która teraz niby przypadkiem stała oparta o ścianę na prawo od wejścia, przyłapała go w objęciach innej. Kury nie dało się zobaczyć z żadnego okna. Narzuciła futro, ale go nie zapięła, było więc widać kostium, który miała pod spodem. Trzy najwyższe guziki były już rozpięte. Włosy miała rozpuszczone; spływały po jasnym futrze z lisów, a światło księżyca obsypywało je srebrem.

– Potrzebowałam świeżego powietrza. W środku jest tak gorąco – powiedziała, bawiąc się czwartym guziczkiem.

William zbliżył się do niej.

– Jest pani przepiękna – powiedział z czcią i sam mógłby się za to spoliczkować. Dlaczego nie przyszedł mu do głowy bardziej błyskotliwy komplement? Normalnie z łatwością znajdował właściwe słowa.

Kura uśmiechnęła się.

– Dziękuję – powiedziała cicho, przeciągając to słowo w melodię, która obiecywała niebiosa.

William nie wiedział, jak zareagować. Powoli, z namaszczeniem, niemal lękliwie dotknął jej włosów. Były gładkie jak jedwab.

Kura zadrżała. Zdawała się marznąć. Ale czy nie powiedziała właśnie, że jej gorąco?

– To dziwne, że gdzie indziej jest teraz lato – śpiewał jej głos. – Obchodzą to święto również w Irlandii...

– Raczej pierwszego maja niż pod koniec czerwca – odparł William, który zdawało się, nagle zachrypł. – Wcześniej nazywano je Beltane. Święto wiosny...

– Święto płodności – powiedziała Kura głosem, który był jedną wielką pokusą. – *Gdy nadchodzi lato, a drzewa okrywają się kwieciem...*

Gdy Kura śpiewała, oblodzone ulice Queenstown zdawały się rozpływać i William znów był w Irlandii, całował Bridget, córkę jednego z dzierżawców, czuł jej ciepło i pożądanie.

A potem trzymał już Kurę w ramionach. To się stało tak po prostu. Wcale tego nie zamierzał… Była taka młoda, i była jeszcze Elaine, mimo wszystko, i jego posada w Queenstown… ale przede wszystkim była tu Kura. Jej zapach, jej miękkie ciało… Kura była początkiem i końcem. Mógł się zatracić w jej pocałunku. Kura była ziemią i światłem księżyca, była połyskującym srebrem jeziora i odwiecznym morzem. Całował ją z początku powoli i ostrożnie, przyciągnęła go jednak mocniej do siebie i odpowiedziała mu pieszczotami, w których była dzikość i doświadczenie. W jej dotyku nic nie działo się po omacku, nie był lękliwy jak dotyk Elaine: Kura nie była delikatna i krucha, nie była nieśmiała jak dziewczyny w Sally Gardens, lecz otwarta i kusząca jak kwiaty, które podczas Beltane kładziono na ołtarzach bogini. William zsunął odrobinę jej suknię i głaskał gładką, miękką skórę jej pleców, a Kura ocierała się o niego, targała jego włosy, obdarzając krótkimi pocałunkami i delikatnie gryząc go w szyję. Oboje już dawno zapomnieli o skrywaniu się w cieniu domu; to było tak, jakby tańczyli na tarasie hotelu.

Elaine właśnie pozostawiła za sobą Main Street i skierowała Banshee na drogę wzdłuż rzeki, gdy nagle coś sobie przypomniała. Kwiaty! Z takim trudem zebrane przez Inger siedem kwiatów zostawiła przy kominku Helen. Czy to zadziała, jeśli położy je pod poduszkę następnej nocy? Prawdopodobnie nie; noc świętojańska była przecież dzisiaj. A Inger z pewnością ją o to zapyta. Zresztą Elaine też pragnęła to zrobić. Być może Inger była dziewczyną dość lekkich obyczajów, ale stała się prawie kimś w rodzaju przyjaciółki, i Elaine chętnie pochichotałaby z nią i poszeptała o snach. A jeśli chciała wiedzieć, jak będzie wyglądał jej przyszły mąż, to musiała zawrócić konia. Jadąc kłusem, straci co najwyżej pięć minut.

Banshee zawróciła niechętnie. Wcześniej Elaine chciała jak najszybciej dotrzeć do domu, jechała więc dość żwawym kłusem. Wracać jeszcze raz na Main Street? Klaczy najwyraźniej się to nie podobało, ale posłusznie dała sobą pokierować.

– Dalej, Banshee, jak tam wejdę, to ukradnę dla ciebie herbatnika – wyszeptała Elaine.

William i Kura powinni byli właściwie usłyszeć stukot kopyt, ale tej nocy byli jedynie częścią jej melodii. Nie słyszeli nic prócz swych oddechów i bicia serca, czuli puls ziemi.

Być może Elaine nie zauważyłaby ich, gdyby pozostali w cieniu domu. Sądziła, że pensjonat jest już zamknięty, chciała więc wejść od strony stajni. Kura i William stali jednak w blasku księżyca, oświetleni jak na scenie. Banshee spłoszyła się, gdy zobaczyła tych dwoje, i zaczęła bić kopytami o ziemię. Elaine zabrakło tchu w piersiach. Nie mogła tego pojąć. To musiało być jakieś urojenie! Jeśli zamknie teraz oczy i znów je otworzy, z pewnością nie będzie tam Williama i Kury.

Próbowała złapać oddech i zmrużyła oczy, ale gdy znów je otworzyła, para wciąż jeszcze się całowała. Zapomnieli o całym świecie; byli sylwetkami w świetle księżyca rozjaśniającym ulicę. Nagle w domu zapaliło się światło i otworzono drzwi.

– Kura, na Boga, co ty tam robisz?!

Babcia Helen! A więc to nie było żadne urojenie. Helen też to widziała. I teraz…

Helen nie potrafiła później wyjaśnić, co ją tknęło, żeby przed pójściem spać jeszcze raz zejść na dół – może te kwiaty, o których zapomniała Lainie. Mówiła o nich wcześniej z takim zapałem. Z pewnością po nie wróci, jeśli tylko po drodze zauważy ich brak. A potem zobaczyła te cienie przed domem, a może raczej jeden cień.

I stukot kopyt…

Helen zobaczyła, jak Kura i William odsuwają się gwałtownie od siebie i przez krótką chwilę, przez jedno uderzenie serca, patrzą w przerażone, szeroko otwarte oczy jej wnuczki. A potem mały siwek zatańczył na tylnych nogach i jak szalony pognał Main Street. Jak najdalej stąd.

– Natychmiast chodź tu do mnie, Kura! A pan, Mr William, zechce sobie poszukać nowego dachu nad głową. Tu nie spędzi pan już z tym dzieckiem ani jednej nocy więcej! Idź do swojego pokoju, Kura, rozmówimy się jutro! – Usta Helen zacisnęły się w wąską linię, a pomiędzy jej brwiami pojawiła się pionowa zmarszczka. William w jednej chwili zrozumiał, dlaczego jego koledzy z obozu poszukiwaczy złota tak bardzo się jej bali.

– Ale... – Słowa uwięzły mu w gardle, gdy tylko Helen na niego spojrzała.

– Żadnych ale, Mr William. Nie chcę tu pana nigdy więcej widzieć.

# 7

– Uwierz mi, Fleur, ja go nie zwolniłem! – Ruben O'Keefe miał już powoli dość inkwizytorskich pytań żony. Nie znosił, gdy Fleurette wyładowywała na nim swój zły humor, choć przecież w całej tej rodzinnej katastrofie wokół Elaine, Kury i Williama to nie on był winien. – Sam się zwolnił. Chce wyjechać na Canterbury Plains, mówił, że niby na dłuższą metę potrzebuje owiec…

– W to mogę uwierzyć! – ze słów Fleurette sączył się jad. – Z pewnością interesuje go całkiem konkretne dziesięć tysięcy owiec. Nigdy temu draniowi nie ufałam. Powinniśmy byli wysłać go od razu gdzie pieprz rośnie!

Fleurette sama zauważyła, jak bardzo szarpie nerwy Rubenowi, ale pod koniec tego dnia potrzebowała jakiegoś piorunochronu. Poprzedniego wieczoru widziała Elaine, jak wróciła do domu, ale już z nią nie rozmawiała. Rankiem dziewczyna nie zeszła na śniadanie, a Fleurette zastała w stajni niezbyt dokładnie oporządzoną Banshee. Oczywiście Elaine ją nakarmiła i narzuciła na nią koc, ale nie wyczyściła już i nie wyszczotkowała klaczy. W dodatku zaschnięty pot na jej sierści wskazywał na ostrą jazdę, a to nie było podobne do Elaine, żeby zaniedbywała swego konia. W końcu Fleurette poszła do niej na górę, by zobaczyć, co dziewczynie dolega, i zastała córkę w łóżku, płaczącą i wyraźnie załamaną. Tuliła do siebie Callie. Fleurette nie udało się z niej wycisnąć ani słowa; dopiero po południu Helen opowiedziała jej, co się stało.

I w to też trudno było uwierzyć. Helen przyjechała do posiadłości Nugget sama, z koniem Leonarda zaprzężonym do pożyczonej dwukółki. Zazwyczaj unikała samodzielnego powożenia, nie wspominając już o jeździe wierzchem. Wcześniej, na Canterbury Plains, jeździła co prawda na mule, ale po śmierci Nepomuka nie miała już żadnego wierzchowca. A tego dnia i tak nie przyjęłaby pomocy od Gwyn.

– Gwyneira się pakuje – powiedziała z zaciśniętymi ustami, gdy Fleurette ją o nią zagadnęła. – Strasznie jej przykro i uważa, że przez jakiś czas nie powinna narażać Elaine na widok Kury. Poza tym była jednak bardzo powściągliwa w wymierzeniu kary. A o internacie w Anglii, czy może nawet w Wellingtonie, też już nie było więcej mowy. A w sumie byłoby to najlepsze rozwiązanie dla tej dziewuchy. Musi się nauczyć, że nie może mieć wszystkiego, czego chce.

– Sądzisz, że uwiodła Williama? – zapytała Fleurette. W sumie w najmniejszym stopniu nie zamierzała doszukiwać się jakichś okoliczności łagodzących dla tego młodego człowieka.

Helen wzruszyła ramionami.

– Przynajmniej się nie wzbraniała. Nie wywlekł jej z domu, musiała sama pójść za nim i za Elaine. Poza tym raczej wcale nie musiała go uwodzić. Już prędzej jest tak, jak to określiła Daphne. Faceci sami padają do stóp tej dziewczyny jak dojrzałe śliwki.

Fleurette niemal się na to roześmiała. To nie był sposób wyrażania się typowy dla Helen.

– I teraz jedzie za nią na Canterbury Plains. Co na to matka? – spytała.

Helen znów wzruszyła ramionami.

– Myślę, że sama jeszcze nie wie. Ale mam dość paskudne podejrzenia. Myślę, że Gwyn postrzega Williama jako odpowiedź na swoje modlitwy…

– Elaine jakoś sobie z tym poradzi.

To były słowa, jakie w kolejnych tygodniach Fleurette często słyszała. Wciąż i wciąż, bo odejście Williama stało się oczywiście tematem rozmów w miasteczku. Co prawda świadkiem czułości Kury była tylko Elaine, jednak świadkiem wypowiedzenia pracy byli różni klienci i pracownicy. A już zwłaszcza kobiety w Queenstown potrafiły dodać w końcu dwa do dwóch, kiedy padały słowa o Canterbury Plains, a Gwyneira i Kura Warden wyjechały praktycznie już następnego dnia, podobnie jak księgowy Rubena. Elaine nie miała odwagi pokazać się w mieście, choć Fleurette utrzymywała, że naprawdę nie ma się czego wstydzić. Większość ludzi raczej jej współczuła. Starsi mieszkańcy Queenstown nie zazdrościli przecież Elaine wielbiciela, a jeśli chodziło o przyzwoite dziewczyny w jej wieku, które mogłyby się cieszyć i rozpowiadać o jej nieszczęściu, to nie było ich zbyt wiele. Mimo to Elaine nie przestawała płakać. Zaszyła się w swoim pokoju i szlochała, jakby nie była w stanie się powstrzymać.

– To minie – stwierdziła Daphne, gdy Helen opowiadała jej o tym na spotkaniu przy herbatce. Elaine nie pomagała już w recepcji ani w sklepie. Jeśli akurat nie płakała, to włóczyła się ze swoim psem i koniem po lasach. W nieunikniony sposób natrafiała na miejsca, gdzie spotykała się z Williamem, spędzała z nim pikniki albo się całowała, i skutek był taki, że znów zalewała się łzami. – To była po prostu pierwsza miłość. Każdy przez to przechodzi. Pamiętam, jak sama płakałam. Miałam wtedy dwanaście lat, a on był marynarzem. Rozdziewiczył mnie, ten gnojek, i nawet mi za to nie zapłacił. Zamiast tego wmawiał mi, że się ze mną ożeni i zabierze w szeroki świat. Jaka ja byłam głupia! Od kiedy to marynarze biorą swoje kochanice na morze? Ale wmawiał mi, że ukryje mnie w szalupie ratunkowej. A kiedy zniknął, zawalił się cały mój świat. Od tamtego czasu nie ufam żadnemu mężczyźnie. No ale to wyjątkowa sytuacja, Miss Helen. Większość od razu nadziewa się na kolejnego drania. Dobrze by było, gdyby twoja Lainie miała się czym zająć. Siedzenie i płacz nic jej nie pomogą.

Tak więc Helen próbowała Elaine uprosić, a Fleurette i Ruben wywierali delikatne naciski, żeby się czymś zajęła i przestała zachowywać, jakby była na wygnaniu. Dopiero jednak po kilku tygodniach udało się ją skłonić do wyjścia i zachęcić do pomocy w sklepie albo w hotelu.

Jednak ta dziewczyna, która wcześniej zajmowała się pokazywaniem wzorów tkanin albo spisywała listy gości, nie była już tą samą Elaine co kiedyś. I nie chodziło tylko o to, że straciła na wadze i sprawiała wrażenie bladej i niewyspanej – to były skutki jej sercowych rozterek, jak to określiła Daphne. Bardziej niepokojące było zachowanie Elaine. Nie uśmiechała się już do ludzi, nie unosiła dumnie głowy, idąc przez miasto, a jej loki nie powiewały już tak radośnie. Zamiast tego starała się być niewidzialna. Wolała pomagać w kuchni zamiast w recepcji, albo w magazynie, a nie doradzać klientom w sklepie. Jeśli kupowała sukienkę, nie wybierała już radosnych i kolorowych, lecz raczej coś nierzucającego się w oczy. A jej włosy… „jakby anioły utkały je z miedzi". Znowu jedno z tych powiedzonek, których William wcale nie traktował poważnie. Wcześniej Elaine lubiła, gdy jej loki tańczyły elektryzująco wokół twarzy. Teraz niecierpliwie starała się je przygładzić wodą, nim związała je na karku, zamiast mocniej rozczesywać szczotką.

Dziewczyna w dziwny sposób zdawała się kurczyć w oczach, szurała nogami ze wzrokiem wbitym w ziemię i z przygarbionymi plecami. Każde zaś spojrzenie w lustro było dla Elaine prawdziwą męczarnią. Widziała w nim twarz szpetną, a w najlepszym razie przeciętną. Głupia i bez talentu – nic w porównaniu ze wspaniałą Kurą Warden. Elaine stwierdziła, że jest chuda i ma płaskie piersi, choć wcześniej uważała się za filigranową i szczupłą. „Niczym elf" – mówił wtedy William. Wówczas traktowała to jak cudowny komplement. Ale jaki mężczyzna chciałby tak naprawdę elfa? Te dranie wolały boginię, kogoś takiego jak Kura!

Elaine sama się zamęczała i rozdrapywała rany, choć Inger wciąż starała się ją pocieszyć. Dziewczyny zaprzyjaźniły się z sobą, a wiadomość, że ojciec zatrudnił w sklepie Sørena na miejsce Williama i że młody Szwed za kilka tygodni chce wziąć ślub z Inger, przynajmniej na jakiś czas wyrwała Elaine ze smutku. Ale prawdziwą pomocą Inger właściwie też nie była. W każdym razie Elaine niekoniecznie potraktowała to jako pochlebstwo, gdy jej przyjaciółka prostodusznie stwierdziła, że mając taką dziewczynę jak ona, Daphne nie posiadałaby się z radości. Jasne, w domu uciech byłaby pewnie dość dobra, ale mężczyzna taki jak William nigdy jej nie pokocha.

Z czasem obraz twarzy Williama zaczął się zacierać w jej pamięci. Mogła teraz myśleć o jego dotyku i pocałunkach, nie odczuwając przy tym potwornego bólu, że „już nigdy tak nie będzie". W gruncie rzeczy działo się to, co Daphne i inni przewidzieli. Elaine przebolała Williama... ale nie zapomniała o Kurze.

William wyruszył na Canterbury Plains tego samego dnia co Gwyneira i Kura, ale oczywiście nie podróżowali razem. Gwyn wzięła na swój powozik jedynie lekki bagaż i poprosiła Rubena, żeby resztę jej rzeczy wysłał do Christchurch następnym transportem. A potem popędziła swego ogiera na północ. William, który z początku znalazł schronienie w obozie poszukiwaczy złota, zanim ruszył w drogę, musiał najpierw kupić konia. Przybył jednak na miejsce wcześniej niż Gwyn i Kura, ponieważ tym razem nocowały na farmach swoich znajomych, a to je zmuszało, by jechać okrężną drogą.

William robił krótkie postoje. Niechętnie spał w buszu, a teraz, zimą, panował w dodatku dotkliwy chłód. Dotarł więc do Haldon dwa dni wcześniej niż Gwyn, wynajął pokój w miejscowym hotelu, dość niechlujnym przybytku, i zaczął szukać pracy. Osada nieszczególnie mu się podobała. Haldon składało się praktycznie z jednej ulicy, na której skupiły się typowe w takich miasteczkach sklepy. Był bar, lekarz, przedsiębiorca pogrzebowy, kowal i składzik z wielkim magazynem drewna. Drewniane były też wszystkie miejscowe budynki, co najwyżej dwupiętrowe, którym nie zaszkodziłoby, gdyby je na nowo pomalować. Ulica nie była dostatecznie utwardzona, więc zimą zamieniała się w błotnistą drogę, a latem unosił się z niej kurz. Wokół nie było właściwie niczego – w okolicy znajdowało się co prawda małe jezioro, ale poza tym tylko łąki, które mimo zimnej pory roku zachowywały zielony kolor. W pogodne dni w dali dostrzec można było Alpy. Zdawały się wznosić blisko, ale było to mylne wrażenie. Trzeba było wielu godzin konnej jazdy, żeby w zauważalny sposób się do nich zbliżyć.

W całym rejonie wokół Haldon były większe i mniejsze farmy owiec, oddalone jednak od siebie o wiele mil. Mówiono też o osadach Maorysów, ale gdzie się znajdowały, nikt tak naprawdę nie wiedział. Tubylcza ludność często wędrowała.

Kiward Station, farmę Wardenów, znał jednak każdy. Mrs Dorothy Candler, żona sklepikarza i najwyraźniej główne źródło miejscowych plotek, wyczerpująco opowiedziała mu ich rodzinną historię. Mówiła z szacunkiem, że Gwyneira Warden była prawdziwą posiadaczką ziemską z Walii, którą założyciel Kiward Station, niejaki Gerald Warden, sprowadził dawno temu do Nowej Zelandii.

– Niech pan tylko pomyśli, tym samym statkiem, którym i ja tu przybyłam! Boże, jak ja się wtedy bałam przed tym rejsem. Ale nie Miss Gwyn! Ona przybyła tu z chęcią, szukała przygód. Miała wyjść za mąż za syna Mr Geralda, Mr Lucasa. Uroczy był człowiek ten Lucas, naprawdę bardzo miły, małomówny pan, tylko z pracą na farmie nie bardzo mu szło. Miał raczej duszę artysty, wie pan? No i potem gdzieś zniknął. Popłynął do Anglii, mówiła Miss Gwyn, żeby sprzedać swoje obrazy. Ale czy to prawda? Różne rzeczy przebąkiwano. W końcu uznano go za zmarłego, niech Bóg zmiłuje się nad jego duszą. A Miss Gwyn wyszła za tego Jamesa McKenziego. Ten to jest naprawdę miły człowiek. Naprawdę, nic złego nie powiem o Mr Jamesie, ale kiedyś był złodziejem bydła! To od niego nazwano Wyżynę McKenziego. To tam się ukrywał, nim dorwał go ten Sideblossom. No tak, i wtedy oberwało się też Geraldowi, tego samego dnia co panu O'Keefe'owi. Kiepska sprawa, kiepska sprawa. O'Keefe zabił Wardena, a jego z kolei zabił wnuk pana Geralda. Później chcieli to przedstawić jako wypadek...

Po półgodzinie słuchania Mrs Candler Williamowi szumiało już w głowie. Minie jeszcze trochę czasu, nim sobie to wszystko poukłada. Ale już pierwsze wrażenie co do Wardenów było zachęcające: w porównaniu z wyczynami tej rodziny jego udaremniony zamach na irlandzkiego polityka był raczej skromnym grzeszkiem.

Mimo wszystko będzie musiał się wytężyć, żeby zrobić dobre wrażenie. Po tym skandalu, jaki Helen O'Keefe zrobiła z kilku pocałunków z Kurą, Miss Gwyn z pewnością nie była zbyt chętna do rozmowy. To właśnie dlatego William zabrał się od razu do poszukiwania pracy. Musiał mieć jakąś pewną posadę, zanim zaprezentuje się Wardenom. W końcu Miss Gwyn nie powinna myśleć, że chodzi mu o dziedzictwo Kury. To była insynuacja, której William w każdej chwili kategorycznie by zaprzeczył! Kwestie finansowe mogły odgrywać pewną rolę w jego staraniach o uczucia Elaine, ale w przypadku Kury... William pragnąłby jej nawet wtedy, gdyby była żebraczką.

Jeśli chodziło o pracę, to sytuacja w okolicznych farmach nie wyglądała jednak zbyt dobrze. Kierowniczych stanowisk nie oferowano w ogóle; William mógłby w najlepszym razie zacząć od pracy poganiacza, a nawet to oferowano zimą rzadko. A o żałośnie kiepskich płacach, prymitywnym zakwaterowaniu i ciężkiej robocie nawet nie było co wspominać. Pomogło mu jednak doświadczenie księgowego w sklepie Rubena. Candlerowie byli niemal zachwyceni, gdy zapytał o pracę u nich. Mąż Dorothy, który sam uczęszczał jedynie do wiejskiej szkoły, zareagował na dotychczasowe wykształcenie Williama niemal euforycznie.

– Z prowadzeniem tych ksiąg zawsze mi ciężko szło! – wyznał szczerze. – Tak naprawdę to dla mnie jak jakaś kara. Lubię mieć do czynienia z ludźmi i znam się na tym, jak kupować i sprzedawać. Ale liczby...? Mam je raczej w głowie niż w księgach.

Zgodnie z tym, co mówił, tak właśnie prezentowały się jego dokumenty. William już po pobieżnym przejrzeniu ich znalazł różne możliwości usprawnień związanych z magazynowaniem towaru i przede wszystkim szanse oszczędności na podatkach. Candler uśmiechał się tylko od ucha do ucha i natychmiast wypłacił mu premię. Poza tym Dorothy, wzorowa gospodyni domowa, zadbała o odpowiednie zakwaterowanie. Pośredniczyła w wynajęciu pokoju w domu swej szwagierki i prawie codziennie zapraszała go na posiłki. Oczywiście próbowała przy tym zwrócić jego uwagę na powaby swojej córki Rachel. W innych okolicznościach William być może nawet nie miałby nic przeciwko temu. Rachel była wielką dziewczyną o ciemnych włosach i łagodnych brązowych oczach. Była z niej nawet całkiem miła ślicznotka, ale w porównaniu z Kurą nie miała szans, podobnie jak Elaine.

Od Wardenów ani McKenziech nikt się w miasteczku nie pokazywał. Kiward Station oczywiście dokonywało tu zakupów, ale Gwyneira wysyłała jedynie pracowników, żeby odebrali rzeczy, pośród których nie było nic osobistego. Podczas jednego z ich regularnych spotkań przy herbatce, kiedy to Dorothy opowiadała mu wszystkie plotki, zdradziła mu, że Gwyneira prawie wszystkie ubrania kupuje w Christchurch.

– Teraz, gdy pobudowano lepsze drogi, nie jest to już żadnym problemem. Wcześniej było tak, jakby się człowiek wybierał w podróż dookoła świata, ale teraz... A ta mała, jej wnuczka, jest dość rozpuszczona. Nie przypominam sobie, żeby kiedykolwiek postawiła stopę w naszym sklepie! Dla niej nawet najmniejszy drobiazg musi być z Londynu!

Williama ta informacja rozczarowała. Oczywiście to wspaniale, że Kura ma dobry gust, bo jeśli chodzi o wybór ubrań u Candlerów, to rzeczywiście były poniżej jej poziomu. Jednak nadzieję na to, że uda mu się spotkać ją w Haldon – najpierw przypadkowo, a potem może nawet potajemnie – mógł spokojnie pogrzebać.

Aż wreszcie, prawie sześć tygodni po tym, jak William przybył na Canterbury Plains, pojawiła się Miss Gwyn. Siedziała na koźle krytego wozu obok dość postarzałego już, ale wielkiego i silnego mężczyzny. Oboje z pewnością siebie pozdrawiali mieszkańców miasteczka, mężczyzna zaś nie sprawiał przy tym wrażenia, jakby był jej pracownikiem. To musiał być jej mąż, ten James McKenzie. William, korzystając z tego, że nie było go widać w kantorku sklepiku, uważnie przyjrzał się parze. McKenzie miał brązowe, trochę potargane włosy, w których widać już było siwe pasemka. Jego twarz była ciemno opalona i ogorzała od wiatru, pełna zmarszczek od śmiechu, podobnie jak u Miss Gwyn; oboje wyglądali na dobrze dobrane małżeństwo. Szczególną uwagę zwracały jednak czujne brązowe oczy Jamesa, które zdawały się przyjazne, ale z pewnością należały do mężczyzny, którego trudno było wodzić za nos.

William rozważał, czy nie spróbować od razu zawrzeć znajomości z Jamesem, ale postanowił zaczekać. Miss Gwyn na pewno się na niego skarżyła; lepiej będzie poczekać jeszcze kilka tygodni. Ciągnęło go jednak coraz bardziej, by wreszcie móc zobaczyć Kurę. W kolejną niedzielę osiodłał więc swego konia, z którego rzadko korzystał, i ruszył w stronę Kiward Station.

Jak większość gości, Williama uderzył widok rezydencji w samym środku buszu. Dopiero co jechał jeszcze przez niezagospodarowane ziemie, przez porośnięte trawą, niekończące się tereny, które nie wyglądały nawet na pastwiska. Z rzadka mijał niewielkie formacje skalne i małe jeziorka z krystaliczną wodą. A potem wjeżdżało się w zakręt i człowiekowi nagle się wydawało, że przeniósł się na angielską wieś. Starannie wysypana żwirem zadbana droga prowadziła najpierw przez swego rodzaju aleję obsadzoną bukanami i drzewami kordyliny. Jadąc dalej, można było dostrzec bramę wjazdową z kwitnącymi przy niej na czerwono krzewami. Za nią znajdował się podjazd do Kiward Station. To nie była żadna farma, to był zamek! Dom został z pewnością zaprojektowany przez angielskiego architekta i wzniesiony był z typowego szarego kamienia, jakiego w miastach takich jak Christchurch i Dunedin używano do budowy obiektów „architektury monumentalnej". Kiward Station było dwupiętrowym budynkiem; fasadę ożywiały wieżyczki, wykusze i balkony. Nie było widać stajni; William przypuszczał, że znajdowały się za domem, podobnie jak tereny ogrodu. Nie wątpił, że rezydencja posiada wypielęgnowany ogród w angielskim stylu, może nawet było tu rosarium, choć Miss Gwyn nie sprawiała właściwie wrażenia, żeby ogrodnictwo było jej pasją. Już prędzej pasowałoby to do Kury. William wyśnił sobie na jawie ubraną na biało Kurę w przyozdobionym kwiatami słomkowym kapeluszu, przycinającą krzewy róż, a potem wchodzącą po schodach z koszem pełnym kwiatów.

Myśl o Kurze przywróciła go jednak do rzeczywistości. To było po prostu niemożliwe, żeby się tu dostać. Spotkanie dziewczyny na tym terenie w sposób „przypadkowy" było nie do pomyślenia, zwłaszcza że Kura nie wydała mu się miłośniczką natury. Jeśli już wychodziła z domu, to zapewne do ogrodów, a te przypuszczalnie były ogrodzone. Poza tym z pewnością roiło się tam od ogrodników; o tym, że było ich tu sporo, świadczył choćby bardzo zadbany wjazd.

William zawrócił konia. O ile to możliwe, nie chciał, by go tu widziano. Pogrążony w myślach, szerokim łukiem zaczął okrążać posiadłość. Faktycznie, po prawej i po lewej stronie dworu były drogi prowadzące do stajni i wybiegów, na których pasły się konie, skubiąc marną zimą trawę. William nie skręcił w nie jednak; niebezpieczeństwo, że natknie się na ludzi, którzy mogliby go zapytać, co tu porabia, wydało mu się zbyt duże. Zamiast tego ruszył wąską ścieżką przez pastwiska i natrafił na skąpo porośnięty lasek. Właściwie można się tu było poczuć tak jak w Anglii czy w Irlandii. Bukany i niemal całkowity brak poszycia sprawiały, że było tu prawie jak w Europie. Przez mały las prowadziła osobliwie wijąca się ścieżka, wydeptana raczej ludzkimi stopami, a nie kopytami koni. William podążył nią zaciekawiony i wyjeżdżając zza zakrętu, niemal zderzył się z ciemno odzianą młodą kobietą, która zdawała się równie pogrążona w myślach jak on sam. Ubrana była w dość surową suknię, do tego nosiła ciemny kapelusik, który sprawiał, że wydawała się starsza. Na Williamie wywarła jakieś surrealistyczne wrażenie angielskiej guwernantki w drodze do kościoła.

Młodemu mężczyźnie w ostatniej chwili udało się zatrzymać konia i pokazać swój najpiękniejszy, przepraszający uśmiech. Musiała mu teraz szybko przyjść do głowy jakaś wymówka, co tutaj robi.

Kobieta raczej nie sprawiała wrażenia kogoś, kto zna się na hodowli bydła. Może bierze go za jednego z pracowników? William pozdrowił ją uprzejmie i przeprosił. Jeśli od razu pojedzie dalej, kobieta z pewnością szybko o nim zapomni.

Odpowiedziała coś krótko, nie okazując zainteresowania i nie patrząc na niego. Dopiero po tym, jak ją przeprosił, obdarzyła go uważniejszym spojrzeniem. Najwyraźniej coś w jego wymowie zwróciło jej uwagę. William przeklął swój akcent zdradzający pochodzenie z wyższych sfer. Powinien naprawdę próbować ćwiczyć się w irlandzkiej wymowie!

– Nie ma potrzeby, by mnie pan przepraszał, ja też pana nie zauważyłam. Drogi tutaj są naprawdę fatalne... – Na twarzy kobiety widać było poirytowanie, ale szybko pojawił się na niej nieśmiały uśmiech. Była jasną, bladą blondynką. Jej włosy, cera i szaroniebieskie oczy zdawały się jakby rozmyte. Twarz miała dość pociągłą, ale rysy szlachetne. – Mogę panu jakoś pomóc? Chyba nie wybiera się pan naprawdę do Maorysów?

Po sposobie, w jaki wypowiedziała to słowo, można by sądzić, że chodzi o jakieś plemię ludożerców, a odwiedzanie ich to czyn godny szaleńca.

Ona sama z powodzeniem mogłaby uchodzić za misjonarkę w swej ciemnoszarej prostej sukni i czarnym niepozornym kapeluszu. Pod ręką niosła coś, co przypominało śpiewnik.

William się roześmiał.

– Nie. Wybierałem się do Haldon – oświadczył. – Ale obawiam się, że to nie jest właściwa droga.

Kobieta zmarszczyła czoło.

– O tak, poważnie pomylił pan drogę. Ta ścieżka prowadzi z obozowiska Maorysów do Kiward Station... Ten dom za panem to rezydencja, a obok wioski Maorysów prawdopodobnie już pan przejeżdżał, nie widać jej jednak od strony drogi. Najlepiej, jeśli zawróci pan konia i pojedzie z powrotem w stronę budynków, a potem główną drogą.

William skinął.

– Jak mógłbym nie skorzystać z rady płynącej z tak pociągających ust? – zapytał szarmancko. – Ale co robi taka młoda lady jak pani u Maorysów?

To ostatnie właściwie go nie interesowało. Mówiła w końcu z nieskazitelnym akcentem wyższych sfer, choć może trochę nosowo.

Kobieta przewróciła oczami.

– Powierzono mi u tych dzikusów coś w rodzaju... no cóż, pracy duszpasterskiej. Pastor poprosił mnie, żebym chodziła w niedziele do obozu i odprawiała coś w rodzaju modlitwy. Poprzednia nauczycielka, Miss Helen, też tak zawsze robiła, a potem Mrs Warden...

– Mrs Gwyneira Warden? – spytał zaskoczony William, choć ryzykował tym samym, że się zdradzi. Miss Gwyn wcale nie wydawała mu się taką świętoszką. Już prędzej podejrzewał o to Miss Helen.

– Nie, Mrs Marama Warden. Jest Maoryską, ale wyszła ponownie za mąż i żyje teraz niedaleko O'Keefe Station, w pobliskim obozie. I tam też prowadzi szkołę. – Młoda dama nie sprawiała wrażenia, jakby misjonarskie zajęcia przysparzały jej zbyt wiele radości. Ale zaraz, zaraz. Czy nie mówiła właśnie czegoś o „nauczycielce"? Czy to możliwe, że natknął się na guwernantkę Kury Warden?

Williamowi aż trudno było uwierzyć we własne szczęście. Zwłaszcza jeśli związek pomiędzy Kurą i uwielbianą przez nią Miss Witherspoon był rzeczywiście tak bliski, jak dziewczyna sugerowała to w Queenstown.

– Naucza pani wśród Maorysów? – spytał. – Tylko tam, czy... aż trudno mi w to uwierzyć. Ale Miss Warden opowiadała z taką czułością o Miss Heather!

W rzeczywistości Kura nie mówiła o swej nauczycielce „z czułością", jeśli już, to raczej wspominała o pewnego rodzaju sojuszu przeciw wszystkim tym troglodytom w jej otoczeniu. Ale jakkolwiek by było, Miss Witherspoon była jedyną osobą w Kiward Station, do której odnosiła się choć trochę przyjaźnie. A ta młoda kobieta najwyraźniej potrzebowała czegoś, co dodałoby jej otuchy.

Surową twarz Miss Witherspoon rozjaśnił promienny uśmiech.

– Naprawdę? Kura wspominała mnie ciepło? Bardzo ją lubię, choć jest trochę chłodna. Ale skąd pan w ogóle zna Kurę? – Młoda kobieta spojrzała na niego badawczo, a William starał się jednocześnie wyglądać tak, jakby poczuwał się do winy, a przy tym trochę zawadiacko. Czy to możliwe, żeby Kura nic o nim nie wspomniała? Po chwili jednak Miss Heather wyciągnęła, jak się zdawało, właściwe wnioski. – Chwileczkę! Czy nie jest pan przypadkiem...? – W miejsce nieufności w spojrzeniu Miss Witherspoon pojawił się entuzjazm. – To przecież musi być pan! Jest pan Williamem Martynem, prawda? Według opisu Kury... – Kura opisała Williama w najdrobniejszych szczegółach. Jego blond włosy, dołeczki, błyszczące błękitne oczy. Miss Heather wpatrywała się teraz w niego. – Jakie to romantyczne! Kura wiedziała, że się pan pojawi. Była strasznie przygnębiona po tym, jak Miss Gwyn tak niespodziewanie została wezwana do powrotu z Queenstown...

Wezwana? William się zdziwił. Najwyraźniej nie opowiedziano po prostu guwernantce wszystkiego. Kura chyba też tylko częściowo jej się zwierzyła. William postanowił, że musi być ostrożny. Z drugiej strony, to bezbarwne stworzenie było jego jedyną nadzieją. Znów starał się ją oczarować swym wdziękiem.

– Nie wahałem się nawet jednego dnia, Miss Heather. Po tym, jak Kura wyjechała, wypowiedziałem pracę, kupiłem konia i oto jestem tutaj. Mam posadę w Haldon… choć to jeszcze żadne kierownicze stanowisko, co muszę przyznać, ale zamierzam piąć się wytrwale w górę. Pewnego dnia będę chciał otwarcie zabiegać o względy Kury.

Twarz Miss Heather płonęła. To właśnie chciała usłyszeć. Najwyraźniej miała słabość do takich romantycznych historii.

– Jak dotąd nie jest to, niestety, takie proste. – William nie wyjaśnił dlaczego, ale młodej kobiecie od razu przyszło do głowy kilka powodów.

– Kura jest, oczywiście, jeszcze bardzo młoda – zauważyła. – W tym względzie trzeba zrozumieć Mrs McKenzie, choć dziewczyna zdaje się tego nie pojmować. Kura była strasznie rozgniewana, gdy tak nagle… ach… oderwano ją od pana… – Miss Heather poczerwieniała.

William spuścił głowę.

– Mnie również rozdarło to serce – wyznał. Miał nadzieję, że nie przesadził, ale Miss Heather patrzyła na niego ze zrozumieniem. – Proszę tylko mnie źle nie zrozumieć. Jestem jak najbardziej świadomy odpowiedzialności. Kura jest niczym kwiat w pełni swego piękna, choć nie do końca jeszcze rozkwitł. Byłoby nieodpowiedzialne, gdyby już teraz go… – Gdyby teraz powiedział „zerwać", młoda kobieta spłonęłaby chyba ze wstydu. William wolał nie kończyć tego zdania. – Jestem w każdym razie gotów czekać na Kurę. Tak długo, dopóki nie będzie dorosła… albo dopóki Miss Gwyn ją za taką nie uzna.

– Kura jest bardzo dojrzała jak na swój wiek – dodała Miss Heather. – Z pewnością byłoby błędem traktować ją jak dziecko.

W rzeczywistości Kura dąsała się od powrotu z Queenstown i nie dalej jak dziś rano znów miało miejsce bardzo przykre zdarzenie między nią a Jamesem McKenziem. Podczas piątego powtórzenia oratorium Bacha, które Kura akurat ćwiczyła, gdy reszta rodziny jadła śniadanie, James nie wytrzymał.

Kura nie musi z nimi jeść, ale niech przynajmniej wszyscy nie muszą znosić jej humorów. W żadnym razie on nie ma ochoty ani chwili dłużej słuchać tej depresyjnej muzyki. Przy czymś takim nawet krowa traci apetyt! Jack, chichocząc, wziął stronę ojca, Miss Gwyn zaś w takich przypadkach prawie zawsze milczała. Kura uciekła obrażona do swych pokoi, a Heather musiała ją pocieszać. Była przy tym najbliższą osobą, na którą spadały te gromy. Nie powinna utwierdzać Kury w głupich pomysłach, powiedziała jej Miss Gwyn, byłoby lepiej, gdyby poświęciła się swoim obowiązkom i poprowadziła modlitwę u Maorysów.

William oczywiście nic o tym wszystkim nie wiedział, czuł jednak, że Heather ma żal do Miss Gwyn i McKenziego. Musiał zaryzykować.

– Miss Heather… czy istnieje szansa, bym mógł zobaczyć Kurę? Bez angażowania przy tym jej dziadków? Nie mam żadnych niegodnych zamiarów, w żadnym wypadku… tylko jedno spojrzenie na nią, choć jedno słowo z jej ust, uczynią mnie szczęśliwym. A mam naprawdę nadzieję, że ona też za mną tęskni… – William przyglądał się uważnie swej rozmówczyni. Czy trafił w jej czuły punkt?

– Czy za panem tęskni? – zapytała wstrząśnięta Miss Heather. I łamiącym się głosem dodała: – Mr William, ona usycha z tęsknoty za panem! To dziecko cierpi… A gdyby pan słyszał jej śpiew! Jej głos stał się jeszcze wyrazistszy, tak głęboko odczuwa…

William ucieszył się, słysząc to, choć wcale sobie nie przypominał, żeby Kura była aż tak sentymentalna. W ogóle nie potrafił jej sobie wyobrazić zalewającej się łzami. Ale skoro tej Miss Heather odpowiada rola wybawicielki, która może powstrzymać kogoś przed samobójstwem z powodu złamanego serca…

– Miss Heather – przerwał jej kazanie – nie chciałbym być natarczywy, ale czy istnieje jakaś realna możliwość?

Kobieta sprawiała wrażenie, jakby wreszcie zaczęła się zastanawiać. Bardzo szybko doszła też do konkretnych wniosków.

– Może w kościele – stwierdziła wreszcie. – Nie chcę niczego obiecywać, ale zobaczę, co da się zrobić. W każdym razie niech pan przyjdzie w następną niedzielę na mszę w Haldon…

\* \* \*

– Kura chce jechać do Haldon? – zapytał osłupiały James McKenzie. – Księżniczka gotowa jest zmieszać się ze zwykłym ludem? Skąd ta nagła przemiana?

– Mógłbyś się przecież ucieszyć, James, zamiast widzieć tylko wszystko czarno! – Gwyneira właśnie poinformowała męża, że Miss Heather i Kura mają zamiar w następną niedzielę udać się na mszę. Reszta rodziny mogła pojechać z nimi bądź też w spokoju spędzić niedzielny poranek, i to bez żadnych arii i adagio. Już choćby to było dobrym powodem, żeby odpuścić sobie mszę. A nawet gdyby James i Jack wiedzieli, z jakich powodów Kura naprawdę chce się wybrać do Haldon, i tak nie chciałoby im się poganiać koni, by tam pojechać. Gwyn cieszyła się na niezmącone niczym wspólne śniadanie z Jackiem. A może nawet zjedzą je z Jamesem tylko we dwoje w pokoju? To by się jej jeszcze bardziej podobało. – Kura już dość długo pracuje nad tą śmieszną kompozycją Bacha. Teraz chce spróbować gry na organach. To przecież zrozumiałe.

– I naprawdę zamierza sama grać? Dla całej tej zbieraniny w Haldon? Gwyn, coś w tym wszystkim jest nie tak! – James zmarszczył czoło i zagwizdał na psa. Gwyn odnalazła męża w stajniach. Andy i kilku innych mężczyzn odrobaczali akurat rozpłodowe owce, James zaś dyrygował psami pasterskimi, które je zaganiały. Monday goniła właśnie za grubym, krnąbrnym kłębem wełny.

– A niby kto inny miałby grać? – zapytała Gwyn, zarzucając na głowę kaptur woskowanego płaszcza. Znów padało. – Organistka w Haldon jest żałośnie kiepska.

To ostatnie było zresztą powodem, dla którego Kura od lat nie przekroczyła progu kościoła w Haldon.

Zimowa pogoda była przyczyną kolejnego sprzeciwu Jamesa.

– Powiedz mi, Gwyn, czy to dzieło nie jest przypadkiem oratorium wielkanocnym? Mamy sierpień…

Gwyn przewróciła oczami.

– Jak dla mnie, może to sobie nawet być oratorium wigilijne albo z okazji „Papa kocha Rangi"… – James wyszczerzył zęby na wzmiankę o maoryskiej historii stworzenia świata, mówiącej o oddzieleniu kochających się nieba i ziemi. W historii tej Rangi uosabiał niebo, a Papa ziemię. – Ważne, by Kura nie chodziła już więcej po okolicy z tą twarzą jak Jezus na krzyżu i żeby wreszcie zaczęła myśleć o czymś innym.

# 8

Kura Warden grająca na organach w Haldon to było prawdziwe wydarzenie! Na mszę od miesięcy nie przyszło tylu ludzi. I nic dziwnego, w końcu każdy chciał zobaczyć dziedziczkę Wardenów i jej posłuchać. Na samą mszę miało to wyłącznie pozytywny wpływ; modlitwy rzeczywiście odnawiano z niezwykłą żarliwością. Wszyscy mężczyźni natychmiast popadli w przeróżne stadia adoracji, gdy tylko zobaczyli twarz Kury i jej kształty, kobiety zaś ogarnęło wzruszenie, gdy usłyszały, jak dziewczyna śpiewa. Głos Kury wypełnił swoim brzmieniem cały kościół, a jej gra na organach była wirtuozerska, choć wcześniej tylko raz na nich ćwiczyła.

William aż nie mógł się napatrzyć jej szczupłej postaci na emporze. Kura ubrana była w skromną, ale podkreślającą jej figurę aksamitną sukienkę w granatowym kolorze; włosy, przewiązane nad czołem aksamitną opaską, opadały jej na plecy niczym czarny potok. William wyobrażał sobie, jak całuje delikatne, ale silne palce, które przemykały po klawiszach organów, i niemal znowu mógł poczuć, jak te same palce owej nocy w Queenstown wędrowały po jego twarzy i ciele. Oczywiście organistka siedziała tyłem do parafian, niekiedy jednak unosiła głowę znad nut i William mógł ją dostrzec. Znów był zauroczony jej równie egzotycznymi co arystokratycznymi rysami i niemal świętą powagą, z jaką grała. Musi porozmawiać z nią po mszy... nie, musi ją pocałować! Samo tylko patrzenie na nią było nie do zniesienia, musi jej dotknąć, poczuć ją, wdychać jej zapach...

William zmusił się, by się uśmiechnąć do Miss Witherspoon, która siedziała wyprostowana w jednej z ławek na przedzie kościoła i od czasu do czasu rzucała mu spojrzenia, jakby oczekując uznania. Czy dlatego, że to ona zaaranżowała to spotkanie? A w takim razie być może uczyniłaby jeszcze więcej, żeby połączyć kochanków. A może tylko była po prostu dumna ze swej wybitnie uzdolnionej uczennicy.

Jednak osobą, która sprawiła, że William i Kura się spotkali, była Dorothy Candler. Jak niemal wszyscy mieszkańcy Haldon aż się paliła, by zobaczyć z bliska to cudowne dziecko, a William dawał jej ku temu idealny pretekst.

– Chodźmy, Mr William, przywitamy się! Musi pan przecież znać tę dziewczynę, prawda? W końcu dopiero co była w Queenstown u swych krewnych. Z pewnością przedstawiono jej pana...

William wymruczał coś o „przelotnej znajomości", ale Dorothy zdążyła go już wziąć pod ramię i dziarsko prowadziła w stronę Kury i Miss Heather.

– Nadzwyczajnie pani grała, Miss Warden! Jestem przewodniczącą koła kobiet i mogę panią w imieniu nas wszystkich zapewnić, że to było przepiękne! A tak przy okazji, ten dżentelmen to Mr William. Jak sądzę, znają się państwo...

Kura do tej pory jak zwykle obrzucała ludzi znudzonym spojrzeniem, a może raczej patrzyła przez nich, jakby byli przezroczyści. Teraz jednak w jej lśniących niebieskich oczach pojawiło się stosownie umiarkowane zainteresowanie: wiedziała, że jest obserwowana przez wszystkich, i panowała nad sobą. Williamowi przyszła na myśl Elaine. Ona z pewnością już by się zaczerwieniła i nie potrafiłaby wydobyć z siebie słowa. Kura tymczasem pokazywała, że dorosła do takiej sytuacji.

– Ach rzeczywiście, Mr William. Cieszę się, że pana widzę.

– Proszę do naszej sali parafialnej! – zapraszała Dorothy. – W każdą niedzielę po mszy spotykamy się tam na herbatce. A dziś, gdy było tak szczególnie uroczyście...

Miss Heather patrzyła trochę udręczonym wzrokiem, Kura jednak uprzejmie się zgodziła.

– Chętnie napiję się herbaty – powiedziała, obdarzając żonę sklepikarza uśmiechem. William świetnie jednak wiedział, dla kogo był on przeznaczony.

W sali parafialnej zadbał o herbatę i kawałek ciasta dla dziewczyny, ale ona sączyła jedynie drobnymi łyczkami napój i kruszyła ciasto między palcami. Odpowiadając uprzejmie i lakonicznie na pytania pastora i członkiń koła kobiet, obrzucała Williama krótkimi, nie dłuższymi niż uderzenie serca spojrzeniami, aż w końcu myślał, że już tego nie wytrzyma. Tuż przed tym, nim się pożegnała z kobietami, udało jej się na krótko znaleźć obok niego i wyszeptać kilka słów.

– Znasz drogę między Kiward Station a obozowiskiem Maorysów. Spotkajmy się tam o zachodzie słońca. Powiem, że idę odwiedzić moich ludzi.

Krótko potem Kura, przepraszając, pożegnała się z zachwyconymi wielbicielami z Haldon. Pastor zapytał, czy będzie pojawiać się częściej w parafii, by grać na organach, ale Kura odpowiedziała jedynie kilkoma uprzejmymi wymówkami.

William wyszedł z sali przed nią. Bał się, żeby nie zdradziło go jakieś spojrzenie czy gest, gdy formalnie się z nią żegnał. Nie wiedział, jak spędzić resztę dnia.

O zachodzie słońca na leśnej ścieżce. Sami…

To ostatnie okazało się błędnym przypuszczeniem: Kura nie przyszła sama, lecz ciągnęła z sobą Heather Witherspoon. Ona też nie wydawała się zachwycona takim rozwiązaniem i traktowała guwernantkę jak uciążliwego lokaja. Ta jednak bynajmniej nie dała się zbyć; stosowność nade wszystko.

Mimo to William niemal rozpływał się z błogości, gdy Kura wreszcie stanęła naprzeciw niego. Ostrożnie ujął jej rękę i pocałował ją, i już sam ten dotyk kazał mu iść przez tysiące płomieni, które ożywiały zamiast palić. Kura uśmiechała się szczerze. Tonął w jej oczach i nie mógł oderwać wzroku od jej śmietankowobrązowej skóry. Wreszcie pogłaskał jej policzek drżącymi palcami, a Kura wtuliła się w jego dłoń jak kotek – a może raczej jak oswojony tygrys – pocierała delikatnie swą twarz o powierzchnię jego dłoni i delikatnie się w nią wgryzała. William nie był w stanie ukryć podniecenia, a Kura najwyraźniej czuła to samo. Gdy Kura uniosła usta do pocałunku, Miss Heather chrząknęła. Najwyraźniej uważała, że tak dużo intymności to za wiele.

Przyzwoliła jednak na spacer z trzymaniem się za rękę, a palec Kury wciąż głaskał przy tym wnętrze dłoni Williama, przesuwał się do przegubu i pieścił małymi kółeczkami. Już samo to wystarczało, by William niemal stracił oddech. Trudno było zachowywać się w taki sposób, jakby to była zwykła rozmowa, choćby nawet zakochanej pary. William i Kura nie chcieli rozmawiać, chcieli się kochać.

Wymienili kilka kurtuazyjnych uwag o koncercie Kury i nowej posadzie Williama. Kura skarżyła się trochę na swą rodzinę. Najchętniej od razu uciekłaby przed wpływami babci.

– Oczywiście mogłabym mieszkać u mojej matki – wyjaśniła. – Wtedy jednak nie miałabym dostępu do fortepianu, w tym przypadku babcia jest nieustępliwa. A Miss Heather też nie chciałaby mieszkać w wiosce Maorysów, a co dopiero w tej przy O'Keefe Station.

William dowiedział się, że Marama i jej mąż żyją na dawnej farmie rodziców Rubena O'Keefe'a. Helen po śmierci męża sprzedała tę farmę Gwyneirze, która z kolei przekazała ją Maorysom jako rekompensatę za nieprawidłowości przy zakupie Kiward Station. Było to rozwiązanie, na które wódz Tonga zgodził się tylko dlatego, że Kura, wyznaczona na spadkobierczynię posiadłości Wardenów, miała w sobie maoryską krew.

– To dlatego wszystkim tak strasznie zależy, żebym została na tej nudnej farmie – westchnęła Kura. – Nic sobie z tego nie robię, ale codziennie co najmniej trzy razy słyszę „Jesteś dziedziczką!" i w tej kwestii moja matka też nie jest inna. Choć jej przynajmniej wszystko jedno, czy wyjdę za mąż za Maorysa, czy jakiegoś *pakeha*. Dla babci natomiast świat by się zawalił, gdybym wzięła sobie kogoś z plemienia Tongi.

William prawie szalał z miłości i pożądania. Słuchał opowiadań Kury niemal równie nieuważnie, jak wcześniej paplaniny Elaine. Jej ostatnie słowa jednak do niego dotarły. Będzie musiał później o tym pomyśleć.

Być może on i Gwyneira Warden mają więcej wspólnych celów, niż dotąd sądził. Być może ta dama wcale nie byłaby taka niechętna rozmowie z nim...


– Chyba źle cię zrozumiałem Gwyn, prawda? Chyba nie chcesz rzeczywiście pozwolić, żeby mogła spotykać się oficjalnie z tym draniem, który złamał serce naszej Lainie?

James stał przy barku i nalewał sobie whisky, co nawet po wielu latach jako w pewnym sensie panu domu wciąż wydawało mu się dziwne. Dopóki był jedynie zarządcą w służbie u Geralda Wardena, nikt nie zapraszał go do salonu, a stary oczywiście nigdy nie zaproponowałby mu drinka. Normalnie James sięgał po alkohol z umiarem, w przeciwieństwie do swego poprzednika. Dzisiaj jednak potrzebował czegoś mocniejszego. Dopiero co widział tego młodego mężczyznę, którego Dorothy Candler przedstawiła mu ostatnio jako Williama Martyna, jak niczym panisko wyjeżdżał przez główną bramę. Co prawda nie rozmawiał z nim osobiście, bo wtedy z pewnością powiedziałby mu parę słów w związku z aferą z Lainie. Wypił duży łyk ze szklanki.

Listy od Fleurette wciąż były bardzo ponure. Najwyraźniej Elaine po trzech miesiącach od skandalu z jej kuzynką nie doszła jeszcze do siebie. James dobrze to rozumiał. Wciąż świetnie pamiętał tę palącą zazdrość wobec przyrzeczonego Gwyneirze małżonka Lucasa, którą odczuł po pierwszym z nią spotkaniu. Gdy zaszła w ciążę z innym, prawie złamało mu to serce, i wtedy uciekł, tak samo jak Lucas Warden. Gdyby tylko wtedy wiedział, że to nieszczęsne dziecko – Paul – było owocem gwałtu, którego na Gwyneirze dokonał jej teść. Wszystko potoczyłoby się być może inaczej, również z Paulem – i być może nie mieliby wtedy u szyi tej bezmyślnej Kury, której Gwyn zamierzała teraz pozwolić na oficjalne widywanie się z Williamem Martynem. Jego żona była chyba niespełna rozumu! James nalał sobie kolejnego drinka.

Gwyn też była na tyle wzburzona, że nalała sobie z butelki, co zdarzało się niezwykle rzadko.

– A co mam zrobić, James? – zapytała. – Jeśli jej tego zabronimy, będą się spotykać po kryjomu. Jeszcze tego brakowało, żeby Kura wyprowadziła się do Maorysów. A Marama z pewnością nie będzie jej mówiła, z kim ma dzielić łoże.

– Nie wyprowadzi się jednak do Maorysów, bo nie będzie mogła zabrać z sobą swojego ukochanego fortepianu. To ultimatum było świetnym pomysłem, Gwyn, jednym z nielicznych, jakie w ogóle miałaś, wychowując to dziecko. – James znów wypił spory łyk.

– Dzięki – żachnęła się Gwyn. – Teraz jeszcze przypiszesz mi winę za wszystko. Ale ty też tu byłeś, gdy dorastała, o ile się nie mylę.

– Sama wiele razy powstrzymywałaś mnie przed tym, bym ją przełożył przez kolano. – James położył rękę na ramieniu żony i uśmiechnął się, próbując ją uspokoić. Nie chciał się kłócić o wychowywanie

Kury; tego, co było, już i tak nie można zmienić, a ten temat dostatecznie często prowadził do sprzeczek z Gwyneirą. A teraz jeszcze ta sprawa z Martynem...

– Może nawet będzie gwizdać na ten fortepian. Ona jest w nim zakochana, James, po same uszy. I on w niej też. Sam dobrze wiesz, że w takim wypadku trudno coś zmienić. – Odpowiedziała na jego czuły dotyk, jakby chciała tym samym przypomnieć Jamesowi ich własną historię.

James nie dawał się jednak uspokoić.

– Tylko nie wyjeżdżaj mi tu teraz z wieczną miłością. Nie w przypadku drania, który dopiero co rzucił poprzednią dziewczynę. Nasza urocza Kura też odrzuciła Tiare jak starą koszulę. Wiem, wiem, tobie chodziło o coś innego. Ale jeśli tych dwoje miałoby się w końcu zejść, to nie mówiłbym tu zaraz o wielkiej miłości. Nie wspominając już o tym, co Fleur o nim wypisuje...

– Tak? – spytała Gwyn. – A co takiego wypisuje? Co takiego strasznego zrobił? Pochodzi z dobrego domu, jest wykształcony i najwyraźniej interesuje go sztuka, a to czyni go pociągającym dla Kury. A to, że zachwycał się Bractwem Republikańskim... Mój Boże, każdy młodzieniec chce odgrywać Robin Hooda.

– Ale nie każdy wysadza od razu w powietrze szeryfa z Nottingham.

– Przecież tego nie zrobił. Wplątał się faktycznie w paskudną historię, przyznaję. Ale w tym akurat przypadku mógłbyś wykazać zrozumienie.

– Chodzi ci o moją przeszłość złodzieja bydła, chcesz powiedzieć? – James wyszczerzył zęby. Ta sprawa już od dawna nie wyprowadzała go z równowagi. – Przynajmniej nie okradałem tych co nie trzeba, a o Williamie można by powiedzieć, że ma przy tej sprawie przyjaciela na sumieniu. Ale niech będzie, błędy młodości. Nie zamierzam się tego czepiać. Wobec Elaine zachował się jednak jak ostatni gnojek i nie ma żadnego powodu zakładać, że Kurę potraktuje lepiej.

Gwyneira dopiła resztę whisky i podsunęła Jamesowi szklankę. Marszcząc czoło, nalał jej po raz drugi.

– O Kurę się nie boję... – powiedziała Gwyneira.

Gdyby James miał być szczery, musiałby jej przyznać rację. Jeśliby nie chodziło akurat o Williama, prędzej troszczyłby się o jej mężczyznę.

– Zatrzyma go tak długo, jak zechce. I… mój Boże, James, spójrz na to obiektywnie. Załóżmy, że nie porzuciłby akurat Lainie, tylko jakąś inną dziewczynę. Załóżmy, że nic byś o tym nie wiedział. Wtedy… – Nerwowo sięgnęła po swoją szklankę.

– Wtedy? – podchwycił James.

Gwyn wciągnęła powietrze.

– Wtedy też byś powiedział, że to niebiosa go nam zesłały! James, angielski dżentelmen, który świetnie potrafi sobie radzić wśród tutejszych ludzi… a znasz ich. Nawet jeśli ta sprawa z zamachem wyjdzie na jaw, będą go uważać za jeszcze bardziej interesującego. No i dorastał na owczej farmie. Chętnie się tutaj sprowadzi. Możemy go wdrożyć w prace w posiadłości. Ruben uważa, że jest rzetelny. Może kiedyś będzie prowadził farmę, z Kurą u boku. – Głos Gwyn był niemal rozmarzony. Jej popołudniowa rozmowa z Williamem też przebiegała bardzo spokojnie. Młody mężczyzna, który już w Queenstown zrobił na niej dobre wrażenie, wydawał się idealnym sojusznikiem.

– Gwyn, ta dziewczyna nie zmieni przecież zachowania o sto osiemdziesiąt stopni, gdy zostanie Mrs Martyn. – James starał się skłonić ją do opamiętania.

– A co jej innego pozostanie? – twardo upierała się przy swoim Gwyn. – Jeśli wyjdzie za niego za mąż, zwiąże się z Kiward Station. Dobrowolnie. I znacznie silniej niż dotąd. Wtedy nie będzie mogła po prostu sprzedać farmy ani uciec do Maorysów i żyć w jakimś szałasie…

– Chcesz na nią zastawić pułapkę? – James sprawiał wrażenie, jakby nie mógł uwierzyć w to, co słyszy.

– Sama ją na siebie zastawi – odparła Gwyn. – Przecież w końcu jej nie swatamy. Spotyka się z tym młodym człowiekiem z własnej woli. A jeśli nic z tego nie będzie…

– Gwyn, ona ma piętnaście lat! – wtrącił umęczonym głosem James. – Na Boga, może jej szczególnie nie kocham, ale trzeba dać jej szansę, żeby mogła dorosnąć.

– I pomóc jej urzeczywistnić te szalone pomysły? James, jeśli ona naprawdę wyjedzie do Anglii, a nic nie wyjdzie z jej śpiewania, to może sprzedać farmę, żeby mieć ją z głowy! – Gwyn nie nalała sobie co prawda kolejnej szklanki, ale za to zaczęła teraz nerwowo chodzić po pokoju w tę i z powrotem. – Pracowałam tu czterdzieści lat, a teraz wszystko zależy od humorów jednego dziecka!

– Nim osiągnie pełnoletniość, minie jeszcze sześć lat – przypomniał jej James. – A co z tą propozycją Helen, żeby ją wysłać do jakiegoś internatu w Anglii? Fleur pisała mi coś o tym i uważam, że to całkiem rozsądne.

– Bo tak było, ale przed Williamem – odparła Gwyn. – Zresztą on wydaje mi się bezpieczniejszym rozwiązaniem. Jak na razie nic przecież nie jest jeszcze rozstrzygnięte. Nie wyraziłam zgody, by mógł się o nią ubiegać, James. Może jedynie chodzić z nią do kościoła…

Kura dwa miesiące cieszyła się „oficjalnym towarzystwem" Williama Martyna. A potem miała już tego dość. Oczywiście to było cudowne, że mogła widywać swego ukochanego, nie robiąc tego po kryjomu, ale nie było mowy o niczym więcej poza ukradkowym pocałunkiem albo kilkoma pospiesznymi pieszczotami. Haldon było jeszcze bardziej konserwatywne niż Queenstown; nie było tu żadnych poszukiwaczy złota ani domu uciech, a jedynie kółko parafialne i kółko kobiet. Ludzie bacznie obserwowali, kto z kim „chodzi" – nawet jeśli Heather Witherspoon na krótką chwilę traciła ich z oczu, to natychmiast Dorothy Candler albo jej szwagierka, pastor bądź jego małżonka mieli ich na oku. Wszystko to oczywiście z życzliwością, od której można było oszaleć. Wszyscy byli niezwykle mili dla przepięknej dziedziczki Wardenów, która wreszcie zaczęła się pokazywać mieszkańcom, i tak samo traktowali doskonale pasującego do niej kawalera. Dorothy wzdychała, że od czasów Gwyneiry i Lucasa Wardena nie było w okolicy tak pięknej pary, i godzinami mogła opowiadać o tym, jak wówczas jako dziewczynka pomagała przy ślubie.

Kura nie miała jednak wcale ochoty popijać herbatki i plotkować, podczas gdy ludzie jak zahipnotyzowani wpatrywali się w splecione ręce jej i Williama. Umierała z pożądania i chciała wreszcie spróbować z Williamem tego wszystkiego, czego Tiare nauczył ją o cielesnej miłości. William, jak zakładała, też z pewnością posiadł tę sztukę z wirtuozerią, bo w przeciwnym razie nie uwiódłby jej pruderyjnej kuzynki i nie czułby się do niej nad brzegiem jeziora. Gdyby tylko mogła spędzić z nim sama godzinę albo dwie! W tej sprawie jednak dotychczasowe wstrzemięźliwe życie odebrało jej wiele szans. Kura bała się koni, więc wspólna przejażdżka nie wchodziła w grę. Praktycznie prawie nigdy nie opuszczała okolic rezydencji, nie mogła więc twierdzić, że chciałaby pokazać Williamowi farmę, jezioro, kamienny krąg albo choćby i owce. Nawet fortepian nie stał w jej własnych pokojach. Jeśli zapraszała Williama, żeby coś mu zagrać, działo się to w salonie i w towarzystwie Heather Witherspoon. Kura kilka razy próbowała wykraść się na ścieżkę prowadzącą do wioski Maorysów i spotkać się z Williamem po tym, jak oficjalnie odjechał już konno do domu. Udawało jej się przynajmniej uwolnić od Miss Heather. Raz jednak śledził ją Jack ze swymi przyjaciółmi, i kiedy się całowali, ci z chichotem obrzucili ich papierowymi kulkami. Za drugim razem przyłapało ich kilku Maorysów, którzy oczywiście natychmiast rozpowszechnili w obozowisku wieść, że Kura ma kochanka. Tiare zażądał, by z nim porozmawiała, a ona naturalnie nie mogła mu odmówić. Bardziej dotknął ją jednak wybuch wściekłości Tongi. Wódz nie był bynajmniej zachwycony pojawieniem się angielskiego przybysza, który nagle mógł położyć rękę na ziemiach jego ludu.

– Musisz sprawić, by ta ziemia wróciła do naszego plemienia, to twój obowiązek! Powinnaś wziąć sobie któregoś z naszych i mieć z nim dziecko. Potem możesz robić, co chcesz!

Tonga również wiedział o ambitnych planach Kury, podchodził do nich jednak z większą rezerwą niż jej babcia. Jeśli Kura pozostawi spadkobiercę i nie wpadnie w Anglii na pomysł, by sprzedać Kiward Station, to według Tongi mogła sobie jechać, dokąd chciała. Jednakże wódz Maorysów podejrzewał najgorsze, jeśli pozwoli się Kurze robić to, na co ma ochotę. Tubylcy nic nie wiedzieli o dyscyplinie, jakiej wymaga bycie śpiewaczką. Widzieli tylko niezwykle zmysłową dziewczynę, która już w wieku trzynastu lat rzucała na młodzieńców z ich plemienia pożądliwe spojrzenia. A teraz jeszcze ten Anglik, z którym nie dzieli dotąd łoża tylko dlatego, że ci *pakeha* niemal przemocą ją przed tym powstrzymują. Jeśli pojawi się odpowiedni mężczyzna, Kura z własnej woli odda Kiward Station w jego ręce. Tonga związałby więc Kurę z tą ziemią równie chętnie jak Gwyn – ale w miarę możliwości niech nie będzie to od razu jakiś *pakeha*, który w tak natarczywy sposób przypominałby mu dawnego wroga, Paula Wardena. Nie chodziło o wygląd, bo Paul miał ciemne włosy i był niższy od Williama, było jednak coś w zachowaniu nowo przybyłego i w sposobie, w jaki nie dostrzegał maoryskich pracowników na farmie. Te niecierpliwe ręce, którymi trzymał wodze swego konia, ta władcza postawa... Tonga nie przeczuwał nic dobrego i powiedział to Kurze prosto w oczy. Dość mało dyplomatycznie, jak z szyderczym uśmiechem stwierdziła to Gwyneira w rozmowie z mężem po tym, jak Kura z powagą poskarżyła jej się na wodza. Gwyneira wciąż była oczarowana wielbicielem Kury, James natomiast miał podobne spostrzeżenia co Tonga.

Kura była w każdym razie rozczarowana. Inaczej wyobrażała sobie to „oficjalne towarzystwo". Teraz nie bawiły już jej wiosenne święta na sąsiednich farmach albo tańce w Haldon wokół majowego drzewka, które stawiano tu w październiku.

William zresztą wcale nie czuł inaczej, choć samymi zabawami się cieszył. Interesowały go zwłaszcza zaproszenia na sąsiednie farmy i do Christchurch. Dawało mu to przecież możliwość poznawania nowych ludzi, którzy z reguły chętnie oprowadzali go po swych posiadłościach. W ten sposób William uzyskał pewną orientację w kwestii hodowli owiec na Canterbury Plains, nie będąc przy tym zmuszonym do pytania o to w Kiward Station. Po kilku miesiącach uważał, że jest bardziej niż zdolny prowadzić taką farmę hodowlaną, i aż się palił do tego, by się sprawdzić w roli „owczego barona". Praca w sklepie Candlerów nudziła go natomiast coraz bardziej.

Choć łączył spore nadzieje z Kiward Station, to naprawdę pragnął przede wszystkim Kury. Każdej nocy budził się ze snu i musiał potajemnie zmieniać prześcieradła, żeby szwagierka Dorothy nie miała powodów opowiadać wszystkim z chichotem, co bez jego woli wyrabia jego prężna męskość. Gdy spotykał się z Kurą, brakowało mu już nawet pięknych słów. Potrafił tylko czuć i patrzeć, a ostatnio nie był też w stanie ukryć erekcji, którą wywoływał sam tylko jej widok. Musiał mieć tę dziewczynę. Szybko.

– Maleńka – powiedział w końcu, gdy udało im się choć raz znaleźć się na chwilę poza zasięgiem słuchu pozostałych mieszkańców Haldon. Podczas comiesięcznego pikniku parafialnego organizowano przejażdżki łodziami, tak więc William wiosłował po jeziorze Benmore, mając za pasażerkę swą ukochaną. Oczywiście brzeg był wciąż w zasięgu ich wzroku, a w pobliżu znajdowały się trzy łodzie, w których inne młode pary przeżywały te same męki. – Jeśli naprawdę nie chcesz czekać, musimy wziąć ślub.

– Ślub? – zapytała wystraszona Kura. Do tej pory nigdy o tym nie myślała. Marzyła jedynie, by przeżywać swą miłość i dodatkowo cieszyć się sukcesami jako śpiewaczka. Nad tym, jak miałoby to wyglądać w praktyce, nie łamała sobie dotąd głowy.

William uśmiechnął się i objął ją delikatnie – na tyle jeszcze mógł sobie pozwolić.

– Czyżbyś nie chciała za mnie wyjść?

Kura zagryzła wargi.

– Czy po ślubie będę mogła nadal śpiewać?

William zaskoczony potrząsnął głową.

– Co za pytanie! Miłość sprawi, że twój głos dopiero naprawdę rozkwitnie!

– I pojedziesz ze mną do Londynu? I do Paryża? – Kura wtulała się w jego ramię, jakby chciała w ten sposób być jeszcze bliżej niego.

William przełknął ślinę. Londyn? Paryż? Właściwie dlaczego nie? Wardenowie byli bogaci. Dlaczego niby nie miałby jej obiecać podróży po Europie?

– Ależ oczywiście, kochanie. Z największą radością! Europa będzie leżeć u twych stóp!

Kura oparła się o niego i pocałowała jego ramię i szyję tak, by nie widzieli tego inni.

– A więc weźmy szybko ślub – wymruczała.

W zasadzie Gwyneira liczyła na to, że William się oświadczy, ale gdy wkrótce potem poprosił o rękę Kury, do głosu doszło jej sumienie. Na koniec jej miłość do Kury zatriumfowała nad miłością do Kiward Station. James miał rację, musiała pozostawić dziewczynie wybór między wyjściem za mąż a karierą artystyczną, niezależnie od tego, co sama o tym sądziła.

Choć niechętnie, poprosiła więc Kurę, by z nią porozmawiała, i przedstawiła jej plan Helen.

– Wyjedź na dwa lata do Anglii, do szkoły. Poszukamy internatu, w którym będziesz mogła pobierać lekcje muzyki. Jeśli potem przyjmie cię jakieś konserwatorium, będziesz studiować muzykę. A za mąż możesz wyjść zawsze.

Gwyn była przekonana, że najpóźniej po roku nauki Kura zapomni Williama. Tego jednak już jej nie powiedziała.

Kura wcale nie przyjęła tego z zapałem. A przecież jeszcze kilka tygodni temu byłaby zachwycona, gdyby Gwyn przedstawiła jej taką możliwość. Teraz zareagowała przekornie i niecierpliwie chodziła po pokoju.

– Chcesz jedynie przeszkodzić temu, bym wyszła za Williama! – zarzuciła babci. – Nie myśl sobie, że tego nie widzę. Wcale nie jesteś lepsza niż Tonga!

Gwyn patrzyła na nią zmieszana. Zamiary Tongi i jej były zazwyczaj zupełnie odmienne. Na ile mogła to ocenić, William działał na wodza Maorysów jak czerwona płachta na byka, ale mimo wszystko był lepszym rozwiązaniem niż odejście Kury z Kiward Station.

– Nic tylko czekać, aż wyskoczysz z tym pomysłem o klaczy rozpłodowej! – Gwyneira w ogóle już teraz nie rozumiała jej słów, Kura jednak nie przestawała rzucać oskarżeń. – Ale tu wszyscy grubo się mylicie! Za żadne skarby nie ruszę się stąd bez Williama. I wcale nie mam zamiaru od razu zachodzić w ciążę. Będę miała jedno i drugie, babciu, Williama i karierę. Jeszcze wam wszystkim pokażę! – Kura wyglądała przepięknie, gdy się złościła, ale na Gwyn nie robiło to żadnego wrażenia.

– Nie możesz mieć wszystkiego, Kura. Nowozelandzkie mężatki nie stają na scenach europejskich oper, a już na pewno nie, jeśli mąż chwali się, że jest „owczym baronem".

Gwyn zagryzła wargi. Ta ostatnia uwaga była bez wątpienia błędem. Kurze to nie umknęło.

– A więc przyznajesz się do tego! Uważacie Williama za łowcę posagów! Myślicie, że nie zależy mu na mnie, tylko na Kiward Station! Ale tu się mylicie. William chce mnie i tylko mnie! I ja też go chcę.

Gwyn wzruszyła ramionami. Nikt nie mógł jej zarzucić, że nie próbowała.

– Wobec tego będziesz go miała – powiedziała spokojnie.

* * *

– Mr Martyn? – James zawołał na Williama, gdy ten wychodził właśnie z rozpromienioną twarzą z głównego budynku Kiward Station. Gwyneira przed chwilą powiadomiła go, że akceptuje jego starania. Jeśli matka Kury również nie będzie miała nic przeciwko temu, zacznie przygotowania do wesela.

James wiedział oczywiście o tym wszystkim i dlatego od kilku dni był rozdrażniony. Gwyneira prosiła go, żeby trzymał się z dala od tej sprawy, ale teraz nie mógł się już powstrzymać, by nie wziąć sobie tego Williama porządnie na ząb. Zastąpił mu drogę i przyjął niemal groźną postawę.

– Chyba nie ma pan teraz nic do roboty? Może poza świętowaniem swojego sukcesu, jak sądzę. Ale cieszy się pan z kota w worku. Jak dotąd nawet nie widział pan Kiward Station. Pozwoli pan, że go oprowadzę?

Uśmiech na twarzy Williama zamarł.

– Tak, oczywiście, ale…

– Żadnych ale – przerwał mu James. – To dla mnie czysta przyjemność! Niech pan idzie ze mną, osiodłamy konie i zrobimy sobie małą przejażdżkę.

William nie odważył się na dalsze zastrzeżenia. Zresztą niby dlaczego, skoro naprawdę od tygodni palił się do tego, by się rozejrzeć po Kiward Station. Tyle tylko, że wolałby może jakiegoś innego przewodnika niż ponury mąż Gwyneiry. Ale nic nie mógł na to poradzić. Posłusznie poszedł za nim do stajni i zarzucił siodło na swego konia. Zazwyczaj nie robił już tego sam; zwykle po stajni plątał się któryś z maoryskich chłopaków i mógł przejąć od niego to zadanie. Dziś jednak nie odważył się, by to komuś powierzyć. James McKenzie pozwolił sobie w związku z tą sprawą na kilka mało przyjaznych uwag. Czekał teraz cierpliwie przed stajnią ze swoim kasztankiem, aż William wyprowadzi konia i na niego wsiądzie.

James ruszył bez słowa w stronę Haldon, później jednak zboczył z drogi, kierując konia ku wiosce Maorysów. William widział tę osadę po raz pierwszy i był zaskoczony. Spodziewał się, że zobaczy prymitywne szałasy albo namioty; zamiast tego jego oczom ukazał się stojący nad jeziorem bogato zdobiony misterną snycerką dom całej wspólnoty. Wielkie kamienie przy piecu ziemnym zapraszały, by na nich usiąść.

– *Wharenui* – zauważył James. – Mówi pan po maorysku? Powinien się pan nauczyć. I nie byłoby z pewnością takim złym pomysłem, żeby do ceremonii ślubnej włączyć kilka obrzędów ludu Kury.

William wykrzywił twarz z obrzydzeniem.

– Nie sądzę, żeby Kura postrzegała tych ludzi jako swój lud – zauważył. – I w żadnym razie nie zamierzam kłaść się przy Kurze na oczach całego plemienia, jak przewidują to ich prawa. To by przeczyło wszelkim dobrym obyczajom…

– Nie w przypadku Maorysów – stwierdził spokojnie James. – I wcale nie musicie się zaraz kłaść na oczach wszystkich. Wystarczy, jeśli pobędziesz z nią razem w obozie, zjesz i wypijesz coś z tymi ludźmi… Matka Kury się ucieszy. Od początku będzie wam wtedy łatwiej. Tonga, ich wódz, nie jest zbyt zachwycony, że się pan do nich wżenia.

William skrzywił usta.

– No to pan i Tonga macie chyba z sobą coś wspólnego, prawda? – zapytał zaczepnie. – Co to wszystko ma znaczyć? Mam się liczyć z tym, że ktoś wbije mi w plecy oszczep?

James potrząsnął głową.

– Nie. Ludzie tutaj raczej nie są brutalni.

– Ach tak? A ojciec Kury?

James westchnął.

– W pewnym sensie to był wypadek. Paul Warden prowokował Maorysów, jak tylko się dało. Ale mordercą nie był żaden z nich. Zrobił to młodociany głupek z farmy Sideblossomów, który od samego dzieciństwa miał dość kiepskie doświadczenia z *pakeha*. W tym przypadku Paul odpokutował nie tylko za swoje winy. Tonga wyraźnie żałował, że go zabito.

– Ale nieźle na tym skorzystał – zadrwił William.

James nic na to nie odpowiedział.

– Chciałem tylko powiedzieć, że dla wszystkich zainteresowanych byłoby lepiej, gdyby miał pan dobre stosunki z Maorysami. Jestem pewien, że również Kurze leży to na sercu.

W rzeczywistości James był przekonany, że Kurze nie leży na sercu nic innego prócz spełnienia jej własnych potrzeb, ale wolał to zachować dla siebie.

– Wobec tego to Kura powinna mi to powiedzieć – odparł William. – Jeśli o mnie chodzi, to możemy przecież zaprosić tych ludzi na wesele. Chyba i tak będzie jakaś uczta dla służby i całej tej hołoty, prawda?

James ostro wciągnął powietrze, ale nie odezwał się ani słowem. Ten młody człowiek bardzo szybko się przekona, że Tonga i jego ludzie z całą pewnością nie uważają się za „służbę" Wardenów.

Teraz, po południu, obóz Maorysów sprawiał wrażenie opustoszałego; kilka kobiet przygotowywało wieczorny posiłek i pilnowało dzieci, które bawiły się nad jeziorem. Reszta plemienia udała się w różne miejsca; część ludzi pracowała u Wardenów, inni poszli na polowanie albo pracowali na swoich polach. William widział niemal wyłącznie pomarszczone, pokryte tatuażami twarze, które napędziłyby mu może strachu, gdyby były młodsze.

– Te tatuaże są paskudne – zauważył. – Dzięki Bogu, że nikt nie wpadł na pomysł, by oszpecić nimi Kurę.

James się roześmiał.

– Ale z pewnością dalej by ją pan kochał, prawda? – zakpił. – Bez obaw. Młodsi Maorysi już się nie tatuują, z wyjątkiem Tongi. Ten dał sobie wykłuć znaki wodza, choćby po to, żeby prowokować. Kiedyś tatuaże miały za zadanie wskazywać przynależność do konkretnego plemienia. Każda wspólnota miała inne, podobnie jak herby u angielskiej szlachty.

– Ale tam nie tatuowano dzieci. – William był poirytowany. – Ludzie w Anglii są cywilizowani.

James wyszczerzył zęby.

– Tak, zapomniałem, że Anglicy wysysają swą impertynencję z mlekiem matki. Mój naród patrzył na to inaczej. My, Szkoci, malowaliśmy się kiedyś na niebiesko, gdy ruszaliśmy na najeźdźców. A jak to jest z prawdziwymi Irlandczykami?

William wyglądał tak, jakby zaraz zamierzał się rzucić na Jamesa.

– Co to ma być, McKenzie? – spytał. – Próbuje mnie pan obrazić?

James patrzył na niego niewinnie.

– Obrazić? Ja? Pana? Skąd panu to przyszło do głowy? Myślałem tylko, że może przypomnę panu trochę pańskie korzenie. Poza tym staram się panu jedynie udzielić rad. A pierwsza z nich brzmi: niech pan nie robi sobie wrogów z Maorysów!

Mężczyźni przejechali przez wieś, mijając długi dom sypialny, magazyny na palach – *patakas*, jak wyjaśnił James – i kilka pojedynczych domów. James pozdrawiał starszych ludzi i wymieniał z nimi po kilka żartobliwych słów. Jedna z kobiet zdawała się pytać o Williama, a James go jej przedstawił.

Starsze kobiety zaczęły na to szeptać coś między sobą i William kilka razy dosłyszał, jak mówią „Kura-maro-tini".

– Powinien pan teraz uprzejmie powiedzieć *kia ora* i ukłonić się tym damom – zauważył James. – Normalnie powinno się jeszcze pocierać nosami, ale myślę, że to byłaby już przesada…

Znów zamienił kilka słów z kobietami, które zaczęły chichotać.

– Co im pan powiedział? – zapytał nieufnie William.

– Powiedziałem, że jest pan nieśmiały. – James zdawał się świetnie bawić. – No dalej, niech pan powie wreszcie dzień dobry!

William poczerwieniał z wściekłości, ale powtórzył posłusznie słowa pozdrowienia. Starsze kobiety wyglądały, jakby naprawdę się z tego ucieszyły, i ze śmiechem starały się poprawić jego wymowę.

– *Haere mai*! – Williamowi brzęczały w uszach słowa wykrzykiwane również przez dzieci. – Serdecznie witamy!

Mały chłopiec podarował mu drobny kawałek jadeitu. James podziękował wylewnie i poradził Williamowi, by zrobił to samo.

– To jest *pounamu*. Ma panu przynieść szczęście. To bardzo szczodry prezent od tego małego… I do niego powinien się pan szczególnie dobrze odnosić. To najmłodszy chłopak Tongi.

Dzieciak zachowywał się jak wódz i przyjął podziękowanie *pakeha* z niemal majestatyczną godnością. W końcu mężczyźni opuścili wioskę. Ziemia wokół obozu nie była przez Wardenów wykorzystywana; było tu jedynie kilka założonych przez Maorysów poletek i ogrodów. Chwilę później jechali wzdłuż obszernych zagród, w niektórych z nich były owce. Zwierzęta tłoczyły się pod specjalnie rozstawionymi wiatami, bo znów zaczęło padać. Pod dachy tych wiat wysypano też dla nich siano.

– Dla większości owiec mamy dość pastwisk nawet zimą – wyjaśnił James. – Ale matki z małymi dokarmiamy. Dzięki temu jagnięta są silniejsze i łatwiej je przepędzić na wyżyny. A to z kolei pozwala zaoszczędzić na paszy. A tu mamy bydło… zwiększyliśmy hodowlę od czasu, jak do Anglii pływają statki z chłodniami. Wcześniej dostarczaliśmy mięso jedynie do Otago i na zachodnie wybrzeże. Poszukiwacze złota i górnicy zawsze mieli dobry apetyt. Teraz jednak regularnie kursują statki z chłodniami do Anglii. To dobry interes. A Kiward Station ma mnóstwo pastwisk. Tam mamy pierwszą szopę do strzyżenia owiec.

James pokazał na spory, niski budynek. William jeszcze kilka tygodni temu nie miałby pojęcia, co to takiego. Do tego czasu dowiedział się już od innych farmerów, że było to suche miejsce, gdzie pracowały grupy postrzygaczy, którzy wiosną wędrowali od jednej farmy do drugiej, by uwolnić owce od runa.

– Pierwszą? – zapytał William.

James skinął głową.

– W sumie mamy trzy. A postrzygaczy potrzebujemy na trzy tygodnie. Sam pan wie, co to znaczy.

William wyszczerzył zęby.

– Dużo owiec – odparł.

– Więcej niż dziesięć tysięcy według ostatniego liczenia – stwierdził James i dodał: – Zadowolony?

William odwrócił się gwałtownie.

– Panie McKenzie, wiem, co pan sobie o mnie myśli. Ale mi wcale nie chodzi o pańskie cholerne owce! Chodzi mi wyłącznie o Kurę. To z nią się żenię. Z nią, a nie z pańską hodowlą bydła!

– Żeni się pan z jednym i drugim – zauważył James. – I niech mi pan nie mówi, że nic to pana nie obchodzi.

William spojrzał na niego gniewnie.

– Jeszcze jak mnie nie obchodzi! Kocham Kurę. Sprawię, że będzie szczęśliwa. Wszystko inne nie ma znaczenia. Chcę Kurę, a ona chce mnie!

James skinął głową, ale nie wyglądał na przekonanego.

– I dostanie ją pan.

# Z WŁASNEJ WOLI...
## QUEENSTOWN, LAKE PUKAKI, CANTERBURY PLAINS
## 1894–1895

# 1

William Martyn i Kura-maro-tini Warden pobrali się krótko po Bożym Narodzeniu w 1893 roku. Wesele było najbardziej olśniewającą uroczystością, jaką od śmierci założyciela Kiward Station Geralda Wardena świętowano na farmie. Przełom roku przypada w Nowej Zelandii na pełnię lata, pora była więc idealna, by przyjęcie mogło się odbyć w ogrodzie. Gwyneira kazała rozstawić dodatkowe pawilony i namioty, żeby się zabezpieczyć przed ewentualnym letnim deszczem, ale pogoda dopisała. Słońce promieniało blaskiem nie mniejszym niż goście, którzy licznie przybyli, by bawić się na weselu. Obecna była połowa mieszkańców Haldon, a wśród nich oczywiście wiecznie pociągająca nosem Dorothy Candler.

– Już na moim pierwszym weselu płakała jak bóbr – powiedziała Gwyneira do Jamesa.

Oczywiście przybyli też mieszkańcy okolicznych farm. Gwyneira przywitała lady i lorda Barringtonów i ich młodsze dzieci. Starsze studiowały w Wellingtonie i w Anglii, a jedna córka wyszła za mąż i żyła na Wyspie Północnej. Beasleyowie, kiedyś sąsiedzi mieszkający najbliżej Kiward Station, zmarli, nie pozostawiając po sobie bliskich spadkobierców, a dalecy krewni farmę sprzedali. Teraz prowadził ją major Richland, weteran wojny krymskiej, który hodował owce i konie w równie „dżentelmeńskim stylu" co Reginald Beasley. Na szczęście miał zdolnego zarządcę, który po prostu lekceważył te najbardziej absurdalne polecenia dość nieudolnego właściciela farmy.

Z Christchurch przybyli George i Elizabeth Greenwoodowie, którym towarzyszyły jedynie córki. Jeden z ich synów studiował jeszcze w Anglii, inny zaś odbywał praktykę w australijskiej filii domu handlowego.

Starsza córka, Jennifer – blada, raczej nieśmiała dziewczyna o blond włosach – zamilkła całkiem, gdy zobaczyła Kurę-maro-tini.

– Ona jest przepiękna – wyszeptała tylko, gdy ujrzała Kurę w jej kremowobiałej sukni ślubnej.

Temu nie można było zaprzeczyć. Uszyta w Christchurch suknia podkreślała idealne kształty Kury, nie sprawiając przy tym nieprzyzwoitego wrażenia. Ślubny wianek Kura miała ze świeżych kwiatów, a jej długie, sięgające bioder włosy były rozpuszczone i świetnie zastępowały welon. Choć sprawiała wrażenie równie nieobecnej jak podczas innych uroczystości, które zaszczycała swą obecnością, jej skóra lśniła, oczy zaś iskrzyły się za każdym razem, gdy spojrzała na przyszłego małżonka. Kiedy szła w stronę ołtarza, poruszała się z takim wdziękiem, jakby tańczyła. Nim przybyły z Christchurch biskup rzeczywiście mógł udzielić ślubu młodej parze pod przystrojonym kwiatami baldachimem, pojawił się jednak pewien drobny problem.

Jennifer Greenwood, która zazwyczaj grywała na organach w Christchurch – a w opinii biskupa w dodatku „niczym anioł" – straciła odwagę. Nic dziwnego, Dorothy Candler opisała jej bowiem niezwykle barwnie, jak to młoda para zetknęła się z sobą po sensacyjnym koncercie Kury w Haldon.

– Nie mogę – mówiła Jenny szeptem do matki, cała czerwona na twarzy. – Nie teraz, kiedy ją zobaczyłam. Z pewnością będę fałszować, a potem wszyscy będą na mnie patrzeć i nas porównywać. Myślałam, że to wszystko z Elaine O'Keefe było przesadzone, ale…

Gwyn, do której uszu dotarły te słowa, zagryzła wargi. Oczywiście Greenwoodowie prawdopodobnie słyszeli o każdym szczególe skandalu, w jaki w Queenstown wplątały się Elaine i Kura. George i Elizabeth żyli w bliskiej przyjaźni z Helen; za ich młodych lat byli jej ulubionymi uczniami. Helen była guwernantką George'a w Anglii, Elizabeth zaś jedną z sierot, którym towarzyszyła w drodze do Nowej Zelandii. Z pewnością też nie taiła niczego przed George'em. Bez energicznego wsparcia handlarza wełny i zajmującego się importem oraz eksportem kupca jej mąż Howard nie byłby w stanie długo utrzymać farmy, a małżeństwo Helen miałoby jeszcze bardziej traumatyczny przebieg. W dodatku Ruben O'Keefe traktował swego wujka George'a z niemal bałwochwalczym uwielbieniem; to właśnie po nim dał swemu synowi takie samo imię. Możliwe, że Ruben bądź Georgie, którego Greenwood był ojcem chrzestnym, zdradzili mu jakieś wstydliwe tajemnice.

Elizabeth, jasnowłosa kobieta, wciąż jeszcze szczupła i w eleganckiej sukni, próbowała przekonać córkę:

– Ależ to tylko prosty marsz weselny Wagnera, Jenny. Potrafisz to zagrać nawet we śnie. Grałaś go przecież już w katedrze.

– Ale kiedy tak na mnie patrzy, to mam ochotę zapaść się pod ziemię… – Jenny wskazała na Kurę, która faktycznie spoglądała na nią dość niełaskawym wzrokiem. Muzyka powinna już od dawna rozbrzmiewać.

W dodatku Jenny naprawdę wcale nie miała powodu, żeby się chować. Była wysoką, bardzo szczupłą dziewczyną o jasnych, złocistych włosach i drobnej, pięknej twarzy oraz wielkich matowozielonych oczach. Teraz jednak próbowała się ukryć, opuszczając głowę tak, by włosy zasłaniały jej twarz.

– Nie możemy do tego dopuścić! – Młody mężczyzna, który do tej pory krył się w ostatnim rzędzie, choć Gwyn zarezerwowała dla niego oczywiście miejsce na samym przedzie, podniósł się dumnie. Był to Stephen O'Keefe, jedyny obecny przedstawiciel rodziny z Queenstown – był przecież jednym z najbliższych krewnych panny młodej. Fleurette i Ruben postanowili go wysłać, żeby nie wywołać kolejnego skandalu bojkotem wesela. Fleurette w liście wyraźnie oświadczyła, że co prawda życzy Kurze i Williamowi wszystkiego dobrego, ale w żadnym razie nie zamierza wymagać od Elaine, by uczestniczyła w tej uroczystości. „Wciąż jeszcze jest cieniem samej siebie, choć powoli zdaje się godzić z faktem, że Mr Martyn ją porzucił. Niestety, obwinia o to wyłącznie samą siebie. Zamiast słusznie się gniewać, zadręcza się rozmyślaniem nad tym, co takiego niewłaściwego zrobiła i jak wiele jej brakuje, żeby dorównać swej kuzynce. W żadnym razie nie możemy od niej oczekiwać, by zobaczyła jeszcze Kurę w roli olśniewającej panny młodej".

Stephen miał natomiast ferie świąteczne i chętnie ruszył konno do Kiward Station. Z listów od matki wiedział, co zaszło między Kurą a Elaine, ale nie traktował tej sprawy zbyt poważnie. Podczas kolejnych odwiedzin w Queenstown niemal się wystraszył, widząc, jak wstrząśnięta i załamana była wciąż jeszcze jego siostra. Nie zamierzał przepuścić szansy, żeby zobaczyć i poznać sprawców, którzy doprowadzili do tej tragicznej przemiany.

– Za pozwoleniem… – Stephen skłonił się z uśmiechem przed Jenny Greenwood i zajął jej miejsce przy okazałym fortepianie, który miał zastępować organy. Był to jednocześnie prezent od Gwyneiry dla wnuczki, choć James mruczał pod nosem, gdy się o tym dowiedział: „Będziemy musieli wynieść połowę mebli z salonu!".

– Potrafisz grać? – zdziwiła się Gwyneira, która zdążyła już opuścić swe miejsce, by zrobić coś z przyczyną tego opóźnienia.

Stephen się uśmiechnął.

– Jestem wnukiem Helen O'Keefe i dorastałem przy jej organach. A ten śmieszny marsz weselny byłby w stanie zagrać nawet nasz Georgie. – Bez dalszej zwłoki wydobył z instrumentu pierwsze dźwięki i zagrał utwór ze swobodą, niemal ze zbyt wielkim rozmachem, para młoda zaś zbliżyła się do zaimprowizowanego ołtarza. Stephen, który nie wiedział, jaki utwór miał być następny w kolejności, zagrał porywającą wersję *Amazing Grace*, co sprawiło, że dostrzegł rozbawienie w oczach Jamesa McKenziego, lecz kosztowało go to karcące spojrzenie Gwyneiry. W końcu tekst nie był może zbyt pochlebny dla młodej pary: *Cóż za słodkie brzmienie, które wybawia tak biedne stworzenie jak ja.*

Tak czy inaczej każdy dźwięk grany przez Stephena był czysty. Niepewność była mu obca. Wdzięczna Jennifer uśmiechała się do niego zza zasłony swych włosów.

– Należy mi się za to później pierwszy taniec, zgoda? – wyszeptał do niej Stephen, na co Jennifer się zarumieniła, tym razem jednak z radości.

Tymczasem przed pawilonem zebrała się grupa maoryskich muzykantów. Marama, matka Kury, przyłączyła się do nich i zaśpiewała kilka tradycyjnych pieśni. Dla wszystkich natychmiast stało się jasne, po kim dziewczyna odziedziczyła swój piękny głos: Marama znana była wśród swego ludu jako pieśniarka; jej głos był jednak wyższy niż głos Kury i miał niemal eteryczną barwę. Jeśli dobre duchy, które Marama przywoływała w swych pieśniach, ją słyszały, to z pewnością nie będą miały nic przeciw jej życzeniom, tego Gwyneira była pewna. Goście również słuchali jej z zachwytem.

Jedynie William zdawał się traktować występ teściowej jak coś nieodpowiedniego, choć Marama ubrana była w suknię zachodniego kroju, a u żadnego z muzyków też nie można było dostrzec jakichś dziwnych znaków czy tatuaży. Pan młody starał się jednak świadomie ignorować tubylców i zdawał się cieszyć, gdy ich muzyka wreszcie ucichła. Długi szereg osób chcących złożyć mu gratulacje odpowiadał mu dużo bardziej, choć uważał za dość dziwne, że przynajmniej owczy baronowie z okolicy składali równie serdecznie życzenia Gwyneirze co młodej parze.

– To niesamowite, jak pani sobie z tym poradziła – powiedział lord Barrington i uścisnął jej rękę. – Ten chłopak to spełnienie pani marzeń o Kiward Station, to prawie tak, jakby sama go pani wymyśliła.

Gwyneira się roześmiała.

– Ach, to przecież wcale tak nie jest. Po prostu tak wyszło – odparła.

– Naprawdę nie maczała pani w tym palców? Nie dała pani Kurze jakiegoś miłosnego napoju albo coś w tym stylu? – dopytywała się Francine Candler, położna z Haldon i jedna z najbliższych przyjaciółek Gwyn.

– Och, przecież taki napój mogłabym zamówić jedynie u pani – przekomarzała się Gwyn. – A może myśli pani, że to maoryska czarodziejka podsunęła jakiś środek, żeby farma pozostała w rękach angielskich dziedziców?

Tonga też oczywiście był obecny, choć nie potrafił sobie odmówić, by nie pojawić się w plemiennym stroju i z insygniami wodza. Obserwował ceremonię z kamienną twarzą i uprzejmie złożył życzenia młodej parze. Mówił perfekcyjną angielszczyzną i miał nienaganne maniery – o ile zniżał się do tego, by okazać je tym *pakeha*. On również należał do najlepszych uczniów Helen O'Keefe.

Inni Maorysi trzymali się gdzieś w tle, nawet Marama i jej małżonek. Gwyneira chętnie włączyłaby ich do towarzystwa, ale ludzie ci subtelnie wyczuwali, czego oczekiwały od nich najważniejsze postacie całego wydarzenia. Kurze, jak się zdawało, było to zupełnie obojętne, tak jak zawsze. Jednakże wieści o sceptycznej postawie Williama wobec plemienia już się rozniosły. Gwyn ucieszyła się więc, gdy po jedzeniu James przysiadł się do maoryskich gości i wdał się z nimi w ożywioną rozmowę. On też nie za dobrze się czuł w tym dostojnym towarzystwie owczych baronów i elity z Christchurch. W końcu on również tylko „się wżenił" i nie posiadał żadnych rzeczywistych praw do ziemi, na której pracował. Część tych ludzi ścigała go nawet kiedyś jako złodzieja bydła. Spotkanie się na stopie towarzyskiej obie strony wciąż jeszcze odbierały jako dość niezręczne. Zresztą James mówił płynnie po maorysku.

– Mam nadzieję, że będzie szczęśliwa – wyszeptała Marama swym śpiewnym głosem. Nie miała żadnych obiekcji wobec Williama, ale po jego dzisiejszym zachowaniu poczuła się potraktowana dość szorstko. – Ach, żeby tylko sam nie stanął sobie na drodze, tak jak kiedyś Paul… – Marama kochała Paula Wardena całym sercem, lecz jej wpływ na niego zawsze był ograniczony.

– Imię „Paul", jak na mój gust, pada zbyt często w związku z tym Martynem – zauważył ponuro Tonga.

James mógł jedynie przytaknąć.

Przez całe wesele William czuł się tak, jakby unosił się w powietrzu. Był przeszczęśliwy. Oczywiście miało miejsce parę drobnych zgrzytów, jak nieplanowany występ Maorysów albo silny uścisk ręki tego impertynenckiego młodzieńca, który reprezentował rodzinę O'Keefe'ów. „Szczególne pozdrowienia od mojej siostry!" – powiedział Stephen, patrząc przy tym Williamowi wrogo w oczy. Był pierwszym młodym mężczyzną, który wcale nie reagował na urodę Kury. Choć obdarzyła go uśmiechem, Stephen pogratulował jej równie chłodno jak Williamowi. I jeszcze ta jego gra na fortepianie. *Amazing Grace!* Trudno było zagrać coś bardziej nieodpowiedniego.

Natomiast jeśli chodzi o owczych baronów, to przyjęli go do swego grona znacznie serdeczniej. William wdał się w swobodną rozmowę z Barringtonem i Richlandem, przedstawiono go George'owi Greenwoodowi i miał nadzieję, że wywarł na nim dobre wrażenie. Cała uroczystość zdawała się dobrze przebiegać. Jedzenie było wykwintne, wino pierwszej klasy, a szampan lał się strumieniami – jeśli o to chodzi, domowa służba Gwyneiry okazała się świetnie wyszkolona. Ale poza tym maoryskie kucharki i służące, jak też ten dziwny majordomus Maui, starszy Maorys, wydawali mu się czasem zbyt samodzielni. Ale na to będzie miał czas wywrzeć jeszcze swój wpływ. Wkrótce będzie musiał porozmawiać o tym z Kurą.

Tymczasem pojawili się muzycy z Christchurch i w parku grano teraz do tańca. William i Kura otwierali korowód przy taktach walca. Dziewczyna sprawiała wrażenie, jakby miała już dość tego świętowania.

– Dlaczego nie możemy po prostu pójść do swych pokoi? – żachnęła się i przytuliła do Williama w tak prowokujący sposób, że wszyscy obecni z pewnością musieli to zobaczyć. – Już nie mogę się doczekać, żebyśmy byli sami.

William się roześmiał.

– Musimy panować nad sobą, Kuro. Tych kilka godzin jeszcze wytrzymasz. Musimy się tu pokazać. To ważne. Przecież reprezentujemy Kiward Station…

Kura zmarszczyła czoło.

– Dlaczego nagle mamy reprezentować farmę? Myślałam, że wyjeżdżamy do Europy.

William wykonał elegancki zwrot w lewo, by zyskać chwilę czasu do namysłu. Co ona takiego powiedziała? Chyba nie myślała naprawdę, że on ją teraz…

– Wszystko w swoim czasie, Kuro – powiedział uspokajająco. – Na razie wciąż jesteśmy tutaj, a ja płonę tak samo jak ty.

To akurat przynajmniej było prawdą. Nie był w stanie myśleć, że posiądzie Kurę dzisiejszej nocy, nie przyciągając przy tym zażenowanych spojrzeń gości. Już sam jej dotyk w tańcu go podniecał.

– Zostaniemy do fajerwerków, a potem znikniemy. Uzgodniłem to też z twoją babcią. Nikt z nas nie ma ochoty na te lubieżne teksty przy pożegnaniu pary młodej.

– Omawiasz z moją babcią, kiedy pójdziemy do łóżka? – zapytała poirytowana Kura.

William westchnął. Szalał za Kurą, ale dzisiaj zachowywała się dziecinnie.

– Musimy się trzymać etykiety – powiedział spokojnie. – A teraz chodźmy się czegoś napić. Jeśli dalej będziesz się tak o mnie ocierać, to wezmę cię zaraz tutaj, na środku parkietu.

Kura się roześmiała.

– Dlaczego nie? Maorysi byliby zachwyceni. Prześpij się ze mną przy całym plemieniu. – Wtuliła się w niego jeszcze mocniej.

William bronił się przed nią energicznie.

– Zachowuj się przyzwoicie – wyszeptał. – Nie chcę, żeby ludzie o nas mówili.

Kura spojrzała na niego, jakby nic nie rozumiała. *Chciała*, by ludzie o nich mówili! Chciała być gwiazdą, być na ustach wszystkich. Podobało jej się, w jaki sposób w europejskich gazetach pisano o słynnych śpiewaczkach, jak Mathilde Marchesi, Jenny Lind czy Adelina Patti. Kiedyś sama będzie podróżować własnym luksusowym pociągiem po Europie…

Stanowczym gestem objęła Williama rękoma wokół szyi i pocałowała go, chociaż stali na środku parkietu. To był długi, gorący pocałunek, którego nikt nie mógł przeoczyć.

– Jest przepiękna, prawda? – powtórzyła Jenny Greenwood, tym razem zwracając się do Stephena. Tak jak obiecał, poprosił ją od razu do pierwszego tańca i teraz, gdy Kura całowała Williama tak mocno, jakby chciała przyspieszyć nastanie nocy poślubnej, jej uczucia wahały się między radością a niechęcią. Panu młodemu ten występ wydawał się wyraźnie niezręczny. Wyglądał, jakby chciał się zapaść pod ziemię, a potem grubiańsko odepchnął od siebie kobietę. Padło kilka przykrych słów. To nie był spokojny początek małżeństwa. – Podobno też ślicznie śpiewa. Moja matka zwykła mawiać, że w przypadku niektórych ludzi wszystkie dobre wróżki zbierają się już nad kołyską.

Stephen się roześmiał.

– Mówiono tak również o Śpiącej Królewnie, ale jak się okazało, nie zawsze to wychodzi człowiekowi na zdrowie. Poza tym wcale nie uważam, żeby była taka piękna. Przynajmniej dla mnie jedna dziewczyna na tej uroczystości jest znacznie lepsza.

Jenny zaczerwieniła się i nie była w stanie na niego spojrzeć.

– Oszukujesz… – wyszeptała. Po ceremonii ślubnej George Greenwood przedstawił Stephena swojej żonie i córce jako najstarszego syna Rubena, tak więc Jenny i Stephen szybko się z sobą spoufalili. Przecież bawili się już razem jako dzieci, tyle tylko, że ostatnie odwiedziny O'Keefe'ów w Christchurch miały miejsce dziesięć lat temu. Mała siostra Jenny, Charlotte, która teraz kręciła się zaciekawiona wokół nich, wtedy leżała jeszcze w pieluchach.

Stephen położył rękę na sercu.

– Jennifer, w ważnych sprawach nigdy nie oszukuję… a przynajmniej jeszcze nie. Gdy zostanę adwokatem, może się to zmienić. Ale dziś mówię ci z czystym sumieniem i bez najmniejszych skrupułów, że nawet tutaj widzę kilka dziewcząt, które uważam za piękniejsze niż Kura-maro-tini. Nie pytaj mnie teraz dlaczego, bo nie potrafię ci tego powiedzieć. Ale czegoś tej dziewczynie brakuje, czegoś ważnego. Poza tym nie lubię, gdy odbiera się innym ludziom powietrze do oddychania. Ty zaś już po jednym jej spojrzeniu wyglądałaś tak, jakbyś miała wszystkiego dość.

Jenny spojrzała na niego, a zasłona z włosów odsłoniła na chwilę jej twarz.

– Będziesz teraz tańczyć ze wszystkimi dziewczynami, które uważasz za piękniejsze od niej?

Stephen roześmiał się i delikatnie odsunął jej loki z czoła.

– Nie. Tylko z tą, którą uważam za najpiękniejszą.

William zauważył, że dwa kieliszki szampana, które wypiła Kura, pozbawiły ją wszelkich zahamowań. Nawet jego niemiła reakcja na pocałunek nie mogła jej ostudzić. Po prostu nie wypuszczała go z rąk. Odetchnął więc, gdy wreszcie odpalono fajerwerki, a on i Kura mogli opuścić gości. Kura chichotała beztrosko, gdy biegli do domu, i chciała, żeby ją przeniósł przez próg. William posłusznie zrobił, o co prosiła.

– Po schodach też? – zapytał.

– Tak, proszę! – krzyknęła ze śmiechem Kura.

William uroczyście wchodził z nią po dużych, szerokich schodach prowadzących z salonu na piętro. Tam znajdowały się pokoje mieszkalne całej rodziny i William był bardzo zadowolony z ustaleń co do tego, które pokoje będą należeć do nowożeńców. Kura z początku chciała zostać w swoich starych pokojach. Miała przestronną sypialnię, garderobę i „gabinet", w którym Miss Witherspoon udzielała jej lekcji. Kiedyś pomieszczenia te zajmował Lucas Warden, pierwszy mąż Gwyneiry. Gdyby do tych pokoi dodano jeszcze jeden dla Williama, powinno to w zupełności wystarczyć. Jednakże William się sprzeciwił.

– Jesteś dziedziczką, Kuro. To wszystko należy do ciebie. Tymczasem pozwalasz się zbyć pokojami, które wychodzą na tyły…

– Jest mi wszystko jedno, czy pokoje wychodzą na tyły czy na front – odparła spokojnie Kura. – I tak widać tylko trawę.

Ta ostatnia uwaga była dowodem na to, że najwyraźniej w ogóle nie wyglądała przez okna. Z jej pokoi widać było stajnie i kilka wybiegów, okna Gwyneiry wychodziły natomiast na park. Williamowi przede wszystkim jednak zależało na tym, żeby mieć widok na podjazd i prowadzącą do domu aleję.

– To były pomieszczenia, które wybudowano dla właściciela tego wszystkiego. I powinnaś je mieć. Mogłabyś nawet wstawić do nich fortepian. – Pokoje, o których mówił William, od szesnastu lat stały puste. Mieszkał w nich Gerald Warden i Gwyneira nawet nie tknęła nic z wyposażenia. Jamesowi tym bardziej na tym nie zależało. Wystarczała mu sypialnia Gwyneiry, a własnego pokoju nigdy się nie domagał. Jack zajmował dawny pokój dziecinny Fleurette.

Gwyneira zdziwiła się i miała jakieś niedobre przeczucie, gdy Kura zażądała przeprowadzki.

– Zamierzacie mieszkać wśród tych starych mebli? – Myśl o tym, by przebywać w otoczeniu sprzętów Geralda, albo choćby tylko spać w jednym z pomieszczeń, w których żył, sprawiała, że ciarki przebiegały jej po plecach.

– Kura może je przecież umeblować na nowo – stwierdził William, gdy dziewczyna nic na to nie odpowiedziała. Urządzenie domu najwyraźniej było jej obojętne, o ile tylko wszystko było kosztowne i zgodne z najnowszą modą. Widocznie obawiała się krytyki Miss Witherspoon i żeby zapobiec ewentualnym uwagom z jej strony, praktycznie oddała w jej ręce urządzanie swoich nowych pokoi. Heather od razu zabrała się za przeglądanie katalogów i nie zaprzątając sobie głowy myśleniem o pieniądzach, wybierała najpiękniejsze meble. William chętnie jej w tym pomagał i tak potrafili spędzać całe popołudnia na dyskusjach o miejscowym bądź importowanym drewnie, a odpowiedź na to pytanie zadecydowała w końcu o tym, że całe wyposażenie sprowadzono z Anglii. Gwyneira nie narzekała na koszty, bo Kiward Station zdawała się pławić w pieniądzach.

Nowo wytapetowane i umeblowane pokoje urządzono więc całkowicie według gustu Williama, Kura zaś zaakceptowała to z obojętnym wyrazem twarzy.

– Aż taaak długo wcale nie będziemy tu mieszkać – powiedziała spokojnie, co niemal wywołało atak serca u Miss Witherspoon. Również dla guwernantki było jasne, że po ślubie Kura zrezygnuje ze swych ambitnych planów.

– Niech pani pozwoli mojej narzeczonej spokojnie marzyć, jest jeszcze młoda – stwierdził William z pozorną wyrozumiałością. – Gdy już będzie miała dziecko...

Miss Heather uśmiechnęła się.

– To prawda, Mr William. Ale tak naprawdę to spora strata. Kura ma przepiękny głos...

William przyznał jej rację. Kura będzie najpiękniejszym głosem na świecie śpiewać dzieciom kołysanki do snu.

W tej chwili jednak przenosił swą dość dziecinną młodą żonę przez próg ich wspólnej sypialni. Oczywiście każde z nich miało też własne pomieszczenia. Pokój pomalowany był w ciepłe, soczyste barwy, a baldachim nad łóżkiem i zasłony zrobione były z ciężkiego jedwabiu. William zobaczył, że ktoś pościelił im łóżko, i dostrzegł służącą Kury, gotową jej pomóc przy rozbieraniu.

– Nie, zostaw – nakazał William maoryskiej dziewczynie, oddychając ciężko z podniecenia, bo trzymanie Kury w ramionach rozbudziło w nim namiętności.

Dziewczyna oddaliła się, chichocząc. William opuścił żonę na łóżko.

– Chcesz sama zdjąć suknię, czy...

– Jaką suknię? – Kura po prostu rozerwała dekolt. Nie troszczyła się o haftki ani gorset. Zresztą po co? I tak nigdy już nie włoży tej ślubnej sukni. William czuł narastające podniecenie. Jej dzikość łamała wszelkie konwenanse. Przestał się zastanawiać i sam szarpnął delikatny materiał tak szybko, jak mógł, pozbył się spodni i na wpół ubrany rzucił się na nią. Całował jej szyję i dekolt, starając się uwolnić ją z gorsetu, co wcale nie szło gładko, ponieważ fiszbiny stawiały opór. A potem wreszcie była naga i pożądliwie wyciągała ku niemu ramiona. William wiedział właściwie, że należy być delikatnym z dziewicami – córka jednego z jego dzierżawców nawet płakała zarówno w trakcie, jak i po tym, gdy z nim spała. Kura nie odczuwała jednak żadnego wstydu. Chciała czuć go w sobie i najwyraźniej wiedziała, co ją czeka. Williamowi wydało się to dziwne. Kobieta nie powinna być tak pożądliwa, uważał. Potem jednak oddał się jej namiętności, całował ją, ocierał się o nią i na koniec niemal triumfalnie w nią wszedł. Kura krzyknęła krótko – William nie wiedział, z bólu czy z rozkoszy – a potem głośno stękała, gdy zaczął się w niej poruszać. Wbiła paznokcie w jego plecy, jakby chciała go zmusić, żeby wszedł w nią jeszcze głębiej. Eksplodował w największej ekstazie swego życia, Kura zaś wbiła zęby w jego ramię i płakała z rozkoszy, napawając się zaspokojoną żądzą. Już po chwili znów zaczęła go całować i domagała się więcej.

William nigdy jeszcze czegoś takiego nie przeżył, ba, nawet nie wierzył, że taka zmysłowość jest możliwa. A Kura zatonęła w potoku melodii i uczuć, jakich do tej pory żadna aria, żadna pieśń miłosna nie była w stanie w niej wyzwolić. Dotąd jej życiem rządziła muzyka, i nadal wciąż najważniejsza będzie harmonia. Ale to teraz było silniejsze i była gotowa zrobić wszystko, by wciąż i wciąż to przeżywać. Jej pancerz opanowania pękł tej nocy, a William dał jej wszystko, o czym marzyła.

James McKenzie obserwował, jak Gwyneira swobodnie zmieniała kolejnych tancerzy. Niesamowite, że była jeszcze tak pełna energii, przecież zbliżała się już do sześćdziesiątki. Dzisiejszy dzień był jednak dla Gwyn spełnieniem marzeń. Zupełnie inaczej niż wtedy, gdy James widział ją tańczącą z Lucasem Wardenem. Formalnie i sztywno – siedemnastolatka przed czekającą ją nocą poślubną, podczas której nic się nawet nie wydarzyło. Gwyneira wciąż jeszcze była dziewicą, gdy dobry rok później poprosiła Jamesa, żeby pomógł jej mieć dziecko, dziedzica Kiward Station. James postarał się, jak umiał najlepiej, ale teraz znów dochodziła do głosu linia Wardenów. I kto mógł wiedzieć, co jej przyniesie ten związek z Williamem.

James poczuł nagle, że tęskni za Monday, swoją suczką, którą zostawił w stajni – zupełnie tak samo jak zrobiła Gwyn z Cleo podczas ślubu z Lucasem. Musiał się uśmiechnąć na myśl o „pokazie psów", jaki Gerald Warden zaplanował na popołudnie w dniu wesela. Kupił w Walii miot psów rasy border collie, urodzonych psów pasterskich, i zamierzał pokazać swoim przyjaciołom i sąsiadom, jak bardzo te zwierzęta mogą zrewolucjonizować pracę na farmie. Najlepszy wówczas i najlepiej wytresowany pies należał do Gwyneiry, ale panna młoda nie mogła przecież sama prezentować psa, więc James miał to zrobić za nią. Nigdy nie zapomni zdenerwowanej Gwyn stojącej w sukni ślubnej i jej zmartwionej miny, gdy dotarło do niej, że Cleo nie słucha jego rozkazów i że będzie musiała wkroczyć. Pewną ręką poprowadziła psa przez cały pokaz, a za nią powiewał ślubny welon. I obdarzyła Jamesa tym szczęśliwym uśmiechem, którego nigdy nie potrafił wydobyć z niej Lucas. Dużo później, gdy wyjeżdżał, dała mu na wygnanie Piętaszka, który był szczeniakiem Cleo. Monday zaś, teraźniejsza suczka Jamesa, była z kolei jej wnuczką.

James wstał i ruszył w stronę stajni. Goście weselni dadzą sobie radę bez niego, a za szampanem i tak nie przepadał. Wolał opróżnić kilka szklanek whisky z Andym McAranem i innymi pasterzami.

Droga do stajni była niczym podróż w przeszłość. Nad domem rozbłyskiwały akurat fajerwerki, a James przypomniał sobie, jak pewnej sylwestrowej nocy po raz pierwszy tańczył z Gwyneirą. Dziś również młodzi pasterze i dziewczyny kołysali się w kręgu w rytm muzyki granej na skrzypcach i harmonijce ustnej. I tak jak wtedy wydało mu się, że jest tu weselej niż na dość sztywnej uroczystości w ogrodzie.

Uśmiechnął się, widząc parkę, która nie pasowała do tego miejsca. Jego wnuk Stephen wesoło prowadził Jenny Greenwood, tańcząc z nią skoczne gigue. Mała Charlotte starała się namówić do tańca Jacka, ale ten natychmiast gdzieś uciekł. Jackowi było wszystko jedno, walc czy gigue. Wszystkie tańce uważał za głupie.

Od Andy'ego i grupki kilku starszych pasterzy, którzy siedzieli w kręgu przy ognisku z krążącą wokół butelką, odłączyły się Monday i kilka innych psów, które pędziły teraz w stronę Jamesa. Przywitał się z czworonogami i wyciągnął rękę po butelkę.

McAran wskazał mu belę słomy obok siebie.

– Siadaj tutaj, o ile zniesie to twój szykowny garnitur. Prawie cię dzisiaj nie poznałem.

James faktycznie po raz pierwszy w życiu ubrał się tego dnia w strój wieczorowy.

– Gwyn chciała, żeby wszystko było perfekcyjne – odparł i usiadł.

– W takim razie rozejrzałbym się raczej za jakimś innym mężem dla wnuczki – wyszczerzył zęby „Poker" Livingston, kolejny stary pasterz, z którym James przyjaźnił się od bardzo, bardzo dawna. – Ten Martyn całkiem dobrze wygląda, przyznaję, ale czy na dłuższą metę coś z tego będzie?

James wiedział, że Andy też był raczej sceptyczny. William w ciągu sześciu tygodni swego narzeczeństwa sporadycznie pomagał w pracach w Kiward Station i mężczyźni mieli wtedy okazję trochę go poznać. Nie pozostawił po sobie najlepszego wrażenia, zwłaszcza podczas strzyżenia owiec, gdy liczył się każdy człowiek i każdy musiał dać z siebie wszystko. Jak się okazało, William nigdy jeszcze nie strzygł owcy – normalnie nie byłby to żaden problem, ale im częściej młody mężczyzna wspominał o tym, że pochodzi z owczej farmy, tym bardziej szczerzono zęby. Również przy zaganianiu zwierząt i nadzorowaniu pracy psów okazało się, że William nie ma o tym pojęcia, i nie wyglądało na to, żeby miał zamiar czegoś się uczyć. Wspominając o pomocy, miał na myśli raczej nadzór. Jak się przekonali, rzeczywiście był dobrym obserwatorem i świetnie radził sobie z liczbami, więc gdy przyszło do strzyżenia w szopie, poczciwy Andy wspaniałomyślnie przekazał mu kontrolę. Niestety, William nie ograniczył się jedynie do policzenia owiec na każdego postrzygacza, lecz dał się ponieść ambicji. Każdego roku nagradzano najlepszą ekipę i żeby wygrać, William wymyślał najdziwniejsze idee, by skrócić przebieg prac. Zazwyczaj jego propozycje niewiele miały wspólnego z praktyką, a przede wszystkim traktowano je jako ingerencję w pracę grupy postrzygaczy, którzy kwaśno reagowali na każdy rodzaj krytyki. Pracowali na akord i uważali się za elitę nowozelandzkich robotników. Lubili, żeby stosownie do tego ich traktować. Andy, James, a w końcu nawet Gwyneira, musieli ich uspokajać i łagodzić spory – wszystko to nie było zbyt dobrą wróżbą dla ich stałej współpracy z Williamem.

– Mogło być gorzej – stwierdził swobodnie Andy i wypił kolejny łyk whisky. – O rany, ludzie, też macie dziś wieczorem takie wrażenie, jakby czas się cofnął? Wygląda to tak jak wtedy, gdy wydali Miss Gwyn za Mr Lucasa, tego frajera… – Podał Pokerowi butelkę.

– No tak, ten nowy też nie jest lepszy… – Pokerowi William naprawdę się naraził.

James zamyślił się, w czym pomógł mu też kolejny łyk whisky, przez co jego słowa nie brzmiały zbyt pewnie:

– Jeśli... mnie pytacie, to byli... obaj to frajerzy. Lucas Warden cienko śpiewał... tak cienko, że nikt go nawet nie słyszał. A ten tutaj... nawet Gwyn nie chce tego wiedzieć... Ten śpiewa sobie dość głośno i ostro. On nam jeszcze na koniec tak zaśpiewa, że wróble będą o tym ćwierkać na dachach!

# 2

Ruben O'Keefe był w złym humorze, a Fleurette nawet nie przyjechała do miasta. Przez następne dni miała się wymawiać pilnymi pracami domowymi. Oczywiście nie miało to nic wspólnego z tym, że tego dnia w odległym Kiward Station odbywało się wesele Kury i Williama Martyna. Ruben dawno już zapomniał o tym człowieku; ogólnie nie był zbyt pamiętliwy. Jego cierpliwość wobec innych ludzi miała tylko jeden wyjątek: John Sideblossom z Lionel Station. I pech chciał, że akurat on chodził sobie po Queenstown w towarzystwie swojego syna. Helen wynajęła im nawet pokój, co Ruben miał jej za złe.

– Nie bądź dziecinny – powiedziała mu matka. – Oczywiście, że żaden z niego dżentelmen, choć stara się sprawiać takie wrażenie. Ale nie mogę mu odmówić wynajęcia pokoju, dlatego że dwadzieścia lat temu starał się o moją synową...

– Próbował ją zgwałcić!

– Z pewnością próbował sobie pozwolić na zbyt wiele, ale to było dawno temu. A szaleństwo to wzmacniał w nim jeszcze Gerald Warden, wmawiając mu, że będzie dla niego idealną żoną. – Helen starała się ująć to łagodniej.

– A James McKenzie? Też chcesz go usprawiedliwiać, że go złapał?

Sideblossom był wtedy przywódcą oddziału, który po kilku latach nieudanych poszukiwań ujął złodzieja bydła McKenziego.

– Wciąż masz mu to za złe – stwierdziła Helen. – Nie był jedynym, którego te kradzieże bydła dręczyły, a James też niespecjalnie przysporzył sobie tym chwały... choć teraz tak to przedstawiają, jakby był jakimś Robin Hoodem. Jeśli chodzi o postępowanie przy aresztowaniu, to już inna sprawa, tu Sideblossom rzeczywiście okropnie się zachował. Ale może nawet i dobrze się stało, bo tak złapałby jeszcze naszą Fleurette i teraz nie byłoby żadnego składu O'Kay...

Ruben nie myślał o tym chętnie, ale faktycznie początkowy kapitał na jego sklep pochodził z pieniędzy za kradzione przez McKenziego bydło. Fleurette była razem ze swoim ojcem, gdy Sideblossom go złapał, ale w całym zamieszaniu podczas aresztowania udało jej się uciec.

– Mówisz tak, jakbym jeszcze musiał być wdzięczny Sideblossomowi – mruknął gorzko Ruben.

– Tylko uprzejmy – powiedziała z uśmiechem Helen. – Traktuj go po prostu tak, jak innych klientów. Za kilka dni znów stąd wyjedzie, a ty będziesz mógł w następnych miesiącach o nim zapomnieć. Poza tym za każdym razem całkiem dobrze na nim zarabiasz, więc przestań się skarżyć.

To była prawda. Sideblossom przyjeżdżał do Queenstown najwyżej raz lub dwa razy w roku; sprowadzały go tu wspólne interesy, jakie miał z jednym z hodowców owiec. Wykorzystywał to zawsze, żeby wykupić prawie cały towar ze sklepu O'Kay, do tego ostatnio zamawiał też materiały i drogie meble, ponieważ jeszcze niedawno występował w roli pana młodego, a przy tym jego żona była rzeczywiście młoda. Zoé miała dopiero dwadzieścia lat i była córką pewnego poszukiwacza złota z zachodniego wybrzeża, który szybko doszedł do dużych pieniędzy, lecz wskutek złych inwestycji równie szybko je stracił. Plotki w Queenstown mówiły, że jest przepiękna, lecz również bardzo rozpieszczona i trudna – choć tak naprawdę nikt jej tu jeszcze nie widział na oczy. Lionel Station, farma Sideblossomów, położona była w bardzo pięknym miejscu, ale z dala od wszystkich innych osad, na zachodnim końcu jeziora Pukaki. Z Queenstown jechało się tam konno kilka dni, a młodej małżonce raczej nie zależało na tym, żeby towarzyszyć mężowi w tych męczących podróżach. Oczywiście przede wszystkim kobiety były ciekawe, jak taka młoda dziewczyna radzi sobie tam w górach zupełnie sama. Ale nie było to aż tak ważne, by któraś z kobiet z Queenstown miała ochotę znosić trudy podróży tylko po to, by złożyć jej sąsiedzką wizytę.

– Nie przywiozłeś dziś Lainie z sobą? – zmieniła w końcu temat Helen. – Teraz, gdy Fleurette się chowa? Przydałoby się nam trochę pomocy, prawda? Bliźniaczki się przecież jeszcze bardziej nie rozdwoją.

Laurie i Mary pracowały w zależności od potrzeb jako pokojówki u Helen, ale również jako sprzedawczynie w składzie O'Kay.

Ruben się roześmiał.

– To by dopiero był chaos. Kolejne blondynki podobne do siebie jak dwie krople wody. Trudno byłoby komuś w to uwierzyć! Ale masz rację, pomoc Elaine mogłaby mi się przydać. Tyle tylko, że Fleur zamienia się w zrzędliwą kwokę, gdy tylko Sideblossom pojawia się w mieście. Najchętniej obwiesiłaby wtedy Lainie chustami i w ogóle nie wypuszczała jej z domu. A przecież Lainie i tak zrobiła się już bardzo nieśmiała i siedzi cicho jak myszka. Sideblossom nawet by na nią nie spojrzał.

Helen przewróciła oczami.

– Nie wspominając już o tym, że ten człowiek ma ponad sześćdziesiąt lat. Nieźle się trzyma co prawda, ale z pewnością nie jest typem, który rzucałby się w hotelowej recepcji na niepełnoletnią dziewczynę.

Ruben się uśmiechnął.

– Fleur uważa, że jest zdolny do wszystkiego. Cóż, może Lainie pojawi się jeszcze po południu. Przecież nie wytrzyma siedzenia cały czas w domu. A na fortepianie też już nie chce grać... – westchnął.

Twarz Helen spochmurniała.

– Nie jestem mściwa, ale jeśli chodzi o tego Williama Martyna, to niech go zaraza. Lainie była taką tryskającą życiem, szczęśliwą małą...

– Jakoś to przeboleje. A co do zarazy, to Georgie uważa, że już Williama dosięgła. Sądzi, że małżeństwo z Kurą Warden to najgorsza rzecz, jaka może się przytrafić mężczyźnie. Myślisz, że powinienem się teraz martwić o niego?

Helen się roześmiała.

– Może to dowód jego przenikliwości? Miejmy nadzieję, że zachowa ten pociąg do wyższych wartości, kiedy sam będzie w takim wieku, by się żenić. Przyślij do mnie Lainie, gdy się pojawi, dobrze? Mogłaby popilnować recepcji, bo muszę się zatroszczyć o jedzenie. Będą obaj Sideblossomowie i nie mogę im przecież zaserwować zwykłej zupy jarzynowej...

Elaine rzeczywiście pojawiła się po południu w mieście. Odbyła krótką przejażdżkę do jednej z pobliskich farm, żeby potrenować z Callie. Suczka potrzebowała doświadczenia w pracy z owcami, a ponieważ w posiadłości Nugget nie było żadnych zwierząt, Elaine jeździła do rodziny Steverów. Fleurette nie patrzyła na to zbyt chętnym okiem. Steverowie byli dość zamkniętymi w sobie ludźmi, którzy rzadko pokazywali się w Queenstown i nie utrzymywali żadnych kontaktów towarzyskich. Państwo Steverowie byli w średnim wieku, a Fleurette uważała, że kobieta sprawiała wrażenie nieszczęśliwej i przygnębionej. Elaine nie była w stanie nic o tym powiedzieć. Właściwie nigdy nie spotykała się z właścicielami farmy, a jedynie z ich pasterzami, ci zaś byli niemal wyłącznie Maorysami.

Na farmie od kilku tygodni obozowało plemię tubylców, którzy przyjęli Elaine ze zwykłą dobrodusznością, a Callie z typowym dla nich pogodnym pragmatyzmem. Pies i dziewczyna nie sprawiali kłopotów i byli wręcz pomocni, więc Maorysi często zapraszali Elaine na posiłki lub uroczystości albo dawali jej w prezencie dla matki ryby i bataty. Od czasu historii z Williamem dziewczyna częściej spędzała czas z Maorysami niż z rówieśnikami z miasta, ale Fleurette nie niepokoiła się tym. Ona sama również dorastała w towarzystwie Maorysów, doskonale opanowała ich język i niekiedy nawet, by odświeżyć jego znajomość, towarzyszyła Elaine, odwiedzając jej nowych przyjaciół. Od tego czasu Maorysi częściej zaczęli bywać w mieście i kupowali towary w składzie O'Kay – na co z kolei uskarżała się Mrs Stever. Ostatnio jej ludzie domagali się więcej pieniędzy, jak wyjaśniła podczas jednej ze swych rzadkich wizyt w mieście. Wcześniej płacili pasterzom i pomagającym w domu dziewczynom w naturze i dobrze na tym wychodzili.

Dziś jednak niewiele było do zrobienia u Maorysów na Stever Station, a nawet gorzej: jedna dziewczyna z plemienia zdradziła Elaine, że planowano ruszyć w drogę. Owce Steverów latem i tak przebywały na wyżynach, a Mr Stever był skąpy; zatrudniał ludzi tylko w niektóre dni, gdy ich potrzebował. Tak więc plemię postanowiło wyprowadzić się na kilka miesięcy, żeby łowić ryby i polować na wyżynach, i wrócić tu dopiero na jesień, na czas spędu owiec. Takie życie było dla Maorysów tradycją i sprawiali wrażenie, jakby już się na tę wędrówkę cieszyli. Dla Elaine i Callie natomiast lato zapowiadało się ponuro.

Dziewczyna próbowała więc pilnie znaleźć sobie jakieś zajęcie; tego dnia nie miała ochoty za dużo rozmyślać. Przecież dzisiaj było wesele… W jakiś sposób było to ujmujące ze strony matki, że nie poinformowała jej dokładnie o terminie, lecz Elaine i tak się tego dowiedziała.

Nie bolało jej już to tak bardzo. Gdyby była rozsądna, nie robiłaby sobie wtedy nadziei. Z taką dziewczyną jak Kura można tylko przegrać.

Pełna takich ponurych myśli wprowadziła Banshee do stajni babci i ku swemu zaskoczeniu zastała tam dwa obce konie, jeden piękniejszy od drugiego! Oba były karoszami, wałach i ogier, co było nietypowe. Większość farmerów, nawet bogaci owczy baronowie, woleli klacze i wałachy, które w tutejszych warunkach były praktyczniejsze. Ale ten ogier zdawał się doskonale ułożony. Nawet nie drgnął, gdy Elaine przechodziła z Banshee obok niego. Klacz była już jednak wcześniej pokryta i wkrótce miała urodzić źrebaka po Owenie.

Wałach, bez wątpienia arabskiej krwi, nie ustępował ogierowi urodą i prawdopodobnie był jego synem lub bratem. Było raczej niemożliwe, żeby komuś udało się kupić dwa tak podobne do siebie konie z różnych źródeł. A więc dwóch jeźdźców, którzy przybyli razem? W Elaine obudziła się ciekawość. Musi zapytać o to babcię Helen.

Przeszła bezpośrednio ze stajni do domu i w pomieszczeniu gospodarczym szybko otrzepała strój do jazdy z kurzu i końskiego włosia. Nie zamierzała się przebierać. Wszystko jedno, czy będzie pracować w kuchni czy w sklepie, i tak nie planowała robić na nikim wrażenia. Włosy niedbale związała na karku. Elaine nadal nie dbała nadmiernie o swój wygląd.

W recepcji czekała jedna z bliźniaczek i wyraźnie się nudziła, siedząc nad księgą, w której zapisywano dostarczane towary.

– Och! Miss Lainie! I Callie! – jasnowłosa kobieta uśmiechnęła się promiennie do Elaine i pogłaskała suczkę, która natychmiast zaczęła przy niej podskakiwać, machając ogonem. Elaine była przekonana, że Callie potrafi rozróżniać bliźniaczki. Ona sama tym razem znów musiała zgadywać. Zobaczmy… Babcia mówi, że Mary to ta bardziej spontaniczna. A więc zapewne to ją posadziła w recepcji, podczas gdy Laurie gotuje…

– Witaj, Mary – spróbowała szczęścia.

Bliźniaczka zachichotała.

– Laurie. Mary pomaga w sklepie. A na dodatek mamy tu tyle do roboty! Miss Helen ma dużo gości i musimy dla nich gotować. No ale teraz przyszła pani. Miss Helen mówiła, że powinna pani przejąć recepcję, a ja pójdę do kuchni…

Elaine nie była zachwycona. Nie lubiła już tak jak kiedyś pracy w recepcji, ale nie miała pojęcia o pracy w kuchni. Nawet nie wiedziała, co Helen zamierza podać. Zastąpiła więc posłusznie Laurie, Callie jednak wolała iść za bliźniaczką do kuchni; tam przynajmniej mogła liczyć na jakieś smakołyki.

Elaine będzie mogła przynajmniej zaspokoić swoją ciekawość. Nowi goście musieli się zameldować, więc z łatwością się dowie, do kogo należą te konie w stajni...

John i Thomas Sideblossomowie.

Elaine prawie się roześmiała. Gdyby tylko jej matka wiedziała, że córka weszła właśnie do samej jaskini lwa! Znała stare historie o Johnie Sideblossomie i swojej rodzinie, ale nie brała tego wszystkiego zbyt poważnie. Było to przecież dwadzieścia lat temu – dla młodej Elaine niemal wieczność. Nie była to w każdym razie sprawa, która powinna dziś niepokoić Fleurette. Elaine widziała już kiedyś z daleka Sideblossoma i jakoś nie zrobił na niej wrażenia człowieka, którego należałoby się bać. Wielki, muskularny mężczyzna z ogorzałą twarzą i dość długimi, kiedyś zapewne ciemnymi włosami, w których teraz było już wiele siwych kosmyków. Fryzura dość niekonwencjonalna, ale poza tym... Matka Elaine chętnie mówiła o „zimnych oczach", lecz Elaine nigdy nie stała przy nim na tyle blisko, by móc to sprawdzić. A w ciągu ostatnich dwudziestu lat tym bardziej nie mogła tego zrobić Fleurette. Gdy tylko słyszała o tym, że Sideblossomowie mają przybyć do miasta, obwarowywała się w posiadłości Nugget.

Elaine usłyszała kroki na przypominającym taras hotelowym ganku. Najchętniej stałaby się niewidzialna, ale musiała się uśmiechać i przyjmować gości przy wejściu. Opuściła wzrok, gdy śliczne kolorowe dzwoneczki, które Helen zawiesiła nad drzwiami pensjonatu, zapowiedziały wejście gościa.

– Dobry wieczór, Miss Lainie! Jak miło znów panią tu zobaczyć.

Dzięki Bogu to był tylko Mr Dipps, starszy z dwóch pracowników banku. Elaine skinęła mu głową.

– Wcześnie pan wrócił, Mr Dipps – zauważyła, rozglądając się za jego kluczem.

– Będę jeszcze musiał iść do banku. Mr Stever chce rozmawiać o kredycie, a w zwykłych godzinach otwarcia podobno nie może przyjść, bo musi się zajmować swoimi zwierzętami. Sam sobie winien, skoro nie chce zatrudniać ludzi przez cały rok. Teraz narzeka, że Maorysi się od niego wynoszą. No, w każdym razie będę musiał dziś popracować po godzinach, więc wyszedłem trochę wcześniej. Jest jakaś możliwość, żeby skorzystać z łaźni, Miss Lainie? A może to za duży kłopot?

Elaine wzruszyła ramionami.

– Mogę zapytać Laurie, ale bliźniaczki mają dziś pełne ręce roboty, choć całkiem możliwe, że w piecu i tak już napalono. Mamy nowych gości, a więc może też będą chcieli wziąć kąpiel.

Pobiegła szybko do kuchni i niemal z zazdrością spojrzała na Laurie, która obierała marchew. Sama wolałaby się tu skryć, zamiast ryzykować jeszcze spotkanie tych Sideblossomów. Z drugiej strony, była ich nawet ciekawa…

Laurie uniosła głowę znad roboty i zastanowiła się przez chwilę.

– Łaźnia? No niby napaliłyśmy, ale czy starczy teraz wody dla trzech osób? Niech Mr Dipps będzie oszczędny. Jest bankierem, więc będzie wiedział, o co chodzi.

Mr Dipps usłyszał tę uwagę – Elaine zapomniała zamknąć drzwi – i zaśmiał się rozbawiony.

– Będę się starał, żeby nie przynieść ujmy memu bankowi. A jeśli nie, to osobiście zaniosę te kilka wiader wody, przyrzekam. Ma pani klucz, Miss Lainie?

Elaine zaczęła szukać klucza do łaźni i nie usłyszała przez to dźwięku dzwonków nad drzwiami. Gdy więc wreszcie znalazła klucze w szufladzie i odwróciła się do Mr Dippsa, nie była przygotowana na to, że ujrzy nowych gości. Wielki ciemnowłosy mężczyzna stał za bankierem i wpatrywał się w Elaine nieodgadnionym spojrzeniem swych brązowych oczu.

Niemal śmiertelnie wystraszona jego nagłym zjawieniem, spuściła wzrok i zaczerwieniła się. Jednocześnie poczuła gniew na siebie samą. Nie wolno jej się tutaj tak zachowywać! Ten człowiek z pewnością będzie ją uważał za głupią gęś. Zmusiła się, by na niego spojrzeć.

– Dobry wieczór, sir. Czym mogę panu służyć?

Mężczyzna dobrze jej się przypatrzył i dopiero wtedy zdecydował się do niej uśmiechnąć. Był bardzo wysoki i atletycznie zbudowany. Twarz jego miała ostre rysy, była niemal kanciasta. Kręcone włosy uczesane miał porządnie, jakby przyszedł tu właśnie z jakiegoś oficjalnego spotkania.

– Thomas Sideblossom. Moje klucze proszę. I klucz do łaźni, zamawialiśmy ją wcześniej.

Mr Dipps uśmiechnął się do niego przepraszająco.

– Tak się składa, że ja go akurat teraz mam. Jeśli pan pozwoli, pokażę, gdzie to jest, i nie będziemy musieli przeszkadzać Miss Laurie.

– Mogę… zawołać służącego, jeśli będzie potrzeba więcej wody – wyjąkała Elaine.

– Myślę, że sobie poradzimy – stwierdził krótko Sideblossom. – Dziękuję, Miss Laurie.

– Nie… to znaczy, chciałam powiedzieć, dziękuję, ale ja… ja nie jestem Laurie – Elaine otwarcie spojrzała teraz na młodego mężczyznę, a jego uśmiech sprawił jej przyjemność. Gdy się uśmiechał, wydawał się łagodniejszy.

– A więc jak pani na imię? – zapytał przyjaźnie. Jej bełkot zdawał się go nie drażnić.

– Elaine – odparła.

Thomas Sideblossom nie miał zbyt wiele doświadczeń z dziewczynami *pakeha*. Po prostu w okolicy farmy, na której dorastał, żadnych nie było, a podczas swych nielicznych podróży miał jedynie kontakt z kilkoma dziwkami. Nie zadowoliły go jednak. Jeśli Thomas myślał z pożądaniem o jakiejś kobiecie, jego oczom ukazywało się raczej brązowe ciało o rozłożystych biodrach, a nie istota o jasnej skórze. Włosy powinny być gładkie i czarne, i dostatecznie długie, by owinąć je sobie wokół palców, położyć na nich rękę i trzymać niczym wodze. Odsunął od siebie ten obraz uległości – wysoko uniesiona głowa i otwarte do krzyku usta. Odsunął myśli o Emere. To wszystko tu nie pasowało. A choć niewiele wiedział o przyzwoitych dziewczynach *pakeha*, to te aroganckie małe diablice z domu uciech jasno dały mu do zrozumienia, że nawet w przybliżeniu nie może oczekiwać od nich tego, co Emere robiła dla jego ojca.

Gdyby więc chciał się ożenić, musiał być gotów na kompromis. A ślub był konieczny; Thomas Sideblossom potrzebował dziedzica. W żadnym wypadku nie mógł sobie pozwolić na ryzyko, że jego ojciec ze swoją nową żoną spłodzą jeszcze małego rywala dla niego.

Nie wspominając o tym, że nie mógł już tego wytrzymać. Wszystkie te kobiety w domu, które całkowicie należały do Johna Sideblossoma... albo które stanowiły tabu, ponieważ... nie, o tym Thomas nie powinien nawet rozmyślać. Było dla niego jasne, że potrzebuje żony tylko dla siebie, takiej, która należy wyłącznie do niego i która wcześniej nigdy nie należała do żadnego innego. I musi to być odpowiednia dziewczyna, z dobrego domu. Ale żadna z gatunku tych chichoczących, pewnych siebie stworzeń, które przy każdej możliwej okazji podsuwali mu z nadzieją handlowi partnerzy. Córki tych owczych baronów i bankierów często były śliczne. Ale to, jak go oceniały, jak przyglądały mu się wręcz lubieżnie, ich bezpośredni sposób mówienia, wyzywający strój... Thomasa to wszystko odrzucało.

Tym ciekawsza wydała mu się ta mała ruda z recepcji, której historię gotów był mu opowiedzieć Mr Dipps. W łaźni bankier okazał się rozmowny, a mała Elaine dostarczyła przecież dość tematów do plotek, by wszyscy o niej mówili. Tym samym nie liczyła się już dla Thomasa. Szkoda, ale najwyraźniej dziewczyna nie była nietknięta.

– Ten drań złamał dziewczynie serce – opowiadał Dipps, szczerze współczując Elaine, że tak się zawiodła na związku z Williamem Martynem. – Ale ta mała, dla której ją zostawił, to był oczywiście zupełnie inny kaliber. Niełatwo się z taką mierzyć. Prawdziwa maoryska księżniczka.

To ostatnie niezbyt Thomasa interesowało. Maoryska dziewczyna jako pani Lionel Station nie wchodziła w ogóle w rachubę. Co zaś do Elaine, to zrobiła na nim z początku dobre wrażenie. Taka słodka i nieśmiała w tym prostym, wysoko zapiętym stroju do konnej jazdy. A przy tym ciało jak najbardziej kształtne, włosy jedwabiste... takie uplecione z jedwabiu wodze... Thomas przez kilka sekund śnił sen, w którym ta delikatna rudowłosa dziewczyna zastępowała Emere.

Po tym, co powiedział mu Dipps, nie poświęciłby już dziewczynie ani jednego spojrzenia, gdyby nie wspomniał o niej również jego ojciec.

– Widziałeś tego rudzielca w recepcji? – dopytywał się John Sideblossom, gdy mężczyźni znaleźli się później w swoim pokoju. Thomas właśnie opuścił łaźnię i się przebierał, kiedy wszedł John, który dotarł tu po kolejnych negocjacjach z Hermanem Steverem. Przebiegły pomyślnie;

człowiek ten kupi od nich całe stado najlepszych rozpłodowych owiec, choć mocno się przy tym zadłuży. Interes mógł się jednak okazać korzystny również dla niego, jeśli dobrze zadba o hodowlę i nie zacznie oszczędzać od niewłaściwego końca. Właściwie Sideblossom chętnie sprzedałby mu jeszcze kilka baranów, ale uparty Niemiec twierdził, że ich nie potrzebuje. Sam będzie sobie winien, jeśli potomstwo nie będzie odpowiadać jego wyobrażeniom.

Thomas przytaknął dość obojętnie, choć obraz dziewczyny znów pojawił mu się na chwilę przed oczami.

– Zdążyłem już poznać tę małą. Ma na imię Elaine. Ale to używany towar. Mówi się, że miała coś z jakimś Anglikiem.

John się roześmiał, ale był to śmiech drapieżnego zwierzęcia. Nie tak śmiał się w gronie mężczyzn, którym opowiadał o swych podbojach w różnych burdelach na zachodnim wybrzeżu.

– Ona zużyta? Przenigdy! Kto ci coś takiego powiedział? Może i była zakochana, ale to dziewczyna z dobrego domu, Tom. Taka nie chodzi z każdym do łóżka.

– Słyszałem już, że jest ponoć krewną właścicielki hotelu – powiedział Thomas. – A ona też ma rude włosy… Choć nie zachowywała się tak, jakby dorastała w barze.

Sideblossom roześmiał się jeszcze głośniej.

– Myślisz, że jest spokrewniona z Daphne O'Rourke? Z burdelmamą? Nie do wiary! Gdzie twoje wyczucie stylu, chłopcze? Nie, nie, te rude włosy to dziedzictwo Wardenów. Ma je po legendarnej Miss Gwyn.

– Masz na myśli Gwyneirę Warden? – zapytał Thomas, zapinając kamizelkę swego trzyczęściowego garnituru. – Z Kiward Station? Tę, która wyszła za mąż i żyje teraz z tym złodziejem bydła?

– Właśnie tę. A ta mała jest kropka w kropkę podobna do matki i babki. Zdaje się ich łagodniejszą wersją. Fleurette miała dość ostry język, a co dopiero stara Gwyn. Ale kobieta z klasą, obie były kobietami z klasą! Powinieneś jeszcze raz przyjrzeć się tej małej, zwłaszcza że z tą rodziną ciągle nie wyrównałem rachunków…

Thomas nie był całkiem przekonany, czy miał ochotę wyrównywać rachunki ojca. Ale to, co słyszał o rodzinie Elaine, było interesujące – jak najbardziej dotarło do niego coś o jego ojcu i Fleurette

Warden; o tym jeszcze przez lata mówiono przecież w całym okręgu. Jedyna kobieta, która kiedykolwiek sprzeciwiła się Johnowi Sideblossomowi, jak głosiła plotka. Po ogłoszonych wszem wobec zaręczynach zniknęła, jakby zapadła się pod ziemię, żeby pojawić się znów w Queenstown, ale już po ślubie z kimś innym – niech ktoś spróbuje zrobić coś takiego jak Fleurette. Na pewno nie ta myszka Elaine. Tym lepiej. Zainteresowanie i instynkt myśliwego na nowo obudziły się w Thomasie Sideblossomie.

Tego wieczoru darował sobie zaplanowaną wcześniej wizytę u Daphne. Jak by to wyglądało, gdyby dziś zaznawał przyjemności z dziwką, a następnego dnia starał się o względy panny z dobrego domu? Nadzieja na to, że spotka Elaine przy stoliku właścicielki hotelu, jednak się nie spełniła. Dziewczyna pojechała już konno do domu. Ale przynajmniej udało mu się dowiedzieć, że faktycznie nie była pracownicą, tylko wnuczką Helen. A więc stąd wzięło się to nieporozumienie, że dziewczyna może być krewną Daphne.

– Elaine to urocza dziewczyna, ale najpierw trzeba ją trochę ośmielić – zdradziła Helen. – Wcześniej była okropnie zdenerwowana i dlatego przy recepcji zachowała się wobec pana tak nieśmiało. Sądzi, że musiał pan o niej pomyśleć, że jest głupia.

Helen czuła się trochę niezręcznie, tak otwarcie rozmawiając z Sideblossomem o Lainie. Fleurette prawdopodobnie by ją za to ukamienowała. Z drugiej strony ten młody mężczyzna wydawał się dobrze wychowany, sympatyczny i uprzejmy. Zapytał ją o Elaine w bardzo grzeczny sposób, a wyglądał co najmniej tak dobrze jak William Martyn. I był bogaty! Może wreszcie puści ten węzeł w Elaine, jeśli będzie o nią choć trochę zabiegał jakiś inny przyzwoity mężczyzna. I przecież wcale nie musiało coś z tego być. Kilka miłych rozmów, trochę podziwu w ciemnych oczach młodzieńca. Spojrzenie Thomasa Sideblossoma nie było tak ponure i przenikliwe jak spojrzenie jego ojca, już prędzej rozmarzone – więc może Elaine znów rozkwitnie! Dziewczyna była taka śliczna. Najwyższy czas, żeby ktoś jej to powiedział.

– Uważam, że to właściwie bardzo piękne, jeśli młoda dziewczyna jest trochę… hmmm… małomówna – powiedział Thomas. – Miss Elaine jak najbardziej mi się spodobała. Gdyby zechciała jej pani to przekazać… – Helen się uśmiechnęła. No proszę, Elaine z pewnością znów zacznie się rumienić z radości, a nie z braku wiary w siebie. – A może uda mi się spotkać ją tutaj znowu i będę mógł z nią porozmawiać trochę dłużej? – Thomas Sideblossom też się uśmiechnął.

Helen miała wrażenie, jakby przestawiono właściwe zwrotnice.

# 3

Thomas natrafił na Elaine w sklepie jej ojca, gdzie rozglądał się za materiałem na nowe garnitury. W Queenstown było kilku świetnych krawców, jak zauważył jego ojciec, i wykonywali swą robotę po dużo korzystniejszych cenach niż ich koledzy z Dunedin. Gdy się nad tym dobrze zastanowić, w ogóle nie było żadnego powodu, żeby za każdym drobiazgiem wybierać się w długą drogę do Dunedin. Oferta w Queenstown zadowalała go pod każdym względem. Jeśli chodzi o tkaniny na garnitur, to te, które oferował Ruben, były nie tylko dobrej jakości, ale pokazywała je też najdelikatniejsza ręka.

Elaine układała właśnie na półkach kilka bel materiału, gdy do działu tekstylnego wszedł Thomas. Jego ojciec zajęty był akurat rozmową z Rubenem O'Keefe'em. Tym lepiej, bo Thomas wolał przyjrzeć się dziewczynie bez towarzystwa.

Elaine strasznie się zarumieniła, gdy tylko go ujrzała. Ponownie, ale Thomas uważał, że jej z tym do twarzy. Lubił też tę wstydliwość, niemal strach, w jej oczach. W pięknych oczach zresztą, błyszczących jak powierzchnia morza w słońcu, o lekko zielonkawym odcieniu. Znów była ubrana w strój do jazdy, tak jak poprzedniego dnia. Próżność trudno by jej było zarzucić.

– Dzień dobry, Miss Elaine. Jak pani widzi, zapamiętałem pani imię.

– A… ja nie mam w dodatku żadnej bliźniaczki… – Ta dość głupia uwaga wymknęła się Elaine, zanim przyszły jej do głowy jakieś mądrzejsze słowa. Sideblossom najwyraźniej uważał, że były całkiem zabawne.

– Na szczęście nie. Myślę, że jest pani jedyna w swym rodzaju! – odpowiedział szarmancko. – Zechciałaby mi pani pokazać kilka materiałów, Miss Elaine? Potrzebne mi dwa nowe garnitury. Coś wysokiej jakości, ale niezbyt ekstrawaganckiego. Coś stosownego na wizyty

w banku albo oficjalne spotkania przy kolacjach, takich jak zjazd hodowców w Dunedin, ściśle mówiąc.

Jeszcze kilka miesięcy temu Elaine zapewne odparłaby kokiete-
ryjnie, że hodowcom pasują raczej skórzane kurtki i bryczesy. Teraz
jednak nie przyszła jej do głowy żadna odpowiedź. Zamiast tego zawstydzona opuściła włosy na twarz; nosiła je dzisiaj niezwiązane i dobrze nadawały się do tego, by się za nimi skryć. Gdy opuszczała głowę,
nikt nie mógł widzieć jej twarzy, ale sama wtedy też niewiele dostrzegała wokół siebie.

Thomas przyglądał się rozbawiony, jak niemal po omacku prze-
ciskała się wśród towarów. Była naprawdę słodka. I tam na dole pewnie też ma rude włosy. Thomas miał już kiedyś rudowłosą dziwkę,
ale jej włosy łonowe były jasne. To go drażniło. Nie lubił, gdy go
oszukiwano.

– Tu mamy jeszcze brązowe tkaniny – powiedziała Elaine.

To będzie pasować do jego oczu, pomyślała, ale nie odważyła się
powiedzieć tego na głos. W każdym razie na pewno wyglądałby w tym
lepiej niż w tym szarym garniturze, jaki miał na sobie. Miał piękne
oczy; było w nich coś tajemniczego, skrytego…

Gorliwie rozwinęła przed nim materiał.

– A jaki pani by wybrała, Miss Elaine? – zapytał przyjaźnie. Mówił dość mrocznym tonem, niemal ochryple, a nie czystym tenorem
jak William.

– Och, ja… – Zaskoczona jego pytaniem, znów zaczęła się jąkać.
W końcu pokazała na brązowy materiał.

– Dobrze, a więc wezmę ten. Krawiec zwróci się do pani, gdy już
zrobi przymiarkę. Dziękuję za poradę, Miss Elaine.

Thomas Sideblossom ruszył w stronę wyjścia. Nagle Elaine poczuła, że chętnie by go zatrzymała.

Dlaczego nic do niego nie powie? Przecież przed Williamem nigdy nie miała problemów, by rozmawiać z ludźmi! Elaine otworzyła
usta, ale nie potrafiła się przemóc.

Sideblossom nagle odwrócił się w jej stronę.

– Z przyjemnością znów bym panią spotkał, Miss Elaine. Pani
babcia zdradziła mi, że jeździ pani konno. Czy zechciałaby pani wybrać się ze mną na przejażdżkę?

* * *

Elaine nic nie wspomniała rodzicom o spotkaniu z Thomasem Sideblossomem. Nie tylko dlatego, że wiedziała, jaki stosunek ma do ojca
Thomasa jej matka, lecz również dlatego, że bała się ponownego odrzucenia. Nikt nie powinien wiedzieć o tym, że znów jakiś mężczyzna
interesował się Elaine O'Keefe! Szybko skierowała więc Banshee za
miasto, a Sideblossom zachowywał się przy tym jak prawdziwy dżentelmen. Dla mieszkańców miasta mogło to wyglądać na zwykły przypadek, że kary koń i siwek Elaine razem opuściły stajnię przy pensjonacie
Helen, i można było potraktować to jako coś zupełnie normalnego, że
jeźdźcy zamienili przy tym z sobą parę słów. Jedynie Daphne śledziła
Elaine i Thomasa uważnym spojrzeniem. Ją nie było tak łatwo zwieść.
Zauważyła zainteresowanie zarówno w jego, jak i w jej oczach. Jedno
i drugie jej się nie podobało.

Jak się okazało, czarny wałach należał do Thomasa, ogier zaś do jego
ojca. Para wierzchowców to też były ojciec i syn.

– Mój ojciec kupił kiedyś araba w Dunedin – powiedział Thomas. – Fantastyczny koń. I od tej pory je hoduje. Zawsze ma karego
ogiera. Khazan to już trzeci. Mój koń nazywa się Khol.

Elaine przedstawiła swoją Banshee, nie zasypywała jednak tym
razem Thomasa – jak wcześniej Williama – potokiem słów o hodowli
walijskich cobów jej babci Gwyneiry. W towarzystwie Thomasa wciąż
prawie się nie odzywała. Wydawało mu się to jednak nie przeszkadzać.
Może odstraszała Williama swoją paplaniną? Elaine z wściekłością zauważała, że Kura praktycznie na każde pytanie odpowiadała „tak" lub
„nie". Koniecznie musi być bardziej wstrzemięźliwa.

Jechała więc obok Thomasa w milczeniu, on zaś z łatwością prowadził rozmowę. Interesował się przy tym jak najbardziej swoją towarzyszką i zadawał jej uprzejme pytania. O ile to było możliwe, Elaine
odpowiadała prostym „tak" lub „nie". Poza tym robiła skąpe uwagi
i kryła twarz za włosami. Właściwie tylko raz podczas całej jazdy nie
udało jej się okiełznać swojej natury: zaczęła się z nim ścigać na długiej, prostej drodze. Wkrótce jednak tego pożałowała. William nigdy
nie lubił takich dzikich galopów i wręcz się na nią naprawdę za to

gniewał. Thomas zachował się zupełnie inaczej. Wydawał się nawet zachwycony tym pomysłem, z powagą ustawił swego konia obok konia Elaine i oddał jej prawo rzucenia komendy do startu. Oczywiście arab Khol pobił jej Banshee bez wysiłku. Elaine, śmiejąc się, dotarła do celu o trzy długości za nim.

– Jest zaźrebiona – usprawiedliwiała swoją klacz.

Thomas skinął głową, nie okazując zbytniego zainteresowania.

– Od tego są klacze. Ale pani jest bardzo śmiałą amazonką.

Elaine potraktowała to jako komplement. Gdy jechała później do domu, po raz pierwszy od zdrady Williama znów trzymała głowę uniesioną i pozwalała, by wiatr rozwiewał jej włosy.

Ruben mruczał coś ponuro pod nosem, Fleurette zaś dalej oddawała się obowiązkom gospodyni domowej, gdy okazało się, że Sideblossomowie postanowili przedłużyć swój pobyt w Queenstown. To, że między Thomasem i Elaine kiełkuje jakiś związek, przeczuwała tylko Helen, której nie umknęły zarówno częste spotkania tej dwójki, jak i poważne zmiany w samej dziewczynie. Oczywiście dręczyło ją trochę sumienie, bo przecież nic nie miała przeciw tym tajemnicom. Z drugiej strony mogła wreszcie patrzeć na śmiejącą się Elaine; zauważyła, że dziewczyna zaczęła nosić ładniejsze sukienki i znów czesała włosy, które falami opadały wokół jej twarzy. To, że wciąż opuszczała głowę, gdy rozmawiała z Thomasem, że wciąż odpowiadała monosylabami i że każde wypowiadane słowo ważyła jak na jubilerskiej wadze, Helen nie rzuciło się już w oczy. Za jej czasów w Anglii zachowywały się tak wszystkie dziewczęta; dość otwarte zachowanie wobec Williama wydawało jej się nawet trochę nieprzyzwoite. W porównaniu z Williamem Thomas Sideblossom też wypadał lepiej w jej ocenie. Oczywiście William był bardziej szarmancki i elokwentny, ale był też impulsywny i dość łatwo się obrażał. Podczas rozmów przy stole z nim zawsze czuła się trochę tak, jakby siedziała na beczce prochu. Thomas tymczasem był powściągliwy i uprzejmy, dżentelmen w każdym calu. Gdy wyruszał na przejażdżkę z Elaine, przytrzymywał jej strzemię, podczas niedzielnych wypraw do kościoła, do których Sideblossomowie oczywiście też się przyłączali, wymieniał z dziewczyną jedynie kilka uprzejmych słów, i nawet Fleurette nie zauważyła przyjaznych stosunków tych dwojga. Z drugiej strony sama była zbyt zajęta tym, by w miarę możliwości stać się niewidzialną. Ruben i Fleurette O'Keefe'owie nie pojawiali się nawet w pobliżu Sideblossomów. Tym większe było ich zdumienie, gdy po pikniku parafialnym Thomas zaprosił Elaine na przejażdżkę łodzią. Jak zawsze pomysłowe koło parafialne, które pilnie zbierało środki na budowę nowego kościoła, wypożyczało zakochanym parom łodzie wiosłowe.

– Poznałem państwa córkę w pensjonacie Miss Helen i czułbym się zaszczycony, mogąc jej sprawić tę drobną przyjemność.

Elaine natychmiast się zaczerwieniła – zbyt wyraźnie stały jej jeszcze przed oczami ostatnie rozrywki z Williamem.

Fleurette wyglądała tak, jakby chciała dość grubiańsko odrzucić tę prośbę, Ruben położył jej jednak rękę na ramieniu. Sideblossomowie byli dobrymi klientami, szczególnie zaś jeśli chodziło o zachowanie Thomasa, nie można mu było nic zarzucić. Nie było żadnego powodu, żeby tak szorstko go traktować. Gdy Fleurette natychmiast zaczęła kłócić się o to z mężem, Thomas prowadził już zdenerwowaną Elaine, za pozwoleniem jej ojca, w kierunku najbliższej łodzi. Elaine jakoś nie zauważyła, że nawet jej nie zapytał, czy ma na to ochotę, ani – jak to robił William – nie pozwolił jej wybrać koloru łodzi. Thomas skierował się po prostu do najbliższej łodzi i szarmancko pomógł jej do niej wsiąść. Elaine, którą oszołomiły uczucia i napływające wspomnienia, podczas całej przejażdżki nie wydobyła z siebie nawet słowa, wyglądała jednak przy tym prześlicznie. Tej niedzieli miała na sobie jasnoniebieską aksamitną sukienkę, a we włosy wplotła pasujące do niej białe wstążki. Niemal cały czas odwracała twarz od Thomasa i patrzyła w wodę. Thomas miał dość czasu, żeby podziwiać jej profil, i znów walczył ze wspomnieniami. Zarysy Emere, niczym gra cieni w świetle księżyca… Ona również nigdy nie patrzyła w oczy mężczyźnie, który ją brał… W świetle słońca wydawało się to wszystko nierzeczywiste. Jeśli jednak Thomas weźmie jakąś kobietę, będzie musiał ją znosić również w świetle dnia. Będzie zawsze, a nie tylko po to, żeby wypełniać noce i ożywiać jego mroczne sny. Ale Elaine była cicha i nietrudno ją było zastraszyć.

To powinno być łatwe, sprawić, żeby była cicha. Ostrożnie zaczął jej opowiadać o farmie Sideblossomów nad jeziorem Pukaki.

– Z domu jest piękny widok na jezioro. I jest tam spokojnie, zupełnie jak na Kiward Station, choć farma nie jest aż tak wielka. Staramy się, żeby ogrody były zadbane, mamy dość służby… choć Zoé uważa, że Maorysów źle wyszkolono. Bardzo się stara to nadrobić, ale druga kobieta w domu byłaby z pewnością wielką korzyścią dla Lionel Station.

Elaine zagryzła wargi. Czyżby to były oświadczyny? Ostrożna próba wybadania jej? Odważyła się spojrzeć na chwilę w twarz Thomasa i wyraz jego oczu wydał jej się poważny, niemal bojaźliwy.

– Słyszałam… że… farma leży bardzo… na uboczu – zauważyła.

Thomas się uśmiechnął.

– Żadna z wielkich owczych farm nie ma bliskiego sąsiedztwa – stwierdził. – W pobliżu Lionel Station jest jedynie obóz Maorysów, a poza tym Queenstown to rzeczywiście najbliższa większa miejscowość. Po drodze jest jednak jeszcze kilka wsi. A o jakimś miejscu można powiedzieć, że jest samotne i na odludziu tylko wtedy, gdy jest się nieszczęśliwym…

Brzmiało to tak, jakby i Thomas często miewał smutne myśli.

Elaine spojrzała na niego nieśmiało.

– A często jest pan samotny? – zapytała z wahaniem.

Thomas z powagą kiwnął głową.

– Moja matka wcześnie umarła. A maoryska kobieta, która się mną opiekowała… nigdy nie dała mi tego, czego potrzebowałem. Później zaś byłem w Anglii, w szkole z internatem.

Elaine spojrzała na niego z zainteresowaniem, zapominając o swej nieśmiałości.

– Och, był pan w Anglii? Jak tam było? Podobno jest zupełnie inaczej niż tu…

Thomas się uśmiechnął.

– Cóż, nie ma tam żadnych weta, gdyby sądziła pani, że nie da się żyć bez „bóstw brzydoty".

– To z maoryskiego, prawda? „Bóstwa brzydoty". Mówi pan po maorysku?

Thomas wzruszył ramionami.

– Jako tako. Jak już wspominałem, moje opiekunki były Maoryskami. W Anglii czegoś takiego oczywiście nie ma. Tam miłe nianie kładą dzieci do łóżek i śpiewają im kołysanki. Zamiast... – Thomas urwał, a przez jego twarz przemknął wyraz bólu.

Elaine widziała zmiany na jego twarzy i czuła rosnące w niej współczucie. Odważyła się położyć rękę na jego ramieniu. Puścił wiosła.

– Wcale by mi nie przeszkadzało mieszkanie na farmie, która leży trochę na uboczu. I nie mam też nic przeciw weta... – W rzeczywistości jako dziecko łapała nawet te olbrzymie owady, a potem zakładała się ze swoim bratem, czyj będzie wyżej skakać.

Thomas zebrał się w sobie.

– Mógłbym do tego wrócić – powiedział. Elaine znów czuła unoszące się w niej ciepło, które do tej pory wyzwalał w niej tylko William, gdy czule z nią rozmawiał.

Niemal tańczyła, idąc pod ramię z Thomasem w stronę czekających rodziców.

– O czym z tobą rozmawiał? – zapytała podejrzliwie Fleurette, po tym jak Thomas pożegnał się z nimi formalnym ukłonem.

– Och, tylko o weta – mruknęła Elaine.


– Pani wnuczka znów jest zakochana – skonstatowała Daphne, pijąc herbatkę z Helen. – Wygląda na to, że ma słabość do mężczyzn, przy których aż mnie świerzbi, żeby coś im zrobić!

– Daphne! – zganiła ją Helen. – A co to ma znowu znaczyć?

Daphne się roześmiała.

– Proszę o wybaczenie, Miss Helen, chciałam powiedzieć, że Miss O'Keefe przejawia zainteresowanie mężczyznami, którzy z niejasnych powodów wywołują u mnie złe samopoczucie.

– Czy o którymkolwiek ze znanych ci panów kiedykolwiek zrobiłaś jakąś przyjazną uwagę? – spytała Helen. – Z wyjątkiem tych, którzy... eee... w pewnym sensie sami sobie wystarczają?

Daphne wyraźnie preferowała barmanów i służących, którzy czuli pociąg raczej ku własnej płci. Zawsze też wyrażała się bardzo przyjaźnie o Lucasie Wardenie, którego poznała na krótko przed jego śmiercią.

Zaśmiała się teraz.

– Zapamiętam sobie to wyrażenie! Pijąc z panią herbatę, wciąż jeszcze mogę się czegoś nauczyć. A jeśli chodzi o chłopców... Homoseksualiści są praktyczniejsi, nie dobierają się do dziewczyn. A ci normalni są nudni. Dlaczego miałabym tracić czas na miłe uwagi o ludziach, którzy zazwyczaj nie są nawet klientami? Ale co do tych Sideblossomów… młody jeszcze nigdy się nie pojawił, ale stary nie należy do naszych ulubionych gości, żeby nie wyrazić tego zbyt dosadnie…

– Nie chcę tego słuchać, Daphne! – przerwała jej energicznie Helen. – Nie wspominając już o tym, że zachowanie Mr Thomasa jest bez wątpienia godne dżentelmena. A Elaine wręcz rozkwita.

– To może być jednak krótkie kwitnienie – zauważyła Daphne. – Myśli pani, że on ma uczciwe zamiary? Bo jeśli tak… Miss Fleur nie będzie zachwycona.

– To jeszcze nie jest temat do rozmowy! – broniła się Helen. – Poza tym to samo można powiedzieć o tobie i o Fleur, Daphne: Mr Thomas i Mr John to dwie różne osoby. Nieważne, jakie Mr John popełnił błędy, jego syn nie musiał ich przecież odziedziczyć. Mój Howard, na przykład, też nie był żadnym dżentelmenem, ale Ruben w żaden sposób go nie przypomina. U Sideblossomów może być tak samo.

Daphne wzruszyła ramionami.

– Może – stwierdziła. – Ale o ile sobie dobrze przypominam, o tym, jaki jest Mr Howard, dowiedziała się pani dopiero wtedy, gdy już na dobre siedziała pani na Canterbury Plains.

Inger wyraziła się dosadniej, choć Elaine nie pozwoliła oczywiście na to, by opowiedziała jej ze wszystkimi szczegółami o swoich doświadczeniach z Johnem Sideblossomem.

– Daphne dopuszczała do niego tylko doświadczone dziewczyny. Zawsze o tym dyskutowano. Chciał tylko te całkiem młode, a my też po części chciałyśmy tego, ponieważ… no cóż, za takich mężczyzn zawsze były jakieś dodatkowe pieniądze i często kilka dni wolnego. Ale Daphne ustąpiła tylko raz, bo Susan rzeczywiście pilnie potrzebowała pieniędzy. – Inger trochę zawstydzona wskazała na podbrzusze. Był to jednak gest, którego Elaine nie potrafiła odczytać. – Potem… – Elaine ze zdziwieniem po raz pierwszy zobaczyła, jak jej przyjaciółka się rumieni – potem mogła już je wydać na coś innego. Jej… płód nie przetrwał nocy. A sama Susan była dość… no, nie czuła się dobrze. Miss Daphne musiała sprowadzić lekarza. No i potem już zawsze uciekała, gdy przychodził Mr John. Nie mogła na niego patrzeć.

Dla Elaine wszystko to brzmiało dziwnie. Cóż to za „płód" zniszczył Mr Sideblossom? Ale przecież nie chciała słuchać niczego o Mr Johnie, tylko porozmawiać trochę o Thomasie. Drobiazgowo opisała przyjaciółce, w jaki sposób spędzała z nim czas. Jeśli o to chodziło, Inger nie znalazła niczego, co można by skrytykować – jeśli już coś ją niepokoiło, to raczej skrajnie wstrzemięźliwe zachowanie Thomasa.

– Dziwne, że nigdy nawet nie próbował cię pocałować – stwierdziła po denerwująco długim opisie ich konnej przejażdżki, podczas której Elaine i Thomas znów wymieniali jedynie spojrzenia.

Elaine wzruszyła ramionami. W żadnym wypadku nie mogła przyznać, że to właśnie wstrzemięźliwość Thomasa tak bardzo jej się podobała. Od czasu Williama bała się dotyku. Nie chciała, żeby znów przebudziło się w niej coś, co nie będzie mogło się spełnić.

– Jest po prostu dżentelmenem. Chce dać mi czas i niekiedy wydaje mi się, że ma poważne zamiary – zarumieniła się lekko.

Inger się roześmiała.

– No, miejmy nadzieję! Jeśli te dranie nie mają żadnych poważnych zamiarów, szybko przechodzą do rzeczy! Delikatnie obchodzą się najwyżej z ladies…

Thomas wciąż się wahał. Z jednej strony Elaine coraz częściej wkradała się w jego sny i oczywiście była odpowiednią oblubienicą. Z drugiej strony czuł się niemal, jakby zdradzał Emere – co było zupełnie bez sensu, bo przecież nigdy nawet jej nie dotknął. Nigdy by na to nie pozwoliła, nawet wtedy, gdy był jeszcze małym chłopcem, który tęsknił za niewinnymi pieszczotami. Ale to było prawie tak, jakby zamykało się jakieś okno, jakby miała się skończyć jakaś era, gdyby poważnie starał się o Elaine i zabrał ją w końcu do Lionel Station. Thomas nie mógł się zdecydować – ale wkrótce będzie musiał, bo John Sideblossom naciskał. Nawet więcej niż akceptował wybór syna i szalenie cieszył się na to, że zatańczy z Fleurette O'Keefe na weselu Thomasa i Elaine. Chciał już jednak wrócić na swoją farmę. Queenstown mu się znudziło; załatwił swoje interesy i odwiedził każdą dziwkę, do której Daphne go dopuściła. Znów zaczął pożądać Zoé, swej młodszej żony, i tęsknił za pracami w posiadłości. Wkrótce nadejdzie czas spędu owiec i najpóźniej wtedy będzie potrzebował Thomasa. Pomysł, żeby zostawić go samego w Queenstown, by syn mógł w spokoju kontynuować swe starania, odrzucił więc natychmiast.

– A z jakiego to niby powodu chcesz tu zostać? – zapytał. – Sideblossom przesiadujący na progu jakiejś kobiety niczym basior przed budą suki w rui? Zacznij być wreszcie konsekwentny. Zapytaj dziewczynę, a potem jej ojca. Lepiej byłoby w odwrotnej kolejności, ale dziś już się tak tego nie robi. A ta mała je ci przecież z ręki, prawda?

Thomas się skrzywił.

– Ta mała jest na tyle dojrzała, by ją zerwać… choć nie wiem, co ona może przez to rozumieć. Ten William Martyn nie mógł jej za wiele nauczyć, biorąc pod uwagę, jaka jest nieśmiała. Jak mogłem kiedykolwiek wątpić, że jest dziewicą! Aż się wzdryga, gdy przypadkowo jej dotknę. Ile czasu mi dajesz?

Sideblossom przewrócił oczyma.

– Jak już ją zaciągniesz do łóżka, trzy minuty. Poza tym… Najpóźniej za trzy tygodnie chcę stąd wyjechać. Miejmy nadzieję, że do tego czasu usłyszysz od niej „tak".


– Ale ja chcę za niego wyjść! – Elaine odrzuciła głowę do tyłu i niemal tupnęła nogą. Po raz pierwszy od miesięcy Fleurette i Ruben znów poznawali swą pełną życia, wojowniczą córkę. Woleliby jedynie, żeby było tak z innego powodu.

– Elaine, nie wiesz, co mówisz – stwierdził Ruben. W przeciwieństwie do Fleurette, która na wieść o zaręczynach Elaine z Thomasem Sideblossomem zareagowała histerycznie, starał się zachowywać spokojnie. – Chcesz się zaręczyć z całkiem obcym człowiekiem, którego rodzinna historia, mówiąc delikatnie, jest bardzo podejrzana…

– Jeden z moich dziadków był złodziejem bydła, drugi mordercą! To nawet nie najgorzej pasuje! – rzuciła Elaine.

Ruben przewrócił oczami.

– …i z rodziną tą nie mieliśmy zbyt dobrych doświadczeń – poprawił się. – Chcesz za niego wyjść i wyjechać na farmę z dala od cywilizacji. Lainie, w porównaniu z Lionel Station nasza Nugget leży w centrum miasta!

– No i? Mam konia i potrafię jeździć konno. Kiward Station też leży na uboczu, a babci Gwyn to nie przeszkadza. Poza tym są tam jeszcze Zoé, Mr John…

– Stary kobieciarz, lubieżnik, który kupił sobie właśnie młodą dziewczynę do swego łoża! – wrzasnęła Fleur, co na chwilę odebrało Elaine mowę. Takich słów oczekiwałaby może od Daphne, ale nigdy z ust swej dobrze wychowanej matki.

– Przecież nie kupił Zoé…

– A jeszcze jak ją kupił! Pół zachodniego wybrzeża o tym mówi!

Najwyraźniej Fleurette w ostatnich tygodniach nie poświęcała czasu wyłącznie na pracę w domu, lecz również na liczne odwiedziny u bliższych i dalszych sąsiadów. Wymieniano przy tym wszystkie plotki, jakie znano na Wyspie Południowej.

– Ojciec Zoé Lockwood stał na skraju całkowitego bankructwa. Przerosło go prowadzenie farmy i wykwintne życie… Taki mądrala, który dorobił się majątku na złotonośnych polach, ale nie miał żadnego pojęcia, jak go utrzymać. Sideblossom spłacił jego długi i dał mu kilka owiec na hodowlę. Za to dostał dziewczynę. Ja to nazywam „kupieniem".

Oczy patrzącej na córkę Fleur miotały błyskawice.

– Ale Thomas i ja się kochamy – utrzymywała Elaine.

– Ach tak? – odparła Fleurette. – O Williamie mówiłaś to samo.

Tego już było za wiele. Elaine wahała się między wybuchem płaczu a chęcią, by rzucić czymś w matkę.

– Jeśli mi nie pozwolicie, to poczekamy, aż będę pełnoletnia. Ale wyjdę za niego i tak, i nie możecie mnie przed tym powstrzymać!

– A więc czekajcie! – krzyknęła gniewnie Fleur. – Może do tego czasu wróci ci rozsądek!

– A mogę z nim też uciec!

Ruben ze zgrozą wyobraził sobie kilka lat z gniewającą się córką. Nie uważał Elaine za lekkomyślną. Poza tym on również zauważył zmianę w zachowaniu córki. Związek z Thomasem Sideblossomem zdawał się jej służyć. Gdyby tylko ta Lionel Station nie była tak strasznie daleko…

– Fleur, może powinniśmy porozmawiać o tym sami? – spróbował uspokoić sytuację. – Krzyczenie na siebie w niczym nie pomoże. Gdybyśmy wyznaczyli stosownie długi okres narzeczeństwa…

– To w ogóle nie wchodzi w rachubę! – Fleurette aż za dobrze pamiętała jeszcze noc, kiedy John Sideblossom napastował ją w stajni w Kiward Station. Na szczęście jej matka w porę przybyła na pomoc, ale potem Fleur musiała przejść w podartej sukni przez salon, mijając po drodze Geralda Wardena i jego kompanów od butelki. To było najboleśniejsze doświadczenie w jej życiu.

– Mamo, ty go w ogóle nie znasz! Nie zamieniłaś z Thomasem nawet jednego słowa, a przedstawiasz go tak, jakby był diabłem wcielonym – argumentowała Elaine.

– Co racja, to racja – wtrącił Ruben. – No dalej, Fleur, niech twoje serce trochę zmięknie. Zaprośmy tego młodego człowieka i dobrze mu się przyjrzyjmy.

Fleurette zgromiła go wzrokiem.

– To się już świetnie sprawdziło z tym Williamem – zauważyła. – I na koniec wszyscy z wyjątkiem mnie byli zachwyceni. Ale tu nie chodzi o jakieś sprawdzenie, kto lepiej zna się na ludziach. Tu chodzi o życie Lainie...

– Właśnie, o *moje*! Ale ty zawsze chcesz się wtrącać...

Ruben westchnął. To z pewnością potrwa jeszcze kilka godzin. Fleurette i Elaine rzadko się kłóciły, ale jeśli już do tego dochodziło, żadna nie chciała ustąpić. Nie miał najmniejszej ochoty tego słuchać. Spokojnie wstał, poszedł do stajni i osiodłał konia. Może po prostu sam porozmawia z tymi Sideblossomami – najlepiej z ojcem i synem.

Ruben oficjalnie nie miał żadnego konfliktu z Johnem Sideblossomem. Co prawda uważał go za mało sympatycznego i wciąż jeszcze żywił do niego urazę, ale ten wielki, potrafiący sporo wypić, zamknięty w sobie farmer w ogóle miał mało przyjaciół. Wśród hodowców bydła od czasów pościgu za Jamesem McKenziem był sławny, ale była to raczej zła sława. Jego ówczesne zachowanie uczyniło go szczególnie odpychającym dla dżentelmenów wśród farmerów, ale z pewnością był człowiekiem sukcesu. Jeśli zaś chodziło o Fleurette, Ruben i Sideblossom nigdy nie byli bezpośrednimi rywalami. Fleur i Ruben już od dawna byli parą, kiedy Sideblossom zaczął się starać o jej względy, a historie, które miały miejsce później... O ile Ruben wiedział, wypito wtedy dużo alkoholu, a jeszcze większą rolę odegrała chęć puszenia się. Po dwudziestu latach był gotów mu to wybaczyć. Zwłaszcza że Sideblossom również tym razem pokazał się jako dobry, wypłacalny klient, i tu Helen miała rację. Ten mężczyzna nie targował się o każdego centa, stawiał na jakość, a nie na tanią tandetę, i szybko podejmował decyzję, nawet gdy chodziło o większe zakupy.

Teraz też przeszedł szybko do rzeczy, gdy mężczyźni zasiedli razem w barze. Ruben zaproponował to spotkanie, by wspólnie omówić kwestię „zaręczyn".

– Wiem, że pańska żona wciąż jeszcze jest na mnie zła, i przykro mi z tego powodu – powiedział Sideblossom. – Ale uważam, że młodzi ludzie nie powinni przez to cierpieć. Nie mam zamiaru rozpowiadać o wielkiej miłości, to nie w moim stylu. Według mnie dobrze się dobrali. Mój syn jest dżentelmenem i może zaoferować pańskiej córce stosowne utrzymanie. Lionel Station jest wspaniałą posiadłością. A o ile moja młoda żona mnie jeszcze czymś nie zaskoczy... – jego uśmiech skojarzył się Rubenowi z rekinem ludojadem – Thomas jest moim jedynym spadkobiercą. A więc tym razem z pewnością nie mają państwo do czynienia z łowcą posagów.

– Tym razem? – obruszył się Ruben.

– Niech pan da spokój, przecież wszystkie wróble ćwierkają na dachach o tej sprawie z Williamem Martynem. Ambitny młody człowiek. Zamierza mu pan czynić wyrzuty, że wolał Kiward Station od filii pańskiego sklepu w jakiejś wiosce?

Ruben poczuł, jak wszystko zaczyna się w nim gotować.

– Mr Sideblossom, nie sprzedaję córki komuś, kto najwięcej za nią zaoferuje...

– No przecież to właśnie mówię – odparł spokojnie Sideblossom. – „Zaś największa jest miłość", tak zapisano nawet w Biblii. Niech pan wyda córkę za mąż po prostu, bez żadnych rozmyślań o finansach.

Ruben postanowił podejść do sprawy inaczej.

– Kocha pan moją córkę? – Z tym pytaniem zwrócił się do młodego Sideblossoma, który do tej pory siedział przy nich w milczeniu. Kiedy odzywał się stary, chłopak niewiele miał przy nim do powiedzenia, co Ruben zauważył już wcześniej w sklepie.

Thomas Sideblossom spojrzał na niego, a Ruben zajrzał w jego niezgłębione brązowe oczy.

– Chcę się ożenić z Elaine – wyjaśnił oficjalnym tonem i z powagą Thomas. – Chcę jej całkowicie tylko dla siebie, chcę się o nią troszczyć i opiekować się nią. Czy nie mówi to dostatecznie dużo?

Ruben skinął głową.

Dopiero dużo później miał pomyśleć o tym, że „wyznaniem miłosnym" Thomasa równie dobrze można by było uzasadnić zakup domowego zwierzęcia...

# 4

O'Keefe'owie i Sideblossomowie zgodzili się na sześciomiesięczny okres narzeczeństwa. Wesele miało się odbyć pod koniec września, kiedy w Nowej Zelandii panuje wiosna, jeszcze przed strzyżeniem owiec, podczas którego Thomas i John byli niezbędni na farmie. Fleurette nalegała, żeby przed ślubem Elaine przynajmniej raz odwiedziła Lionel Station. Dziewczyna powinna wiedzieć, na co się decyduje. Fleur właściwie zamierzała towarzyszyć córce, potem jednak opuściła ją odwaga. Cała aż się wzdragała na myśl, że miałaby spędzić noc pod jednym dachem z Johnem Sideblossomem. Wciąż była zdecydowanie przeciwna temu związkowi, ale nie potrafiła przedstawić żadnych przyzwoitych argumentów. Mężczyźni spotkali się i poczynili ustalenia, a Sideblossomowie, tak ojciec, jak i syn, nie zrobili na Rubenie najgorszego wrażenia.

– Niech będzie, ten stary to cwaniak, to powszechnie wiadomo. Ale przecież nie jest wcale gorszy niż na przykład Gerald Warden. To takie pokolenie. Łowcy fok, wielorybnicy... mój Boże, nie dorobili się swoich majątków w aksamitnych rękawiczkach. To rozrabiaki! Ale do tej pory wszystkich ich poskromiono, a ten chłopak wydaje mi się dobrze wychowany. Najwyraźniej ci twardziele wychowują teraz mięczaków. Pomyśl o Lucasie Wardenie!

Fleurette, która długo uważała Lucasa Wardena za swojego ojca, miała o nim tylko dobre wspomnienia. W końcu zgodziła się poznać osobiście Thomasa Sideblossoma i faktycznie nie znalazła niczego, co by mu mogła zarzucić. Dziwiło ją jedynie zachowanie Elaine wobec niego. Gdy był przy niej William, dziewczyna tryskała życiem – przy Thomasie zaś wciąż sprawiała wrażenie, jakby zaniemówiła. A Fleur tak bardzo zdążyła się już przyzwyczaić do tego, że znów widzi córkę bezustannie coś trajkoczącą i przebiegającą po domu w powiewającej za nią sukni i z rozpuszczonymi włosami.

W końcu zdecydowała się poprosić Helen, żeby towarzyszyła wnuczce w drodze do posiadłości Sideblossomów, a Leonard McDunn zaoferował, że je tam zawiezie. Fleur ufała, że ta towarzysząca jej córce dwójka będzie w stanie trzeźwo ocenić sytuację, lecz kiedy wrócili, ich oceny trochę się od siebie różniły. Helen wychwalała gościnny dom, jego prześliczne położenie i dobrze wyszkolony personel. Zoé Sideblossom wydała jej się zachwycająca i dobrze wychowana.

– To prawdziwa piękność! – zachwycała się. – Biedna Elaine znów aż się skuliła w sobie, gdy skonfrontowała się z tą olśniewającą istotką!

– Olśniewającą? – zapytał McDunn. – No więc jeśli o mnie chodzi, uważam, że ta mała była raczej chłodna, choć wygląda jak prawdziwy pozłacany aniołek. Wcale mnie nie dziwi, że Lainie przyszła na myśl Kura. Tyle tylko, że ta dziewczyna nie stanowi tym razem żadnej konkurencji. Wpatrzona jest jedynie w swojego małżonka, a młody Sideblossom nie patrzył na nikogo innego oprócz Lainie. A co do personelu… może ci ludzie i są dobrze wyszkoleni, ale boją się swoich panów. Nawet tej małej Zoé! Dla służących ten anioł jest jak wódz podczas bitwy. Co zaś do gospodyni, tej Emere… to jest jak jakiś mroczny cień. Ta kobieta naprawdę budzi grozę.

– Przesadzasz! – weszła mu w słowo Helen. – Po prostu za mało miałeś do czynienia z Maoryskami…

– Na taką w każdym razie jeszcze się nie natknąłem. To granie na flecie… i zawsze tylko nocą. Można się naprawdę zacząć bać! – McDunn się wzdrygnął. Nie należał raczej do nerwowych typów, zwykle mocno stał na ziemi, a jakiejś niechęci do Maorysów też u niego jak dotąd nie zauważono.

Helen się roześmiała.

– Ach tak, *putorino*. Rzeczywiście brzmi dość niesamowicie. Słyszałaś kiedyś coś takiego, Fleur? To flet z twardego drewna o bardzo dziwnych kształtach, na którym można grać dwoma głosami. Maorysi mówią o głosie męskim i żeńskim…

– Męskim i żeńskim? – zapytał McDunn. – Dla mnie brzmiało to jak topiące się koty… W każdym razie zakładam, że tak wtedy brzmi głos tych zwierzaków.

Fleurette mimo wszystkich trosk musiała się roześmiać.

– To mi wygląda na *wairua*. Tego głosu jednak też jeszcze nigdy nie słyszałam. A ty, Helen?

Helen skinęła głową.

– Matahorua potrafiła go przebudzić. Naprawdę można poczuć zimne dreszcze na plecach... – Matahorua była kiedyś maoryską czarodziejką w O'Keefe Station, u której Helen i Gwyneira w swych młodych latach zasięgały porad „w sprawach kobiecych".

– *Wairua* to trzeci głos *putorino* – wyjaśniła Fleurette nic z tego nierozumiejącemu McDunnowi. – Głos ducha. Bardzo rzadko można go usłyszeć. Widocznie potrzeba szczególnych zdolności, by wydobyć go z fletu.

– Albo szczególnego daru – powiedziała Helen. – W każdym razie ta Emere z pewnością uchodzi wśród swoich ludzi za *tohunga*.

– I dlatego wygrywa na tym flecie po nocy, póki ostatni nocny ptak nie zamknie dzioba? – zapytał sceptycznie McDunn.

Fleurette znów się roześmiała.

– Może jej ludzie nie mają odwagi przyjść do niej za dnia – snuła przypuszczenia. – Z tego, co słyszałam, Sideblossom nie jest w zbyt dobrych stosunkach z Maorysami. Całkiem możliwe, że odwiedzają swoją czarodziejkę tylko potajemnie.

– Przy czym można sobie zadać pytanie, co robi maoryska *tohunga* jako gospodyni u takiego odpychającego *pakeha*... – wymruczał McDunn.

Helen machnęła ręką.

– Nie słuchaj go, Fleur. Jest po prostu wściekły, że stary Sideblossom wygrał od niego dwadzieścia dolarów w pokera.

Fleurette przewróciła oczami.

– I tak jeszcze udało ci się wywinąć – stwierdziła pocieszająco. – Ograł do cna już sporo ludzi. A może sądzisz, że pieniądze na Lionel Station zarobił, polując na wieloryby?

Coś takiego każdemu musiało się wydawać mało prawdopodobne. Rezydencja była zbyt elegancka, meble zaś i wyposażenie – zbyt drogie. Cały ten przepych niemal onieśmielił Elaine, Zoé natomiast znała coś takiego z domu rodziców. W każdym razie w naturalny sposób obchodziła się z drogą porcelaną i kryształowymi kielichami, podczas gdy Lainie musiała się koncentrować i przypominać sobie dawne lekcje udzielane jej przez Helen, by podczas obiadu radzić sobie z przeróżnymi łyżkami, nożami i widelcami.

Nie przyznawała się jednak do tego rodzaju lęków. Gdy Fleurette ją wypytywała, odpowiadała, że Lionel Station jest piękne. Dom jej się podobał, farmy zaś niewiele widziała, choć właśnie na to najbardziej się cieszyła. Ale to będzie można nadrobić po weselu. Thomas był cudowny, bardzo uprzejmy i miły. Wciąż była w nim zakochana, a przecież zawsze marzyła o tym, żeby zamieszkać na farmie. W jej oczach znów pojawiły się dobrze znane iskierki; przecież już jako dziecko nie mogła się nachwalić Kiward Station. Na jakieś niesamowite gospodynie czy grę na flecie po nocy Elaine nie zwróciła uwagi. Musiała przepracować wiele innych wrażeń. A może to dlatego, zastanawiała się, że jej pokój znajdował się w innym skrzydle niż pokoje Helen i Leonarda. Dźwięki *putorino* nie niosą się daleko.

Fleurette wciąż sama nie wiedziała, co takiego nie odpowiadało jej w zaplanowanym ślubie. Może jednak pozwala, by kierowały nią uprzedzenia? Tak więc również tym razem nie wspominała o swoich niejasnych przeczuciach – przecież w kwestii Williama też nikogo to nie interesowało. Tym bardziej zaskoczyło ją, gdy nagle zagadnęła ją o to osoba, która była równie zaniepokojona: Daphne O'Rourke.

„Niemoralna" właścicielka hotelu zaczepiła ją na Main Street dwa miesiące przed weselem. Fleurette zauważyła, że Daphne zachowywała się dyskretnie jak na kogoś w jej sytuacji i że ubierała się zdecydowanie powściągliwie. Miała na sobie ciemnoniebieską aksamitną suknię z nie większą ilością falban, niż to było stosowne.

– Mam nadzieję, że nie będę zbyt natrętna, Miss Fleur, prosząc panią o krótką rozmowę.

Zdziwiona, ale nie okazując niechęci, Fleurette obróciła się w jej stronę.

– Ależ oczywiście, Miss Daphne. Dlaczego nie miałabym…

– Dlatego! – Daphne skrzywiła się i ruchem ręki wskazała na co najmniej trzy szacowne damy, które już zaczęły się im ciekawie przyglądać.

Fleurette się roześmiała.

– Jeśli tylko o to chodzi… możemy pójść do mnie i napić się herbaty. To znaczy, o ile czuje się tu pani nieswojo. Mnie jest wszystko jedno.

Daphne jeszcze bardziej wyszczerzyła zęby.

– Wie pani co? Damy im naprawdę powód do plotek i pójdziemy do mnie. Bar jest jeszcze zamknięty, więc będziemy mogły tam sobie spokojnie usiąść. – Wskazała na wejście swojego hotelu, obok którego właśnie przechodziły.

Fleurette nie zastanawiała się długo. Bywała już wcześniej w lokalu Daphne, a nawet spędziła w nim noc poślubną z Rubenem. Dlaczego więc miałaby się wzbraniać? Chichocząc jak uczennice, obie kobiety weszły do baru.

Zmienił się dość mocno od czasu, kiedy Fleurette przybyła do Queenstown. Daphne najwyraźniej poniosła sporo kosztów na wyposażenie lokalu. Nadal wyglądał jednak niemal dokładnie tak, jak prawie wszystkie knajpy w anglosaskim kręgu: drewniane stoły i krzesła, stołki barowe, deski na podłodze i cała bateria butelek na regałach za ladą. Jednak scena, na której tańczyły dziewczyny, urządzona była znacznie staranniej niż zwykły drewniany podest, jaki stał w tym miejscu wcześniej. Na ścianach wisiały obrazy i lustra. Były dość frywolne, ale nie na tyle, by Fleurette znalazła powód, aby się rumienić.

– Proszę ze mną, pójdziemy do kuchni – odezwała się Daphne i zaprowadziła Fleurette do pomieszczeń za recepcją. To też było nietypowe: w hotelu Daphne podawano nie tylko whisky, ale i skromne posiłki.

Daphne zajęła się parzeniem herbaty, a Fleurette ze swobodą zasiadła przy kuchennym stole. Był to dość spory mebel; najwyraźniej Daphne karmiła przy nim również swoje dziewczyny.

– A więc o co chodzi, Miss Daphne? – zapytała Fleur, kiedy gospodyni postawiła już przed nią śliczną porcelanową filiżankę.

Daphne westchnęła.

– Mam nadzieję, że nie potraktuje pani tego jako wtrącanie się. Ale, cholera… Och, przepraszam! Pani też ma złe przeczucia w tej sprawie!

– W tej sprawie? – zapytała ostrożnie Fleurette.

– No, chodzi o zaręczyny pani córki z tym Sideblossomem. Naprawdę chce pani wysłać tę dziewczynę na pustkowie na najdalszym końcu Pukaki? Samą z tym facetem? – Daphne nalała herbaty.

– To, czego ja chcę, nie ma większego znaczenia – odparła Fleurette. – Elaine na to nalega. Jest zakochana. A Helen…

– ...Wychwala w najpiękniejszych słowach Lionel Station, wiem. – Daphne podmuchała na herbatę w filiżance. – Dlatego właśnie chciałam porozmawiać z panią, Miss Fleur. Miss Helen... cóż, jest damą. Pani oczywiście też, ale ujmijmy to tak, że ona jest trochę taką szczególnie... cóż, wytworną damą. Są rzeczy, o których nie da się z nią rozmawiać.

– Czy jest coś, o czym pani wie, Miss Daphne? O Thomasie Sideblossomie? – zapytała nerwowo Fleurette.

– Nie o chłopaku. Ale co do starego... No cóż, nie zostawiłabym z nim sam na sam mojej córki. A to, co można usłyszeć o jego małżeństwie, też wydaje się dziwne...

Fleurette chciała coś wtrącić, ale Daphne ruchem ręki nakazała jej milczenie.

– Wiem, co chce pani teraz powiedzieć. Ten stary ma zszarganą opinię, ale chłopak może być zupełnie inny. Miss Helen też mi to już wypominała. I przecież nic też nie mówię na tego chłopaka. Myślę tylko... – Daphne zagryzła wargi. – Być może powinna pani powiedzieć Elaine przed ślubem, co ją czeka.

– Powinnam co? – Fleurette jednak się zaczerwieniła. Kochała Rubena z całego serca i nie wstydziła się tego, co razem robili w łóżku. Ale żeby rozmawiać o tym z Elaine?

– Powinna jej pani powiedzieć, co rozgrywa się między kobietą i mężczyzną w łóżku – sprecyzowała Daphne.

– A więc uważam, że to, co najważniejsze, już wie. A poza tym... przecież my same też się tego wszystkie dowiedziałyśmy, to znaczy myślę... – Fleurette nie wiedziała, co chciała powiedzieć.

Daphne znów westchnęła.

– Miss Fleur, nie wiem, jak mogłabym to wyrazić jeszcze dobitniej. Ale ujmijmy to tak, że nie każda odkrywa to samo i że nie za każdym razem jest to miłe odkrycie. Proszę jej opowiedzieć, co dzieje się normalnie między kobietą a mężczyzną!

Rozmowa Fleurette z Elaine okazała się dość kłopotliwa i niezręczna, pozostawiła więcej pytań otwartych niż wyjaśnionych.

W zasadzie, wyjaśniała swojej córce, między kobietą a mężczyzną odbywa się to tak, jak między ogierem a klaczą. Tyle tylko, że kobiet nie dosiadają żadne rumaki, w każdym razie nie „w tym sensie", i że oczywiście wszystko odbywa się po ciemku, w małżeńskim łożu i nocą, a nie publicznie w biały dzień. Pod tym względem Owen i Banshee nie miały żadnych zahamowań.

Elaine strasznie się zarumieniła, a jej matka wcale nie mniej. W końcu jednej i drugiej odebrało mowę, a Elaine zadała swoje pytania u mniej wytwornego, wtajemniczonego źródła. Po południu poszła do Inger.

Nie zastała jednak przyjaciółki samej. Inger paplała o czymś w swym ojczystym języku z jasnowłosą dziewczyną, w której Elaine rozpoznała nową gwiazdkę z lokalu Daphne. Chciała się od razu wycofać, ale Inger machnęła do niej, żeby została.

– Maren to i tak wszystko jedno. Na razie możesz się spokojnie do nas dosiąść. A może to dla ciebie nieprzyjemna sytuacja?

Elaine potrząsnęła głową. Maren zaczerwieniła się jednak; najwyraźniej rozmowa obu kobiet toczyła się wokół dość śliskich tematów. Podjęły ją zresztą wkrótce znowu, przy czym Maren wyraźnie dawała do zrozumienia, jak bardzo czuje się dotknięta.

– Możesz dla mnie tłumaczyć? – zapytała w końcu zdenerwowana Elaine. – Albo mówcie po prostu po angielsku. Maren i tak musi się tego nauczyć, jeśli chce tu zostać.

Dziewczęta imigrantki często nie dość dobrze mówiły językiem używanym w tym kraju – co z pewnością było powodem, dla którego wiele z nich kończyło w burdelach, zamiast znaleźć sobie jakieś godniejsze zajęcie.

– To dość trudna sprawa – stwierdziła Inger. – Daphne poprosiła mnie, żebym wyjaśniła Maren coś, co ona... no cóż, po angielsku tego nie zrozumie.

– A co to takiego? – W Elaine rozbudziła się ciekawość.

Inger zagryzła wargę.

– Nie wiem, czy przyzwoite dziewczyny powinny coś takiego wiedzieć.

Elaine przewróciła oczami.

– Brzmi to tak, jakby chodziło o mężczyzn – powiedziała. – A ja wkrótce wychodzę za mąż, więc spokojnie możecie...

Inger się roześmiała.

– W takim razie tego *akurat* nie potrzebujesz wiedzieć.

– Chodzi o to, jak kobita ni mieć dzieci – powiedziała Maren łamaną angielszczyzną, wbijając wzrok w ziemię.

Elaine się uśmiechnęła.

– No, w tej dziedzinie jesteś przecież ekspertką – zauważyła, patrząc na brzuch Inger. Młoda kobieta za kilka tygodni oczekiwała swego pierwszego dziecka.

Inger zachichotała.

– Żeby wiedzieć, jak zapobiec temu, by mieć dzieci, trzeba najpierw wiedzieć, jak się je robi.

– Moja matka mówi, że to jest tak, jak między ogierem i klaczą – odezwała się Elaine.

Maren parsknęła śmiechem. Aż tak zły jej angielski nie był. Inger się roześmiała.

– Ogólnie mężczyzna i kobieta robią to, leżąc – wyjaśniła. – I gapią się przy tym na siebie, jeśli rozumiesz, co mam na myśli. Inaczej nie da się tego zrobić, tylko… no więc teraz to już naprawdę nic dla damy.

– A dlaczego nie? Moja matka mówi, że to jest piękne… w każdym razie, jeśli wszystko idzie tak jak trzeba – powiedziała Elaine. – Z drugiej strony, jeśli miałoby to być takie piękne, to dlaczego wszystkie dziewczyny nie chcą… eee… – Wymownie spojrzała na „roboczą odzież" Maren, czerwoną suknię z głębokim dekoltem.

– Ja nik uważam piękne – stwierdziła Maren.

– No dobrze, nie z obcymi. Ale jeśli kocha się mężczyznę, to tak – dodała Inger. – Mężczyznom w każdym razie zawsze się to podoba. Inaczej by za to nie płacili. A jeśli chce się dziecka – pogłaskała się po brzuchu – to jest to nieuniknione.

Elaine wszystko się pokręciło.

– No więc jak to jest? Myślałam, że ma się dzieci, jeśli robi się to jak… – Rzuciła krótkie spojrzenie na Callie. Suczka właśnie nadstawiała się Maren, żeby ta ją głaskała.

Inger uniosła oczy ku niebu.

– Lainie, nie jesteś żadnym koniem ani psem – powiedziała surowo i zaczęła powtarzać po angielsku ten sam wykład, którego wcześniej udzieliła Maren. – Kobiety mają dzieci, jeśli są z mężczyznami dokładnie pośrodku między krwawieniami. Dokładnie pomiędzy.

Wtedy Daphne daje swoim dziewczynom wolne. Muszą jedynie tańczyć i śpiewać, i być w barze.

– Ale przecież powinno wystarczyć – powiedziała Elaine – jeśli robi
się to tylko w tym czasie. W każdym razie, jeżeli chce się mieć dziecko.

Inger znów przewróciła oczami.

– Twój mąż na pewno by się z tobą nie zgodził. Będzie chciał zawsze. To pewne.

– A jeśli robi to w taka dni? – Maren też zdawała się nic z tego
nie pojmować.

– Wtedy robisz płukanki wodą z octem. Od razu po. Wypłuku-
jesz sobie wszystko, nawet jeśli to piecze, i bierzesz tak dużo octu, jak
dużo możesz znieść. Następnego dnia rano robisz to jeszcze raz. Daphne mówi, że to nie jest pewny sposób, ale warto próbować. Mówi,
że w jej przypadku zawsze pomagało. Nigdy nie musiała usuwać.

Elaine nawet nie pytała, co to znaczy „usuwać". Już sama myśl
o płukaniu najintymniejszych części ciała octem przyprawiała ją o dreszcze. Ale czegoś takiego nigdy nie będzie musiała robić. Przecież chciała
mieć dzieci z Thomasem.

# 5

Nad Kiward Station zbierała się burza i William Martyn popędzał konia, by zdążyć przed deszczem do domu. W nim samym również kłębiło się i kipiało jak formacje chmur nad górami, które wiatr z całą mocą rozwiewał nad Canterbury Plains. Pierwsza chmura już zdążyła przysłonić słońce, zagrzmiało, a głuchy łoskot rozległ się nad ziemią. Światło na farmie wydawało się dziwnie blade, niemal upiorne; zarośla i ogrodzenia rzucały groźne cienie. A potem trzasnął jak bicz pierwszy piorun, zdając się elektryzować powietrze. William jechał coraz szybciej, ale nie udawało mu się pozostawić wściekłości za sobą. Wręcz przeciwnie, im silniej wiał wiatr, tym bardziej pragnął posiąść jego moc, miotać piorunami, żeby okazać tym swój gniew i rozczarowanie.

Jeśli jednak wróci wkrótce do Kury, będzie musiał znów zapanować nad swym nastrojem; być może uda mu się ją przynajmniej przekonać, by stanęła po jego stronie, gdy chodziło o interesy farmy. Gdyby choć własne, a tym samym jego przyszłe roszczenia potrafiła okazać wyraźniej! Ale jak dotąd pozostawiała go w tej kwestii samego. Zdawała się w ogóle nie słuchać jego skarg na nieposłusznych pasterzy, leniwych Maorysów i krnąbrnych pracowników. Albo przynajmniej słuchała go z wyrażającą brak zainteresowania miną, a jej odpowiedzi były bez związku. Kura wciąż, tak jak wcześniej, żyła tylko dla muzyki – i wciąż zdawała się nie porzucać marzenia o występach w Europie. Gdy William opowiadał jej o nowych zniewagach ze strony Gwyneiry albo Jamesa McKenziego, Kura pocieszała go uwagami w rodzaju: „Ależ najukochańszy, przecież i tak wkrótce będziemy już w Europie".

Czy naprawdę kiedyś wierzył, że ta dziewczyna może być rozsądna?

Posępnie prowadził konia między porządnie ogrodzonymi pastwiskami, gdzie pasły się grube wełniste owce rozpłodowe, które niezrażone pogodą pożerały potworne ilości siana. I to mimo tego, że całkiem blisko farmy nie brakowało trawy! Wiosenne słońce zdawało się świecić raczej nieśmiało, ale niekiedy zdarzały się już dni tak ciepłe jak dzisiejszy. A wokół jeziora i osady Maorysów stała jeszcze wysoka zeszłoroczna trawa, która wciąż rosła w oczach. William wydał z tego powodu polecenie Andy'emu McAranowi, żeby przegonić w te miejsca rozpłodowe owce. Ale ten drań w ogóle nie posłuchał jego polecenia i w dodatku poszczuł na niego Gwyneirę. Ta zaś solidnie zbeształa go przy oborach dla bydła.

– William, takie decyzje podejmuję tu *ja*, albo co najwyżej James. Nie ma pan w tych sprawach nic do powiedzenia. Owce wkrótce będą się kocić i musimy je mieć na oku. Nie może pan po prostu wysyłać tych zwierząt na wolne przestrzenie.

– Dlaczego nie? W Irlandii zawsze tak robiliśmy. Jeden albo dwóch pasterzy do pomocy i na wzgórze. A Maorysi i tak tam mieszkają. Przecież mogą rzucić okiem na owce – bronił się William.

– Maorysi tak samo nie lubią mieć naszych owiec w swoim ogródku, jak my pozwalać im je zjadać. Nie wypasamy na łąkach wokół ich domów ani na przyległych terenach nad jeziorem, ani też tam, gdzie jest grupa skał, którą nazywamy Kamiennymi Wojownikami. Maorysi mają tam swoje święte miejsca...

– Chce pani powiedzieć, że rezygnujemy z wielu hektarów najlepszych pastwisk, bo te prostaki modlą się tam do kilku kamieni? – zapytał napastliwie William. – I taki mężczyzna jak Gerald Warden dał się wpuścić w ten absurd?

W ostatnich miesiącach William sporo słyszał o Geraldzie Wardenie i jego szacunek do założyciela farmy rósł. Warden zdawał się kimś, kto miał styl, na co wskazywała choćby sama rezydencja. Z pewnością dawał sobie też radę z hodowlą bydła i panował nad ludźmi. Jak dla Williama, Gwyneira pozwalała im na zbyt wiele.

Po tych słowach jej oczy błysnęły gniewnie, jak działo się za każdym razem, gdy William wspominał o przymiotach starego owczego barona.

– Gerald Warden z reguły bardzo dobrze wiedział, z kim lepiej nie zadzierać! – odparła szorstko i dodała bardziej pojednawczym tonem: – Mój Boże, Williamie, niech pan tylko pomyśli! Czyta pan przecież w końcu gazety i wie, co się dzieje w innych koloniach. Powstania tubylców, masakry, obecność wojska… żyje się wtedy jak na wojnie. Maorysi natomiast wchłaniają cywilizację jak gąbka! Uczą się angielskiego i słuchają tego, co mają do powiedzenia misjonarze. Zasiadają w parlamencie, i to już niemal od dwudziestu lat! I ten pokój miałabym zakłócić tylko po to, żeby zaoszczędzić trochę siana? Nie wspominając już o tym, że te wystające z traw kamienie wyglądają bardzo dekoracyjnie…

Twarz Gwyneiry przybrała rozmarzony wyraz. Nie zdradziła jednak oczywiście Williamowi, że jej córka Fleurette została poczęta właśnie w tym kręgu Kamiennych Wojowników.

William spojrzał na nią, jakby była niespełna rozumu.

– Myślałem, że Kiward Station miało już swoje problemy z Maorysami – zauważył. – I akurat pani…

Kłótnie między Tongą a Gwyneirą przeszły do legendy.

Gwyneira parsknęła.

– Moja różnica zdań z wodzem Tongą nie miała nic wspólnego z narodowością. Byłoby tak również wtedy, gdyby był Anglikiem… albo Irlandczykiem. Tak się składa, że teraz doświadczam uporu akurat tej narodowości. Anglicy i Irlandczycy też kłócą się o takie głupstwa jak to, o jakie właśnie teraz chce pan rozpocząć spór. Proszę się więc powstrzymać!

William dał w końcu za wygraną. Co mu innego pozostało? Jednakże tego rodzaju konflikty zdarzały się coraz częściej, również z Jamesem McKenziem, który na szczęście w tej chwili był nieobecny – gościł w Queenstown na weselu swej wnuczki Elaine. Co za wydarzenie! William życzył dziewczynie dużo szczęścia, zwłaszcza że jej przyszły mąż wydawał się dobrą partią. Nie miał więc nic przeciw temu, żeby pojechać razem z Kurą na wesele i jej pogratulować. Nie rozumiał w ogóle, dlaczego Gwyn tak kategorycznie się temu sprzeciwiła. To, że sama też zrezygnowała z udziału w weselu, jakoś nie mieściło się Williamowi w głowie. Mógł przecież bez problemu sam kierować Kiward Station. Może nawet udałoby mu się popędzić trochę do pracy robotników. Kontakt z personelem wciąż był bardzo uciążliwy. Ludzie byli tu tak inni niż w Irlandii; tam zawsze był w dobrych stosunkach z dzierżawcami. Tyle tylko, że w Irlandii dzierżawcy obawiali się właścicieli ziemskich, a każde popuszczenie cugli przyjmowali z wdzięcznością i przychylnością. Tutaj zaś... Gdy William trochę zbyt szorstko potraktował jednego z pasterzy, ten nie uważał nawet za konieczne wypowiedzieć pracę. Spakował po prostu swoje rzeczy, pojechał konno do rezydencji, żeby odebrać należną wypłatę i poszukał sobie pracy na pobliskiej farmie. Starzy pasterze, jak McAran i Livingston, byli jeszcze gorsi; na nich jego wybuchy po prostu nie robiły żadnego wrażenia. William marzył czasem na jawie o tym, że ich zwalnia, kiedy tylko Kura uzyska pełnoletniość i przekaże mu prowadzenie farmy. Ale nawet to nie odstraszało tych ludzi. McAran i Livingston mieli wieloletnie znajomości z kobietami w Haldon. Wdowa, z którą był McAran, posiadała nawet małą farmę. Bez problemu mieli gdzie się podziać. A z Maorysami to już była zupełnie inna sprawa. Oni też znikali, gdy tylko William zaczynał krzyczeć, i pozostawiali go po prostu samego z robotą. Następnego dnia pojawiali się znowu – albo i nie. Robili, co chcieli, a Gwyneira im na to pozwalała...

– Pożar!

William jeszcze przed chwilą jechał zatopiony w myślach, z opuszczoną głową pod chroniącym go przed deszczem kapeluszem z szerokim rondem. Nad Kiward Station deszcz padał już tak głośno i zaciekle, że zagłuszał wszystkie inne dźwięki. Ale teraz William usłyszał szybkie uderzenia kopyt i ostry głos za sobą. Maoryski chłopak pędził w jego stronę na nieosiodłanym koniu, jedynie ze sznurkiem wokół szyi zwierzęcia.

– Szybko, szybko, Mr William! W oborę trafił piorun i woły zerwały ogrodzenie! Sprowadzę pomoc, niech pan tam szybko jedzie! Pali się!

Chłopak nawet nie ściągnął wodzy, wykrzykując tę wiadomość, nie czekał też na odpowiedź Williama, lecz pogalopował dalej w stronę domu. William zawrócił konia i również puścił się galopem. Obory dla bydła znajdowały się od strony jeziora i przebywało w nich kilka stad wołów oraz cielnych krów. Jeśli naprawdę się wydostaną... Całkiem możliwe, że Maorysi i ich uświęcone łąki jednak dziś kogoś ugoszczą!

Faktycznie już wkrótce można było poczuć zapach spalenizny. Uderzenie pioruna musiało być silne. Mimo deszczu płomienie sięgały już magazynu z paszą, a wokół obór panował gorączkowy ruch. Pasterze biegali i próbowali w gęstym dymie odwiązać ostatnie zwierzęta, które żałośnie muczały. Była z nimi Gwyneira Warden. Wypadła właśnie, kasząc, z obory, zanurzyła chustę w wiadrze z wodą i trzymając ją sobie przed twarzą, znów wbiegła do środka. Najwyraźniej nie było jeszcze ryzyka, że obora się zawali, ale zwierzęta w środku mogły się podusić. Maorysi – w tym przypadku pojawiła się błyskawicznie cała wioska – ustawili się już w łańcuchu od studni do budynku i podawali wiadra. Kobiety i dzieci utworzyły kolejny łańcuch do jeziora. Najgorszym problemem były jednak uwolnione zwierzęta, które zagubione, rycząc w deszczu, biegały wokół, zamieniając grunt w błotnistą maź i obalając ogrodzenia wybiegów. Jack McKenzie i kilku innych chłopaków z szaloną odwagą ustawili się naprzeciw nich, ale nie byli w stanie zatrzymać ogarniętych paniką zwierząt. Przy tym jałówkom i wołom wcale nie groziło niebezpieczeństwo; praktycznie wszystkie stodoły były otwarte. Jedynie kilka mlecznych krów i byków było przywiązanych w środku, i to te próbowała właśnie uwolnić Gwyneira wraz z innymi pomocnikami.

– Niech pan idzie do środka, Williamie, do byków! – zawołała Gwyn, starając się przekrzyczeć wiatr. Wyszła właśnie po raz drugi, ciągnąc za sobą krowę, która najwidoczniej w środku czuła się bezpieczniej. – Potrzebują tam jeszcze ludzi, którzy wiedzą, jak się obchodzić z bydłem!

William wolałby właściwie pilnować łańcucha z wiadrami i zadbać, żeby ludzie pracowali szybciej, ale teraz odwrócił się niepewnie w stronę obory z bykami.

– No dalej! – wrzasnął Andy i nie pytając, wskoczył na konia Williama, gdy ten wreszcie z niego zsiadł. – Dalej, Miss Gwyn, tutaj jest dość ludzi do pomocy! Potrzebujemy dobrych jeźdźców, żeby spędzić z powrotem woły. W przeciwnym razie tak zadepczą wioskę Maorysów, że będzie płaska jak wybiegi. – Stary pasterz mocno wbił obcasy w boki konia Williama. Zwierzę sprawiało wrażenie, jakby miało równie niewielką ochotę rzucić się w tę kotłowaninę, jak jego jeździec. A przy tym sytuacja była już krytyczna. Podczas gdy chłopcy radzili sobie z uwolnionymi jałówkami i krowami mlecznymi, młode woły już dawno pędziły dalej. William obserwował, jak Gwyneira przekazała krowy innym pomocnikom i wskoczyła na konia. Razem z Andym popędziła galopem w stronę obozowiska Maorysów. Jej walijska klacz

187

nie wymagała poganiania, zdawała się wręcz czekać na to, by zostawić za sobą płonące budynki.

William zbliżył się teraz wreszcie do obory, wściekał się jednak na McArana, który po prostu przywłaszczył sobie jego konia. Dlaczego niby ten facet nie miałby uwalniać byków, podczas gdy on pojechałby z Gwyneirą?

Płomienie trzaskały do tej pory także z obór przeznaczonych dla mlecznych krów, te jednak dreptały już po okolicy. Dwie maoryskie kobiety, które zdawały się znać na rzeczy, zdążyły już uwolnić ostatnie zwierzęta i zapędzały je teraz na wybieg, który ich mężczyźni prowizorycznie naprawiali. Chłopcy zapędzali jałówki w tę samą stronę. Zwierzęta wyraźnie się uspokajały, zwłaszcza że deszcz zelżał i błyskało się coraz rzadziej.

William wszedł do obory, ale Poker Livingston go zatrzymał.

– Niech pan weźmie najpierw chustę i trzyma ją sobie przed nosem, bo nawdycha się pan dymu. A potem niech pan idzie ze mną. No już! – Stary pasterz wbiegł z powrotem do obory, wprost do bijących kopytami o ziemię ryczących byków. Zwierzęta widziały już ogień i szalały ze strachu w swoich boksach. William zabrał się do otwierania pierwszego boksu. Czuł się co prawda dość nieswojo, wchodząc do szalejących i bijących kopytami olbrzymów, by je uwolnić z łańcuchów, ale skoro Poker uważał…

– Nie, niech pan nie wchodzi! – wrzasnął pasterz, obiegając boks dookoła. – Nigdy pan nie miał do czynienia z bydłem? Te bestie pana zabiją, jeśli wejdzie pan teraz do boksu. Tutaj, niech pan podejdzie i mnie przytrzyma. Spróbuję zwolnić łańcuchy od zewnątrz.

Poker wspiął się na ścianę boksu, ryzykownie balansując na wąskiej bandzie. Dopóki mógł się trzymać jednej z belek, jeszcze to jakoś szło, ale żeby zwolnić łańcuchy, musiał się bardziej wychylić i mieć obie ręce wolne. Chustę oczywiście też musiał przy tym odrzucić, ale dym nie był jeszcze zbyt gęsty.

William również wspiął się na drewnianą przegrodę, usiadł na niej okrakiem i przytrzymał Pokera za pasek. Ten zachwiał się niebezpiecznie, zachował jednak równowagę i zaczął grzebać przy łańcuchu pierwszego byka. Obaj mężczyźni musieli piekielnie uważać, żeby nie zostać przy tym trafionymi rogami potężnego zwierzęcia.

– Otwieraj boks, Maaka! – krzyknął Poker do maoryskiego chłopaka stojącego w gotowości przy wejściu do obory. Chłopak, który jeszcze przed chwilą zaganiał krowy wraz z Jackiem, błyskawicznie schronił się za drzwiami, gdy byk wystrzelił jak z procy.

– Dobra. Teraz drugi. Ale ostrożnie, Maaka, ten jest naprawdę dziki... – Poker próbował wspiąć się na ścianę kolejnego boksu. Byk spojrzał na niego wściekle i niebezpiecznie zaszurał kopytami.

– Pozwól mi to zrobić, Poker. Jestem szybszy. – Gorliwy mały Maaka wspiął się już na bandę, nim stary Livingston zdążył porządnie przyjąć pozycję. Z wdziękiem tancerza chłopiec balansował na drewnianej przegrodzie.

William chciał jak najszybciej mieć już to wszystko za sobą. Płomienie były coraz bliżej, dym gęstniał i mężczyźni prawie nie mieli już czym oddychać. Jednakże i Poker, i Maaka zdawali się w ogóle nie rozważać możliwości, żeby poświęcić zwierzęta.

William chwycił Maakę za pasek, tak samo jak wcześniej Pokera, stary pasterz zaś sam poradził sobie z trzecim bykiem. To było młode zwierzę bez łańcucha, przywiązane do boksu jedynie liną. Poker, stojąc na zewnątrz boksu, szybko przeciął ją nożem, a Jack McKenzie, który właśnie wszedł do obory, musiał tylko otworzyć drzwiczki. I oto byk gnał już przed siebie, zanim Poker zdążył wrócić od karmnika w stronę bramy, by wypuścić zwierzę. Zarówno Jack, jak i Poker męczyli się z drzwiami ostatniego boksu, które najwyraźniej się zakleszczyły. Maaka mocował się tymczasem z łańcuchem byka, który zachowywał się coraz bardziej dziko od chwili, gdy ostatnie oprócz niego zwierzę zostało uwolnione. Chłopak pochylił się bardzo niebezpiecznie, niemal zawisł nad ścianą boksu. I wtedy...

William nie wiedział, czy najpierw trafił Maakę róg byka, czy też winny był jego własny niepewny siad na przegrodzie boksu, a może po prostu pękł pasek, za który trzymał chłopaka. Może też wstrząsy spowodowane zawaleniem się dachu nad strychem, gdzie trzymano siano, przyczyniły się do tego, że stracili równowagę. William nigdy nie miał się dowiedzieć, czy najpierw poczuł, jak się obsuwa, czy też usłyszał krzyk Maaki, gdy skóra paska wysunęła mu się z ręki. Ale potem zobaczył chłopaka wpadającego pod kopyta byka, on zaś wylądował w drugim końcu boksu, bezpieczny przed atakami zwierzęcia, dopóki było na łańcuchu. Szybko dotarło do niego, że byk jest wolny: Maaka, kiedy upadał, musiał w ostatniej chwili spuścić go z łańcucha. Byk potrzebował kilku sekund, by pojąć, że nie jest uwiązany; potem zaczął się rzucać i próbował uciec, ale boks wciąż nie był otwarty. Poker i Jack walczyli z zamknięciem, lecz byk nie zamierzał oczywiście czekać i jak szalony zaczął się miotać po oborze. Gdy zauważył Maakę, który leżał skulony na ziemi i próbował chronić twarz, zarył kopytami i schylił się. Chłopak jęknął, kiedy zbliżyła się do niego głowa z rogami.

– Niech pan odwróci uwagę tej bestii, Mr William, do jasnej cholery! – wrzasnął Poker, próbując poluzować belkę blokującą drzwi. Ta jednak nawet nie drgnęła.

William patrzył jak zahipnotyzowany na potężne zwierzę. Odwrócić uwagę? Wtedy byk rzuci się na niego! Przecież to byłoby szaleństwo! A teraz ranny chłopak zaczął się jeszcze w panice czołgać w jego stronę…

– Tutaj, Stonewall!

William zauważył kątem oka, że Jack McKenzie wymachuje przed wejściem kocem, żeby zwrócić na siebie uwagę zwierzęcia. Chłopak balansował z szaloną odwagą na przegrodzie boksu; teraz jednak coś wreszcie puściło w zamku i wahadłowe drzwi otworzyły się z impetem. Byk nie od razu jednak to zauważył; jego wściekłość i strach zdawały się koncentrować na Maace. Zwierzę opuściło rogi, zbierając się do ataku… a wtedy Jack uderzył je w zad mokrym kocem i zatańczył za nim jak toreador.

– Do mnie Stonewall, no chodź tu!

Poker krzyczał coś od strony wyjścia; najwyraźniej starał się przywołać chłopaka. Ten jednak wciąż stał w oborze i atakował byka, który zaczął się powoli obracać.

– Złap mnie! No chodź tu! – drażnił go Jack, a potem szybko się odwrócił, gdy zwierzę wreszcie ruszyło. Wysportowany chłopak jednym skokiem pokonał ogrodzenie i znalazł się w bezpiecznym miejscu, gdy Stonewall znalazł wreszcie drogę ucieczki. Potężny byk wystrzelił w stronę wyjścia, wywracając przy tym Pokera Livingstona. A potem był już na zewnątrz. Mężczyźni przed oborą musieli usłyszeć krzyki, bo nadbiegli z pomocą. Płomienie były tak wysokie, że jasno oświetlały całą oborę. William kaszlał, czuł, jak ktoś bierze go pod ramię. Silny maoryski pasterz wywlekł go na zewnątrz. Dwóch innych mężczyzn wyniosło Maakę, trzeci podpierał kaszlącego Pokera.

A potem William, dysząc, zaczął wdychać czyste wieczorne powietrze pachnące jeziorem. Jak przez mgłę dotarło do niego, że walą się za nim kolejne fragmenty obory.

Kilku mężczyzn zajęło się Maaką i Pokerem, ale pomocnik Williama nie dał mu ani chwili na to, żeby się pozbierał. Znów w wyraźny sposób zabrakło mu respektu. Jakiś nieokrzesany Maorys bezpardonowo ciągnął Williama za nogi.

– Jest pan ranny? Nie? To niech pan wstaje, musimy zagonić owce. Tu nie ma już nic więcej do roboty, ale dla bydła trzeba gdzieś znaleźć miejsce. Przed chwilą dotarł tu posłaniec z wieścią, że Miss Gwyn pędzi woły ku szopom do strzyżenia. Trzeba zapędzić do nich owce, żeby można było wypuścić bydło na padoki. Szybko, mogą się tu pojawić w każdej chwili! – Mężczyzna rzucił się biegiem w stronę szop, ale raz po raz oglądał się za siebie, jakby chciał się upewnić, czy William posłusznie za nim ruszył. William zastanawiał się, dlaczego Gwyn od razu nie zapędza bydła do szop do strzyżenia, i już zamierzał wydać stosowne polecenia. Zdążył się jednak przed tym powstrzymać, gdy zobaczył wąskie wejścia do nich. Oczywiście owce po strzyżeniu wpuszczane były tutaj raczej pojedynczo, potem pędzono je przez stanowiska z kąpielą, a dopiero później gromadzono na padoku. Przez taką ciasną bramę jeźdźcy nigdy nie zapędziliby zebranego bydła. Owce też nie były zachwycone przeprowadzką do szop. Strzyżenie nie kojarzyło im się najprzyjemniej; postrzygacze bynajmniej nie obchodzili się z nimi delikatnie. Teraz jednak główną pracę wykonywały psy pasterskie. William i inni mężczyźni musieli jedynie dbać o to, żeby kierować strumień owiec do właściwych zagród i zamykać za nimi drzwi.

William nie mógł widzieć, jak Gwyn i Andy spędzili bydło, ale oczywiście usłyszał później o jej najwidoczniej spektakularnych dokonaniach. Dogonili stado wołów tuż przed maoryską wioską, zatrzymali je, zawrócili i zagnali z powrotem, a wszystkiego dokonała jedynie czwórka jeźdźców i jeden pies pasterski. Dzięki temu szkody spowodowane uderzeniem pioruna nie były aż tak straszne. Obora dla bydła była co prawda całkowicie zniszczona, ale drewniany budynek łatwo da się odbudować, a zapasy siana i tak były już prawie na wyczerpaniu. Jeśli chodzi o Maorysów, to zadeptane zostało jedynie kilka pól, ale Gwyneira im to zrekompensuje. Wśród zwierząt nie było strat, ludzie zaś mieli tylko trochę zadraśnięć i lekko zatruli się dymem. Jedynie Poker i Maaka odnieśli poważniejsze kontuzje. Stary pasterz wyszedł z tego ze stłuczeniami i wypadniętym barkiem; maoryski chłopak miał połamane żebra i brzydką ranę na głowie.

– Mogło być znacznie gorzej – stwierdził Andy McAran, gdy było już po wszystkim, a stłoczone w nowym miejscu bydło spokojnie przeżuwało siano. Jackowi i jego przyjaciołom udało się zagonić również byki w stronę szop do strzyżenia i dołączyć je do wołów. Teraz z dumą chodzili między robotnikami. Gdy Jack opowiedział, że w Europie dostaje się pieniądze za drażnienie byków, kiedy to w obecności widzów wymachuje się przed nosem zwierzęcia czerwoną chustą, każdy maoryski chłopak zapragnął zostać w przyszłości toreadorem.

– Jak w ogóle do tego doszło? – spytał Andy. – Maaka chyba nie wszedł do boksu ze Stonewallem, prawda?

W czasie gdy Gwyneira zarzucała swojemu synowi bezdenną głupotę, McAran zaczął się dopytywać o przebieg wydarzeń. Jack i inni pomocnicy nie potrafili udzielić mu żadnej odpowiedzi; nikt z nich nie widział wypadku. Sam Maaka nie był jeszcze w stanie mówić. W końcu McAran spojrzał na Pokera, który wciąż jeszcze kaszlał, siedząc na kocu.

– Nasz książę małżonek pokpił sprawę… Co tu mówić, spietrał się – zauważył stary pasterz ze znaczącym uśmieszkiem. Potem jego twarz znów wykrzywił ból. – Może mi ktoś nastawić bark? Przyrzekam, że nie będę krzyczał.

– Co pan sobie w ogóle przy tym myślał? – Gwyneira skończyła już ze swoim synem, a zmęczonym pomocnikom dała baryłkę whisky. Maoryskie kobiety dostały jako podziękowanie worek nasion. Wracając do rezydencji, wykorzystywała czas, żeby sztorcować Williama. Była przemoczona, brudna i w najgorszym humorze, a teraz szukała kozła ofiarnego. – Jak mógł pan dopuścić, żeby ten chłopak spadł?

– Już przecież mówiłem, to był wypadek! – bronił się William. – Nigdy bym…

– W ogóle nie powinien był pan wpuszczać tam tego chłopaka. Nie mógł pan sam zwolnić tego łańcucha? Przecież to dziecko mogło zginąć! Jack zresztą też! Ale w tym czasie, gdy dwójka niedorostków próbowała uwolnić byka, siedział pan w rogu i gapił się na zwierzę niczym wystraszony królik!

Poker nie wyraził tego w ten sposób, więc sformułowanie to musiało pewnie pochodzić od Jacka. William znów poczuł, jak narasta w nim gniew.

– Przecież to w ogóle nie było tak! Ja...

– A właśnie że było! – przerwała mu Gwyneira. – Dlaczego chłopcy mieliby kłamać? Williamie, nieustannie próbuje pan umocnić tu swoją pozycję, co zresztą mogę zrozumieć. A potem mają miejsce takie historie! Jeśli nie miał pan nigdy do czynienia z bydłem, dlaczego pan tego po prostu nie powie? Przecież mógł pan pomagać przy podawaniu wiader albo przy naprawianiu ogrodzeń...

– Powinienem był pojechać z panią!

– Żeby może jeszcze spadł mi pan z konia? – zapytała obcesowo Gwyneira. – Williamie, niech się pan obudzi! To nie jest taka farma, na której może się pan zachowywać jak jakiś angielski dżentelmen z wiejskiego dworku. Tutaj nie może pan sobie o poranku przyjemnie kłusować ze swoim pieskiem myśliwskim do towarzystwa i przydzielać ludziom prac. Musi pan wiedzieć, co pan robi, i może się pan uważać za szczęściarza, mając ludzi takich jak McAran czy Poker, którzy gotowi są panu pomagać! Tacy ludzie są dla nas bezcenni. Nie można tego porównywać z warunkami, jakie zna pan z Irlandii... – W ostatnich promieniach słońca widział, jak Gwyneira przewraca oczami. – Williamie, pańscy dzierżawcy w Irlandii od pokoleń żyli przy dworach. Nie potrzebują wcale właścicieli ziemskich, sami potrafiliby sobie poradzić, i być może nawet zrobiliby to lepiej. Tutaj jednak ma pan do czynienia w większości z nowicjuszami. Maorysi są zdolnymi pasterzami, ale owce przybyły razem z *pakeha*, a w tę okolicę dopiero przed pięćdziesięciu laty, razem z Geraldem Wardenem. Tu nie ma żadnych tradycji. A biali poganiacze bydła to poszukiwacze przygód, którzy nie wiadomo skąd przybyli. Trzeba ich przyuczyć i nie pomoże tu żadne puszenie się. Niech pan mnie wreszcie posłucha i przynajmniej przez kilka miesięcy zachowuje się spokojnie. Niech pan nauczy się czegoś od ludzi takich jak James, Andy czy Poker, zamiast wciąż się do nich tak szorstko odnosić!

William chciał na to coś powiedzieć, ale zdążyli już tymczasem dotrzeć do domu i zatrzymali konie przed stajniami. Gwyneira zaprowadziła swoją klacz do środka i zaczęła się zabierać do rozsiodłania jej; stajenni prawdopodobnie razem z ludźmi, którzy pomagali przy gaszeniu pożaru, znaleźli sobie miejsce w jakiejś szopie i świętowali. Można było niemal mówić o szczęściu, że służba domowa nie dołączyła jeszcze do tego zaimprowizowanego party.

William również sam zajął się swoim koniem i życzył sobie teraz jedynie kąpieli i spokojnego wieczoru z żoną. Przynajmniej na to mógł liczyć z pewną dozą pewności. Gwyneira zwykle szybko gdzieś znikała, więc gdy Kura znów się uprze przy tym, by siedzieć godzinami przy fortepianie, William nie będzie miał nic przeciw takiemu prywatnemu koncertowi. Będzie mógł spokojnie popijać whisky – i wyobrażać sobie przy tym przyjemności, jakie później mają razem dzielić w sypialni. Jeśli o to chodziło, nie istniały żadne problemy: każdej nocy Kura była dla niego niczym objawienie. W miarę jak zdobywała doświadczenie, przychodziły jej do głowy coraz bardziej wyrafinowane pomysły, żeby uczynić go szczęśliwym. Była zupełnie pozbawiona wstydu, kochała wszystkimi zmysłami, a jej zwinne ciało przyjmowało pozycje, przy których nawet William się rumienił. Jednak jej radość z kochania się była całkowicie niewinna i wolna. Jeśli o to chodziło, była dzieckiem natury. I naturalnym talentem.

Gwyneira przytrzymała Williamowi drzwi do rezydencji, a potem w przedsionku zrzuciła przemoczony płaszcz.

– Uch, co za dzień! Myślę, że pozwolę sobie teraz na odrobinę whisky.

William wyjątkowo się z nią zgodził, ale żadne z nich nie zdążyło nawet dotrzeć do szafki barowej.

Z salonu nie dobiegały tym razem jak zwykle dźwięki fortepianu i śpiew, lecz ciche głosy i gwałtowny szloch.

Kura, płacząc, siedziała na dywanie. Miss Witherspoon rozpaczliwie próbowała ją uspokoić.

William przyjrzał się tej scenie badawczym wzrokiem. Na stoliczku przy sofie stały trzy filiżanki. Najwyraźniej damy ktoś odwiedził.

– To ty tego chciałaś! – Gdy Kura dostrzegła babcię, podskoczyła z gniewnym wyrazem twarzy. – Ty tego chciałaś! Dokładnie wiedziałaś, że to się stanie! A ty brałeś w tym udział! – Ostatnie słowa skierowane były do Williama. – Wcale nie chciałeś jechać do Europy. Wszyscy nie chcieliście, żebym... żebym... – Kura znów zaczęła szlochać.

– Kuro, zachowuj się, jak przystało na lady! – Miss Witherspoon tym razem spróbowała surowiej. – Jesteś zamężną kobietą i to całkiem normalne...

– Chciałam do Anglii! Chciałam studiować muzykę – żaliła się Kura. – A teraz...

– Przede wszystkim chciałaś Williama, tak mi mówiłaś – odparła zwięźle Gwyneira. – A teraz powinnaś wreszcie dojść do siebie i wyjaśnić nam, dlaczego nagle już go nie chcesz. Rano, podczas śniadania, wydawałaś się jeszcze szczęśliwa. – Gwyn zdołała w końcu nalać sobie whisky. Wszystko jedno, jakimi humorami Kura zamierza dziś wszystkich zamęczać, potrzebowała czegoś mocniejszego.

– Ależ kochanie... – William nie miał najmniejszej ochoty na dalsze komplikacje tego potwornego dnia, usiadł jednak obok Kury i wziął ją w ramiona. Może zapyta, dlaczego czuć było od niego dymem i cały ubrudzony był sadzą... Kura zdawała się jednak w ogóle tego nie zauważać.

– Nie chcę tego... nie chcę tego... – szlochała histerycznie. – Dlaczego nie uważałeś? Dlaczego nie... – Wywinęła się z jego objęć, bijąc pięściami w pierś Williama.

– Opanuj się, Kuro! – nakazała jej Miss Witherspoon. – Powinnaś się cieszyć, zamiast wyładowywać na wszystkich wściekłość. Przestań wreszcie płakać i powiedz swojemu mężowi nowinę!

Gwyneira postanowiła podejść do sprawy od innej strony. Zwróciła się do Moany, maoryskiej gosposi, która właśnie przymierzała się, by posprzątać filiżanki po herbacie.

– Kto był u nas z wizytą, Moana? Moja wnuczka jest całkiem roztrzęsiona. Coś się wydarzyło?

Moana uśmiechnęła się od ucha do ucha. Przynajmniej ona nie zdawała się zaniepokojona.

– Ja nic nie słyszeć, Miss Gwyn – wyjaśniła wesoło, a potem ściszyła głos, zdradzając Gwyn tajemnicę: – Ale była Miss Francine. Miss Witherspoon wysłać po nią, dla Kura!

– Francine Candler? – poirytowana twarz Gwyneiry rozjaśniła się. – Ta położna z Haldon?

– Tak! – łkała Kura. – Jak dla mnie możecie się teraz wszyscy cieszyć, że przywiązaliście mnie wreszcie do tej waszej cholernej farmy! Jestem w ciąży, William, jestem w ciąży!

William spojrzał nad płaczącą Kurą na dziwnie wzruszoną Miss Witherspoon i na zachwyconą Moanę. Wreszcie popatrzył na Gwyn, która popijała whisky z miną zadowolonego kota, który wreszcie dobrał się do śmietanki. A potem ona też na niego spojrzała.

William Martyn zrozumiał, że z tą chwilą Gwyneira Warden McKenzie wszystko mu wybaczyła.

# 6

Podczas gdy William Martyn wzmocnił w ten oto sposób swoją pozycję w Kiward Station, w Queenstown świętowano wesele Elaine O'Keefe z Thomasem Sideblossomem. Atmosfera była przy tym dość napięta, zwłaszcza podczas obowiązkowego walca, kiedy to matka panny młodej i ojciec pana młodego tańczą w jednej parze. Fleurette O'Keefe zachowywała się przy tym tak, jakby zmuszono ją do tańca z przeogromnym weta. Tak w każdym razie skomentował to Georgie i babcia Helen go za to skarciła. Ruben uważał, że komentarz był całkiem stosowny, a sam od siebie dodałby jeszcze, że Fleurette jakoś nigdy nie obawiała się dotykać tych wielkich insektów, w przeciwieństwie do kontaktu z Johnem Sideblossomem.

Ruben za to cieszył się tańcem z młodziutką macochą Thomasa. Zoé Sideblossom nie miała nawet dwudziestu lat i rzeczywiście była bardzo ładna. Miała jasne, złociste, kręcone włosy, które na weselu nosiła wysoko upięte, ale normalnie zapewne sięgały jej do samych bioder. Twarz była arystokratycznie blada i regularna, oczy głęboko brązowe, co wyglądało dość intrygująco przy jej włosach i cerze. Młoda kobieta była uprzejma i dobrze wychowana, Ruben nie mógł się jednak zgodzić z opinią Leonarda, jakoby była piękna, lecz zimna.

Jeśli chodzi o urodę, to panna młoda biła tego dnia na głowę wszystkie kobiety. Elaine ubrana była w bogato zdobioną, białą szeroką suknię, bardzo ciasno ściągniętą w talii. Weselnym jedzeniem praktycznie w ogóle nie mogła się nacieszyć. Jej twarz zdawała się świecić, włosy błyszczały pod koronkową woalką i ślubnym wiankiem z białych kwiatów. James McKenzie zapewnił ją, że nigdy nie widział tak pięknej panny młodej, może poza Gwyneirą, i dla Elaine był to najpiękniejszy komplement. W końcu ostatnią panną młodą, jaką widział jej dziadek, była Kura Warden. Również jeśli chodzi o przepych i liczbę gości, uroczystość w niczym nie ustępowała weselu Kury. George Greenwood nie omieszkał przybyć tu z całą rodziną, zapewne na gorące prośby Jenny, która pragnęła zacieśnić znajomość ze Stephenem. Od przybycia Greenwoodów para ta praktycznie nie spuszczała się z oczu.

– Zanosi się na to, że szykuje nam się tutaj nowa panna młoda – zaczepił James McKenzie jej dumnego ojca.

– Nie miałbym nic przeciwko temu – stwierdził George. – Wydaje mi się, że ten młody człowiek zamierza najpierw skończyć studia. A Jenny jest jeszcze bardzo młoda, choć dzieciom z tego pokolenia najwyraźniej zdaje się to nie przeszkadzać.

Thomas i John Sideblossomowie podczas całej uroczystości zachowywali się bez zarzutu. Nawet z Jamesem McKenziem Sideblossom starał się przywitać w niemal uprzejmy sposób. Fleurette oczekiwała najgorszego; przecież to John był tym, który zawlókł wówczas złodzieja bydła McKenziego przed sąd. Przy czym zawlókł w dosłownym sensie; James również miał swoje powody, żeby z gruntu nienawidzić ojca pana młodego. W jego przypadku jednak Fleurette bardziej się spodziewała, że będzie w stanie nad sobą panować. Starał się trzymać z dala od Sideblossoma, zwłaszcza że whisky lała się coraz szerszym strumieniem. Fleurette czujnie baczyła na ilość wypijanego przez Johna alkoholu – choć wiedziała, że potrafił wlać w siebie potężne dawki i nie dać tego w ogóle po sobie poznać. Robił tak zresztą i tym razem, ale jego zachowanie zmieniło się jedynie o tyle, że mocniej trzymał w ramionach swą młodą żonę – zwłaszcza po tym, jak Zoé ośmieliła się porozmawiać z jakimś innym mężczyzną, czy wręcz z którymś zatańczyć.

Podobne zachowanie zauważała też Inger – która ze względu na swój wielki brzuch zrezygnowała z roli druhny Elaine – u Thomasa Sideblossoma. Nie spuszczał Elaine z oczu i w miarę jak upływał wieczór, zachowywał się wobec niej coraz bardziej zaborczo. Elaine natomiast była tego dnia niemal taka jak kiedyś. Była nieskończenie szczęśliwa z powodu udanego wesela, przyjaznych i pełnych podziwu spojrzeń gości oraz licznych komplementów. Ale oczywiście strasznie się też denerwowała, przecież czekała ją noc poślubna. Thomas wynajął w pensjonacie Helen największy pokój.

Kiedyś Elaine objawiała swą nerwowość niepowstrzymaną paplaniną: po prostu pokonywała obawy, mówiąc i śmiejąc się.

Teraz znów tego spróbowała. Jej zahamowania, które pojawiły się po tym, jak William ją zdradził, w widoczny sposób topniały. Elaine żartowała z Jenny Greenwood i swoim bratem, droczyła się z Georgiem i pozwoliła zaprosić się do tańca Sørenowi.

W tym momencie wkroczył Thomas. Wszedł na parkiet między dokazującą parę i uśmiechnął się chłodno.

– Mógłbym uprowadzić panu moją żonę? – zapytał uprzejmie, Søren dostrzegł jednak powagę w jego oczach.

Młody Szwed starał się utrzymać rozmowę w żartobliwym tonie.

– Jak pan właśnie rzekł, jest pańska! – stwierdził przyjaźnie, puścił Elaine i grzecznie się ukłonił. – To była dla mnie prawdziwa przyjemność, Mrs Sideblossom!

Elaine po raz pierwszy usłyszała swoje nowe nazwisko i tak się tym ucieszyła, że nawet nie zauważyła złego nastroju Thomasa.

– Och, Thomasie, czy to nie piękna uroczystość? – trajkotała bez tchu. – Mogłabym tańczyć bez końca...

– Tańczysz już o wiele za długo – odrzekł Thomas i umiejętnie poprowadził ją do walca, ignorując przy tym jej próby, by czule się do niego przytulić. – I ze zbyt wieloma. Nie zachowujesz się, jak na damę przystało. To do ciebie zupełnie niepodobne. Już najwyższy czas, byśmy się wycofali.

– Już? – spytała rozczarowana Elaine. Liczyła jeszcze na fajerwerki. Georgie coś o tym napomykał, a jej rodzice wiedzieli, że zawsze marzyła o fajerwerkach na swoim weselu.

– Już czas – powtórzył Thomas. – Weźmiemy łódź. Umówiłem się tak z twoim ojcem.

Elaine wiedziała o tym i zauważyła też, że Jenny i Stephen spędzili cały poranek na przyozdabianiu czółna kwiatami. Nocna podróż łodzią pary młodej powinna być romantyczna i Elaine cieszyła się na nią. Była jednak troszeczkę smutna, że nie mogła wziąć z sobą Banshee do Lionel Station. Klacz się oźrebiła. Kilka miesięcy temu wydała na świat okazałego małego ogiera. Słodki karosz był mocno zbudowany i zdrowy; zapewne spokojnie dałby radę pokonać u boku swej matki drogę do Lionel Station. Thomas uważał jednak, że to opóźniałoby podróż, ponieważ klacz nie poruszała się zbyt szybko. Elaine właściwie nie zgadzała się z tym, bo przecież wcale nie musieli podróżować szybko. Ruben wysyłał do Lionel Station kryty wóz z jej posagiem i kilkoma rzeczami kupionymi przez Sideblossomów, a Zoé podróżowała powozem. Przy słabo utwardzonej drodze łączącej Queenstown z farmą zwalniało to podróż bardziej niż biegnący z nimi silny źrebak rasy cob. Thomas upierał się jednak przy swoim, a nieśmiała Elaine ustąpiła. John Sideblossom mógł zabrać jej klacz przy kolejnej wizycie w Queenstown. Następnego dnia miała towarzyszyć Zoé, jadąc w wygodnym powozie.

Elaine z nikim się nie żegnała, jedynie Inger uśmiechnęła się do niej, jakby chciała jej dodać otuchy, gdy Thomas prowadził ją do przyozdobionej kwiatami łodzi. Przejażdżka w dół rzeki rzeczywiście była bardzo romantyczna – zwłaszcza że faktycznie w posiadłości Nugget odpalono fajerwerki. Elaine delektowała się barwnymi kaskadami światła i deszczem gwiazd nad ciemnymi konturami drzew i nie mogła się powstrzymać od zachwytu nad pięknem odbijających się w rzece zielonych, niebieskich i czerwonych świateł.

– Och, to był cudowny pomysł, Thomasie, byśmy sami we dwoje oglądali z rzeki fajerwerki! I czyż to nie piękna noc? Powinniśmy kochać się od razu tutaj, pod gołym niebem, jak Maorysi… Moja babcia Gwyneira też opowiada takie romantyczne historie. Zawsze jeździła razem ze wszystkimi na spęd owiec, kiedy była jeszcze młoda, a potem… Ach, ja też będę tak robić, Thomasie! Tak się cieszę na życie na farmie, ze wszystkimi tymi zwierzętami… a Callie to cudowny owczarek! Jeszcze zobaczysz, oszczędzi ci to pracy trzech naganiaczy! – Elaine promieniała szczęściem i próbowała przytulić się do Thomasa, tak jak kiedyś do Williama. On jednak ją odepchnął.

– Co za pomysł! Spędzać zwierzęta! Jesteś moją żoną, Elaine. W żadnym wypadku nie będziesz się włóczyć po oborach! Naprawdę, zupełnie cię nie poznaję. Czy szampan uderzył ci aż tak do głowy? Wracaj na swoje miejsce i siedź cicho, aż dopłyniemy. Ten twój entuzjazm jest nie do zniesienia!

Elaine, otrzeźwiona, wycofała się na ławeczkę naprzeciw niego.

W tym momencie muzyka dobiegająca z brzegu przerwała przykrą rozmowę młodej pary. Łódź mijała właśnie tereny Stever Station.

Przyjaciele Elaine z plemienia Maorysów, którzy punktualnie wrócili na spęd owiec, najwyraźniej zebrali się na brzegu, żeby śpiewać nowożeńcom serenady.

Elaine rozpoznała *haka*, pieśń, podczas której mężczyźni i kobiety tańczą i śpiewają przy dźwiękach instrumentów, takich jak *koauau*, *nguru* albo flet *putorino*.

– Och, moglibyśmy się zatrzymać, Thomasie? – spytała zachwycona Elaine. – Oni grają dla nas…

I wtedy zobaczyła wykrzywioną twarz Thomasa. Gniew? Ból? Nienawiść? Coś zdawało się w nim wywoływać niepowstrzymaną, niemożliwą do opanowania wściekłość. I jakąś dziwną trwogę…

Elaine wycofała się jeszcze bardziej na swój koniec łodzi, on zaś z zaciętym wyrazem twarzy chwycił za wiosła. Właściwie prąd rzeki wystarczał, żeby nieść łódź, lecz Thomas wiosłował, jakby przed czymś uciekał.

W głowie Elaine pojawiły się setki pytań, ale milczała. Thomas był zupełnie inny, niż tego oczekiwała. Elaine powoli zaczynała się bać nocy poślubnej. A przy tym dotąd jej nerwowość trzymała się w pewnych granicach. Po rozmowach z Inger i Maren, a przede wszystkim dzięki pieszczotom z Williamem, czuła się niemal doświadczona. Od jakiegoś czasu pozwalała sobie na myśli o Williamie – niemal bez żalu do niego. Myślała o jego dotyku i pocałunkach. Była gotowa pozwolić się dotykać i z podniecenia zrobiło jej się mokro. Kiedyś ją to zawstydzało, ale Inger wytłumaczyła jej, że to zupełnie normalne i że dzięki temu kobiecie łatwiej jest się kochać. Również przed chwilą, gdy siedziała obok Thomasa i podziwiała fajerwerki, czuła to ciepło i wilgoć między nogami, teraz jednak nic z tego nie zostało. Co będzie, jeśli Thomasowi nie uda się znów jej podniecić? I czy w ogóle miał na to ochotę? W tej chwili wyglądał raczej tak, jakby chciał kogoś rozerwać na strzępy.

Elaine zdecydowanie odsunęła od siebie tę myśl. Z pewnością Thomas za chwilę weźmie ją w ramiona, pogłaszcze i będzie dla niej czuły. A wtedy będzie dla niego gotowa na wszystko.

W pensjonacie Helen, ku jej zaskoczeniu, czekały na nich bliźniaczki. A przecież jeszcze przed chwilą tańczyły na weselu!

– Daph… eee… Miss Helen uważała, że powinnyśmy szybciej wrócić, żeby się o panią zatroszczyć, Miss Lainie! – zaświergotała Mary.

– Bo przecież ktoś musi pani pomóc przy rozbieraniu! – dodała Laurie. – I z włosami…

Thomas nie był zachwycony.

– Bardzo dziękuję, ale sam pomogę mojej żonie – odparł na ich propozycję. Nie spodziewał się jednak, jak uparte potrafią być bliźniaczki. Tym bardziej że Daphne O'Rourke udzieliła im jasnych instrukcji.

– Nie, nie, Mr Thomas, to nie wypada! – zaprotestowała Mary. – Mężczyzna musi czekać, póki dziewczyna nie jest gotowa. Mamy tu wspaniałą gorącą czekoladę…

Thomas zazgrzytał zębami i z trudem zapanował nad sobą.

– Możecie mi przynieść whisky!

Laurie pokręciła głową.

– Żadnego alkoholu w domu Miss Helen, co najwyżej wino. Mamy zresztą jedną butelkę, ale jest na później. Może pan wypić łyczek z Miss Lainie, gdy…

– Przed albo po… – zachichotała Mary.

Thomas zacisnął dłonie w pięści. Kto zamierzał go tu kontrolować? Najpierw ten flet na brzegu jeziora… ci cholerni Maorysi! Znów wiedzieli, jak wywołać w nim wspomnienia. A teraz te baby! Co je obchodzi, co zrobi ze swoją żoną? A Elaine zdawała się w dodatku uszczęśliwiona tą zwłoką.

– Do zobaczenia wkrótce, mój najdroższy! – powiedziała śpiewnie i rozbawiona ruszyła po schodach za bliźniaczkami. Thomas opadł na fotel i zmusił się, by cierpliwie czekać. Jutro nikt mu już nie będzie stał na drodze…

Mary i Laurie z rozbierania Elaine oraz z rozplatania i czesania jej włosów zrobiły wielką sprawę. Na koniec Mary pomogła jej włożyć prześliczną, bogato zdobioną koszulę nocną, Laurie zaś napełniła winem piękny kryształowy kieliszek.

– Proszę, Miss Lainie. Wypij to! – rozkazała. – To bardzo dobre wino, prezent ślubny od Daphne.

– Daphne was przysłała? – Elaine nagle poczuła się niespokojnie. Do tej pory sądziła, że niespodziankę przygotowała dla niej Helen.

Mary skinęła potakująco głową.

– Tak, Miss Lainie, i powiedziała, że przed powinna pani wypić przynajmniej jeden kieliszek wina, a potem jeszcze jeden z nim, zanim pani... no wie pani. Łyczek wina sprawi, że to będzie łatwiejsze i piękniejsze.

Elaine wiedziała, że prawdziwa dama powinna w takim momencie zaprotestować, a przy Williamie też nigdy nie potrzebowała alkoholu, żeby poczuć się dobrze w jego ramionach. Ale Daphne bez wątpienia wiedziała, o czym mówi. Posłusznie wypiła wino. Było słodkie. Elaine się uśmiechnęła.

– Powiedz więc teraz Mr Thomasowi, że...

– ...Że jest pani gotowa! – zachichotały bliźniaczki niemal chórem. – Już się robi, panienko. I dużo szczęścia!

Thomas nie miał ochoty na wino. A przy tym Elaine uważała, że byłoby przecież wspaniale zaprezentować mu się niczym rzymska bogini miłości, w tej ślicznej koszuli, z włosami opadającymi w falach na plecy, i z pucharem wina w ręce pozdrawiając ukochanego. Thomas odsunął jednak kieliszek – niewiele brakowało, by wytrącił jej go z ręki.

– Co to ma być, Elaine? Bawimy się w jakieś gierki? Kładź się teraz do łóżka jak posłuszna żona. Wiem, że jesteś piękna, nie musisz mi się prezentować jak jakaś dziwka.

Elaine przełknęła ślinę. Jak kopnięty pies wycofała się do łóżka i położyła na plecach. Thomasowi ten widok zdawał się podobać.

– Tak już lepiej. Czekaj, aż się rozbiorę. Mogłabyś mi przy tym pomóc, ale nie taka półnaga, to nie przystoi. Czekaj więc.

Thomas spokojnie się rozebrał i porządnie złożył swoje rzeczy na krześle. Elaine słyszała jednak, że oddycha szybciej i wystraszyła się, gdy zobaczyła jego członek, po tym jak zdjął spodnie. Inger mówiła jej, że nabrzmieje... ale tak bardzo? O Boże, to będzie boleć, gdy w nią wejdzie! Elaine skuliła się, położyła na boku, trochę tyłem do niego. Thomas spojrzał na nią z wściekłością. Jego oddech jeszcze bardziej przyspieszył. Schwycił ją za ramiona, jednym ruchem zmusił do przyjęcia poprzedniej pozycji i położył się na niej.

Elaine chciała krzyczeć, gdy bez żadnych wstępów wbił się w nią, ale zamknął jej usta swymi ustami. Jego język i członek jednocześnie się w nią wsuwały. Ze strachu i z bólu Elaine prawie go ugryzła. Jęczała, gdy wbijał się w nią, stękając z rozkoszy. Jego ruchy stawały się coraz szybsze, oddech dyszący – Elaine nie była już w stanie zapanować nad bólem.

– Ach, to było dobre… – Nie powiedział już nic więcej, gdy jego oddech się uspokoił.

– Ale… – Elaine zebrała na nowo odwagę, gdy ból zelżał. – Chcesz… czy nie powinieneś mnie wcześniej całować?

– Wcale nie muszę – powiedział chłodno Thomas. – Ale skoro chcesz…

Potrzebował tylko krótkiego czasu, żeby dojść do siebie; potem znów położył się na niej i tym razem ją całował – z początku w usta, tak samo mocno i znów pożądliwie, a potem jej szyję i piersi. To również bolało, bo przypominało raczej ugryzienia niż pocałunki, zupełnie inaczej niż z Williamem. Elaine jeszcze bardziej skurczyła się w sobie. Jęknęła, gdy znów w nią wszedł, i teraz zdawało się, że nie zamierza przestać, póki wreszcie jej nie zostawił. Znów była ta wilgoć, jak za pierwszym razem. Elaine wiedziała już teraz, co dziwki wypłukują wodą z octem, jeśli zostaną zmuszone do uprawiania miłości w nieodpowiednie dni. A myśl o odrobinie wody z octem, albo przynajmniej wodzie i mydle, wydała jej się teraz bardzo kusząca. Czuła, że ją pali, czuła się brudna i zhańbiona. Leżała sztywno obok Thomasa, który wkrótce potem zasnął. Elaine, drżąc, wykradła się z łóżka.

Łazienka na tym piętrze znajdowała się tuż obok jej pokoju. Przy odrobinie szczęścia nikt nie powinien się pojawić o tej porze; większość gości pensjonatu z pewnością była jeszcze na weselu. Na *jej* weselu. Ku zdziwieniu Elaine w umywalni paliły się światła, a bliźniaczki czekały na nią z dwiema miskami gorącej wody i pachnącym mydłem.

Gdy Elaine je zobaczyła, zalała się łzami. A więc to był ten ślubny prezent od Daphne. Żeby nie musiała przechodzić przez to wszystko sama. A bliźniaczki najwyraźniej wiedziały, co mają robić. Tym razem wyjątkowo nie szczebiotały, lecz odzywały się do niej cicho i dodającym otuchy głosem, zdejmując z niej nocną koszulę i myjąc jej ciało.

– Biedactwo. Jutro wciąż jeszcze będzie boleć, ale potem szybko będzie lepiej.

Laurie pocierała gąbką siniak, który pozostał po łapczywym ssaniu i kąsaniu Thomasa. On nazywał to „całowaniem".

– Zawsze tak jest? – szlochała Elaine. – Jeśli zawsze tak jest, to wolę umrzeć…

Mary przyciągnęła ją do siebie.

– Ależ nie. Człowiek się do tego przyzwyczaja.

Elaine przypomniała sobie, jak słyszała kiedyś, że Daphne nigdy nie oczekiwała od bliźniaczek, by się do czegoś takiego przyzwyczaiły.

Laurie dała jej jeszcze trochę wina; Daphne pewnie przysłała więcej butelek. Elaine wypiła tak chętnie, jak jeszcze nigdy dotąd. W winie kryło się zapomnienie, jak mówiono, ale to, co się właśnie wydarzyło, następnego wieczoru znów miało się powtórzyć.

– Powiedz Daphne, że bardzo jej dziękuję – wyszeptała Elaine, gdy w końcu rozstawała się z bliźniaczkami i z kołatającym sercem, pełna strachu wróciła do pokoju, w którym spał jej małżonek.

– I co powiemy teraz Daphne? – zapytała Laurie siostrę, gdy kobiety posprzątały po wszystkim. – Myślę, że nie był dla niej zbyt miły…

Mary wzruszyła ramionami.

– Zgadza się. Ale ilu z nich jest miłych? Daphne nie pytała, czy on jest miły, chciała wiedzieć, czy on… – umilkła zawstydzona.

Laurie zrozumiała ją bez słów.

– Tak, masz rację. Było mi po prostu żal Miss Lainie. Ale poza tym Daphne nie musi się niepokoić. Na ile mogłyśmy się przekonać, jest normalny.

# 7

Elaine cieszyła się, że następnego dnia nie musiała dosiadać konia. Nie dość że podbrzusze strasznie ją bolało, to jeszcze leżała niewygodnie i w napięciu na krawędzi łóżka. Teraz bolało ją całe ciało, a twarz była napuchnięta i czerwona od płaczu. Thomas nie skomentował tego, podobnie zresztą jak Zoé, z którą przez najbliższe dni miała wspólnie podróżować powozem, i z którą później miała dzielić dom. Elaine liczyła na to, że choć trochę się z nią zaprzyjaźni; młoda kobieta musiała przecież wiedzieć, przez co przeszła ostatniej nocy. Zoé jednak uporczywie milczała. A poza nią Elaine nie miała się komu zwierzyć.

Sideblossomowie chcieli wyruszyć wcześnie; Elaine przed wyjazdem mogła jedynie krótko uścisnąć się z rodzicami na pożegnanie. Fleurette zauważyła oczywiście, że coś z nią było nie tak, ale na pytania nie starczyło już czasu. Tylko Helen spotkała Elaine i mogły przez krótką chwilę być same, gdy pomagała jej odnosić naczynia po śniadaniu. Od razu dostrzegła, że dziewczyna jest obolała i porusza się sztywno.

– Było źle, dziecko? – zapytała ze współczuciem.

– To było straszne.

Helen skinęła wyrozumiale.

– Wiem, moja maleńka. Wszystko będzie lepiej, uwierz mi. A ty jesteś młoda, szybko zajdziesz w ciążę. Wtedy może zostawi cię w spokoju.

Elaine spędziła pierwsze przedpołudnie w powozie na gorączkowych obliczeniach, czy przeżycia ostatniej nocy mogły doprowadzić do spłodzenia dziecka. Wszystko się w niej buntowało przeciw myśli o zajściu w ciążę. W końcu jednak się uspokoiła. Ostatnie krwawienie miała dopiero cztery dni temu, a według tego, co mówiła Inger, poczęcie w takim momencie było niemożliwe.

Powóz Zoé miał dość przyzwoite resory, ale drogi nad jeziorem Waikatipu nie były w zbyt dobrym stanie. Elaine postękiwała za każdym razem, gdy pojazd podskakiwał na wybojach. Rozpaczliwie próbowała zacząć jakąś rozmowę z Zoé, ale kobieta zdawała się nie mieć żadnych zainteresowań prócz gospodarstwa i różnych luksusowych przedmiotów, którymi upiększała Lionel Station. Opowiadała szczegółowo o meblach i materiałach na zasłony, nie przyszło jej jednak na myśl, żeby zapytać Elaine o jej opinię albo gusta. Po kilku godzinach Elaine była już zdecydowana na to, że w żadnym wypadku nie dopuści, aby mąż ograniczył jej życie do siedzenia w domu. Z Zoé z pewnością zanudziłaby się na śmierć. Musi wywalczyć sobie pozycję na owczej farmie; babci Gwyneirze też się to przecież udało. Zamyślona głaskała Callie, która widocznie zauważyła, że jej pani potrzebuje pocieszenia.

Zoé przyglądała się zwierzęciu z ponurą miną.

– Mam nadzieję, że nie chcesz trzymać tego kundla w domu.

Elaine poczuła, jak narasta w niej gniew.

– Ona nie jest żadnym kundlem. To border collie z Kiward. Stamtąd pochodzą najsłynniejsze psy w całej Nowej Zelandii. Piętaszkowi, jej dziadkowi, chcieli w Christchurch postawić nawet pomnik. Pochodzą od collie z Silkham, a te znane są w całej Wielkiej Brytanii. – Elaine się zagalopowała. – Gdyby każdy z imigrantów też miał takie pochodzenie…

Piękną twarz Zoé wykrzywiła wściekłość. Elaine nie chciała dotknąć jej osobiście; jej uwaga miała być raczej dowcipna. Najwyraźniej jednak przodkowie Zoé nie pochodzili z tych najszlachetniejszych.

– Nie chcę żadnych zwierząt w domu! I John też nie! – poinformowała Elaine.

Elaine skarciła się w myślach. Jeśli Zoé pragnie walki o władzę…

– Thomas i ja będziemy mieli przecież własny pokój – powiedziała. – Taki, który mogę urządzić według własnego gustu. A ja nie lubię, na przykład, firanek z falbankami.

Przez następne godziny w powozie panowało milczenie. Elaine skupiła się na pięknie okolic, przez które prowadziła ich droga. Z początku jechali wzdłuż jeziora; później przemierzyli równinę w kierunku na Arrowtown. Rosła tu trawa, podobnie jak na Canterbury Plains.

Horyzont nie sięgał tak daleko i teren był nierówny, ale roślinność bardziej różnorodna. Był to ośrodek hodowli owiec – a przynajmniej miał nim zostać, nim postrzygacz o nazwisku Jack Tewa nie znalazł tu prawie trzydzieści lat temu złota. Od tego czasu poszukiwacze złota napływali tu szerokim strumieniem. Szczególnie miasteczko Arrowtown gwałtownie się rozrosło. Elaine zastanawiała się, czy rzeczywiście było złoto w potokach i rzekach, które mijali i których sielankowe, zalesione brzegi zapraszały, żeby się przy nich zatrzymać.

Thomas powiedział jej, że przenocują w Arrowtown; zostawili jednak miasto po lewej stronie i zatrzymali się na owczej farmie, której właściciela Sideblossomowie znali. Dom zupełnie nie przypominał Kiward Station czy Lionel Station. Urządzony był raczej skromnie, a pokoje dla gości były malutkie. Właściciele ugościli ich jednak świetnie, jak robili to właściwie wszyscy farmerzy w Nowej Zelandii. Garden Station położone było raczej na uboczu i rzadko ktoś ich odwiedzał. Elaine starała się, na ile mogła, zaspokoić ciekawość Mrs Gardener, opowiadając jej nowiny z Queenstown i Otago, choć nie bardzo miała ochotę na pogawędkę. Tak naprawdę to była śmiertelnie zmęczona i wyczerpana jazdą, a z drugiej strony przepełniona lękiem przed kolejną nocą z Thomasem. Podczas podróży, podobnie jak rano, mąż nie zamienił z nią właściwie ani słowa, i tylko mężczyźni z rodziny Sideblossomów prowadzili rozmowę z Mr Gardenerem. Kobiety zostały w swoim towarzystwie. Zoé znowu okazała się niezbyt pomocna. Jadła w milczeniu to, co postawiono na stole. W czasie gdy Mrs Gardener wypytywała Elaine, zmęczona i zdenerwowana dziewczyna nie była w stanie przełknąć ani odrobiny jedzenia. W końcu Zoé zapytała, czy mogą się już udać do swych pokoi. Elaine aż nazbyt chętnie się do niej przyłączyła. Mrs Gardener zdawała się lekko rozczarowana, ale okazała zrozumienie.

– Musi być pani zmęczona, dziecinko, po tym weselu… no i zaraz potem ta długa podróż. Sama jeszcze dobrze pamiętam, jak zostałam wydana za młodu…

Elaine obawiała się dłuższego wychwalania rozkoszy małżeństwa, ale Mrs Gardener zdawała się mieć na myśli coś innego. Gdy przyniosła Elaine wodę do mycia, postawiła obok miski, jakby to było oczywiste, tygielek z maścią.

– Może się to pani przyda – stwierdziła, nie patrząc wprost na Elaine. – Sama ją robię ze słoniny i wyciągów z roślin. Mam w ogrodzie nagietki, wie pani?

Elaine nigdy wcześniej nie dotykała swoich wstydliwych miejsc, lecz gdy Mrs Gardener zostawiła ją samą, z bijącym sercem sięgnęła po tygielek z maścią i posmarowała nią obolałe miejsca między nogami. Niemal od razu poczuła ulgę. Biorąc głęboki oddech, Elaine rozebrała się i rzuciła na łóżko. Thomas pił jeszcze z Gardenerem i jego synami – wyglądało na to, że potrafił wypić równie dużo co ojciec – więc Elaine zasnęła, zanim do niej wrócił. To jej jednak nie uratowało. Obudziła się przerażona, czując, że ktoś chwyta ją za ramię i zmusza, żeby położyła się na plecach. Krzyknęła ze strachu. Callie, która spała pod drzwiami pokoju, zaszczekała głośno.

– Ucisz tę bestię! – huknął Thomas ochrypłym głosem.

Elaine zobaczyła, że zdążył się już rozebrać. Poza tym mocno ją trzymał. W jaki sposób miałaby wyjść i uspokoić psa?

– Dość, Callie! Wszystko w porządku! – Elaine próbowała krzyknąć na suczkę, ale w jej głosie brzmiało tyle strachu, że sama sobie nie mogłaby uwierzyć. A psy potrafią świetnie wyczuwać nastrój. W końcu Thomas zostawił żonę, podszedł do drzwi i ukarał zwierzę solidnym kopniakiem. Callie zaskowyczała, ale nie przestała szczekać. Elaine bała się już teraz nie tylko o siebie, lecz również o suczkę. Odetchnęła z ulgą, gdy usłyszała dochodzący z przedpokoju przyjazny głos Mrs Gardener. Wydawała się odganiać nieposłuszną Callie. Elaine dziękowała niebiosom oraz swojej gospodyni i ułożyła się posłusznie, gdy Thomas znów odwrócił się w jej stronę.

Również dzisiaj nie bawił się w pieszczoty. Zamiast tego wszedł w swą młodą żonę, nie rozbierając jej nawet. Brutalnie zadarł z jej nocną koszulę, tak że puściły szwy.

Elaine wstrzymała oddech, żeby nie krzyczeć – byłoby strasznie niezręcznie, gdyby Gardenerowie ją usłyszeli. Tym razem jednak nie bolało już tak bardzo jak poprzedniej nocy, gdy się w niej poruszał, a maść ułatwiła Thomasowi wejście w nią. Tej nocy ograniczył się do tego jednego razu i zdawało się, że zasnął od razu, gdy jego oddech się uspokoił. Nie zadał sobie nawet trudu, żeby zsunąć się z ciała Elaine. Czuła zapach jego potu i przenikliwy odór whisky. Musiał dużo wypić. Elaine nie wiedziała, czy się bać, czy brzydzić. Czy on się obudzi, jeśli się pod nim poruszy? Musiała spróbować; wykluczone, by mogła wytrzymać w tej pozycji aż do rana.

W końcu zebrała całą odwagę i zepchnęła na bok ciężkie ciało Thomasa. Następnie wysunęła się z łóżka najciszej, jak mogła, po omacku znalazła szlafrok – elegancki, który zamówiła w Dunedin, z myślą o przyjemnych śniadaniach ze swym ukochanym małżonkiem – i wykradła się z pokoju. Wyjście było niżej, przy przejściu do kuchni, Elaine musiała więc zejść po schodach. Z kuchni dosłyszała ciche skomlenie. To była Callie. Elaine porzuciła swój pierwotny zamiar, otworzyła drzwi do kuchni i podążyła za żałosnymi dźwiękami. W końcu znalazła suczkę w kącie przy spiżarni Mrs Gardener. Tutaj też Elaine zasnęła, na szczęście jednak obudziła się, zanim się rozjaśniło. Pospiesznie znów zamknęła Callie i wróciła po schodach na górę. Thomas niczego nie zauważył. Spał tak jak wcześniej, rozciągnięty na całą szerokość wąskiego łóżka, i chrapał. Elaine wyciągnęła spod niego koc i resztę nocy spędziła skulona na podłodze pokoju. Dopiero gdy zaspany Thomas zaczął się nad ranem poruszać, położyła się na brzegu łóżka.

Jeśli tak dalej będzie, to umrze z braku snu. Elaine czuła się podle. Współczujące spojrzenia Mrs Gardener w niczym nie pomagały.

– Proszę spokojnie zabrać z sobą tę maść… no i zanotuję pani jeszcze szybko przepis, jak ją robić! – powiedziała dobroduszna gospodyni. – Szkoda, że nie może mi pani zostawić za to swego pieska! Takie miłe zwierzę. U nas bardzo by się przydał.

Elaine w panice niemal gotowa była podarować jej Callie; wtedy zwierzę byłoby przynajmniej bezpieczne. W nocy bała się, że kopniakami Thomas mógł poważnie zranić suczkę. Ale w Lionel Station z pewnością uda jej się wymyślić jakieś rozwiązanie. Pomyślała, żeby napisać list do babci Gwyn. Z pewnością w Kiward Station znalazłby się jakiś collie dla Mrs Gardener; trzeba było tylko pomyśleć, jak jej go tutaj dostarczyć. Ale to z pewnością da się jakoś zaaranżować. Elaine tego dnia podarowałaby swej miłej gospodyni nawet klejnoty koronne!

Dzień upłynął podobnie jak poprzedni. Podążali szlakiem w stronę Cardron, wjeżdżając przy tym w wyższe góry; gdzieniegdzie zalegał nawet jeszcze śnieg. Elaine, wciąż przemęczona i obolała, marzła w powozie.

Nie pomyślała o tym, żeby wypakować swój zimowy płaszcz. W końcu woźnica jej ojca, bystry młody rudowłosy Irlandczyk, zatrzymał powóz i wyszukał dla kobiet koce i futra ze skrzyń. Teraz Elaine było cieplej, odetchnęła jednak, gdy wreszcie dotarli do hotelu w Cardronie, w którym mieli spędzić kolejną noc. To był prosty, niski drewniany budynek, a do baru nie wolno było wchodzić żadnym kobietom. Elaine i Zoé nie mogły się nawet ogrzać przy kominku i musiały iść od razu do swych pokoi. Tam służąca podała im posiłek i grzane piwo, a Elaine wypiła tak dużo, jak tylko była w stanie. Smakowało wstrętnie. Dotąd tylko sporadycznie zdarzało jej się wypić trochę wina, lecz poza tym właściwie nie pijała alkoholu. Pomyślała jednak o tym, co przekazała jej Daphne: alkohol może sprawić, że wszystko będzie łatwiejsze.

Niestety, piwo tak nie działało, wręcz przeciwnie. Ta noc była najgorsza, jaką Elaine musiała dotąd znieść, bo Thomas przyszedł do niej tym razem niemal natychmiast po przybyciu i nie był pijany. Elaine z początku oczekiwała, że będzie tym razem cierpliwszy i czulszy, ale drżała ze strachu, gdy tylko ją dotykał. Ku jej przerażeniu zdawało się go to podniecać.

– Piękna jesteś, gdy tak drżysz! – powiedział. – To mi się podoba dużo bardziej niż ten numer, który ostatnio wywinęłaś. To bardziej pasuje mojemu niewinnemu maleństwu ze wsi…

– Proszę, nie! – Elaine skuliła się, gdy sięgnął do jej piersi. Nie zdążyła się jeszcze do końca rozebrać i miała na sobie gorset, ale jemu zdawało się to nie przeszkadzać. – Nie tak, proszę… Moglibyśmy najpierw być trochę… milsi?

Spojrzał na nią szyderczo, a ona się zarumieniła.

– Milsi? Co przez to rozumiesz? Jakieś gierki? Ta dziwka, twoja przyjaciółka, nauczyła cię czegoś? No tak, lepiej nic nie mów. Dowiedziałem się trochę o tym, z kim się zadawałaś. To jak chcesz to zrobić? Tak?

Zerwał z niej gorset, rzucił ją na łóżko i zaczął ugniatać jej piersi. Bolało, więc starała się wywinąć z jego uchwytu, on jednak śmiał się tylko i przymierzał, żeby w nią wejść.

– A może bardziej dziko? Na przykład tak?

Elaine jęknęła, gdy ją odwrócił. Mężczyźni i kobiety normalnie patrzą przy tym na siebie… Tak mówiła Inger. Ale co jeszcze mogło tu być normalne?

* * *

Przez następne dni droga wiodła w dół. Posuwali się szybko naprzód i było cieplej. Między skałami znów było widać trawę. Wychylały się pierwsze żółte i białe wiosenne kwiaty; jakoś nie chciały się dopasować do ponurego nastroju Elaine. Nad jeziorem Wanaka, co wiedziała już po pierwszej podróży, krajobraz był ładniejszy niż w okolicach Queenstown. Skały nie opadały tak stromo do jeziora, nad brzegiem były plaże i lasy. Dzień był przyjemny. Po raz pierwszy od wesela była ładna pogoda, a jezioro i jego otoczenie tworzyły bajeczny krajobraz. Woda miała głęboki niebieski kolor, do niej tuliły się plaże, odbijały się w niej potężne drzewa i cała okolica wydawała się zupełnie bezludna. To wrażenie było jednak mylne, bo w pobliżu znajdowała się miejscowość Wanaka – małe miasteczko, podobnej wielkości co Haldon przy Kiward Station, tyle tylko, że znacznie ładniej położone. Sideblossomowie przejechali przez Wanakę wczesnym popołudniem, podążyli jednak dalej wzdłuż rzeki Cardrona w stronę jeziora Hawea. Nadkładali w ten sposób drogi, ale szlak wiódł tuż nad brzegiem jeziora, w góry, i nie było żadnych tras, które można by pokonać pojazdem.

Ostatnią noc podróży znów spędzili na farmie, tym razem nad rzeką Hawea. I wreszcie Elaine miała chwilę wytchnienia. Mężczyźni upili się pędzoną przez irlandzkiego farmera whisky do tego stopnia, że Thomas nie trafił nawet do łóżka. Elaine wreszcie przespała całą noc i była w znacznie lepszym humorze, gdy wstała przed ostatnim etapem podróży. Po drodze stawała się jednak coraz bardziej nerwowa. Czy podczas pierwszej wizyty w Lionel Station też jechała przez takie odludne górskie tereny? Okolica była przepiękna, a widok ciemnoniebieskiego jeziora w otoczeniu gór zapierał dech w piersiach, ale przez cały dzień nie dostrzegła ani jednego domu czy osady. Elaine pojęła prawdę: nawet gdyby miała do dyspozycji konia, droga z Lionel Station do Wanaki wymagała dwóch dni jazdy! To, co wcześniej do niej w ogóle nie dotarło, teraz stało się jasne: Sideblossomowie, Zoé i być może jeszcze kilku pasterzy byli jedynymi białymi, jakich będzie widzieć całymi miesiącami.

* * *

Lionel Station było położone w Makaroa, na zachodnim brzegu jeziora Pukaki. Posiadłość obejmowała zatokę u ujścia rzeki Makaroa. Wokół rezydencji i dalej w górę rzeki, w stronę Wyżyny McKenziego ciągnęły się pastwiska z owcami Sideblossomów. Służba w domu składała się wyłącznie z Maorysów, ale najwyraźniej w pobliżu nie było żadnej ich wioski; ludzie ci spali w prowizorycznych domkach w Lionel Station. Nawet Elaine, która wcale nie znała tak dobrze zwyczajów Maorysów, była w stanie stwierdzić, że coś takiego musiało powodować dużą rotację pracowników. Maorysi byli ludźmi, którzy lubili trzymać się swych rodzin; ciągnęło ich z powrotem do swoich plemion, nawet jeśli chętnie pracowali u *pakeha*. Służba, którą zastała dzisiaj, składała się w większości z innych członków plemienia niż podczas ostatniej wizyty Elaine. Zoé psioczyła na to w drodze; ciągle była zajęta tym, żeby przyuczać do pracy nowych ludzi. Najwyraźniej dobrze sobie z tym radziła, bo zachowanie nowego personelu było bez zarzutu. Z drugiej strony był on też nadzorowany przez jedną z nich: Elaine rozpoznała starszą kobietę, którą przedstawiono jej zimą jako Emere. Na twarzy miała tatuaże, ale nawet bez tych tradycyjnych maoryskich ozdób i tak sprawiała ponure wrażenie. Emere była wyższa niż większość maoryskich kobiet. Długie czarne włosy, w których można już było dostrzec siwe pasemka, nosiła rozpuszczone – co było nietypowe dla pomocy domowej pracującej u tak surowej pani jak Zoé, która zwracała uwagę na to, by służba ubierała się w zachodnie stroje i upinała włosy, a od pokojówki domagała się nawet, żeby ta nosiła czepek. Emere sprawiała wrażenie kogoś, kto raczej nie daje sobie mówić, co i jak ma robić. Była pewna siebie i surowym spojrzeniem swych niezgłębionych, pozbawionych wyrazu ciemnych oczu zdawała się oceniać Zoé i Elaine.

Elaine przywitała się z nią na tyle serdecznie, na ile była w stanie po tej podróży. Przynajmniej z personelem musiała zbudować dobre stosunki; bez przyjaciół w Lionel Station będzie zgubiona.

Thomas nie dał jej jednak czasu na porządne zapoznanie się ze wszystkimi.

– Chodź, Elaine, pokażę ci nasze mieszkanie. Kazałem przygotować dla nas zachodnie skrzydło. Zoé była tak miła i pomogła je urządzić.

Elaine, która po pierwszej spokojnej nocy nie była już tak uległa i wystraszona, lecz zaczęła się irytować tym, jak ją traktowano, ruszyła za nim z ponurą miną.

Thomas zatrzymał się przed wejściem; drzwi do zachodniego skrzydła prowadziły z bogato urządzonego holu.

– Mam cię przenieść przez próg? – zapytał, szczerząc zęby.

Elaine poczuła rosnący w niej gniew.

– Zachowaj sobie ten romantyzm na intymniejsze chwile! – odpowiedziała impulsywnie.

Thomas popatrzył na nią zaskoczony; potem jego spojrzenie stało się czujniejsze, a w oczach zabłysła wściekłość. Ku jego zaskoczeniu Elaine odważnie wytrzymała to spojrzenie.

Jak można było tego oczekiwać, zachodnie skrzydło pełne było kwiecistych firanek i ciemnych toczonych mebli. Jedno i drugie nie odpowiadało gustom Elaine. Normalnie byłoby jej wszystko jedno; i tak wolała przebywać na zewnątrz niż siedzieć w domu, a gdyby miała jakąś interesującą książkę, nie dostrzegałaby nawet otoczenia. Teraz jednak ją to rozdrażniło.

– Będę mogła zmienić coś w wyposażeniu, jeśli mi się nie spodoba? – Ton jej głosu był bardziej agresywny, niż sama tego chciała.

– A co ci się tu nie podoba? – spytał Thomas. – Wyposażenie jest w najlepszym guście i wszyscy, którzy je widzieli, też tak uważali. Oczywiście możesz tu wstawić swoje meble, ale…

– Może nie mam zbyt wyszukanego gustu, ale lubię widzieć swoje ręce, kiedy mam je przed oczami – wyjaśniła Elaine i stanowczym gestem odsunęła ciężkie zasłony w jednym z okien. Potrzebowała do tego trochę siły, ponieważ Zoé preferowała ciężkie aksamitne tkaniny, które pozwalały całkowicie odciąć się od świata. – Przynajmniej to musi stąd zniknąć.

Thomas spojrzał na nią, a jego wzrok zdawał się ją zaklinać. Czy naprawdę jeszcze tydzień temu doszukiwała się wrażliwości w tej nieprzeniknionej twarzy? Teraz jego tajemnice były jej już znane. Może jako mały chłopiec Thomas rzeczywiście czuł się opuszczony i samotny, ale do tej pory nauczył się już dostawać to, czego chciał.

– Mnie się podoba – powiedział poirytowany. – Każę wnieść twoje rzeczy. Jeśli możesz, powiedz im od razu, gdzie co ma stać. – Po tych słowach odwrócił się, pozostawiając upokorzoną i wystraszoną Elaine, której trudno było nie dosłyszeć groźby w jego głosie.

Co zrobi teraz z całym tym wozem przywiezionych sprzętów? A z powodu sprzeczki Thomas nie miał nawet sposobności, żeby ją oprowadzić po domu. Elaine rozpaczliwie rozejrzała się wokół.

– Czy mogę jakoś pomóc, madame? – zapytał ją od drzwi nienaturalnie brzmiący, bardzo młody głos. – Jestem Pai, pani pokojówka. W każdym razie mam nią być, jak uważa Miss Zoé, jeśli będę pani odpowiadać...

Elaine spojrzała na nią zmieszana. Nigdy dotąd nie miała pokojówki. Po co miałaby być komuś potrzebna? Mała Pai zdawała się też tego nie wiedzieć. Miała nie więcej niż trzynaście lat i w swym czarnym stroju służącej, z białym fartuszkiem i czepkiem, sprawiała wrażenie zagubionej. I ten formalny zwrot z francuskim słowem! Najwyraźniej Zoé wysłała swej „przyrodniej synowej" dziewczynę tylko po to, żeby pokazać Elaine, że sama nie poradzi sobie z gospodarstwem. W Elaine na nowo obudziły się gniew i przekora. Ale przecież Pai nie była temu winna. Dziewczyna zdawała się niewinna i sympatyczna ze swą szeroką, niezwykle jasną twarzą i gęstymi czarnymi włosami zaplecionymi w ciasne warkocze. Linia włosów ułożona była w kształt serca. Z pewnością nie była czystej krwi Maoryską, lecz mieszańcem, tak jak Kura, tyle tylko, że w żadnym razie nie taką nadzwyczajną pięknością.

Elaine się uśmiechnęła.

– Miło mi. *Kia ora*, Pai! Powiedz, orientujesz się tu trochę? Mężczyźni wniosą tu zaraz całą górę rzeczy i musimy je jakoś upakować. Mamy jeszcze... mam jeszcze jakichś innych służących?

Pai przytaknęła gorliwie.

– Tak, madame, jeszcze jedną służącą. Raherę. Ale ona jest nieśmiała i słabo mówi po angielsku. Jest tu dopiero od dwóch tygodni.

A więc było dokładnie tak, jak Elaine myślała. Doświadczony personel Zoé zatrzymała dla siebie, ona zaś będzie musiała się męczyć z nowicjuszami. Cóż, spróbuje przynajmniej zatrzymać dziewczyny na dłuższy czas.

– Nic nie szkodzi, Pai, mówię trochę po maorysku – powiedziała przyjaźnie. – A ty mówisz bardzo dobrze po angielsku, więc jakoś sobie razem poradzimy. Sprowadź tu zaraz Raherę... albo nie, pokaż mi najpierw dom. Muszę nabrać jakiegoś wyobrażenia, co gdzie jest.

Pai oprowadziła więc Elaine, a młoda kobieta od razu poczuła się lepiej, kiedy zobaczyła swoje pokoje. Wyglądało na to, że Elaine będzie miała zarówno własną sypialnię, jak i garderobę. A więc nie będzie musiała każdej nocy dzielić łoża ze swym małżonkiem, albo przynajmniej spać obok niego. Poza tym były jeszcze salon i pokój dla panów, połączone z sobą, oba niezbyt wielkie. Z pewnością w Lionel Station było podobnie jak w Kiward Station: najważniejsze pomieszczenia były używane przez wszystkich mieszkańców i posiłki spożywano wspólnie. W zachodnim skrzydle nie było jednak kuchni, znajdowały się w nim natomiast dwie bogato wyposażone, bardzo nowoczesne łazienki.

Elaine potrafiła szybko zapoznawać się z otoczeniem i miała dobrą orientację w przestrzeni. Błyskawicznie zorientowała się w rozkładzie domu, więc gdy mężczyźni – woźnica jej ojca i maoryski pracownik – wnieśli meble i kufry, była w stanie dość dokładnie im wyjaśnić, gdzie co postawić. Pai też okazała się przydatna. Może nie miała zbyt dużego doświadczenia, ale ponieważ jako pokojówka odpowiadała za dbanie o stroje swej pani, a te oczywiście należało umieścić w garderobie, wiedziała, czym się zająć. Pai układała więc pilnie bieliznę w szufladach i w sypialni Elaine i opróżniała kufry z ubraniami, chowając rzeczy do szaf, podczas gdy Rahera przekładała naczynia i kryształy do oszklonych gablotek z taką ostrożnością, że graniczyło to niemal z czcią. Maoryski pomocnik okazał się bratem Rahery; na imię miał Pita. Zazwyczaj, jak wyjaśnił Elaine, pracował jako pasterz; zaoferował swą pracę jako tragarz, żeby być blisko Rahery.

„Chyba raczej Pai – pomyślała Elaine, której nie umknęły iskierki w oczach chłopaka i dziewczyny zdradzające ich uczucia. – Tym lepiej. Jeśli Pai znajdzie sobie tutaj przyjaciela, nie odejdzie stąd od razu".

– To być piękna psa – powiedział Pita, patrząc na Callie, która weszła do domu razem z woźnicą Rubena. Ostatnie noce spędzała z nim w krytym wozie. Teraz Elaine musiała znaleźć dla niej jakieś miejsce. Również to było niełatwe, a w dodatku pilne zadanie.

– Dobre dla owce! Kupić Mr Thomas? – Angielski Pity nie był najlepszy. Elaine musiała się koniecznie dowiedzieć, skąd pochodzili ci ludzie, do jakich należeli plemion i skąd brała się tak wielka różnica w ich wykształceniu.

– Nie – powiedziała z gorzkim uśmiechem. – Ona jest dodatkiem. Nazywa się Callista. To mój pies. – Pokazała na siebie, bo Pita zdawał się nie od razu ją rozumieć. – Słucha tylko mnie!

Pita skinął głową.

– Bardzo piękna pies. Ty nam pożyczyć do owce!

– Pani! – rozległ się ostry głos od strony drzwi. Zoé Sideblossom z szelestem sukni weszła do pokoju. Młoda kobieta zdążyła się już przebrać po podróży i najwyraźniej wzięła też kąpiel; w każdym razie wyglądała znacznie bardziej świeżo i porządniej, niż czuła się Elaine. I miała też dość energii, żeby karcić służących. – Jeśli pani i panu Thomasowi będzie to odpowiadać, chętnie pożyczylibyśmy tego psa do pracy przy owcach. Powtórz to, Pita! W moim domu nie chcę słuchać tego bełkotu tubylców. I przede wszystkim przyzwyczaj się do tego, żeby się porządnie zwracać: „pani" i „madame". – Zoé Sideblossom odczekała, aż wystraszony Pita powtórzy skomplikowane zdanie, które z pewnością nie do końca rozumiał. Dopiero wtedy odwróciła się w stronę Elaine. – Czy jesteś ze wszystkiego zadowolona? Thomas twierdzi, że… urządzenie pokoju bardzo ci się spodobało. – Młoda kobieta uśmiechnęła się złośliwie.

Callie zawarczała na Zoé. Elaine gwałtownie zapragnęła, by jej łagodna collie przemieniła się nagle w ostrego rottweilera.

– Moje meble wniosą tu trochę lżejszy nastrój – odpowiedziała Elaine z chłodnym opanowaniem. – I gdyby Pita był tak miły i pomógł swej siostrze trochę odsunąć zasłony… A poza tym nie musisz zwracać się do mnie madame, Pita. W moim domu jestem Miss Elaine albo Miss Lainie.

Pita i Rahera spojrzeli na nią jak wystraszone króliczki, Pai jednak musiała stłumić chichot.

– O ósmej oczekujemy cię na kolacji. – Zoé majestatycznie opuściła zachodnie skrzydło.

– Koza! – burknęła Elaine.

Pai wyszczerzyła zęby.

– Co madame powiedzieć?

Była już prawie ósma, gdy wreszcie wszystkie kufry zostały opróżnione, a meble poustawiane w pokojach. Większość Elaine zabrała do swojej sypialni i garderoby; kilka wcześniej umieszczonych tam mebli przestawiła do innych pomieszczeń. Pokój dzienny sprawiał teraz wrażenie przepełnionego, ale Elaine było wszystko jedno; i tak nie zamierzała w nim zbyt wiele przebywać. A teraz miała jeszcze dziesięć minut, żeby się przebrać na kolację. Pamiętała z poprzednich odwiedzin, że posiłki przebiegały dość formalnie. Czy nalegał na to John Sideblossom? A może Zoé? W każdym razie będzie to zależało od tego, jak zasadniczo podejdą do sprawy mężczyźni. Elaine nie wierzyła, żeby Zoé miała w domu rzeczywiście tyle do powiedzenia, jak starała się to pokazać. Podczas podróży zachowywała się wobec Johna raczej służalczo.

Jednakże w pobrudzonym stroju podróżnym Elaine nie zasiadłaby do stołu nawet w Queenstown. Musiała się przynajmniej jako tako umyć i włożyć inną suknię. Na szczęście Pai jedną już dla niej wyjęła. Najpierw jednak chciała się szybko pożegnać z woźnicą swego ojca.

– Chce pan już jechać, Pat? – zapytała zdziwiona. – Przecież może pan spokojnie wyruszyć jutro. Na pewno znajdzie się tu dla pana jakieś łóżko.

Patrick O'Mally skinął głową.

– Śpię w kwaterach dla służby, Miss Lainie. Pita mnie zaprosił. Poza tym mógłbym też spać w powozie, tak jak podczas podróży… – To była prawda. Elaine z cichym współczuciem zauważyła, że żaden z Sideblossomów nawet nie pomyślał o kwaterze dla Pata. Uważała takie zachowanie za bezwzględne. Przecież przynajmniej w hotelach były wolne pokoje. – Ale chcę wyruszyć skoro świt. Bez ładunku i kiedy już nie będą mnie spowalniać damy, dotrę z łatwością do Wanaka… – Pat dostrzegł lekko urażoną minę Elaine i natychmiast się poprawił: – Przepraszam, Miss Lainie, nie to… eee… miałem na myśli. Wiem, że świetnie pani jeździ konno. Ale powóz Mrs Sideblossom i te kulawe szkapy przed nim…

Elaine uśmiechnęła się ze zrozumieniem. Ona również zauważyła, że szlachetne rumaki zaprzężone do powozu Zoé nie mogły się równać z końmi pociągowymi, jak Owen czy klacze rasy cob ciągnące wóz Pata.

Pat mógłby się w tym momencie pożegnać, ale zwlekał, jakby coś jeszcze leżało mu na sercu.

– Miss Lainie… czy rzeczywiście wszystko jest w porządku? – wyjąkał w końcu. – Również z… – Rzucił krótkie spojrzenie w bok, na

Callie. Elaine nie opowiadała mu, dlaczego suczka podczas podróży została wypędzona do niego, ale Patrick nie był głupi.

Elaine zastanawiała się, co powiedzieć. Nie wiedziałaby, co mogłaby odpowiedzieć na jego pytania nawet wtedy, gdyby Thomas Sideblossom nie pojawił się za plecami Pata.

– Mrs Sideblossom, jeśli mogę prosić! – powiedział oschle. – Wypraszam sobie ten poufały ton, chłopcze. To lekceważące. Poza tym chciałeś już jechać, prawda? A więc pożegnaj się wreszcie tak jak należy. Jeszcze dziś chcę widzieć, jak twoje konie i wóz stąd znikają!

Pat O'Mally wyszczerzył do niego zęby. Nie tak łatwo było go zastraszyć.

– Z przyjemnością, Mr Sideblossom – powiedział spokojnie. – Ale nie miałem pojęcia, że jestem u pana na służbie. Więc proszę bez tych poufałości. Nie przypominam sobie, żebym pozwolił panu zwracać się do mnie per „ty".

Thomas stał spokojnie, ale jego źrenice się rozszerzyły. W jego oczach Elaine znów zobaczyła otchłań. Co by teraz zrobił, gdyby los Pata rzeczywiście od niego zależał?

Woźnica wytrzymał jednak bez lęku to spojrzenie, z niemal bezczelnym wyrazem twarzy.

– Do widzenia, Miss Lainie – powiedział w końcu. – Co mam powiedzieć pani ojcu?

Elaine zaschło w ustach. Jej twarz pobladła.

– Niech pan powie moim rodzicom… że u mnie wszystko dobrze.

# 8

Thomas nie pozostawił Elaine czasu, żeby mogła się wyszykować do kolacji. Nakazał jej, by towarzyszyła mu tak, jak stała; toteż Elaine czuła się upokorzona i brudna przed oczami nienagannie ubranej Zoé i mężczyzn, którzy zamienili swe stroje podróżne na garnitury. Również Emere zdawało się to rzucać w oczy; stara Maoryska przyglądała się Elaine niezgłębionym wzrokiem. Z dezaprobatą? Taksująco? A może po prostu była ciekawa reakcji towarzystwa przy stole? Do zachowania Emere Elaine nie mogła mieć w każdym razie żadnych uwag; była uprzejma i zręcznie usługiwała przy stole.

– Emere została wyszkolona jeszcze przez moją pierwszą małżonkę – wyjaśnił John Sideblossom, nie patrząc przy tym na wysoką maoryską kobietę – matkę Thomasa. Umarła jednak bardzo wcześnie i zostawiła nam niewiele tak dobrze wykształconych osób…

– Skąd w ogóle pochodzą ci Maorysi? – zapytała Elaine. – Wydaje się, że w okolicy nie ma żadnej wioski.

I dlaczego Emere wciąż tu była, zamiast wyjść za mąż i urodzić dzieci? Albo troszczyć się o swoje plemię? Babcia Helen mówiła przecież, że Emere jest *tohunga*. Jeśli rzeczywiście była w stanie przebudzić głos *wairua* na flecie *putorino*, musiała być uważana za potężną czarodziejkę. I teraz, gdy Elaine po raz pierwszy uważnie jej się przyjrzała, zdało jej się, że z tą szeroką twarzą i linią włosów układającą się w kształt serca kogoś jej przypomina… ale kogo? Wytężała umysł.

– Mężczyźni się u nas najmują – wyjaśnił Thomas. – Jako pasterze. To zwykłe włóczykije. A dziewczyny… niektóre pojawiają się w ich towarzystwie, a część wzięliśmy ze szkoły misyjnej w Dunedin. Sieroty. – Ostatnie słowo wypowiedział dość znacząco i zdawał się przy tym z drwiną spoglądać na ojca. Elaine znów czuła się zdezorientowana. Nie słyszała nigdy o sierotach wśród Maorysów. To nie odpowiadało ich rozumieniu tego, co stanowi o byciu rodziną. Babcia Helen wyjaśniała jej, że maoryskie dzieci każdą kobietę z danego pokolenia nazywają odpowiednio „matką" albo „babcią" i że całe plemię wspólnie wychowuje dzieci. I na pewno nie porzuca żadnych sierot przed drzwiami jakiejś szkoły misyjnej!

W każdym razie wykształcenie w takiej szkole wyjaśniałoby świetny angielski Pai i jej podstawową wiedzę o prowadzeniu gospodarstwa. Elaine postanowiła spytać później dziewczynę, skąd pochodzi.

Jedzenie na stole Sideblossomów było wyśmienite, choć z wyraźnymi wpływami kuchni maoryskiej; składało się głównie ze smażonego mięsa, ryb i batatów. Elaine zastanawiała się, czy zawsze tak było oraz czy Zoé nadzorowała również kuchnię i sporządzała jadłospis. Zupełnie nie potrafiła sobie przypomnieć, co jadła tu podczas swego pierwszego pobytu. Wtedy jej oczy były wpatrzone wyłącznie w Thomasa, do tego zakochała się w krajobrazie wokół Lionel Station i w ogóle czuła się jak w niebie. Teraz zadawała sobie pytanie, jak mogła być tak zaślepiona. I to w dodatku nie pierwszy raz, bo wliczając sprawę z Williamem, zachowała się tak już po raz drugi.

W każdym razie coś takiego już jej się nigdy nie przytrafi. Nie zakocha się już, nie…

Była *mężatką*. Uświadomienie sobie, że nie ma już żadnego wyjścia z jej obecnej sytuacji, sprawiło, że jedzenie stanęło jej w gardle. To nie był jakiś koszmar, z którego ktoś ją kiedyś uwolni. To rzeczywistość, której nie można zmienić! Oczywiście istniała jeszcze możliwość rozwodu, ale wtedy musiałaby przedstawić poważne powody, a nie mogła przecież żadnemu sędziemu opisać tego, co robił z nią każdej nocy Thomas! Sama myśl o tym, że miałaby to komuś opowiedzieć, sprawiała, że ze wstydu mogłaby się zapaść pod ziemię. Nie, rozwód nie był żadnym rozwiązaniem. Trzeba się nauczyć z tym żyć. Zmusiła się, żeby przełknąć kolejny kęs, choć w ustach czuła suchość tak jak wcześniej. Przynajmniej było tu wino. Elaine sięgnęła po kieliszek. Ale nie za wiele, musiała pozostać trzeźwa. Trzeba było jeszcze umieścić gdzieś Callie. Być może będzie się mogła zwrócić do Pai, albo jeszcze lepiej do Rahery. Ta mogłaby zabrać suczkę do swego brata, a Pita będzie o nią dbał. A potem… Elaine musiała się zastanowić nad innymi radami ze skarbnicy doświadczeń Daphne O'Rourke, zamiast skupiać się na tej, która mówiła o szukaniu zapomnienia w winie. Jak na razie nie miała najmniejszej chęci na to, żeby zajść w ciążę!

W pierwszym miesiącu małżeństwa los zdawał się być dla Elaine łaskawy. Według jej obliczeń, gdy spanie z Thomasem stawało się niebezpieczne, mężczyźni wyruszyli akurat przeganiać owce na wyżyny. Dla kotnych owiec wykorzystywali przy tym odkrytą przez Jamesa McKenziego, porośniętą łąkami kotlinę. Jazda ze zwierzętami zabierała dwa dni, przynajmniej jednego dnia będą potrzebowali na powrót, a może zatrzymają się gdzieś jeszcze, żeby łowić ryby albo polować. Przy odrobinie szczęścia powinni wrócić po krytycznych dniach.

Na to, że jej mąż dobrowolnie byłby gotów zrezygnować, Elaine nie liczyła. Thomas spał z nią niemal każdego dnia i trudno było mówić o „przyzwyczajeniu". Wciąż jeszcze miała uczucie, jakby ją coś rozrywało, gdy w nią wchodził. Maść, którą dostała od miłej Mrs Gardener, dawno już się skończyła, a Elaine jakoś nie zebrała się jeszcze do tego, by się postarać o nowe składniki. Po tym jak Thomas przygniatał ją ciałem albo ściskał jej piersi palcami, miała mnóstwo zielonych i niebieskich siniaków. Najgorzej było wtedy, kiedy go rozzłościła albo gdy „nie zachowywała się jak lady". Mówił o tym, że „prowadzi z nim te swoje gierki", i karał ją, odgrywając się na niej po swojemu. Są sposoby, w jakie można wejść w kobietę, o których Inger nic nie wiedziała, albo świadomie nie wspomniała o nich Elaine.

Pai czerwieniła się za każdym razem, gdy widziała na ciele swej pani ślady pozostawiane przez Thomasa.

– Na pewno nigdy nie wyjdę za mąż – stwierdziła kiedyś kategorycznie. – Nie mogłabym spółkować z żadnym mężczyzną, nie chcę tego!

– Ale to być piękne! – zauważyła Rahera swym łagodnym głosem. Była zachwycającą dziewczyną w wieku około piętnastu lat, dość niską i przysadzistą, ale naprawdę śliczną. – Ja już chętna żenić mężczyzna z moje plemię. Ale nie móc, musieć pracować... – Jej twarz posmutniała. Jak Elaine zdążyła się do tej pory dowiedzieć, Pita i Rahera nie trafili tu z żadnymi „włóczykijami", lecz należeli do plemienia, które większość czasu spędzało na Wyżynie McKenziego. Niestety wódz również kroczył śladami legendarnego złodzieja bydła; plemię zostało podejrzane o kradzież, gdy zniknęło stado najlepszych owiec należące do Sideblossomów. Zwierzęta oczywiście wkrótce się odnalazły, Sideblossom zaś, który świetnie wiedział, że wódz ucieknie wraz ze swym plemieniem, gdy tylko poinformuje się o tym konstabla policji, obarczył całą odpowiedzialnością młodych Maorysów, na których natknął się przypadkowo w pobliżu stada. I tak Rahera, Pita i dwóch innych chłopaków odpracowywali karę – wyznaczoną przez Sideblossoma i trwającą bez końca. Elaine wiedziała, że chłopcy znacznie lepiej wyszliby na tym, gdyby stanęli przed sądem, a Rahery prawdopodobnie w ogóle by nie oskarżono.

– Ty… miałaś już? – spytała wstydliwie Pai. – To znaczy… z mężczyzną? – Wykształcenie odebrane w szkole misyjnej widoczne było w jej przypadku na każdym kroku. Nigdy nie żyła ze swoim ludem i nawet ich językiem nie posługiwała się bezbłędnie.

Rahera się roześmiała.

– O, tak. Nazywać Tamati. Dobry człowiek. Teraz pracuje w kopalnia w Greystone. Jeśli kiedyś wolna, robić będziemy w *wharenui*. Wtedy mężczyzna i kobieta…

Elaine po raz pierwszy dostrzegła jakiś sens w obyczaju Maorysów, którzy odbywali stosunki publicznie, na oczach całego plemienia. Ciekawe, co by powiedziały starsze kobiety z plemienia, gdyby wiedziały, co Thomas robi jej każdej nocy.

Elaine wykorzystała nieobecność mężczyzn, żeby wreszcie rozejrzeć się dokładniej w stajni i stodołach Lionel Station. W domu w ciągu ostatnich dni zaczynała się już śmiertelnie nudzić. Praktycznie nie miała w nim nic do roboty. Gotowaniem się nie zajmowała, a sprzątaniem domu trudniły się służące. Rahera nie miała co prawda pojęcia o tym, jak polerować srebra i szorować podłogi, a w dodatku sprawiała wrażenie, jakby uważała, że to wszystko raczej niepotrzebne, ale za to Pai była tym bardziej drobiazgowa. Elaine nie wiedziała, jaka była jej wiara, ale jeśli chodzi o wyuczenie jej na perfekcyjną angielską gospodynię domową i pokojówkę, to szkoła misyjna wykonała pierwszorzędną pracę. Pai przyuczała Raherę i pilnowała, by ta wszystko robiła jak należy. Elaine tylko im przeszkadzała. Drobnych źródeł rozrywki, jak książki czy gramofon, w domu Sideblossomów praktycznie nie było. Ojciec i syn zdawali się nie czytać zbyt wiele, a Zoé ograniczała się jedynie do żurnali dla kobiet. Elaine też je pochłaniała, ale docierały nie częściej niż raz w miesiącu, a zdążyła przeczytać wszystkie w ciągu jednego dnia.

W dużym salonie stał natomiast fortepian, którego Zoé nie używała. Widocznie na tym polu zaniedbano jej wykształcenie perfekcyjnej damy. Elaine zaczęła więc znowu grać – wychodziło jej to dość sztywno, ponieważ od czasu historii z Kurą nie dotknęła już własnego instrumentu. Tutaj jednak ćwiczenia wypełniały jej niekończące się godziny i wkrótce nabrała odwagi, żeby grać również trudniejsze kompozycje.

Teraz jednak Elaine miała wolną drogę do stajni i krocząc przed zadowoloną Callie, zwiedzała budynki na zewnątrz. Jak mogła tego oczekiwać, zabudowania były obszerne. Bezpośrednio do domu przylegała jedynie stajnia dla koni i szopa, podobnie jak na Kiward Station. Elaine rzuciła okiem na czyste boksy. Niemal same karosze – i wśród nich jeden kasztan – spojrzały na nią i zarżały. Wszystkie miały małe, szlachetne głowy po wierzchowcach Johna i Thomasa, a ożywiony sposób, w jaki reagowały na każdą zmianę, wskazywał na wysoką domieszkę czystej krwi. Elaine pogłaskała małego czarnego ogiera, który niecierpliwie uderzał przednimi kopytami w drzwi boksu.

– Wiem, jak się czujesz – westchnęła. – Ale dziś nie czuję się jeszcze dość dobrze. Może jutro wybiorę się na przejażdżkę. Masz ochotę?

Mały ogier parskał cicho i obwąchiwał jej dłoń i strój jeździecki, który wyciągnęła z szafy po raz pierwszy od przybycia do Lionel Station. Ciekawe, czy czuje zapach Banshee?

Elaine wyszła na zewnątrz, na słońce. Ruszyła gospodarczą ścieżką do położonych dalej obór i napotkała Pitę z innym maoryskim chłopcem, którzy usiłowali właśnie zagonić kilka baranów do dopiero co naprawionej zagrody. Zwierzęta były dość rozbrykane i zapewne chętnie dołączyłyby do rozpłodowych owiec i baranów na wyżynach. Próby Pity, żeby je jakoś poskromić, nie robiły na nich wrażenia. Jeden z uparciuchów zaatakował nawet maoryskiego chłopca.

Elaine zaśmiała się najpierw z małego barana, przed którym uciekał wystraszony naganiacz. Ale później jej serce zaczęło bić gwałtowniej. Czy powinna się wtrącać? Callie siedziała przy niej dysząc, cała napięta. Aż się paliła, by zaganiać owce. Jej trening był jednak niedostateczny; Elaine przecież w końcu tylko improwizowała. Co będzie, jeśli się nie uda? Strasznie by się wtedy skompromitowała.

Z drugiej strony... co właściwie miała do stracenia? W najgorszym wypadku obaj Maorysi będą się z niej naśmiewać. Coś takiego była w stanie przeboleć. Jednakże przy odrobinie szczęścia zrobi na nich wrażenie, i gdyby chłopcy później o tym opowiedzieli, Thomas być może zrozumiałby, że mogła być znacznie bardziej użyteczna na zewnątrz, niż zamknięta w domu.

Elaine gwizdnęła przenikliwie, a Callie wyskoczyła z siadu niczym armatnia kula. Mała trójbarwna suczka wskoczyła między Maorysów i rozbrykanego barana, zaszczekała krótko, stanęła na wprost zwierzęcia i jasno mu pokazała, że nie ma tu czego szukać. Baran natychmiast zawrócił. Callie dreptała mu po piętach, a później natychmiast skierowała się ku pozostałym. Kilka sekund później zbiła całą szóstkę w stadko i spojrzała na Elaine swym błyszczącym spojrzeniem collie. Elaine spokojnym krokiem podeszła do bramy wybiegu – nie wolno jej było teraz przyspieszyć, bo owce znów mogłyby się rozbiec. Demonstracyjnie otworzyła bramę trochę szerzej i znów gwizdnęła na Callie. Chwilę później owce poczłapały do zagrody tak grzecznie, jakby ćwiczono je w maszerowaniu równym krokiem.

Elaine uśmiechnęła się i wylewnie pochwaliła Callie. Mała suczka aż tryskała dumą. Skakała wokół swej pani, a chwilę później wokół swojego nowego przyjaciela, Pity. Na noc znalazła sobie azyl w jego kwaterze w oborze i wyglądało na to, że dobrze się tam czuła.

– To dobra, Miss Lainie! Jak cud! – Pita był zachwycony.

– Tak, madame! To było wspaniałe. Słyszałem już o takich psach pasterskich, ale zwierzęta Mr Johna nawet w połowie nie są tak świetne – powiedział drugi z Maorysów.

Elaine stała z szeroko otwartymi ze zdziwienia ustami. Chłopak wyrażał się w równie wyszukany sposób jak Pai. I czy jej się wydawało, czy rzeczywiście był do niej nawet podobny? Bez wątpienia też był mieszańcem, ale coś w kanciastych rysach jego twarzy zdało się Elaine znajome. Coś takiego nigdy dotąd nie przydarzyło jej się w przypadku mężczyzn i kobiet maoryskiej krwi. Raczej bez trudu potrafiła rozróżniać tych niskich ciemnoskórych ludzi – co nie każdemu z białych od razu się udawało – ale rodzinnego podobieństwa u tych nielicznych tubylców, których dotąd znała, zwykle nie potrafiła stwierdzić.

Chwileczkę... Rodzina? Te kanciaste rysy twarzy raczej nie były odziedziczone po Maorysach! Elaine miała jakieś niejasne przeczucie. Musi dowiedzieć się więcej.

– Mój pies może i całkiem dobrze zagania owce – powiedziała – ale tak naprawdę fantastyczny to jest twój angielski, młody człowieku...

– Arama, madame, Arama, do pani usług. – Młody mężczyzna grzecznie się ukłonił.

Elaine się uśmiechnęła.

– Wystarczy „Miss Lainie", Arama. Gdy słyszę „madame", zawsze wyobrażam sobie matronę w bujanym fotelu. No dobrze, ale powiedz mi, skąd tak świetnie znasz angielski. Jesteś spokrewniony z Pai?

Był podobny do Pai. A Pai była podobna do Emere. Emere i... Arama się uśmiechnął.

– Nic mi o tym nie wiadomo. Oboje jesteśmy sierotami, ze szkoły misyjnej w Dunedin. Tam nas oddano jako niemowlęta. Tak w każdym razie mówił wielebny. – Arama mrugnął. Musiał mieć około dwudziestu lat, a więc nie był już dzieckiem tak jak Pai. Z pewnością też zauważył podobieństwo, tak samo jak Elaine. A możliwe, że na tej farmie było jeszcze więcej chłopców i dziewczyn „należących do rodziny".

Elaine była zszokowana. Nie tyle tym, że John Sideblossom najwyraźniej robi to lub robił ze swoją maoryską gospodynią. Thomas przynajmniej dwa razy musiał być świadkiem, gdy Emere była w ciąży... A czy to nie ona była jego nianią? I w jaki sposób John potrafił zmusić tę kobietę do zostawiania dzieci na progu sierocińca?

Elaine zbladła.

– Jest jeszcze więcej? – zapytała ochrypłym głosem.

Twarz Aramy przybrała badawczy wyraz.

– Owiec? – zapytał ostrożnie. – Dla suczki? Cała masa. Jeśli pani chce, proszę pójść i...

Elaine nie odpowiedziała, lecz przypatrywała mu się z powagą i oczekiwaniem.

– Mr Sideblossom sprowadził ze szkoły misyjnej w Dunedin piątkę dzieci mieszańców – powiedział w końcu Arama. – Dwie dziewczyny jako pomoce domowe i trzech chłopców, których przyuczono do pracy na farmie. Jestem tu już od czterech lat i ufa mi. Prowadzę farmę, kiedy jest z innymi na spędzie. I...

– Czy Thomas o tym wie? – zapytała Elaine bezbarwnym głosem. Arama wzruszył ramionami.

– Nie wiem i nie pytam o to. I pani też nie powinna tego robić, Mr Sideblossom nie jest zbyt cierpliwy. Podobnie zresztą jak Mr Thomas. Chciałaby nam pani teraz pomóc z jeszcze kilkoma owcami? Naprawiamy zagrody i sporo ich trzeba przeganiać.

Elaine skinęła głową. O tym, czego się właśnie dowiedziała, mogła pomyśleć później. Również o tym, o czym Zoé być może wiedziała, i o nowinie, z której zwierzyła jej się dumnie tego ranka: Zoé Sideblossom była w ciąży. Thomas będzie miał przyrodniego brata lub siostrę. Cóż, to przynajmniej dla jej męża nie było niczym nowym...

Elaine odsunęła na razie od siebie myśli o osobliwym sposobie Johna Sideblossoma na powiększanie grona domowej służby i ruszyła za Aramą i Pai do kolejnych zagród. Dla psa pasterskiego tej klasy co Callie pracy nie było zbyt wiele. Większość owiec była teraz na wyżynach; tutaj pozostało jedynie kilka chorych zwierząt, trochę bardzo późno pokrytych owiec rozpłodowych, na których okocenie trzeba było jeszcze poczekać, i kilkadziesiąt zwierząt na sprzedaż. Te ostatnie sprawiły Callie najwięcej radości, bo stada były liczniejsze i stanowiły dla suczki poważniejsze wyzwanie. Elaine była po raz pierwszy niemal szczęśliwa, gdy wróciła wieczorem do domu.

– Czuć od ciebie owcami! – skarżyła się Zoé, gdy natrafiły na siebie przy wejściu. – Coś takiego niezbyt dobrze znoszę w moim stanie.

To zdanie Elaine słyszała już dwa razy podczas śniadania. Najpierw Zoé nie mogła znieść zapachu kawy, później zrobiło jej się mdło na widok jajecznicy. Jeśli tak dalej pójdzie, Elaine i żeńską służbę domową czekały trudne miesiące.

– Zaraz się przecież umyję – oświadczyła Elaine. – A dziecko powinno się dostatecznie wcześnie przyzwyczaić do zapachu owiec. Mr John nie wychowa go przecież na hodowcę róż.

Po tych słowach poszła ostentacyjnie do swych pokoi. Była z siebie dość zadowolona. Stopniowo odzyskiwała błyskotliwość i cięty język. Tyle tylko, że wcześniej nie była tak ostra i złośliwa. „Może powinnam być bardziej cierpliwa wobec Zoé? – pomyślała Elaine. – Zwłaszcza jeśli doszła do podobnych wniosków co Arama i ja". Coś takiego musiało szarpać nerwy Zoé, tym bardziej że Emere była tak blisko. W przeciwieństwie do Elaine, Zoé nie mogła się wycofać tak łatwo jak ona do zachodniego skrzydła. Wspólne pomieszczenia należały do obszaru zamieszkiwanego przez nią i Johna i przylegały też do kuchni. A nad wszystkim tym czuwała Emere. Lodowato zimna, o nieprzeniknionym spojrzeniu. Prawdopodobnie Zoé przeżywała piekło.

Elaine również następnego dnia z samego rana poszła do obór. Arama i nieliczni mężczyźni, którzy wraz z nim pozostali, mieli pracę dla Callie. Gdy koło południa skończyli, Elaine zdecydowała, że po południu odważy się na konną przejażdżkę. Arama zaoferował się, że osiodła jej małego ogiera, tego samego, z którym się wczoraj przekomarzała.

– Nazywa się Khan – powiedział Arama. – Ma trzy lata i dopiero od kilku miesięcy chodzi pod siodłem. Jeździ pani konno, prawda?

Elaine skinęła głową i opowiedziała mu o Banshee.

– Mój ojciec przyśle ją tutaj, gdy tylko odstawią od niej źrebaka. Już teraz się na to cieszę. Bardzo mi jej brakuje.

Arama spojrzał na nią sceptycznie, co zdziwiło Elaine. Czyżby nie dowierzał jej umiejętnościom jeździeckim? A może przeszkadzała mu myśl o siwku w tej ponurej stajni? Jeśli o to chodziło, Elaine i tak nie zamierzała zamykać w niej swego konia. Banshee była przyzwyczajona do pasania się na łące.

Wątpliwości co do jej jeździeckich umiejętności szybko się wyjaśniły. Zwinnie i bez pomocy dosiadła Khana i uśmiechnęła się, gdy Arama wyraził żal, że nie może jej zaproponować damskiego siodła.

– Miss Zoé nie jeździ konno.

Dlaczego mówił to w taki znaczący sposób?

Nieważne. Elaine nie zamierzała teraz interpretować znaczenia słów Aramy, chciała poznać nową dla niej okolicę. Dosiadanie Khana szybko okazało się czystą przyjemnością. Ogier był żwawy, ale poruszał się lekkim krokiem i Elaine, która nie była przyzwyczajona do arabów, cieszyła się tym uczuciem lekkości. Kiedy coby jej babci szły w galop, ziemia zdawała się trząść pod ich kopytami, Khan natomiast jakby niemal nie dotykał ziemi.

– Mogłabym się od razu do tego przyzwyczaić – stwierdziła Elaine i poklepała karosza po szyi. – Jutro znów to powtórzymy.

Podczas tej pierwszej przejażdżki ograniczyła się do bezpośredniego sąsiedztwa farmy, zwiedzając łąki wokół domu i szopy do strzyżenia owiec. W Lionel Station były dwie, obie imponujących rozmiarów. W przeciwieństwie do Kiward Station nie hodowano tu bydła, bo okolica była zbyt górzysta. Bydło opłacało się naprawdę tylko na rozległych, porośniętych trawą obszarach, takich jak na Canterbury Plains. Krów nie można było po prostu zagonić na wyżynę tak jak owiec.

Następnego ranka Elaine wyjechała wcześnie, zabierając z sobą prowiant. Chciała jechać wzdłuż rzeki w stronę gór, żeby zbadać przynajmniej krańce Wyżyny McKenziego. Można by powiedzieć, rodzinna historia. Zachichotała, pomyślawszy o swym dziadku i karkołomnej jeździe, dzięki której jej matka uciekła z rąk siepaczy. Fleurette jechała śladami ojca, który uciekał przed Sideblossomem – i przy tym sama mało nie wpadła w podobną zasadzkę.

Elaine całym sercem rozkoszowała się tą przejażdżką. Pogoda była wspaniała, sucha, słoneczna i wiał lekki wiatr. Idealna pogoda na konną jazdę. Khan szedł dziarsko, był jednak spokojniejszy niż poprzedniego dnia, gdy przy każdej sposobności próbował przechodzić w galop. Elaine mogła się więc skupić na widokach i rozkoszowała się górską panoramą na prawym i lewym brzegu rzeki Haas, z której biegiem poruszała się na północny zachód. Callie wesoło biegła przy niej, opuszczając ją jedynie od czasu do czasu, żeby pilnie pogonić jakiegoś zająca, czego właściwie robić nie powinna, bo u psów pasterskich instynkt myśliwski nie był wskazany. Jednak w ostatnich latach problem z królikami w Nowej Zelandii rozrósł się do takich rozmiarów, że nawet taka purystka jak Gwyneira McKenzie zrezygnowała z besztania swych psów za tego rodzaju nagonki. Króliki zostały tu przywiezione na pokładzie któregoś ze statków i z braku naturalnych wrogów gwałtownie się rozmnożyły. W niektórych rejonach Otago gryzonie te pozbawiały trawy spore obszary. Całe połacie, na których normalnie wypasano dotąd owce, zostały spustoszone przez długouche zwierzaki. Zrozpaczeni osadnicy sprowadzili w końcu lisy, rysie oraz inne polujące na króliki zwierzęta i puścili je wolno. Wciąż jednak nie było ich dość dużo, by poradzić sobie z taką ilością szkodników.

Ze strony Callie nie groziło im w każdym razie żadne niebezpieczeństwo. Ganiała za nimi co prawda z zachwytem, nigdy jednak żadnego nie złapała. Gwyneira mawiała, że border collie prędzej już zagonią króliki w stadko i będą ich strzec, niż je zjedzą.

Koło południa Elaine zatrzymała się na postój nad potokiem, który tworząc niewielki wodospad, wpadał do rzeki Haas. Khan i Callie pluskały się w wodzie. Elaine wybrała sobie miejsce na skale, na sąsiedniej rozłożyła jedzenie, bo kamienie leżały w taki sposób, że wyglądały jak stół obstawiony krzesłami. To by się spodobało Maorysom. Elaine zastanawiała się, czy plemię Rahery częściej tu obozowało, nie znalazła jednak żadnych śladów. Ona też nie zamierzała żadnych pozostawić – Maorysi obchodzili się ostrożnie ze swoją ziemią, a Fleurette i Ruben nauczyli swe dzieci, żeby ich naśladowały. Oczywiście Khan, który pasł się na łące, zostawi ślady kopyt w wysokiej trawie, ale te po jednym dniu z pewnością znikną. A sama Elaine nie rozpaliła nawet ognia. Po jedzeniu leżała jeszcze trochę na słońcu, ciesząc się czystym powietrzem i cudownym dniem.

Jeśli chodzi o sam krajobraz, to podobało jej się w nowym domu. Gdyby tylko Thomas normalnie się zachowywał! Co takiego mu się podobało w tym, że ją zamęczał i upokarzał? A może krył się za tym jakiś rodzaj strachu? Może powinna z nim jeszcze raz porozmawiać, spróbować przedstawić mu swój punkt widzenia i pokazać, że z jej strony nie grozi mu żadne niebezpieczeństwo. Przecież nie mogła mu uciec czy wręcz być niewierna. Gdyby tylko mógł się nauczyć jej ufać! Tutaj, w świetle słońca, z dala od ponurego domu, który był dla niej teraz już tylko koszmarem, i po trzech dniach wolności bez Thomasa Elaine zaczęła postrzegać swoją sytuację jako nie całkiem pozbawioną wyjścia.

Przepełniona nowym optymizmem, osiodłała Khana. Właściwie powinna już wracać do Lionel Station. Potem jednak uległa pokusie, żeby zbadać teren za kolejnym łukiem rzeki, zobaczyć, co się za nim kryje. Poza tym jak dotąd cała droga wiodła pod górę. Rzeka została już daleko poniżej, w kanionie; krajobraz wyglądał, jakby ktoś go pokroił nożem i napełnił bruzdy wodą. Droga do domu miała wieść w dół, więc powinna poruszać się znacznie szybciej. Elaine szczęśliwa podziwiała widoki, śmiała się z Callie, która podekscytowana stała nad urwiskiem i ciekawie spoglądała na rzekę. Zastanawiała się, w którym miejscu zaczyna się Wyżyna McKenziego i gdzie znajduje się słynna przełęcz, przez którą James zaganiał owce, i gdzie tak długo krył się przed oczami wszystkich prześladowców.

Było już późne popołudnie, gdy Elaine wreszcie zdecydowała się zawrócić. Nagle Khan podniósł głowę i zarżał. Odpowiedziały mu inne konie – i pojawiły się też liczne psy, które zaczęły się witać z Callie. Elaine spojrzała w kierunku, skąd dosłyszała rżenie, i poznała jeźdźców: John i Thomas Sideblossomowie i ich ludzie. Wrócili znacznie szybciej, niż Elaine przypuszczała.

Mimo optymistycznych myśli, które jeszcze przed chwilą miała, przebiegł ją dreszcz strachu i nieufności, gdy zobaczyła Thomasa zbliżającego się do niej. Instynkt nakazywał jej uciekać. Może mężczyźni nie zdążyli jej jeszcze dostrzec, a Khan był szybki. Ale po chwili skarciła się za te myśli. Ci ludzie byli jej rodziną, a ona nie zrobiła przecież nic złego. Nie miała żadnego powodu, żeby uciekać. Musi wreszcie przestać się zachowywać w obecności Thomasa jak wystraszony królik. Elaine przywołała na twarz przyjazny uśmiech i skierowała konia w stronę mężczyzn.

– A to ci niespodzianka! – zawołała radośnie. – Nigdy bym nie pomyślała, że was tu spotkam. Sądziłam, że wrócicie dopiero jutro.

Thomas spojrzał na nią chłodno.

– Co tu robisz? – zapytał, powoli przeciągając słowa i nie reagując na to, co powiedziała.

Elaine zmusiła się, by patrzeć mu w oczy.

– Wybrałam się na przejażdżkę, a co? Pomyślałam, że rozejrzę się po okolicy, a ponieważ nie ma tu jeszcze mojego konia, pożyczyłam sobie Khana. Chyba mi wolno, prawda? – Ostatnie zdanie wypowiedziała już dość nieśmiało. Niełatwo było sprawiać wrażenie pewnej siebie wobec tej nieprzeniknionej miny Thomasa. Zresztą nie tylko Elaine sytuacja wydawała się groźna. Ludzie Sideblossomów, prawie wyłącznie maoryscy młodzieńcy, wyraźnie woleli trzymać się na uboczu.

– Nie, nie wolno ci! – syknął Thomas. – Ogier jest prawie w ogóle nieujeżdżony i mogło ci się nie wiadomo co stać. Nie wspominając już o tym, że to w ogóle nie jest koń dla damy. Poza tym nie wypada, żebyś sama jeździła po okolicy...

– Ależ Thomasie! – sprzeciwiła się Elaine. Jego argument był tak absurdalny, że mimo napiętej sytuacji niemal się roześmiała. – Przecież tutaj nikt mnie nie widzi! Odkąd wyjechałam z Lionel Station, nie napotkałam nikogo, kto mógłby moje zachowanie uważać za niestosowne!

– Ale ja uważam je za niestosowne – odparł chłodno Thomas. – I tylko to się liczy. Nie mam nic przeciwko okazyjnym przejażdżkom, razem ze mną i na spokojnym koniu. Ale sama nigdy już nie opuścisz farmy. Czy się zrozumieliśmy?

– Ależ zawsze jeździłam sama, Thomasie. Już od dziecka. Nie możesz mnie zamknąć!

– Nie mogę? – zapytał chłodno. – Widzę, że znów bawisz się w te swoje gierki. Kto wie, kogo albo czego tu szukałaś. Teraz ruszaj z nami, później jeszcze o tym porozmawiamy.

Mężczyźni wzięli Elaine między siebie, jakby była jakimś zbiegłym więźniem, którego trzeba odeskortować w bezpieczne miejsce. Nagle krajobraz przestał jej się wydawać tak oszałamiająco piękny i dostojny. Zamiast tego góry zdawały się zamykać wokół niej niczym więzienie. A Thomas nie odezwał się już do niej ani słowem. Trzygodzinna jazda z powrotem przebiegała w ponurym milczeniu.

Arama i Pita, którzy czekali na nią w stajni, wzięli od niej Khana. Zwłaszcza na twarzy Aramy można było dostrzec wyraźną obawę.

– Nie powinna pani przebywać tak długo poza domem– powiedział cicho. – Obawiałem się czegoś takiego, ale myślałem, że mężczyźni wrócą dopiero jutro. Ale proszę się nie bać, nikomu nie opowiemy o tym, że pomogła nam pani z owcami.

Elaine chętnie sama wyczyściłaby konia, tak jak zrobiła to poprzedniego dnia, ale Thomas naciskał, żeby natychmiast szła do domu.

– Przebierz się, żebyś przynajmniej przy stole wyglądała, jak na damę przystało!

Elaine cała drżała, kiedy uciekła do swej garderoby. Pai na szczęście miała już dla niej gotową suknię i szybko pomogła jej mocniej zasznurować gorset.

– Czy Mr Thomas jest... rozgniewany? – zapytała ostrożnie.

Elaine potwierdziła skinieniem głowy.

– Nie wytrzymam tego – wyszeptała. – Chce mnie zamknąć, nie mogę...

– Pssst... – Pai, która właśnie upinała jej włosy, pogłaskała ją pocieszającym gestem po policzku. – Niech pani nie płacze. Od tego nie będzie lepiej. Znam to z sierocińca. Czasami dzieci płakały, ale to nic nie pomagało. Człowiek się przyzwyczaja, Miss Lainie... człowiek przyzwyczaja się do wszystkiego.

Elaine czuła, że gdyby usłyszała to zdanie jeszcze raz, zaczęłaby krzyczeć. Nigdy nie przyzwyczai się do takiego życia. Już prędzej umrze.

Zoé oczekiwała na towarzystwo ze świętoszkowatym uśmiechem.

– Ach, a więc jesteś z powrotem, Elaine! Jak świetnie! Może w najbliższych dniach znów dotrzymasz mi trochę towarzystwa. Ciągle tylko u tych pasterzy i psów, to chyba żadna przyjemność...

Elaine zacisnęła zęby. Thomas skarcił ją lodowatym spojrzeniem.

– Wcześniej też trochę jeździłam konno – mówiła wesoło Zoé, podczas gdy na stół wnoszono jedzenie. Dziś mówiła niemal tylko ona. Thomas nadal milczał, a John wydawał się zainteresowany obserwowaniem młodych małżonków. – Wyobraź sobie, Lainie, że miałam nawet konia, kiedy tu przybyłam. Ale potem już mi przeszła ochota. Panowie nigdy nie mają czasu, żeby towarzyszyć lady na przejażdżce. John sprzedał więc konia...

Co to było? Ostrzeżenie? A może Zoé cieszyła się już na to, że Thomas odda również jej ukochaną Banshee, gdy tylko zwierzę trafi do Lionel Station? Elaine pojęła teraz, dlaczego klacz nie mogła jechać z nimi. Nie chodziło o to, by oszczędzić źrebakowi długiej drogi, tylko o to, żeby przykuć Lainie do domu.

Emere, maoryska kobieta, jak zwykle usługiwała w milczeniu, lecz również ona obserwowała Elaine. A w nocy grała na flecie *pecorino*. Elaine próbowała odsunąć od siebie głosy duchów, ale dźwięk zdawał się bliższy niż zwykle i nawet najgrubsze zasłony nie były w stanie go stłumić.

Tej koszmarnej nocy Elaine po raz pierwszy wypróbowała płukankę z octem. Pojękiwała przy tym z bólu. Ledwo miała siły dotrzeć do łazienki po tym, jak Thomas znów wypędzał z niej „gierki" w bardziej dziki i zaciekły sposób niż kiedykolwiek wcześniej. Złowrogie dźwięki fletu Emere zdawały się jeszcze wzmagać jego wściekłość.

Gdy ją wreszcie zostawił, Elaine najchętniej skryłaby się pod kocami, póki ból nie minie, przypomniała sobie jednak porady Inger dotyczące zapobiegania niechcianej ciąży. Nie mogła dopuścić do tego, żeby mieć z nim dziecko. W żadnym wypadku!

# 9

Od czasu, gdy Kura dowiedziała się o swojej ciąży, jej małżeństwo z Williamem wyglądało dziwnie. Młoda kobieta wydawała się mieć coś za złe praktycznie każdemu z mieszkańców Kiward Station. Dni spędzała zazwyczaj sama albo co najwyżej z Heather Witherspoon. Właściwie w ogóle nie grała na fortepianie, a jej głosu nie słyszano już od tygodni. Gwyneira się martwiła, ale James i Jack uważali, że wreszcie jest spokój.

– Święty spokój! – cieszył się James już pierwszego wieczoru po powrocie z Queenstown, przeciągając się w swoim fotelu. – A przecież wcześniej nawet lubiłem muzykę! Ale teraz... No nie rób takiej miny, Gwyn! Pozwól jej się dąsać. Może to ze względu na ciążę. Mówi się, że kobiety zachowują się wtedy komicznie.

– No proszę, proszę – odparła Gwyneira. – Dlaczego wcześniej nie zwróciłeś mi na to uwagi? Kiedy byłam w ciąży z Jackiem, mówiłeś, że staję się dzięki temu piękniejsza. O „komicznym zachowaniu" nawet wtedy nie wspomniałeś.

– Bo jesteś chlubnym wyjątkiem – powiedział James i uśmiechnął się. – To dlatego już od pierwszej chwili się w tobie zakochałem. A Kura w końcu dojdzie do siebie. Pewnie dopiero teraz zauważyła, że małżeństwo to nie zabawa.

– Ale jest taka strasznie nieszczęśliwa – westchnęła Gwyn. – I zła na wszystkich, a przede wszystkim na mnie. A przecież naprawdę dałam jej wybór...

– Nie każdy z nas jest szczęśliwy z powodu spełnienia własnych życzeń – stwierdził mądrze James. – Ale teraz nie można już tego zmienić. Niemal żal mi Williama, bo jemu dostaje się najgorzej. Ale sprawia wrażenie, jakby niewiele sobie z tego robił.

To ostatnie wynikało przede wszystkim z faktu, że zły humor Kury i jej odosobnienie ograniczały się głównie do dnia. Nocą zdawała się Williamowi wszystko wybaczać i stawała się jeszcze bardziej ekscytującą kochanką niż dotąd. Wyglądało to tak, jakby oszczędzała całą energię na to, żeby dać zadowolenie sobie i Williamowi, i tak po nocach jedno uczucie ekstazy goniło drugie. W ciągu dnia William skupiał się na pracy na farmie i czuł się z tym lepiej. Gwyneira w dużej mierze zostawiała go w spokoju. Nawet jeśli coś jej nie odpowiadało, stawała raczej po jego stronie, czasem nawet wtedy, gdy spierał się o coś z Jamesem McKenziem. James był jednak z natury dość opanowanym człowiekiem. Nigdy nie traktował Kiward Station jako swej własności, więc gdy czasem Williamowi zdarzało się podejmować błędne decyzje, przyjmował je bez komentarza. Prawdopodobnie ten młody człowiek zostanie kiedyś właścicielem, więc James mógł już teraz się przyzwyczajać, by William nim komenderował.

Poker Livingston zdecydował się jednak odejść. Ponoć w cięższych pracach na farmie przeszkadzało mu już chore ramię i żył teraz u swojej przyjaciółki w mieście. William triumfalnie przejął miejsce Pokera i doglądał mężczyzn przy pracach naprawczych i innych zadaniach, jakie były do wykonania latem. Krótko potem osiadłe w Kiward Station plemię Maorysów udało się na dłuższą wędrówkę. James przewracał jedynie oczami i zatrudnił białych pracowników z Haldon.

– Ten prawnuk dużo kosztuje – powiedział do Gwyneiry. – Może jednak powinien cię był zadowolić jako ojciec któryś z Maorysów. Wtedy plemię na pewno by stąd nie uciekło, a jeśli już, to zabraliby z sobą Kurę i nie musielibyśmy oglądać jej wiecznie nadąsanej miny. Zachowuje się tak, jakby to była nasza wina, że zaszła w ciążę.

Gwyneira westchnęła.

– Dlaczego William nie może się porozumieć z Maorysami? W Irlandii miał problemy, bo był zbyt przyjazny dla dzierżawców, a tutaj zraża mi tubylców…

James wzruszył ramionami.

– Nasz Willie lubi po prostu, gdy ludzie są mu wdzięczni. A że nasz Tonga nie ma specjalnie łagodnego usposobienia… I przy tym wcale nie pozostaje Williamowi dłużny! Spójrz prawdzie w oczy, Gwyn. William nie może znieść, jeśli inni stawiają się na tym samym poziomie co on. Chce być szefem i biada temu, kto w to wątpi.

Gwyneira przytaknęła z nieszczęśliwą miną, ale w końcu zmusiła się do uśmiechu.

– Wyślemy najpierw tę dwójkę na zjazd hodowców owiec w Christchurch – powiedziała. – Wtedy nasz wiejski dżentelmen będzie mógł się poczuć ważny. Kura będzie mogła pomyśleć o czymś innym, a ty nareszcie znajdziesz czas, żeby naprawić ogrodzenia. Chyba że sam chcesz pojechać na ten zjazd?

James machnął przecząco ręką. Uważał zjazdy hodowców za niepotrzebne. Kilka przemówień, trochę dyskusji, by rozwiązać aktualne problemy, a potem prawdziwe pijaństwo, podczas którego ludzie wyskakują z coraz bardziej niedorzecznymi propozycjami. Rok temu major Richland wyskoczył z pomysłem, żeby w celu zwalczania plagi królików utworzyć coś w rodzaju stowarzyszenia do ich tępienia. Fakt, że polowano głównie na lisy zamiast na zające, zdawał się mu całkowicie umykać.

Jamesowi w każdym razie nie było to potrzebne do szczęścia – nie wspominając już o tym, że stowarzyszenie hodowców w Christchurch powstało pierwotnie w celu schwytania pewnego złodzieja bydła. Była to okoliczność, o której lord Barrington najpóźniej po trzeciej szklance wspominał w towarzystwie McKenziego.

– Cóż, miejmy nadzieję, że nie namówią Williama do czegoś głupiego – wymruczał James. – Bo w przeciwnym razie może już wkrótce będziemy hodować psy myśliwskie zamiast owiec…

William cieszył się z wyjazdu do Christchurch i po powrocie sprawiał wrażenie, jakby urósł o kilka cali. Kura wydała majątek w zakładzie krawieckim, poza tym jednak miała jeszcze gorszy humor niż zwykle. Przyjazne i naturalne przyjęcie Williama do kręgu owczych baronów otworzyło jej oczy: małżeństwo i dziecko ostatecznie wiązały ją z Kiward Station. William nigdy nie miał zamiaru towarzyszyć Kurze w europejskich operach w roli męskiej muzy. Może w grę wchodziła jakaś podróż, ale z całą pewnością żaden dłuższy pobyt, nie wspominając już o studiach w konserwatorium. Podczas długich samotnych godzin Kura wściekała się na męża i na samą siebie, by jednak w końcu tonąć w ramionach Williama. Gdy William ją całował i pieścił jej ciało, zapominała o wszystkich innych pragnieniach i potrzebach. Jego adoracja wynagradzała Kurze oklaski tłumów, a kiedy w nią wchodził, odczuwała coś więcej niż podczas przepełnionego radosnym uniesieniem belcanto. Gdyby tylko nie było tych ciągnących się bez końca dni i gdyby nie musiała patrzeć z niepokojem, jak zmienia się jej ciało. William uważał, że ciąża czyniła Kurę jeszcze piękniejszą, ona sama jednak nienawidziła nowych krągłości. A przy tym każdy zakładał, że ona koniecznie powinna się cieszyć z tego dziecka – Kurze w najlepszym wypadku było ono obojętne.

W końcu nadeszła jesień i mężczyźni udali się na wyżyny na spęd owiec. William skompromitował się raz na zawsze, gdy poszukując rozproszonych zwierząt, zagubił się w górach. Grupie poszukiwawczej udało się go odnaleźć dopiero następnego dnia.

– Myśleliśmy już, że się gdzieś ulotnił – opowiadał Andy, uśmiechając się do szczerzącego zęby Jamesa. Gwyn i James tym razem nie pojechali z resztą. Gwyn uważała, że Kurze przyda się towarzystwo, a Jamesa powoli zaczynały boleć kości po całym dniu spędzonym na koniu i spaniu na twardej ziemi. Potrafił już sobie wyobrazić, że pewnego dnia przekaże Kiward Station Williamowi i przeprowadzi się z Gwyn do mniejszego, bardziej przytulnego domu. Kilka owiec, hodowla psów, a wieczorami ciepły płomień na kominku, w którym sam będzie palił, bez niczyjej pomocy. O takim życiu Gwyn i James marzyli już w młodości i James nie widział żadnego powodu, dla którego nie miałoby się to wreszcie spełnić. Jedynie ze względu na Jacka było mu trochę żal rezygnować z farmy. Jego syn był jeszcze młody, ale już teraz był świetnym hodowcą. Andy tym razem znów nie mógł się go nachwalić.

– Jack ma szósty zmysł do tej roboty. Potrafi znaleźć każdą owcę, a psy słuchają go jakby same z siebie. Nie ma naprawdę żadnej możliwości, żeby to on przejął posiadłość?

James potrząsnął głową.

– Nie jest z Wardenów. Gdyby to Gwyneira odziedziczyła farmę, sprawa wyglądałaby inaczej. Jasne, że wtedy Stephen, Georgie i Elaine byliby pierwsi w kolejności do spadku przed Jackiem, ale z O'Keefe-'ami jakoś byśmy się dogadali. Steve i George w ogóle się tym nie interesują, a Elaine ma teraz własną farmę owiec.

– Ale Kura przecież też się tym w ogóle nie interesuje – stwierdził Andy. – Szkoda, że nie można jej było wydać za Jacka. Pewnie, pokrewieństwo jest może trochę za bliskie, ale dobra krew...

James parsknął śmiechem.

– Jack nie zgodziłby się na to nawet za wszystkie owce świata, Andy! Myślę, że gdyby Kura była ostatnią dziewczyną na świecie, on i tak wolałby pójść do klasztoru!

Zbliżał się termin porodu Kury i jej humor stawał się w oczach coraz gorszy. William natomiast bardzo się starał, spędzał więcej czasu w domu i próbował poprawić jej nastrój – z niewielkim skutkiem. Od czasu, gdy nie zbliżał się do niej w nocy, by nie narażać dziecka, traktowała go z lodowatą pogardą, to znów wpadała we wściekłość i rzucała w niego różnymi przedmiotami. Teraz nie było już nikogo, kto choćby na krótko zdołałby ją rozweselić. Nie chciała być w ciąży. Nie chciała żadnego dziecka. A ostatnim miejscem, w którym chciałaby być, było Kiward Station.

Marama, jej matka, martwiła się, że wszystko to może zaszkodzić dziecku, a Gwyneirze czasem przychodziła na myśl jej własna ciąża z Paulem. Ona również odrzucała dziecko. Ale Paul był owocem gwałtu, Kura natomiast oczekiwała dziecka spłodzonego z miłości. Gwyneirze niemal ulżyło, gdy wreszcie zaczęły się bóle porodowe. Marama i Rongo Rongo, maoryska położna, od razu były na miejscu, by wspierać Kurę, a Gwyneira posłała dodatkowo po Francine Candler, żeby ta nie poczuła się urażona. Gdy położna z Haldon wreszcie się pojawiła, dziecko było już na świecie. Kura urodziła łatwo; leżała sześć godzin z bólami porodowymi, a potem wydała na świat malutką, ale zdrową dziewczynkę.

Twarz Maramy aż promieniała, gdy pokazywała ją Gwyneirze.

– Chyba nie jest pani zła, Miss Gwyn? – zapytała zatroskana.

Gwyneira się roześmiała. Gdy urodziła się Kura, Marama zadała to samo pytanie.

– Ależ skąd! Utrzymujemy po prostu żeńską linię! – powiedziała, biorąc maleństwo z rąk Maramy. Badawczo przyjrzała się drobnej twarzyczce. Nie dało się jeszcze powiedzieć, czyje rysy odziedziczyła, ale meszek na jej głowie zdawał się raczej złoty niż czarny.

– Jakie imię chce jej dać Kura? – zapytała Gwyneira, kołysząc niemowlę. Dziecko przypominało jej Fleurette, kiedy była malutka, i ogarnęła ją fala czułości, gdy przebudziło się i spojrzało na nią wielkimi niebieskimi oczami.

Marama, nieszczęśliwa, wzruszyła ramionami.

– Nie wiem. Nic nie mówi i nawet nie chciała dobrze spojrzeć na małą. „Zanieś ją babci – powiedziała tylko. – Przykro mi, że to nie chłopiec". I wtedy William powiedział: „Następnym razem, najukochańsza!", na co Kura niemal wpadła w furię. Rongo Rongo dała jej środek nasenny. Nie wiem, czy to dobre, ale po tym, jaka była wściekła…

William też był niezadowolony. Liczył na syna i sprawiał wrażenie rozczarowanego. Tonga natomiast przysłał z okazji narodzin prezent, ponieważ Maorysi uznawali prawa dziedziczenia również żeńskich członków rodziny.

Gwyneirze było wszystko jedno, czy to chłopiec czy dziewczynka.

– Najważniejsze, że nie jest muzykalna – powiedziała do Jamesa i ułożyła dziecko w kołysce. Ponieważ wcześniej nikt jakoś o tym nie pomyślał, nie zastanawiając się długo, zamieniła salon Kury w pokój dziecinny. Kołyskę James musiał przynieść ze strychu. Mogło się wydawać, że nikt nie zastanowił się nad imieniem dla dziecka.

– Ochrzcij je imionami ulubionych śpiewaczek Kury – doradził James. – Jak im tam było?

Gwyneira przewróciła oczami.

– Mathilde, Jenny i Adelina. Czegoś takiego nie możemy przecież zrobić temu maleństwu! Zapytam ojca. Może damy jej imię po jego matce.

– Wtedy prawdopodobnie będzie miała na imię Mary albo Bridey… – zastanawiał się głośno James.

Okazało się jednak, że William myślał już nad imieniem dla swojej córki.

– To powinno być szczególne imię – wyjaśnił, lekko już odurzony whisky. Gwyneira natrafiła na niego w salonie. – Coś, co wyrażałoby nasz triumf nad tym nowym krajem! Myślę, że nazwę ją Gloria!

– Tondze nie musimy tego przedstawiać w ten sposób – stwierdził James ze śmiechem, gdy już Gwyneira przekazała mu tę wiadomość. Jack przyłączył się do niego, i ojciec z synem mocowali razem zabawkę nad łóżeczkiem. – Teraz – wyjaśniał James synowi – dziecko nie widzi jeszcze zbyt dobrze, ale za jakiś czas huśtający się miś będzie przyciągał jej uwagę i uspokajał ją.

– Kim ona właściwie jest? Moją ciocią? – Jack zafascynowany zajrzał do kołyski, w której spała Gloria.

– Możesz ją spokojnie dotknąć – zachęcała go Gwyn. – No tak, kim ona jest. Ojciec Kury i ty byliście przyrodnimi braćmi. Tak więc Kura byłaby twoją przyrodnią bratanicą. A dziecko byłoby… To wszystko jest dosyć skomplikowane!

Jack uśmiechał się do dziecka. Na jego twarzy pojawił się taki sam wyraz, jaki pojawiał się u jego ojca przy nowo narodzonych zwierzętach: patrzył na dziewczynkę z pełnym niedowierzania zdumieniem, niemalże z namaszczeniem. W końcu odważył się wyciągnąć rękę w stronę kołyski i dotknął palcem delikatnych rączek Glorii.

Niemowlę na krótką chwilę otworzyło oczy, a potem znów je zamknęło. Wyglądało, jakby z fascynacją mrugnęło oczami do Jacka. Drobniutka dłoń zacisnęła się mocno wokół jego palca.

– Chyba ją lubię – powiedział chłopak.

W kolejnych dniach troska o małą Glorię stała się głównym powodem kłótni między kobietami w Kiward Station. Kucharka Kiri, a wraz z nią Marama, były stanowczo przeciwne, żeby odebrać Kurze opiekę nad dzieckiem. Przed laty Kiri, po nieszczęsnej ciąży Gwyneiry, troszczyła się o małego Paula i później uważała to za błąd. Matka nigdy nie mogła zbudować właściwej więzi z dzieckiem, i gdy chłopiec był starszy, a potem dorósł, nie potrafiła go naprawdę kochać. Gdyby po prostu pozwoliła Paulowi krzyczeć, argumentowała Kiri, Gwyn prędzej czy później byłaby zmuszona nakarmić dziecko – a to mogłoby rozwinąć w niej matczyne uczucia. Z Kurą i Glorią było tak samo, tłumaczyła Kiri.

Gwyneira natomiast była zdania, że musi się zająć swą malutką prawnuczką. Już choćby dlatego, że najwyraźniej nikt tego nie robił. Kura w każdym razie nie zmusiła się, by zająć się dzieckiem tylko dlatego, że krzyczało. Wolała ukryć się w innym pokoju, żeby go nie słyszeć. Umieszczenie małej Glorii w salonie, najodleglejszym pomieszczeniu jej apartamentu, okazało się błędem. Pokój dziecinny graniczył za to z korytarzem, więc płaczu Glorii nie dało się ukryć przed innymi ludźmi w domu, podczas gdy Kura w swojej sypialni albo garderobie nie słyszała niemal niczego. A jeśli chodziło o Heather Witherspoon, to krzyk zdawał się szarpać jej nerwy i najwyraźniej bała się, że może upuścić dziecko, gdy brała je na ręce. Gwyn po tym, jak raz ją zobaczyła, podzielała jej obawy.

– Mój Boże, Miss Heather, to jest dziecko, a nie jakaś lalka! Główka nie jest do niej przykręcona i trzeba ją jeszcze podpierać. W tym wieku Gloria nie jest w stanie sama jej utrzymać. A dziecko pani nie ugryzie, jeśli oprze je sobie pani o ramię. I wybuchnąć też nie powinno, nie trzeba go trzymać jak laski dynamitu.

Miss Heather po tym zajściu się poddała. Podobnie zachowywał się William, ale on przynajmniej zatrudnił opiekunkę do dziecka, niejaką Mrs Whealer. Odrzucił propozycję maoryskiej dziewczyny w tej roli. Solidna Mrs Whealer mogła się jednak zjawiać dopiero około dziewiątej rano, ponieważ dojeżdżała z Haldon, i w miarę możliwości chciała też wracać do domu przed zapadnięciem ciemności. James narzekał, że człowieka, którego trzeba było odrywać od pracy, żeby przywoził Mrs Whealer i odwoził ją do domu, równie dobrze można było samego nauczyć przewijać dziecko, bo koszta byłyby takie same.

W każdym razie nocą nie było nikogo, kto zajmowałby się Glorią i ją karmił, i często to Jack przychodził do sypialni rodziców, mówiąc, że mała czegoś potrzebuje. Pokój chłopaka był najbliżej pokoju dziecinnego, więc pierwszy słyszał krzyki niemowlęcia. Ze zwykłym sobie zaangażowaniem z początku brał dziecko z kołyski i kładł obok siebie niczym szczeniaczka, którego dostał na Boże Narodzenie. Tyle tylko, że pieska karmił przed pójściem spać, więc zwierzak drzemał słodko, Gloria natomiast była głodna i nie dawała się uspokoić.

Jackowi nie pozostawało nic innego, jak budzić swoją matkę. Z poczucia obowiązku próbował najpierw u Kury, ale z jej pokoju nie dobiegał żaden głos. Pukanie do drzwi apartamentu było w jej sypialni słychać równie słabo jak płacz Glorii, a na wtargnięcie do prywatnych pokoi chłopak się nie odważył.

– Co ten William właściwie wyrabia? – pomrukiwał James, gdy Gwyneira wstawała do dziecka już trzecią noc z rzędu. – Nie można mu w końcu wyjaśnić, że nie wystarcza tylko spłodzić dziecko?

Gwyneira narzuciła szlafrok.

– Nawet nie będzie tego słuchał. I Kura też nie. Bóg wie, co oni sobie myślą. W każdym razie jakoś nie potrafię sobie wyobrazić Williama z butelką mleka w ręce. A może ty?

James już miał odpowiedzieć, że najpierw William musiałby się odczepić od butelki whisky, ale nie chciał denerwować Gwyneiry. Była tak zajęta dzieckiem i farmą, że nawet tego nie zauważała, on jednak w ostatnim czasie dostrzegł wyraźny ubytek w zapasach alkoholu. Małżeństwo Williama i Kury nie zdawało się już takie szczęśliwe jak na początku czy w pierwszych miesiącach ciąży. Oboje nie chodzili już tak wcześnie do łóżka i nie wymieniali zakochanych spojrzeń, a wręcz zdawali się żyć obok siebie. William w każdym razie długo jeszcze pozostawał w salonie, po tym jak Kura szła już do swych pokoi. Niekiedy rozmawiał o czymś z Miss Witherspoon – James chętnie by się dowiedział, co takiego mieli sobie do powiedzenia. Ale często też wygadywał coś sam do siebie, zawsze z pełną szklanką pod ręką.

Faktycznie, stosunki z Kurą po urodzeniu Glorii nie poprawiły się, jak liczył na to William. Jak na dżentelmena przystało, pozwolił żonie na cztery tygodnie odpoczynku po urodzeniu dziecka, potem jednak znów spróbował wejść do jej łóżka. W gruncie rzeczy był nawet pewien, że przyjmie go więcej niż chętnie. Przecież Kura całymi tygodniami twierdziła, że już jej tak nie pożąda ze względu na jej wielki brzuch. I faktycznie, chętnie pozwalała się całować i pieścić, i drażniła go, doprowadzając niemal do orgazmu. Lecz gdy chciał w nią wejść, odpychała go od siebie.

– Chyba nie sądzisz, że coś takiego przytrafi mi się jeszcze raz? – powiedziała chłodno, gdy doszedł do siebie na tyle, by się poskarżyć. – Nie chcę już żadnych dzieci. Zostawmy to. Możemy robić wszystko inne, bo od tego nie zajdę przecież w ciążę.

William z początku nie potraktował jej poważnie i próbował dalej, ale Kura pozostawała niewzruszona. Przy tym wykorzystywała swój talent, by doprowadzać go na skraj ekstazy. W ostatnim jednak momencie wycofywała się. Jej samej zdawało się to nie przeszkadzać; można było odnieść wrażenie, że zaspokajało ją to, że William pożąda jej do szaleństwa.

Pewnej nocy jednak William stracił panowanie nad sobą i wziął Kurę wbrew jej woli, pokonując jej opór i śmiejąc się, gdy biła go i drapała. Szybko jednak przestała się bronić i ona również miała z tego wyraźną przyjemność. Mimo wszystko to było niewybaczalne. William od razu tej nocy ją przeprosił, a potem jeszcze trzykrotnie następnego dnia; był naprawdę skruszony. Kura przyjęła przeprosiny, wieczorem jednak drzwi do jej pokoju były zamknięte na klucz.

– Przykro mi – powiedziała – ale to zbyt ryzykowne. Zawsze któreś z nas nie będzie mogło się powstrzymać, a ja nie chcę kolejnego dziecka.

Zaczęła natomiast na nowo śpiewać i grać na fortepianie, całymi godzinami, jak przed początkiem ich małżeństwa.

– Trzeba się było naprawdę dobrze zastanowić, czego sobie człowiek życzy... – westchnęła Gwyneira, kołysząc na rękach małą Glorię. Najwyraźniej jej modlitwa, żeby dziecko okazało się całkowicie niemuzykalne, została wysłuchana: Gloria krzyczała przeraźliwie, gdy tylko fortepian zaczynał grać.

– Wezmę ją z sobą do stajni – oświadczył wesoło Jack, również uciekający przed Beethovenem i Schubertem. – Przebywając z psami, jest zupełnie spokojna, nawet się śmieje, gdy Monday ją liże. Jak myślisz, kiedy będzie można zacząć ją uczyć jazdy konnej?

William czuł się doprowadzany do szaleństwa. Codziennie widział Kurę, której figura znów przybierała dawne olśniewające kształty, a ruchy ponownie stały się wdzięczne i taneczne zamiast ociężałych, jak w ostatnich tygodniach ciąży. Wszystko w niej go podniecało, jej głos, taniec jej palców po klawiszach... Czasem wystarczała sama myśl o niej. Gdy samotnie popijał whisky, przed oczami stawały mu ich nocne igraszki. Przywoływał w pamięci każdą pozycję, tęsknie wspominał każdy pocałunek. Czasami myślał, że wybuchnie z pożądania. Kura musiała prawdopodobnie czuć to samo; dostrzegał jej pożądliwe spojrzenia. Panowała jednak nad sobą z żelazną konsekwencją.

Kura nie wiedziała, w jakim kierunku może się jeszcze potoczyć jej życie, ale pozostanie w Kiward Station, rodzenie jednego dziecka po drugim, stawanie się przy tym nieatrakcyjną, grubą i poruszającą się jak kaczka wydawało jej się czymś upiornym. Kilka miesięcy pełnych namiętności pomiędzy kolejnymi dziećmi nie równoważyło okropności takiej sytuacji. A Rongo Rongo nie dawała jej w tej kwestii żadnych złudzeń: „Nim skończysz dwadzieścia lat, możesz mieć jeszcze trójkę dzieci, a kto wie, ile ich będziesz miała w sumie".

Na myśl o trójce wrzeszczących bachorów Kurze przebiegały ciarki po plecach. Uważała, że Gloria jest urocza, ale była w stanie zrobić z nią nie więcej niż ze wszystkimi tymi małymi pieskami, kotkami i jagniętami, które tak zachwycały Gwyneirę i jej kuzynkę Elaine. Nie miała na to więcej ochoty.

Rezygnacja z kochania się z Williamem sprawiała jednak, że była coraz bardziej rozdrażniona. Czegoś potrzebowała, czy to muzyki i aplauzu, czy zaspokojenia i seksu. Muzyka była jednak mniej niebezpieczna. Ćwiczyła więc znów na fortepianie, śpiewała i czekała. Coś musiało się wydarzyć.

# 10

Roderick Barrister nie był jakimś cudem belcanto. Ukończył co prawda naukę śpiewu we w miarę renomowanym instytucie i dzielnie sobie radził z najważniejszymi tenorowymi partiami oper. Poza tym całkiem dobrze się prezentował ze swymi gęstymi, gładko zaczesanymi, długimi czarnymi włosami, co upodabniało go do operowych bohaterów. Dość urodziwa twarz zdawała się odrobinę delikatniejsza niż twarze o klasycznych rysach, co trochę mocniej poruszało serca kobiet, które obdarzał płomiennym spojrzeniem swych czarnych oczu. Już sam wygląd zapewniał mu ciągłe angaże w małych zespołach bądź występy na wieczorkach muzycznych. Do zrobienia kariery na wielkich scenach to jednak nie wystarczało i Roderick już od dawna nie miał co do tego złudzeń.

Kochał swą publiczność i łaknął sławy gwiazdy – ale nie był głupi. Dlatego też od razu skorzystał z okazji, by jak najszybciej zostać wielką rybą w małym stawie, kiedy pewien nowozelandzki przedsiębiorca zbierał zespół na tournée po Nowej Zelandii i Australii. George Greenwood, człowiek już nie najmłodszy, najwyraźniej dążył raczej do spełnienia swych altruistycznych pragnień, niż kierował się niską żądzą zysku. Oczywiście miał przy tym zarobić trochę pieniędzy, ale przede wszystkim chodziło mu o to, by sprawić przyjemność swej żonie Elizabeth. Para przed laty spędziła kilka miesięcy w Anglii i młoda wówczas kobieta dała się uwieść czarowi opery. Na nowozelandzkiej Wyspie Południowej nie było jednak dotąd żadnego operowego gmachu – miłośnicy belcanto musieli się zadowolić gramofonami i płytami z szelaku. George chciał im sprawić przyjemność i wykorzystał ponowny pobyt w Londynie, by stworzyć zespół śpiewaków i tancerzy.

Roderick był wśród pierwszych, którzy się zgłosili, i wkrótce stało się dla niego jasne, że będzie mógł zaoferować z zyskiem również swoje zdolności organizatorskie: George Greenwood nie miał najmniejszego pojęcia o muzyce i wcale się nią nie interesował. Było dla niego wręcz ciężarem, by oprócz swych zwykłych zajęć brać jeszcze na siebie ocenianie śpiewaków i tancerzy, nie wspominając już o podejmowaniu decyzji, kto z tych ludzi lepiej opanował swój fach. Chętnie przyjął więc propozycję Rodericka, który zaproponował pomoc w doborze zespołu. I tak oto niespodziewanie Barrister został również impresario.

Wypełniał to zadanie sumiennie, wybierając przy tym najpiękniejsze i najbardziej ochocze baleriny, wśród tancerzy preferował zaś tych, którzy czuli pociąg do własnej płci. W końcu za oceanem niepotrzebna mu była konkurencja! Przy doborze śpiewaczek, jak też oczywiście dalszych głosów wśród tenorów, basów i barytonów dbał przede wszystkim o to, by nie zatrudniać nikogo, przy kim zarówno pod względem wokalnym, jak i wizualnym mógłby wypaść słabiej. Jego przyszła partnerka, pierwsza sopranistka, była w związku z tym, tak z wyglądu, jak i biorąc pod uwagę zalety jej głosu, istotą raczej przeciętną, choć z pewnością dobroduszną. Sabina Conetti wiedziała równie dobrze jak Roderick, że najlepsze sceny nie były dla niej. Była wdzięczna za angaż na dobrych warunkach, zawsze gotowa troszczyć się o Rodericka, gdy akurat nie miała na to ochoty żadna z baletnic, i w ogóle przyciskała do swego wielkiego biustu każdego, kto chciał się jej wyżalić. Roderickowi oszczędzało to sporo kłopotów; omijały go dzięki temu wszystkie osobiste problemy członków zespołu, jakie normalnie odbierały spokojny sen innym impresariom. W jego małej kompanii panowały przyjaźń i miłość – a publiczność, jak się okazało, nie była wymagająca. Już na parowcu, którym podróżowali tylko kilka tygodni, zespół dał pierwsze koncerty. Podróżni zasypywali pochwałami artystów i bardzo zadowolonego George'a Greenwooda.

Na pierwszy występ zespołu w Christchurch na Canterbury Plains spoglądał więc spokojnie. Sabina Conetti *in natura* była prawdopodobnie mimo wszystko lepsza niż Jenny Lind z szelakowej płyty.

Christchurch okazało się miłą niespodzianką. Śpiewacy i tancerze liczyli się z tym, że trafią do ostatniej dziury, okazało się jednak, że jest to miasto starające się upodobnić do angielskich metropolii. Od 1880 roku jeździły tu barwnie pomalowane tramwaje, dzwoniąc na ulicach schludnego miasta. Christ College przyciągał studentów z całej Nowej Zelandii, dodając atmosfery młodości, a skąpstwo też nie rzucało się tu w oczy. Hodowla owiec, a w ostatnim czasie również eksport mięsa, przyczyniły się do znacznego wzbogacenia Canterbury, ojcowie miasta zaś chętnie wydawali pieniądze podatników na imponujące publiczne gmachy.

Opery jednak jeszcze nie było; występ miał się odbyć w hotelu. Roderick znów dziękował niebiosom za Sabinę. Podczas gdy ona walczyła z wokalistami narzekającymi na kiepską akustykę sali bankietowej w White Hart i tancerzami mającymi wątpliwości, czy scena nie jest zbyt mała, on poznawał miasto i dopiero krótko przed występem wyjrzał ciekawie zza kurtyny na oczekującą występu publiczność. Dobrze ubrani, pełni oczekiwania ludzie, którzy za chwilę będą wychwalać Rodericka Barristera, jakby był samym Paulem Kalischem we własnej osobie. Po prostu spełnienie marzeń! I wtedy zobaczył tę dziewczynę.

Na gościnny występ zespołu operowego uwagę Williama i Kury Martynów zwrócił nie kto inny, jak Heather Witherspoon. George Greenwood poinformował co prawda Gwyneirę o koncercie, ale od razu o tym zapomniała – zwłaszcza że ani James, ani Jack nie odczuwali potrzeby, by się na niego wybrać.

– Tak właściwie opera jest czymś pięknym – stwierdziła bez przekonania Gwyn, zwracając się do syna. Koniecznie chciała mu umożliwić odpowiednie wykształcenie, co w Nowej Zelandii nie zawsze było łatwe, a James starał się ją w tym wspierać. W zeszłym roku rodzina McKenziech widziała występ Royal Shakespeare Company podczas ich tournée i była zachwycona, choć Jack uważał, że walki na miecze były znacznie ciekawsze niż miłosne cierpienia Romea i Julii. Wydawało się jednak, że do opery rodzina Gwyneiry nie ma serca.

– Zresztą co mielibyśmy zrobić z Glory? – argumentował dodatkowo Jack. – Będzie przecież krzyczeć, jeśli nie będzie nas tak długo, a jeśli weźmiemy ją z sobą, to dopiero się rozwrzeszczy. Ona po prostu nie lubi takiego hałasu.

Chłopak do tej pory nabrał zwyczaju wszędzie zabierać z sobą swoją „krewniaczkę", zupełnie jak szczeniaka. Zamiast pluszowych misiów zawieszał jej nad koszem w stajni kopystki do czyszczenia kopyt, a gdy Gloria wyciągała w ich stronę rączki, wciskał jej w dłonie źdźbła słomy albo zgrzebła do czyszczenia koni, by miała się czym bawić. Małej wydawało się to podobać. Tak długo jak jej matka nie śpiewała albo nie grała na fortepianie, była spokojnym dzieckiem – a odkąd Jack nauczył się fachowo przygotowywać dla niej mleko, dobrze spała w nocy.

Kura i William nie poinformowali Gwyn, że zamierzają się wybrać na wieczór operowy. W ostatnim czasie mieszkające w Kiward Station rodziny oddaliły się od siebie. Fortepian na samym środku salonu i wieczorne koncerty Kury wcześnie przeganiały Jacka i Jamesa do ich pokoi, a gdy młoda kobieta udawała się wreszcie do siebie, nie mieli ochoty na towarzystwo pijącego whisky Williama. Oczywiście poza Heather Witherspoon.

– Czy czegoś tam przypadkiem między nimi nie ma? – zapytał kiedyś podejrzliwie James. – To znaczy… nie mogą przecież całymi nocami rozmawiać o angielskiej edukacji w internacie.

Gwyneira się zaśmiała.

– Jack w każdym razie utrzymuje, że między Kurą i Williamem już do niczego nie dochodzi. A przy tym tak to dokładnie wyraził. Czy to możliwe, że masz na niego zły wpływ? Helen byłaby przerażona! W każdym razie twierdzi, że słyszy, jak każdego wieczoru się kłócą. To z kolei opowiadał nie mnie, lecz swojemu przyjacielowi Hone. Usłyszałam to przypadkiem. Obaj zaczęli się ostatnio trochę interesować dziewczynami. Hone przy tym dojrzewa znacznie szybciej niż Jack. Ten chłopak jest „uszkodzony przez Kurę”. Może nawet skończy jeszcze jako mnich!

James wyszczerzył zęby.

– To raczej mało prawdopodobne. Z pewnością jest dobrym pasterzem, ale myślę, że przeszkadzałoby mu, gdyby nie mógł strzyc dwunożnych owieczek i zaganiać ich, gdzie mu pasuje. Poza tym, o ile wiem, żadne z wyznań nie używa chyba border collie jako strażników cnoty.

– To by wcale nie było takie złe – zachichotała Gwyn. – Pamiętasz jeszcze, jak wtedy Cleo zawsze szczekała, gdy mnie dotykałeś?

James spojrzał badawczo na Monday, która leżała w koszu przy ich łóżku.

– Nasza obecna strażniczka śpi. No chodź, nie dopuśćmy do tego, żeby zmarnować taką okazję…

* * *

Kura była oczywiście zachwycona wyjazdem do Christchurch, a Heather Witherspoon nie mniej. William wiązał wyjazd raczej z pielęgnowaniem kontaktów z innymi owczymi baronami, ale chętnie pojechał z nimi. Gwyneira niezbyt chętnie dała wolne Miss Witherspoon. Nadal była niezadowolona z jej pracy, jeśli chodziło o nauczanie Jacka i maoryskich dzieci. Heather prosiła jednak o urlop tak rzadko, że Gwyneirze trudno było jej odmówić.

– Może zakocha się w jakimś śpiewaku i ulotni się od nas – wyraził swe nadzieje James.

Na to nie było jednak co liczyć. Heather już dawno ulokowała swe uczucia. Choć William nie okazywał nią zainteresowania, lecz wciąż marzył o zdobyciu „twierdzy Kura", ona miała swoje powody, żeby niemal każdego wieczoru mu towarzyszyć. Kiedyś będzie musiał w końcu dostrzec w niej kobietę. Taką miała przynajmniej nadzieję. W książkach i żurnalach, które czytała, metoda ta bywała zazwyczaj skuteczna. Kobieta musiała być tylko dostatecznie długo miła, cierpliwa, a przede wszystkim dostępna.

Kura, William i Heather pojechali więc do Christchurch i oczywiście pierwsze spojrzenie Rodericka Barristera na publiczność zatrzymało się na Kurze-maro-tini.

– Na wszystkich bogów, widziałaś tę dziewczynę? – Niemal pełne czci zdumienie Rodericka musiało znaleźć jakieś ujście. Sabina na te słowa wyjrzała ze znudzoną miną za kurtynę.

– Którą? Widzę co najmniej dziesięć. A po występie wszystkie będą w tobie zadurzone. Chcesz na początek Paminę czy Don Joségo?

– Zaczniemy od Mozarta – mruknął z roztargnieniem Roderick. – Ale jak możesz widzieć tam dziesięć dziewczyn? Przy tej jednej cała sala wydaje się rozpływać w mglistą nicość! Te włosy i ta twarz… Ma w sobie coś egzotycznego. I jak się porusza… jakby się urodziła do tańca.

– Zawsze miałeś słabość do tancerek – westchnęła Sabina. – Brigitte i Stephanie wydrapią sobie nawzajem oczy z twojego powodu. Powinieneś być trochę bardziej powściągliwy… A teraz idź już, musisz się uszminkować. Ta „mglista nicość" chce rozrywki!

* * *

Trupa przedstawiła sceny z *Czarodziejskiego fletu*, *Carmen* i *Trubadura*, w ostatnim przypadku był to słynny kwartet z ostatniej sceny opery, której tak naprawdę żaden z członków zespołu nie potrafił dobrze wykonać. Zwłaszcza mezzosopranistka, młoda dziewczyna, która zwykle raczej tańczyła i oprócz tego trochę uczyła się śpiewu, wypadła strasznie w roli Azuceny. Ale przynajmniej nie było jej prawie słychać, bo mężczyźni bardzo się starali śpiewać chociaż głośno, skoro nie mogli pięknie. Sabina w związku z tym poinformowała, że przy następnej okazji wystąpi ze stoperami w uszach, bo jej rola Leonory i tak nie mogła już wypaść gorzej.

Wśród życzliwej publiczności Christchurch nikt oprócz jednej słuchaczki nie zauważył jednak słabości występu, a ta koncentrowała się szczególnie na głosach kobiecych. I to była ta opera? Nie potrzeba niczego więcej, żeby należeć do międzynarodowego zespołu? Kura z jednej strony była rozczarowana, z drugiej zaś nabrała nadziei. Ta dziewczyna, która teraz w roli Azuceny, a wcześniej w roli Carmen krakała jak wrona, nawet w przybliżeniu jej nie dorównywała! A ta sopranistka! Kurze podobał się natomiast tenor. No dobrze, on też nie zawsze trafiał w ton, ale być może wynikało to ze słabości jego partnerek. W każdym razie doprowadzał serce Kury do stanu, w którym chciało jej się śpiewać. Najchętniej zaśpiewałaby razem z nim, bo Carmen w tym duecie wypadała blado. Odważyłaby się nawet wykonać lepiej partię Paminy niż ta Sabina. W dodatku mężczyzna dobrze wyglądał, tak właśnie, jak wyobrażała sobie Manrica i Paminę, i jak tam oni wszyscy się nazywali. Kura wiedziała, że przedstawienie było marnej jakości, ale jeszcze nigdy nie czuła takiego pragnienia jak teraz, by stanąć na scenie.

Heather Witherspoon też potrafiła ocenić klasę śpiewaków, jej myśli były jednak całkowicie zajęte tym, że czuła się zakochana. William siedział między nią a Kurą – jak łatwo przychodziło jej wyobrazić sobie, że należy do niej i że po występach uda się z nią na przyjęcie, które George Greenwood organizował dla najważniejszych gości i dla śpiewaków. Zaproszeni byli jednak oczywiście tylko William z Kurą. Ale mimo wszystko: przez dwie godziny marzyła o życiu w innym świecie i było jej obojętne, czy ludzie na scenie fałszują czy nie.

Przez całe przyjęcie William mógł tęsknić za jej towarzystwem. W rzeczywistości jednak nudził się śmiertelnie, bo oprócz Greenwoodów nie było właściwie żadnych interesujących gości. Najwyraźniej owczy baronowie z równin przynajmniej w czasie strzyżenia nie interesowali się zbytnio śpiewem i tańcem. Do Richlandów, jak wyjaśniał George, przybyły właśnie pierwsze grupy postrzygaczy.

– Wkrótce pojawią się pewnie w Kiward Station – stwierdził przedsiębiorca. – Będzie ich pan tam potrzebował, Mr Martyn?

William niemal się zarumienił. W rzeczywistości Gwyneira nawet słowem nie wspomniała mu o tym, że zbliża się czas strzyżenia. Pewnie była to kolejna próba, żeby go wykopać. Nim wróci, wszystkie zwierzęta będą już spędzone i gotowe do strzyżenia, a pracujący przy owcach ludzie będą się naśmiewać z młodego pana, który woli słuchać opery, zamiast pracować.

William aż się gotował ze złości, a zachowanie Kury wcale nie przyczyniało się do tego, by mógł się uspokoić. Zamiast zostać przy nim jak porządna żona – co i tak ze względu na brak zainteresowania innymi ludźmi z reguły czyniła – biegała od jednego śpiewaka do drugiego. Szczególnie zdawał się jej imponować jeden ciemnowłosy pięknisś.

– Doprawdy? Śpiewa pani, Miss…? – zapytał właśnie mężczyzna z tym pożądliwym wyrazem twarzy, który w nieunikniony sposób pojawiał się na twarzach mężczyzn, gdy natrafiali na Kurę.

– Warden… albo nie, Martyn. Mrs Martyn. – Wydawało się, że Kura przypomniała sobie o swoim stanie cywilnym w ostatniej chwili. Śpiewak sprawiał wrażenie rozczarowanego. William był gotów pobić Kurę.

Zastanawiał się, czy dalej powinien się temu przysłuchiwać, postanowił jednak nie zamęczać się dłużej. Zamiast tego ruszył w stronę baru. Whisky powinna go trochę rozweselić. A stamtąd też mógł mieć żonę na oku. William nie czuł przy tym zazdrości. Zdawał sobie sprawę, co każdy mężczyzna czuje na widok Kury. Dlaczego z tym śpiewakiem miałoby być inaczej? A gdyby chciał się rozprawić z każdym facetem, który patrzył pożądliwie na Kurę, to ciągłe bójki i pojedynki nie zostawiałyby mu nawet czasu na sen. William zdał się na Kurę: skoro nie wpuszcza go do swojego łóżka, to nie wpuści też nikogo innego. A gdy tylko stąd wyjdą, znów będzie przy niej, żeby nie wpadła przypadkiem na pomysł zamknięcia na klucz ich wspólnego pokoju w hotelu.

Kura tymczasem uśmiechała się do Rodericka. Miała zapierający dech w piersiach uśmiech.

– Chciałam zostać śpiewaczką. Jestem mezzosopranistką. Ale potem przytrafiła mi się miłość...

– I ukradła światu taki cud jak pani! Bogini sztuki nie powinna była do tego dopuścić... – Roderick schlebiał dziewczynie, choć nawet przez chwilę nie wierzył w jej niezwykły talent. Znów jedna z tych kobiet, które grubo przeceniają swoje trzy lekcje gry na fortepianie... Ale niektóre z nich były gotowe przynajmniej kilka godzin dzielić z nim jego geniusz. – Gdyby jednak postanowiła pani zdecydować inaczej... – powiedział protekcjonalnym tonem – to będziemy tu jeszcze przez tydzień i z przyjemnością zrobię z panią przesłuchanie.

Kura aż promieniała, gdy w końcu niemal tanecznym krokiem szła z Williamem hotelowym korytarzem.

– Williamie, zawsze to wiedziałam! Wiedziałam, że mogę śpiewać opery, a impresario uważa, że przynajmniej raz powinnam przyjść do niego na przesłuchanie. Och, Williamie, powinnam to zrobić! Najlepiej od razu jutro! Może wcale nie potrzebuję tych mozolnych studiów. Może będziemy mogli po prostu pojechać do Londynu i zaśpiewam, a potem...

– Moja słodka, chętnie sprawiłbym ci tę przyjemność, ale jutro musimy wracać na farmę! – William podjął tę decyzję dość spontanicznie przy trzeciej whisky. – Wkrótce strzyżenie. Właśnie się dowiedziałem, że grupy postrzygaczy są już w naszej okolicy. Będę potrzebny, nie mogę zostawić Miss Gwyn i Jamesa z całą tą robotą na głowie.

– Ach, przez dwadzieścia lat jakoś radzili sobie bez ciebie – przypomniała mu nie bez racji Kura. – No przestań, daj mi ten jeden dzień. Pozwól mi pójść na przesłuchanie do tego Mr Barristera, a potem...

– Zobaczymy. – Kura chwyciła go za rękę, a w Williamie rozbudziła się nadzieja na spędzenie wspaniałej nocy w jej ramionach. Pocałował ją, kiedy weszli do jej pokoju, i odniósł wrażenie, że jego nadzieje się spełnią, gdy odwzajemniła pocałunek. Jego usta powoli przesuwały się po jej szyi, zsunęły w stronę dekoltu i piersi, które uwolniły się z wieczorowej sukni, gdy zaczął ją powoli zsuwać.

– Mój Boże, Kura, jesteś taka piękna… Ludzie będą gotowi zapłacić każde pieniądze, żeby móc zobaczyć cię na scenie, wszystko jedno czy będziesz śpiewać, czy nie – wyszeptał ochrypłym głosem. Kura pozwoliła, by ją rozebrał. Potem stanęła przed nim naga. Pozwalała mu, by pieścił i całował jej ciało, pozwoliła, by ułożył ją na łóżku, by jego usta znalazły się po wewnętrznej stronie jej ud, a potem żeby dotykały jej najintymniejszych miejsc. Pojękiwała, wydawała z siebie króciutkie okrzyki i szybko osiągnęła orgazm. Szczęśliwa objęła jego głowę, głaskała włosy, aż wreszcie usiadła na nim, żeby pieścić jego pierś swymi włosami.

– Czekaj… – stęknął William. – Czekaj, muszę zdjąć spodnie…
– Miał wrażenie, że jego członek zaraz rozerwie materiał. W końcu udało mu się je odpiąć, zsunąć z nóg i chciał mieć Kurę na sobie, pod sobą, chciał ją wchłonąć… stać się z nią jednym, jak działo się to często wcześniej. Kura jednak zdecydowanie się wycofała. – Kuro, nie możesz… – William potrzebował nadludzkich sił, żeby nie złapać jej po prostu za długie rozpuszczone włosy, przyciągnąć do siebie, chwycić w ramiona i nie wziąć jej siłą. To było już za wiele, po prostu za wiele…

Kura patrzyła jednak na niego bez zrozumienia.

– Przecież ci mówiłam, że nie chcę już tego więcej robić. A już zwłaszcza teraz, kiedy możliwe, że jednak uda mi się ze śpiewaniem. Nie chcę kolejnego dziecka!

William wytoczył się z łóżka. Gdyby teraz został, zmusiłby ją! Nikt nie mógł od niego oczekiwać, że będzie spać grzecznie obok niej niczym brat z siostrą, skoro wcześniej tak go podnieciła i doprowadziła niemal do orgazmu. Erekcja powoli już mijała, ale musiał wyjść. Najpierw pójdzie do łazienki i sam się zadowoli, a potem… może znajdzie się jakiś inny pokój. Ale jak niezręcznie będzie to wyglądało, pytać o to w recepcji.

Po drodze do łazienki natknął się na Heather Witherspoon. W normalnych okolicznościach taka sytuacja byłaby dla niego nieprzyjemna, zwłaszcza że nie był do końca ubrany. Uśmiechnęła się do niego swobodnie i bez skrępowania. Ona sama przy tym też nie była w żadnym razie formalnie ubrana. Spojrzenie Williama spoczęło na niej. Włosy opadały jej na ramiona, stopy były nagie. A jej twarz rozjaśniła się na jego widok.

– Mr William! Pan też nie może spać? Jak było na przyjęciu?

Heather miała na sobie jedynie lekki szlafrok narzucony na jedwabną nocną koszulę. Piersi odznaczały się na niej; teraz, gdy nie miała na sobie gorsetu i nudnych staropanieńskich sukni, można było zauważyć jak najbardziej kobiecą figurę. A jej spojrzenie zapraszało, wargi drżały, oczy błyszczały.

William nie zastanawiał się długo. Wziął ją w ramiona.

Następnego ranka William nie zostawił Kurze nawet czasu na zjedzenie śniadania. Wrócił do łóżka późno w nocy, zaspokojony po tym, jak przespał się z Heather, i wciąż jeszcze pijany po whisky. Ale ona spała już wtedy głęboko i mocno. Kura również nie znała zazdrości; była na to zbyt pewna siebie. Teraz protestowała usilnie przeciw pilnemu wyjazdowi, nie potrafiła go jednak przekonać.

– Ten drań i tak nie zamierza cię przesłuchać, tylko lubieżnie gapić się na ciebie – wyjaśnił William lamentującej żonie. – Czy to zrobi, czy nie, jest mi wszystko jedno. Strzyżenie owiec nie może się jednak zacząć beze mnie. To znaczy... oczywiście że może, ale wtedy stracę twarz u pracowników. Jak by to wyglądało? Przyszły pan na Kiward Station uwieszony spódnicy żony, która myśli, że jest diwą, podczas gdy inni pracują!

Po słowach o diwie Kura poczuła się głęboko zraniona, ale to zapewniło mu przynajmniej spokój podczas podróży. Nadąsana milczała całą drogę i zamieniła jedynie kilka słów z Heather. Poruszali się przy tym szybko naprzód. William prowadził lekki powóz ciągnięty przez dwa coby, a w ostatnich latach drogi w okolicy zostały doprowadzone do znacznie lepszego stanu. Od dawna już nie trzeba było zatrzymywać się na nocleg w drodze z Christchurch do Haldon.

Podróżni dotarli do Kiward Station wczesnym wieczorem i William niemal triumfalnym głosem zameldował swój powrót na strzyżenie owiec. Następnego ranka zamierzał dopilnować rozdzielenia owiec i prac w szopach. Noc zaczął jednak od wypicia kilku szklanek whisky w salonie, a zakończył ją w łóżku Heather Witherspoon.

\* \* \*

Heather, cała przepełniona miłością do Williama, nie wiedziała, jak reagować na skargi Kury o zaprzepaszczonym przesłuchaniu. W żadnym razie nie chciała, żeby Kura wyjechała do Anglii, a przynajmniej nie razem z Williamem. Kura nie pozostawiała jednak żadnych wątpliwości co do tego, że nie zamierza opuszczać Kiward Station bez Williama. Z drugiej strony wiele się od tego czasu zmieniło. Heather była dla Kury zaufaną osobą; dobrze wiedziała, że od urodzenia Glorii nie wpuszczała ona męża do łóżka. Co prawda nic nie słyszała o tym, co jeszcze się działo, a przede wszystkim o początkowych próbach Kury, żeby seksualne relacje z Williamem znów ograniczyć do niewinnych pieszczot i pocałunków, jak to kiedyś robiła z Tiare, ale szczegóły jej nie interesowały. W opinii Heather małżeństwo Kury z Williamem właściwie się skończyło. Może konsekwencją tego będzie, że Kura opuści męża. Przesłuchanie w Christchurch mogło być pierwszym krokiem w tym kierunku. Dlatego też ostrożnie doradziła dziewczynie: – Nie powinnaś sobie, oczywiście, robić wielkich nadziei. Ale jedno przesłuchanie i opinia fachowca z pewnością nie mogą ci zaszkodzić.

– W tym celu musiałabym zostać w Christchurch… William jest taki podły! – Kura znów zaczęła lamentować, co Heather musiała znosić już cały poranek. Ale potem Heather doznała olśnienia, żeby wybrać nuty kilku kompozycji, których słuchały poprzedniego wieczoru. Od tego momentu Kura zaciekle ćwiczyła. Wciąż i wciąż śpiewała partie Carmen i Azuceny.

– Tę Carmen zasztyletowałbym najchętniej w drugim akcie, albo najlepiej od razu w pierwszej scenie – wymruczał James, gdy dźwięki *Habanery* po raz trzeci wypełniły salon, a on próbował się odprężyć po jedzeniu. I tak był rozdrażniony; przedwczesny powrót Williama wcale mu nie odpowiadał. W dodatku ten młody człowiek wyglądał rano na dość skacowanego i zesztywniałego po podróży. Okazując zły humor, kręcił się między ludźmi. Pokrzykując na nich, wywołał zamieszanie wśród owiec, gdy nagle postanowił inaczej je porozdzielać, i doprowadzał Jamesa do białej gorączki. Teraz brakowało mu jeszcze tylko Kury wyśpiewującej o miłości i zbuntowanych ptaszkach. W kółko ta sama kompozycja.

– Co to ma być? Czy nie wspominała przed trzema dniami, że musi uczyć się pilnie niemieckiego, ponieważ pieśni Schuberta dziwnie brzmią po angielsku? Ale to teraz to chyba po francusku, prawda? Francuskiego Kura nauczyła się od Miss Witherspoon.

– Słuchali tego przedwczoraj w Christchurch i ponoć śpiewaczka wypadła okropnie – wyjaśniła Gwyneira i opowiedziała mu całą historię związaną z przesłuchaniem. – Kura chce, bym oddała jej do dyspozycji jednego człowieka i powóz, żeby mogła spotkać się jeszcze raz z tym śpiewakiem, czy też „impresario", jak ona go nazywa. Ale w tej chwili właściwie nie mogę sobie pozwolić na to, żeby odrywać kogoś od pracy, no chyba że Williama. Ale mógł przecież od razu z nią tam zostać…

– Ja na jego miejscu też bym jej nie pozwolił na to przesłuchanie – zauważył zgryźliwie James. – Chyba jasne, czego ten gość od niej chciał. A może poważnie myślisz, że postawi tym śpiewaczkom pod nosem dziewczynę, która nigdy nie była w żadnym konserwatorium?

Gwyneira wzruszyła ramionami.

– Nie wiem, James. Nie mam o tych sprawach zielonego pojęcia i szczerze mówiąc, nie interesuje mnie to. Chciałabym tylko nie słuchać już tej Carmen. I sprawić, żeby Kura była szczęśliwa…

Kura właśnie znów zaczęła śpiewać tę samą arię. James przewrócił oczami.

– Tylko nie znowu! – mruknął z niesmakiem. – Spójrz na to może tak, Gwyn: od szesnastu lat próbujesz sprawić, żeby Kura była szczęśliwa. Teraz kolej na Williama. Niech on się trochę wysili, żeby ją zawieźć do Christchurch, i najlepiej od razu niech tam zostanie, i trzyma ją za rączkę, gdy będzie śpiewać. Z pewnością świetnie da sobie radę z przygotowywaniem dla niej kontraktów i z doprowadzaniem do szaleństwa jej partnerów, gdy będą śpiewać za głośno albo za cicho. Ale ciebie nie powinno to więcej obchodzić. To już i tak za dużo, że żadne z tych dwojga nie troszczy się o dziecko. A tak przy okazji, to musimy powiedzieć Jackowi, że małej nie wolno przebywać w szopach podczas strzyżenia, bo takie powietrze nie jest dla niej zdrowe. I to nawet gdyby miała krzyczeć cały dzień.

Gwyneira westchnęła. Jeszcze to! Na koniec zwolni się opiekunka do dziecka. Ona sama zamierzała jak zawsze dopilnować pracy w jednej z szop, ale jeśli Kura cały dzień będzie śpiewać, a Gloria w związku z tym krzyczeć, Mrs Whealer może tego w końcu nie wytrzymać.

Kura śpiewała jak opętana, a im pewniej opanowywała teksty i lepiej trafiała w tonację, tym bardziej umacniała się w przekonaniu, że sprosta wymogom Rodericka Barristera. Musiała pojechać do Christchurch, po prostu musiała! Tymczasem minął już prawie tydzień; zostały jeszcze zaledwie dwa dni, z których co najmniej jeden można było skreślić na podróż. Może jednak uda jej się porozmawiać z Williamem. A może nie tylko porozmawiać? Jeśli po całym tym czasie wpuści go wreszcie do łóżka, będzie mogła owinąć go sobie wokół palca. Oczywiście wiązało się to z ryzykiem. Jeżeli jednak sprawi, że William doświadczy jednego orgazmu za drugim, będzie gotów przyrzec jej wszystko; a więc musi podjąć to ryzyko. A w ogóle, słyszała na przyjęciu tancerki, które przebąkiwały coś... o jakiejś złej sprawie, która przytrafiła się jednej z nich, ale że oczywiście istnieje pewna możliwość, żeby jakoś to wyprostować. Tak więc w razie pilnej potrzeby zapyta o to te dziewczyny. Albo Mr Barristera. Jemu z pewnością też nie może odpowiadać sytuacja, by któraś z jego śpiewaczek albo tancerek nagle zaczęła biegać z brzuchem.

Popołudnie Kura spędziła więc nie przy fortepianie, lecz przygotowując się dla Williama. Zagrała znów dopiero wieczorem, dla niego i Miss Witherspoon – Gwyn i James wcześnie poszli do siebie, a Jack schronił się z Glorią i psem w swym na wpół dźwiękoszczelnym pokoju. Tego wieczoru Kura nie zdecydowała się jednak na arie operowe, lecz śpiewała irlandzkie pieśni, które zawsze oczarowywały Williama. I rzeczywiście, już po *Sally Gardens* w jego oczach zabłysło pożądanie. Zaśpiewała *Wild Mountain Thyme*, żeby jeszcze bardziej go podniecić, i obiecywała miłosne rozkosze słowami *Tara Hill*. W końcu doszła do wniosku, że wprowadziła go w odpowiedni nastrój. Wstała, zwracając uwagę na to, by nie oderwał od niej wzroku, i kołysząc biodrami, ruszyła ku schodom.

– Nie zostawaj tu zbyt długo – wyszeptała, licząc na to, że jej głos był dostatecznie nęcący i obiecujący. Oddech Williama zdawał się przyspieszać. Kura wchodziła po schodach przekonana, że wkrótce usłyszy pukanie do swych drzwi.

Ale William się nie pojawił. Z początku Kura nie była szczególnie zaniepokojona. Pewnie musiał jeszcze dopić swoją whisky i uwolnić się w jakiś sposób od Heather Witherspoon. Ostatnio zdawała się trochę w nim zakochana. Co za absurd.

Kura rozebrała się spokojnie, skropiła perfumami i włożyła swoją najpiękniejszą nocną koszulę. Dopiero później zaczęła się niepokoić. Powoli robiła się już pora, żeby zacząć, choćby dlatego, żeby nie wstać zbyt późno. Pomyślała, że trzeba wyjechać wcześnie rano, by nie dotrzeć do Christchurch dopiero nocą. Najlepiej by było, gdyby jeszcze wieczorem mogła złożyć Barristerowi wizytę i umówić z nim termin na następny dzień.

Gdy minęła już prawie godzina, Kura miała dość. Skoro William nie zamierzał przyjść sam z siebie, to go tu przyciągnie. Narzuciła szlafrok, jeszcze raz poprawiła włosy i ruszyła w stronę schodów prowadzących do salonu. Powinien ją zobaczyć, jak nadchodzi, zniewalająco piękną w nocnej koszuli i samotną...

Ale Williama nie było w salonie. Nie paliły się już nawet światła; wyglądało na to, że wszyscy poszli do łóżek. Czy William rzeczywiście nawet nie próbując zapukać do jej drzwi, udał się do swojej sypialni? Po takim występie? Kura postanowiła nie pytać go o to, lecz przyjąć skruszoną postawę. Przecież tak często go odrzucała, więc było zrozumiałe, że porzucił wszelkie nadzieje. Tym skuteczniejsza powinna być strategia dzisiejszej nocy...

Kura kocimi krokami podkradła się do pokoju Williama. Obudzi go pocałunkami, a on zobaczy ją nad sobą, gdy otworzy oczy. Ale w pościeli nikt nie leżał, łóżko Williama było nietknięte. Kura zmarszczyła czoło. Pozostawał jeszcze tylko pokój dziecinny. Może William chciał jeszcze raz zajrzeć do Glorii i pocieszał ją teraz, bo płakała? Kura co prawda jeszcze nigdy nie widziała, żeby coś takiego robił, ale przecież nie miała też pojęcia, jak w ogóle spędzał noce.

Wkrótce miała się tego dowiedzieć. W dziecinnym pokoju było cicho, a z sąsiedniego pokoju Jacka też nie dobiegał żaden dźwięk. Słychać było za to śmiechy i postękiwania z pokoju Miss Witherspoon. Kura nie myślała długo. Szarpnęła drzwi...

– Znikła? Co to znaczy: znikła? – zapytała zdumiona Gwyneira, która trochę zaspana zeszła na śniadanie. Poprzedniego dnia razem z Jamesem pocieszali się przy butelce wina, umęczeni słuchaniem Carmen, i czule zakończyli wieczór. Teraz nie była w nastroju, bo William od razu czegoś od niej chciał. – No co pan, Williamie, Kura nie jeździ konno ani nie umie powozić. Nie mogła opuścić Kiward Station.

– Wczoraj była trochę rozstrojona… i chyba coś źle zrozumiała…

– William nie potrafił powiedzieć tego wprost.

W rzeczywistości Kura rzuciła tylko jedno ogniste spojrzenie na łóżko Heather, spojrzenie, które wyrażało niemal nienawiść. Albo rozczarowanie, niechęć… William nie miał pojęcia, jak to nazwać. Widział ją też tylko przez ułamek sekundy; gdy zrozumiała, co się dzieje, wybiegła na złamanie karku z pokoju. Chwilę później William pukał już do jej drzwi, ale nie odpowiadała. Nie odpowiadała również, gdy później wciąż próbował. W końcu zrezygnował i wycofał się do swego pokoju, ale nie mógł spać. Zasnął dopiero nad ranem ze zmęczenia.

Wstawszy, chciał jeszcze raz spróbować porozmawiać z Kurą. Gdy skierował się do jej pokoi, zastał drzwi szeroko otwarte. Nie było jej.

– Pokłóciliście się? – dopytywała się badawczo Gwyneira.

– Nie dosłownie… No tak, owszem, ale… Gdzie, na miłość boską, ona może być? – William sprawiał wrażenie niemal wystraszonego. Kura rzadko się tak zachowywała. I choć nie przyznał się do tego, to znalazł przecież list od niej. Leżał na stoliku w jej garderobie.

*To nie jest tego warte.*

W liście nie było ani słowa więcej. Ale przecież Kura nie mogła sobie czegoś zrobić! William z przerażeniem pomyślał o jeziorze przy wiosce Maorysów.

– Cóż, zacząłbym od szukania jej w Christchurch – stwierdził spokojnie James, który w świetnym humorze schodził właśnie po schodach. – Tam chciała przecież być, prawda?

– Ale przecież nie mogła pójść tam pieszo – zastanawiał się William.

– Kura wyjechała z Tiare. – To był głos Jacka. Przyszedł właśnie z dworu z podążającym za nim szczeniakiem. Widocznie był już sprawdzić, czy wszystko w porządku w stajniach. – Zapytałem, czy nie chce się pożegnać z Glorią, ale nawet na mnie nie spojrzała. Pewnie miała wyrzuty sumienia, bo Tiare wziął Owena, nie pytając o pozwolenie.

– Może była u Glorii wcześniej? – podsunęła Gwyn, nie chcąc pozwolić, by jej wnuczkę uważano za złą matkę.

Jack potrząsnął głową.

– Nie. Glory spała u mnie i dopiero co zostawiłem ją u Kiri w kuchni. A Kiri też o niczym nie wspominała.

– I pozwoliłeś jej tak po prostu wziąć tego ogiera? – naparł na niego William. – Ten maoryski chłopak przychodzi tu sobie, bierze wartościowego konia i…

– Przecież nie mogłem wiedzieć, że nie pytali o zgodę – odpowiedział spokojnie Jack. – Ale Tiare z pewnością przyprowadzi go z powrotem. Na pewno pojechali tylko do Christchurch na to komiczne przesłuchanie. Jutro już tu będą.

– Ja nie wierzyć… – zauważyła Moana. Gosposia nakrywała właśnie stół do śniadania, gdy na dole pojawił się William z wiadomością o zniknięciu Kury. Potem od razu ruszyła na górę, by przejrzeć jej rzeczy, i nie miała przy tym najmniejszych zahamowań. Moana służyła w tym domu już od czterdziestu lat, wychowywała Maramę i Paula, a Kura była dla niej jak własna, prawdziwie rozpieszczona wnuczka. – Ona wziąć wielka torba, wszystkie piękne rzeczy, wieczorowe też. Wygląda bardziej na wielka podróż.

Roderick Barrister zebrał cały zespół na próbę na krótko przed ostatnim wieczorkiem operowym w Christchurch. Musieli jeszcze raz przećwiczyć ten kwartet z *Trubadura*; powoli zaczynało to być żenujące. W dodatku jego Azucena była coraz gorsza. Dziewczyna uważała, że ją to przerasta, stała się pośmiewiskiem dla innych tancerzy… I była jeszcze ta druga sprawa… trzeba będzie wkrótce coś zaaranżować. Roderick zastanawiał się, jak mogło mu się coś takiego przytrafić. Jak dotąd żadna z jego licznych miłosnych przygód nie skończyła się ciążą; a przynajmniej nikt mu o tym nie wspominał.

O ile całkowita porażka tej małej w przypadku *Trubadura* była jeszcze do zniesienia, to o wiele gorsza była scena z *Carmen*. Najlepiej byłoby ją skreślić i znaleźć coś innego. Może *La Traviata*; mógłby to wykonywać z Sabiną. Choć ta rola przerastałaby również ją, i Sabina raczej nie wyglądałaby na suchotniczkę…

– Może jeśli przesuniemy kobiety trochę na przód… – zastanawiał się. – Wtedy docierałoby coś więcej ze śpiewu.

– A może niech mężczyźni śpiewają po prostu trochę ciszej – rzuciła zjadliwie Sabina. – *Piano*, mój przyjacielu. To powinno się dać zrobić również w wyższych tonacjach, skoro już ktoś nazywa siebie tenorem…

Do głośnych protestów odtwórczyni Luny i lamentów Rodericka dołączyły śmiechy tancerzy, którzy powoli zaczęli się schodzić przed występem.

A potem nagle, gdzieś z widowni, rozbrzmiał słodki głos.

*L'amour est un oiseau rebelle, que nul ne peut apprivoiser…*

Carmen, *Habanera*. Ale wykonana znacznie silniejszym głosem niż głos małej śpiewaczki. Ta śpiewaczka też nie była doskonała, ale to, czego jej brakowało, to tylko trochę szlifu, ćwiczeń, odrobina wykształcenia. Poza tym głos był wspaniały.

Roderick i pozostali śpiewacy spojrzeli zdziwieni na salę. A potem zobaczyli dziewczynę. Przepiękną, w błękitnej sukni, włosy upięte hiszpańskim grzebykiem do tyłu, tak jak musiała go nosić Carmen. Za nią czekał maoryski chłopak.

Kura-maro-tini zaśpiewała swoją pieśń do końca, swobodnie i z pewnością siebie – a może dostrzegła już podziw w oczach słuchaczy. Śpiewacy i tancerze za sceną nie potrafili w każdym razie opanować emocji. Gdy Kura skończyła, nagrodzili ją wyrażającymi zachwyt brawami – przede wszystkim zareagowała tak mała mezzosopranistka, która dostrzegła, że nadszedł koniec jej cierpień, oraz sam Roderick Barrister. Ta dziewczyna była niczym marzenie – przepiękna i z głosem jak anioł. A on ją ukształtuje!

– Potrzebuję angażu – powiedziała w końcu Kura. – A wygląda na to, że pan potrzebuje mezzosopranu. Czy to możliwe, żeby nasze cele były zbieżne?

Oblizała zmysłowo wargi i przyjęła pozę jak jakaś królowa. Jej ręce wygrywały na wyimaginowanych kastanietach; dobrze się wyuczyła roli Carmen. I owinie sobie tego „impresario" wokół palca, tak samo jak Cyganka swego Don Joségo.

# 11

Myśl o tym, by w żadnym razie nie zajść w ciążę, zapanowała nad całym życiem Elaine. Czasem zdawało się to stawać jej idée fixe, bo patrząc trzeźwo na jej pozycję w domu Sideblossomów, ciąża mogłaby ją jedynie poprawić. Johnowi w każdym razie zdawało się nie za bardzo zależeć na tym, żeby niepokoić po nocach kobiety w ciąży. Zamiast tego, w miarę jak brzuch Zoé stawał się okrąglejszy, coraz częściej znikał. „Interesy" wiodły go czasem do Wanaka, czasem do Dunedin albo wręcz do Christchurch. Poza tym śledził Emere spojrzeniami i dotykał jej w sposób, który miał pokazywać, że do niego należy. Maoryska kobieta odpowiadała mu spojrzeniami, w których wcale nie kryła nienawiści, Elaine przypuszczała jednak, że nocą podążała za jego wezwaniem. Często gdy leżała, nie śpiąc, słyszała na korytarzach dźwięki, upiorne dźwięki, jakby ktoś się tamtędy snuł. A przy tym Emere poruszała się zawsze z gracją, kołyszącym i równym krokiem, ale po takich dniach sprawiała wrażenie sztywnej. A gdy opuszczała dom, grała na *putorino* – co było pewnym dowodem na to, że dopiero nocą wykradała się na dwór, zamiast zaraz po kolacji znikać z innymi służącymi w ich kwaterach. Wydobywała z tego małego egzotycznego instrumentu dziwne, niemal ludzkie dźwięki, które wprawiały Elaine w nerwowy nastrój i wywoływały lęk, jakby flet odzwierciedlał jej własną mękę. W takich chwilach nie śmiała się nawet poruszyć ze strachu, że Thomas może się obudzić i usłyszeć tę grę, bo muzyka Emere zdawała się wywoływać w nim zawsze szczególną wściekłość; wstawał wtedy, zamykał gwałtownie okno i zaciągając ciężkie zasłony, próbował stłumić dźwięki. Elaine często przestawała je wtedy słyszeć, do Thomasa zdawały się jednak wciąż docierać i chodził wtedy po pokoju jak tygrys w klatce; jeśli Elaine odważyła się do niego odezwać albo w jakikolwiek inny sposób zwróciła na siebie uwagę, kierował na nią swe podniecenie i wzburzenie. Elaine zaczęła w końcu wygłuszać pokój przed jakimikolwiek dźwiękami. Wtedy jednak robiło się duszno i gorąco, a Thomas niekiedy znów otwierał na oścież okna, gdy już się zaspokoił na Elaine, i wtedy znów musiała się obawiać muzyki Emere. Potem jednak i to się skończyło. Emere zaczęła robić się równie okrągła co Zoé, a John zostawił je obie w spokoju.

Ulga Elaine nie trwała jednak długo. Wkrótce została następną, na której zaczęły się koncentrować pożądliwe spojrzenia Johna. Niekiedy dotykał, niby to przypadkiem, jej bioder, a nawet piersi, gdy obok niej przechodził, albo udawał, że wyjmuje z jej włosów jakiś listek czy źdźbło trawy. Elaine uważała to wszystko za odpychające i na ile mogła, unikała tych dotknięć. Gdy Thomas to zauważał, spoglądał gniewnie na ojca, a potem mścił się na Elaine. Jego zdaniem zachęcała praktycznie każdego mężczyznę, jakiego zobaczyła, to zaś, że próbowała omotać jeszcze jego ojca, uważał już za szczyt bezczelności. Elaine mogła zaprzeczać, ile chciała, nic to nie pomagało. Thomas był chorobliwie zazdrosny. Elaine stawała się z tego powodu coraz bardziej nerwowa i otępiała. Nigdy nie przyzwyczai się do jego napadów zazdrości i nocnych odwiedzin – nikt nie przyzwyczaja się do tortur! Czegoś takiego nigdy i nigdzie nie uważano za normalne małżeńskie współżycie, Elaine nie potrafiła jednak znaleźć żadnego sposobu, żeby to przerwać. Nawet jeśli próbowała nie rzucać się w oczy i w ciągu dnia nie dawać Thomasowi okazji do sporów, za które, jak uważał, musiał ją później „ukarać", to w najlepszym wypadku nie było wtedy tak źle – ale bezboleśnie nie było nigdy.

Okazało się też niemożliwe, żeby jakoś ominąć „niebezpieczne" dni, choć Elaine podejmowała stosowne wysiłki. Czasami całe dni przedtem nie jadła, chcąc źle wyglądać i upozorować chorobę i gorączkę. Wkładała też palec do gardła, wymiotowała wiele razy i tłumaczyła, że ma rozstrój żołądka. Raz odważyła się nawet na to, żeby zjeść mydło, bo wyczytała, że to wywołuje gorączkę. Faktycznie, czuła się jak zbity pies, chorowała dwa dni, a trzeciego nie miała sił na płukankę z octem po tym, jak Thomas znów ją „odwiedził". Środek ten zdawał się przynajmniej skuteczny. Jak dotąd Elaine nie zaszła w ciążę.

Raz na jakiś czas próbowała wspomnieć Thomasowi o odwiedzinach w Queenstown. Coś musiało się stać, nie mogła spędzić życia w więzieniu Thomasa! Może znajdzie odwagę, żeby się zwierzyć matce, a jeśli nie podoła, to przynajmniej Inger albo od razu Daphne. Tej na pewno przyjdzie do głowy jakiś pomysł, by uczynić jej noce znośniejszymi.

Thomas konsekwentnie jednak nie chciał o tym rozmawiać. Nie zamierzał jechać do Queenstown – a dotąd Elaine nabrała już nawet podejrzeń, że sprawdza jej pocztę. Po tym, jak pewnego dnia w całkowitej rozpaczy w liście do matki napomknęła parę razy w zawoalowany sposób o nudzie, odcięciu od świata i zamknięciu w domu oraz przykrościach nocą, Thomas napadł na nią ze straszną dzikością. Już on jej wybije z głowy nudę, twierdził, choć wcale mu się nie skarżyła. Elaine miała powody przypuszczać, że Fleurette nigdy nie otrzymała jej listu.

Tak więc mogła mieć tylko nadzieję, że jej rodzice sami z siebie wpadną na pomysł, by ją odwiedzić – ale to było trudne i wiedziała o tym. Prosperujący interes w Queenstown sprawiał, że Ruben był tam praktycznie nieodzowny, a Fleurette sama nie wybierze się w taką długą podróż i nie uda się pod dach swojego starego wroga Sideblossoma, jeśli nie zmusi jej do tego jakiś szczególny powód. Nadzór Thomasa nie dopuszczał jednak do tego, żeby taki powód znalazła.

Czasami Elaine myślała, że może ciąża by jej jednak pomogła. Najpóźniej przy narodzinach dziecka albo na chrzcinach pojawiliby się jej rodzice. Wszystko w niej buntowało się jednak na myśl, by urodzić jeszcze jedną istotę, która musiałaby żyć w tym piekle, nie wspominając już o tym, że niemowlę z całą pewnością odebrałoby jej jakąkolwiek nadzieję na wydostanie się z Lionel Station. Żyła więc dalej jak dotąd i liczyła na cud. Ten się oczywiście nie wydarzył, ale przynajmniej rok po ślubie pojawił się Patrick O'Mally.

Młody Irlandczyk powoził ciężkim zaprzęgiem, wyładowanym wcześniej towarami wiezionymi do Wanaka.

Teraz wóz był jednak pusty, a za nim podążał dumnym kłusem siwek.

– Pomyślałem sobie, że skoro już będę w tej okolicy, zajrzę do pani, Miss Lainie, i przyprowadzę pani Banshee. To wstyd, żeby tylko stała w stajni, skoro pani nie ma tu swojego konia. Miałem też powiedzieć, że mały ogierek już dawno jest odstawiony od klaczy i świetnie się rozwija. Ach tak, i pani matka uważa, że powinna pani częściej pisać. I to nie tylko takie nic niemówiące listy. Niemal zaczęła się martwić. Z drugiej strony brak wiadomości to zazwyczaj dobra wiadomość, prawda? – Patrick przyjrzał się badawczo Elaine. – Prawda, Miss Lainie?

Elaine rozejrzała się lękliwie wokół. Dotąd w pobliżu byli tylko Arama i Pita, którzy zajmowali się końmi. To Pita ją przywołał, kiedy przyjechał Patrick. Ale Thomas był gdzieś niedaleko; nadzorował jakieś prace przy kotnych owcach i z pewnością natychmiast się pojawi, gdy tylko usłyszy o przybyciu Patricka. Młody woźnica zdawał się to przeczuwać i nawet nie zaczął wyprzęgać koni. Chciał się natychmiast udać w drogę powrotną, zanim wybuchnie możliwa kłótnia z Sideblossomem. Teraz jednak Elaine była z nim jeszcze sama i zadawał dociekliwe pytania. Elaine zastanawiała się, czy było po niej widać, że jest nieszczęśliwa; wiedziała, że straciła na wadze, i że jej zapuchnięta twarz wskazywała na to, że często płakała. A teraz miała okazję coś powiedzieć. Patrick zdawał się czekać na jakieś wyznanie. Ale to przecież niemożliwe, żeby zwierzała się temu młodemu chłopakowi. Już z samego choćby wstydu nie wydusiłaby z siebie słowa. Może przynajmniej uda jej się napomknąć ogólnie o kilku rzeczach…

– Wszystko dobrze, ale… Nudzę się często w domu… – wydusiła z siebie.

– A więc dlaczego zostaje pani w domu? – zapytał Patrick. – Pani matka uważa, że z pewnością przejęła już pani całą kontrolę nad hodowlą owiec, tak jak pani babcia w Kiward Station. A ten mały pies też musi mieć tu sporo do roboty! – Patrick pogłaskał Callie.

Elaine się zarumieniła.

– To by było piękne. Ale mój mąż nie chce, bym…

– Czego nie chce twój mąż? – grzmiący głos Thomasa przerwał dukanie Elaine. Pojawił się na swym karoszu jakby znikąd, i teraz wznosił się nad Elaine i Patrickiem niczym karzący bóg. Pita i Arama natychmiast zniknęli w stajniach.

– …bym pomagała przy owcach… – wyszeptała Elaine. Thomas i tak nie uwierzy w to jej niewinne wyjaśnienie, ale jeśli Patrick nie jest ślepy i głuchy, musiał widzieć, co tu się działo.

– Ach tak? A może też twój mąż nie chce, żebyś flirtowała tu sobie z jakimś chłopcem na posyłki! Znam cię, chłopcze, to ty ją tu odwoziłeś. Najwyraźniej coś jest między wami, co?

Thomas zeskoczył z konia i zbliżał się teraz do Patricka, przyjmując groźną postawę. Elaine wystraszyła się, gdy złapał go za poły ubrania. Patrick wcale się tym nie przejął; wyglądało na to, że jest gotów odpłacić mu tym samym. Elaine jednak zaczęła się bać o młodego mężczyznę równie panicznie jak o siebie. Thomas mógł Patricka pobić, mógł go zabić, a potem…

Przerażenie Elaine uczyniło ją niezdolną do jakiegokolwiek logicznego myślenia. Sparaliżowana strachem patrzyła na szamoczących się mężczyzn. Sideblossom i O'Mally wymieniali gniewne słowa, żadne z nich nie docierało jednak do Elaine. Była jak w transie. Jeśli Thomas zrobi coś Patrickowi… jeśli sprawi, by zniknął… wtedy Fleurette i Ruben nigdy się o niej nie dowiedzą i nie będzie żadnej nadziei…

Elaine drżała, myśląc gorączkowo. A później przyszło jej coś do głowy. Ruben O'Keefe nie wysyłał swoich ludzi w drogę całkiem bezbronnych. Co prawda Wyspa Południowa nie była akurat jakąś jaskinią pełną zbójców, ale wypełniony wartościowymi towarami, w tym również alkoholem, wóz mógł nasuwać pożądliwe myśli. Dlatego też pod siedzeniem każdego z wozów dostawczych należących do składu O'Kay ukryty był rewolwer. Łatwo można było go wyjąć; woźnica jednym ruchem mógł sięgnąć po niego ręką.

Elaine ocknęła się z odrętwienia i przysunęła bliżej do kozła wozu. Thomas i Patrick nie zwracali na nią uwagi. Wciąż obrzucali się wulgarnymi słowami i przepychali – właściwie nie robili nic niebezpiecznego, lecz na przewrażliwionej Elaine robiło to bardzo groźne wrażenie. Modliła się, żeby broń rzeczywiście tam była… I faktycznie: gdy tylko sięgnęła ręką, poczuła zimną stal. „Żebym tylko wiedziała, jak się tego używa!" – przemknęło jej przez głowę.

I nagle – Elaine wciąż jeszcze ważyła w dłoni ciężką broń – mężczyźni się uspokoili. Patrick O'Mally najwyraźniej dostrzegł, że nie ma wielkiego sensu bić się z owczym baronem na jego własnej farmie jak w jakimś barze. Uważał reakcję Thomasa za całkowicie przesadzoną, wręcz szaloną. Od takich ludzi najlepiej trzymać się z daleka. Zamierzał jednak opowiedzieć o tym Rubenowi O'Keefe'owi. Najwyższa pora, żeby zadbał tu o sprawiedliwość ktoś, kto miał większy wpływ niż nic nieznaczący woźnica.

Patrick przestał się więc bronić i powiedział uspokajająco:

– Już dobrze, człowieku, tylko niech się pan wreszcie opanuje! Przecież nic nie zrobiłem pańskiej żonie, przyprowadziłem jej tylko konia. Nawet nie byliśmy sami. Stajenni…

– Moi stajenni to nie mniej lubieżna banda! – grzmiał Thomas, ale teraz przynajmniej pozwolił Patrickowi zbliżyć się do wozu. – A ty znikaj stąd, zrozumiałeś? Jeśli jeszcze raz zobaczę cię na mojej farmie, nafaszeruję cię śrutem!

Elaine wciąż jeszcze stała przy koźle, teraz jednak cofnęła się gwałtownie – i ukryła broń w fałdach swej sukni. Strach pomyśleć, co by było, gdyby Thomas ją przy niej znalazł. Trzymanie rewolweru było jednak przyjemnym doznaniem; dawał Elaine poczucie bezpieczeństwa – choć jeszcze nie wiedziała, jak się z nim obchodzić. Teraz w każdym razie go miała; będzie mogła ukryć broń w którejś ze swoich skrzyń, a potem się dowie, jak jej używać. W milczeniu patrzyła, jak Patrick wsiada na kozioł i krótkim cmoknięciem nakazuje koniom ruszyć. A przy tym spojrzał na nią znacząco. Pat zrozumiał – przyśle jej pomoc.

Najpierw jednak sytuacja Elaine się pogorszyła. Zdawało się, że wizyta Patricka sprawiła, iż urojenia Thomasa się nasiliły. Praktycznie nie zostawiał Elaine niestrzeżonej. Czuła, jak narasta w niej panika, gdy rankiem okazało się, że drzwi od zachodniego skrzydła są zamknięte na klucz. Raz była nawet bliska tego, żeby wyjść przez okno.

Thomas mścił się bezlitośnie za jej krótką rozmowę z młodym woźnicą. Następnego dnia po jego wizycie ciało Elaine było tak zmaltretowane i pokryte niebieskimi siniakami, że nie była w stanie się podnieść. Pai i Rahera przyniosły jej śniadanie do łóżka i były bezradne.

– To nie być dobre – stwierdziła Rahera. – Nie być tak w moje plemię.

– Ale w sierocińcu tak było – wyjaśniła Pai. – Zawsze nas bili, jeśli coś zrobiliśmy nie tak. Ale tak… i pani przecież nic nawet nie zrobiła, Miss Lainie.

Elaine odczekała, aż dziewczyny sobie pójdą; potem powlekła się z łóżka do skrzyni i odszukała w niej rewolwer. Świadomość, że trzyma go w swych drobnych dłoniach, była niemal pocieszająca. Niepewnie położyła palec na spuście. Czy da radę wypalić z tej wielkiej broni? A dlaczego nie? Obserwowała już mężczyzn, jak strzelali do celu, i choć większość z nich posługiwała się przy tym jedną ręką, niektórzy używali obu, żeby dokładniej celować. Ona też może tak zrobić. Elaine uniosła rewolwer i skierowała go na szpetne zasłony. Stop, najpierw trzeba go odbezpieczyć! Znalezienie dźwigni zabezpieczającej rewolwer było łatwe; w gruncie rzeczy broń była prymitywnym urządzeniem. Elaine szybko też wydedukowała, jak się go ładuje. Ale to w niczym nie pomagało, więcej niż te sześć naboi, które były w komorach, przecież nie zdobędzie. A i tak nie wypali więcej niż raz, nim Thomas odbierze jej broń. Od tej chwili jednak w każdą godzinę swego nędznego życia myślała tylko o tym. Dotąd liczyła jedynie na pomoc, tak jak te dziewczyny z tanich zeszytów i żurnali, a nawet bohaterki znanych powieści. Ale nie była bohaterką powieści, lecz człowiekiem z krwi i kości. Nie musiała czekać, aż pojawi się rycerz, by ją uwolnić; miała broń i konia. Nie myślała poważnie o tym, żeby strzelając, oczyścić sobie drogę, jednak z rewolwerem w kieszeni będzie się czuła silniejsza, tak samo jak teraz czuła się bezpieczniejsza tylko dlatego, że spoczywał w jej kufrze – mimo wszystkich tych męczarni. Nim Thomas zatłucze ją na śmierć, ona go zastrzeli. Pragnienie to czuła każdej nocy. Ale oczywiście nie mogła nawet marzyć o wyciągnięciu broni z kufra, kiedy Thomas ją maltretował. W tym celu musiałaby ukryć rewolwer pod kołdrą, a na to brakowało jej odwagi. Nie wolno jej było nawet myśleć o tym, co by się stało, gdyby popełniła błąd, a broń nie wypaliła! Nie, już lepiej pomyśleć o możliwości ucieczki w niezauważony sposób. Mogłaby pojechać konno do Queenstown i spróbować uzyskać rozwód.

Strach Elaine stał się silniejszy niż jej poczucie wstydu. Oczywiście będzie bardzo nieprzyjemnie zwierzać się z tego przed sędzią – ale obawiała się o swoje życie.

Podczas gdy Zoé oczekiwała na narodziny dziecka, a Emere znów oddawała się grze na flecie – zdawało się to nie mieć już nic wspólnego z „odwiedzinami" Johna Sideblossoma; być może tkała czary dla swego nienarodzonego jeszcze dziecka – Elaine planowała ucieczkę. Może wtedy, gdy będą przepędzać owce na wyżyny? Wtedy Thomasa nie będzie przynajmniej przez dwa dni. Stajenni byli po jej stronie, Zoé zaś i Emere nie będą jej w stanie zatrzymać, jeśli zdecyduje się na konną ucieczkę. Ale do tego musi upłynąć jeszcze sporo czasu… Elaine zmuszała się do optymizmu. Może wcześniej przybędzie jednak pomoc z Queenstown.

Potem jednak, zaledwie tydzień po wizycie Patricka, przytrafiła się zaskakująca sposobność, żeby opuścić Lionel Station. Dzień wcześniej przybyły grupy postrzygaczy, więc Thomas i John mieli pełne ręce roboty. Każdy z nich nadzorował pracę w jednej z szop; było to zadanie, które niechętnie powierzali innym, choć przynajmniej „sieroty" spośród robotników na farmie potrafiły bezbłędnie liczyć i zapisywać liczby. Zoé narzekała, że John zostawia ją samą, choć w każdej chwili spodziewała się porodu. Wyglądała źle i domagała się uwagi całego domowego personelu. Nawet Pai i Rahera były angażowane w drobne usługi, jakich od nich żądała, co z kolei złościło Elaine. Jej dziewczyny nie powinny Zoé nic obchodzić. Z drugiej strony, po raz pierwszy od czasu przybycia do Lionel Station wiedziała, że nikt jej nie obserwuje. Myślała już nawet o tym, żeby po prostu osiodłać Banshee i spróbować uciec, ale doszła do wniosku, że to jednak zbyt ryzykowne. Konie Thomasa były szybsze niż Banshee. Jeśli będzie miała tylko trzy lub cztery godziny przewagi, dogoni ją.

Ale potem szczęście zaczęło jej sprzyjać. Około południa Zoé zaczęła odczuwać bóle porodowe. Młoda kobieta silnie przy tym krwawiła i wpadła w panikę. Emere zgodnie ze wskazówkami posłała po Johna, sama zaś wycofała się, żeby, jak mówiła, prosić duchy o szczęśliwy poród.

Kiedy John o tym usłyszał, najpierw wyładował swą złość na wszystkich obecnych maoryskich dziewczynach i kobietach, potem jednak szybko wysłał posłańca do Wanaka, by sprowadzić jakąś położną. Sam zajął miejsce przed drzwiami Zoé, najwyraźniej poważnie zatroskany o swoją żonę – albo przynajmniej o dziecko, co do którego zakładał, że okaże się synem. Oboje nie dawali chwili odpoczynku wszystkim służącym i pomocnicom z kuchni. Zoé na przemian słabym głosem prosiła o herbatę albo o wodę i histerycznie krzyczała za każdym razem, gdy dostawała bólów. Najwyraźniej była śmiertelnie przerażona i lamentując, wołała Emere, która jednak nie pokazywała się nikomu na oczy.

Podczas tych wydarzeń zdawało się, że wszyscy zapomnieli o Elaine. Nikt jej nie obserwował, a Thomas tego dnia nie zamknął jej na klucz w pokojach. Był nieodzowny na farmie. Jego ojciec na zmianę psiocząc, to znów lamentując, trzymał straż przed drzwiami Zoé i opróżnił już pół butelki whisky. Nadzorowanie postrzygaczy przekazał Thomasowi i brygadzistom. Tym ostatnim Sideblossomowie nie ufali, więc Thomas nie mógł opuścić szop.

Elaine udawała, że jest zajęta haftowaniem, lecz intensywnie myślała. Czy powinna się na to odważyć? Jeśli niepostrzeżenie wyprowadzi Banshee ze stajni, w ciągu trzech dni mogła dotrzeć do Queenstown. Nawet nie musiała się martwić o drogę, bo koń z pewnością by ją odnalazł, aby wrócić do domu. W stajni Sideblossomów klacz nie czuła się jeszcze u siebie. Gdyby popuszczono jej wodze, prawdopodobnie uciekłaby do domu najszybciej, jak tylko by mogła. Oczywiście niełatwo będzie zbiec przed ścigającymi ją ludźmi, ale jeśli będzie miała sześć do ośmiu godzin przewagi, mogło jej się udać. Banshee była silna, nie potrzebowała długich postojów na odpoczynek. Tę morderczą jazdę bardziej odczułaby Elaine niż koń. Ale to nie miało znaczenia. Elaine jechałaby dniem i nocą, byle tylko dotrzeć do domu. I cokolwiek się wydarzy, nie da się już namówić na powrót do Thomasa! Rodzice z pewnością będą ją wspierać; Fleurette wiedziała w końcu z własnego doświadczenia, co myśleć o Sideblossomach.

Z pokoju Zoé ponownie dobiegły krzyki. Uwaga wszystkich w domu skupiona była na niej.

Jeśli nie zrobi tego teraz, to nigdy tego nie zrobi! Elaine pobiegła do swego pokoju i zwinęła szybko tobołek. Nie potrzebowała wiele, ale coś do okrycia i strój do konnej jazdy musiała zabrać. Teraz oczywiście nie mogła się przebrać, ale nie odważyłaby się na trzy- albo czterodniową jazdę w stroju, w jakim chodziła po domu – w dodatku jeszcze przez góry, w których o tej porze było dotkliwie zimno. Ze wszystkiego innego zrezygnowała, choć oczywiście byłoby świetnie, gdyby mogła wziąć z sobą prowiant albo chociaż zapałki. Zakradanie się do kuchni było jednak zbyt ryzykowne, a poza tym i tak nie odważyłaby się rozpalać ognia w dzikim terenie.

Tak więc wsunęła jedynie rewolwer do kieszeni i wybiegła. Nie obejrzała się za siebie. Coś takiego przynosi nieszczęście, tłumaczył jej kiedyś dziadek James McKenzie. Kto opuszcza więzienie, musi zawsze patrzeć przed siebie.

Elaine szybko i przez nikogo niezauważona przedostała się do stajni, gdzie Banshee i mały Khan od razu przywitały ją rżeniem. Banshee przez ostatni tydzień musiała się śmiertelnie nudzić. Przebierała niecierpliwie kopytami, gdy Elaine przeszła obok jej boksu, idąc do siodlarni. Tam czekała też Callie; Pita zamykał ją tu, kiedy pracował i nie mógł jej pilnować. W przeciwnym wypadku mała suczka natychmiast zaczynała szukać Elaine, ale ostatnio nie wolno jej było wchodzić do domu. Zoé podczas ciąży dostała ponoć alergii na zwierzęcą sierść.

No ale z tym już koniec. Elaine powoli zaczęła odczuwać radość i żądzę przygody. Miała nadzieję, że Pat pomyślał o tym, by przywieźć tu jej siodło! Konie Sideblossomów były smuklejsze od Banshee. Jest! I dzięki Bogu nie było to damskie siodło, w którym wielogodzinna jazda galopem zamieniłaby się w prawdziwą torturę. Elaine sięgnęła po siodło i od razu wzięła z sobą ogłowie. Na czyszczenie nie było już czasu, ale w stajni Banshee i tak nigdy się nie brudziła. Elaine szybko ją okiełznała i osiodłała jeszcze w boksie. Przy siodle były skórzane rzemienie, przywiązała więc do nich swój bagaż. Jak dotąd wszystko wyglądało dobrze! Teraz tylko jeszcze wyjść na zewnątrz, drogą w stronę rzeki, potem mogła szerokim łukiem objechać szopy do strzyżenia. A za pół godziny ucieknie już poza zasięg Thomasa! Szkoda tylko, że nie wiedziała, dokąd poszła Emere, by wzywać duchy. Nie miała zaufania do starej Maoryski. Emere z jednej strony zdawała się nienawidzić Sideblossomów, z drugiej zaś od bardzo, bardzo wielu lat była wobec nich lojalna. Musiał istnieć jakiś powód, dla którego pozwalała, by John Sideblossom z nią sypiał, zamiast zdecydować się na ucieczkę. Kochała go, a może kochała go kiedyś? Elaine nie chciała się teraz nad tym zastanawiać. Czułaby się jednak pewniej, gdyby starej Maoryski tu nie było. Byłoby lepiej, gdyby nikt nie widział...

A potem usłyszała flet. Emere grała znów w tej oszałamiającej, pusto brzmiącej tonacji, w której zaklinała bogów. Najwidoczniej chodziło o złych bogów; w Thomasie przynajmniej zdawali się wzbudzać gniew. Ale teraz to już nie miało znaczenia. Elaine wciągnęła powietrze, gdy usłyszała dźwięki fletu. Muzyka dochodziła gdzieś od tyłu podwórza i tak długo, jak Emere grała, łatwo było uniknąć wejścia jej w drogę.

Elaine poprowadziła klacz ścieżką przy stajni – i zatrzymała się przerażona, gdy przy bramie zobaczyła Thomasa. Jego cień wznosił się groźnie w świetle słońca. Pocierał czoło – robił tak często, gdy słyszał dźwięki fletu Emere. Dziś nie potrzebował jednak żadnego przywoływania duchów, żeby wpaść w szał.

– Ojej! Znowu na przejażdżkę? Od razu wiedziałem, że opłaci się zajrzeć, co tam u mojej słodkiej żony. Przy wszystkich tych postrzygaczach kręcących się po podwórzu nie można przecież spuścić z oka czegoś tak pożądliwego… – Thomas skrzywił się złośliwie, jego ręka jednak mimowolnie powędrowała do ucha, jakby chciał stłumić dźwięki fletu.

Elaine zebrała się w sobie. Musi teraz znaleźć w sobie odwagę, nie ma już odwrotu.

– Nie obchodzą mnie twoi postrzygacze – powiedziała spokojnie, wyciągając powoli rękę w stronę kieszeni, w której miała schowany rewolwer. Emere grała coraz szybciej, Elaine czuła, jak gwałtownie bije jej serce. – I nie wybieram się na przejażdżkę. Opuszczam cię, Thomasie. Nie mam więcej ochoty na twoją zazdrość i dziwne… gierki. A teraz mnie wypuść!

Zrobiła ruch, jakby chciała przeprowadzić konia obok niego, ale Thomas stanął przed bramą, rozstawiając szeroko nogi.

– Patrzcie, patrzcie, suczka powarkuje! – zaśmiał się głośno.

Callie jak na rozkaz zaczęła dziko szczekać. Bez trudu zagłuszyła grającą na flecie Emere, co zdawało się przynosić Thomasowi ulgę. Zrobił krok w stronę Elaine.

Wyjęła broń.

– Nie żartuję! – powiedziała drżącym głosem. Nie zamierzała ustąpić. Nie mogła! Nie wyobrażała sobie, co by z nią zrobił, gdyby teraz dała się zatrzymać.

Thomas wybuchnął śmiechem.

– Och, nowa zabawka!

Wskazał na rewolwer. Callie szczekała coraz głośniej, a w tle wibrowały dźwięki, które Emere wydobywała z fletu.

A potem wszystko potoczyło się błyskawicznie. Wystraszona Elaine odbezpieczyła broń, gdy Thomas się na nią rzucił. Jego próba, by ją zaskoczyć, była spóźniona. Elaine nacisnęła spust, niepewnie, trzymając rewolwer w jednej ręce. Nie wiedziała, czy trafiła, ale Thomas zastygł z miną wyrażającą niedowierzanie – a wtedy pomogła sobie drugą ręką i całkowicie skoncentrowana z zimną krwią wymierzyła broń w męża. Chciała go trafić w pierś, ale rewolwer zdawał się żyć własnym życiem, gdy nacisnęła spust. Odrzut poderwał wylot lufy. I zobaczyła tryskającą krew. Twarz Thomasa eksplodowała przed nią fontanną krwi… Nawet nie krzyknął. Padł na ziemię jak rażony piorunem.

*„Bądź przeklęty!" – Thomas słyszał głos Emere. Wiedział, że nie powinien był podążać za śpiewnym głosem duchów. Czyż nie powtarzała mu zawsze, że gdy ona przyzywa duchy, bezpieczny będzie tylko w swoim dziecinnym pokoju? Ale był ciekaw… i miał już przecież osiem lat; w tym wieku chłopiec musi mieć dość odwagi, by stawić czoła zagrożeniu. Tak w każdym razie mówił mu ojciec. Tak więc tej nocy podążył za Emere, kiedy myślała, że on już śpi, ukołysany głębokimi hipnotycznymi dźwiękami fletu. Ale Emere nie spotykała się z jakimiś duchami. Tym, kto do niej przychodził, był jego ojciec… Do pachnącego ciepłym latem ogrodu, podczas gdy ona zdawała się dziwnie wahać, jakby nie była pewna, czy ma zostać, czy uciekać. A potem jego głos…*

*– Nie słyszałaś, jak cię wzywałem?*

*Emere odwróciła się ku niemu.*

*– Przychodzę, kiedy chcę.*

*– Ach tak? A więc chcesz się bawić w te twoje gierki…*

*To, co Thomas później zobaczył, miało wryć się na zawsze w jego pamięć. To było odpychające, ale było też… podniecające. Prawie tak, jakby podglądanie z ukrycia pozwalało mu mieć udział we władzy jego ojca. I cóż to była za moc! John Sideblossom dostawał wszystko, czego Thomas tak strasznie pragnął. Emere obejmowała go, całowała… Ale musiała być do tego zmuszana… ujarzmiana. Thomas pragnął mieć taką moc jak jego ojciec i móc również zmuszać Emere… W końcu ojciec zostawił ją leżącą na trawie. Pojękiwała. Została ukarana… A potem rozległy się dźwięki fletu. Głos duchów. Thomas właściwie powinien był uciekać. Emere nigdy by się nie dowiedziała, że był świadkiem jej upokorzenia. Ale został, a nawet się do niej zbliżył. Aż za bardzo chciałby…*

*I wtedy odwróciła się w jego stronę.*

*– Widziałeś wszystko? I nie wstydzisz się? Już teraz masz to w oczach, Thomasie Sideblossom… Bądź przeklęty!*

*Twarz Thomasa eksplodowała.*

Elaine kątem oka widziała, jak czerwona kałuża krwi wokół głowy Thomasa staje się coraz większa. Nie miała odwagi się poruszyć, choć nie czuła strachu, a jedynie chłód i przerażenie. Callie zaskomlała i schowała się do boksu. Bała się głośnych dźwięków. Flet Emere nieustannie grał we wznoszących się i opadających głuchych tonach...

On nie żyje... on nie żyje... Ta myśl w kółko przewijała się przez głowę Elaine. Wahała się między niezdrowym pragnieniem, by podejść do Thomasa i upewnić się, czy jest martwy, a odruchem, żeby stąd uciekać i schować się w jakimś kącie swojego pokoju.

Chwilę później było już dla niej jasne, że niczego takiego nie uczyni. Zrobi dokładnie to, co zaplanowała: weźmie swojego konia i zniknie.

Elaine nie spojrzała na leżącego na ziemi męża – nie zrobiła tego również wtedy, gdy musiała przeprowadzić nad nim Banshee. Widok zmasakrowanej twarzy napawał ją zgrozą, a miała już tyle potwornych wspomnień związanych z Thomasem Sideblossomem, że wystarczy jej to na całe życie. Banshee parskała, ale w końcu przeszła nad ciałem, jakby to był jakiś pień drzewa leżący w lesie. Elaine dziękowała niebiosom, że na niego nie nadepnęła; tego byłoby już dla niej za wiele. Wystarczająco straszne było to, że Callie z zainteresowaniem go obwąchiwała. Musiała ostro skarcić suczkę, żeby nie polizała krwi. Niepostrzeżenie dotarli na podwórze. A przecież przynajmniej Emere musiała słyszeć strzały. Nie mogła być aż do tego stopnia pochłonięta grą na flecie. Elaine już zawsze będzie słyszała w uszach ten huk broni.

Emere się nie pojawiła, choć flet umilkł, gdy Elaine opuściła stajnię. Przypadek? A może stara Maoryska sprowadzała pomoc? Elaine było wszystko jedno; chciała jedynie znaleźć się jak najdalej stąd. Wskoczyła na Banshee i niemal z miejsca przeszła w szybki galop. Klacz sama z siebie wybrała najkrótszą drogę do Wanaki, Elaine nie musiała już objeżdżać ukradkiem szopy do strzyżenia owiec.

Potem jednak dotarło do niej, co zrobiła, i myśl ta była ostra jak nóż: zastrzeliła swojego męża. Wycelowała pistolet w nieuzbrojonego człowieka i z zimną krwią nacisnęła spust. Nie będzie mogła nawet twierdzić, że zrobiła to w obronie koniecznej. Nie da się już po prostu uciec do rodziców i skryć się u nich. Była teraz morderczą, zbiegiem. Najpóźniej jutro rano John Sideblossom złoży doniesienie i od tej chwili konstabl będzie ją ścigał. W żadnym razie nie mogła pojechać do Queenstown ani na Canterbury Plains. Będzie musiała zapomnieć o rodzinie i przyjaciołach, zmienić nazwisko i rozpocząć gdzieś nowe życie. Gdzie i jak, było dla niej zagadką, ale ucieczka była jej jedyną szansą.

Elaine skierowała niechętną temu klacz w stronę Wyżyny McKenziego.

# UCIECZKA
## CANTERBURY PLAINS,
### GREYMOUTH NA ZACHODNIM WYBRZEŻU
## 1896

# 1

– Mój Boże, Williamie, oczywiście, że możemy ją sprowadzić z powrotem! – W głosie Gwyneiry słychać było więcej niż zniecierpliwienie. Po raz kolejny dyskutowała o tym z mężem swojej wnuczki. – Plan tournée tych śpiewaków nie jest w końcu żadną tajemnicą. Są na Wyspie Północnej, a nie w Timbuktu. Pytanie tylko, czy to coś da. Czytałeś jej list: jest szczęśliwa. Jest dokładnie tam, gdzie chce być, i robi to, czego zawsze pragnęła.

– Ale ona jest moją żoną! – odezwał się William, powtarzając to nie pierwszy raz i nalewając sobie przy tym whisky. Nie pierwszą tego wieczoru. – Mam swoje prawa!

Gwyneira zmarszczyła czoło.

– Co za prawa? Chcesz ją sprowadzić siłą? Teoretycznie mógłbyś to nawet zrobić, w dodatku jest przecież niepełnoletnia. Ale nigdy ci tego nie wybaczy. No i poza tym zaraz znowu ucieknie. A może zamierzasz ją zamknąć?

William milczał, nie wiedząc, co na to odpowiedzieć. Oczywiście nie chciał zamykać Kury, tym bardziej że trudno byłoby znaleźć w Kiward Station więziennego strażnika. Rodzina McKenziech przełknęła jakoś odejście Kury, a Maorysi i tak nie za bardzo się przejmowali takimi sprawami. Nawet na pomoc Tongi nie było co liczyć. W każdym razie Gloria była nową dziedziczką. W tym pokoleniu Tonga przegrał. Gwyneira natomiast triumfowała i zdawała się nawet trochę zadowolona z sytuacji, w jakiej znalazła się jej wnuczka. List od Kury z Christchurch – przekazany przez George'a Greenwooda, po tym jak zespół artystów wyruszył już do Wellingtonu – brzmiał euforycznie i wskazywał, że nie posiada się ona ze szczęścia. Najwyraźniej grupa śpiewaków operowych przyjęła ją z otwartymi ramionami. Oczywiście, jak pisała, będzie musiała się jeszcze wiele nauczyć, ale impresario, Mr

Barrister, osobiście udzielał jej lekcji i robiła szybkie postępy. Już od razu pierwszego wieczoru pozwolono jej wystąpić na scenie; śpiewała *Habanerę* i otrzymała owacje na stojąco.

Sukces Kury, jak po cichu przypuszczała Gwyneira, wynikał zapewne także z jej urody, ale w końcu to przecież nie miało większego znaczenia. Kurze było dobrze i zarabiała pieniądze. Tak długo, jak długo będzie odnosić sukcesy, nie będzie trwonić myśli na Kiward Station.

– Daj jej jeszcze trochę czasu, chłopcze – powiedział James, starając się udobruchać Williama i wyciągając szklankę w jego stronę. Gwyn zdawała się tego nie zauważać, ale William zdążył już wypić trzy whisky. James przysłuchiwał się tej dyskusji od pół godziny i doszedł do wniosku, że też zasłużył sobie na drinka. – Gonienie za nią teraz nic nie da, zwłaszcza że jej wyjazd najwyraźniej poprzedziła kłótnia, prawda?

Jak dotąd tylko William i Miss Witherspoon znali wydarzenia z nocy przed wyjazdem Kury i żadne z nich nie zamierzało informować o tym pozostałych. Odejście Kury przynajmniej na razie zakończyło ich związek. William nie zbliżał się więcej do guwernantki, odkąd opuściła go żona, i nie miał też ochoty na żadną poufną rozmowę. Pod tym względem nikomu nie nasuwały się jakieś konkretne podejrzenia – a było w interesie Williama, żeby tak pozostało.

– Właśnie. Pozwól jej po prostu odbyć z nimi to tournée! – zgodziła się z mężem Gwyneira. – A potem zobaczymy. Podróż powrotna pozostałych śpiewaków jest już w każdym razie opłacona i zarezerwowana, co do tego George mnie zapewnił. Wszelkie koszta podróży ponosi jego organizacja. A jeśli Kura na koniec też zechce pojechać do Anglii, będzie musiała zapłacić za to z własnego honorarium albo poprosić mnie o pieniądze. I wtedy będziemy jeszcze mogli porozmawiać o tym wszystkim. Ale spokojnie, William! Nie mam ochoty stracić jeszcze jednej wnuczki!

Ostatnia uwaga sprawiła, że wszyscy zamilkli; odnosiła się przecież do smutnej historii Elaine, o której Gwyneira i James dowiedzieli się dopiero niedawno. Gwyn strasznie się z tego powodu zdenerwowała, przy czym w żadnym razie nie potępiała Elaine. Coś takiego mogło się równie dobrze przydarzyć jej; ona też stała kiedyś ze strzelbą w ręce przed jednym z Sideblossomów. Oczywiście sytuacja wyglądała wtedy inaczej, ale Gwyneira była przekonana, że Elaine musiała mieć dobre powody, żeby się bronić. Nie rozumiała tylko, dlaczego dziewczyna nie zwróciła się do niej o pomoc. Kiward Station leżało na uboczu; można by przez długi czas ukrywać tu Elaine i starać się znaleźć jakieś rozwiązanie. Można było choćby zorganizować ucieczkę do Australii albo do Anglii. Zniknięcie Elaine bez śladu szarpało nerwy Gwyneiry. W żadnym wypadku nie może dojść do tego, by straciła jeszcze kontakt z Kurą!

William popijał teraz whisky trochę drobniejszymi łykami. Najchętniej bez zwłoki wyruszyłby za żoną. Ten obłudnik, ten cały Barrister, z pewnością nie pozwalał jej śpiewać jedynie z czystej uprzejmości! Na pewno spodziewał się czegoś za to, że od razu pozwolił jej występować na scenie. No i „osobiście udzielał jej lekcji". A jakież to sztuki jej uczył? Williama męczyła nie tylko zraniona duma, miotała nim też zazdrość.

Gdyby nie to, nie mógłby odmówić słuszności argumentom pozostałych. To było okropne przebywać tu jako opuszczony małżonek. Jeśli jednak rzeczywiście zmusi ją do powrotu, to pierwszą rzeczą, którą Kura wykrzyczy, będzie prawda o tym, dlaczego odeszła... A tym samym William byłby całkowicie przegrany u McKenziech.

– I co będę robił do tego czasu? – zapytał podpitym, niemal płaczliwym głosem. – To znaczy, ja...

– Będziesz robił to, co dotąd, a przy tym byłoby mile widziane, gdybyś trochę bardziej troszczył się o dziecko! – odparła Gwyneira. – Poza tym będziesz się starał porządnie wdrożyć do pracy i być pożytecznym. Traktujmy to tak, jakby Kura była w podróży. Nauczy się trochę o świecie, spełni swoje marzenia i za kilka miesięcy wróci. Spójrz na to w ten sposób, Williamie! Wszystko inne byłoby głupotą!

Gwyneirze łatwo było tak mówić, ale życie Williama w Kiward Station, które jeszcze przed odejściem Kury bywało czasem dokuczliwe, teraz stało się zupełnie nie do zniesienia. Pracownicy na farmie, którzy dotąd raczej skrycie żartowali sobie z niego jako „owczego barona", teraz całkiem otwarcie śmiali mu się w twarz. Najwyraźniej, jak szeptali między sobą, nasz „książę małżonek" również poza stajniami nie dysponował żadnymi szczególnymi talentami, w każdym razie nie na tyle, żeby przywiązać do siebie na dłużej taką niesamowitą kobietę jak Kura Warden.

– Zrobiła go w balona – wyśmiewał się z niego Poker Livingston, który znów częściej pokazywał się na farmie. Spokojniejszy od niego Andy McAran wysłuchiwał poleceń Williama i jego pomysłów, nie pokazując nic po sobie, później jednak robił to, co sam uważał za słuszne.

Najgorsi jednak byli Maorysi. Plemię wróciło z wędrówki i mężczyźni na nowo podjęli pracę w Kiward Station. Williama jednak ignorowali. Dotąd, co prawda niechętnie, ale w naturalny sposób traktowali go jako członka miejscowego plemienia *pakeha*; po odejściu Kury nie miało to dla nich uzasadnienia. Wszystko jedno, czy William ich o coś prosił, czy też na nich pokrzykiwał – większość Maorysów traktowała go jak powietrze.

Williama doprowadzało to do szału, w dodatku Gwyneira też okazywała mu coraz mniej zrozumienia. Nawet ona zdążyła zauważyć, że coraz częściej topił złość w whisky, i zaczęła robić mu z tego powodu wyrzuty.

– Jakim przykładem chcesz być dla ludzi, skoro rano przychodzisz do pracy zbyt późno i na kacu? Nie podoba mi się to, William, i nie mam pojęcia, jak się powinnam zachować. Jeśli będę cię bronić, to się ośmieszę i stracę autorytet. Z kolei jeśli przyznam ludziom rację, ty weźmiesz mi to za złe i dopiero wtedy na dobre utopisz się w whisky! Musisz z tym przestać, William! Miałam już jednego pijaka na farmie i to się nie powtórzy tak długo, jak długo mam tu coś do powiedzenia!

– I co chce pani zrobić, Miss Gwyn? – zapytał William z kpiną w głosie. – Wyrzucić mnie? Oczywiście, może to pani zrobić, ale wtedy straci pani Glorię. Bo naturalnie wezmę ją wówczas z sobą.

Gwyneira zmusiła się, żeby zachować spokój.

– Więc ucz się już teraz, jak gotować kleik – odparła, nie tracąc panowania nad sobą – i myśl o tym, czy jeśli będziesz włókł z sobą dziecko, znajdziesz kogoś, kto da ci pracę. Jak w ogóle chciałbyś podróżować z Glorią? Weźmiesz ją do sakwy przy siodle?

Tego wieczoru udało jej się sprawić, by William zamilkł, ale później Gwyn przyznała mężowi, że jego groźba napędziła jej potwornego strachu.

– To przecież prawda, nie mamy żadnych praw do tego dziecka! Jeśli weźmie ją z sobą… będziemy musieli ją wspierać, być może wysyłać mu co miesiąc pieniądze, żeby mógł opłacić opiekunkę do dziecka i mieszkanie…

James potrząsnął głową.

– Gwyn, najdroższa, nie wpadaj od razu w panikę – uspokajał ją, pocieszająco głaszcząc po włosach. – Strasznie przesadzasz. Dziękujmy Bogu, że nasz Williamek tego nie zauważył. Ale chyba nie myślisz poważnie, że nasz niedoszły owczy baronek obędzie się bez ciebie. Dokąd miałby się udać z Glorią, skoro wszystkie ptaszki na dachu ćwierkają o jego historii? I co miałby z nią robić? Mój Boże, on nawet nie wie, jak ją trzymać na rękach. To niewyobrażalne, żeby zabrał ją z sobą, zwłaszcza że Mrs Whealer nie należy do naszej służby i nie może jej po prostu kazać, żeby z nim pojechała. A w najgorszym wypadku dziecko ma przecież jeszcze matkę. Będziesz się mogła zwrócić do Kury. Chyba zależy jej na córce przynajmniej na tyle, żeby przekazać tobie opiekę nad nią. Każdy sąd wyda korzystny dla ciebie wyrok. Więc nie doprowadzaj się, proszę, do szaleństwa. – James wziął Gwyn w ramiona, ale nie udało mu się całkiem jej uspokoić. A czuła się już tak bezpiecznie! No a teraz ten William wymknął jej się spod kontroli.

W pierwszych dniach po wyjeździe Kury Heather Witherspoon przemykała po domu jak zbity pies. Nie mogła zrozumieć, dlaczego William ją nagle od siebie odsunął, i to w dodatku w tak ordynarny sposób. Przecież to nie była jej wina, że Kura ich przyłapała. Wręcz przeciwnie, zauważyła tego wieczoru, jaką strategię Kura obrała, i napomknęła o tym Williamowi. Był już jednak zbyt pijany, żeby to zrozumieć, i nie miał ochoty pozwalać, by żona nim manipulowała.

– Przecież nie będę się płaszczył, gdy tylko na mnie gwizdnie – wyjaśniał wzburzony i pijany. – I… i z całą pewnością nie zawiozę jej do Christchurch. Niech sobie kołysze tymi biodrami tam, gdzie pieprz rośnie, wezmę ją, kiedy zechcę, a nie wtedy, kiedy jej pasuje.

Heather nie starała się więcej na niego wpłynąć. Nikt nie mógł tego od niej oczekiwać; przecież go kochała. Obwinianie jej teraz o to wszystko było niesprawiedliwe.

Heather nauczyła się jednak już dawno, że życie nie zawsze jest sprawiedliwe, i zdała się na swoją sprawdzoną strategię: być w pobliżu i czekać. Kiedyś William się opamięta i znów będzie jej potrzebować. W powrót Kury nie wierzyła. Dopiero co zaczęła odnosić sukcesy, a jeśli będzie potrzebowała mężczyzny, to znajdzie go sobie tam, gdzie akurat będzie przebywać. Kura-maro-tini Warden nie była uzależniona od Williama Martyna. A jeśli już Heather wierzyła w miłość, to co najwyżej we własną.

Kura znalazła już swojego mężczyznę, choć nie można było w tym przypadku mówić o miłości. Podziwiała Rodericka Barristera: zdawał się spełnieniem jej wszystkich marzeń o sukcesie i karierze. W dodatku mógł ją zapoznać z tajemnicami belcanto znacznie dogłębniej i intensywniej niż Miss Witherspoon ze swymi trzema lekcjami śpiewu, jakich udzielono jej w Szwajcarii. Poza tym miał władzę – zespół słuchał jego poleceń z takim oddaniem, jakiego Kura do tej pory nigdy nie widziała. Oczywiście w Kiward Station też byli panowie i służba, ale samowola i poczucie własnej wartości ludzi na farmie oraz Maorysów, które tak denerwowały Williama, były dla Kury czymś oczywistym. Lecz na owczych farmach ślepe posłuszeństwo nie było wymagane. Kto na nich pracował, musiał umieć podejmować decyzje. W zespole Barristera liczył się tylko jeden głos, mianowicie jego. Mógł uszczęśliwiać baleriny, obiecując im jakiś występ solo, i nawet w pełni wykształcone śpiewaczki, jak Sabina Conetti, nie ośmielały się sprzeciwiać, jeśli stawiał im pod nosem nowicjuszki takie jak Kura. A łaska Barristera – Kura szybko to pojęła – była często związana z fizycznym zaangażowaniem artystek z zespołu. Baletnice często mówiły o tym, że na przykład Brigitte mogła śpiewać rolę Carmen tylko dlatego, że ulegała życzeniom impresario. Niechciany zaś rezultat tej afery usunęła pewna milcząca położna z Wellingtonu.

Brigitte całymi tygodniami nie mogła potem tańczyć i szlochała po nocach. Kurze działało to na nerwy, bo początkowo dzieliła z małą tancerką pokój w hotelu. W każdym razie Brigitte nie miała jej niczego za złe. Cieszyła się, że nie musi śpiewać, bo było to zadanie, które przekraczało jej możliwości, a najwyraźniej nie miała też już ochoty na Rodericka. Gdy po kilku pierwszych nocach Kura przed pójściem do łóżka zaczęła się wykradać z pokoju, by odwiedzić impresario, Brigitte udawała, że nic nie zauważa.

Przystojny tenor wydawał się Kurze pociągający; nie musiała się specjalnie zmuszać, żeby ulec jego staraniom. Tyle tylko, że jego również szybko przestały zadowalać jedynie pocałunki i niewinne pieszczoty. Słysząc o obawach Kury, że może zajść w ciążę, jedynie się roześmiał.

– Bzdura, maleńka, już ja będę uważał! Ze mną nic nie pójdzie nie tak, bez obaw!

Kura była gotowa w to uwierzyć, i zauważyła też, że kiedy się kochali, Roderick wycofywał się z niej szybciej, niż robił to William. No ale była jeszcze ta sprawa z Brigitte. W końcu, z drżącym sercem, zwierzyła się Sabinie Conetti. Obawiała się wprawdzie, że śpiewaczka niespecjalnie ją lubi – bo Roderick studiował teraz ze swym nowym odkryciem również role dla sopranu – ale jeśli chodziło o kwestie kobiece, czuła do niej jakoś największe zaufanie. Sabina chętnie też wyjaśniła jej najważniejsze rzeczy, o jakich wiedziała.

– W niebezpieczne dni powinnaś się powstrzymywać. Ale nigdy nie jest bezpiecznie, nic nie jest do końca pewne – ostrzegła ją na koniec. – A już najmniej przyrzeczenia tych facetów, że się ożenią, jeśli coś się przytrafi… czy co tam jeszcze wymyślą. Uwierz mi, Roderick może przyrzekać ci teraz całe niebiosa, ale nie masz na to co liczyć. W tej chwili podoba mu się rola Pigmaliona, ale na dłuższą metę dla niego ważny jest tylko on sam. Jeśli będzie to służyć jego celom, to cię porzuci.

Takie ostrzeżenie nie było dla Kury zbyt zrozumiałe. Po pierwsze, nie miała pojęcia o greckiej mitologii, po drugie, była przekonana, że Roderick ma wobec niej dobre zamiary. Gdyby był egoistą – o tym była przekonana – nie dawałby jej w końcu coraz znaczniejszych ról, a przede wszystkim nie udzielałby jej codziennie darmowych lekcji śpiewu. Faktycznie spędzał z Kurą przy fortepianie połowę każdego popołudnia, podczas gdy inni członkowie zespołu cieszyli się wolnym czasem, zwiedzali miasta, takie jak Auckland czy Wellington, bądź jeździli na wycieczki, żeby podziwiać lasy deszczowe, gejzery i inne cuda natury.

Nocą Kura była do jego usług; sprawiało jej to przyjemność, choć Roderick był znacznie gorszym kochankiem od Williama. Kurze brakowało ekstazy, oszałamiających orgazmów, do których doprowadzał ją mąż, i zaczynała być trochę zła na Rodericka, że nie potrafił jej w taki sam sposób wynagrodzić ryzyka, że może zajść w ciążę. O tym wszystkim zapominała jednak, gdy wieczorami stała na scenie i przyjmowała brawa od publiczności. Wtedy była szczęśliwa, czuła wylewną wdzięczność wobec Rodericka i w efekcie zasypywała go pieszczotami. A Roderick wcale nie okazywał się taki próżny. Wręcz przeciwnie, pozwalał jej błyszczeć, wysyłał ją samą przed kurtynę, by mogła przyjąć owacje słuchaczy, i przekazywał jej kwiaty, które rzucano na scenę.

– Nasz kogucik chyba się zakochał – szeptał Fred Houver, baryton w zespole, do Sabiny Conetti. – A ta mała rzeczywiście jest coraz lepsza. Ma jeszcze problemy z właściwym oddychaniem, ale pewnego dnia sprawi, że wszyscy będziemy wyglądać przy niej staro. A on pierwszy.

Śpiewacy stali w tle, podczas gdy Barrister po raz piąty skłaniał się na scenie przed Kurą. Śpiewali w chórze, podczas gdy Kura i Roderick wykonywali partie Carmen i Torera.

Sabina przytaknęła ruchem głowy i spoglądała na rozpromienioną twarz Kury. Barrister stracił głowę dla tej małej. Ale czy ją to uratuje, gdy ten dzień rzeczywiście nadejdzie?

William miał już wszystkiego po dziurki w nosie. To był znów jeden z tych dni, kiedy chętnie opuściłby jak najszybciej Kiward Station – gdyby tylko potrafił sobie wyobrazić jakąś alternatywę. Gwyneira sprzedała stado młodych zwierząt majorowi Richlandowi i poprosiła Williama, żeby popędził do niego zwierzęta. Ponieważ poprzedniego dnia pogoda zdawała się obiecująca, Richland postanowił, że pojedzie razem z nim, i został na noc w Kiward Station. Oczywiście do późna w nocy pił z Williamem, również wtedy, gdy Gwyneira i James udali się już do swych pokoi, a teraz obaj mieli kaca i byli w złych nastrojach. W dodatku padało już cały ranek, a dwaj maoryscy poganiacze, których Gwyneira przydzieliła Williamowi, nie pojawili się. Po oborze szwendał się jedynie Andy McAran. William domagał się, by stary pasterz towarzyszył mu w drodze do Richland; nie miał do siebie na tyle zaufania, żeby samemu wyszukać wybrane owce. McAran, który zrozumiał, że nie ma innego wyjścia, o ile nie chce, by to wszystko przerodziło się w całkowitą kompromitację, rzeczywiście dał się przekonać i pojechał razem z nimi, narzucił jednak mordercze tempo i ignorował Williama, gdy ten przez wzgląd na starego majora poprosił go, żeby jechali wolniej. Richland trzymał się jednak całkiem dobrze na swoim pełnokrwistym koniu, a jego nastrój poprawiał się z każdym łykiem upijanym z małej piersiówki, którą miał przy sobie. William też się w końcu napił, Andy natomiast odmówił, kręcąc głową.

– Nie w pracy, Mr William. Miss Gwyn niezbyt to lubi.

William, który poczuł się skarcony tymi słowami, dopiero teraz zaczął na dobre pić z Richlandem, ale jak się okazało, nawet w połowie nie miał tak silnej głowy jak stary żołnierz. Najpierw strasznie zawiódł podczas spędzania owiec. Jego pies go nie słuchał, a tylko przywierał wystraszony do ziemi, gdy William na niego krzyczał. Potem koń mu się spłoszył przed upartym młodym baranem, który starał się przebić przez linię naganiaczy, a William wylądował w trawie.

Andy McAran panował nad sobą i zachował powagę, ale major Richland nie mógł się powstrzymać i przez całą drogę powrotną na farmę nabijał się ze swego gospodarza. Wszystko to było upokarzające – a w dodatku wciąż padało i mężczyźni przemokli do suchej nitki. Richland w żadnym razie nie zamierzał tego wieczoru wracać do domu; zostanie na noc w Kiward Station i bez wątpienia opowie McKenziem o nieporadności Williama. Wszystko to przeradzało się w katastrofę. Gdyby tylko wróciła Kura! Ona jednak zdawała się wciąż szczęśliwa ze swoim operowym zespołem. Od czasu do czasu pisała do Gwyneiry pełne zachwytu listy; do Williama nie pisała nigdy.

Oczywiście, gdy mężczyźni wjechali na dziedziniec Kiward Station, nie było widać żadnego stajennego, więc William musiał sam oporządzić konia, ale przynajmniej McAran nie nalegał na to, by poszedł z nim do zagród, w których zagnane owce miały spędzić noc. I tak już cały śmierdział wełną i lanoliną. William doszedł do wniosku, że w gruncie rzeczy nienawidzi z całego serca pracy przy owcach. Gwyneira i James oczekiwali Richlanda i Williama w salonie, ale nie wyglądało na to, żeby zamierzali zaoferować im drinka na powitanie. Po zaczerwienionych twarzach i niepewnym chodzie nowo przybyłych gospodarze zdążyli się już zorientować, że do tej pory i tak wlali w siebie dość alkoholu. Gwyn i James porozumieli się spojrzeniem: żadnych sznapsów przed jedzeniem, jeżeli wieczór nie ma się okazać nieprzyjemny. Odesłali więc mężczyzn na górę, by się umyli i przebrali, a służący oczywiście zaniósł najpierw ciepłą wodę do pokoju gościa…

William najchętniej zwaliłby się do łóżka z butelką whisky, ale gdy wszedł do pokoju, który z taką troską urządził, by żyć w nim razem z Kurą, czekała na niego niespodzianka: w małym salonie czuć było wyraźnie zapach świeżo zaparzonej herbaty. Na podgrzewaczu ze świeczką czekał ciepły napar, a obok stały dwie szklanki i butelka rumu.

William nie potrafił się powstrzymać. Sięgnął po butelkę i wypił duży łyk. Ale kto mógł to wszystko dla niego przygotować? Z pewnością nie Gwyneira, a Moana albo Kiri raczej też nie. Maorysi niespecjalnie wykazywali wyczucie do takich rzeczy, a służba w tym domu i tak miała dość roboty.

William rozglądał się nieufnie po pokoju, dopóki nie usłyszał perlistego śmiechu dobiegającego z łazienki.

– Ten dzień był straszny! Musiałam dawać lekcje tym Maorysom, a woda kapała z dachu... Jak można wpaść na pomysł, żeby przykrywać chatę palmowymi liśćmi? I wtedy pomyślałam o tobie, tam, na dworze... że pewnie musisz marznąć...

W wejściu do łazienki stała Heather Witherspoon z promiennym uśmiechem na twarzy, w fartuszku przewiązanym na ciemnej sukni jak u jakiejś pokojówki. Ruchem ręki wskazała mu wannę wypełnioną gorącą, pachnącą wodą.

– Heather, ja... – William wahał się między uczuciem wdzięczności, pożądaniem a zrozumieniem, że byłoby szaleństwem dać się jej uwieść. Ale Kury nie było już tak długo...

– Chodź, Williamie! – powiedziała Heather. – Mamy godzinę, nim podadzą na dole do stołu. Miss Gwyn musi dopilnować pracy w kuchni, Mr James siedzi przed kominkiem, a Jackowi zadałam tyle do nauki, że też ma co robić. Nie ma się czego bać. Nikt nie widział, jak tu wchodziłam.

Williamowi przemknęła myśl, czy gorącą wodę też sama tu przyniosła, czego raczej nie potrafił sobie wyobrazić. Ale później w ogóle już nie myślał. To było zbyt kuszące – zanurzyć się w ciepłej kąpieli, pozwolić pomasować sobie plecy, pieścić się i w końcu dać zaprowadzić do łóżka.

– Przecież ja też nie chcę, żeby ktoś nas zauważył – gruchała Heather. – Ale i tak mamy tutaj dość ciężko. Ostatecznie nie musimy żyć jak w jakimś klasztorze...

* * *

Przed wieczorem związek Williama z Heather rozgorzał nowym płomieniem. William zapomniał o swych oporach i obawach, ledwie tylko znalazł się w jej ramionach, i dał sobie spokój z wyrzutami sumienia: Kura pewnie też nie żyła zbyt cnotliwie, a w ogóle i tak widział tylko jej twarz i ciało, gdy brał Heather w ciemnym pokoju lub z zamkniętymi oczami.

# 2

Elaine O'Keefe w kiepskim nastroju włóczyła się po Main Street w Greymouth na zachodnim wybrzeżu. „Co za wstrętne miasteczko" – pomyślała. Nazwa do niego pasowała! Słyszała już co prawda wcześniej, że nazwa ta pochodziła od ujścia Grey River, jednak Elaine wydawała się ona szarą czeluścią, która groziła, że ją pochłonie. Z pewnością przyczyną tego była mgła, która otulała miasto. Przy ładnej pogodzie miejscowość zapewne nie robiła tak nieprzyjemnego wrażenia. W sumie Greymouth było pięknie położone pomiędzy wąskim pasmem wybrzeża a rzeką, a jedno- i dwupiętrowe drewniane domy ciągnące się wzdłuż ulic wyglądały na równie nowe i schludne jak budynki w Queenstown.

Greymouth uchodziło za rozwijającą się gminę, choć jej bogactwo nie pochodziło ze złotonośnych pól, lecz z otwartych kilka lat temu profesjonalnie zarządzanych kopalń węgla. Elaine zastanawiała się, czy to węglowy pył unoszący się w powietrzu utrudniał jej oddech, czy też winna była temu mgła. W każdym razie atmosfera tutaj zdała jej się zupełnie inna niż w jej pełnym życia i optymizmu rodzinnym mieście. I nic dziwnego, bo wszyscy poszukiwacze złota w Queenstown mieli nadzieję, że już wkrótce staną się bogaci. Kopalnia natomiast przynosiła duże pieniądze jedynie swoim właścicielom. Górników czekało tylko ponure życie pod ziemią.

Elaine nigdy nie wybrałaby sobie takiego miasta, ale po wielu tygodniach spędzonych na koniu w drodze przez góry miała już dość. W pierwszych dniach po ucieczce sprzyjało jej przynajmniej szczęście, jeśli chodzi o pogodę. Z początku trzymała się Haas River – jadąc tak często, jak to było możliwe nurtem rzeki, żeby zatrzeć ślady. Nie wierzyła jednak w to, by użyto psów tropiących. Dokąd mogłyby dotrzeć? A nawet gdyby Elaine obrała inną drogę, to na suchym gruncie

Banshee i tak praktycznie nie pozostawiała śladów kopyt. Nie padało też przez kilka dni, jeszcze zanim wyruszyła, a pogoda była dla niej łaskawa, póki nie dotarła do Wyżyny McKenziego. Później jednak było gorzej i Elaine strasznie marzła, gdy kładła się spać otulona tylko nielicznymi ubraniami, jakie wzięła z sobą. Już bardziej pomagała jej derka spod siodła Banshee, ale zazwyczaj była wilgotna od potu klaczy. A do tego jeszcze dręczył ją głód.

Elaine znała całkiem dobrze rośliny występujące w jej kraju – Fleurette często brała dzieci na „przygodowe przejażdżki", a James McKenzie też bawił się ze swoimi wnukami w grę „przeżyć w dziczy", którą Gwyn w swych młodych latach uważała za taką wspaniałą. Tyle tylko, że wtedy mieli jakieś małe łopatki do kopania, noże do obierania korzeni albo oprawiania ryb, a przede wszystkim linki i haczyki. Teraz Elaine nic takiego nie miała. Nawet ogień była w stanie rozpalić tylko czasami, gdy udawało jej się skrzesać iskry, uderzając kamieniem o kamień – na co nie było nadziei, gdy zaczynało padać. W pierwszych dniach kilka razy zdołała nałapać gołymi rękami pstrągów i je upiec, ale wciąż się bała, że ogień może ją zdradzić. Z tego też powodu nie ważyła się strzelać do wszędobylskich królików. Z drugiej strony, zapewne i tak by nie trafiła – przecież celowała w pierś Thomasa, a trafiła go w głowę z odległości dwóch metrów. Jakim cudem miałoby jej się udać upolować królika?

Jednego złapała za to Callie. To był w ogóle szczęśliwy dzień, bo Elaine odkryła też suchą grotę w górach i udało jej się rozpalić ogień. Pieczony ze skórą i sierścią królik nie był wprawdzie żadnym cudem sztuki kulinarnej, ale za to sprawił, że Elaine poczuła się syta. Kolejne dni były jednak ciężkie – mogło się wydawać, że na zachodnim wybrzeżu nie rośnie nic jadalnego; były tu jedynie wielkie paprocie, które przynajmniej chroniły przed deszczem. Raz Elaine natrafiła na plemię Maorysów, którzy gościnnie ją podjęli. Jeszcze nigdy nie smakowały jej tak bardzo ich gotowane bataty.

To Maorysi wskazali jej w końcu drogę do Greymouth – sami nazywali to miasto Mawhera. Miało najwidoczniej długą historię jako maoryska osada, teraz jednak już od dawna było w rękach *pakeha*. Mimo to Maorysi mówili, że to szczególnie bezpieczne miejsce – pewnie znów jakaś ich historia związana z duchami. Elaine było wszystko jedno; dla niej to miasto było równie dobre jak inne, a kiedyś i tak musiała zrezygnować z koczowniczego trybu życia. Postanowiła więc skorzystać z rady swych nowych przyjaciół i znaleźć sobie pracę w Greymouth. W końcu było to największe miasto na zachodnim wybrzeżu. Tutaj nie będzie jej tak łatwo odszukać, a przede wszystkim bardzo już tęskniła za normalnym łóżkiem i czystym ubraniem. Banshee też cieszyła się z suchej stajni; Elaine wynajęła dla niej miejsce z biciem serca, bo na przedpłatę nie mogłaby sobie pozwolić. Właściciel stajni wcale jej jednak o to nie zapytał, tylko wziął klacz, zaprowadził do wyłożonego czystą słomą boksu i dał jej aż nadto siana.

– Trochę chudo wygląda ta ślicznotka – zauważył, co nie powinno dziwić, bo jałowa trawa w górach nie była dla Banshee dostatecznym pożywieniem. Teraz najadła się do syta. Elaine nie miała jeszcze pojęcia, jak uda jej się zapłacić za opływające w luksusy życie Banshee. Musiała też zatroszczyć się o siebie. Właściciel stajni wymownie się jej przyjrzał, jakby chciał tym samym dać do zrozumienia, że amazonka wygląda równie kiepsko jak jej koń. Elaine zapytała go o pensjonat i pracę. Mężczyzna się zastanowił.

– Przy nabrzeżu jest kilka hoteli, ale są drogie. Zatrzymują się tam co najwyżej bogate ważniaki, tacy, co to zarabiają pieniądze na kopalniach. – Najwyraźniej nie zaliczał Elaine do tej kategorii. – I jest jeszcze Lucky Horse... no ale tego bym nie polecał. Choć pewnie przyjęliby tam panią z radością, gdyby było pani obojętne, na czym ma polegać praca. – Uśmiechnął się wymownie. – Ale wdowa po Millerze i żona balwierza wynajmują pokoje. Tam może pani zapytać, obie są szanowane. Jeśli jednak nie ma pani pieniędzy...

Elaine zrozumiała. O wolnych miejscach pracy dla żyjących samotnie przyzwoitych kobiet mężczyzna nic nie wiedział. Ale to jeszcze nie musiało niczego oznaczać. Elaine dzielnie ruszyła do centrum miasta. Coś na pewno znajdzie.

Miasto nie zdawało się jednak obiecywać zbyt wiele, co zaś do postanowienia Elaine, żeby pytać o pracę w każdym sklepie bez wyjątku, uległo ono poważnemu zachwianiu już po wizycie w chińskiej pralni. Najpierw unoszące się stamtąd opary jeszcze bardziej utrudniły jej oddychanie, a potem właściciel zdawał się w ogóle nie rozumieć jej pytania. Zamiast tego próbował odkupić od niej Callie. A z całą pewnością nie miał owiec… Elaine przypomniała się plotka, że Chińczycy jedzą psy. Niezwłocznie rzuciła się do ucieczki.

Żona balwierza rzeczywiście miała wolny pokój, ale za to nie mogła zaoferować żadnej pracy. A przecież Elaine żywiła nadzieję, że coś tu znajdzie, bo w końcu była świetnie obeznana z pracami w pensjonacie. Jednak te trzy pokoje, które Mrs Tanner wynajmowała, utrzymywała w czystości sama, a przy gotowaniu dla maksymalnie trojga gości też nie potrzebowała pomocy.

– Niech pani przyjdzie znowu, kiedy już pani coś znajdzie – powiedziała w końcu do Elaine. Młoda kobieta zrozumiała i to: zanim nie będzie mogła się wykazać zarobkami, nie ma tu dla niej suchego łóżka ani nic do jedzenia.

Następny był zakład stolarza wyrabiającego trumny, ale Elaine z nieczystym sumieniem go pominęła. Zresztą co miałaby tam robić? Za to sklep wielobranżowy wydał jej się bardziej obiecujący, ale niestety zarządzała nim rodzina z pięcioma bystrymi dzieciakami. Mieli dość rąk do pomocy. Kolejny był krawiec – Elaine żałowała teraz, że w ogóle nie potrafi szyć. Zawsze jednak nienawidziła robótek ręcznych, a Fleurette nigdy jej do nich nie zmuszała. Toteż nauczyła się jedynie trochę szyć od Helen, ale właściwie nie wykraczało to poza umiejętność przyszycia guzika. Mimo to Elaine weszła do zakładu i zapytała o pracę. Krawiec wydawał się całkiem miły, pokręcił jednak tylko głową.

– Niewielu tu jest ludzi, którzy mogą sobie pozwolić na garnitury szyte na miarę. Właściciele kopalń – jasne, ale ci najchętniej kupują w większych miastach. Do mnie przychodzą jedynie po to, żebym zrobił jakieś przeróbki, a te łatwo mogę robić sam.

I w gruncie rzeczy to było wszystko, jeśli chodziło o szanowanych przedsiębiorców w Greymouth – mogła się jeszcze tylko starać o pracę pokojówki w którymś z dużych hoteli. Ale taka obdarta, jak była w tej chwili? Może powinna spróbować w pubie? Jako kelnerka albo kucharka? Co prawda ze swoimi umiejętnościami kulinarnymi nie podbiłaby świata, ale może warto spróbować? Przeszła obok jednej z oberży. Czy powinna zawrócić i zapytać? Już samo wejście wyglądało nieciekawie i obskurnie! Elaine walczyła z sobą i nieoczekiwanie znalazła się przed Lucky Horse, hotelem i pubem.

Elaine aż nadto przypominał on lokal Daphne. Również tutaj pomalowane w jaskrawe kolory wejście niemal zapraszało, by zajrzeć do środka. Przynajmniej jeśli chodziło o mężczyzn, bo to do nich najwyraźniej skierowana była oferta. Co do dziewczyn, to zapewne mogły tu zarabiać pieniądze – choć być może w niezbyt przyzwoity sposób. Elaine energicznie potrząsnęła głową. Nie, co to, to nie! Nie po całym piekle tych nocy, przed którym dopiero co uciekła! Z drugiej strony nie mogło to być ani trochę gorsze od jej małżeństwa z Thomasem. Jeśli już miałaby upaść tak nisko... Elaine niemal się roześmiała. Była morderczynią! Niżej nie da się już upaść!

– Idzie pani dalej, wchodzi pani do środka, czy też ma pani do zrobienia coś pilnego na tym deszczu? – Głos dochodził zza na wpół otwartych drzwi pubu. Callie musiała się przez nie wśliznąć i teraz zachwycona pozwalała się głaskać kobiecie, której Elaine uważnie się przyjrzała. Za to spojrzenie Callie było pełne niemal uwielbienia – a może raczej wyrachowane, bo z pubu dochodził zapach pieczeni, sprawiając, że Elaine ślina napłynęła do ust. Poza tym w środku było ciepło i sucho.

Elaine zwalczyła opory. Jasnowłosa, mocno umalowana kobieta o niezwykle bladej cerze nie wydawała się niebezpieczna. Wręcz przeciwnie, z wielkimi piersiami, szerokimi, krągłymi biodrami i dobroduszną twarzą sprawiała niemal matczyne wrażenie. Zupełnie inny typ niż Daphne.

– No dalej, powiedz coś! Dlaczego gapisz się na moje drzwi jak mysz na pułapkę? – zapytała kobieta. – Nigdy jeszcze nie widziałaś miłego, zadbanego burdelu?

Elaine się uśmiechnęła. Daphne nigdy nie nazwałaby swojego lokalu „burdelem".

– Ależ widziałam – powiedziała. – Ale jeszcze nigdy nie byłam w środku.

– W burdelu czy w pułapce? – spytała z uśmiechem kobieta. – Prawdę mówiąc, wyglądasz tak, jakbyś właśnie z jakiejś uciekła.

Elaine pobladła. Czy faktycznie można było po niej poznać, że przed czymś uciekała? A jeśli zauważyła to już ta kobieta, to co dopiero będą o niej mówić szanowane matrony?

– Ja... szukam pracy. Ale nie... takiej. Mogłabym może sprzątać albo... pomagać w kuchni. Jestem do tego przyzwyczajona. Moja...

eee... ciocia ma pensjonat... – W ostatniej chwili Elaine przyszło do głowy, że lepiej, jeśli nie będzie wspominać o swojej babci. Im więcej zatai faktów ze swego dotychczasowego życia, tym lepiej.

– Dziecinko, na to, żeby sprzątać, jesteś zbyt śliczna! Ci faceci nie będą się za bardzo przejmować twoją czystością, jeśli rozumiesz, co mam na myśli. Ale poza tym jak najbardziej mam jeszcze wolny pokój. A moje dziewczyny zarabiają całkiem dobrze, możesz je zapytać, u mnie wszystkie są zadowolone. A tak przy okazji, to nazywam się Clarisette Baton. Proszę wymawiać z francuska. Mów po prostu „madame Clarisse". – Madame Clarisse w naturalny sposób zwracała się do dziewczyny per ty.

Elaine się zarumieniła.

– Nie mogę. Taka praca... nie mogę tego zrobić, nie lubię mężczyzn! – ostatnie słowa niemal wykrzyczała. Madame Clarisse wybuchła na to gromkim śmiechem.

– No, no, mała, tylko mi nie mów, że wyrwałaś się z porządnego domu, bo wolisz dziewczyny! W to nie uwierzę. Choć i tutaj istnieją całkiem niezłe możliwości zarobku. Moja dobra przyjaciółka kazała tańczyć dwóm dziewczynom... Bliźniaczkom. Robiły naprawdę nieprzyzwoite rzeczy, ale właściwie było to całkiem niewinne. Faceci aż się gotowali. A przy tym nie wolno im się było do nich zbliżać. Ale na coś takiego to wyglądasz mi na zbyt poczciwą.

Elaine zaczerwieniła się jeszcze bardziej.

– Skąd pani wie, że pochodzę z porządnego domu?

Madame Clarisse przewróciła oczami.

– Słodziutka, każdy, kto na ciebie spojrzy, może zobaczyć, że od tygodni śpisz w swoich ubraniach. A jeśli ktoś nie jest do tego ślepy, to zauważy, że twoje suknie były drogie. Poza tym... ten piesek to też nie jakiś kundel z ulicy. Pochodzi z owczej farmy. Mam nadzieję, że go nie ukradłaś. Niektórym facetom bardziej zależy na ich psach niż na babach.

Elaine poczuła, jak opuszcza ją nadzieja. Ta kobieta zdawała się z niej czytać jak z otwartej księgi. A do wniosków, do jakich dochodziła madame Clarisse, z pewnością mogli dojść także inni. Jeśli uda jej się dostać pokój u Mrs Tanner, wkrótce całe miasteczko będzie o niej mówić. Natomiast co do oferty madame Clarisse... o dziwkach pracujących u Daphne nigdy nie plotkowano. Poważanym kobietom wydawało się obojętne, skąd pochodzą i dokąd pójdą.

Madame Clarisse patrzyła na Elaine z uśmiechem, ale kryło się za tym badawcze spojrzenie. Widać było, że ta mała poważnie się zastanawia, czy nie przyjąć jej propozycji. Czy będzie się nadawała na barmankę? Bez wątpienia miała złe doświadczenia z mężczyznami, ale pod tym względem nie była przecież wyjątkiem. A jednak w oczach tej dziewczyny było coś, co znacznie wykraczało poza „nielubienie". Clarisse rozpoznała lęk, a nawet nienawiść. I morderczy błysk w jej oczach, który z pewnością niektórych mężczyzn mógł przyciągać jak ćmy do światła, ale koniec końców i tak prowadził do kłopotów.

Elaine tymczasem rozglądała się po barze. Wrażenia z zewnątrz tutaj się potwierdzały. Wszystko było czyste i schludne. Typowe dla takich miejsc stoły i drewniane krzesła, kilka tarcz do gry w darta na ścianie. Najwyraźniej chętnie tu również grano i obstawiano zakłady: jedna z tablic informowała o wynikach wyścigów konnych w Dunedin.

Sceny, jak u Daphne, nie było i wszystko urządzono trochę skromniej – może stosownie do klienteli. Górnicy, a nie poszukiwacze złota. Twardo stąpający po ziemi mężczyźni z niewielu „rodzynkami w głowie", jak mawiał dziadek Elaine, James.

A potem Elaine zobaczyła pianino. Piękny, najwyraźniej zupełnie nowy instrument. Zagryzła wargi. Czy powinna zapytać? Ale przecież nie mogła mieć aż tyle szczęścia…

– Co się tak gapisz na to brzdękajło? – zapytała madame Clarisse. – Potrafisz grać? Dopiero co to dostaliśmy, po tym jak gość, który mieszał u mnie drinki, naopowiadał cudów o tym, jak dobrze umie grać. Ale ledwie tylko to pudło się tu pojawiło, drań zniknął. Nie mam pojęcia gdzie, ale nagle już go nie było. Więc teraz pianino służy nam tylko za ozdobę. Elegancko wygląda, nie?

Twarz Elaine przybrała pełen nadziei wyraz.

– Potrafię trochę grać…

Nie czekając na zachętę, otworzyła instrument i uderzyła kilka klawiszy. Brzmiał wspaniale. Pianino było doskonale nastrojone i z pewnością nietanie.

Elaine zagrała pierwszy utwór, jaki jej przyszedł do głowy.

Madame Clarisse znów się gromko zaśmiała.

– Dziecinko, jestem naprawdę zachwycona, że potrafisz wydobyć z tego czegoś dźwięki. Ale w ten sposób daleko nie zajdziemy. Co byś powiedziała na taką umowę? Zapłacę ci trzy dolary tygodniowo za muzykę. Otwieramy, gdy się ściemnia, zamykamy o pierwszej. Nie musisz chodzić z żadnym facetem do łóżka, jeśli nie chcesz, ale za to nigdy więcej nie zagrasz już u mnie *Amazing Grace*!

Elaine nie mogła się powstrzymać od uśmiechu. Zastanawiała się przez chwilę, a potem spróbowała zagrać *Hills of Connemara*.

Madame Clarisse skinęła głową zadowolona.

– Znacznie lepiej. Tak sobie myślałam, że jesteś Irlandką... z tymi rudymi włosami. Choć wcale tak nie mówisz. Jak się właściwie nazywasz?

Elaine zawahała się tylko na moment.

– Lainie – powiedziała. – Lainie Keefer.

Godzinę później Elaine miała już nie tylko w miarę przyzwoitą pracę, lecz również pokój, a przede wszystkim pełen jedzenia talerz przed sobą. Madame Clarisse nakarmiła ją pieczenią, batatami i ryżem, i nie zadawała zbyt wielu pytań, czego Elaine się obawiała. Doradziła jej jedynie, by w żadnym razie nie starała się jeszcze raz o pokój u Mrs Tanner.

– Ta stara to największa plotkarka w mieście. I bardziej cnotliwa niż Madonna we własnej osobie. Jeśli usłyszy, w jaki sposób zarabiasz pieniądze, pewnie od razu cię wyrzuci. A jeśli jednak nie, to wkrótce połowa zachodniego wybrzeża będzie mówić o pannie z dobrego domu, która zeszła na złą drogę. Bo tak właśnie jest, Lainie, prawda? Wcale nie chcę wiedzieć, przed czym uciekasz, ale myślę, że Mrs Tanner też nie powinna tego wiedzieć!

– Ale... jeśli wprowadzę się tutaj... – Elaine starała się nie mówić z ustami pełnymi jedzenia, była jednak po prostu zbyt głodna – ...to wszyscy będą myśleć, że ja...

Madame Clarisse nałożyła jej jeszcze jeden kawałek mięsa.

– Dziecinko, i tak będą myśleć. Tutaj możesz mieć tylko jedno z dwojga: pracę albo dobrą opinię. Przynajmniej wśród dam. Faceci są trochę inni. Wszyscy będą próbowali wylądować w twoim łóżku, ale jeśli ich odprawisz, też będzie w porządku. A jeśli nie, to będą mieli ze mną do czynienia, już ty się o to nie martw. Ale na wyrozumiałość jakiejś Mrs Tanner nie masz co liczyć. Nie mieści się jej w głowie, że można jednego wieczoru mieć przed sobą trzydziestu facetów i mimo to z żadnym nie wskoczyć do łóżka. Nawet mnie jeszcze mają za uwodzicielkę! – Madame Clarisse znów się zaśmiała. – Te szanowane kobiety mają dziwne wyobrażenie o cnotliwości. Więc musisz być twarda. Poza tym tutaj będzie ci na pewno przyjemniej niż u tych starych smoczyc. Z całą pewnością lepiej gotuję, a jedzenie jest za darmo. No i mamy własną łazienkę. I co, przekonana?

Tego dnia Elaine za nic w świecie nie potrafiłaby się oprzeć pokusie skorzystania z łazienki. Ledwie tylko skończyła posiłek, a już leżała w wannie z cudownie gorącą wodą i poznała pierwszą dziewczynę pracującą u madame Clarisse.

Dziewiętnastoletnia Charlene, czarnowłosa i z dużym biustem, pomagała jej przy myciu włosów i szczerze opowiadała o sobie.

– Przybyłam z moją rodziną do Wellingtonu, ale jeszcze jako niemowlę, i niczego z tego nie pamiętam. Wiem jedynie, że mieszkaliśmy w najpaskudniejszych ruderach i że mój tatuś codziennie mnie lał po tym, jak już dał z siebie wszystko, żeby zrobić mamie następne dziecko. Gdy miałam czternaście lat, miałam tego dość i zwiałam z pierwszym lepszym chłopakiem. Z prawdziwym księciem z bajki, jak wtedy myślałam. Chciał szukać złota, a na koniec mieliśmy być bogaci... No więc najpierw próbował na Wyspie Północnej, później wysupłał ostatnie pieniądze na rejs, gdy zaczęła się ta gorączka złota w Otago. Ale do pracy za bardzo się nie palił, a szczęścia też nie miał. Tak właściwie to miał tylko mnie... no i w końcu zaczął czerpać z tego korzyści. Pożyczał mnie różnym facetom w obozie poszukiwaczy złota... Mój Boże, żadna przyjemność, bo często robili zrzutkę i miałam wtedy na głowie dwóch albo trzech naraz. Ale sama nie widziałam nic z tych pieniędzy, wszystkie szły na whisky, choć oczywiście mówił mi, że wszystko przeznacza na ekwipunek, żeby zacząć czerpać porządne zyski ze swojej działki. Gdy w końcu do mnie dotarło, że to ja byłam tą działką, miałam już osiemnaście lat. Uciekłam po kryjomu, no i teraz jestem tutaj.

– Ale... przecież to jest znów to samo – wtrąciła Elaine. – Tyle tylko, że teraz robisz to dla madame Clarisse.

– Słodziutka, pewnie że wolałabym wyjść za mąż za księcia Walii. Ale niczego innego niż to nie potrafię. A tak dobrze jak tutaj jeszcze nigdy nie miałam. Własny pokój! Gdy już się uporam z facetami, zmieniam prześcieradło, rozpylam troszkę olejku różanego i mam wtedy miło i przytulnie. No i łazienka, zawsze jest woda do umycia, dość jedzenia... Nie, wcale mi tak nie zależy, żeby znaleźć sobie męża. Zresztą wcale nie byłoby o to tak trudno, bo prawie nie ma tu niezamężnych kobiet, a górnicy nie są zbyt wybredni. W ostatnim roku wzięli sobie za żony trzy dziewczyny od madame Clarisse. Ale szacunku im od tego wcale nie przybyło. W dodatku mieszkają w brudnych ruderach bez wychodka, a jedna ma już dwa bachory na głowie. O nie, to już ja mam lepiej. Jeśli wyjdę za mąż, musi to być prawdziwy książę!

Charlene czesała świeżo umyte włosy Elaine. Zdawała się nie dziwić, że nowa pojawiła się bez żadnego bagażu. Hotel madame Clarisse był swego rodzaju placówką do wyłapywania zagubionych dziewcząt.

– Potrzebna ci jeszcze jakaś suknia. Ale moje będą na ciebie za duże. Czekaj, zapytam Annie.

Charlene znikła na chwilę i wróciła z błękitną, ozdobioną tysiącami koronek i falban, szeroko skrojoną suknią.

– Masz. Możesz włożyć pod to gorset, jeśli dekolt wyda ci się zbyt niestosowny. Annie co prawda żadnego akurat nie miała, więc dzisiaj musi to wystarczyć. Ale na pewno da się znaleźć dla ciebie jakąś chustę. Faceci nie powinni ci zaglądać w dekolt!

Elaine przyjrzała się sukni. Wywoływała u niej niemal lęk, była znacznie bardziej ekstrawagancka od wszystkiego, co do tej pory nosiła. Nerwowo spojrzała w lustro – i wpadła w zachwyt! Błękitny materiał pasował do jej oczu, czarne koronki przy dekolcie podkreślały jasną cerę, podobnie jak jej lśniące rude włosy. Matrony z Queenstown uznałyby pewnie jej wygląd za nieprzyzwoity i nawet nie chciała myśleć, co powiedziałby na to Thomas. Jednak Elaine uważała, że wygląda w niej pięknie.

Madame Clarisse aż zagwizdała przez zęby, gdy ją zobaczyła.

– Słodziutka, jeśli zapłacę ci podwójnie, to może przyjmiesz chociaż dwóch albo trzech na noc? Faceci będą sobie lizać palce na twój widok.

Elaine spojrzała na nią zaniepokojona, ale ton madame Clarisse był żartobliwy. Pożyczyła nawet Elaine czarną chustę na ramiona.

– Jutro zamówimy ci suknię. Krawiec się ucieszy! Ale to nie będzie za darmo, słodziutka, potrącę ci z wypłaty!

Za mały pokój madame Clarisse też zażądała czynszu, ale Elaine uważała, że to uczciwe. Z początku obawiała się, że będzie musiała mieszkać w jednym z pomieszczeń na pierwszym piętrze, gdzie mężczyźni „odwiedzali" dziewczęta. Madame Clarisse pokazała jej jednak malutki pokoik dla służby przy stajniach. Tak właściwie powinien w nim mieszkać stajenny, ale Clarisse żadnego nie miała. Jej klienci zazwyczaj zostawiali tu konie tylko na kilka godzin i sami po nich sprzątali. Stajnia była całkiem spora, a z tyłu na podwórzu był nawet wybieg. Elaine zapytała nieśmiało, czy mogłaby tu wstawić Banshee.

– A więc konia też mamy – stwierdziła madame Clarisse, marszcząc czoło. – Oj, dziewczyno, dziewczyno, gdybyś nie miała takiej szczerej twarzy… Dasz mi słowo, że nie ukradłaś tej szkapy?

– Dostałam Banshee w prezencie.

Madame Clarisse uniosła brwi.

– Zaręczynowym czy ślubnym? Nic nie mówię, słodziutka, ale wolałabym wiedzieć, czy w najbliższym czasie nie zjawi się tu twój wściekły mąż.

– Z całą pewnością nie – odparła Elaine. – Na pewno nie.

Madame Clarisse zauważyła dziwny ton w jej głosie, coś między poczuciem winy a zadowoleniem, ale nie potrafiła go niczemu przypisać. Dziewczyna sprawiała wrażenie, że nie kłamie.

– No dobrze. Sprowadź tu tego swojego konia. Wynajmowanie stajni i tak kosztowałoby cię połowę tygodniowych zarobków. Ale sprzątać musisz po nim sama. I sama musisz zadbać o paszę dla niego.

Elaine postanowiła, że sprowadzi Banshee następnego ranka. Stać ją było na zapłacenie za jedną noc w stajni. Najpierw wzięła się do wyprania swoich sukni i rozwiesiła je w maleńkim pokoju, żeby wyschły. Na zewnątrz nadal padało, było zimno i nieprzyjemnie. Miasto wciąż jeszcze nie podobało się Elaine. Nie można go było porównać ze słonecznym Queenstown, gdzie rzadko zdarzały się dłuższe opady. Zima była tam co prawda znacznie chłodniejsza niż na zachodnim wybrzeżu i leżało dużo śniegu, ale za to niebo było zazwyczaj niebieskie, tu zaś zasnuwały je szare deszczowe chmury.

Pub mimo kiepskiej pogody miał sporo gości. Mężczyźni wchodzili przemoczeni niemal do suchej nitki i madame Clarisse nie wiedziała, co zrobić z tymi wszystkimi mokrymi kurtkami i płaszczami. Elaine pomyślała o przydatności woskowanego płaszcza, jaki nosiła Gwyn – górnikom też by się coś takiego przydało, ale najwyraźniej żadnego z nich nie było na to stać. A przecież mieli dość długą drogę z kopalni do miasta. Tęsknili za odrobiną ciepła i rozrywki, gdy po zakończeniu szychty musieli jeszcze znosić taką pogodę.

– Powinnaś widzieć, jak oni się tam gnieżdżą! – odparła Charlene, kiedy Elaine wypowiedziała na głos swe myśli. – Właściciele stawiają im szopy na terenie kopalń, ale tak właściwie to nic więcej niż dach nad głową. Nie mają nawet możliwości, żeby się porządnie umyć, większość z nich ma co najwyżej metalowy kanister. A te świnie liczą im jeszcze dodatkowo za wodę. Cały ten węglowy pył zostaje potem na prześcieradłach.

Faktycznie, większość gości sprawiała wrażenie strasznie niedomytych; ich twarze zdawały się całkowicie pokryte szarą mazią. Pył węglowy był tłusty. Zimną wodą nie dawało się go całkiem zmyć ze skóry, nawet jeśli mężczyźni szorowali się szczotkami.

Elaine było ich żal, lecz ku jej zdumieniu, mimo ciężkiego życia byli weseli. Słyszała przeróżne dialekty, ale większość mężczyzn pochodziła z walijskich i angielskich regionów górniczych. Prawie wszyscy byli imigrantami – Nowozelandczyków z drugiego i trzeciego pokolenia nie ciągnęło pod ziemię.

Mężczyźni w zachwycie bili brawa, gdy Elaine zagrała starą walijską pieśń, której nauczyła jej babcia Gwyn. Kilku z nich od razu zaczęło śpiewać, inni poprosili dziewczyny do tańca, i wkrótce przed Elaine pojawiła się na fortepianie pierwsza whisky.

– Ja przecież nie piję whisky – powiedziała, gdy madame Clarisse przyniosła jej szklankę, a potem pokazała na mężczyznę, który postawił jej drinka. Przysadzisty Anglik z okolic Liverpoolu.

– Spróbuj najpierw! – Madame Clarisse mrugnęła do niej, i gdy Elaine w końcu przełknęła pierwszy łyk, poczuła smak zimnej herbaty. – Żadna z dziewczyn tutaj nie pije. O dziesiątej wszystkie byłyby już zalane w sztok. Ale za to za każdą szklankę, którą faceci ci postawią, połowa jest dla ciebie!

Elaine wydało się to dobrym interesem. Przechyliła szklankę ze swoją „whisky" i uśmiechnęła się do mężczyzny, który jej postawił. Ten podszedł od razu do pianina i chciał się umówić na później. Zareagował spokojnie, gdy Elaine odmówiła. Po chwili zniknął z Charlene.

– Ożywiasz mi interes – powiedziała z uznaniem madame Clarisse, gdy przyniosła jej trzeciego drinka. – Jest wtorek, więc robimy nieźle obroty. W czwartek i piątek jest bieda, bo ta banda nie ma już pieniędzy. Ale w sobotę jest dzień wypłaty, i wtedy się dopiero dzieje, w niedzielę zaś kopalnie są zamknięte. Wtedy upija się tu każdy, żeby zobaczyć świat w lepszym świetle.

W miarę upływającego wieczoru praca zaczęła sprawiać Elaine niemal przyjemność. Nigdy jeszcze nie miała tak wdzięcznej publiczności jak ci górnicy i rzeczywiście nikt nie był wobec niej zbyt nachalny. Traktowano ją wręcz z pewnym respektem; mężczyźni nie zwracali się do niej po imieniu, tak jak do innych dziewczyn, lecz mówili grzecznie „Miss Lainie", gdy prosili o jakąś konkretną piosenkę lub pytali, czy mogą jej zamówić kolejnego drinka.

W końcu bardzo zadowolona opuściła klapę pianina, podczas gdy Charlene i inne dziewczyny żegnały ostatnich mężczyzn. Było jeszcze sporo przed godziną zamknięcia; górnicy zjeżdżali pod ziemię o czwartej rano, a praca tam była niebezpieczna. Żaden nie miał ochoty ryzykować kaca.

– Ale poczekaj tylko na weekend. Wtedy wódka leje się tutaj strumieniami! – wyjaśniła jej Charlene.

Następnego dnia Elaine odebrała Banshee. Właściciel stajni prawił jej komplementy za grę na pianinie. Zajrzał na krótko do baru i słyszał, jak grała. No i teraz nie chciał od niej przyjąć zapłaty za przechowanie na noc konia w swej stajni.

– Nie, proszę dać sobie z tym spokój. Ale za to mam u pani trzy piosenki! I proszę się ze mnie nie śmiać, jeśli znów zacznę wyć przy *Wild Mountain Thyme*.

Krawiec również słyszał o nowej pracy Elaine i chętnie wziął miarę na suknię.

– Dekolt ma być nie za duży? Ale wtedy będzie mniej napiwków, powinna pani to wiedzieć – przekomarzał się z nią. – No i trochę koronek też musi być. Chyba nie chce pani wyglądać jak jakaś świętoszka?

Tego ostatniego Elaine niemal sobie życzyła, gdy na Main Street spotkała później Mrs Tanner. Matrona zlustrował ją od stóp do głów i nie raczyła jej pozdrowić, przechodząc obok. W pewnym sensie Elaine mogła to zrozumieć; sama czuła się dość nieswojo w rzeczach Annie. Na ulicy i w świetle dnia suknia zdawała się dużo bardziej wyzywająca niż wieczorem w pubie, gdzie wszystkie dziewczyny ubrane były podobnie. Jej własne rzeczy jednak jeszcze nie wyschły; w pokoju było wilgotno, a na dworze znów padało. Na dłuższą metę koniecznie będzie potrzebowała kilku nowych sukni. Ale na to patrzyła już teraz bardziej optymistycznie. Trzy dolary tygodniowo to nie było wiele, ale dodatkowe zarobki za „whisky" przynosiły jej prawie dwa razy tyle.

Sobotni wieczór był rzeczywiście wyczerpujący. W pubie roiło się od ludzi; wyglądało to, jakby trafił tu każdy z górników, a także kilku przedsiębiorców i robotników z miasta.

– Jeszcze więcej niż zwykle! – cieszyła się madame Clarisse. – No i popatrzcie na tych łobuzów! Wolą muzykę od walk psów.

Elaine dowiedziała się, że inny pub dla górników w mieście wyspecjalizował się w rozrywce dla gości polegającej na zakładach. Na podwórzu w każdy weekend odbywały się walki psów i kogutów. Na samą myśl o tym Elaine przewracało się wszystko w żołądku. U madame Clarisse też kręciło się kilku bukmacherów, ale tutaj stawiano raczej na gonitwy konne i wyścigi psów w odległych Dunedin, Wellingtonie, czy nawet w Anglii.

W soboty mężczyźni pili, śpiewali i tańczyli aż do zamknięcia, o ile nie poprzewracali się wcześniej. Częściej się też zdarzało, że któryś z nich zbliżał się do Elaine z jednoznacznymi zamiarami, broniła się jednak przed każdym natręctwem, a mężczyźni akceptowali to bez narzekania. Czy przyczyną tego były karcące spojrzenia madame Clarisse, czy też panika i zabójczy gniew pojawiające się w jej oczach, tego Elaine nie wiedziała.

Za to pijacy wkrótce zaczęli przychodzić do dziewczyny przy pianinie jak do konfesjonału. Gdy tylko Elaine robiła sobie przerwę, pojawiał się przy niej jakiś młokos, który koniecznie chciał jej opowiedzieć smutną historię swojego życia. W miarę upływającego wieczoru ich wyznania stawały się coraz bardziej szczere, a Elaine nie była pewna, czy nimi gardzić, czy im współczuć, gdy na przykład mizerny Charlie z Blackpool opowiadał, łkając, że wcale nie chce bić swojej żony, ale że to go tak jakoś nachodzi, podczas gdy Jimmy z Walii, mężczyzna wielki jak niedźwiedź, bełkotliwym głosem zdradzał jej, że tak naprawdę boi się ciemności i każdego dnia w kopalni umiera po tysiąc razy.

– I ten hałas, Miss Lainie, ten hałas… W szybach dźwięki się odbijają, wie pani? Każde uderzenie kilofa słychać z tuzin razy. Czasami myślę, że uszy mi pękną. Proszę, niech pani zagra jeszcze raz *Sally Gardens*, Miss Lainie, dobrze sobie zapamiętam i może będę słyszał tę melodię, gdy będę tam na dole.

Pod koniec wieczoru Elaine też dudniło w głowie i gdy wreszcie wszyscy mężczyźni już wyszli, napiła się z madame Clarisse i dziewczynami prawdziwej whisky.

– Ale tylko po jednym, dziewczyny, nie chcę, żebyście jutro w kościele śmierdziały wódką!

Elaine prawie się roześmiała, ale madame Clarisse rzeczywiście prowadzała swoje owieczki na niedzielną mszę. Dziwki człapały za nią ze spuszczonymi głowami jak pisklęta za kurą. Pastorowi, metodyście, chyba niezbyt to odpowiadało, ale trudno byłoby mu wyrzucić z kościoła skruszone grzesznice. Elaine cieszyła się przynajmniej z tego, że mogła włożyć swą suknię podróżną, i odważyła się też spojrzeć w oczy Mrs Tanner.

W ciągu następnych tygodni przyzwyczaiła się do życia w Greymouth i musiała przyznać Charlene rację: to nie było najgorsze życie, a samo miasto też nie było najgorsze. Ponieważ pracowała tylko wieczorami, a jej mały pokój nie wymagał wiele zachodu, żeby utrzymać porządek, Elaine miała w ciągu dnia wiele czasu, by móc siodłać Banshee i rozejrzeć się po okolicy.

Przeczesywała góry i paprociowe lasy i podziwiała wiecznie zielony dzięki codziennym deszczom, przypominający dżunglę krajobraz nad Grey River. Fascynowało ją morze i była zachwycona, gdy podczas jednej z przejażdżek natrafiła na stado fok. To niewyobrażalne, że jeszcze kilkadziesiąt lat temu bezlitośnie zabijano te zwierzęta i sprzedawano ich futra: teraz w rejonie Westport i Greymouth koncentrowano się bardziej na przemyśle oraz wydobyciu węgla; była nawet kolej, na którą Elaine w swoje gorsze dni spoglądała z tęsknotą: Midland Line łączyła zachodnie wybrzeże z Christchurch. Tylko kilka godzin jazdy i mogłaby się znaleźć przy babci Gwyn.

Na rozpamiętywanie takich rzeczy Elaine pozwalała sobie jednak rzadko. Zbyt bolesne było zastanawianie się nad tym, co mogli teraz myśleć o niej rodzice i krewni. Przecież nie miała nawet sposobności, by opowiedzieć o swych męczarniach z Thomasem; z pewnością nikt nie byłby wobec niej wyrozumiały.

Jeśli chodziło o sam czyn, Elaine nie odczuwała skruchy. Właściwie żadne uczucia nie łączyły jej z tym porankiem w stajni, patrzyła na te wydarzenia z dziwnym dystansem, niemal jakby to była scena z jakiejś powieści. I równie jasno jak w tych historiach przydzielone były też role: było tylko dobro i zło. Gdyby Elaine nie zabiła Thomasa, prędzej czy później on by ją zabił. Dlatego też Elaine postrzegała swój czyn jako swego rodzaju „zapobiegawczą obronę konieczną". Gdyby jeszcze raz znalazła się w tej sytuacji, postąpiłaby tak samo.

Dziwiła się jednak, dlaczego tak spektakularna historia zamordowania małżonka nad Pukaki River nie dotarła jeszcze na zachodnie wybrzeże. Liczyła się właściwie z tym, że takie wieści szybko się rozchodzą, i niemal się obawiała, że rozesłany zostanie za nią list gończy z jej nazwiskiem i może nawet portretem. Ale nic takiego się nie stało. Ani dziwki, ani przyzwoite kobiety nie plotkowały o żadnej ukrywającej się kobiecie, która zamordowała męża. Elaine potraktowała to jak szczęśliwe zrządzenie losu. Powoli przyzwyczajała się do życia w nowym miejscu; niechętnie by stąd znów uciekała. Teraz pozdrawiano ją już na ulicy, mężczyźni bardzo uprzejmie, a kobiety raczej zdawkowo i niechętnie. W każdym razie Elaine nie można już było ignorować, od czasu gdy zebrała się na odwagę i zapytała o drugi, dotąd nieużywany, instrument muzyczny w mieście. W kościele stały nowiusieńkie organy, parafia męczyła się jednak, nie mogąc znaleźć nikogo, kto by na nich przygrywał, i często potwornie fałszowano, śpiewając kościelne pieśni.

Tak więc pastor nie zastanawiał się zbyt długo i przyjął propozycję Elaine. Również do jego uszu dawno dotarło, że młoda pianistka w barze nie jest sprzedajna i raczej unika mężczyzn.

Elaine nie mogła co prawda widzieć tego z chóru, ale gdy swą pierwszą niedzielną mszą otworzyła dynamicznym *Amazing Grace*, miała wrażenie, że czuje na plecach szeroki uśmiech madame Clarisse.

# 3

Podczas gdy Kura ze swym operowym zespołem podróżowała po Australii, również tam święcąc sukcesy, William i Heather z coraz większą swobodą dzielili z sobą łoże. Nikt zdawał się nie interesować tym, co oboje porabiają nocą, zwłaszcza że Williama, przynajmniej przez pierwsze tygodnie, trzymało to z daleka od barowej szafki. Stał się bardziej zrównoważony, co Gwyneira zauważyła z ulgą, nie łączyła tego jednak z jego życiem erotycznym. Rzadziej też kłócił się z pracownikami albo z Maorysami przy ogrodzeniu. Zaczął nawet starać się dawać przykład pracownikom, zamiast tylko im rozkazywać, robił to jednak niezbyt umiejętnie. James sądził, że miało to coś wspólnego z jego blamażem, gdy wspólnie z Richlandem spędzali owce. James przydzielał mu rutynowe prace, których wagę wyolbrzymiał, i cieszył się, że znów panował spokój. Pewne rzeczy wydawały mu się jednak dziwne – na przykład to, że w niektóre wieczory z salonu znów dobiegały dźwięki fortepianu. Heather Witherspoon zaoferowała się, że będzie grać dla rodziny, choć nikt właściwie nie odczuwał takiej potrzeby – oprócz Williama. Zachęcał ją nawet do tego i uważał, że dzięki muzyce czuje się bliżej Kury. Wtedy znów ma przed oczami jej twarz i postać, wyjaśnił, na co twarz Heather ściągnęła się z dezaprobatą. W każdym razie oboje zaczęli spędzać wspólne wieczory w salonie, a William znów zaczął pić więcej whisky.

– Nie moglibyśmy tej Witherspoon wkrótce wyrzucić? – jęknął James, rycersko przytrzymując Gwyneirze drzwi do ich pokoju. Na dole Heather od kilku godzin wygrywała pieśni Schuberta. – Odkąd Kura wyjechała, naprawdę nie jest tu już potrzebna.

– A kto będzie wtedy uczyć Jacka i maoryskie dzieci? – spytała Gwyn. – Wiem, że jej osiągnięcia w tej dziedzinie nie są szczytowe, ale jeśli ją odprawimy, będziemy musieli znaleźć jakieś zastępstwo. A to znaczy znów ogłaszanie się w Anglii, czekanie, nim dotrą do nas listy od kandydatek, a potem i tak będzie trzeba liczyć na szczęście.

– No to jedno kryterium już byśmy mieli – powiedział James, krzywiąc twarz w uśmiechu. – Ani Jackowi, ani Glorii nie zależy specjalnie na umiejętności gry na pianinie. Ale poważnie, Gwyn, nie podoba mi się, że William pół nocy spędza sam z tą Witherspoon w salonie. Zwłaszcza że nie ma Kury. Pewnie stara się go uwieść…

Gwyn się roześmiała.

– William, nasz dżentelmen z tą szarą myszką? Jakoś nie potrafię sobie tego wyobrazić. Po Kurze coś takiego byłoby prawdziwym upadkiem!

– Ale ta szara mysz jest dostępna – zastanawiał się głośno James. – Powinniśmy się temu przyjrzeć…

Gwyneira się uśmiechnęła.

– A nie wolałbyś raczej wykorzystać okazji, że ja jestem dostępna? – droczyła się z mężem. – Wszystkie te miłosne piosenki sprawiły, że wpadłam w sentymentalny nastrój. – Zaczęła odpinać guziki sukni, a James pocałował ją delikatnie w odsłonięte ramię.

– No to przynajmniej to brzdąkanie dało jakiś efekt… – wymruczał.

Podczas gdy związek Williama i guwernantki wywierał pozytywny wpływ na jego dostosowanie się do życia w Kiward Station, wysiłki Heather Witherspoon, żeby zadowolić swych pracodawców, raczej osłabły. Im dłużej trwała jej miłość do Williama, tym pewniej się czuła. Każdy miesiąc, który mijał bez powrotu Kury, przyczyniał się do tego, że jej nadzieja na związanie z sobą Williama na zawsze rosła. Kiedyś będzie miał w końcu dość czekania na Kurę, zwłaszcza że nie czuł się zbyt dobrze w Kiward Station. Wtedy z łatwością będzie można rozwiązać jego małżeństwo, i w końcu droga do nowego związku z Heather stanie otworem. Minęły już trzy lata, odkąd William opuścił Irlandię. Z pewnością jego czyny popadły tam powoli w zapomnienie i po jakimś czasie będzie mógł wrócić do domu. Heather widziała się już u jego boku w domu rodziców Williama – którzy na pewno będą zachwyceni wyborem syna, bo przecież miała pierwszorzędne wykształcenie i pochodziła z co prawda zubożałej, ale dobrej rodziny.

Jej wpływ na Williama będzie go uspokajał; z pewnością nie dojdzie do żadnego nowego skandalu na ziemiach jego ojca. A może znajdzie jakąś posadę w mieście – to odpowiadałoby Heather jeszcze bardziej.

W każdym razie była coraz bardziej przekonana, że to poniżej jej godności nauczać brudne dzieci tubylców, więc jeszcze bardziej ograniczyła swoje wysiłki. Jacka oczywiście nie mogła zaniedbywać. Miał się w przyszłości uczyć w Christ College i nie powinien zawieść na egzaminach wstępnych. Nauczała go jednak surowo, bez prawdziwego zaangażowania. Jack wykonywał zadania, które mu dawała, ale nie odczuwał przy tym przyjemności. Gwyneirze wydawało się to czymś normalnym; ona również jako dziewczynka nienawidziła lekcji. James jednak, który nie miał okazji zdobyć wykształcenia, uważał, że to szkoda, i dalej upierał się przy tym, by jak najszybciej wymienić Miss Witherspoon na kogoś innego.

– Ależ Gwyn, rozumiem przecież, że nie ma ochoty uczyć się łaciny. Ale historia, zoologia i botanika akurat go ciekawią! Kiedyś wspominał, że chętnie zostałby weterynarzem. Mogę go sobie spokojnie wyobrazić w tej roli, jeśli nie przejmie Kiward Station. Ale ta Miss Heather pozbawia go jakiegokolwiek zainteresowania książkami. A to samo zrobi z Glorią. Wyrzuć ją, Gwyn, wyrzuć ją wreszcie!

Gwyneira wciąż się wahała. Ale to właśnie brak zainteresowania Miss Witherspoon jej pracą doprowadził – choć okrężną drogą – do odkrycia jej związku z Williamem.

Gwyneira McKenzie często sprzedawała owce hodowlane, a nawet całe stada, innym farmerom. Zapoczątkował to Gerald Warden, po tym jak skrzyżował owce rasy romney, cheviot i welsh mountain, stwarzając idealny dla Canterbury Plains typ zwierzęcia dającego wełnę. Jego zwierzęta były krzepkie i samodzielne. Matki i ich jagnięta spędzały całe lato, pasąc się swobodnie na wyżynach, i nie powodowało to istotnych strat. Wszystkie dawały za to wełnę równomiernej, wysokiej jakości. Wyżywienie ich nie sprawiało kłopotów i były łatwe w obejściu. Jasne więc, że inni hodowcy aż się rwali do tego, żeby uszlachetnić swe stada tymi zwierzętami. Owce pasące się teraz na całych Canterbury Plains i w prawie całym Otago wywodziły się z hodowli Geralda Wardena.

Do tej pory jednak nikt z odleglejszych północno-wschodnich zakątków Wyspy Południowej nie interesował się owcami Gwyneiry, a hodowlę dopiero tam zaczynano. Teraz pojawił się niejaki Mr Burton z Marlborough, weteran wojenny, podobnie jak major Richland, ale najwyraźniej z większymi ambicjami w kierunku zyskownej hodowli owiec. Ten energiczny starszy pan od razu wydał się Gwyneirze sympatyczny. Szczupły i żylasty, był śmiałym jeźdźcem i dobrym strzelcem. Zaskoczył swych gospodarzy ustrzelonymi „przy okazji" królikami.

– Są wasze, ustrzeliłem je na państwa gruncie – powiedział, szczerząc zęby. – Zakładam, że ich śmierć nie dotyka państwa zbyt mocno.

Gwyneira roześmiała się i kazała zanieść zwierzęta do kuchni.

– Ależ doprawdy, nie musiał pan przywozić jedzenia z sobą! – żartował James. – Macie tam na północy też takie problemy z królikami, czy może sprowadzanie lisów przynosi lepsze skutki?

Burton i państwo McKenzie od razu zagłębili się w rozmowie. Tym razem William wyjątkowo nie starał się być w centrum konwersacji. Gwyneira zauważyła, jak dobrze rozmawiało się i żartowało Jamesowi z farmerem z Marlborough. Wreszcie ktoś, kto nie wiedział o jego przeszłości złodzieja owiec, lecz traktował go w naturalny sposób jako zarządcę Kiward Station. Jack również, jak się zdawało, od razu polubił Burtona. Pytał o zwierzęta w dziewiczej puszczy w okolicach Blenheim i o wieloryby w Marlborough Sound.

– Naprawdę widział pan jakiegoś, Mr Burton? – pytał gorączkowo.

Burton przytakiwał.

– Ależ oczywiście, młody człowieku. Odkąd nie poluje się na nie już tak intensywnie, stają się coraz bardziej ufne. I rzeczywiście są wielkie jak domy! Nie potrafiłem sobie tego nigdy wyobrazić. Oczywiście czyta się o tym, ale gdy potem spotyka się takiego olbrzyma, siedząc w raczej małej łodzi… Naprawdę szacunek należy się wielorybnikom, którzy rzucali harpunami, zamiast natychmiast zawracać!

– Maorysi polowali na nie w swoich kanu – poinformował go Jack. – To musiało być ekscytujące.

– A ja uważam, że połowy wielorybów są odpychające i wstrętne – wyznał James. – Gdy przed laty przybyłem na zachodnie wybrzeże, wielorybnictwo uważano za szansę, by się najszybciej dorobić, więc też się tam rozejrzałem. Ale mi to nie odpowiadało. Jak już pan mówił,

Mr Burton, wieloryby są ufne, i miałem po prostu opory, żeby wbić w ciało oszczep komuś, kto chce mi jedynie przyjaźnie podać płetwę.

Wszyscy się zaśmiali.

– Mają płetwy? – chciał wiedzieć Jack. – To znaczy, to są przecież ssaki!

– Powinieneś kiedyś przyjechać do mnie i sam zobaczyć, młody człowieku! Może pomożesz mi przepędzić tam owce, jeśli twoja matka i ja dobijemy jutro targu. – Burton wesoło uniósł kieliszek w stronę Gwyneiry. Zdawało się, że nie wątpi, iż dojdą do porozumienia.

I faktycznie następnego dnia wznoszono szklanki z okazji sprzedaży imponującego stada, a Burton powtórzył swe zaproszenie. Jack i jego przyjaciel Maaka pomagali już przy zapędzaniu owiec, a Burtonowi szczególnie zaimponowało postępowanie chłopaka z psami pasterskimi. Nabył też od razu jeszcze dwa border collie i twierdził, że będzie potrzebował pomocy przy ich układaniu. Mówiąc to, mrugał wesoło w stronę Jacka. Chłopaka nie można już było powstrzymać.

– Mogę, prawda, mamo? Tato? I Maaka też pojedzie. To będzie przygoda… Czekajcie tylko, przywieziemy wam małego wielorybka i wpuścimy do naszego jeziora!

– Wielorybia mama będzie zachwycona – zauważyła Gwyneira. – Podobnie zresztą jak ja. Masz szkołę, Jack. Nie możesz po prostu zrobić sobie wakacji.

Miss Witherspoon, która do tej pory milczała, przytaknęła z poczucia obowiązku.

– Wkrótce musimy zaczynać z francuskim, Jack, jeżeli chcesz zdać egzamin wstępny w Christchurch.

– Och! – nadąsał się Jack. – Przecież nie byłoby nas najwyżej dwa tygodnie, prawda, Mr Burton?

– Powinieneś był zacząć lekcje francuskiego już pół roku temu – odparła Gwyneira. Rozumiała niechęć Jacka do tego języka. Francuska guwernantka doprowadzała ją do szaleństwa, gdy była dzieckiem. Na szczęście dama ta miała alergię na psy, co młoda Gwyn czasem chętnie wykorzystywała. Niestety opowiedziała kiedyś tę historię Jackowi. Chłopak wiedział więc, że gdy namawiała go do nauki, nie płynęło to prosto z serca.

I wtedy nieoczekiwanie z pomocą przyszedł mu ojciec.

– Na szlaku do Blenheim nauczy się więcej, niż Miss Heather może go nauczyć przez pół roku – burknął James.

Heather chciała zaprotestować, ale ruchem ręki nakazał jej milczenie.

– Wybrzeże, lasy, wieloryby, to trzeba zobaczyć. Wtedy człowiek zadaje sobie pytania, a w książkach znajduje odpowiedzi. Pani zaś, kochana Miss Heather, może wykorzystać ten czas, by wyszukać całą tę wiedzę i przekazać ją także maoryskim dzieciom. Chętnie poczytają coś innego niż Biblię i *Sarah Crewe*. Z wielorybami przynajmniej mogą coś począć...

– O tak, mogę, mogę! To będzie wspaniałe, Mr Burton! Mamo, tato, mogę od razu pobiec do wioski i powiedzieć Maace? Zobaczymy wieloryby...

Gwyneira uśmiechnęła się, gdy pobiegł jak szalony, by zaskoczyć przyjaciela nowymi wieściami. Nikt nie wątpił, że rodzice Maaki wyrażą zgodę na wyjazd. Maorysi byli urodzonymi wędrowcami; będą się cieszyć z okazji, jaka się chłopakowi nadarza.

– Ale odpowiada pan przede mną za to, Mr Burton, że ci dwaj zostawią te zwierzaki tam, gdzie są. Przyzwyczaiłam się już do wet w pokoju zabaw, ale nie mam ochoty przyzwyczajać się do wieloryba w stawie.

Oprócz obu chłopców przy spędzie owiec mieli towarzyszyć jeszcze Andy McAran i Poker Livingston. Poker z wielką przyjemnością skorzystał ze sposobności, żeby się gdzieś wyrwać; spokojne życie u przyjaciółki zdawało się go już nudzić. Przygotowania musiały się odbywać szybko, bo Mr Burton wkrótce chciał wyruszać.

– Niech pani zostawi sobie jednego poganiacza, Miss Gwyn, a ja będę już ćwiczył pracę z psami.

Gwyn nie zdradziła mu, że Andy i Poker bez problemu daliby radę z dwoma psami, a James albo ona sama z jednym. Nie chciała jednak gasić jego entuzjazmu ani smucić chłopaków.

Jacka męczyła jeszcze jedna sprawa: co zrobi bez niego Gloria?

– Jeśli mnie nie będzie, nikt nie usłyszy, jak krzyczy w nocy – stwierdził. – Co prawda już tego prawie nie robi, ale pewności nie ma...

Gwyneira obrzuciła Williama pełnym wyrzutu spojrzeniem. Tak właściwie to było jego zadanie, by przynajmniej teraz zatroszczyć się o córkę. Ale William głucho milczał.

– Wezmę ją do nas – sama uspokoiła więc syna Gwyneira.

– Może nasza Miss Witherspoon mogłaby się trochę zatroszczyć o swą przyszłą uczennicę – wtrącił złośliwie James. Najpóźniej od czasu uwagi o jej bezwartościowych lekcjach między nim a guwernantką panowała otwarta wojna.

Heather nawet nie raczyła na niego spojrzeć.

– W każdym razie Glorii nic się nie stanie – stwierdziła Gwyn. – Choć bez wątpienia będzie za tobą tęsknić, Jack. Może przywieziesz jej obrazek jakiegoś wieloryba? A potem narysujesz na podwórku, jakie są wielkie.

Jack był w świetnym nastroju, gdy jeźdźcy wreszcie ruszyli; Gwyneirę dręczył jednak wyjątkowo zły humor. Już tęskniła za synem, choć jeszcze na dobre nie wyjechał, i wydawało się, jakby w domu było mniej życia. Podczas kolacji brakowało wesołej gadaniny Jacka i ruchliwości jego małego psa, który wciąż zdawał się wchodzić pod nogi. Posiłek przebiegał bardziej formalnie niż zwykle, zwłaszcza że wzajemne zachowanie Jamesa i Heather było odczuwalnie chłodne, a William też niewiele wnosił do rozmowy przy stole. James, który wyczuł depresyjny nastrój Gwyn, poszukał w końcu butelki szczególnie dobrego wina i zaproponował żonie, by wcześniej poszli do łóżka.

Gwyneira po raz pierwszy tego dnia uśmiechnęła się do niego, ale potem coś się wydarzyło. Młody pasterz martwił się o jednego z koni w stajni. Normalnie powiadomiłby o tym Andy'ego, ale podczas jego nieobecności wolał zwrócić się bezpośrednio do McKenziech, zamiast podejmować jakiekolwiek ryzyko. James i Gwyn poszli z nim, chcąc sprawdzić, co się dzieje z klaczą.

Heather Witherspoon wykorzystała okazję, żeby podkraść z zamkniętej zazwyczaj na klucz szafy butelkę wina.

– Chodź, Williamie, przynajmniej my spędzimy ten wieczór miło – kusiła go, podczas gdy on zastanawiał się jeszcze, czy dla spokoju w rodzinie nie byłoby lepiej, gdyby przyłączył się do McKenziech. Z drugiej strony, niespecjalnie znał się na chorobach koni – a spędził dziś już cały dzień na powietrzu i przez cały ten czas padało. Co za dużo, to niezdrowo.

Zdziwił się trochę, gdy Heather nie wzięła go jak zwykle do swego pokoju, lecz celowo zaprowadziła do pokoi, w których zamieszkiwał z Kurą.

– Od samego początku pragnęłam spać w tym łóżku – wyjaśniła wesoło i odstawiła wino na nocny stolik. – Pamiętasz jeszcze, jak je wybieraliśmy? Myślę, że to wtedy się w tobie zakochałam. Mieliśmy ten sam gust, te same wyobrażenia... Właściwie to są nasze pokoje, Williamie. Powinniśmy wreszcie je przejąć.

Williamowi nie za bardzo się to podobało. Po pierwsze, rzeczywiście miał bardzo konkretne wspomnienia związane z tym łóżkiem, ale mniej dotyczyły one jego wyboru niż rozkoszy, jakie dawała mu w nim Kura. Spanie teraz w tym łóżku z Heather zdawało mu się niemal profanacją. I co gorsza miał uczucie, że w ten właśnie sposób ostatecznie dopełnia swego cudzołóstwa. Do tej pory związek z Heather mógł łatwo wytłumaczyć zachowaniem Kury. Ale teraz to wtargnięcie do jej pokoi wydawało mu się niewłaściwe.

Heather zaśmiała się tylko i otworzyła wino.

– Nie ma tu żadnych kieliszków? – zapytała, jakby nie mogła w to uwierzyć. – Czy wy dwoje nigdy... – zachichotała – ...nie potrzebowaliście zachęty?

William mógłby odpowiedzieć, że nigdy nawet nie musiał myśleć o tym, by z pomocą wina pozbawić Kurę zahamowań. Ale po chwili przyniósł jednak grzecznie kieliszki. Co by dało rozzłoszczenie Heather?

Podjął jeszcze jedną próbę, by się wycofać.

– Heather, naprawdę nie powinniśmy tutaj... To znaczy, jeśli ktoś przyjdzie...

– No, nie bądź takim tchórzem! – Heather podała mu kieliszek i sama upiła pierwszy łyk. Wino było wyśmienite. – Kto miałby tu przyjść? Miss Gwyn i Mr James są w stajni, Jacka nie ma...

– Dziecko może zacząć krzyczeć – stwierdził William. W tej części domu by tego jednak nie słyszeli.

– Dziecko śpi u Miss Gwyn. Sama słyszałam, jak mówiła, że bierze je do siebie. Zostaw już te głupstwa, Will, i chodź wreszcie do łóżka!

Heather się rozebrała, czego normalnie nie robiła chętnie, jeśli światła paliły się jasno. W swoim pokoju zwykle zapalała co najwyżej świecę, gdy się kochali, a Williamowi to jak najbardziej odpowiadało, bo wciąż jeszcze marzył o Kurze, pieszcząc ciało Heather. Tutaj jednak pozostawiła zapalone wszystkie lampy gazowe; sprawiała wrażenie, jakby nie mogła się napatrzeć na pokoje, o których wystrój sama zadbała.

William nie wiedział, jakie mógłby mieć jeszcze zastrzeżenia. Przełknął duży łyk wina. Może to pozwoli mu zapomnieć o cieniach Kury w tych pokojach.

Koń w stajni miał kolkę i Gwyneira wraz z Jamesem spędzili dużo czasu, podając mu środki przeczyszczające, masując brzuch i oprowadzając go, by przywrócić do normalnego stanu pracę jelit. Po ponad godzinie – gdy najgorsze mieli już za sobą – Gwyneira przypomniała sobie nagle, że w domu nikt nie troszczył się o Glorię. Zwykle mogła całkowicie polegać na Jacku, ale William ani Miss Heather z pewnością nie myśleli o tym, żeby mieć dziecko na oku, Moana zaś i Kiri poszły, zanim jeszcze państwa McKenziech zawołano do stajni.

Gwyn pozostawiła Jamesowi i młodemu pasterzowi dalszą opiekę nad klaczą i pobiegła zobaczyć, co z Glorią. Mała miała prawie roczek i zazwyczaj przesypiała całą noc, lecz być może tęskniła już za Jackiem i była z tego powodu niespokojna. Faktycznie nie spała, gdy Gwyneira podeszła do jej łóżeczka, ale też nie krzyczała, tylko gaworzyła sobie, jakby rozmawiała sama z sobą. Gwyneira uśmiechnęła się i wzięła ją na ręce.

– No, co takiego opowiadasz swoim laleczkom? – zapytała ciepłym głosem, trzymając zabawkę przed twarzą Glorii. – Dzikie historie o wielorybach pożerających naszego Jacka? – Kołysała dziecko, ciesząc się miłym dotykiem małego ciała i jego zapachem. Gloria była milutkim, niesprawiającym problemów dzieckiem. Gwyn przypominała sobie, że Kura krzyczała o wiele więcej, choć Marama wciąż nosiła ją z sobą, podczas gdy Gloria zbyt często pozostawała sama. Kura zawsze była wymagająca. I już jako niemowlę niezwykle ładna. Gloria tego nie odziedziczyła; dziecko było urocze, ale nie tak zachwycające jak jej matka, gdy była w tym samym wieku. Gloria miała jasnobłękitne oczy i jak dotąd wszystko wskazywało na to, że taką barwę zachowają. Jej wciąż skąpe włosy zdawały się jeszcze niezdecydowane, czy chcą być ciemnoblond czy jasnobrązowe. Rudego odcienia nie dało się dostrzec, ale włosy nie były też gładkie i mocne jak u Kury, gdy była małym dzieckiem, lecz kręcone, miękkie i puszyste. Jej twarz też zdawała się nie mieć tak egzotycznych rysów, wykazywała raczej lekkie podobieństwo z Paulem i Geraldem Wardenami. Mocno zarysowany podbródek był z pewnością dziedzictwem Wardenów, poza tym jednak jej rysy były miększe niż u dziadków; tu uwidaczniało się podobieństwo do Williama.

– Dla nas jesteś dość piękna – szeptała Gwyneira swej prawnuczce, kołysząc ją łagodnie. – A teraz pójdziesz ze mną, weźmiemy twój koszyczek i będziesz spać u babuni Gwyn...

Niosła dziecko do swego pokoju, idąc ciemnym korytarzem. Nie mogła przy tym nie zauważyć blasku światła padającego z pokoi Kury.

Gwyneira zmarszczyła czoło. William najwyraźniej poszedł już na górę, bo w salonie na nikogo się nie natknęła. Ale co robił w pokojach Kury? Odświeżał wspomnienia? Jego pokój znajdował się na drugim końcu korytarza.

Gwyn zganiła się za własne wścibstwo i chciała już ruszyć dalej, gdy zdało jej się, że słyszy dobiegające z pokoju szepty i chichoty. William? Nagle przypomniała sobie słowa Jamesa i jego nieufność wobec Heather Witherspoon. Dotąd traktowała to podejrzenie jako absurdalne, ale teraz...

Gwyneira chciała to od razu wiedzieć. Ktokolwiek zabawiał się w prywatnych pokojach Kury, nie był do tego uprawniony. W końcu to był jej dom.

Gwyn odstawiła koszyk, Glorię wciąż jednak trzymała w ramionach. Potem otworzyła drzwi. Teraz całkiem wyraźnie słyszała szepty i pojękiwania. W sypialni...

Gloria zaczęła krzyczeć, gdy jej prababcia otworzyła kolejne drzwi i nagle zalana została jasnym światłem. Gwyn nie była jednak w stanie troszczyć się teraz o małą. Niemal z niedowierzaniem patrzyła na Williama i Heather w łóżku Kury.

Heather zastygła. William zsunął się z niej pospiesznie i próbował zasłonić swą nagość.

– Miss Gwyn, to nie jest tak, jak pani myśli...

Gwyneira niemal wybuchła śmiechem. Chciała wypowiedzieć jakąś sarkastyczną uwagę, ale potem górę wzięła wściekłość.

– Dziękuję, nie potrzebuję żadnego wyjaśnienia! Właśnie je dostałam! Czy to dlatego Kura odeszła, William? Czy zauważyła, co się dzieje?

– Miss Gwyn, Kura... – William nie miał pojęcia, w jaki sposób sformułować wytłumaczenie. Ciężko mu było wyjaśnić Gwyn, w jaki sposób Kura odmawiała mu dostępu do siebie. – Ona... ona nie chciała...

Gwyneira spojrzała na niego chłodno.

– Niech pan da spokój. Już ja wiem swoje i powinnam puknąć się w głowę, że nie wpadłam na to wcześniej. Z Elaine było przecież tak samo, prawda William? Wtedy zdradzał ją pan z Kurą, a teraz zdradza pan Kurę z tą... Niech pani pakuje swoje rzeczy, Miss Witherspoon! Natychmiast! I chcę, żeby pana też jutro nie było w tym domu!

– Mnie też? – spytał zmieszany William.

– Tak, też! Pan bowiem też stąd zniknie. Niech pan się nawet nie waży wspominać o córce. Żaden sędzia nie przyzna jej panu jako cudzołożnikowi! – Gwyneira zaczęła kołysać dziecko w ramionach, na co Gloria od razu się uspokoiła. Mała dziewczynka zaciekawionymi oczami przyglądała się swemu ojcu i Miss Witherspoon. – To już i tak za wiele, że musi na to patrzeć.

– Ale ja kocham Kurę... – wyszeptał William.

Gwyneira przewróciła oczami.

– To ma pan doprawdy dziwny sposób okazywania swej miłości. Nie obchodzi mnie, kogo pan akurat obdarza krótkotrwałym uczuciem. Jeśli uważa pan, że to coś pomoże, może pan szukać Kury i prosić o wybaczenie. Ale u mnie nie będzie się pan już więcej obijał, pił mojej whisky i uwodził służby. Niech pan się wynosi z tego pokoju! A jutro wcześnie rano niech pan się wynosi z Kiward Station!

– Nie może pani przecież...

– Właśnie że mogę!

Gwyneira z kamienną twarzą poczekała, aż William i Heather jako tako się ubiorą. Zadała sobie jedynie tyle trudu, żeby się odwrócić, gdy ta dwójka wychodziła z łóżka i szukała swych rzeczy. Potem zgasiła światło i zamknęła pokój Kury na klucz.

– Jutro nie chcę was tu widzieć! – powtórzyła raz jeszcze. – Resztę pani pensji pozostawię w salonie na stole, Miss Witherspoon. O dziewiątej zejdę na dół na śniadanie. Nie chcę was już wtedy widzieć. Obojga!

Odwróciła się i z szelestem sukni odeszła, pozostawiając upokorzoną parę samej sobie. Gwyneira musiała jeszcze zajrzeć do kantoru, żeby wypłacić pieniądze dla Heather. A potem potrzebowała napić się whisky!

James wrócił ze stajni zmęczony i przemarznięty, gdy Gwyn napełniała sobie akurat szklankę. Gloria spała w rogu sofy z kciukiem w buzi.

James obrzucił żonę zdziwionym spojrzeniem.

– Uspokajasz dziecko wódką? – zapytał z szerokim uśmiechem.

Gwyneira podała mężowi drugą szklankę i zwróciła ku niemu bladą twarz.

– Uspokajam raczej samą siebie. Masz, trzymaj. Tobie też będzie to potrzebne!

Heather Witherspoon czekała na Williama przed stajniami, niewyspana i blada jak kreda. Pojawił się około szóstej rano z jucznymi torbami i ze zdziwieniem spojrzał na młodą kobietę oraz jej bagaż.

– Co ty tu robisz? – zapytał nieprzyjaznym tonem. – Nie byłoby lepiej stanąć z tym przy drodze do Haldon? Z pewnością ktoś będzie tamtędy przejeżdżał i jeśli będziesz miała szczęście, może zabierze cię nawet do Christchurch.

Heather patrzyła na niego z niedowierzaniem.

– My… my nie jedziemy razem?

William zmarszczył czoło.

– Razem? Nie bądź głupia! Jak mój koń miałby ponieść wszystkie te rzeczy?

W oczach Heather zabłysły łzy.

– Mógłbyś przecież wynająć powóz. My…

William poczuł narastający w nim gniew.

– Heather, nie ma żadnego „my"! Zawsze usiłowałem ci to uświadomić, ale najwyraźniej nie chciałaś tego zrozumieć. Jestem żonaty i kocham moją żonę…

– Zostawiła cię! – krzyknęła Heather.

– Powinienem był od razu za nią ruszyć. Oczywiście zdarzały nam się kłótnie, ale jeśli chodzi o ciebie i o mnie... to był błąd. Powinniśmy się postarać, żeby to nie było jeszcze gorsze. Czy mógłbym ci pomóc zanieść bagaż do drogi? – William odłożył swoje juczne torby i sięgnął po jej walizkę.

Heather zgromiła go wzrokiem.

– Sama sobie poradzę, ty... – Chciała mu naubliżać, krzyczeć, przeklinać, ale od dziecka jej wpajano, że dama się tak nie zachowuje, i również teraz nie potrafiła znaleźć słów, by dać upust swej wściekłości.

Heather wmawiała sobie, że w ten sposób broni przynajmniej swej godności. Zagryzła wargi, ale nie płakała, gdy wlekła swoje rzeczy, idąc w stronę drogi.

– Życzę ci szczęścia, Williamie – udało jej się nawet z siebie wydobyć. – Mam nadzieję, że znajdziesz twoją Kurę i będziesz szczęśliwy!

William nic na to nie odpowiedział. Gdy pół godziny później dotarł na rozstaje dróg prowadzących do Haldon i Christchurch, po Heather nie było już śladu.

# 4

W ciągu następnych miesięcy William nauczył się całej masy rzeczy o owcach, bydle, płukaniu złota, a przede wszystkim o sobie samym.

W poszukiwaniu pracy, która byłaby dla niego odpowiednia i przynosiła dość pieniędzy, by związać koniec z końcem, zjechał prawie całą Wyspę Południową i niemal ją opuścił. Z początku jego celem było rzeczywiście odnalezienie Kury. Jednak zespół operowy był już od dawna w Australii, William zaś nie miał dość pieniędzy na rejs, nie wspominając o tym, że nie posiadał żadnego szczegółowego planu tournée, więc i tak nie byłby w stanie znaleźć Kury w tym wielkim kraju. Pocieszał się więc świadomością, że śpiewacy kiedyś powrócą. George Greenwood uzyskał specjalne warunki na opłacenie rejsu z Christchurch do Londynu, tak więc to położone na Wyspie Południowej miasto było początkowym i końcowym punktem tournée. Śpiewacy mieli też jeszcze odwiedzić kilka innych miast na Wyspie Południowej. William musiał zatem wytrwać parę tygodni. To jednak wcale nie okazało się takie łatwe, zwłaszcza że duma zabraniała mu pytać o pracę w pobliżu Kiward Station. Do tej pory owczy baronowie znali go jedynie jako równego sobie. Nie do pomyślenia, żeby zatrudnił się teraz u nich jako pasterz! Toteż najpierw skierował konia w stronę Otago i ku owczym farmom w rejonie Wyżyny McKenziego. Praca była wszędzie, William nigdzie jednak nie pozostawał na dłużej. Było tak, jak podejrzewał już w Kiward Station: bezpośredni kontakt ze zwierzętami mu nie odpowiadał, pracę zaś zarządców właściciele farm wykonywali z reguły sami bądź też powierzali ją od dawna zatrudnionym pracownikom. Poza tym William nie czuł się dobrze w kwaterach pasterzy; nienawidził nocowania pod gołym niebem, a ordynarne dowcipy mężczyzn, często zresztą robione jego kosztem, uważał raczej za obraźliwe niż śmieszne.

Tak więc wędrował z farmy na farmę i przytrafił mu się nawet gościnny występ w Lionel Station, gdzie poznał więcej szczegółów o tragedii Elaine. Williamowi było strasznie przykro z powodu tej historii. Wiedział, że przynajmniej James McKenzie, a z pewnością też pozostała rodzina Elaine, obwinia go częściowo o to pochopne małżeństwo; Elaine nigdy tak naprawdę nie poradziła sobie z tym, że była w nim zakochana. On sam do tej pory też już dawno doszedł do wniosku, że Elaine byłaby dla niego lepszą partią. Praca w składzie O'Kay odpowiadała mu znacznie bardziej niż zajęcia w Kiward Station, a Elaine może nie była tak fascynująca, ale za to bardziej obliczalna i łagodniejsza od Kury.

Tyle tylko, że gdy w jego myślach pojawiała się Kura, jego serce znów zaczynało bić szybciej. Do diabła, naprawdę ją kochał, wciąż ją kocha! I wziąłby wszystko na siebie, również trudności na farmie, gdyby tylko przy nim została. Dlaczego nie mogła być zadowolona z tego, co miała?

Ale ostatecznie Elaine również tego nie potrafiła. Co prawda William odnosił wrażenie, że John Sideblossom jest raczej odpychający, ale Lionel Station było piękną posiadłością. A Elaine przecież zawsze marzyła o tym, żeby żyć na owczej farmie.

William nie pozostał długo w Lionel Station. Atmosfera była tu ponura, a John źle płacił – nic dziwnego; najwyraźniej sam się troszczył o nieprzerwany dopływ dorastających tanich pracowników. William, który był wnikliwym obserwatorem, od razu zauważył podobieństwo wśród maoryskich pasterzy. Jeśli chodziło o dzieci Sideblossoma z prawego łoża, to człowiek ten miał mniej szczęścia. Pierwsze dziecko Zoé Sideblossom zmarło przy porodzie, a niedawno dopiero co poroniła.

William ruszył dalej, w stronę złotonośnych pól w okolicach Arrowtown, znów jednak nie miał szczęścia. Polowanie na foki na zachodnim wybrzeżu było dla niego raczej odpychające. Z czasem polowania stały się mozolnym interesem. Zwierzęta nie czekały już setkami na plaży na myśliwych i stały się bardziej płochliwe. William próbował swych sił jako pomocnik stolarza wyrabiającego trumny, ale ta praca była dla niego z kolei zbyt przygnębiająca. A jednak stolarz był jego pierwszym szefem, który żałował, gdy William zwalniał się z pracy: odkąd doradzał klientom, wydawali znacznie więcej pieniędzy na piękniejsze i wystawniejsze trumny.

W końcu trafił do Westport, po trosze w nadziei, że znajdzie tu Kurę. W Kiward Station przebąkiwano, że zachodnie wybrzeże będzie ostatnim miejscem tournée. William nie widział i nie słyszał jednak nic, co wiązałoby się z zespołem operowym. Szukano natomiast pracowników do kopalni węgla. Praca wydawała się dobrze płatna, William obawiał się jednak harówki pod ziemią. W jego opinii trzeba się było urodzić górnikiem. Tak więc ze swoim sprzętem poszukiwacza złota udał się nad Buller River. I wreszcie dopisało mu szczęście: tylko jednego dnia pracy wydobył z potoku złoty pył wartości trzydziestu dolarów. Połowa należała do właściciela działki; William sam żadnej nie wykupił. Piętnaście dolarów starczało jednak na to, by móc opłacić kilka nocy w hotelu, popijać dobrą whisky i korzystać z łazienki. William trafił więc do porządnego pubu, w którym wynajmowano też pokoje, i zamówił najpierw drinka. Podczas gdy właściciel napełniał mu szklankę, rozejrzał się po sali – i zdziwił się!

W głównej sali przebywali nie tylko, tak jak zwykle, mężczyźni popijający w samotności albo w grupach whisky czy też grający w karty lub w darta. Uwagę skupiał na sobie człowiek, przed którym na stole stała jakaś maszyna. Napędzał to furkoczące urządzenie korbką umieszczoną z boku i w tym czasie mówił do słuchaczy. Jeszcze bardziej zadziwiająca była jego publiczność. Wokół mężczyzny zebrała się gromada podekscytowanych trajkoczących kobiet i dziewczyn. Najwyraźniej były to porządne kobiety; ubrane były skromnie, a starsze damy spoglądały nie tylko na maszynę, lecz również na córki, które zapewne po raz pierwszy w życiu były w pubie. Dziewczęta przy tym ani trochę nie interesowały się urządzeniem baru ani nielicznymi samotnymi moczygębami siedzącymi po kątach. Ich oczy zwrócone były jedynie na postawnego młodego mężczyznę, który wyjaśniał wszystkie niuanse związane z urządzeniem.

– Patrzcie, panie, gdy doświadczona szwaczka wykonuje pięćdziesiąt ściegów, to małe cudeńko robi ich trzysta. W rękach jednej kobiety! Chce pani spróbować?

Mężczyzna obrzucił spojrzeniem krąg kobiet i dziewcząt stojących wokół niego niczym klasa pilnych uczennic. W końcu wybrał spośród nich śliczną małą blondynkę. Ta natychmiast się zarumieniła.

– Naprawdę mogę? – wzbraniała się.

Młody mężczyzna z uśmiechem przesunął ręką po swych kręconych ciemnych włosach.

– Ależ oczywiście, milady! W tej maszynie niczego nie da się zepsuć: w tak pięknych rękach dopiero pokaże, na co ją stać!

Dziewczyna, której schlebiły te słowa, usiadła przed maszyną i zaczęła kręcić korbką. Wyglądało na to, że nie była jednak zbyt skuteczna, bo krzyknęła wystraszona, gdy coś poszło nie tak.

– Och, to nic takiego, milady. Na początku zdarza się czasem, że nić się rwie. Ale szybko doprowadzimy to do porządku... Widzi pani, nawlekamy to tylko tutaj... i tutaj, i tutaj, a potem znów przez igłę... To całkiem proste! I znów może pani spróbować. Ale proszę nie trzymać teraz mocno materiału, tylko go przesuwać. Lekko, to powinno się pani z łatwością udać...

Podczas gdy dziewczyna znów próbowała, William podszedł bliżej ze szklanką w ręce. Był wyższy od większości kobiet i dziewcząt, więc z łatwością mógł patrzeć nad ich głowami. Mała maszyna wyglądała trochę jak jakiś wielki, głodny owad, którego głowa poruszała się nad ofiarą, wciąż wbijając w nią szybko zęby. „Ofiarą" okazały się dwa kawałki materiału, zęby były igłą, która błyskawicznie łączyła obie części materiału równym szwem. U tej szwaczki wyszedł on jednak jeszcze troszkę krzywo.

– Daj teraz mnie – odezwała się starsza kobieta, a dziewczyna zrobiła jej miejsce. Kobieta poruszała korbą w równym tempie, wskutek czego igła zwolniła swój taniec, za to szew był równy. Mężczyzna aż nie mógł się powstrzymać od zachwytu.

– Widzi pani! Pani ma wrodzony talent, łaskawa pani! Kilka dni ćwiczeń i uszyje pani pierwszą suknię! Cudownie!

Kobieta przytaknęła.

– Rzeczywiście, to mały cud. Ale sto dolarów to też całkiem sporo pieniędzy...

– Ależ łaskawa pani! Nie może pani liczyć tego w ten sposób! Oczywiście, że na początku wydatek wydaje się olbrzymi. Ale proszę się zastanowić, ile pani zaoszczędzi! Z taką maszyną uszyje pani suknie dla całej rodziny. Uszyje pani zasłony, pościel... A i stare rzeczy też łatwo można upiększyć, dzięki czemu na nowo zyskają wartość. Proszę tylko spojrzeć!

Mężczyzna znów usiadł przy maszynie, wziął zwykłą dziecięcą koszulkę i kawałek koronki ze stosu odłożonych na boku materiałów, po czym zgrabnymi ruchami zmierzył długość. Następnie umieścił koronkę i koszulkę pod igłą maszyny. Zaklekotała i po kilku sekundach fragment ubranka był już ozdobiony porządnie przyszytą koronką. Kobiety zareagowały pełnymi zachwytu okrzykami.

– Proszę, czyż nie wygląda jak nowa? – zwrócił się do nich triumfalnym głosem mężczyzna. – A proszę pomyśleć, ile kosztuje koszulka z koronkami. Nie, nie, maszyna do szycia nie jest droga, zwraca się po bardzo krótkim czasie! Wiele z moich klientek otworzyło nawet dzięki temu małe przedsiębiorstwa i szyły wkrótce suknie dla przyjaciółek i sąsiadek. A poza tym nie trzeba od razu płacić całości! Moja firma oferuje paniom zakup tej maszyny na raty. Trochę płacą panie teraz, a później każdego miesiąca po kilka dolarów…

Mężczyzna mówił przekonująco. Na koniec wszystkie kobiety i dziewczęta aż się paliły, by wypróbować maszynę. Sprzedawca cierpliwie pozwalał jednej po drugiej siadać przy niej i dla każdej miał jakieś wyrażające uznanie, pochlebne słowa. Uśmiechał się przy drobnych niepowodzeniach, a wychwalał pod niebiosa najmniejsze sukcesy. William uznał, że słuchanie go jest nadzwyczaj zajmujące.

W końcu trzy kobiety podpisały umowy na zakup maszyn. Dwie inne poinformowały, że muszą o tym jeszcze porozmawiać z mężami.

Gdy podekscytowane towarzystwo w końcu się rozeszło, mężczyzna sprawiał wrażenie bardzo zadowolonego. William podszedł do niego, gdy pakował swoje materiały i maszynę.

– To fascynujące urządzenie! – zauważył. – Jak to nazywają?

– Maszyna do szycia – powtórzył mężczyzna. – Wynalazł ją przed czterdziestu laty niejaki Mr Singer. To znaczy… właściwie jej nie wymyślił, ale wprowadził na rynek. Po niewygórowanych cenach. A nawet na raty, jeśli damy sobie tego życzą. Szyjesz teraz, płacisz później. Genialne!

William mógł się z tym tylko zgodzić.

– A więc nie buduje pan tych rzeczy sam? Pozwoli się pan zaprosić na drinka, panie…?

– Carl Latimer, do usług. I chętnie napiję się whisky. – Latimer odsunął na bok porządnie zapakowaną maszynę do szycia, robiąc miejsce dla Williama i dla butelki whisky. Dopiero wtedy odpowiedział na jego pytanie. – Oczywiście, że nie buduję sam tych maszyn. Nie potrafiłby tego żaden człowiek nawet za sto dolarów. To w końcu dość skomplikowane urządzenie. Jak pan myśli, ile patentów wymaga?! Po części nawet dziś wynalazcy spierają się o to, kto komu ukradł jaki pomysł. Ale mnie to wszystko nic nie obchodzi. Jestem przedstawicielem handlowym. Sprzedaję te rzeczy ludziom… a mówiąc ściślej – kobietom.

William nalał mu kolejną szklankę.

– Przedstawiciel handlowy?

– Podobnie jak sprzedawca Biblii – odparł Latimer z uśmiechem. – Zresztą rzeczywiście tym się zajmowałem, ale to nie było tak interesujące i dochodowe. Zasada jest jednak w gruncie rzeczy ta sama: chodzi się od domu do domu i wyjaśnia ludziom, że zakup tego produktu prowadzi do natychmiastowego i wiecznego szczęścia. W miastach chodzenie od domu do domu można sobie jednak podarować. Ludzie z własnej woli przychodzą na demonstrację tych małych cudeniek. Zazwyczaj jednak podróżuję od farmy do farmy i szczegółowo opowiadam kobietom o tej maszynie.

– Lecz w tym przypadku nie sprzedaje pan chyba tak dużo, prawda? – stwierdził William.

Latimer przytaknął.

– Zgadza się, ale za to odpadają mi koszta wyżywienia i hotelu. Damy z radością oferują mi pokój gościnny i nie uwierzy pan, jak często przytrafiają się słodkie córeczki albo służące, które upiększają noc! A sprzedaż wcale nie jest aż taaaka zła. Trzeba umieć wybierać farmy. Na małych często brakuje pieniędzy, ale wtedy pomaga idea spłat na raty. Jeśli kobieta zyskuje nadzieję, że dzięki maszynie będzie mogła sobie coś dorobić, to jest wręcz zachwycona. A na wielkich farmach mają forsy jak lodu, w dodatku kobiety nudzą się na pustkowiu. Pokazuję wtedy zawsze francuskie żurnale mody i kuszę je ideą, żeby sobie szyły podobne ubrania. Nie chcę się za bardzo chwalić, ale dwie na trzy damy owijam sobie wokół palca. To kwestia elokwencji!

William kiwnął głową, a w myślach znów usłyszał słowa bankiera z Queenstown: Dlaczego nie próbuje pan zarabiać pieniędzy w sposób, który naprawdę panu odpowiada?

– Proszę mi powiedzieć… – William uniósł szklankę. – W jaki sposób zostaje się przedstawicielem handlowym? Potrzebne jest do tego jakieś wykształcenie? Kapitał na starcie? Gdzie pan się w ogóle nauczył obsługiwać tę maszynę?

William zarobił swój kapitał na start u bardzo zadowolonego producenta trumien, a przy tym ćwiczył u niego umiejętności sprzedawcy. Oferowane urządzenie musiało być zakupione przez przedstawiciela; poza tym nie wolno go było przewozić na koniu, potrzebny był do tego lekki wóz.

Już wkrótce po rozpoczęciu starań o przyjęcie do pracy w firmie, dla której pracował Latimer, otrzymał zaproszenie na szkolenie w Blenheim. Nauczył się zasad działania maszyny do szycia, rozkładania urządzenia na części i składania go z powrotem, a w razie konieczności przeprowadzania drobnych napraw. Oczywiście przyszli sprzedawcy – sami młodzi, przystojni i szarmanccy mężczyźni – uczyli się też wykonywania perfekcyjnie równych szwów, błyskawicznego szycia małych części ubioru oraz ich ozdabiania.

– Nie wystarczy tylko po prostu szyć! Musi pan kobiety zaskoczyć, zachwycić, a w tym przypadku nic nie jest lepsze od małej dziecięcej sukienki, którą szyje pan w kilka minut! – wyjaśniał nauczyciel, choć William nie słuchał go zbyt uważnie. Z łatwością będzie potrafił przekonać swoje klientki. Przecież zawsze umiał dobrze mówić. Jak Elaine nazywała tę sztukę? *Whaikorero*?

William wreszcie znalazł coś, co potrafił lepiej od innych.

Kura zawsze przeczuwała, że potrafi śpiewać lepiej od innych. Jej przekonanie, że jest wybitnie utalentowaną śpiewaczką, rosło z każdym dniem.

Choć Roderick zaprzestał już udzielania jej lekcji śpiewu – mimo wszelkich wysiłków z jej strony i tego, co mu mogła zaoferować, po jakimś czasie stracił na to ochotę i teraz wolał zabierać ją na wycieczki w ciekawe miejsca, tam gdzie występowali – była lepszą śpiewaczką od pozostałych członków zespołu. Dzięki poprawionemu prowadzeniu głosu potrafiła wyciągać wyższe i głębsze tony. Jej głos obejmował teraz niemal trzy oktawy. Umiała też wydobywać dłuższe tony i nie musiała już sobie pomagać tym, że śpiewała je głośniej, niż wynikało to z partytury. Nawet w najsłabszej części przedstawienia, w kwartecie z *Trubadura*, kiedy wszyscy pozostali śpiewacy wręcz się przekrzykiwali, ona sama w roli Azuceny prezentowała się dobrze. Mocny głos Kury przebijał się również przy normalnej sile, a przy tym nie sprawiała wrażenia, jakby musiała się wytężać, i znajdowała sposobność, by swą rolę wzbogacić o elementy aktorskie. Publiczność nagradzała ją każdego wieczoru owacjami na stojąco, ona zaś czuła się coraz pewniej. Kura była absolutnie zdecydowana, by razem z zespołem wrócić do Anglii. Była zaskoczona, gdy Brigitte zdradziła jej, że zespół rozwiązuje się po tournée.

– Zaangażowano nas tylko na tournée po Nowej Zelandii i Australii – wyjaśniała tancerka, która wróciła już do swej dawnej formy. Pod tym względem Kura odczuwała dla niej coś w rodzaju szacunku. Brigitte trenowała przy zastępującym jej poręcz krześle z taką zaciekłością, z jaką Kura ćwiczyła gamy. – Chyba nie sądzisz, że w Europie znalazłby się ktoś, kto miałby ochotę nas oglądać. Śpiewacy to jedna wielka katastrofa, choć tylko Sabina jest tego świadoma. Po tym wszystkim zamierza skończyć z występami i udzielać lekcji śpiewu. A tancerze… kilku chłopaków jest dobrych, ale większość dziewczyn jedynie dobrze wygląda. Nasz Roddy pewnie wybrał je ze względu na wygląd. Prawdziwy impresario byłby bardziej wymagający. Takich nie interesuje, jak się uśmiechasz. Takim chodzi tylko o to, jak tańczysz.

„Albo śpiewasz" – pomyślała Kura, czując, że ogarnia ją strach. Wierzyła jednak mocno, iż poradzi sobie również w Londynie. Zwłaszcza że nie była sama i Roderick z pewnością jej pomoże. Na pewno ma jakieś kontakty w Anglii, a być może wkrótce będzie tworzył kolejny zespół na jakieś nowe tournée…

Kura była więc dobrej myśli, kiedy wsiadali w Australii na statek i wypływali do Wellingtonu. Stamtąd droga wiodła z powrotem na Wyspę Południową; prom zacumował w Blenheim. Gdy śpiewacy schodzili z pokładu i przygotowywali się do dalszej podróży do Christchurch, Kura nie miała pojęcia, że w tym samym czasie w pełnej ludzi fabrycznej hali na obrzeżach miasta William akurat walczył ze złośliwą maszyną do szycia. Wiedziała jednak, że nie było go już w Kiward Station. Pisywała sporadycznie do Gwyneiry i czasami dostawała również listy od niej, jeśli podczas tournée zatrzymywali się na dłużej w jakimś miejscu, bądź też jeśli George Greenwood zatroszczył się o przekazanie poczty. Nie poinformowano jej jednak bliżej o przyczynach odejścia Williama. Gwyn pisała jedynie, że Miss Witherspoon również opuściła farmę.

*Jack ma teraz domowego nauczyciela, bardzo sympatycznego studenta z Christchurch. Przyjeżdża tylko na weekendy, ale wtedy naprawdę udaje mu się zapalić Jacka i Maakę do Wojen galijskich, cokolwiek to jest. A maoryskie dzieci naucza w tej chwili Jenny Greenwood! Rzekomo zamierza zdawać egzaminy na nauczycielkę, ale jeśli chcesz znać moje zdanie, to myślę, że starała się o tę posadę, ponieważ latem ma nas tu odwiedzić Stephen O'Keefe. Pamiętasz jeszcze, jak tych dwoje na Twoim weselu gruchało niczym gołąbeczki?*

Kura sobie tego nie przypominała, ale było jej to obojętne. A Miss Witherspoon i tak niczego więcej nie mogłaby jej już nauczyć. Co zaś do Williama... w ciągu dnia nie miała nawet czasu, by o nim myśleć, nocami jednak wciąż jeszcze go jej brakowało, nawet wtedy, gdy dzieliła łoże z Roderickiem. Ostatnio zdarzało się to jednak coraz rzadziej. Kura wyraźnie traciła zainteresowanie starszym i raczej nudnym kochankiem. Nie uwielbiała już Barristera tak bardzo jak na początku; była już na tyle wyszkolona, by zauważyć słabości jego sztuki śpiewu i żeby wiedzieć, że raczej nie miała do czynienia ze szczególnym talentem. Jako nauczyciel też w żadnym razie nie był tak dobry, jak na początku sądziła. Gdy raz przypadkowo przysłuchiwała się lekcji śpiewu, jakiej Sabina udzielała Brigitte, zrozumiała o wiele lepiej, o co chodzi. Nadal jednak oddawała się Barristerowi, jeśli jej pragnął. Przecież wciąż jeszcze go potrzebowała, był jej biletem do Londynu!

Roderick Barrister poważnie myślał o tym, by zabrać Kurę do Londynu. Dziewczyna była niezwykle utalentowana i w dodatku dostarczała prawdziwej przyjemności w łóżku. Niemożliwe było natomiast, żeby pozostała jego partnerką na scenie. Choć jej potencjał wciąż jeszcze nie był w pełni wykorzystany, już znacznie przewyższała jego umiejętności. W Australii publiczność nagradzała to wielokrotnie, wywołując ją zza kurtyny, i z tym Roderick mógł żyć. W Londynie ludzie go wygwiżdżą, co do tego nie miał żadnych złudzeń. Jeśli zabierze Kurę do Anglii, będzie musiał na niej zbudować swoją przyszłość. Może zostać jej nauczycielem i impresario. Roderick sądził, że jest w stanie związać ją z sobą na tyle, by bez jego porad nie przyjmowała żadnego angażu i nie podpisywała umów na nagrania płytowe. Dziewczyna miała przecież osiemnaście lat; potrzebowała przyjaciela darzącego ją opiekuńczymi uczuciami, który będzie ją prowadził i negocjował jej umowy. Coś takiego jak najbardziej mogło przynieść pieniądze, prawdopodobnie nawet więcej, niż Roderick mógłby zarobić, śpiewając. I praktycznie wszystko za tym przemawiało – gdyby tylko nie to przemożne pragnienie, by wychodzić na scenę!

Roderick kochał scenę. Był uzależniony od tego uczucia oczekiwania, nim kurtyna pójdzie w górę, od tej ciszy publiczności, nim zacznie grać muzyka, i oklasków – przede wszystkim oklasków! Jeśli postawi teraz na Kurę, już nigdy tego nie przeżyje. W każdym razie nie bezpośrednio; oczywiście wciąż mógłby stać za sceną i przeżywać występy Kury. Ale to by nie było to samo! To by było jak życie z drugiej ręki, jak występ w drugim rzędzie. I jeśli już miał być szczery, to nie był na to jeszcze gotów. Jeszcze nie. Gdyby Kura pojawiła się w jego życiu jakieś pięć lat później… Ale nadal był przystojny, co wciąż pomagało mu w uzyskiwaniu angaży. Był dostatecznie młody, by wytrzymywać tournée takie jak to. Może pojawi się jakaś nowa propozycja tego typu; tego powinien świadomie szukać. Może wkrótce będzie podróżował z zespołem po Indiach albo Afryce!

Gdy Roderick stał na scenie, zapominał o wszystkich myślach i planach. Brawa publiczności były lepsze i dawały więcej zadowolenia niż cokolwiek innego, były piękniejsze nawet od seksu. A w kwestii śpiewu, im bardziej odstawał od Kury, im mniej szanowali go ludzie, tym bardziej topniała jego miłość do tej młodej kobiety. O ile w ogóle była to miłość, a nie po prostu pożądanie.

Po ostatnim występie stało się dla niego jasne, że nie weźmie Kury z sobą. Niech robi karierę w Nowej Zelandii! Z pewnością sobie poradzi. A gdyby kiedyś przybyła jednak do Londynu, to może dostanie drugą szansę.

Nie wolno mu tylko jej rozzłościć, gdy będzie jej to mówił. I lepiej nie mówić jej tego zbyt wcześnie.

* * *

Gwyneira pojawiła się na pożegnalnym koncercie w Christchurch razem z Maramą, matką Kury. Najchętniej wzięłaby też Jamesa, Jacka, a przede wszystkim małą Glorię. Marama koniecznie chciała, by matka i dziecko znów były razem. James kategorycznie odmówił, żeby miał jeszcze płacić za słuchanie śpiewu Kury, a Jack w żadnym razie nie chciał, by Gloria znalazła się pod jej wpływem.

– Prawdopodobnie będzie krzyczeć, gdy Kura zacznie śpiewać – uważał chłopak. – Chociaż już od dość dawna nie mieliśmy okazji tego sprawdzić. Może tym razem byłaby cicho, a wtedy Kura mogłaby wpaść na pomysł, że jest uzdolniona. Nigdy nie wiadomo, co jej przyjdzie do głowy. Co zrobimy, jeśli nagle stwierdzi, że chce ją zabrać z sobą do Anglii?

– Ale ona jest jej matką… – zaprotestowała bez przekonania Gwyneira.

James z dezaprobatą pokręcił głową.

– Co tu gadać, Jack ma rację. Kura nigdy nie troszczyła się o dziecko. Ale teraz jest większe i słodsze… Dziewczynie może coś jeszcze przyjść do głowy. Lepiej nie podejmuj tego ryzyka. Jeśli Kura będzie chciała zobaczyć Glorię, może przyjechać do Kiward Station. A statek do Anglii nie odpływa przecież już jutro.

Gwyneira uznała te argumenty za przekonujące. Marama była jednak zdania, że powinni przynajmniej spróbować sprawić, by Kura zainteresowała się Glorią. Jack dla pewności rozwiązał ten problem na swój sposób: rankiem w dniu wyjazdu do Christchurch zniknął razem z dziewczynką. A ponieważ wziął ją przed siebie na konia, szukanie go było bezcelowe. Oboje mogli być już całe mile stąd.

– Przełożę go przez kolano, jak wróci – przyrzekł bez przekonania James, gdy kobiety w końcu odjeżdżały. Mrugnął przy tym do Gwyneiry. Pewnie raczej pogratuluje synowi tego, co zrobił.

Marama rzadko bywała do tej pory w Christchurch i podczas podróży szybko zapomniała o tym rozczarowaniu. Kobiety rozmawiały o pogodzie, owcach i rozwoju Glorii – poza tym niewiele je już łączyło. Maramę całkowicie pochłonęło jej plemię, nauczała czytania i pisania, a przede wszystkim tańca i muzyki. Była uznaną *tohunga* i kochała swego męża. Najnowsze książki z Anglii, nowe wynalazki i polityka nie interesowały jej już tak jak kiedyś, gdy razem z Kurą żyła w Kiward Station.

Podróż upłynęła im jednak w dobrych nastrojach. Dotarły do Christchurch przed czasem i mogły jeszcze odświeżyć się przed koncertem. Oczywiście chętnie spotkałyby się wcześniej z Kurą, ale do tego nie doszło. Ponoć przed koncertem śpiewacy musieli mieć możliwość się skoncentrować. W kuluarach Gwyn natknęła się natomiast na Elizabeth Greenwood i jej najmłodszą córkę Charlotte. Gwyn nie mogła się powstrzymać od uśmiechu. Filigranowa, jasnowłosa dziewczynka była niemal kropka w kropkę podobna do małej Elizabeth, którą kiedyś po raz pierwszy zobaczyła na pokładzie „Dublina".

– Jestem tak ciekawa występu Kury, Miss Gwyn – oznajmiła wesoło Elizabeth, gdy kobiety usiadły wspólnie przy herbatce. – Wszyscy ją wychwalają i mówią, że niezwykle pięknie śpiewa.

Gwyneira przytakiwała, ale czuła się przy tym nieswojo.

– Ludzie zawsze ją chwalili – stwierdziła z rezerwą.

– Ale George uważa, że się rozwinęła. Tak przynajmniej mówi impresario, bo sam George oczywiście się na tym nie zna. Twierdzi jednak, że ten mężczyzna zabiera ją z sobą do Anglii. Co pani na to, Miss Gwyn? Czy nie jest pani jej opiekunką?

Gwyneira westchnęła. A więc w Christchurch strzępiono sobie języki, opowiadając o Kurze i „impresario". Cóż, William od razu to przewidział. Teraz jednak musiała znaleźć jakąś dyplomatyczną odpowiedź.

– Mówiąc ściśle, już nią nie jestem, jest przecież zamężna. Tak więc właściwie musiałabyś zapytać Williama, co on o tym myśli. To akurat chętnie sama bym wiedziała. Byłam przekonana, że się tu dziś pojawi, ale nie zarezerwował pokoju w hotelu…

– Może przyjdzie tylko na koncert? Ale tak całkiem poważnie, Miss Gwyn, nie pytam dlatego, że jestem ciekawska, w każdym razie nie tylko dlatego! – Elizabeth uśmiechnęła się dyskretnie, a Gwyn przypomniał się jej obraz jako dziecka, gdy sprawiała wrażenie wylęknionej. – George powinien wiedzieć, co pani o tym myśli. To w końcu on opłacił rejs innym śpiewakom. Jeżeli Kura będzie chciała popłynąć z nimi, można to zaaranżować bądź też temu przeszkodzić z mniej lub bardziej prawdziwych powodów. Jeśli więc nie chce pani, by płynęła z nimi, być może da się temu zaradzić w dyplomatyczny sposób. George mógłby stwierdzić, że na statku nie ma już wolnych kabin i że musi wyruszyć następnym rejsem. Wtedy miałaby pani trochę czasu, żeby na nią wpłynąć…

Gwyneira była niemal wzruszona troską okazaną przez Greenwoodów. George zawsze był dobrym przyjacielem i miał dar, by w jakiś sposób zapobiegać skandalom. Tyle tylko, że nie do końca wiedziała, co powinna zdecydować w tej sytuacji.

– Elizabeth, pozwól mi najpierw z nią porozmawiać. Spotkamy się z nią przecież po koncercie, a przede wszystkim wcześniej usłyszymy, jak śpiewa. Nie sądzę, bym znała się na tym lepiej niż George, ale myślę, że również dyletant powinien zauważyć, czy jest w stanie dorównać innym śpiewakom.

Elizabeth zrozumiała aluzję: w rzeczywistości odpowiedź Gwyneiry dotyczyła kwestii, czy Kura rzeczywiście jest akceptowana jako artystka, czy też jedynie jako metresa impresario, oraz czy Barrister rzeczywiście wierzy w jej karierę, czy może jedynie nie potrafi się oprzeć urokom jej ciała.

– Proszę nam po prostu dać odpowiedź jutro rano – odparła przyjaźnie.

# 5

Kura-maro-tini była w złym humorze. To już ostatni koncert w Nowej Zelandii i wśród publiczności będą wszyscy jej krewni i znajomi, a mimo to Roderick wykreślił dwa z jej solowych występów. Ponoć wieczór trwałby przez to zbyt długo; później miało być jeszcze pożegnalne przyjęcie, które Greenwood organizował dla całego zespołu. Nie mogło się ono zacząć zbyt późno.

Kura była wściekła, ale Roderick był przed koncertem nieosiągalny – to Sabina poinformowała ją o zmianach. A do tego jeszcze to pożegnalne przyjęcie! Wszyscy artyści otrzymali formalne zaproszenia, z wyjątkiem Kury. Oczywiście i tak pójdzie. Sabina, Brigitte i wszyscy inni wyjaśnili, że musiało zajść jakieś nieporozumienie, i każdy zaoferował ze swej strony, że weźmie Kurę z sobą jako swego osobistego gościa. Wszyscy – z wyjątkiem Rodericka! Ten przez cały dzień nie pokazywał się jej na oczy. Kura postanowiła, że najpóźniej wieczorem, w łóżku, zrobi mu scenę.

Teraz podglądała publiczność i znów poczuła się urażona, gdy w pierwszym rzędzie dostrzegła jedynie Gwyneirę i Maramę. Nie chodziło o to, by wiele sobie robiła z obecności Jamesa czy Jacka, ale po tym, jak latami wyśmiewali się z jej nauki śpiewu i gry na pianinie, chętnie zobaczyłaby, jak im smakuje jej triumf. Glorii jej nie brakowało; Kurze nigdy nie przyszłoby do głowy, żeby zabrać niemowlę na koncert. Przecież mogło krzyczeć! Ale gdzie był William? W tej kwestii Kura również puszczała wodze fantazji: oczywiście, że przybędzie do Christchurch, by jeszcze raz ją zobaczyć. Wszystko jej wybaczy i będzie błagał, żeby została. A ona jeszcze raz powie mu w twarz to samo, co wykrzyczała wówczas: „To nie jest tego warte!". Nie miała ochoty zagrzebać się w Kiward Station tylko dlatego, że kochała Williama. A potem…? W najprzyjemniejszych fantazjach Kury w tym punkcie jej snu na jawie obejmował ją, mówił jej, że jest dla niego znacznie ważniejsza od wszystkich owiec świata, i natychmiast rezerwował kabinę na parowcu płynącym do Anglii. Oczywiście dojdzie do rywalizacji. Ach, to będzie piękne, móc trochę napuścić na siebie Rodericka i Williama! A na koniec będzie miała jedno i drugie: Williama i karierę. Tak jak zawsze tego pragnęła! Tyle tylko, że William pokrzyżował jej dziś plany. Koncert miał się zacząć już za kilka minut, a on wciąż jeszcze się nie pojawił. Cóż, był przynajmniej Roderick… Kura odeszła od szczeliny w kurtynie. Już on się od niej nasłucha!

Gwyneira miała rację. Nie trzeba było być znawcą muzyki, by móc ocenić występ Kury. W zasadzie od pierwszych dźwięków było dla każdego jasne, że młoda śpiewaczka nie tylko dorównuje swym kolegom, lecz znacznie ich przewyższa. Kura śpiewała z werwą i swobodą, pewnie trafiała w każdy ton, błagała, kusiła, płakała swym głosem. Gwyneira do tej pory nic sobie z opery nie robiła, a Marama słuchała operowych występów po raz pierwszy w życiu, ale nawet one rozumiały, co kierowało postaciami na scenie, chociaż Kura śpiewała po francusku, włosku czy niemiecku.

Podczas kwartetu z *Trubadura* Marama miała łzy w oczach, a po wykonaniu *Habanery* Elizabeth nie mogła przestać klaskać. Przy swej partnerce Roderick Barrister wypadał blado. Elizabeth Greenwood sama nie wiedziała, dlaczego po pierwszym koncercie w Christchurch była nim tak zachwycona.

Po ostatnim wywołaniu na scenę – publiczność znów nagradzała Kurę frenetycznymi oklaskami – kobiety wciąż siedziały na swych miejscach i patrzyły na siebie.

W końcu Elizabeth niemal z czcią pogratulowała Maramie córki.

– Musi pani wysłać tę dziewczynę do Londynu. Do tej pory myślałam, że to mówienie Kury o muzyce to przesada. Ale teraz… Jej miejsce nie jest na owczej farmie, jej miejsce to operowa scena!

Gwyn przytaknęła temu, choć z mniejszą euforią.

– Może jechać, jeśli chce. Ja w każdym razie nie będę jej rzucać kłód pod nogi.

Marama zagryzła wargi. Zawsze robiła się trochę nieśmiała, jeśli była jedyną Maoryską wśród białych. A przy tym nie była taką egzotyczną pięknością jak Kura, lecz raczej typową przedstawicielką swego ludu: niska, dość przysadzista i teraz, gdy była już nieco starsza, również trochę tęższa. Swe gładkie czarne włosy upięła dziś wysoko i ubrana była w angielską suknię. Na tej sali jednak rzucała się oczywiście w oczy. A nigdy nie była pewna, czy Gwyneira wstydziła się swej maoryskiej synowej, czy też nie.

– Cóż, powinna ją pani jeszcze wysłać do szkoły, Miss Gwyn. – Marama odważyła się w końcu wyrazić pięknym, śpiewnym głosem swą opinię. – Jak to się nazywa? Konserwatorium, prawda? Śpiewa przepięknie. Ale ten mężczyzna... Nie wierzę, że nauczył ją wszystkiego, co wie. Kura może być jeszcze lepsza. I powinna ukończyć szkołę. Tutaj być może wystarcza, jeśli po prostu pięknie śpiewa. Ale wśród białych człowiek staje się *tohunga* dopiero wtedy, gdy ma dyplom.

Marama świetnie mówiła po angielsku; jako córka Kiri praktycznie dorastała w domu Wardenów i należała do najlepszych uczennic Helen.

I miała rację. Gwyneira przytaknęła.

– Zaraz z nią porozmawiamy, Marama. Już dosyć się nadbała o koncentrację. Najlepiej, jeśli od razu udamy się za scenę, zanim znów dwudziestu ludzi ustawi się do niej w kolejce, żeby jej powiedzieć, jaka jest urzekająca.

Kura lubiła słuchać, jaka jest urzekająca, a do prowizorycznej garderoby rzuciło się dość wielbicieli, by ją co do tego upewnić. Rodericka jednak tym razem wśród nich nie było. Nie poświęcił też jej żadnego z wywołań na scenę przez publiczność, lecz za każdym razem wychodzili wspólnie, żeby przyjąć brawa. Jeszcze parę tygodni temu był gotów dawać jej w prezencie róże! Kura aż nie mogła się doczekać, by go zbesztać. Ale czekały już na nią matka i babcia, i zamierzała najpierw delektować się tym sukcesem. Poprosiła obie do swej garderoby. Brigitte, która ją z nią dzieliła, taktownie zostawiła ją samą.

– I cóż, podobało się wam? – zapytała Kura niemal władczym tonem.

Marama chciała ją objąć.

– To było cudowne, maleńka – powiedziała czule w swym języku. – Zawsze wiedziałam, że to potrafisz.

– Ale ty nie byłaś już taka pewna – zwróciła się Kura do Gwyneiry.

Gwyneira powstrzymała się, by nie westchnąć. Może i Kura śpiewała ładniej niż wcześniej, ale nadal była trudna.

– Nie znam się w ogóle na muzyce, Kura. Ale to, co dzisiaj usłyszałam, rzeczywiście zrobiło na mnie wrażenie. Mogę ci jedynie pogratulować. Z pewnością osiągniesz sukces również w Anglii. Pieniądze na rejs i na konserwatorium nie powinny stanowić problemu. – Gwyneira wzięła dziewczynę w objęcia, Kura jednak pozostała chłodna.

– Jakie to łaskawe z twojej strony – zauważyła szyderczo. – Teraz, gdy poradziłam sobie bez twojej pomocy, jesteś oczywiście gotowa pod każdym względem wyjść naprzeciw moim oczekiwaniom.

– Kura, to niesprawiedliwe – zaprotestowała Gwyneira. – Już przed twoim ślubem proponowałam ci…

– Ale tylko pod warunkiem, że zrezygnuję z Williama. Gdybym wtedy popłynęła z nim razem do Anglii… – Kura spiorunowała Gwyneirę wzrokiem. Najwyraźniej mocno postanowiła obarczyć babcię winą za swe nieudane małżeństwo.

– Myślisz naprawdę, że dałabyś wtedy radę? – zapytała cicho Marama. Nienawidziła tych niekończących się dyskusji o winie i niewinności, przyczynach i skutkach, które biali najwyraźniej toczyli tak chętnie. Jej córka była mistrzynią sztuki, a to jedynie gorzką, bezużyteczną gadaniną, którą można ciągnąć godzinami, o co Marama obwiniała z kolei Gwyneirę. Od Maorysów się tego w każdym razie nie nauczyła.

– Śpiewasz wspaniale, ale chyba nie sądzisz, że w londyńskiej operze tylko na ciebie czekają.

Na twarzy Kury pojawił się wyraz najwyższego oburzenia.

– Nie pojmuję tego! Chcesz mi powiedzieć, że nie byłabym dość dobra?

Marama nie straciła opanowania. Już Paul Warden często wyładowywał na niej swoje humory.

– Jestem *tohunga*, Kuro-maro-tini. I słuchałam twoich płyt. Wszystkich tych wielkich śpiewaków… Możesz być równie dobra jak oni. Ale musisz się jeszcze uczyć.

– Nauczyłam się! Przez wszystkie te miesiące ćwiczyłam jak szalona. Byłam na Wyspie Północnej i w Australii, matko, ale nic nie widziałam poza pianinem i nutami. Ja…

335

– Poprawiłaś się, ale wciąż możesz się jeszcze uczyć. Nie powinnaś podążać za tym człowiekiem. To nie jest dla ciebie dobre! – Marama ze spokojem przyglądała się córce.

– I akurat ty mi to mówisz! Maoryska, która chce zabronić własnej córce samej wybrać swego towarzysza!

– Niczego ci nie zabraniam. Ja…

– Mam was wszystkich dość! – krzyknęła Kura. – Robię to, co chcę, i dzięki Bogu nie muszę już nikogo pytać o pozwolenie. Roderick zabierze mnie z sobą. Oboje poszukamy angażu w Londynie albo utworzymy zespół taki jak ten i wyjedziemy na tournée. Nie wiem jeszcze tego. Ale nie potrzebuję twoich pieniędzy, babciu, ani twoich rad, matko! Wracajcie do swojej ukochanej Kiward Station i pilnujcie owiec. Napiszę do was od czasu do czasu z Londynu.

– Będzie mi ciebie brakować – powiedziała czule Marama. Chciała jeszcze mimo wszystko na pożegnanie ją objąć i pocałować albo potrzeć nosem jej nos, co u jej ludu było normalne, tym razem jednak Kura usztywniła się, gdy tylko matka się do niej zbliżyła.

– *Haere ra* – szepnęła Marama. – I niech bogowie błogosławią cię i prowadzą w nowym kraju.

Kura nie odpowiedziała.

– Nawet nie zapytała o Glorię – stwierdziła Gwyneira, gdy obie kobiety opuściły wstrząśnięte garderobę.

– Coś ją dręczy – zauważyła Marama. – Jest spięta. Coś się dzieje nie tak, jak na to liczyła. Może nie powinnyśmy jej opuszczać, Miss Gwyn.

Gwyneira przewróciła oczami.

– Jeśli o mnie chodzi, to możesz tu zostać, Marama, i być jej wycieraczką. Ale ja mam po dziurki w nosie jej arogancji, bezduszności i mężczyzn. Niech jedzie do Londynu, jeśli chce. Mam tylko nadzieję, że rzeczywiście zarobi tam dość pieniędzy na życie i dla odmiany znajdzie sobie mężczyznę, który z nią wytrzyma. W Kiward Station jest w każdym razie ostatnią osobą, której potrzebujemy!

Kura wyglądała przepięknie, gdy się złościła, i Roderick niemal zachwiał się w postanowieniu, gdy pojawiła się na sali balowej z błyszczącymi oczami, zarumienionymi ze wzburzenia policzkami i pełna jakiejś wezbranej w niej energii. Tańczył właśnie z Sabiną i najchętniej uwolniłby się od niej, by podejść do dziewczyny, dotknąć jej, może trochę podogadzać, a później nawet sprawić, by mu uległa. Ale to się powinno wreszcie skończyć. Z cichym westchnieniem żalu po tańcu z Sabiną skierował się ku Brigitte. Nie wiedział jednak, do czego zdolna jest Kura. Rozzłoszczona jego brakiem zainteresowania, wcisnęła się pomiędzy niego a tancerkę.

– Co to ma znaczyć, Roderick? Unikasz mnie? Najpierw przez cały dzień nie pokazujesz mi się na oczy, później wykreślasz mi połowę występu, a teraz zachowujesz się tak, jakbyś w ogóle mnie nie znał. Jeśli tak dalej pójdzie, dobrze się zastanowię, czy podczas podróży będę chciała dzielić z tobą kabinę!

Kura miała dziś rozpuszczone włosy, zebrane do tyłu przyozdobioną kwiatami opaską. Zdecydowała się na czerwoną suknię, dekolt zaś podkreślał naszyjnik z lazurowych kamieni. Wielkie i również lazurowe kolczyki sprawiały, że jej oczy wydawały się jeszcze bardziej błyszczące.

Naprawdę wielka szkoda… Roderick zganił się w myślach.

– Jakiej podróży? – zapytał ciepłym głosem. – Jeśli mam być szczery, moja piękna, to rzeczywiście trochę cię dzisiaj unikam. Nie mogę znieść bólu pożegnania! – Uśmiechnął się współczująco.

Kura zgromiła go spojrzeniem.

– Czy to znaczy, że nie chcesz zabrać mnie z sobą do Anglii? Ale przecież to było ustalone…

– Ach, Kuro, moja słodka, może kiedyś o tym rozmawialiśmy… czy ściślej mówiąc, marzyliśmy o tym. Ale chyba nie liczyłaś na to naprawdę? Widzisz, Kuro, ja sam za oceanem nie mam jeszcze żadnego angażu…

Nieszczęsny Roderick zauważył, że wokół nich coraz więcej par przestaje tańczyć. Kłótnia z Kurą wzbudziła powszechne zainteresowanie. Nie tak to sobie wyobrażał.

– Ale *ja* znajdę angaż! – odparła Kura pewnym siebie tonem. – To nie może być aż takie trudne. Sam mówiłeś, że mam coś więcej niż tylko odrobinę talentu!

Roderick przewrócił oczami.

– Och, Kuro, powiedziałem widocznie trochę za dużo w ciągu ostatnich paru miesięcy. Oczywiście, że masz talent, tylko… widzisz, tu w Nowej Zelandii jesteś wielkim talentem, ale tam… Same tylko konserwatoria w Anglii opuszczają każdego roku dziesiątki śpiewaczek.

– I uważasz, że nie jestem lepsza od tych dziesiątek innych śpiewaczek? Ale wszystkie te miesiące… – Kura wydawała się speszona.

– Masz naprawdę śliczny głos. W tym dość… kiepskim zespole – wśród zebranych wokół widzów dały się słyszeć głosy oburzenia, ale Roderick nie zwracał na to uwagi – …w tym zespole nawet się trochę wyróżniasz. Ale opera? Naprawdę, mała, zagalopowałaś się trochę.

Kura stała sama niczym wyspa wśród wzburzonych, protestujących kolegów. Gdyby słuchała, być może dotarłoby do niej nawet, że kilku spośród nich ją wspierało i chwaliło jej głos. Ale była jak osłupiała po słowach Rodericka. Czy mogła się co do niego aż tak pomylić? Mógł ją do tego stopnia bezczelnie okłamywać, żeby mieć ją w łóżku? Czy owacje publiczności były zupełnie nic niewarte, ponieważ tutaj jedynie kilku trzeciorzędnych śpiewaków dyletantów dokonywało gwałtu na belcanto?

Kura skarciła się w myślach. Nie, to niemożliwe, nie może tak być!

– I widzisz, Kuro, dziecinko, jesteś jeszcze bardzo młoda – dodał Roderick protekcjonalnym tonem. – Twój głos jeszcze się rozwija. Być może, jeśli najpierw tutaj…

– Gdzie? – przerwała mu szorstko Kura. – Tu nie ma żadnego konserwatorium.

– Ach, dziewczyno! Konserwatorium… A kto o tym mówi? Ale w granicach twych ograniczonych możliwości radość, jaką możesz dać ludziom…

– W granicach moich ograniczonych możliwości?! – Kura wypluwała z siebie słowa. – A co z *twoimi* ograniczonymi możliwościami? Myślisz, że nie mam słuchu? Myślisz, że nie zauważyłam, jak w wysokich tonach nie potrafisz wydobyć z siebie żadnego, który byłby wyższy niż A? I że praktycznie zmieniasz niemal każdą arię, żeby wielki Roderick Barrister był w stanie ją zaśpiewać?

Ludzie wokół nich się zaśmiali; niektórzy nawet bili brawo.

– Moje ograniczone możliwości najwyraźniej sięgają dalej! – triumfowała Kura.

Barrister pokornie wzruszył ramionami.

– Skoro tak sądzisz. Nie mogę cię powstrzymać przed tym, byś spróbowała sił w Europie. Z pewnością starczy ci pieniędzy na rejs…

338

Liczył po prostu na to, że się nie odważy. Sześć tygodni rejsu na morzu z kipiącą gniewem Kurą na tym samym statku musiałoby być prawdziwym piekłem.

Kura zastanawiała się. Pieniądze, które zarobiła, nie wystarczą. W najlepszym razie mogła nimi opłacić podróż, potem jednak nie miałaby ani pensa, żeby poradzić sobie w Anglii, zanim zdobędzie jakiś angaż.

Oczywiście mogła poprosić o pieniądze Gwyneirę. O ile się przyzna, że Roderick jej nie chciał. Jeśli przyzna, że Marama miała rację w ocenie jej wykształcenia. Jeśli się ukorzy...

– W każdym razie będę jeszcze występować na scenie, gdy ciebie będą potrzebować już tylko po to, żebyś przestawiał na niej dekoracje! – wyrzuciła z siebie. – W Anglii i wszędzie indziej na świecie! – Po tych słowach odwróciła się i odeszła z szelestem sukni.

– Wspaniale, dałaś mu popalić! – wyszeptała do niej Brigitte.

– Nie daj się zbić z tropu! – rzuciła Sabina, gdy Kura przechodziła obok niej, i najwyraźniej zamierzała dodać jeszcze kilka rad, ale dziewczyna nie chciała ich słuchać. Nie chciała słuchać niczego i nikogo. Musiała być sama. Nie mogła już patrzeć na Rodericka. A mówiąc ściślej, nie chciała go już nigdy widzieć! Tyle tylko, że statek do Anglii nie dotarł nawet do Lyttelton; zespół mógł jeszcze całymi dniami zamieszkiwać w hotelu w Christchurch.

Kura, nic nie widząc przez łzy, biegła przez korytarze do swego pokoju. Musi się spakować i zniknąć. Możliwie najszybciej.

Następnego ranka pojawiła się skoro świt w stajni i pytała o konia. Powóz Gwyneiry wciąż tu stał; jej babcia i Marama również nocowały w White Hart, lecz Kura nie zniży się do tego, żeby rozmawiać z nimi o swej sytuacji. W nocy podjęła decyzję, że tymczasem sama będzie kontynuować tournée, czy raczej je powtórzy. Publiczność ją przecież kochała! Ludzie z pewnością się ucieszą, mogąc znów jej słuchać. Jej pieniądze wystarczą na mały wóz i konia oraz wydrukowanie kilku plakatów. Na początek to musiało wystarczyć. Od tej chwili z pewnością będzie zarabiała znacznie więcej niż dotąd; w końcu będzie mogła zachować całe wpływy z koncertów dla siebie.

Właściciel stajni chętnie sprzedał jej konia i dwukołowy gig. Wóz miał składany dach, co Kura uważała za ważne, było w nim jednak mało miejsca na bagaż. Z trudem zmieściła w nim walizkę z kostiumami, w których występowała na scenie. Jeśli chodzi o konia, to sprzedawca zapewniał, że zwierzę jest posłuszne. Uspokoiło to Kurę; miała przecież sama radzić sobie ze zwierzęciem. I radziła sobie zdumiewająco dobrze. Posuwała się jednak niezbyt szybko, bo spokojny kasztanek nie miał się co równać do cobów Gwyneiry. Z początku Kurę to nawet uspokajało, gdyż obawiała się podróży powozem. Po paru godzinach zaczęło jej to już działać na nerwy. Próbowała popędzać konia, ale bez efektu. Nie udało jej się więc dojechać do Rangiory od razu pierwszego dnia. W tym małym miasteczku zespół występował kilka miesięcy wcześniej w drodze do Blenheim, skąd przepłynęli na Wyspę Północną. Wtedy jednak podróżowali szybkimi zaprzęgami w wielkich, wygodnych powozach, a mile zdawały się ginąć pod kopytami koni. Ociężały kasztan Kury dał radę dowieźć ją zaledwie do Kalapoi, wioski, w której nie było nawet porządnego hotelu. Lokal, który chlubił się tą nazwą, okazał się sprośnym burdelem. Tak więc Kura nocowała w stajni, zwinięta w kłębek na siedzeniu powozu, by nie złapać na sianie i słomie żadnych pcheł. Właściciel stajni pomógł jej przynajmniej wyprząc, a rankiem zaprząc konia i nie był przy tym natrętny. Zapytał jednak, dokąd się udaje i kim jest. Gdy odpowiedziała, że jest śpiewaczką w trakcie tournée, wyglądało na to, że raczej go to rozbawiło, niż wywarło na nim wrażenie.

Na dotarcie do Rangiory Kura potrzebowała trzech dni. Jeśli tak dalej pójdzie, miną lata, nim okrąży samą tylko Wyspę Południową. Ostatniego wieczoru była już zrozpaczona i prawie spłukana. Koń i powóz kosztowały drogo i nie liczyła się z tak wieloma noclegami po drodze. Dała się więc uprosić właścicielowi hotelu i bawiła gości, śpiewając kilka piosenek. Tym razem lokal był zadbany, Kura odczuwała jednak jako upokorzenie, że musiała występować w pubie. Słuchacze z pewnością nie byli w stanie docenić operowych arii. Kura postanowiła więc zaśpiewać kilka ludowych piosenek, a gdy zachwyceni mężczyźni zaczęli pokrzykiwać, patrzyła ponuro, niemal pogardliwie na tę publikę.

Rangiora również okazała się rozczarowaniem. Zespół śpiewał przedtem i tańczył w sali parafialnej, i Kura była przekonana, że salę oddano im do dyspozycji bezpłatnie. Wyglądało jednak na to, że trzeba będzie uiścić opłatę. Poza tym musiała namówić pastora, żeby udostępnił pomieszczenie dla jednej śpiewaczki.

– Ale nie robi pani chyba nic niestosownego, prawda? – zapytał sceptycznie, choć pamiętał Kurę z poprzedniego gościnnego występu. – Wtedy niewiele pani śpiewała, tak właściwie raczej stała obok pozostałych i ślicznie wyglądała.

Kura zapewniła podejrzliwego duchownego, że wtedy dopiero co dołączyła do śpiewaków i nie miała jeszcze tyle doświadczenia w występach na scenie. Teraz było inaczej. Prezentacja *Habanery* faktycznie zdołała przekonać pastora. Ale czy pozostanie jej jeszcze coś z pieniędzy, jeśli uiści opłatę za wynajęcie sali, hotel i stajnię? I do tego zapłaci chłopakowi, który porozwiesza plakaty?

Podczas pierwszego koncertu prawie wszystkie miejsca były na szczęście zajęte. Rangiora raczej nie była ośrodkiem kulturalnym; artyści gościli tu rzadko. Ludzie nie byli jednak tak zachwyceni, jak podczas występów Kury z zespołem. Nikt tutaj nie znał się naprawdę na muzyce, natomiast barwne kostiumy, różnorodność widowiska, a przede wszystkim taniec pomiędzy scenami operowymi przyciągały publiczność. Kura w otoczeniu chóru, wznosząca kastaniety, była centralnym punktem występu. Ale dziewczyna, która sama śpiewa i gra na pianinie? Już po półgodzinie ludzie stali się niespokojni, zaczęli szeptać i szurać krzesłami. Na koniec bili wprawdzie brawo, ale raczej przez grzeczność niż z entuzjazmem.

Na drugi koncert przyszło już tylko dziesięć osób. Z trzeciego Kura zrezygnowała.

– Może gdyby śpiewała pani coś weselszego… – doradzał jej pastor. Jemu w każdym razie Kura się podobała: był zachwycony jej głosem i interpretacjami różnych arii operowych. – Tutaj żyją prości ludzie.

Kura nie zaszczyciła go odpowiedzią. Ruszyła dalej wzdłuż wschodniego wybrzeża w kierunku Waipary. Razem z zespołem kolejny występ dali dopiero w Kaikourze, ale na tak długie etapy pomiędzy występami nie mogła sobie pozwolić; na to zbyt wolno poruszała się do przodu. Oceniała więc każdą mijaną po drodze miejscowość, czy jest w niej możliwość zorganizowania koncertu. Najbardziej jej odpowiadało, gdy jakiś porządny hotel udostępniał jej pomieszczenia. Zazwyczaj odpadały wtedy koszta noclegu, a wynajęcie sali też było tańsze niż w przypadku sal parafialnych. W końcu koncert przyczyniał się do wzrostu zysków ze sprzedaży napojów. Tyle tylko, że właściciele hotelu najpóźniej po pierwszym występie próbowali namówić Kurę, żeby się dostosowała do ich programu.

– Dziewczyno, tych słodkich śpiewów nikt tu nie chce słuchać! – wyjaśniał jej właściciel hotelu w Kaikourze. Ten sam, który podczas występów całego zespołu był wręcz zachwycony. – Zaśpiewaj kilka piosenek o miłości, może coś irlandzkiego, to się zawsze podoba. Mamy tu także sporo Niemców. Śpiewasz w różnych językach…

W tym przypadku Kura nawet się trochę dostosowała i włączyła do programu kilka pieśni Schuberta. Część publiczności była głęboko wzruszona, ale właścicielowi hotelu niezbyt się to podobało.

– Dziecko, nie masz ich doprowadzać do płaczu i wycia, tylko sprawić, żeby chcieli pić. Boże, jesteś przecież takim ślicznym stworzeniem! Dlaczego nie tańczysz przy tym trochę?

Kura oświadczyła mu z wściekłością, że jest śpiewaczką, a nie barmanką, i następnego dnia ruszyła dalej. Tournée wcale nie przebiegało tak gładko, jak się tego spodziewała. Gdy po trzech męczących tygodniach dotarła wreszcie do Blenheim, wciąż jeszcze nie miała dość pieniędzy, żeby opłacić rejs na Wyspę Północną.

– No cóż, w takim razie pozostaniemy tutaj i objedziemy Wyspę Południową – powiedziała do swego konia. Co za upadek! Wcześniej naśmiewała się z tego, że Elaine godzinami rozmawiała ze swoją klaczą, uważając, że Banshee rozumie każde jej słowo. Teraz jednak Kura często nie miała nikogo, z kim mogłaby porozmawiać. A jeśli już, to musiała liczyć się z tym, że będzie wysłuchiwać ciągłych sprzeciwów, życzliwych, ale bezsensownych porad czy wręcz nieprzyjemnych słów. W ostatnich tygodniach dość często zdarzało jej się, że musiała się bronić przed jakimś właścicielem baru albo rzekomym „melomanem". Podczas występów z zespołem coś takiego jej się nie przytrafiało. Wtedy zawsze traktowano ją z szacunkiem. – Pojedziemy dalej, do Picton albo do Havelock. Występ dobry jak każdy inny…

William zakończył szkolenie w Blenheim i nabył nowiuteńką maszynę do szycia do celów demonstracyjnych. Jako początkujący nie mógł liczyć na najbardziej pożądane regiony sprzedaży, jak Christchurch czy

Dunedin i ich okolice. Liczył na pracę gdzieś na zachodnim wybrzeżu albo w Otago. Potem jednak ze zdziwieniem odkrył, że przydzielono go do pracy na Wyspie Północnej, w rejonie miasta Gisborne. To musiał być jakiś słabo zasiedlony region, ale przynajmniej niezbadany teren, jeśli chodzi o sprzedaż maszyn do szycia. Dotąd żaden przedstawiciel z jego firmy nie wizytował tych okolic.

William w dobrym humorze wszedł na pokład promu płynącego z Blenheim do Wellingtonu i bohatersko walczył z chorobą morską na wzburzonym morzu. Jakoś sobie poradzi. Przynajmniej w trakcie szkoleń wciąż wybijał się ponad innych. Nauczyciele byli wręcz zachwyceni jego kreatywnymi pomysłami sprzedaży. Żaden z uczestników szkolenia nie był oceniany tak dobrze. William optymistycznie podchodził do nowego zadania. Trumny czy maszyny do szycia – sprzedawać potrafił!

# 6

Timothy Lambert był oburzony, ale przynajmniej wiedział teraz, dlaczego jego ojciec dość krótką drogę z domu do kopalni zawsze pokonywał konno. Właściciel kopalni najwyraźniej brzydził się chodzić pieszo przez tę kloakę, w jakiej gnieździli się jego ludzie. Nie znaczyło to wcale, że Timothy nigdy nie widział w Europie dzielnic biedoty. W Anglii i Walii osady górnicze również nie były przedsionkami raju. Ale nie sposób było tego porównać z klepiskiem wokół kopalni jego ojca. Najwyraźniej osiedle zakładano całkowicie bez planu. Ustawiano po prostu jedną szopę obok drugiej – chatki ze znalezionego drewna i uszkodzonych desek szalunkowych, które w kopalni najwidoczniej uznano za niezdatne do użytku. Większość domostw nie miała nawet żadnego komina. Jeśli w nich palono, musiało się tam gromadzić potwornie dużo dymu. Jeszcze rzadsze były wychodki; ludzie chodzili za potrzebą po prostu za róg. Tyle tylko, że za rogiem stała kolejna chatka i deszcz, który w Greymouth padał niemal codziennie, wypłukiwał to wszystko razem ze śmieciami na biegnące między szopami zabłocone dróżki. Teraz te „ulice" przypominały śmierdzące ścieki. Timothy miał problemy, żeby przejść nimi suchą stopą.

O tej porze osada wydawała się opuszczona. Tylko z niektórych chatek słychać było pociąganie nosem i kaszel – prawdopodobnie „niezdolnych do pracy z powodu choroby i lenistwa", jak uskarżał się jego ojciec podczas kolacji. Wśród górników szerzyły się pylica i suchoty, ale w okolicach kopalni Lambert było szczególnie źle, zwłaszcza że najwyraźniej nikt nie troszczył się o chorych. Zapewne żyło tu tylko kilka rodzin, w których kobiety dbały choćby o minimum porządku i czystości w chatach. Większość górników była samotna i wolała uciekać do pubu niż doprowadzać swoje kwatery do znośnego stanu. Timothy nie mógł im brać tego za złe. Kto całymi godzinami przerzucał w ciemnym szybie węgiel, wieczorem nadawał się jedynie do łóżka albo w najlepszym wypadku do wypicia kilku piw w przyjemnej atmosferze. A w dodatku ludziom brakowało pewnie pieniędzy na naprawy.

Koniecznie będzie musiał porozmawiać o tym z ojcem. Kopalnia mogłaby im przynajmniej oddać do dyspozycji materiał budowlany. Najlepiej byłoby to wszystko zburzyć i zbudować na nowo według rozsądnego planu. Zawiązujące się za oceanem związki zawodowe domagały się takich bardziej przyjaznych ludziom robotniczych osiedli, choć co prawda bez powodzenia.

Timothy dotarł już w bezpośrednie sąsiedztwo kopalni i przekroczył główną bramę. Tutaj drogi były od razu lepsze; w końcu wozy dostawcze, którymi transportowano węgiel, nie powinny grzęznąć w błocie. Tim zastanawiał się, dlaczego nie położono jeszcze torów pod linię kolejową. Transport węgla mógłby odbywać się dzięki temu szybciej i taniej. To kolejny temat, który musi poruszyć.

Timothy obtupał błoto i wszedł do parterowego budynku biura, położonego naprzeciw wejścia do kopalni. Z kantoru jego ojca był dobry widok na wieżę wyciągową i kompleks zabudowań, na halę z maszyną parową i magazyny. Można stąd było również nadzorować zjeżdżających i wyjeżdżających z kopalni górników. Marvin Lambert lubił mieć wszystko na oku. Wokół Greymouth znajdował się kompleks kopalń należących do różnych rodzin lub spółek akcyjnych. Kopalnia Lambert była drugim co do wielkości prywatnym przedsiębiorstwem tego rodzaju i Marvin Lambert ostro konkurował ze swym rywalem Billerem. Obaj oszczędzali na sile roboczej i bezpieczeństwie w kopalni wszędzie, gdzie tylko mogli. W tym względzie Marvin Lambert i jego konkurent Biller byli tego samego zdania. Obaj uważali górników za zasadniczo nieskorych do pracy i zachłannych, a nowoczesne rozwiązania techniczne w kopalni wywoływały ich zainteresowanie jedynie wtedy, gdy pozwalały przynieść wyższe zyski.

Ale być może Timothy oceniał Marvina Lamberta zbyt pochopnie. Przecież dopiero od kilku dni znów był w domu, a nim Timothy spotkał go późnym wieczorem, ojciec zdążył się już uraczyć sporą ilością whisky. Tim po długiej podróży też mógł być zmęczony i dość nieznośny jako rozmówca. Osiem tygodni na statku do Lyttelton, a potem jazda pociągiem do Greymouth nie mogły pozostać bez śladu. Ale przynajmniej nie musiał jechać konno ze wschodniego wybrzeża. Nowo wybudowana linia kolejowa pozwalała podróżować na zachodnie wybrzeże szybciej i wygodniej.

W ogóle od czasu, gdy dziesięć lat temu wysłano Timothy'ego do Europy, Nowa Zelandia dość się zmieniła. Najpierw był w prywatnej szkole, później studiował górnictwo na różnych uniwersytetach, a w końcu odbył podróż po najważniejszych regionach górniczych Starego Świata. Marvin Lambert wszystko to chętnie sfinansował. Timothy był przecież jego dziedzicem; miał utrzymać kopalnię w rękach rodziny i pomnażać dochody. A dziś był jego pierwszy dzień pracy – przynajmniej Tim zakładał, że oczekiwano go tu w kopalni. Później rozejrzy się na mieście.

Greymouth wyraźnie się rozrosło od czasu, gdy je opuścił w wieku czternastu lat. Wówczas willa Lambertów stała jeszcze dość osamotniona nad rzeką, przy drodze z miasta do kopalni. Dziś budynki graniczyły już niemal z ich domem.

W kantorze pracowały dwie sekretarki oraz sam Marvin Lambert; tu również widoczna była jego oszczędność. Całość urządzona była raczej po spartańsku; nie można było tego porównać z pałacami właścicieli kopalń w Europie. Marvin Lambert uniósł głowę znad papierów i nieżyczliwie spojrzał na syna.

– Co ty już dziś tu robisz? – zapytał wyraźnie bez entuzjazmu. – Myślałem, że dotrzymasz trochę towarzystwa matce. Po tak długim czasie, gdy nie mogła mieć cię przy sobie…

Tim przewrócił oczami. Lamenty matki właściwie już poprzedniego dnia działały mu na nerwy. Nellie Lambert była płaczliwa i nie potrafiła się powstrzymać przed okazywaniem wzruszenia jego powrotem – by zakończyć to wyrzutami, że tak długo go nie było. Zupełnie jakby studiował za granicą tylko po to, żeby ją urazić!

– Mogę wrócić do domu trochę wcześniej – stwierdził beztrosko Tim. – Ale muszę zobaczyć kopalnię! Co się zmieniło, co można zmienić… Masz przed sobą bezrobotnego inżyniera górnictwa, ojcze. Aż się palę do tego, by się na coś przydać. – Obdarzył ojca niemal konspiracyjnym uśmiechem.

Marvin Lambert spojrzał na zegar.

– Skoro tak, to przyszedłeś dość późno – mruknął. – Zaczynamy tu o dziewiątej.

Timothy przytaknął.

– Źle oceniłem drogę. A przede wszystkim jej stan. W tej sprawie koniecznie musi się coś wydarzyć. Powinniśmy przynajmniej wyremontować ulice na osiedlu.

Lambert spojrzał na niego gniewnie.

– Ta kloaka musi zniknąć! Jak to wygląda wokół całej kopalni! Kiedyś nakażę zburzyć te wszystkie „chaty" i ogrodzę teren. Nikt tym draniom nie pozwolił stawiać tam tych bud.

– A gdzie mieli się podziać? – zapytał zdziwiony Timothy. Obszar wokół kopalni z trudem wydarto paprociowej dżungli zachodniego wybrzeża. Ludzie musieli pozyskiwać nowe obszary pod zasiedlenie, jeśli zamierzali się na nich budować, a do tego dochodziły jeszcze duże odległości. Było więc powszechnie przyjęte, że górnicy osiedlali się bezpośrednio przy wejściach do kopalń.

– Wszystko mi jedno. Mam już dość tych ich brudnych nor. W głowie się nie mieści, jak można tak mieszkać! Ale jak już mówiłem, to męty. Wysyłają do nas z Europy samych takich, których w Anglii i Walii do niczego nie potrzebują!

Timothy słyszał to już poprzedniego wieczoru i zdecydowanie się temu sprzeciwił. Przecież dopiero co wrócił z Anglii i wiedział, że w europejskich kopalniach emigracja do Nowej Zelandii postrzegana jest jako szansa na lepsze życie. Ludzie robili sobie nadzieję, że będą więcej zarabiać, i zazwyczaj to raczej ci najlepsi i najbardziej przedsiębiorczy miesiącami odkładali na opłacenie rejsu. Nie zasługiwali na takie piekło.

Mimo to Tim wolał teraz trzymać język za zębami. Nic to nie da, jeśli znów będzie wracał do tej kłótni. Musi porozmawiać o tym z ojcem, gdy ten będzie w lepszym humorze.

– Jeśli nie masz nic przeciwko temu, chętnie zjechałbym teraz na dół i obejrzał kopalnię – stwierdził, nie wdając się w narzekania Marvina. To było konieczne, choć Timothy'emu wystarczył sam widok z okna, by stracić na to ochotę. Już wejście do kopalni nie budziło zaufania. Jego ojciec nie zadał sobie nawet trudu, żeby przykryć dachem łaźnię, a wieża wyciągowa wyglądała jak z początków górnictwa. To jak dopiero musiało być tam, na dole?

Marvin Lambert wzruszył ramionami.

– Jak chcesz. Choć nadal jestem zdania, że bardziej się przydasz przy dystrybucji i organizacji pracy niż na dole w sztolniach...

Tim westchnął.

– Jestem inżynierem górnictwa, ojcze. Na interesach nie znam się zbyt dobrze.

– Szybko się tutaj tego nauczysz. – To był kolejny temat, o którym już rozmawiali. Marvin uważał, że wiedzę, którą Tim nabył w Europie, można było wykorzystać jedynie w ograniczonym zakresie. Nie chciał inżyniera, tylko zdolnego handlowca i cwanego przedsiębiorcy. Tim zastanawiał się, dlaczego w takim razie jego ojciec pragnął, żeby studiował górnictwo zamiast ekonomii i zarządzania. Tyle tylko, że i tak by się nie zgodził pracować jako handlowiec. Nie był do tego stworzony.

Timothy jeszcze raz spróbował wyraźnie przedstawić ojcu swoje zadania i zamiary.

– Moje zadanie to nadzorowanie prac w kopalni i optymalizowanie metod wydobycia...

Ojciec zmarszczył czoło.

– Ach? – rzekł, udając zdumienie. – Czyżby ostatnio wynaleziono lepsze możliwości machania kilofem i młotem?

Tim nie dał się sprowokować.

– Wkrótce będą to robić maszyny, ojcze. A już teraz istnieją bardziej efektywne metody wydobywania węgla i nadkładu. Istnieją nowoczesne techniki zabezpieczania sztolni, wiercenia szybów wentylacyjnych, odprowadzania wody...

– I to wszystko w sumie kosztuje więcej, niż przynosi dochodu – przerwał mu Lambert. – Ale dobrze, skoro to cię ma uszczęśliwić. Obejrzyj sobie wszystko, powdychaj trochę pyłu. Wkrótce będziesz go miał aż nadto...

Lambert znów skupił się na papierach.

Tim pożegnał się szybko i wyszedł z kantoru.

Górnictwo wcale go nie uszczęśliwiało. Z własnej woli pewnie wybrałby jakiś inny zawód, choć geologia jako taka, a przede wszystkim inżynieria, jak najbardziej go interesowały. Jednak praca w kopalni pod ziemią i niebezpieczeństwa z tym związane przygnębiały go. Timothy najbardziej lubił przebywać na łonie natury i wolałby budować domy niż korytarze w kopalniach. Podobało mu się też budowanie kolei, a na tym polu miałby dość interesujących zajęć tu, w Nowej Zelandii. Ponieważ jednak miał odziedziczyć kopalnię, pogrzebał wszystkie osobiste skłonności i wykształcił się na eksperta górnictwa, a przy tym w Europie zyskał pewien rozgłos jako fachowiec w kwestiach związanych z bezpieczeństwem. Timothy obawiał się zawałów w kopalni i eksplozji gazu. Jego główne zainteresowania od zawsze dotyczyły możliwości zapobiegania takim katastrofom. Oczywiście porad u niego szukały raczej jeszcze niezbyt dobrze zorganizowane stowarzyszenia górników, a nie właściciele kopalni. Ci ostatni inwestowali w środki bezpieczeństwa zazwyczaj dopiero wtedy, gdy wydarzało się jakieś nieszczęście, i pewnie każdy trzy razy się żegnał za plecami tak natrętnego specjalisty jak Timothy Lambert. Już lepiej niech nabija koszta swemu ojcu w Nowej Zelandii. W Anglii nikt nie uronił za nim nawet jednej łzy.

Timothy skierował się w stronę kopalni i poprosił dwóch ponurych mężczyzn przy dźwigu szybowym, żeby kazali wjechać na górę sztygarowi. Bez przewodnika nie zamierzał chodzić po sztolniach, tak więc czekał cierpliwie, aż przekazano wiadomość. W końcu dźwig szybowy ruszył, skrzypiąc i stukając, a Tim, z lekką gęsią skórką, zastanawiał się, jak często zmieniano tu stalowe liny. Sztygar był dość młodym człowiekiem, mówił z walijskim akcentem i zdawał się nieprzychylnie nastawiony wobec syna właściciela kopalni.

– Jeśli znów chodzi o ilość urobku, to mówiłem już pańskiemu ojcu, że nie da się jej zwiększyć. Ludzie nie są w stanie pracować jeszcze szybciej, a niewiele to da, jeśli weźmie się kolejnych. I tak już depczą sobie po piętach. Czasem aż się boję, że zabraknie powietrza…

– Nie zadbano tu o dostateczną wentylację? – Tim wziął pasujący mu na głowę kask i lampę górniczą. Zmarszczył brwi. Już od dawna istniały nowocześniejsze modele. Tim wolał lampy benzynowe, które nie tylko dawały światło; ich aureola pozwalała też określić zawartość metanu w powietrzu.

Sztygar dostrzegł rutynę w jego ruchach. Widział też, że syn właściciela czuje się odrobinę nieswojo, i stał się trochę przystępniejszy.

– Staramy się, jak możemy, sir. Ale szyby wentylacyjne nie zrobią się same. Żeby je wiercić, potrzeba ludzi. Do tego szyby muszą być obmurowane, a to oznacza wydatki na materiały. Pana ojciec robi mi wtedy piekło…

W samym szybie było gorąco. Na zewnątrz pogoda była raczej kiepska, tu jednak temperatura rosła, im niżej zjeżdżała klatka szybowa. Gdy dotarli do najniższego spągu, Timothy poczuł nieprzyjemne, rzadkie powietrze i piekielny upał.

– Zużyte powietrze – zauważył fachowo i pozdrowił mężczyzn pchających wózki pełne węgla i przygotowujących je do transportu szybem wydobywczym. – Z tym trzeba będzie coś pilnie zrobić. Nie trzeba dużo myśleć, żeby wiedzieć, co się stanie, jeśli pojawi się tu gaz.

Sztygar się skrzywił.

– Od tego mamy te tutaj. – Wskazał na klatkę, w której maleńki ptak smętnie przeskakiwał z żerdki na żerdkę. – Jeśli ptaszek zacznie się zataczać, to znaczy, że trzeba wiać.

Timothy był przerażony.

– Ależ to jest średniowiecze! Wiem, że ludzie mają te ptaszki wszędzie, bo jako system wczesnego ostrzegania są nie do pobicia. Ale przecież to nie może zastąpić porządnej wentylacji! Porozmawiam o tym z ojcem, warunki muszą się poprawić. Wtedy ludzie będą też efektywniej pracować.

Sztygar potrząsnął głową.

– Efektywniej już nikt nie może pracować. Ale można poszerzyć zastrzały i lepiej je podeprzeć.

– I musimy poprawić transport nadkładu. To nie może być prawda, że ci ludzie wynoszą kamienisko w koszach na plecach. I czy tam na zewnątrz naprawdę widziałem czarny proch? Niech mi pan tylko nie mówi, że nie używacie żadnych powietrznych materiałów wybuchowych!

Sztygar zaprzeczył.

– Nie mamy tu nawet osłon przeciwwybuchowych. Jak tutaj coś wybuchnie, spłonie cała kopalnia.

Godzinę później Timothy skończył inspekcję i zyskał w sztygarze przyjaciela. Matthew Gawain chodził do szkoły górniczej w Walii, a jego wyobrażenia o nowoczesnych technikach wydobycia i bezpieczeństwie w kopalni w znacznym stopniu pokrywały się z wyobrażeniami Tima. Jeśli chodziło o aktualne techniki wentylacji i budowy szybów, wiedza Tima była jednak znacznie nowocześniejsza. Matthew pracował w Nowej Zelandii od trzech lat, ale techniki prac w górnictwie wciąż się rozwijały. Umówili się obaj, że spotkają się wkrótce na piwie w pubie, żeby kontynuować tę rozmowę.

– Ale proszę sobie nie robić zbyt wielkich nadziei, że pan to wszystko zrealizuje – stwierdził na koniec Matthew. – Pana ojca interesuje przede wszystkim szybki zysk, jak większość szefów. I ważne jest też… – zamierzał coś dodać, ale Timothy machnął ręką.

– Długofalowe myślenie też jest ważne. Jeśli kopalnia się zawali, bo jej się odpowiednio nie zabezpieczy, kosztuje to więcej pieniędzy niż wyremontowanie jej w porę. Nie mówiąc już o ludzkim życiu. Poza tym ruch związkowy się rozwija. Na dłuższą metę nie da się tego obejść, nie tworząc lepszych warunków dla robotników.

Matthew uśmiechnął się szeroko.

– I nie obawiałbym się przy tym wcale, że pana rodzina w takim przypadku będzie miała choć kromkę chleba mniej do jedzenia.

Tim się roześmiał.

– To niech pan tylko zapyta mego ojca! Bez zwłoki panu wyjaśni, że już teraz jest zupełnie zubożały, a każdy dzień przestoju w kopalni zbliża go do śmierci głodowej. – Odetchnął, gdy kopalnia znów wypuściła go na światło dnia. Jego modlitwa do świętej Barbary była szczera, choć w gruncie rzeczy całym sercem wierzył, że zapobieganie wypadkom górniczym było w mniejszym stopniu zadaniem niebiańskiej patronki niż zupełnie ziemskich inżynierów górnictwa.

– Gdzie możemy się umyć? – zapytał.

Matthew wybuchnął śmiechem.

– Umyć się? Będzie pan chyba musiał pójść do domu. Takich luksusów jak zadaszona łaźnia czy choćby ciepła woda tutaj pan nie znajdzie.

Timothy postanowił, że nie pójdzie do domu. Wręcz przeciwnie: ubrudzony tak jak był, uda się prosto do kantoru ojca i poważnie z nim porozmawia.

Po południu Timothy skierował konia ku centrum Greymouth. Zamierzał od razu zamówić materiały potrzebne do zmian w kopalni, które rankiem wymusił na ojcu. Wiele tego co prawda nie było. Marvin Lambert zgodził się jedynie na budowę nowego szybu wentylacyjnego i kilku osłon przeciwwybuchowych, a i to tylko dlatego, by spełnić minimalne wymogi państwowej komisji górniczej. Argument Timothy'ego, że jego konkurent Biller może odkryć łamanie zasad bezpieczeństwa i złożyć na niego doniesienie, przekonał starego Lamberta. „Wystarczy tylko, że przepyta jednego z twoich górników, ojcze!". Timothy był zdecydowany, by w ciągu najbliższych dni jeszcze raz szczegółowo przestudiować zarządzenia. Może znajdzie jeszcze coś, co będzie mógł wykorzystać. Teraz jednak rozkoszował się konną jazdą i niezwykle piękną wiosenną pogodą. Rano padało, ale teraz wyszło słońce i łąki oraz paprociowe lasy lśniły zielenią na tle gór.

Przy wjeździe do miasta mijał kościół metodystów, piękny drewniany budynek. Zastanawiał się chwilę, czy nie powinien wejść do środka i zamienić paru słów z pastorem. W końcu człowiek ten był odpowiedzialny za duszpasterską posługę, choć wielu ludzi wyznawało tu wiarę katolicką, więc nie przychodziło do niego na msze. Zauważył jednak, że pastor najwyraźniej miał już gościa. Przed kościołem stała mała siwa klacz; obok cierpliwie czekał trójkolorowy collie. W tym momencie otworzyły się drzwi kościoła. Timothy zobaczył pastora, jak wychodzi i zaczyna się żegnać z gościem. Przytrzymał drzwi rudowłosej dziewczynie z zeszytami nutowymi pod pachą. Była to niezwykle piękna drobna dziewczyna w znoszonym szarym stroju jeździeckim. Długie kręcone włosy zaplotła w warkocz, który sięgał do połowy pleców, ale właściwie jej loki nie dały się poskromić. Kilka pasemek już się uwolniło i muskało jej drobną twarz. Pastor jeszcze raz przyjaźnie pomachał dziewczynie na pożegnanie, gdy ruszyła w stronę siwka, gdzie schowała zeszyty z nutami do torby przy siodle. Mały pies zdawał się szaleć z radości, widząc swoją panią.

Tim podjechał bliżej i przywitał się. Sądził, że dziewczyna widziała go już, wychodząc z kościoła, ona jednak wystraszyła się na dźwięk jego głosu i odwróciła szybko. Przez moment miał wrażenie, że dostrzegł w jej oczach panikę. Zdawała się pospiesznie rozglądać wokół siebie jak zwierzę w pułapce, i uspokoiła się dopiero, gdy zobaczyła, że Timothy nie czyni żadnych prób, żeby się na nią rzucić. Bezpieczna bliskość kościoła też pewnie miała na to wpływ. Ostrożnie odpowiedziała na uśmiech Timothy'ego, potem jednak natychmiast spuściła oczy i zdawała się jedynie rzucać na niego nieufne, ukradkowe spojrzenia.

W każdym razie odpowiedziała na jego powitanie cichym głosem, jednocześnie zgrabnie wsiadając na konia. Wyglądało na to, że przywykła to robić bez pomocy mężczyzny.

Timothy wywnioskował, że zmierzają w tym samym kierunku. Dziewczyna również ruszyła konno w stronę miasta.

– Ma pani pięknego konia – zauważył Timothy, po tym jak przez chwilę jechali obok siebie w milczeniu. – Wygląda jak walijski kuc, ale wśród nich raczej nie ma siwków...

Dziewczyna odważyła się na trochę intensywniejsze spojrzenie z ukosa.

– Banshee ma w sobie krew welsh mountain – wyjaśniła, choć trochę niechętnie. – Stąd ta siwa maść. Poza tym rzeczywiście zdarzają się rzadko wśród cobów, tu ma pan rację.

Wyjątkowo długa odpowiedź jak na istotę najwyraźniej tak nieśmiałą. Temat koni widocznie trafił we właściwą strunę. I miała też wiedzę na ten temat.

– Welsh mountain to te małe kucyki, prawda? Te, których używa się również w kopalniach? – dopytywał się.

Dziewczyna przytaknęła ruchem głowy.

– Ale nie sądzę, żeby to były dobre kuce do pracy w kopalni. Są na to zbyt uparte. W każdym razie Banshee nigdy nie pozwoliłaby się zamknąć w ciemnym szybie. – Zaśmiała się nerwowo. – Prawdopodobnie już następnego dnia zaczęłaby planować, jak zbudować sobie drabinę.

Tim zachował powagę.

– Pewnie mogłyby wytrzymać więcej niż ludzie noszący urobek w koszach w tutejszych prywatnych kopalniach – powiedział i pomyślał o zrujnowanej windzie w kopalni swego ojca. – Ale to prawda, w kopalniach pracują przede wszystkim kuce z Dartmoor i New Forest. Bardzo często też kuce fell, te są trochę większe.

Dziewczyna zdawała się nabierać do niego trochę więcej zaufania i przyjrzała mu się dłużej. Tim dostrzegł jej piękne oczy i piegi.

– Pochodzi pani z Walii? – zapytał, choć sam w to nie wierzył. Dziewczyna nie mówiła z walijskim akcentem.

Potrząsnęła głową, ale nie dodała ani słowa więcej.

– A pan? – zapytała zamiast tego. Nie brzmiało to jednak tak, jakby rzeczywiście ją to obchodziło, już prędzej próbowała podtrzymać niezobowiązującą rozmowę.

– Byłem w Walii i pracowałem tam w jednej z kopalń – odpowiedział jej. – Ale pochodzę stąd, z Greymouth.

– A więc jest pan górnikiem? – To pytanie również było niezobowiązujące; dziewczyna jednak uważnie taksowała wzrokiem jego porządne ubranie, kosztowne siodło i ślicznego konia. Zwykłych górników na coś takiego nie było stać. Zazwyczaj poruszali się pieszo.

– Inżynierem górnictwa – wyjaśnił. – Studiowałem w Europie. Inżynierowie górnictwa troszczą się o zakładanie kopalń i…

Dziewczyna machnęła ręką.

– I pan to tutaj buduje – powiedziała, wskazując skąpym ruchem na wieże wyciągowe i hałdy węgla szpecące całą okolicę wokół Greymouth. Wyraz jej twarzy odzwierciedlał, co o tym myśli.

Timothy uśmiechnął się do niej.

– To paskudne rzeczy, może to pani spokojnie powiedzieć. Mnie też się nie podobają. Węgla jednak potrzebujemy. Daje ciepło, pozwala produkować stal… Bez węgla nie byłoby nowoczesnego życia. I stwarza miejsca pracy. Tylko tutaj, wokół Greymouth, żywi większą część mieszkańców.

Dziewczyna i na ten temat mogłaby coś powiedzieć. Na jej czole pojawiła się zmarszczka, a oczy zabłysły gniewnie. Jeśli mieszkała tutaj dłużej, możliwe, że znała biedne domostwa pracowników kopalni. Poczuł się winny. Starał się znaleźć jakieś dalsze wyjaśnienia, ale zdążyli już dotrzeć do pierwszych domów miasteczka. Tim niemal poczuł, jak jadąca obok niego dziewczyna się rozluźniła. Sprawiała wrażenie znacznie spokojniejszej, gdy pierwsi przechodnie zaczęli ją pozdrawiać, a ona im odpowiadała. A więc mimo tej pogawędki nie czuła się z nim dobrze. Timothy się zdziwił. Od kiedy to niby wzbudzał w kobietach strach?

Skład z materiałami budowlanymi znajdował się w jednym z pierwszych budynków przy wjeździe do miasta. Timothy wyjaśnił dziewczynie, że musi się tu zatrzymać.

– A tak przy okazji, jestem Timothy Lambert – zdążył się jeszcze szybko przedstawić.

Nie było żadnej reakcji z jej strony.

Tim spróbował jeszcze raz.

– Miło było z panią porozmawiać, Miss…

– Keefer – mruknęła niechętnie dziewczyna.

– A zatem do widzenia, Miss Keefer.

Tim uniósł wesoło kapelusz, po czym skierował konia na podwórze składu z materiałami budowlanymi.

Dziewczyna nie odpowiedziała.

# 7

Elaine najchętniej sama by się spoliczkowała. Naprawdę nie trzeba było tak się zachowywać. Ten młody człowiek był po prostu uprzejmy. Ale nic na to nie mogła poradzić: gdy tylko była sama z jakimś mężczyzną, wszystko w niej się blokowało. Czuła jedynie wrogość i strach. Zazwyczaj nie potrafiła wykrztusić nawet słowa; ten mężczyzna przełamał jej rezerwę, mówiąc z takim znawstwem o koniach. Z drugiej strony było to niemal niebezpieczne, jeśli już ktoś rozpoznawał rasę Banshee. Może słyszał już o cobach z Kiward Station i powiąże fakty z Elaine.

Już chwilę później zganiła się za tę podejrzliwość. Ten człowiek był inżynierem górnictwa. Nie znał żadnych owczych farm z Canterbury. Prawdopodobnie Banshee była mu też zupełnie obojętna; chciał tylko miło z nią porozmawiać. A ona nawet nie dała rady powiedzieć mu do widzenia! To się musi wreszcie skończyć. Była już blisko rok w Greymouth i nikt się o nią nie dopytywał. Oczywiście nie miała zamiaru znów się zakochiwać, ale musiała przecież być w stanie porozmawiać z mężczyzną, nie zamykając się przy tym całkowicie w sobie. Ten Timothy Lambert to mógłby być dobry początek. Rzeczywiście nie sprawiał wrażenia niebezpiecznego, a właściwie był nawet całkiem miły. Miał brązowe kręcone włosy, dość długie, był szczupły i średniego wzrostu – nie tak wysoki jak William, i nie tak atletyczny jak Thomas. Zręcznie dosiadał jednak konia i trzymał lekko wodze. Z pewnością nie był to człowiek, który spędzał czas w kantorze – ale pod ziemią, w kopalni, też nie. Skóra Timothy'ego była opalona i czysta, a nie blada i szara od pyłu węglowego jak u większości górników. Elaine starała się unikać patrzenia mu w oczy, ale zdawało jej się, że były zielone. Takie trochę zielonobrązowe. Jego oczy nie błyszczały tak jak oczy Williama i nie były tak tajemnicze jak oczy Thomasa. To były spokojne, przyjazne oczy zupełnie normalnego człowieka, który nie mógł być niebezpieczny dla nikogo na świecie.

Ale to samo myślała też o Williamie. I o Thomasie…

Elaine energicznie odrzuciła wszystkie myśli o człowieku, który przed chwilą jej towarzyszył. Dotarła już do stajni madame Clarisse, rozsiodłała Banshee i nakarmiła ją. Callie poszła za nią do jej malutkiego pokoju, który uczyniła milszym dzięki barwnym zasłonom i ślicznemu kocowi w szkocką kratę, służącemu za narzutę na łóżko. Musiała się przebrać; za pół godziny otwierano pub. Szkoda, że nie dotarła tu wcześniej. Chętnie przejrzałaby jeszcze nuty, które pastor dał jej do grania na niedzielną mszę. Madame Clarisse wciąż nie lubiła i nie chciała, żeby w pubie grano kościelne pieśni. Rano było jej to dość obojętne, ale o tej porze większość dziewczyn była już w barze, żeby zjeść coś jeszcze przed rozpoczęciem pracy.

– Żebyś mi ich tylko nie nawróciła – powiedziała madame Clarisse i pogroziła jej palcem.

Z takich żartów Elaine potrafiła się już zupełnie swobodnie śmiać. Przyzwyczaiła się też do sposobu wysławiania się dziewczyn i nie rumieniła się, gdy plotkowały o swoich klientach. Ich historie utwierdzały ją jednak w przekonaniu, że człowiek nic nie traci, trzymając się z dala od płci przeciwnej. Sprzedajne dziewczyny zarabiały co prawda znacznie lepiej niż ona przy pianinie, ale w życiu dziwki nie ma nic godnego pozazdroszczenia, a w życiu żony tym bardziej.

Elaine zdecydowała się na błękitną suknię podkreślającą kolor jej oczu, rozplotła warkocz i rozczesała włosy. Punktualnie zjawiła się przy pianinie, tak jak zawsze w towarzystwie Callie. Mała suczka już dawno nie szczekała i nie wyła, gdy jej pani grała. Jeśli jednak któryś z mężczyzn zbyt natrętnie zbliżał się do Elaine, wtedy warczała. Elaine czuła się dzięki temu bezpieczniej, a madame Clarisse to nie przeszkadzało. Tu w pubie zresztą dziewczyna nie bała się gawędzić z mężczyznami. Było to częścią jej pracy i nic nie ryzykowała. Knajpa w końcu się zapełniła; nikt nie był w stanie podejść do niej zbyt blisko niezauważony. W gruncie rzeczy również tutaj najchętniej unikałaby wszelkich rozmów, ale gdyby była zbyt uszczypliwa, to faceci nie stawialiby jej drinków – a Elaine była zdana na te wyjątkowe zarobki. Dziś też stała już na pianinie jej pierwsza „whisky", gdy tylko zaczęła grać. Charlene, która przyniosła jej drinka, skinęła do niej.

– Proszę, zagrałabyś *Paddy's Green Shamrock Shore*?

Elaine kiwnęła głową. Wieczór jak każdy inny.

Tim załatwił tymczasem zakupy. Po niekończącym się przerzucaniu katalogów i dyskusjach o zaletach oraz wadach przeróżnych materiałów budowlanych udało mu się nawet przekonać sprzedawcę, by tym razem nie oferował kopalni Lambert najtańszego, lecz najlepszy materiał. Mężczyzna był całkowicie zaskoczony i w końcu zaproponował Timowi piwo. Tim był bardzo zadowolony i bardziej niż chętny, by zakończyć wieczór w pubie. Szkoda tylko, że tak niejasno odpowiedział na zaproszenie Matthew. Teraz nie wiedział nawet, w którym lokalu młody sztygar lubił pijać piwo, założył jednak, że nie może chodzić o któryś z wytwornych hoteli ani eleganckie restauracje przy nabrzeżu. Pierwszy bar górniczy, The Wild Rover, nie wzbudzał zaufania. Goście zdawali się już teraz pijani, a atmosfera była nieprzyjazna. Tim słyszał głosy kłócących się ludzi. Jeśli Matthew tu chodził, to musiał się pomylić w jego ocenie. Zajrzał więc do drugiego lokalu, Lucky Horse, hotelu i pubu, w którym znajdował się również tutejszy dom publiczny. Takie połączenie było bardzo częste; nie musiało to świadczyć o atmosferze w samym barze i jakości podawanej whisky.

Tim chciał uwiązać konia przed hotelem, jednak inny jeździec, który właśnie nadjechał, zdradził mu, że jest tu stajnia.

– W przeciwnym razie pana szlachetne siodło wkrótce będzie mokre – wyjaśnił, uważnie przyglądając się koniowi Tima. Wiosenna pogoda po południu okazała się niepewną zapowiedzią lata. Teraz znów mżyło. – A byłoby przecież szkoda. To angielska robota, prawda? Gdzie pan to kupił? W Christchurch?

Mężczyzna okazał się miejscowym siodlarzem, stajnią zaś była mała, ale czysta przybudówka baru. Stojąca w niej siwa klacz zarżała. Tim postawił swego konia obok niej i pogłaskał jej chrapy. Czy to nie był przypadkiem cob tej dziewczyny? Jego wałach też zdawał się rozpoznawać klacz i zaczął już czynić pierwsze nieśmiałe próby zbliżenia. Banshee zdawało się to podobać.

Siodlarz, Ernest Gast, zaopatrzył konie w siano i rzucił kilka centów dla stajennego na ustawiony w tym celu talerz. Tim chciał go zapytać o klacz, zapomniał o tym jednak, gdy wszedł do baru.

U madame Clarisse było ciepło, pachniało tytoniem, świeżo otwartą beczką piwa i pieczonym na ruszcie mięsem. Timothy od razu poczuł się znacznie lepiej niż u konkurencji, choć i tu panował spory hałas. Tyle tylko, że tutaj śpiewano, zamiast się kłócić – trzej Walijczycy zebrali się w mały chór przy pianinie. Przy niektórych stolikach mężczyźni rozmawiali z dość wyzywająco ubranymi dziewczynami, inni grali w karty, a jakaś grupka robotników zabawiała się, grając w darta. W niszy i trochę na uboczu siedział już Matthew Gawain i wesoło machał w stronę nowo przybyłego.

– Proszę tutaj, Mr Lambert, tu jest spokojniej. A ludzie nie będą od razu widzieć, że jest tu ich sztygar, a co dopiero szef. Niektórym działałoby to na nerwy. Pewnie nie wierzą, że tacy jak my też po dniu w kopalni mają sucho w gardłach. Już prędzej pomyślą, że przyszedłem tu liczyć im wypite drinki.

– Na zbyt wiele w tygodniu i tak nie mogą sobie pozwolić – odparł Tim i przysiadł się do niego. Podeszła barmanka, a on zamówił piwo. Ernest Gast zrobił to samo; jemu Matthew również zaproponował miejsce. Mężczyźni sprawiali wrażenie, że się znają.

Matt wzruszył ramionami.

– Niektórzy pozwalają sobie na stanowczo za wiele drinków. Przeważnie idzie na to cała wypłata; dlatego nigdy nie wychodzą na prostą. Ale czy można im mieć to za złe? Tysiące mil od ojczyzny i wciąż żadnych widoków na przyszłość. Domostwa w brudzie, ciągły deszcz…

– Pijanych niechętnie widzę na dole w kopalni. – Tim upił pierwszy łyk piwa i rozglądał się teraz uważniej po barze. W tej chwili nie popijano zbyt ostro. Przed większością mężczyzn stały kufle z piwem, tylko nieliczni goście zamawiali whisky – a ci nie wyglądali na górników. Muzyka była teraz weselsza. Smutni Walijczycy odeszli od pianina, pianista zaś grał irlandzki jig.

Pianista?

– A to co, do diabła? – zapytał zdumiony Tim, gdy rozpoznał dziewczynę przy pianinie. To była bez wątpienia ta nieśmiała mała, którą spotkał po południu. Teraz jednak nie miała na sobie niepozornego stroju do jazdy, lecz śliczną niebieską suknię z falbankami, która podkreślała jej talię. Kolor był trochę zbyt jaskrawy jak na pannę z dobrego domu, ale suknia z pewnością nie była tak wyzywająca jak stroje barmanek i dziwek, i zapięta w porównaniu z nimi dość wysoko. Włosy opadały jej teraz swobodnie na ramiona i zdawały się w ciągłym ruchu. Loki były tak drobne, że najlżejszy podmuch powietrza wprawiał je w wibracje.

Matt i Ernest spojrzeli wystraszeni w kierunku, który wskazywał Timothy. A potem obaj się roześmiali.

– Ta ślicznotka przy pianinie? – zapytał Ernest. – To nasza Miss Lainie.

– Święta z Greymouth – zażartował Matt.

Tim zmarszczył czoło.

– No więc na świętą wcale mi nie wygląda – stwierdził. – I nie przypuszczałbym, że tu można jakąś spotkać.

Matt i Ernest parsknęli śmiechem.

– Jeszcze pan nie zna naszej Miss Lainie – stwierdził pompatycznie Ernest. – Nazywają ją też „dziewicą z Greymouth", ale damy niechętnie tego słuchają, bo to brzmi tak, jakby to ona była tą jedyną.

Znów dał się słyszeć gromki śmiech, tym razem od sąsiednich stolików.

– Zechciałby ktoś łaskawie mi to wyjaśnić? – spytał opryskliwie Tim. Nie wiedział dlaczego, ale nie podobał mu się sposób, w jaki mężczyźni naśmiewali się z tej dziewczyny. Ta mała rudowłosa wyglądała tak słodko. Jej delikatne palce zdawały się niemal fruwać nad klawiszami, gdy wygrywała trudne pasaże szybkich melodii, a między jej brwiami tworzyła się pionowa linia świadcząca o tym, że się mocno koncentrowała. Dziewczyna zdawała się zapominać o barze i mężczyznach wokół siebie, tworzyła wyspę... niewinności?

W końcu Matthew się nad nim zlitował.

– Mówi, że nazywa się Lainie Keefer. Pojawiła się jakiś rok temu, dość obdarta, i szukała pracy. Poważanej pracy. Próbowała zresztą wynająć pokój w porządnym pensjonacie. Żona fryzjera do dziś jeszcze się denerwuje, że niemal otworzyła swój dom przed kimś takim. Ale nie miała pieniędzy. No tak, a Greymouth to też raczej nie jest raj, jeśli chodzi o pracę dla kobiet. W końcu madame Clarisse zatrudniła ją jako pianistkę. Tymczasowo. Oczywiście obstawialiśmy zakłady, kiedy upadnie. Jak w takim otoczeniu jakaś dziewczyna miałaby zostać cnotliwa?

– No i? – dopytywał się Tim. Obserwował, jak barmanka stawia drinka na pianinie. Miss Lainie przełknęła wszystko jednym haustem. Niezbyt to wyglądało na oznakę niewinności.

– I nic – odparł Ernest. – Gra na pianinie, czasem porozmawia z mężczyznami, ale poza tym nic!

– A przy tym te rozmowy ograniczają się tylko do czasu pracy – dodał Matt. – Poza tym nie rozmawia z żadnym mężczyzną oprócz pastora.

– Ze mną rozmawiała dziś po południu – zauważył Tim.

Dziewczyna grała teraz *Whisky in the Jar*, najwyraźniej na zamówienie. Jeden drink, jedna piosenka.

– Och, a więc już ją pan poznał! – powiedział ze śmiechem Matt. – Założę się, że rozmowa ograniczyła się do pogody. Więcej nie da się z niej wydusić.

– Rozmawialiśmy o koniach – mruknął Tim w zamyśleniu.

Ernest się roześmiał.

– No, pan to jest szybki! A więc już pan próbował. I nawet nieźle panu poszło. Jeśli chodzi o temat koni, to najprędzej coś powie. Można jeszcze spróbować z psami. A Joel Henderson twierdzi, że wydusił z niej nawet trzy zdania na temat pewnej irlandzkiej piosenki i dwóch różnych wersji tekstu.

– A czego niby miałem próbować? – Tim przyłapał się na tym, że prawie ich nie słuchał. Występ Lainie przy pianinie interesował go znacznie bardziej.

– No, wylądować u niej! – Matt przewrócił oczami. – Ale to beznadziejna sprawa, niech mi pan wierzy. Wszyscy próbowaliśmy. Górnicy też, ale oni nie mają u niej żadnych szans. Jaka dziewczyna miałaby ochotę przeprowadzić się do ich kwater? Ale właściciele ziemscy i ich synowie, rzemieślnicy, czyli i nasz Ernie, i kowal… i moja skromna osoba, jak też sztygarzy z kopalni Blackball i Biller. Wszystko to daremne starania. Nie spojrzy na żadnego.

I rzeczywiście tak było. Tim pomyślał o tym, jak spuszczała oczy przez całą ich rozmowę.

– Wie pan, co inne dziewczyny o niej mówią? – zapytał Ernest. Sprawiał wrażenie trochę podpitego, ale może też myśl o jego nieuda-

nych staraniach o Lainie sprawiła, że popadł w melancholijny nastrój.
– Mówią, że Miss Lainie boi się mężczyzn…

Tim odczekał, aż rozmowa skupi się na innych tematach. Potem wstał powoli i podszedł do pianina. Tym razem zadbał o to, żeby Lainie już wcześniej go widziała. Nie chciał znów jej przestraszyć.

– Dobry wieczór, Miss Keefer – przywitał się oficjalnie.

Lainie spuściła głowę, a włosy opadły na jej twarz niczym zasłona.

– Dobry wieczór, Mr Lambert – odpowiedziała. A więc przynajmniej zapamiętała jego nazwisko.

– Postawiłem mojego konia obok pani klaczy i ta dwójka mocno teraz z sobą flirtuje.

Na twarzy Lainie pokazał się lekki rumieniec.

– Banshee cieszy się z towarzystwa – odparła sztywno. – Jest samotna.

– Więc powinniśmy od czasu do czasu ją rozchmurzyć. Może zechciałaby kiedyś razem z Fellowem wybrać się na spacer? – Tim uśmiechnął się do dziewczyny. – Fellow to mój koń i zapewniam panią, że ma wyłącznie przyzwoite zamiary.

Lainie wciąż kryła się za zasłoną włosów.

– Tak, oczywiście, ale ja… – Podniosła na chwilę wzrok i miał przez moment wrażenie, że dostrzegł w jej oczach żartobliwy błysk. – Nie pozwalam jej chodzić samej na spacer, wie pan?

– My dwoje moglibyśmy się przyłączyć do koni. – Tim starał się mówić neutralnym głosem.

Elaine przyjrzała mu się ostrożnie. Tim sprawiał wrażenie prostolinijnego. Nie uśmiechał się znacząco, czy wręcz lubieżnie. Zdawał się naprawdę miły, a zaproszenie na wspólną przejażdżkę sformułował w dyplomatyczny sposób. Prawdopodobnie inni mężczyźni go ostrzegali. A teraz może się już zakładają, czy ją zdobędzie.

Elaine zwiesiła głowę. Nie przychodziła jej do głowy żadna wymówka, zarumieniła się jedynie i zagryzła wargi. Leżąca przy pianinie Callie warknęła.

W końcu sprawy wzięła w swoje ręce madame Clarisse. Co robi przy Lainie ten obcy? Próbuje się do niej dobierać? W każdym razie wygląda na to, że wyprowadza dziewczynę z równowagi.

– Nasza Lainie jest tylko do oglądania! – wyjaśniła zdecydowanie. – I do słuchania. Jeśli ma pan jakąś ulubioną piosenkę i postawi jej drinka, pewnie dla pana zagra. Poza tym proszę ją zostawić w spokoju, zrozumiano?

Tim skinął głową.

– Jeszcze do tego wrócimy – powiedział przyjaźnie, przy czym pozostawało otwartym, czy miał na myśli zaproszenie na przejażdżkę czy też ulubioną piosenkę.

Matt i Ernie przywitali go przy stoliku, szczerząc zęby.

– Nic z tego? – zapytał siodlarz.

Tim wzruszył ramionami

– Mam czas – odparł.

Następnego wieczoru Tim znów przyszedł do baru, usiadł w pobliżu pianina i patrzył na Lainie. Powoli popijał piwo, potem zamówił drugie, zamienił parę słów z nowymi znajomymi ze sklepu budowlanego, z Mattem, a także z Erniem, poza tym jednak nie robił nic oprócz przypatrywania się dziewczynie.

W końcu pożegnał się uprzejmie z Lainie i z madame Clarisse, która zdążyła już usłyszeć, kim jest, i wstydziła się swych ostrych słów z poprzedniego dnia. Kolejnego wieczoru Tim znów przyszedł. I następnego również. Czwartego dnia, w sobotę, Lainie w końcu nie wytrzymała.

– Co pan tak przesiaduje każdego wieczoru i gapi się na mnie? – zapytała go zła, po tym jak wypił pierwsze piwo.

Tim się uśmiechnął.

– Myślałem, że właśnie po to pani tu jest. Pani szefowa tak mi przynajmniej powiedziała. „Miss Lainie jest do oglądania".

– Ale dlaczego? Gdyby chciał pan chociaż posłuchać jakiejś konkretnej piosenki… Może pan sobie jakąś zażyczyć, wie pan? – Elaine była bezradna.

– Chętnie zamówię pani herbatę, jeśli o to chodzi. Ale z piosenkami będzie trudniej. Biesiadne są dla mnie zbyt głośne, a miłosne chyba nie są zbyt szczere w pani wykonaniu…

Przy słowach o herbacie Elaine znów się zarumieniła.

– Skąd pan wie…? – Wskazała na szklankę whisky stojącą na pianinie.

– Cóż, przecież nietrudno się tego domyślić – stwierdził Tim. – Odkąd tu jestem, to już pani piąty drink. Gdyby to był alkohol, już dawno byłaby pani pijana. Zresztą powinna pani tego kiedyś spróbować. To ułatwia sprawę z piosenkami o miłości.

Lainie zaczerwieniła się jeszcze bardziej.

– Dostaję procent – powiedziała bezbarwnym głosem. – Za whisky...

Tim się roześmiał.

– W takim razie powinniśmy sobie pozwolić od razu na całą butelkę. Ale co poczniemy teraz z muzyką? Może tak *Silver Dagger*?

Lainie zagryzła wargi. To piosenka, w której dziewczyna wyrzeka się miłości. Śpi ze srebrnym sztyletem w ręce, żeby trzymać mężczyzn z dala od siebie.

W Elaine zaczęły wzbierać wyraźne wspomnienia. Musiała się starać, by nie drżeć.

Madame Clarisse podeszła bliżej.

– Niech pan jej pozwoli spokojnie pracować, Mr Lambert. Ta biedna dziewczyna zaczyna się bać, gdy pan wciąż tak na nią patrzy. Niech się pan zachowuje jak przyzwoity mężczyzna, napije się razem z przyjaciółmi, a jutro spotka tę małą w kościele i grzecznie zapyta, czy może ją odprowadzić do domu. Wydaje mi się to znacznie bardziej stosowne niż dzielenie z nią butelki whisky!

Tim nie był pewien, wydawało mu się jednak, że na wzmiankę o kościele Lainie zesztywniała. W każdym razie rumieniec na jej policzkach zastąpiła woskowa bladość.

– Myślę, że wolałabym już tę whisky... – powiedziała cicho.


Następnego ranka Tim rzeczywiście spotkał dziewczynę przed kościołem, natychmiast jednak uwolniła się od niego, co było łatwe. Grała przecież na organach, więc i tak była oddzielona od wiernych. Tim robił to, do czego zdążył się już przyzwyczaić: patrzył na nią, za co z kolei zganiła go teraz matka zamiast madame Clarisse. Liczył na to, że będzie mógł zobaczyć Lainie przynajmniej po mszy, znikła jednak, gdy tylko przebrzmiały ostatnie dźwięki.

Charlene, jedna z dziewczyn madame Clarisse, zdradziła mu, że Lainie razem z pastorem i jego żoną wspólnie jedzą obiad.

– Zapraszają ją czasem, ale myślę, że tym razem sama się wprosiła. Kościół to zdaje się nie najlepszy pomysł, Mr Tim. Miała z tym chyba złe doświadczenia.

Tim zastanawiał się, od czego w ogóle mógłby jeszcze zacząć, a jego ambicja została teraz na dobre rozbudzona.

W następnym tygodniu kontynuował wizyty w barze. Patrzył się na dziewczynę już nie w tak wyzywający sposób jak w pierwsze dni, wciąż jednak starał się być w pobliżu. Czasem zamieniał z nią parę słów, nim zamówił zawsze tę samą piosenkę oraz drinka dla pianistki. Uśmiechała się wtedy wstydliwie i grała *Silver Dagger*, Charlene zaś przynosiła jej „whisky".

Minęło kilka tygodni i nie zrobił najmniejszych nawet postępów. Potem jednak nadszedł dzień świętej Barbary.

– Pana ojciec naprawdę organizuje festyn? – zapytał Matthew Gawain, gdy tylko Timothy przekroczył próg baru. W Lucky Horse nie mówiono tego dnia o niczym innym jak o wyścigu konnym przy kopalni Lambert, i młody sztygar dopytywał się, chcąc poznać szczegóły.

Tim pojawił się trochę później niż zwykle i miał dopiero za sobą codzienne formalne powitanie z Lainie. „Dobry wieczór, Miss Keefer!", „Dobry wieczór, Mr Lambert!". Dopiero potem skierował się do swojego ulubionego stolika i usiadł obok Matthew.

– Ta uroczystość to nie był mój pomysł. Mówię to, gdyby chciał mi pan wytykać, że na przyjemności są pieniądze, ale nie ma ich na mniej niebezpieczny materiał wybuchowy! – odparł niechętnie Tim. Właśnie pokłócił się o to z ojcem i jak zwykle niczego nie osiągnął.

„Dla górników to święto jest znacznie ważniejsze niż warunki pracy!" – twierdził Marvin Lambert. – „Chleba i igrzysk, mój synu, wiedzieli o tym już w starożytnym Rzymie. Jeśli zbudujesz im nową łaźnię, jutro będą chcieli nową windę szybową albo lepsze lampy górnicze. Jeśli jednak zaoferujesz im porządną gonitwę, upieczesz wołu i zafundujesz lejące się strumieniami piwo, jeszcze kilka tygodni później będą to wychwalać!".

– Wcale tak nie twierdzę – powiedział ugodowo Matt. – Po prostu jakoś to nie pasuje do pańskiego ojca. Wielki festyn w dzień świętej Barbary. Dotąd nigdy tego nie było, a jestem tu już trzy lata.

Tim wzruszył ramionami.

– Mówiliśmy o tym ostatnio; związki zawodowe są coraz silniejsze. Ludzie słyszą o protestach w Anglii, Irlandii i Ameryce. Potrzeba jeszcze tylko odpowiedniego przywódcy, a dostaniemy w skórę. – Tim szybciej niż zwykle opróżnił kufel i zamówił whisky. – Temu zamierza zapobiec mój ojciec. Dając chleb i igrzyska…

– Wyścigi konne? Nie mamy tu koni wyścigowych! – Ernest i Jay Hankins, kowal, przysiedli się do nich.

Tim uniósł brwi.

– Nie mamy też chartów – zauważył spokojnie. – Więc o wyścigach psów także trudno mówić. Chyba że pozwolimy, by Callie od Miss Lainie ścigała się z pudlem Mrs Miller… – Tim roześmiał się i rzucił spojrzenie na małą suczkę pod pianinem. Suczka usłyszała swe imię, wstała i podbiegła do nich, machając ogonem. W ciągu ostatnich tygodni udało mu się przynajmniej podbić serce Callie, przy czym nie cofał się przed przekupstwem. Callie lubiła małe kiełbaski, które matka Tima serwowała na śniadanie. – Ale bez wątpienia mamy tu kilka koni, które wiedzą, jak galopować, a mój ojciec chce dać ludziom możliwość robienia zakładów. Jeśli nie chcemy się zniżyć do walk kogutów, to pozostają tylko wyścigi konne. Poza tym łatwo je zorganizować. Wokół terenu kopalni biegną drogi, większość z nich jest w miarę równa i nadaje się do wyścigów. Nazywają to gonitwą kopalni Lambert. Każdy może brać w tym udział, każdy może obstawiać, a najszybszy koń wygra.

– To ustalmy to od razu między sobą! – powiedział Jay Hankins, szczerząc zęby. Sam posiadał długonogą klacz, a wałach Tima też miał przodków pełnej krwi.

– Przecież nie mogę brać udziału w tych wyścigach – bąknął Tim. – Jak by to wyglądało?

To też było tematem dyskusji, jaką odbył z ojcem. Stary Lambert uważał, że jego syn nie tylko powinien wziąć udział w wyścigach, ale że musi je wygrać. Górnicy powinni stawiać na Lamberta i wraz z nim triumfować. Coś takiego stworzyłoby poczucie wspólnoty i pozyskało sympatię ludzi dla pracodawcy. Marvin Lambert zastanawiał się nawet poważnie nad tym, czy nie kupić specjalnie w tym celu konia pełnej krwi.

– A niby jak miałoby wyglądać? – spytał zdziwiony Ernie. – Ma pan konia, więc bierze pan udział w wyścigu, co pewnie zrobi w mieście każdy, kto ma szkapę, która da radę poczłapać wokół kopalni. To przecież zabawa, Tim! Chyba nie myśli pan poważnie, by z tego zrezygnować?

Dla górników nie była to tylko zabawa. Tim wiedział, że będą wysoko obstawiać. Łatwo można stracić tygodniowy zarobek, a nikt nie mógł przewidzieć, kto wygra w tak dziwnych wyścigach.

– Nasza Miss Lainie w każdym razie bierze w tym udział! – powiedziała Florry, jedna z barmanek. Słyszała, o czym rozmawiali, i postawiła na stole nowe kufle z piwem.

Mężczyźni się roześmiali.

– Miss Lainie na swoim kucu? – zadrwił Jay. – Umieramy ze strachu!

Florry spojrzała na niego nieprzychylnie.

– Niech pan tylko poczeka, aż zobaczy pan zad Banshee przed swoim koniem – powiedziała przez zaciśnięte zęby. – Wszystkie na nią postawimy!

– Z tego powodu jej konik nie pobiegnie szybciej – odciął się Matt. – A poważnie, jak wpadłyście na ten pomysł?

– Miss Lainie potrafi lepiej jeździć konno niż wszyscy ci faceci – chwaliła ją Florry. – I powiedziała wcześniej, że ma na to ochotę. Madame Clarisse stwierdziła więc, że skoro ma ochotę, to powinna wystartować. Wplećiemy w grzywę Banshee kolorowe wstążki i pobiegnie, reklamując Lucky Horse. Lainie z początku wzdragała się trochę przed tym pomysłem. Ale będziemy jej wszystkie kibicować, a Banshee z pewnością będzie najpiękniejszym koniem.

– A Miss Lainie najpiękniejszą amazonką! – rzekł z uśmiechem Tim, zanim Matt i pozostali zdążyli powiedzieć coś, by rozdrażnić dziewczynę. Florry nie należała do najbystrzejszych. Prawdopodobnie nie całkiem rozumiała różnicę między wyścigiem konnym a konkursem piękności. Wiadomość ta otworzyła jednak przed Timem nowe perspektywy. Podczas gonitwy Lainie – jak dżokej z dżokejem – będzie musiała z nim rozmawiać! Uniósł szklankę i przepił do przyjaciół.

– No dobrze, wobec tego ja też nie będę się opierał. Jutro zapiszę mojego konia na listę. Niech wygra lepszy.

„Albo lepsza" – pomyślała Elaine. Zagrała kilka prostych melodii, przysłuchując się przy tym rozmowie mężczyzn. Nie miała ochoty stać się tematem plotek w kopalni. Z tego też powodu poprzedniego dnia przyjrzała się trasie wyścigu. Miał się odbyć na dystansie trzech mil, po drogach dobrze ubitych, ale i po rozmiękłych, szerokich oraz wąskich, czasem biegnących z górki, a czasem pod górę. Tu nie wygra po prostu najszybszy koń, liczyć się będą pewność kroku i kondycja wierzchowców oraz umiejętności jeźdźców. Elaine spojrzała ukradkiem na Timothy'ego Lamberta i zaczerwieniła się, gdy to dostrzegł i mrugnął do niej.

No dobrze, przecież chciał z nią pojechać na przejażdżkę. Tak więc w dniu świętej Barbary ją odbędzie.

# 8

Dzień 4 grudnia, poświęcony patronce górników, przypada w Nowej Zelandii w pełni lata. Nawet w raczej deszczowym Greymouth tego dnia świeciło słońce i ludzie Marvina Lamberta zamienili teren kopalni w miejsce uroczystości. Przyozdobione girlandami, chorągiewkami i balonikami biura, wieże wyciągowe i hałdy węgla nie wyglądały tak szaro i nieciekawie jak zwykle, a drogi dojazdowe były wreszcie suche. Dziś stały wzdłuż nich budki, przy których częstowano piwem, a damy herbatą. Przy wielkich ogniskach piekły się na rożnach całe woły. Na innych stoiskach mężczyźni mogli grać w darta albo brać udział w zawodach w rzucaniu podkową i wbijaniu gwoździ.

W centrum zainteresowania było jednak miejsce, z którego miały startować do wyścigu konie. Już od paru godzin gromadzili się ludzie. W tej dziwnej gonitwie wciąż nie było oczywistego faworyta. Wielu gotowych obstawiać zdecyduje się dopiero w ostatnim momencie na jeźdźca i konia, którzy w ich opinii będą dawać największą szansę na wygraną. I tu właśnie, bezpośrednio przed bramą kopalni, znajdowały się start i meta, a także prowizoryczne biuro bukmacherskie prowadzone przez Paddy'ego Hollowaya, właściciela Wild Rover. Ludzie mogli więc robić zakłady blisko stoisk z piwem, a zaraz potem znaleźć się w miejscu, gdzie wyznaczono metę. Marvin Lambert pełnił funkcję patrona wyścigu. Na sędziego wyznaczono cierpliwego pastora, który przyjął tę funkcję tylko dlatego, by móc przemówić do swych owieczek i wyjaśnić im niebezpieczeństwa i bezbożność hazardu. Sługa boży wykazał w ogóle niezwykłą elastyczność, zgłaszając nawet gotowość, że rankiem w dniu święta poprowadzi mszę przed terenem kopalni. W dodatku był metodystą, więc właściwie nie miał nic wspólnego ze świętą Barbarą. Pastor Lance spoglądał jednak na to pragmatycznie. Ludzie z kopalni Lamberta potrzebowali w codziennym życiu bożego wsparcia. To, jak chcieli nazywać owo przyjazne wsparcie, pozostawiał w ich rękach.

Elaine zagrała z tej okazji *Amazing Grace*, pieśń, która nadawała się chyba na każdą okazję, może z wyjątkiem wesela.

Po południu, gdy zbliżał się czas wyścigu, świąteczni goście byli już syci i prawie wszyscy lekko wstawieni.

Gdy Elaine wyjechała na klaczy na padok, zauważyła, że publiczność stanowią głównie mężczyźni. Jedynie dziewczyny od madame Clarisse w swych barwnych letnich sukniach z dużymi dekoltami wyróżniały się z tłumu niczym kwiaty na łące. Pokrzykiwały do niej, kiedy przejeżdżała koło nich. Nieliczne pozostałe kobiety zachowywały się spokojnie. Były to znękane żony górników, które wytrzymywały tu głównie po to, by dopilnować, żeby ich mężczyźni nie przegrali wszystkich pieniędzy. Poza tym było też kilka kobiet z miejscowej elity, które wraz z mężami zasiadały na trybunie obok Lamberta. Pracowicie strzępiły języki, omawiając obecność dziewczyn lekkich obyczajów, a przede wszystkim start Elaine w wyścigach. Czegoś takiego, co do tego były zgodne, nie wypadało robić. Ale jeśli chodzi o to, co wypada, to Miss Keefer i tak niezbyt się tym dotąd przejmowała…

Elaine, która domyślała się, o czym mogły szeptać między sobą kobiety, pozdrowiła je triumfalnym gestem.

Tim zauważył to i zaśmiał się w duchu. Lainie potrafiła być taka pewna siebie i dobrze się bawić. Dlaczego więc kuliła się niczym zbity pies, gdy rozmawiał z nią jakiś mężczyzna?

Teraz również od razu odwróciła wzrok, gdy ją pozdrowił. A przy tym dziś nie mogła chować się za zasłoną włosów. Upięła je wysoko i miała nawet na głowie zawadiacki kapelusik – ponoć pożyczyła go od madame Clarisse. Był szary, więc pasował do jeździeckiego stroju Lainie, ktoś jednak przyozdobił go jaskrawoniebieską wstążką. Również grzywę i ogon Banshee zdobiły barwne wstążki.

Lainie zauważyła spojrzenie Tima i uśmiechnęła się przepraszająco.

– Dziewczynom bardzo na tym zależało. Uważam, że to wygląda strasznie głupio.

– Nie, nie – odparł Tim. – Wręcz przeciwnie, pasuje do niej. Wygląda jak konie toreadorów w Hiszpanii.

– W Hiszpanii też pan był? – zapytała Lainie. Pozwoliła Banshee iść obok konia Tima i sprawiała wrażenie dość rozluźnionej. Cóż, znajdowali się przecież wśród tłumu ludzi. Była tu z Timem równie sama jak w barze.

Timothy kiwnął głową.

– Tam też są kopalnie.

Do tej pory padok zdążył się już zapełnić. W sumie do wyścigu zgłosiło się dziewięciu jeźdźców i jedna amazonka. Jak można było tego oczekiwać, było to urozmaicone towarzystwo. Timothy zauważył Jaya Hankinsa, kowala, na jego pełnokrwistej klaczy. Pojawił się też właściciel stajni na wielkim, zwalistym wałachu; w jego rodowodzie przed laty też musiał się zaplątać jakiś folblut. Dwóch młodzieńców z jakiejś farmy dosiadało koni roboczych swego ojca. Dwóch młodych sztygarów z kopalń Biller i Blackball wypożyczyło konie specjalnie na tę okazję. Jeden z nich siedział w siodle dość pewnie, drugi zdawał się nowicjuszem. Oczywiście udziału w wyścigu nie odmówił też sobie siodlarz Ernest, choć na swym dzielnym, lecz starym wałachu nie miał raczej żadnych szans na zwycięstwo. Niespodzianką był natomiast ostatni ze startujących, Caleb Biller. Syn największego konkurenta Marvina Lamberta dosiadał eleganckiego czarnego ogiera i przywitany został gromkimi okrzykami. Mężczyźni z jego kopalni z pewnością postawią pieniądze na niego.

– I może wcale ich tak źle nie ulokują – zauważył Tim. Jechał teraz obok Jaya. Lainie natychmiast pozostała z tyłu, gdy tylko zauważyła, że znalazła się między dwoma mężczyznami.

– Wygląda wspaniale, prawdziwy folblut. Zostawi nas wszystkich w tyle! – Tim poklepał swojego Fellowa po szyi. Jego koń rozglądał się nerwowo za Banshee. Odkąd od miesięcy praktycznie każdego wieczoru spędzał czas obok niej w boksie, nie chciał jej odstąpić na krok.

Jay wzruszył ramionami.

– Sam koń nie wygra wyścigu, liczy się też jeździec. A młody Biller…

Elaine także przyglądała się konkurentom. Do tej pory za najgroźniejszego przeciwnika uważała Fellowa. Wierzchowiec Timothy'ego Lamberta był energicznym jabłkowitym wałachem i bez wątpienia miał wśród przodków konia krwi arabskiej. Ale ten jasnowłosy mężczyzna – nigdy dotąd nie widziała Caleba Billera – dosiadał prawdziwego wyścigowego wierzchowca. Tyle tylko, że wcale nie wyglądało na to, by czuł się na nim dobrze. Koń i jeździec z pewnością nie byli zgranym zespołem.

– Nic dziwnego, bo stary Biller kupił mu tę szkapę specjalnie na wyścig. – Ernest Gast i właściciel stajni mówili o tym samym. – Pochodzi z Anglii, ale startował już na torze wyścigowym w Wellingtonie. Ktoś chce tu koniecznie wygrać. Staremu Lambertowi jeszcze opadnie szczęka, jeśli się okaże, że będzie musiał przekazać puchar swemu najgorszemu wrogowi…

„Najpierw trzeba pokonać te trzy mile" – pomyślała Elaine, choć ona również straciła trochę odwagi na widok potężnego karego ogiera.

Elaine zajęła pozycję najbardziej na prawo, co od razu na starcie okazało się korzystne. Kilka koni w tłoku zachowywało się nerwowo i wystraszyło się na dźwięk strzału. Wszystkie próbowały uskoczyć w bok od człowieka z dymiącym jeszcze pistoletem i już na starcie zderzyły się z sobą. Młodzieńcy na roboczych koniach i sztygar na pożyczonym wierzchowcu nie potrafili sobie poradzić ze zwierzętami. Ten ostatni wypadł zresztą z siodła, ale miał szczęście i nie został stratowany kopytami. Mniej szczęścia miał Jay Hankins. Jego klacz otrzymała uderzenie w staw kolanowy i zaczęła kuleć. Dla niego wyścig już się skończył.

Elaine natomiast wystartowała dobrze, podobnie zresztą jak Timothy. Oboje jechali teraz obok siebie, po tym jak synowie farmera ruszyli pędem, ścigani przez Billera na jego czarnym ogierze. To było szaleństwo, by pchać się w tym tłumie na pełnej szybkości. Elaine uważała popędzanie konia za zbyt niebezpieczne. Na pierwszym zakręcie miejsca zajęły dziewczyny od madame Clarisse i zaczęły od razu krzyczeć, gdy zobaczyły zbliżającą się Lainie. Florry, ubrana w kwiecistą sukienkę, podskakiwała jak gumowa piłka. Wymachiwała przy tym dwiema chorągiewkami – co spłoszyło dwa kolejne konie, wśród nich ogiera Billera.

– Uważaj! – krzyknął Ernie do Caleba, gdy jego koń niemal wpadł na stającego dęba karosza. – Jedź, do cholery, zanim ta szkapa jeszcze wskoczy w tłum!

Stojący wzdłuż toru widzowie wystraszyli się i rozbiegli z krzykiem. Młody Biller spiął ogiera ostrogami. Karosz puścił się pędem, przeszedł w cwał, wyprzedził synów farmera i sztygara na pożyczonym koniu, a potem zniknął za następnym zakrętem.

– No to pojechał! – zauważył zawiedziony Ernie. – Nie zobaczymy go już przed metą.

– Nie wierzę – odparł Tim. – Nie wytrzyma takiego tempa przez trzy mile. I wcale nie odjechał tak daleko. Nawet wielkie gonitwy po płaskim terenie to nie więcej niż dwa tysiące metrów. Czekaj tylko, dogonimy go szybciej, niż myślisz.

Timothy i Elaine obrali podobną strategię. On również przez pierwsze dwie mile jechał żwawym, ale nie nazbyt szybkim tempem, a jego wałach galopował zadowolony obok jej klaczy. Elaine pozwalała na to i sama się nawet trochę sobie dziwiła. Mimo bliskości Tima i Erniego, który z początku do nich dołączył, później jednak pozostał w tyle, zaczynała się cieszyć jazdą. Udało jej się nawet odpowiedzieć na uśmiech Tima, gdy wyprzedzili rozzłoszczonego właściciela stajni. Jego koń próbował dorównać kroku karoszowi Billera i teraz, zaledwie po jednej mili, był już całkowicie wyczerpany.

Podobnie rzecz się miała z chłopakami farmera. Ich ociężałe konie robocze pół mili dalej też się poddały. Banshee i Fellow natomiast nie wykazywały jeszcze żadnych oznak zmęczenia, a jeźdźcy też zdawali się w świetnej kondycji.

Timothy z podziwem patrzył na Lainie. Zawsze wydawała mu się pociągająca, ale jeszcze nigdy tak czarująca i pełna życia jak dziś. Kapelusik straciła od razu na starcie, a jej ciasno upięty kok rozplótł się już po pierwszej mili. Teraz tylko wiatr zwiewał jej loki z twarzy; wyglądała, jakby ciągnęła za sobą czerwony sztandar. Jej twarz zdawała się promienieć. Szybka jazda czyniła ją szczęśliwą i po raz pierwszy jej oczy straciły tę nieufność, gdy ich spojrzenia się spotykały.

Przez większą część dystansu droga prowadziła wzdłuż ogrodzenia kopalni, las bowiem sięgał niemal samych płotów. Teraz jednak zbliżali się do terenów osiedla górniczego i trasa musiała zostać wytyczona tak, by je ominąć. Zakręt przy południowej bramie kopalni był dość wąski. Gdy Tim wcześniej oglądał tę trasę, miał jedynie nadzieję, że każdy z uczestników przynajmniej raz się nią przejedzie. Gdyby ktoś wjechał w ten zakręt z pełną prędkością, narażał się na niebezpieczeństwo upadku.

Tim i Elaine jednocześnie zmusili konie, by zwolniły; znów wyglądało to tak, jakby się umówili. Lainie przeszła nawet w kłus, co od razu okazało się mądrą decyzją. Na środku drogi ukazał im się Caleb Biller, który prowadził za wodze swego okazałego ogiera, strasznie kulejąc.

Elaine bez współczucia dla niego stwierdziła, że przynajmniej karoszowi nic nie dolegało. Nie był też ubrudzony. Najwyraźniej wyrzucił tylko jeźdźca z siodła.

– Spłoszył się! – poskarżył się od razu Caleb. Łatwo było dostrzec przyczynę niefortunnego wypadku. Na środku drogi – mimo że ostatnie trzy dni były słoneczne – znajdowała się wielka kałuża, jaka byłaby nie do pomyślenia na angielskich torach wyścigowych. Karosz nigdy dotąd się z czymś takim nie spotkał i po wyjściu z ostrego zakrętu strasznie się spłoszył.

– Po prostu pech! – odpowiedział pobitemu konkurentowi Tim. Nie brzmiało to zbyt współczująco.

– Dlaczego od razu na niego nie wsiądzie? – zapytała Lainie, znów przechodząc w galop. – Koniowi przecież nic się nie stało, wciąż mógłby wygrać wyścig!

Tim wyszczerzył zęby.

– Bo Caleb Biller to niezbyt odważny jeździec. Już jako dziecko bał się śmiertelnie jeździć na swoim kucu. Cały dzień zadaję sobie pytanie, w jaki sposób stary go namówił, żeby wsiadł na tego ogiera!

Elaine zachichotała. Czuła się dziwnie lekko, niemal upojnie. Od lat nie bawiła się tak dobrze jak podczas tej gonitwy – a w dodatku walczyła o wygraną z mężczyzną! Musiało to polegać na wyjątkowości wyścigu, ale w każdym razie ani przez chwilę nie obawiała się Timothy'ego Lamberta. Wręcz przeciwnie, cieszyła się widokiem jego szczupłej, lecz mocnej postaci na jabłkowitym koniu, jego brązowych loków powiewających na wietrze, jego przyjaznych oczu i częstych uśmiechów, które przywoływały zmarszczki w kącikach ust.

Zaczęła się już ostatnia mila i zobaczyli przed sobą ostatniego z rywali. Był nim sztygar z Blackball na wypożyczonym koniu, zupełny outsider. Jego lekki kasztan zdawał się jednak wytrwały, a on sam był z pewnością doświadczonym jeźdźcem. W dodatku sprytnym. Gdy

Elaine i Tim próbowali wyprzedzić jego wyraźnie zmęczonego wałacha, zaczął jechać wężykiem. Trzymał przy tym szpicrutę mocno na zewnątrz i Fellow nie miał odwagi przejechać obok. Elaine próbowała z drugiej strony, ale droga była wąska, a kasztanowy wałach nie miał ochoty dać się wyprzedzić. Groził Banshee i próbował ją ugryźć. Wystraszona klacz została z tyłu.

– Ten drań nas nie przepuści! – oburzyła się Elaine z zagniewaną miną.

Tim nie mógł się powstrzymać od śmiechu. Nie był przyzwyczajony do takich słów z ust „świętej z Greymouth".

Sam też krzyczał na jeźdźca głosem przywykłym do wydawania poleceń, ale ten wcale nie myślał się ugiąć przed dziedzicem kopalni Lambert. Nie spuszczał z oka ścigających i nadal jechał wężykiem.

Elaine zastanawiała się gorączkowo. Do mety zostało jeszcze jakieś tysiąc metrów, a droga była wąska. W dodatku po obu stronach pojawią się wkrótce widzowie, więc każda próba wyprzedzania będzie jeszcze bardziej ryzykowna. Droga tylko w jednym miejscu się rozszerzała, mianowicie przy wjeździe na teren kopalni. Trasa prowadziła przez główną bramę, przed którą znajdował się plac, gdzie często ustawiano wozy dostawcze. Teraz ten teren był oczywiście pusty, o ile nie zgromadzili się tam ludzie. Było dość miejsca na wyprzedzanie, ale odcinek był bardzo krótki. Chyba że…

Elaine postanowiła się na to odważyć. Gdy droga się rozszerzyła, zdecydowanie skierowała Banshee w lewą stronę – stały tam tylko dwie, trzy małe grupki ludzi, które szybko się rozpierzchły, gdy Lainie krzyknęła „z drogi!". Banshee zrównała się z koniem drugiego jeźdźca, nie zdołała jednak wyprzedzić go przed bramą i powrócić na drogę.

Tim, który również przyspieszył za Lainie, z początku nie pojmował, co ona planuje. Dopiero gdy dotarło do niego, że nie zamierza odpuścić i ustawić konia za drugim jeźdźcem, lecz kieruje Banshee prosto na ogrodzenie i ją popędza, zrozumiał, o co jej chodzi – i musiał zebrać całą odwagę, by nie ściągnąć wodzy Fellowowi. A potem jabłkowita klacz leciała już nad ogrodzeniem otaczającym kopalnię, a po chwili galopowała dalej, zostawiając za sobą zdumionego młodego sztygara na jego wypożyczonym koniu. Tim nie miał czasu, by nad tym rozmyślać. Fellow skoczył i pokonał ogrodzenie równie łatwo jak

Banshee. Tim, jadąc obok klaczy, spojrzał bez tchu na Lainie. Promieniała. Twarz miała zarumienioną, oczy jej błyszczały.

– Ale mu pokazaliśmy! – krzyknęła zachwycona i popędziła Banshee, by jechała najszybciej, jak może.

Tim aż nazbyt chętnie pozwoliłby jej wygrać albo przynajmniej minąć linię mety równo z nim. Ale potem przywołał się do porządku. Nikt z jego ludzi nie postawił na Lainie. Jeśli to ona przegra, tych kilka centów od dziewczyn madame Clarisse będzie straconych, ale jeśli wygra, dziesiątki górników stracą swe ciężko zarobione pieniądze. Tim się wahał.

– No dalej! – krzyknęła Lainie w jego stronę. – Pański koń jest przecież znacznie szybszy! – Śmiała się; być może myślała o tym samym.

Tim popędził Fellowa, który niechętnie rozdzielił się z Banshee. Pierwszy minął metę, o pół długości.

Timothy'emu ledwie udało się wyhamować konia. Tłum widzów krzyczał i piał z zachwytu, siedział więc dalej na tańczącym, podenerwowanym wierzchowcu i śmiejąc się, przyjmował owacje swoich ludzi – Elaine patrzyła na jego szczęśliwą twarz w otoczeniu dziko rozwianych brązowych loków, na spokojne oczy, które zdawały się teraz płonąć i w których zieleń triumfowała nad brązem. W jego spojrzeniu nie było widać żadnej dezaprobaty, jak u Williama po jej dzikich galopach, ani żadnego triumfu, jak u Thomasa, gdy znów wygrał jakiś wyścig. Nie. Timothy po prostu się cieszył i chciał, by inni też się cieszyli. Śmiejąc się, podjechał do Lainie, w spontanicznym geście chwycił jej rękę i uniósł do góry.

– Patrzcie, ludzie, oto prawdziwa zwyciężczyni! Sam nigdy bym się nie odważył skoczyć przez ogrodzenie!

Lainie przed chwilą jeszcze promieniała i czuła się równie wolna i pełna życia jak Tim – gdy jednak jej dotknął, wszystko w jednej chwili wróciło. Ręce Thomasa na jej ciele, paniczny strach przed tym, że ją chwyci. Czuły dotyk Williama, któremu zaufała, a który okazał się jedynie kłamstwem.

Tim poczuł, jak się usztywniła, jak nagle cały śmiech i pewność ją opuściły. Nic nie powiedziała, próbowała nawet rozpaczliwie nadal się uśmiechać, ale gdy tylko puścił jej rękę, cofnęła ją, jakby się oparzyła. W jej oczach była taka sama panika, jaką dostrzegł już wtedy, pierwszego dnia, gdy spotkał ją przed kościołem.

– Proszę mi wybaczyć, Miss Lainie! – powiedział wstrząśnięty.

Nie patrzyła na niego.

– To nic. Muszę poprawić włosy…

Szczupła twarz Lainie, zarumieniona po szybkiej jeździe, stała się teraz nagle trupio blada. Drżącymi rękoma próbowała związać włosy. Oczywiście były to beznadziejne próby.

– Tak też wygląda pięknie, Miss Lainie. – Tim próbował znaleźć słowa, które mogłyby ją jakoś uspokoić, ale dziewczyna zdawała się kulić w sobie, gdy tylko na nią patrzył.

Potrząsnęła głową, gdy wesoły Jay Hankins chciał jej pomóc zsiąść. Marvin Lambert kazał wcześniej wybudować podium dla zwycięzców, a teraz szczęśliwy wskazał na pierwszych troje, by zsiedli z koni i wspięli się na honorowe miejsca. Lainie cofnęła Banshee od młodego kowala i zeskoczyła na ziemię bez niczyjej pomocy. Wyglądało, jakby się zmuszała, by stać obok Tima na podium. Była czujna, w niczym nie przypominała już tej pełnej radości, pewnej siebie dziewczyny, którą była jeszcze przed chwilą.

Marvin Lambert przekazał puchar zwycięzcy, a jeden z pijanych gości honorowych napełnił to dość okazałe srebrne naczynie whisky.

– Za zwycięzcę! – krzyknął. Męska część publiczności mu zawtórowała. Tim ze śmiechem wypił łyk, a potem przekazał puchar Elaine. Gdy po niego sięgała i dotknęła przy tym jego dłoni, niemal upuściła trofeum.

– Pani zdrowie, Miss Keefer! – powiedział Tim, próbując ją rozweselić. – To było cudowne, móc się ścigać z panią.

Elaine wypiła spory łyk, usiłując wziąć się w garść. Tim Lambert musiał ją uważać za szaloną. A potem podszedł do niej jeszcze jego ojciec. Chciał jej pogratulować i przymierzał się do tego, by ją pocałować. A ona nie mogła, nie mogła…

– Nie, ojcze! – dał się słyszeć spokojny głos Tima.

Zdumiony Marvin Lambert odsunął się od Lainie.

– Jest coś złego w tym, by pocałować zwyciężczynię? – zażartował.

– Miss Keefer jest bardzo czuła na punkcie swej reputacji – wyjaśnił Tim. – Tamte damy… – wskazał na matrony na trybunie honorowej, które teraz strzępiły sobie języki, gdy Elaine nieoczekiwanie zajęła drugie miejsce.

Marvin Lambert skinął trzeźwo głową i podał Lainie jedynie rękę, gratulując jej. Uśmiechnęła się skrępowana, odbierając jako nagrodę czek wystawiony na skromną sumę.

– Ale później pani ze mną zatańczy! – Właściciel kopalni mrugnął do niej, przechodząc do jeźdźca, który zajął trzecie miejsce.

Tim wiedział, że do tego nie dojdzie. Lainie Keefer nawet na milę nie zbliży się do parkietu. Pod żadnym pozorem nie dopuści, by jakiś mężczyzna wziął ją w ramiona.

I oczywiście krótko potem spotkał ją przy koniach. Uwolnił się od towarzystwa najszybciej, jak tylko mógł, co nie było łatwe, bo tego dnia każdy chciał się z nim napić. I było rzeczywiście dokładnie tak, jak zakładał. Lainie dała swej klaczy godzinę na odpoczynek, a teraz znów ją siodłała.

– Chce pani już jechać do domu? – zapytał ostrożnie Tim przed wejściem do namiotu służącego za stajnię. Nie powinna już się przecież wzdrygać na jego widok. A jednak to zrobiła. – Fellow będzie czuł się samotnie bez Banshee.

– Bar… bar jest dziś zamknięty – stwierdziła Lainie pozornie bez związku. Ale potem dotarło to do Tima. Nie chciała, żeby odprowadzał ją do domu.

– Wiem, ale myślałem… Dziś wieczorem będą jeszcze tańce.

– Zagra zespół. Nie będę musiała grać na fortepianie.

Lainie mówiła, nie patrząc na niego. Świadomie nie chciała go zrozumieć.

– Chętnie bym z panią zatańczył, Miss Lainie – nie rezygnował Tim.

– Ja nie tańczę. – Lainie pospiesznymi ruchami zacisnęła popręg.

– Nie potrafi pani, czy nie chce?

Elaine nie wiedziała, co na to odpowiedzieć. Wpatrywała się w ziemię, a potem spojrzała na niego bezradnie, jakby szukała jakiegoś wyjścia i jednocześnie wiedziała, że nie ma żadnego.

Jak zwierzę w pułapce…

Tim pragnął ją uwolnić.

– Przykro mi, Miss Lainie, nie chciałem na panią naciskać…

To, czego chciał, to podejść do niej, wziąć ją w ramiona i odebrać jej ten lęk, pieścić i całować ją tak długo, aż pozbędzie się wszystkiego, co jej ciąży. Ale to musiało poczekać. Podobnie jak wspólny taniec.

Lainie założyła swojej klaczy kiełzno. A potem się zawahała. Musiała wyjść z tej stajni – mijając Tima. Jej twarz znów pobladła, oczy stały się niespokojne.

Timothy odsunął się na bok. Spokojnie podszedł do swojego konia, świadomie utrzymując dystans.

Lainie wyraźnie się rozluźniła. Wyprowadziła Banshee i gdy była już bezpieczna, zatrzymała się na chwilę.

– Panie Lambert. Za to wcześniej… z pana ojcem, bardzo dziękuję.

Nie dała mu możliwości o nic zapytać ani odpowiedzieć na jej słowa. Tim widział tylko, jak przed stajnią dosiada konia i rusza.

Dziwna dziewczyna. Ale Tim czuł się niemal szczęśliwy, gdy wracał na plac, gdzie odbywał się festyn. Przynajmniej z nim rozmawiała. A kiedyś weźmie ją w ramiona i z nią zatańczy. Na ich wspólnym weselu.

# 9

Kura Martyn już od dawna wiedziała, że popełniła błąd. Błędem było tak szorstkie potraktowanie Gwyneiry, a jej ucieczka wszystko jeszcze pogorszyła. Teraz przeklinała codziennie swą głupią dumę. Już dawno mogła być w Anglii, wszystko jedno, czy występując, czy dalej studiując. W każdym razie nie marnowałaby czasu, walcząc sama w najgorszych dziurach Wyspy Południowej. A przy tym od dawna już nie chodziło o jej artystyczne spełnienie, lecz po prostu o przeżycie. Kura nie zlecała już druku plakatów i nie planowała koncertów. Większość małych miasteczek, przez które przejeżdżała, nie miała nawet plebanii czy hoteli, do których cieszący się przyzwoitą opinią pomieszczeń ludzie prowadzaliby swoje odświętnie ubrane małżonki. Z reguły były tam jedynie bary, które przy odrobinie szczęścia miały pianino. Kura już się nawet nie przejmowała, jeśli instrument był zupełnie rozstrojony. Czasami nie było go w ogóle. Wtedy śpiewała bez akompaniamentu albo przypominała sobie swoje maoryskie korzenie i grała na bębenkach lub też wplatała pomiędzy występy wokalne grę na flecie *koauau*. Ludziom w małych miasteczkach podobało się to znacznie bardziej niż jej operowy repertuar. Czasami nawet zapraszali ją jacyś maoryscy pasterze, by zaśpiewała i zagrała przed ich plemieniem. Kura rozkoszowała się tymi koncertami wraz z innymi *tohunga*, pozwalała, żeby muzycy akompaniowali jej na fletach *putorino*, i śpiewała do inscenizacji różnych *haka*. Na koniec plemię podarowało jej flet *putorino*, Kura wprowadziła więc do programu swych występów również grę na tym instrumencie. Gry na nim nauczyła się od matki i potrafiła nawet wyczarować z niego głos *wairua*. Nauka techniki gry przychodziła jej zawsze z łatwością, ale zaczęła ją już oczywiście jako dziecko. Tyle tylko, że słuchacze, niestety, w ogóle nie potrafili tej sztuki docenić. Choć muzyka maoryska podobała się bardziej niż opera, jeśli

Kura pojawiała się w barze, ludzie woleli słuchać starych piosenek ze swej ojczyzny. Kura grała więc ballady oraz piosenki biesiadne z Irlandii i Walii, denerwując się, gdy publiczność próbowała z nią śpiewać i tańczyć. Zarobione w ten sposób pieniądze ledwie pozwalały na utrzymanie jej samej i konia.

Kura musiała sobie radzić z natrętnymi mężczyznami, którzy sądzili, że śpiewaczka jest oczywiście sprzedajną dziewczyną. Musiała przekonywać poważane matrony, które co prawda wynajmowały pokoje, ale w żadnym razie nie „pochodzącym nie wiadomo skąd wędrownym artystom". Próbowała przekonywać pastorów, że ich owieczkom przybliża wartościowe dobra kultury, a ośrodek parafialny mógł bez ponoszenia kosztów na tym skorzystać, jeśli się na to zgodzi. Czasem dawała nawet koncerty w wiejskich kościołach. Czy naprawdę kiedyś uważała, że granie oratorium Bacha w Haldon było poniżej jej godności?

Po blisko roku w drodze Kura była zmęczona. Nie chciała już podróżować, nie chciała już wieczorami wkładać tych wstrętnych ubrań, wyciąganych często z pokrytej błotem walizki. Nie chciała już się targować z obleśnymi właścicielami barów.

Teraz myślała nawet o tym, żeby gdzieś osiąść. Przynajmniej na kilka miesięcy, o ile uda jej się dostać jakiś angaż. Ten oferowano jej jednak tylko pod warunkiem, że będzie gotowa bawić mężczyzn również w inny sposób.

– Dlaczego po prostu tego nie zrobisz? – zapytała ją kiedyś pewna dziewczyna w Westport, która miała pewnie dwadzieścia lat, ale wyglądała na czterdzieści. – Taka jak ty zarobiłaby kokosy! I mogłabyś sobie wybierać facetów, których byś brała do łóżka.

Jeśli o to chodziło, Kura czuła czasem coś jakby pokusę. Brakowało jej miłości. Często tęskniła za silnym męskim ciałem. Niemal każdej nocy śnił jej się William, i również podczas długich podróży za dnia oddawała się marzeniom. Gdzie on mógł teraz być? Kiward Station przecież opuścił. Z tą swoją Miss Witherspoon? Kura nie potrafiła sobie doprawdy wyobrazić, by Heather była w stanie zatrzymać go na dłużej. William był takim błędem… A przy tym wciąż wierzyła, że mogła z nim być szczęśliwa. Gdyby tylko nie ta farma, to przeklęte Kiward Station! To farma odebrała jej Williama. Gdyby byli tylko oni dwoje, dawno znajdowaliby się już w Londynie, a Kura odnosiłaby oszałamiające sukcesy. Marzyła o występach w wypełnionych publicznością salach i nocach w ramionach Williama. Roderick nigdy by mu nie dorównał. A Tiare… Podczas wizyty w maoryskiej wiosce w pobliżu Nelson, pobudzona wieczorem wypełnionym muzyką i śpiewem, a przede wszystkim zmysłowym maoryskim tańcem, uległa w końcu pożądaniu i dzieliła łoże z młodym mężczyzną. To było miłe, ale nic poza tym. Do ekstazy, jaką odczuwała z Williamem, nawet się nie zbliżyła. A mężczyźni na jej koncertach, często chorzy z tęsknoty za ojczyzną marynarze i górnicy, którzy się o nią starali? Niektórzy mieli piękne wysportowane ciała. Ale byli brudni od pracy w kopalni albo śmierdzieli tranem i rybą. Jak dotąd Kura nigdy nie mogła się przełamać, choć kilka dolarów więcej czasem bardzo by jej się przydało.

Dziewczyna w Westport odebrała jej milczącą odpowiedź jako oznakę, że poważnie się nad tym zastanawia.

– Ten tu lokal to oczywiście najgorsza kategoria – zauważyła. – Nie na twoją klasę. Ja też niedługo się stąd zmywam. Ale w Greymouth podobno jest porządny burdel. Należy ponoć do kobiety, oczywiście też dziwki, która teraz jest właścicielką hotelu. Słyszałam, że wcześniej pracowała tutaj. Ale wtedy ten lokal nie był taki podupadły.

Kura nie wierzyła, że „porządny burdel" będzie się bił o tę dziewczynę, ale nic nie powiedziała. Greymouth leżało na jej drodze, a więc i tak nie ominie jej pub tej kobiety. Tyle tylko, że spodziewała się w tej miejscowości czegoś więcej. Z pierwszego tournée z zespołem miała z Greymouth jak najlepsze wspomnienia. Wtedy mieszkała w eleganckim hotelu przy nabrzeżu. Miejscowa elita – w tym właściciele kopalń i handlowcy – nadskakiwali jej i zespół dostał od nich owacje na stojąco. A przede wszystkim Kura Warden. Może właściciele hoteli będą ją pamiętać?

Kura ruszyła więc w drogę w jak najlepszym nastroju, ale w samym mieście doznała już całkiem innego wrażenia. Greymouth wcale nie było małym, czystym, idyllicznym miasteczkiem, pełnym przede wszystkim bogato zdobionych hoteli oraz imponujących kamienic. Tym razem Kura nie dotarła do miasta promem przez Grey River, lecz drogą z Westport, prowadzącą wzdłuż wybrzeża, i pierwszym, co zobaczyła, były górnicze osiedla oraz podupadłe centrum miasta. Drewniane domy, małe sklepy, balwierz, producent trumien oraz burdel, w ocenie którego dziwka z Westport wyraźnie przesadziła. Wild Rover wyglądało równie nieprzytulnie i tak samo nie wzbudzało zaufania jak większość knajp na zachodnim wybrzeżu.

Kura była zadowolona, kiedy dotarła do lepszej dzielnicy miasta, i ucieszyła się, widząc eleganckie fasady hoteli. Gdy jednak zaczęła pytać o pracę, szybko się rozczarowała. Tylko jedna artystka, bez pośrednictwa kogoś z tutejszej elity albo organizującej koncerty agencji? Trzeba przyznać, prześliczna dziewczyna, ale w znoszonej sukni i ledwie z kilkoma scenicznymi rekwizytami. Właściciele hoteli dziękowali jej za ofertę i sugerowali Kurze, że zrobi lepiej, próbując sił w dzielnicy górniczej.

Kura wymknęła się zniechęcona i upokorzona. Niżej już nie można upaść. Gorzej już nie mogło być. Wkrótce będzie musiała podjąć decyzję. Wrócić na kolanach do Gwyneiry McKenzie czy upaść jeszcze niżej i sprzedawać swe ciało...

Teraz jednak skierowała się do Wild Rover. Musiała wreszcie coś zjeść.

Właściciel baru przedstawił się jako Paddy Holloway. W środku jego lokal okazał się równie zaniedbany, jak wyglądał na to z zewnątrz. Lada była lepka i brudna, ścianę nie malowano chyba od wieków. W głównym pomieszczeniu unosił się jeszcze zapach piwa z poprzedniego dnia, a na pianinie nikt nie grał chyba od stu lat, nie wspominając już o jego strojeniu. Sam Paddy Holloway też w żadnym razie nie sprawiał wrażenia zadbanego. Najwyraźniej nie zdążył się jeszcze ogolić, a jego fartuch pokrywało mnóstwo plam po tłuszczu, piwie i sosach. Jedynym, co wyróżniało tego małego krągłego człowieka spośród większości pozostałych właścicieli barów, był nieskrywany zachwyt z pojawienia się Kury w jego lokalu. I w dodatku zdawało się, że naprawdę chodzi mu o muzykę. Patrzył co prawda pożądliwie na Kurę, ale robili to przecież prawie wszyscy mężczyźni. A Kura przyzwyczaiła się, że często pokazywano jej drzwi, gdy nie zachowywała się dostatecznie przystępnie. Paddy Holloway uwijał się jednak wokół niej, jakby odwiedziła go co najmniej królowa.

— Ależ oczywiście, że może pani tu śpiewać, cieszę się! Pianino nie jest może najlepsze, ale gdyby zdecydowała się pani zostać na dłużej, po prostu sprowadzę dla pani nowe. Nie miałaby pani ochoty na dłuższy… jak to się mówi… angaż?

Kura była zdumiona. Przesłyszała się, czy też ten gospodarz zaoferował jej właśnie odpoczynek od atrakcji życia w drodze? W dodatku bez żadnych dodatkowych sugestii, bo wyglądało na to, że rzeczywiście prowadził tylko bar, a nie burdel.

– Widzi pani, już od dawna szukam pianistki – tłumaczył gorliwie. – No i proszę, oto pojawia się pani. W dodatku taka śliczna! I do tego pani śpiewa! Tego w Lucky Horse nie dostaną! Dranie przeniosą się do nas całym tłumem!

Kura prawie go nie słuchała. Była zmęczona i czuła się pokonana. Najchętniej w ogóle nie śpiewałaby już tego wieczoru, tylko padła na łóżko. Pytanie tylko, na czyje. Wyostrzony do tej pory instynkt podpowiadał jej, że lepiej nie spać pod tym samym dachem co Paddy Holloway, nawet jeśli właśnie zaoferował jej pokój. W ogóle ten typ był dziwny. Dlaczego szukał dziewczyny grającej na pianinie? Zazwyczaj w barach na pianinie grali mężczyźni; gdyby Holloway któregoś potrzebował, wystarczyło dać ogłoszenie w Christchurch albo Blenheim.

Lucky Horse musiał być konkurencją, być może chodziło o burdel, o którym wspominała ta dziewczyna w Westport. Kura zastanawiała się, czy nie powinna jeszcze tam zapytać o pracę, zanim zgodzi się na propozycję Hollowaya. Ale na to była już zbyt wyczerpana. Będzie zadowolona, jeśli uda jej się chociaż znaleźć jakiś przyzwoity pokój i na tyle dobrze zabawić gości w Wild Rover, żeby móc za ten pokój zapłacić.

– Może mogłaby pani coś dla mnie zagrać?

Przeciągające się milczenie Kury zdawało się irytować właściciela baru. Czyżby kupował kota w worku?

Kura z westchnieniem opadła na chybotliwy taboret i zagrała miniaturę *Dla Elizy*. W gusta Hollowaya jednak nie trafiła. A więc jednak nie był prawdziwym, wykształconym melomanem, którego kapryśny los rzucił do tej dziury. Kury właściwie to nie zaskoczyło; od dawna już nie wierzyła w takie bajki. Nauczyła się polegać na pierwszym wrażeniu, a to rzadko okazywało się błędne. Nieważne, co opowiadała jej Heather Witherspoon, gdy Kura była dzieckiem. Żaba była żabą, a nie księciem.

Gospodarz skrzywił się i przerwał jej.

– Brzmi dość drętwo – zauważył. – Nie możesz zagrać czegoś weselszego? Czegoś irlandzkiego? Na przykład *Wild Rover*?

Kura była przyzwyczajona, że najpóźniej po trzecim zdaniu takie typy zaczynają jej mówić per „ty". Już od dawna się tym nie przejmowała. W każdym razie zebrała całą swą dumę i zaśpiewała *Habanerę* z opery Carmen zamiast piosenki biesiadnej, o którą prosił.

Wbrew jej oczekiwaniom Paddy Holloway był naprawdę zachwycony.

– Ty naprawdę potrafisz śpiewać! – stwierdził z zapałem. – I na pianinie też potrafisz grać! Powiedziałbym nawet, że lepiej, niż ta ciągle wystraszona Lainie od madame Clarisse. To jak będzie? Trzy dolary tygodniowo?

Kura zastanawiała się przez chwilę. To było więcej, niż zazwyczaj zarabiała. Jeśli rzeczywiście zostanie tu na parę tygodni, będzie mogła trochę odpocząć i pomyśleć o przyszłości. Pozostawała tylko kwestia jakiejś przyzwoitej kwatery, a co do ceny, też można się było jeszcze potargować.

– Poniżej czterech dolarów nie ma mowy – oświadczyła gospodarzowi, obdarzając go wyćwiczonym, uwodzicielskim spojrzeniem.

Paddy Holloway kiwnął głową na zgodę. Bez wątpienia zapłaciłby i pięć dolarów.

– I dwadzieścia procent od każdego drinka, jaki ci faceci mi postawią.

Właściciel znów przytaknął.

– Ale będę lał herbatę zamiast whisky – zastrzegł. – Jeśli będziesz chciała prawdziwą wódkę, to na tym nie zarobię.

Kura westchnęła. Nie lubiła zimnej, niesłodzonej herbaty, ale w tej chwili nie było to takie ważne.

– A więc umowa stoi. Ale potrzebuję jeszcze pokoju. Nie mam zamiaru mieszkać tu w barze.

Paddy Holloway nie miał pojęcia, kto wynajmuje pokoje. Jeśli pojawiali się jacyś przygodni goście, pozwalał im spać w stajni – po wieczorze spędzonym w Wild Rover i tak nie potrafili odróżnić łóżka od beli słomy. Krzywiąc się, poinformował jedynie Kurę, że położony najbliżej „hotel" nie wchodzi w rachubę. Wyraz jego twarzy mówił przy tym wszystko. Kura się z tym liczyła. Dawno już straciła nadzieję na przyzwoite niedrogie lokale, jak White Hart w Christchurch.

Ponieważ Paddy nie był w stanie jej pomóc, pożegnała się na razie i sama wybrała na poszukiwanie miejsca, gdzie mogłaby się zatrzymać. Może zobaczy na ulicy jakiś szyld informujący o pokojach do wynajęcia.

Kura pozwoliła koniowi powoli kroczyć przez miasteczko i wkrótce dostrzegła Lucky Horse. Barwna, świeżo pomalowana fasada, czysty, zamieciony taras, umyte okna i szyld nad wejściem: HOTEL I BAR. Dziewczyna w Westport miała rację. Z pewnością był to bar połączony z burdelem, ale najwyraźniej należał do tych lepszych.

Kura poczuła żal. Lucky Horse wyglądał znacznie atrakcyjniej od Wild Rover. Czyżby nie potrafiła niczego zrobić tak jak trzeba? Zmęczona skierowała się najpierw w stronę stajni i znalazła przynajmniej porządne miejsce dla swego konia. Jak w każdej wiosce, właściciel stajni był w stanie pomóc jej w poszukiwaniach kwatery. Kura podziękowała mu, wzięła walizkę i odwiedziła obie wynajmujące pokoje kobiety. Tyle miało Greymouth do zaoferowania. Liczyła przy tym, że jej się uda, miała już doświadczenie, jak owijać sobie wokół palca takie damy. Na wdowie Miller od razu zrobiła wspaniałe wrażenie, natomiast Mrs Tanner odniosła się do niej z rezerwą. Dama ta była w końcu żoną balwierza, a zamężne kobiety niechętnie przyjmowały Kurę do swego domu.

Mrs Miller jednak aż się rozpływała, gdy młoda kobieta opowiadała jej o sukcesach, które odniosła jako śpiewaczka. Mrs Miller w swej młodości była raz w operze w Anglii i mogła mówić o tym bez końca. Również tutejszy pastor, jak zapewniała Kurę, był wielkim miłośnikiem muzyki. Na pewno udostępni jej kościół na jakiś koncert. A do tego czasu Mrs Miller z pewnością wynajmie pokój tak ślicznej i dobrze wychowanej dziewczynie. O Wild Rover Kura wolała na razie nie wspominać.

Za to szybko zaczęli o niej mówić ludzie w Greymouth; już pierwszego wieczoru w barze zrobiła furorę. Kura była zaskoczona. Jasne, mężczyźni jedli jej z ręki, ale zawsze tak było. Nie mogła się opędzić od zamówień na piosenki i dwuznacznych propozycji. Tutaj jednak zdawali się ją też z kimś porównywać. Kura była o wiele ładniejsza od

Miss Lainie, twierdzili jedni; poza tym potrafiła śpiewać. Inni zakładali się o to, czy w następną sobotę Rover będzie wypełnione stałymi gośćmi z Horse.

– Może nawet zawędruje tu Tim Lambert – stwierdził jeden z górników, a inni nie mogli się powstrzymać od śmiechu. – Ta tutaj śpiewa. I najwyraźniej częściej otwiera usta, niż jego Miss Keefer.

Tylko pewien szczupły, jasnowłosy mężczyzna zdawał się bardziej interesować muzyką Kury niż porównywaniem jej z tą „wystraszoną myszką od madame Clarisse", jak to określił Paddy.

Kura zauważyła go od razu, gdy wszedł. Był znacznie lepiej ubrany od pozostałych gości. Poza tym nie przywitano go zwykłym „cześć", tak jak pozostałych, górnicy przyglądali mu się raczej podejrzliwie. Za to właściciel baru traktował go niemal z czcią.

– Chce pan może dzisiaj coś obstawić, Mr Biller? – dopytywał się Paddy. To też było niezwykłe; do pozostałych gości zwracał się po imieniu. – W sobotę mamy tu walkę psów. A w Wellingtonie jest w niedzielę dzień wyścigów, listę startową mam tutaj… Wszystko to jest ściśle poufne, wie pan przecież. Wyniki będą w poniedziałek wieczorem. Nie mogę przekonać Jimmy'ego Farriera, by przekazywał je telegraficznie od razu w niedzielę.

– Poniedziałek wystarczy – stwierdził z roztargnieniem młody mężczyzna. – Niech mi pan pokaże ten program i proszę przynieść mi whisky, single malt…

Kilku mężczyzn wokół blondyna przewróciło oczami. Single malt – ta whisky kosztowała majątek!

Następne godziny młody mężczyzna spędził na powolnym piciu trzech whisky i przyglądaniu się przy tym Kurze. Wcale jej to nie dziwiło; była przyzwyczajona również do takich cichych wielbicieli. Tym, co ją jednak zaskoczyło, był wyraz oczu tego gościa. Z zainteresowaniem przyglądał się jej twarzy, włosom, ubraniu i tańczącym po klawiszach palcom, nie patrzył jednak na nią pożądliwie, lecz zdawał się ją rzeczowo oceniać. Chwilami miała wrażenie, jakby zamierzał wstać i rozpocząć z nią rozmowę, a potem się rozmyślił. Był nieśmiały? Właściwie nic na to nie wskazywało. Nie rumienił się przy każdej okazji, nie pił dla dodania sobie odwagi i nie uśmiechał się głupio, gdy Kura na niego spoglądała.

W końcu to Kura zdecydowała się zrobić pierwszy krok. Mężczyzna sprawiał wrażenie, jakby uczęszczał na koncerty, i bez wątpienia miał maniery. Może potrafił docenić wysokiej klasy muzykę. I faktycznie niemal otworzył szeroko usta, gdy zaśpiewała *Habanerę*. Po tym rzeczywiście zdecydował się do niej podejść.

– Brawo! – powiedział z uznaniem. – To z opery *Carmen*, prawda? Cudownie, po prostu cudownie! Śpiewała to już pani ostatnio, gdy gościła tu pani z zespołem Greenwooda. Z początku nie byłem pewien. Ale teraz, ten głos…

Mężczyzna sprawiał wrażenie podekscytowanego, Kura natomiast poczuła się lekko urażona. Czyżby tak się zmieniła, że ktoś, kto widział wtedy jej koncert, nie potrafił jej sobie przypomnieć? I to w dodatku mężczyzna? Zwykle robiła na mężczyznach niezapomniane wrażenie.

Kura doszła w końcu do wniosku, że musiała to być wina szminki. Występując na scenie, wszyscy artyści mocno się szminkowali, w dodatku w roli Carmen miała wysoko upięte włosy, teraz zaś były one rozpuszczone. Może to zmyliło tego mężczyznę. W każdym razie obdarzyła go łaskawym uśmiechem.

– Jak to miło z pana strony, że mnie pan pamięta.

Mężczyzna przytaknął gorliwie.

– O tak, i pamiętam jeszcze pani nazwisko. Kura Marsten, prawda?

– Martyn – poprawiła go, ale była pod wrażeniem. Dziwny człowiek. Pamiętał jej głos, nazwisko, ale jej twarzy już nie?

– Już wtedy uważałem panią za wielki talent! Ale myślałem, że zespół od dawna jest znów za oceanem. A tak przy okazji, nazywam się Biller, Caleb Biller. Proszę mi wybaczyć, że nie od razu…

Mężczyzna ukłonił się, jakby to, że nie przedstawił się, zanim zaczął z nią rozmawiać, było jakimś wielkim *faux pas*.

Przyjrzała mu się uważniej. Wysoki, szczupły, całkiem przystojny, twarz może trochę blada i bez wyrazu, prawie dziecięco niewinna. Usta miał wąskie, ale o pięknym kształcie, kości policzkowe wysokie, oczy bladoniebieskie. W sumie Caleb Biller zdawał się dość bezbarwną postacią. Ale przynajmniej był dobrze wychowany.

Kura znów się uśmiechnęła.

– Mogę panu sprawić przyjemność jakąś szczególną piosenką, Mr Biller? – zapytała. Może i dla niej zamówi single malt. Za dwadzieścia procent od kilku drinków tej jakości chętnie napije się zimnej herbaty.

– Miss Martyn, każda pieśń płynąca z pani ust wprawia mnie w zachwyt – odparł uprzejmie Biller. – Co to takiego? – Z zainteresowaniem wskazał na *putorino* Kury, które odłożyła na pianino. – Czy to jeden z tych maoryskich fletów? Jeszcze nigdy nie miałem takiego w ręce… Czy mógłbym?

Kura skinęła głową, na co Biller delikatnie wziął instrument do ręki i fachowo mu się przyjrzał.

– Mogłaby pani na tym coś zagrać? – zapytał w końcu. – Chętnie bym posłuchał, zwłaszcza tego uduchowionego głosu…

– *Wairua*? – zaśmiała się Kura. – Tego nie mogę tu zagwarantować. Duchy nie pojawiają się zazwyczaj w pubach. To poniżej ich godności.

Opowiedzenie kilku tajemniczych historii o głosie duchów zawsze robiło dobre wrażenie. Kura była jednak zdziwiona. Tylko nieliczni *pakeha* wiedzieli o szczególnych właściwościach tego instrumentu. Ten młody mężczyzna musiał się interesować kulturą Maorysów.

Kura powstała i zagrała prostą piosenkę, najpierw wysokim, kobiecym głosem tego instrumentu. Niektórzy goście zaczęli buczeć. Większość wyraźnie wolała słuchać pieśni biesiadnych zamiast maoryskiej muzyki.

– Bez towarzyszącego śpiewu brzmi to dość słabo – powiedziała Kura przepraszająco.

Caleb przytaknął gorliwie.

– Tak, rozumiem. Mogę?

Wskazał na taboret przy pianinie, a zmieszana Kura ustąpiła mu miejsca. Natychmiast zaczął grać żwawą melodię. Kura towarzyszyła mu na flecie, zmieniając jego brzmienie z żeńskiego na męskie, na co Caleb odpowiedział jej niższymi tonami. Gdy skończyli, górnicy zaczęli klaskać.

– A *Tin Whistle* nie grasz czasem? – zapytał jakiś podpity Irlandczyk.

Kura przewróciła oczami.

– A może mogłaby pani zagrać coś w maoryskim stylu? – podsunął Caleb. – Fascynuje mnie wasza muzyka. I taniec *haka*. Czy pierwotnie nie był to taniec wojenny?

Kura opowiedziała o kilku szczególnych cechach maoryskiej muzyki i zaśpiewała stosowną pieśń. Biller wyglądał na zachwyconego. Paddy Holloway jednak mniej.

– Ach, skończ już z tym rzępoleniem! – zrugał Kurę po trzeciej pieśni. – Ci faceci wolą słuchać czegoś weselszego, biadolenia nasłuchają się dość od swoich bab.

Kura wymieniła pełne żalu spojrzenie z Calebem Billerem i wróciła do pieśni biesiadnych. Młody mężczyzna nie został zbyt długo.

– Chciałbym się pożegnać – powiedział uprzejmie i ponownie grzecznie skłonił się przed Kurą. – To było niezwykle ciekawe, móc pani słuchać, i chętnie powtórzę to przy jakiejś okazji. Jak długo się pani tutaj zatrzyma?

Kura powiedziała mu, że prawdopodobnie zostanie kilka tygodni. Biller sprawiał wrażenie bardzo zadowolonego.

– A więc z pewnością nadarzy się okazja, by razem pomuzykować – odparł. – Ale teraz muszę już naprawdę iść, jutro muszę wcześnie wstać. Kopalnia…

Caleb pozostawił otwartą kwestię, na ile kopalnia zdana była na niego, ukłonił się jeszcze raz i zniknął.

Kura postanowiła wypytać o niego Paddy'ego. Okazja nadarzyła się już wkrótce, gdy stawiał przed nią na pianinie kolejną „whisky".

– On i górnik? – Paddy zatrząsł się ze śmiechu. – Nieee, mała. On stoi po drugiej stronie. Do jego tatusia należy kopalnia Biller, jedna z dwóch największych kopalń i jedna z najstarszych w całym dystrykcie. Potwornie bogata rodzina! Jeśli owiniesz go sobie wokół palca, to jesteś zdolną kobietą. Ale to nie takie proste. Mówi się, że dziewczyny nie bardzo go interesują.

Kilka miesięcy temu takie słowa Kurę jeszcze by zaskoczyły, ale po tournée z zespołem Barristera znała już różne rodzaje miłości.

– Wygląda na to, że interesuje się muzyką – stwierdziła.

Paddy się skrzywił.

– To gwóźdź do trumny starego pana. Ten chłopak interesuje się wszystkim, o ile nie ma to nic wspólnego z górnictwem. Najchętniej studiowałby medycynę, ale w końcu doszli do porozumienia, więc zajął się geologią. Diabli wiedzą, co to takiego, ale ponoć ma mieć coś wspólnego z węglem. Sztygarzy mówią, że młody Biller nie ma pojęcia o górnictwie, a jako przedsiębiorca też jest nieudacznikiem. A jeśli obstawia jakiegoś konia, to można być pewnym, że szkapa przybiegnie ostatnia. Ten dzieciak będzie siedział w kieszeni starego jeszcze wtedy, gdy piekło zamarznie.

– Ale tutaj, do pubu, przychodzi często? – spytała Kura. Pasowało to do jej doświadczeń związanych z mężczyznami, którzy woleli towarzystwo mężczyzn niż dziewcząt. Mężczyźni ponoć od razu potrafili dostrzec u innych takie skłonności i zazwyczaj ich wyśmiewali. Czasem nawet prowadziło to do agresji. Jednego tancerza z grupy Barristera potwornie kiedyś pobito w pewnym barze.

Paddy wzruszył ramionami.

– Czasem tu wpada i obstawia trochę zakładów. Nie jestem przy tym pewien, czy robi to z własnej woli, czy tatuś wygania go z domu. Niekiedy pojawiają się razem i wtedy stary stawia wszystkim kumplom piwo. Ale chłopaka zdaje się to krępować. Jeśli przychodzi sam, pije swojego malta, bo zawsze trzymam dla niego specjalnie jedną butelkę. I z nikim nie rozmawia. Śmieszny dziwak. Staremu Billerowi można niemal współczuć. Ale jak już mówiłem, łap go! Posada Mrs Biller wciąż jest wolna.

Kura przewróciła oczami. Do zamienienia owczej farmy w Canterbury na kopalnię Biller w Greymouth nie przykładała zbyt wielkiej wagi. Nieważne, jakie problemy miał Caleb Biller, Kura-maro-tini nie była nim zainteresowana.

# 10

Stosunki między Lainie i Timem – tak twierdził ten gaduła Matt Gawain – znacznie się poprawiły od czasu wyścigów w dniu świętej Barbary. Teraz formalne wieczorne powitanie nie brzmiało już: „Dobry wieczór, Miss Keefer" i „Dobry wieczór, Mr Lambert". Zamiast tego Timothy miał odwagę witać się słowami „Dobry wieczór, Miss Lainie", na co ona odpowiadała mniej czy bardziej obojętnym tonem: „Dobry wieczór, Mr Tim".

– Jeśli tak dalej pójdzie – mówił Ernie Gast, szczerząc przy tym zęby – to za piętnaście lat będzie pan mógł nawet usiąść przy niej w kościele.

Tim Lambert pozwalał przyjaciołom żartować z siebie. On osobiście czuł – i wywoływał – znacznie subtelniejsze zmiany. I tak na przykład od dnia świętej Barbary przestał zamawiać piosenkę *Silver Dagger*. Zamiast tego prosił o *Johna Rileya*, również balladę. W tej drugiej jednak chodziło o młodego żeglarza, który po siedmiu latach na morzu mógł wreszcie poślubić swą ukochaną dziewczynę. Z początku Lainie traktowała to jako przelotny kaprys. Po trzech dniach zapytała jednak:

– Znowu *John Riley*? A co z *Silver Dagger*, Mr Tim? – Tego dnia Lainie była trochę odważniejsza i mniej niedostępna. Było to w sobotę po wyścigach i Tim, by uczcić swoje zwycięstwo, postawił wszystkim w Lucky Horse piwo.

– Za naszą przepiękną Miss Lainie, prawdziwą zwyciężczynię Lambert Derby!

Lainie oczywiście musiała też się napić i była lekko podchmielona. Spojrzała na Tima trochę łobuzersko znad swojego instrumentu, gdy powiedział jej, jakie ma muzyczne życzenia.

Tim uśmiechnął się do niej i mrugnął porozumiewawczo.

– *Silver Dagger*? Och, zamierzam panią od niego odzwyczaić, Miss Lainie. Tylko bym się denerwował, gdyby moja żona ciągle nosiła przy sobie sztylet.

Lainie zmarszczyła czoło.

– Pańska żona?

Tim skinął poważnie głową.

– Tak, Miss Lainie. Zdecydowałem się panią poślubić.

Elaine, która właśnie chciała łyknąć herbaty ze swojej szklanki do whisky, niemal ją upuściła.

– Dlaczego? – zapytała bezbarwnym głosem.

Tim uratował szklankę.

– Ostrożnie, to dobra whisky! Myślę, że powinienem zamówić dla pani prawdziwą. Wygląda pani dość blado.

– Dlaczego? – powtórzyła Lainie. Jedynie rumieńce i bladość na jej twarzy, pojawiające się na przemian, świadczyły o tym, jak była wzburzona.

– Cóż – stwierdził w końcu Tim, a jego oczy błyszczały wesoło. – Obserwuję panią od kilku tygodni. Jest pani przepiękna, jest pani mądra, odważna... Jest pani kobietą, o jakiej marzyłem przez całe życie. Zakochałem się w pani, Miss Lainie. Powinienem od razu teraz upaść przed panią na kolana, czy jeszcze trochę z tym poczekamy?

W oczach Lainie widać było z trudem tłumione przerażenie.

– Ja się nie zakochuję – wydusiła z siebie.

Tim skinął głową.

– Tak też myślałem – powiedział spokojnie. – Ale to się da zmienić. Zresztą nie chodzi wcale o słomiany zapał. Proszę dać sobie czas, by się zakochać, Miss Lainie. Niech pani nie da się popędzać...

– Nie w tym życiu! – Głos Lainie brzmiał teraz odrobinę mniej ostro. Znów skryła się za zasłoną włosów i opuściła głowę nad klawiszami pianina.

Tim był zaniepokojony. Jeśli teraz nie uda mu się wyrwać jej z tego stanu, znów wycofa się do swej ślimaczej skorupki.

Tim zacisnął usta, jego oczy jednak nadal się uśmiechały.

– Oczywiście to trochę utrudnia całą sprawę – powiedział. – Będę musiał porozmawiać z pastorem, jak się mają sprawy ze ślubem po zmartwychwstaniu. Może zaślubi nas wtedy na jakiejś chmurce?

Z drugiej strony, takie pożycie małżeńskie uważałbym za dość monotonne. I niezbyt dyskretne. Nie bardzo by mi się podobało, gdyby cały świat podglądał mnie na chmurce... – Rzucił krótkie spojrzenie na Lainie, która zdążyła się już znów wyprostować. – A więc może byłoby lepiej, gdybyśmy znaleźli sobie jakąś inną religię – ciągnął dalej. – Taką, która dawałaby nam więcej niż jedno życie. Gdzieś przecież wierzy się w ponowne narodziny. W Indiach, prawda?

Lainie spojrzała zza zasłony włosów.

– Ale można się wtedy odrodzić jako zwierzę. Jako koń albo pies... – Jej głos znów brzmiał normalnie. Najwyraźniej postanowiła nie traktować oświadczyn Tima poważnie.

Tim odetchnął i uśmiechnął się do niej.

– To by było całkiem romantyczne. Mogę to sobie nawet wyobrazić: zakochana para, która nie potrafi zbliżyć się do siebie w tym życiu jako dwunożne istoty. Potem jednak spotykają się w stajni, tak jak Fellow i Banshee...

Elaine już odzyskała panowanie nad sobą i tym samym wrócił jej dowcip. Odgarnęła włosy z twarzy i obdarzyła Tima Lamberta słodkim, lecz nieszczerym uśmiechem.

– Więc niech pan uważa, żeby przypadkowo nie zrobił ktoś z pana wałacha – powiedziała głośno.

Timothy zignorował gromkie śmiechy mężczyzn, tak samo jak nie reagował na ich kpiny z jego pozornie beznadziejnych starań o Lainie Keefer. Żył dla tych krótkich chwil, gdy zza fasady Lainie ukazywało się jej prawdziwe ja. Pełne życia, inteligentne, kpiące, ale też zmysłowe i pełne czułości. Kiedyś jej mury runą. A Tim będzie wtedy przy niej.

– Kto się poświęci ten raz i pójdzie na przeszpiegi do Wild Rover? – pytała madame Clarisse, gdy podszedł właśnie do swego ulubionego stolika, przy którym siedzieli już Ernie, Jay i Matt. W Lucky Horse nie mówiono dziś o niczym innym, tylko o tajemniczej nowej pianistce w barze za rogiem. To miała być maoryska dziewczyna, tyle że z głosem jak anioł. Madame Clarisse i kilku nielicznym gościom, którzy widzieli trochę więcej świata niż większość górników, wydawało się to dziwne. Maoryskie dziewczyny zwykle nie uczyły się gry na fortepianie. Rzadko je można też spotkać poza własnym plemieniem. Nawet w burdelach nie było właściwie żadnych czystej krwi Maorysek, co najwyżej mieszańce, i to zwykle z tragiczną historią. W każdym razie ciekawość madame Clarisse została pobudzona. Obrotna właścicielka burdelu postawiła dzban piwa na stole swych stałych gości, napełniła mężczyznom kufle i wyszczerzyła zęby do wszystkich. – A przy tym zwracam się wyłącznie do ludzi prawdziwie moralnych i wiernych klientów Lucky Horse. Wszyscy pozostali przy bliższym kontakcie z Paddym Hollowayem mogliby ulec pokusom hazardu. A wtedy nigdy nie mogłabym już spojrzeć pastorowi w oczy. – Madame Clarisse przeżegnała się teatralnym gestem.

– To, że chłopacy mogliby się stać stałymi klientami innego baru, nie ma z tym oczywiście nic wspólnego? – wtrącił Matt. – Troszczy się pani jedynie o ich dusze, prawda, madame Clarisse? Bardzo dziękujemy, naprawdę to doceniamy.

– A jak jest z nierządem, madame Clarisse? – dopytywał się Jay. – Czy to też nie grzech? – Kowal spojrzał na nią z miną niewiniątka i udało mu się nawet lękliwie przeżegnać.

Madame Clarisse mogła jedynie z dezaprobatą pokiwać głową.

– A gdzie pan tu widzi nierząd, Mr Jay? – dopytywała się tonem pełnym moralnego oburzenia. – Widzę tu jedynie grupę zdolnych do zamążpójścia młodych dziewcząt, które, co przyznam, w dość szczery sposób zawierają znajomości ze zdolnymi do ożenku mężczyznami. Prowadzę tu odnoszące niezwykłe sukcesy biuro matrymonialne. Dopiero co, miesiąc temu, znów jedna z dziewcząt opuściła nasze sztandary. A jak to wygląda z panem i Charlene, Mr Matt? Chyba też coś zaiskrzyło, niech się pan przyzna. Nie wspominając już o Mr Lambercie i Miss Keefer...

Mężczyźni parsknęli śmiechem. Charlene, która właśnie chciała usiąść obok Matta, zarumieniła się. Najwyraźniej rzeczywiście coś było na rzeczy.

Tim wzniósł kufel w stronę madame Clarisse.

– W takim razie – powiedział, szczerząc zęby – jesteśmy dobrze zabezpieczeni na wieczór u Paddy'ego Hollowaya. Już jutro, w tajnej misji!

Elaine słyszała jedynie strzępy słów, ale oczywiście też dotarły do niej wieści o maoryskiej śpiewaczce w Wild Rover. W nieunikniony sposób przywołało to obraz kuzynki. Ale to niemożliwe. Kura żyła z Williamem w Kiward Station. I nigdy nie zniżyłaby się do tego, by śpiewać dla górników w jakimś barze.

Kura nie była zbyt zachwycona pracą w Wild Rover. Klientela była trudna. W miarę jak zbliżał się weekend, mężczyźni pili coraz więcej, a co za tym idzie, stawali się coraz bardziej natarczywi. Paddy Holloway bronił jej przed nimi bez przekonania; najwyraźniej nie zamierzał nikogo szorstko traktować i był wyrozumiały dla tych facetów. Kura musiała sama o siebie dbać, jeśli z zamknięciem baru nie udało jej się wymknąć z ostatnią grupą gości. Jedyną iskierką nadziei były niemal codzienne wizyty Caleba Billera – choć młody mężczyzna wciąż był dla niej zagadką. Pojawiał się zawsze wczesnym wieczorem, pił dla nabrania odwagi, a potem dosiadał się do niej, by razem muzykować. Jeśli bar nie był pełen i ludzie zbytnio nie protestowali, Paddy pozwalał, żeby Kura grała na *putorino*, a Caleb akompaniował jej na pianinie albo żeby intonowała maoryskie pieśni, podczas gdy on podejmował je i interpretował w formie ballady. Szacunek Kury dla Caleba jako muzyka rósł z dnia na dzień. Bez wątpienia był bardzo uzdolniony. Dobry pianista, ale przede wszystkim niezwykle utalentowany kompozytor, i tworzył świetne aranżacje. Kura chętnie z nim pracowała. Ale może istniały jakieś inne perspektywy niż granie na rozstrojonym pianinie w brudnym Wild Rover?

W piątkowe popołudnie, na kilka godzin przed otwarciem baru Kura wybrała się do Lucky Horse. Już z zewnątrz słyszała dźwięki pianina – nie takie jednak, jakich można by się spodziewać w barze. Ktoś tam ćwiczył pieśni kościelne! W dodatku ktoś niepozbawiony ambicji, bo pianista mierzył się z *Oratorium na Wielkanoc* Bacha. Wykonanie było przeciętne; jeszcze kilka miesięcy temu Kura prawdopodobnie oceniłaby je jako „żałośnie kiepskie". Do tej pory zdążyła się jednak nauczyć, że zawsze zbyt wysoko ustawiała poprzeczkę. Większość ludzi wcale nie dzieliła z nią dążenia, by doprowadzić swe artystyczne zdolności do perfekcji. Kura zawsze o tym wiedziała, ale teraz nie przepełniało to jej taką dumą i pychą. Perfekcjonizm i słuch absolutny nie były w cenie, tyle zdążyła już pojąć. Posiadała dar, którego nikt nie potrafił docenić. Nie było więc żadnych podstaw, by sobie z tego powodu zbyt wiele wyobrażać.

Kura pchnęła wahadłowe drzwi i weszła do lokalu madame Clarisse. Jak można było tego oczekiwać, wszystko było bardzo schludne, stoły wyszorowane, podłoga zamieciona – a przy pianinie z boku baru siedziała rudowłosa dziewczyna.

Kura nie mogła uwierzyć własnym oczom. Zastygła, lecz zdawało się, że pianistka już zauważyła jej wejście.

Elaine się odwróciła. Mrugnęła, jakby w nadziei, że w ten sposób przywidzenie zniknie. Jednak dziewczyna, która stała tam w zniszczonej czerwonej sukni podróżnej, była bez wątpienia Kurą. Może była trochę szczuplejsza niż kiedyś, trochę bledsza, jej twarz zaś nie wyrażała już tej królewskiej powściągliwości, lecz raczej większe zdecydowanie i surowość. Cerę miała jednak wciąż idealną, włosy błyszczące, a oczy olśniewające jak zawsze. I w jej głosie wciąż słychać było tę subtelną modulację.

– Ty? – zapytała zaskoczona Kura, otwierając szeroko oczy. – Myślałam, że jesteś mężatką gdzieś w Otago?

– A ja myślałam, że żyjesz szczęśliwa i zadowolona z Williamem w Kiward Station! – Elaine była zdecydowana, by nie dać się już więcej zastraszyć Kurze. W pierwszym odruchu znów zareagowała niemal potulnie, jakby była kimś gorszym, potem jednak poczuła rosnący w niej, od dawna tłumiony gniew na Kurę, która przecież zniszczyła jej życie. – Czego chcesz, Kuro Warden? A może raczej, Kuro Martyn? Niech zgadnę. Nie podoba ci się w Wild Rover. Zabrałaś mi mojego mężczyznę, a teraz chcesz jeszcze moją pracę!

Spojrzenie Elaine miotało pioruny.

Kura przewróciła oczami.

– Zawsze byłaś ckliwa, Lainie – powiedziała ze śmiechem. – I trochę zaborcza. „Mój mężczyzna", „moja praca"… A przecież William nigdy do ciebie nie należał. A ta praca tutaj… – Kura obrzuciła szyderczym spojrzeniem wyposażenie Lucky Horse. – Cóż, to nie jest najbardziej prestiżowy lokal brytyjskiego imperium. A może widzisz to inaczej?

Elaine nie wiedziała, co odpowiedzieć. Czuła tylko bezsilną wściekłość i po raz pierwszy od tego potwornego poranka w stajni w Lionel Station chciała mieć pod ręką broń. Mogłaby jej teraz odparować, a zamiast tego zaczęła ją błagać – i nienawidziła się za to.

– Kura, potrzebuję tej pracy! Możesz śpiewać wszędzie…

Kura się zaśmiała.

– Ale może chciałabym śpiewać właśnie *tutaj* – stwierdziła. – A małżonka Thomasa Sideblossoma nie jest chyba skazana na pracę w burdelu.

Elaine bezradnie zacisnęła pięści. Potem ktoś poruszył się na schodach prowadzących na piętro. Na dół zeszła Charlene, musiała słyszeć ostatnie słowa.

Płonącą z wściekłości Elaine ogarnęło teraz lodowate przerażenie. *Małżonka Thomasa Sideblossoma…* Jeśli Charlene to usłyszała i zdradzi ją przed madame Clarisse…

Charlene lustrowała jednak Kurę, patrząc na nią z góry, co doskonale ułatwiały jej schody, na których stała. Dość krągła ciemnowłosa prostytutka bezlitośnie i bez cienia wstydu taksowała wzrokiem ewentualną konkurencję.

– Kto to taki, Lainie? – zapytała spokojnie, nie obdarzając nowo przybyłej nawet słowem powitania. – Zastępstwo za Chrissie Hamilton? Przykro mi, mała, ale madame Clarisse szuka blondynki. Czarnowłosych mamy już dość. Chyba że potrafisz coś szczególnego. – Charlene oblizała wargi.

Kura patrzyła na nią z oburzeniem.

– Jestem śpiewaczką! – krzyknęła w jej stronę. – Nie życzę sobie, by…

– Ach, ta maoryska dziewczyna, która brzdąka u Hollowaya! – Charlene przewróciła oczami. – To prawdziwa trampolina do światowej kariery. Możesz przebierać w ofertach pracy, słodziutka, rozumiem. I dajesz dowód swego wybornego gustu.

Kura odzyskała panowanie nad sobą. Nigdy nie była nieśmiała, a w zespole Rodericka nauczyła się stawiać na swoim. Również wśród dziewczyn.

– Mogłabym tobie zagrać, gdybyś miała tu coś do powiedzenia – oświadczyła. – Obawiam się jednak, że jesteś jedynie dziwką, jedną z wielu.

Charlene wzruszyła ramionami.

– A ty jesteś pianistką, też jedną z wielu. Niech będzie, obie się trochę wybijamy ponad przeciętność. Ale o tym klient dowiaduje się dopiero w łóżku. Tak jest przynajmniej w moim przypadku, bo jeśli chodzi o ciebie, to pewnie niczego nie zauważy. Dla ludzi tutaj jeden grajek brzmi tak samo jak drugi, więc nie rób scen i zmywaj się stąd do swojej wymarzonej pracy. Dla dziewczyn, które sprawiają kłopoty, ledwie tylko wejdą, madame Clarisse i tak nie ma miejsca.

Kura obróciła się, unosząc dumnie głowę.

– Jeszcze się zobaczymy, Elaine.

I wtedy Charlene błyskawicznie zbiegła po schodach, śmignęła obok Kury i stanęła przy drzwiach. Jej spojrzenie było zimne z gniewu, palce wykrzywione niczym szpony.

– Ma na imię Lainie – powiedziała spokojnie. – Lainie Keefer. I nigdy nie była i nie jest niczyją żoną. Nie rozpowiadaj więc żadnych kłamstw. Wtedy my nie będziemy też mówić o tobie. Bo ty też przed czymś uciekasz, moja śliczna! A jeśli zechcę, to się dowiem, przed czym! Nie wspominając już o tym – Charlene wyciągnęła swoje szpony – że piękność też nie trwa wiecznie…

Kura spiorunowała ją wzrokiem. Potem jednak uciekła i zrezygnowała z pomysłu, by w kwestii pracy zwrócić się jeszcze raz do szefowej tego lokalu. Nigdy dotąd nie miała okazji poznać takiej dziewczyny jak Charlene, ale słyszała o nich od tancerzy. Dziewczyny, które tak preparowały baletki do tańca, że tancerze się w nich ślizgali i upadali. Dziewczyny, które rozdrapywały twarze rywalkom albo spały z ich partnerami i namawiały chłopaków, żeby podczas niebezpiecznych figur tanecznych specjalnie je upuszczali. A Charlene nie była jedyna. Cały burdel madame Clarisse mógł być pełen takich agresywnych łajdaczek, które będą bronić swego rewiru. I Elaine.

Gdy Kura wyszła, Elaine zalała się łzami.

– Nie chciałam… chciałam właściwie od razu ją wyrzucić… albo wyrwać jej włosy. Ale to się stało tak nagle, a ona…

– To suka, zimna jak lód – powiedziała Charlene i wzięła przyjaciółkę w ramiona. – Ale niczym się nie martw. Nieważne, czyją byłaś żoną i jak się naprawdę nazywasz, nic nie zdradzę, a ta mała koza też nie. Wystraszyłam ją. I lubię cię. I goście cię lubią… i Mr Tim…

Charlene kołysała w ramionach jak małe dziecko spazmatycznie szlochającą Elaine. Czuła, jak dziewczyna najpierw się rozluźniła, a potem znów zesztywniała, gdy padło nazwisko Tima Lamberta. Zgadza się. Miał pójść dziś na przeszpiegi do Hollowaya. Charlene westchnęła. Gdyby tylko wcześniej udało im się dowiedzieć, że między Lainie a tą maoryską dziewczyną coś było! To znaczy, czystą Maoryską ta Kura nie była, najwyraźniej ktoś z rodziców był biały. Już choćby te oczy…! Jeśli Charlene nie myliła się całkowicie, to istniało jakieś mgliste podobieństwo między Lainie a tą dziewczyną. Charlene zastanawiała się, czy zapytać o to od razu, czy może lepiej poczekać, aż Lainie się uspokoi. To jednak się przeciągało. Dziewczyna co prawda już nie płakała, ale sprawiała wrażenie, jakby była nieobecna. Mówiła, że chce poćwiczyć przed swoim wielkanocnym występem w kościele, siedziała jednak nieruchomo przed pianinem i patrzyła w próżnię. Charlene przyniosła jej gorącą herbatę, a potem postawiła przed nią porządną whisky.

– Masz, wyglądasz jak duch. Wypij to. Potem przyjdzie twój Mr Tim i wtedy będziesz mogła się z nim powygłupiać. To było słodkie wczoraj, jak rozmawialiście o koniach flirtujących w następnym życiu! No, uśmiechnij się, Lainie!

Elaine wypiła, ale nie wierzyła, że coś jeszcze może sprawić, by się uśmiechnęła. Tim Lambert dziś wieczorem szedł do Wild Rover i tam zostanie. Tak samo jak Matt Gawain. Mężczyźni szybko zapomną o Lainie i Charlene. Niejasno zadawała sobie pytanie, dlaczego nie było jej to obojętne. Przecież w gruncie rzeczy to byłoby nawet dobre, gdyby pozbyła się Tima. Czy nie dość często się uskarżała, że jest wobec niej zbyt natrętny?

Gdy pojawili się pierwsi goście, Elaine zaczęła dzielnie grać. Robiła to jednak mechanicznie, była rozkojarzona i mężczyźni od razu to zauważyli. Tego wieczoru nie było dla Lainie żadnych drinków i nikt nie życzył sobie jakiejś piosenki. Elaine widziała to, ale nie zwróciła na to większej uwagi i wydało jej się to normalne. Kilka domów dalej grała i śpiewała Kura-maro-tini. Dlaczego niby ludzie mieliby jej słuchać?

Twarz Elaine była blada i bez wyrazu. Zdawała się patrzeć przez pianino i ściany baru – gdzieś w inne światy i inne czasy. Godzina zamknięcia lokalu zbliżała się potwornie wolno. Elaine marzyła już tylko o tym, by zniknąć w swym małym pokoju, zakopać się pod koc z Callie pod ręką i po prostu zapomnieć o tym dniu. Jutro będzie musiała pomyśleć, co dalej. Może jakieś inne miasto, jakiś inny bar... ale już żaden inny Timothy Lambert...

– Dobry wieczór, Miss Lainie! – wyrwał ją z letargu wesoły głos Tima.

Elaine przerwała piosenkę, którą właśnie grała. Prawie nie dowierzając, odwróciła się w jego stronę.

– Dobry wieczór, Mr Tim...

Jej głos brzmiał bezbarwnie.

Tim Lambert przyjrzał jej się badawczo.

– Czy coś jest nie tak, Miss Lainie?

Elaine potrząsnęła głową.

– Chodzi o to... Nie, nic – powiedziała stanowczo i zaczęła znów grać, czując, że rumieńce wracają jej na twarz. Serce biło jej jak szalone. Chociaż... oczywiście Tim i tak musiał tu dziś wrócić, w końcu przyrzekł madame Clarisse, że jej o wszystkim opowie. Elaine próbowała podsłuchać kilka słów, ale był piątek wieczór i w barze było bardzo głośno. Wkrótce jednak madame Clarisse zaspokoiła jej ciekawość, wskazując Timowi i Mattowi stolik i podchodząc do niego z butelką whisky. Z butelką tej lepszej whisky...

– Przykro nam, że zjawiamy się tak późno – stwierdził Tim, z przyjemnością wdychając zapach drogiego trunku. – Natrafiliśmy tam na Caleba Billera i oczywiście wykorzystaliśmy okazję, żeby go trochę podpytać o kopalnię tatusia. – Musieli wypić przy tym trochę whisky, bo zbyt trzeźwi już nie byli.

– Tak, stary Biller kazał wyremontować wszystkie szyby wentylacyjne – poinformował Matt. – Niedawno mieli gaz w kopalni. Od tego czasu Biller ma pietra. A mały Caleb płacze, że musi tego wszystkiego dopilnować...

– Podczas gdy my chętnie byśmy coś takiego nadzorowali, gdyby tylko mój ojciec raczył się na to zdecydować. – Tim zapatrzył się ponuro w szklankę.

Madame Clarisse przewróciła oczami.

– Czy po to wysyłałam was do Rover, bo myślicie, że tak mnie interesują szyby wentylacyjne Billera, chłopcy? Nie! No więc co jest z tą dziewczyną? Z tą małą przy pianinie?

Elaine aż się przygarbiła. Nie wiedziała, jak dużo Charlene opowiedziała szefowej o popołudniowej wizycie Kury. Było jednak mało prawdopodobne, żeby zachowała całą sprawę dla siebie.

Tim wzruszył ramionami.

– Ta mała jest ładna – stwierdził.

Matt wzniósł oczy ku górze.

– Tak może mówić tylko ktoś, kto jest ciężko zakochany. Madame Clarisse, ta dziewczyna jest piękna. Kiedy się rodziła, wszystkie złe wróżki musiały mieć akurat wolne. Jest jak marzenie!

Madame Clarisse zmarszczyła czoło, a Charlene, która dreptała w miejscu w pobliżu stolika, obrzuciła ich morderczym spojrzeniem.

– O ile wiem – stwierdziła sarkastycznie – większość mężczyzn woli damy z krwi i kości.

Matt wyszczerzył do niej zęby. Wyraźnie rozkoszował się jej zazdrością.

– Och, jest jak najbardziej zmysłowa, Charlene. Gdybyś słyszała, jak śpiewa… Jest w tym namiętność. Wulkan ukryty pod łagodną powierzchnią!

– Łagodną? – zapytała Charlene. – Czasem bym chciała, żeby mężczyzn nie można było tak łatwo oszukać…

– Wtedy jednak mniej byś zarabiała – powiedziała ze śmiechem madame Clarisse. – No dalej, chłopcy, co ma znaczyć ta cała gadanina? Nie dobieraliście się do niej? Wiecie, kto to i skąd się wzięła?

– No, no, madame Clarisse, chyba nie chce pani, byśmy tę małą uwodzili? – Matt najwyraźniej bawił się w najlepsze. – I co to w ogóle za słownictwo? Tim i ja nigdy byśmy się do kogoś nie „dobierali".

– A przy tym od razu musielibyśmy sobie poradzić z Calebem Billerem – dodał Tim. – Co zresztą nie byłoby trudne. Ale jeśli nawet on interesuje się dziewczyną…

Mężczyźni się zaśmiali, również ci, którzy siedzieli przy sąsiednich stolikach. Do madame Clarisse przychodzili przede wszystkim ludzie z kopalni Lambert i Blackburn. Między nimi i ludźmi od Billera wciąż trwała rywalizacja, która co prawda nie objawiała się agresją, ale w każdym razie prowadziła do wzajemnych docinków. Uchodzący za zniewieściałego Caleb Biller był ich ulubioną ofiarą.

– W każdym razie pochodzi gdzieś z okolic Canterbury. Caleb wyraźnie co prawda tego nie powiedział, ale takie wyciągnął wnioski z tego, co mu mówiła. – Tim wyjaśniał spokojnie, czego dowiedział się o Kurze. Najwidoczniej wypytywał Billera nie tylko o kopalnię ojca. – Podróżowała z zespołem operowym. Wyspa Południowa, Wyspa Północna, nawet Australia. Ale do Anglii już nie chciała. Albo ci ludzie nie chcieli jej z sobą zabrać, co wydaje mi się bardziej prawdopodobne. Od tego czasu wędruje sama. To ciężki kawałek chleba. Nie skarżyła mu się, a Caleb jest przekonany, że to wspaniałe życie. Ale przecież wystarczy tylko spojrzeć, gdzie wylądowała. Wild Rover to prawie samo dno. A przy tym śpiewa i gra naprawdę dobrze. Na koniec grała razem z Calebem. On też gra nie najgorzej. W każdym razie trzy razy lepiej, niż jeździ konno, nie wspominając już o górnictwie…

Elaine nie słuchała dalej. Oczywiście, był pod wrażeniem Kury. A ona rzeczywiście śpiewała arie operowe, choć wszyscy wątpili w to, że jest w stanie to robić. A jednak ci Anglicy mimo wszystko nie zabrali jej z sobą. Będzie jej to mogła przypomnieć, jeśli znów się tu pojawi. O ile sama będzie o tym pamiętać. Ale przecież musi! Musi być silna, tak silna jak Charlene, która zdawała się niezbyt przejmować gadaniem Matta o Kurze. Elaine odetchnęła, gdy wieczór się skończył. A jutro…

W sobotni wieczór w barze było tłoczno jak zawsze, a Elaine, która mocno postanowiła, że w żadnym wypadku się nie podda, siedziała w swej najpiękniejszej sukni przy pianinie, spełniając jedno muzyczne życzenie po drugim. Zmuszała się przy tym do większej wesołości – uśmiechnęła się nawet, gdy około dziewiątej drzwi się otworzyły i do baru wszedł Tim Lambert. Znów padało przez cały dzień i zostawił swój płaszcz przeciwdeszczowy oraz kapelusz w stajni. Rzeczy, które nosił pod spodem, przemokły całkowicie na krótkiej trasie ze stajni podczas oberwania chmury. Tim śmiał się i otrząsał jak młody pies, zanim spojrzał w stronę Elaine. Elaine musiała przyznać, że był przystojny. Miał mokre włosy, a na rzęsach krople deszczu, które spływały powoli po roześmianej twarzy. W końcu otarł ją rękawem koszuli. Sprawiał wrażenie beztroskiego, młodego i pełnego życia.

– Dobry wieczór, Miss Lainie.

Skinęła w jego stronę. Nagle poczuła, jakby ktoś zdjął z niej ciężar.

– Dobry wieczór, Mr Tim. Mam coś zagrać dla pana?

Młody człowiek się roześmiał.

– Dobrze pani wie, czego chcę, Miss Lainie. Niech więc mi pani znów przywoła te siedem lat, jakie John Riley musiał czekać na swą najdroższą…

Elaine zmarszczyła czoło.

– Czy to przypadkiem nie John Riley kazał czekać na siebie swej najdroższej?

Tim wyszczerzył zęby.

– Właśnie o to mi chodziło, żeby pani o tym pomyślała – powiedział z udawaną powagą. – Ale proszę mi wybaczyć na chwilę, muszę porozmawiać z Mattem, zanim całkowicie poświęci się whisky. Powodów ma dość. I ja też…

Lainie spojrzała na niego pytająco.

– Czy coś się stało w kopalni?

Tim przytaknął ruchem głowy.

– Mój ojciec znów odrzucił prośbę Matta, żeby poszerzyć szyby wentylacyjne. Mamy tylko jeden nowy i ten funkcjonuje dobrze, ale gdyby naprawdę pojawił się gaz, to za mało. A jeśli wierzyć Calebowi Billerowi, sytuacja jest naprawdę niebezpieczna. Rany, stary Biller jest równie skąpy jak mój ojciec! Skoro nawet *on* wydaje pieniądze na sprawy związane z bezpieczeństwem… – Tim wyglądał na poważnie zatroskanego.

– Nie ma czegoś takiego jak maski gazowe? – zapytała Elaine. Kiedyś o tym słyszała i widziała rysunki w jakimś magazynie. Mężczyźni noszący takie maski wyglądali jak jakieś paskudne, wielkie insekty.

Tima wyraźnie ucieszyło jej zainteresowanie.

– Ich też nie mamy, Miss Lainie. Poza tym niewiele by pomogły. W przypadku pojawienia się gazu cały problem polega na tym, że istnieje niebezpieczeństwo eksplozji. Zazwyczaj jest to tylko metan. Nie jest on trujący, ale jest palny i łatwo się zapala. Częściowo można temu zapobiec, zmniejszając ilość pyłu węglowego w kopalni, na przykład poprzez zraszanie wodą i zabezpieczenie odpowiedniej cyrkulacji powietrza. Jedno i drugie jest u nas niedostateczne.

Elaine spojrzała na niego zatroskana.

– Ale pan sam nie bywa zbyt często na dole?

Tim się rozpromienił.

– To naprawdę ratuje mi ten ponury dzień, Miss Lainie! Pani się o mnie boi! Godzinami będę się teraz z tym obnosił!

Po tych słowach zostawił ją i kilka minut później był już zatopiony w gorącej dyskusji z Mattem Gawainem. Sztygar był bliski tego, by zagrozić, że się zwolni. Marvin Lambert ośmieszył go przed jego ludźmi i oświadczył, że poprawienie bezpieczeństwa pracy możliwe jest jedynie przy obniżeniu płac. Górnicy musieli się zdecydować, czy lepiej być tchórzliwym czy głodnym. Oczywiście nikt nie głosował za obniżeniem zarobków.

Dopiero później Tim wrócił do Lainie, wzniósł toast, a ona po raz kolejny najlepiej jak mogła zagrała *Johna Rileya*. Minęła już spora część wieczoru i Elaine nabrała trochę odwagi. Na ile można było stwierdzić, nikt nie porzucił Lucky Horse dla Wild Rover. I w sumie nikt tu właściwie nie mówił o śpiewaczce z sąsiedniego baru. Być może więc będzie to wyglądać niewinnie, jeśli zada Timowi parę pytań. Postanowiła podejść do tego dyplomatycznie, jej głos brzmiał jednak prowokująco.

– Czy wczoraj też zamawiał pan *Johna Rileya*? – zapytała.

– Wczoraj? – Tim najwyraźniej musiał się najpierw zastanowić, co takiego szczególnego było we wczorajszym dniu. Ale po chwili mrugnął do niej szelmowsko. – Ach, ma pani na myśli Wild Rover. Jest coraz lepiej, Miss Lainie. Najpierw się pani o mnie troszczy, a teraz jest pani jeszcze zazdrosna!

Elaine zagryzła wargę.

– Nie. Mówię poważnie – wydusiła z siebie. – Czy uważa pan… że to piękna kobieta?

Tim spojrzał na nią badawczo, słysząc wyraźne zainteresowanie w jej głosie. Jej delikatna, niemal przejrzysta skóra na twarzy znów na przemian rumieniła się i bladła, wargi drżały lekko, a oczy mrugały.

Tim miał ochotę objąć ją ramieniem, położyć dłoń na jej dłoni, ale czuł, że ona instynktownie się przed tym wzbrania, i dotknął jedynie bezradnie krawędzi pianina.

– Miss Lainie – powiedział łagodnie. – Oczywiście, że jest piękna i pięknie też śpiewa. Każdy to zauważy, o ile nie jest ślepy albo głuchy. Ale pani, Miss Lainie, jest znacznie piękniejsza i gra w znacznie bardziej poruszający sposób, dlatego też nigdy żadnej innej dziewczyny nie poprosiłbym, by zagrała dla mnie *Johna Rileya*.

– Ale… ja nie jestem piękniejsza, ja… – Elaine odwróciła się na swoim krześle. Że też zadała to pytanie!

– Dla mnie jest pani piękniejsza – powiedział Tim poważnym tonem. – Musi mi pani wierzyć. Przecież chcę się z panią ożenić. A to znaczy, że wciąż będę panią uważał za piękną, gdy będzie pani miała kiedyś siedemdziesiąt lat, siwe włosy i zmarszczki…

Elaine znów skryła twarz za włosami.

– Niech pan nie mówi tak za każdym razem… – szepnęła.

Tim się roześmiał.

– Tego nie może mi pani zabronić! A teraz proszę, niech pani zagra dla mnie jakąś wesołą piosenkę i zapomni o tej małej przy pianinie w Wild Rover! Ja też już o niej zapomniałem.

Elaine odgarnęła włosy do tyłu i uśmiechnęła się nieśmiało. Zagrała kilka zwykłych melodii; można było zauważyć, że nie była zupełnie skupiona na tym, co robi. A gdy Tim Lambert w końcu się żegnał, zdarzył się mały cud.

Tim jak zwykle pożegnał się słowami: „Dobranoc, Miss Lainie", Lainie zaś nabrała głęboko powietrza i spojrzała na niego wstydliwie. Niemal wystraszona własną odwagą, zdecydowała się w końcu na uśmiech.

– Dobranoc, Tim.

# UZDROWIENIE
## Greymouth
## Koniec 1896 – początek 1898

# 1

Timothy Lambert był w świetnym humorze, gdy w poniedziałek je‑
chał konno do kopalni swego ojca. Czuł się tak, mimo że nie osiągnął
jeszcze porozumienia w sprawie koniecznych przebudów. W niedzielę
Tim ostro się z ojcem pokłócił, Marvin Lambert uważał jednak dalsze
inwestycje w bezpieczeństwo kopalni za zbędne i stwierdził, że stary
Biller jest szalony.

– Może teraz do reszty zwariuje, skoro jego syn codziennie gra
w barze na pianinie. Nic dziwnego, że staremu musiało coś przyjść
do głowy. Dał więc juniorowi jakieś zajęcie choćby trochę związane
z wydobyciem węgla.

Tim odparł na to, że on również może zacząć pobierać lekcje gry
na pianinie. Może przynajmniej w barze będą go potrzebować, sko‑
ro jego rady związane z bezpieczeństwem pracy nie są mile widziane.
Dlaczego, na Boga, stary Lambert kazał mu studiować górnictwo,
skoro teraz ma w nosie jego porady? Cała kłótnia zakończyła się tak
jak zawsze, że kopalnia ponoć nie potrzebuje żadnego technika, lecz
bystrego handlowca, a Tim łatwo mógłby zdobyć w tym zakresie wie‑
dzę, gdyby tylko częściej pokazywał się w biurze…

Tim był wściekły, ale teraz, w jasnych promieniach słońca, które
sprawiały, że Greymouth wyglądało jakby zmyło z siebie zwykłą sza‑
rość, zapomniał o swych troskach. Bawiła go myśl, co powiedziałaby
Lainie na ucznia gry na fortepianie, a na wspomnienie o niej jego na‑
strój jeszcze bardziej się poprawił. W każdym razie na pewno wieczo‑
rem znów ją zobaczy. Pójdzie do niej, uśmiechnie się, i powie: „Do‑
bry wieczór, Lainie". A ona być może znów się uśmiechnie i powie do
niego „Tim". Kolejny mały krok, ale ważny krok. Może wreszcie coś
się ruszyło. Lainie wyglądała na tak rozluźnioną i szczęśliwą, po tym
jak wybił jej z głowy te głupie myśli o drugiej pianistce.

To była jednak dziwna historia. Dlaczego dziewczyna reagowała tak panicznie na rywalkę, której w ogóle nie znała? A może było już wcześniej coś między nią i tą Kurą? To nawet możliwe, zwłaszcza że ta maoryska dziewczyna sporo wędrowała. I czy w tym zespole operowym wszyscy muzycy pochodzili z Europy? Może Lainie akompaniowała śpiewaczce na fortepianie i doszło do jakiejś kłótni? Może nawet Kura była świadoma, że zadała dziewczynie taki ból, iż ta od tej pory bała się mężczyzn. Tim zastanawiał się krótko, czy samemu nie porozmawiać z tą śpiewaczką, potem jednak zdecydował, że byłoby to jak nadużycie zaufania. Mógł jednak porozmawiać z Calebem Billerem! Chłopak był co prawda trochę zniewieściały, ale Tim osobiście nic przeciw niemu nie miał. Wręcz przeciwnie, kontakt z nim był znacznie przyjemniejszy niż z jego despotycznym ojcem, a nie był też głupi. Jeśli Tim opowie mu o Lainie, być może da się go ostrożnie wypytać o Kurę.

Tim pogwizdywał sobie, podczas gdy Fellow biegł kłusem przez osiedle górnicze. Tutaj przynajmniej odniósł jakieś sukcesy. W związku z przygotowaniami do festynu w dniu świętej Barbary osuszono ulice. Prace szły dobrze, a wszystko to było krokiem w stronę bezpieczeństwa w kopalni. Przedtem nie było praktycznie żadnych zdatnych do użytku dróg ewakuacyjnych w stronę Greymouth. Aż strach pomyśleć, co by się stało, gdyby w obozie górniczym wybuchł pożar! A sama kopalnia…

Tim spoglądał trochę z dumą właściciela, a trochę ze wstrętem na wieże wydobywcze i pozostałe budynki, które miał w zasięgu wzroku. Można byłoby tu stworzyć wzorcowe przedsiębiorstwo, nowoczesną kopalnię o wysokich standardach bezpieczeństwa, połączoną z trakcją kolejową… Tim miał też pomysły, jak zwiększyć urobek dzięki nowym, wydajniejszym metodom wydobycia i poszerzeniu szybów. Ale z tym trzeba będzie poczekać, aż Marvin przekaże mu rodzinny interes. W każdym razie ojciec jeszcze raz dzisiaj potwierdził, że uda się z nim na wizytację kopalni. Tim chciał pokazać mu przynajmniej na powierzchni, jakie są braki w kwestii wentylacji i jakie istnieją możliwości rozbudowy sztolni, gdyby zainwestować w to pieniądze i pracę. Był tak pełen zapału i w dobrym humorze, że niemal wierzył w sukces.

Marvin Lambert spoglądał na syna raczej ponuro.

– Typowy poniedziałek! – narzekał. – Cała masa ludzi nie pojawiła się w pracy. Spośród tych leniwych baranów z osiedla nie przyszło dzisiaj dziesięć procent! Furmani narzekają, bo ich wozy dostawcze zapadają się w błoto... Ten cholerny deszcz! Gdybym tylko kazał zrobić drogę do linii kolejowej zamiast tych ulic na osiedlu! A sztygar wziął sobie wolne. Tak, zgadza się, wziął wolne, nawet mnie nie zapytał o zgodę, by sam się zajął zaległą dostawą desek szalunkowych... W dodatku ten drań naprawdę wzbrania się przed dalszym zakładaniem podpór, aż...

Dobry humor Tima znikł.

– Ojcze, bez belek podporowych nie może dalej rozbudowywać szalunków, wyjaśniałem ci to już wczoraj. A duża liczba zachorowań wynika prawdopodobnie z tych niekończących się deszczów. Ludzie czują to w płucach, które i tak mają już nadwątlone. Na szczęście dzisiaj świeci słońce, więc jutro pewnie będzie lepiej. Na następnej zmianie znów wszyscy zjadą na dół, ci ludzie potrzebują pieniędzy. A teraz chodź, ojcze, obiecałeś mi, że przyjrzysz się planom rozbudowy kopalni...

Lambert wolałby pewnie spokojnie dopić swoją herbatę; Tim z troską poczuł, że już rankiem dolewał do niej whisky. W końcu jednak uległ naleganiom syna i wyszedł z nim na słońce.

– Widzisz, ojcze, musisz to sobie wyobrazić tak jak przeciąg przy otwartym oknie. Jedno tylko okno nie wystarcza. I również na pierwszym piętrze jedno nie wystarcza. Jeśli cały dom ma mieć dostęp do świeżego powietrza, potrzebna jest odpowiednia liczba otworów. Tak więc, jeśli dalej rozbudowujemy sztolnie, że tak powiem, powiększamy dom, musimy wiercić również nowe szyby wentylacyjne. A im większe jest niebezpieczeństwo, że gdzieś może się pojawić gaz, tym większy musi być przeciąg. Zwłaszcza przy tutejszej pogodzie. Temperatury na zewnątrz i ciśnienie też odgrywają rolę... – wyjaśniał cierpliwie Tim, wątpił jednak, czy ojciec go słucha. Im dłużej trwały jego wywody, tym większe było jego zwątpienie, zwłaszcza że tu, na górze, w jasności dnia i mogąc patrzeć daleko, dopiero sobie uświadamiał, jak rozgałęziona i niebezpieczna była sieć szybów i sztolni tam na dole.

A potem nagle usłyszał grzmoty, jakby skądś nadciągała burza. Również Marvin spojrzał z irytacją w niebo i odruchowo lekko się skulił. Jednak nad Greymouth, nad górami i morzem nie było widać ani jednej chmury. Tima ogarnął niepokój. To nie dobiegało z góry, coś działo się pod ich stopami!

– Ojcze, kopalnia… Tam na dole coś się dzieje. Czy coś zarządziłeś? Mieli coś wysadzać? Albo… chyba nie może chodzić o poszerzanie sztolni? Z przestarzałym materiałem wybuchowym? Czy coś było inaczej niż zwykle? – W spojrzeniu Tima widać było, że to pilne.

Marvin machnął spokojnie ręką.

– Ten młody sztygar, Josh Kennedy, drąży dalej sztolnię dziewięć – powiedział niemal z dumą. – Nie jest taki niezdecydowany jak ten Gawain. Od razu się zgłosił, gdy…

Twarz Tima wyrażała przerażenie.

– Kazałeś dalej poszerzać sztolnię dziewięć? Mój Boże, ojcze, nie robiliśmy tam jeszcze żadnych próbnych odwiertów! W dodatku Matt przypuszczał, że mogą tam być puste przestrzenie. Ogłośmy alarm, ojcze, tam na dole coś się dzieje! – Tim pozostawił stojącego ojca i ruszył biegiem w stronę wejścia do kopalni, lecz dźwięki eksplozji go goniły. Cały teren wciąż wyglądał spokojnie i cicho pod wiosennym niebem, spod ziemi jednak wydobywał się piekielny hałas, jakby odpalono dziesięć lasek dynamitu. Najpierw raz, później drugi raz, nim Tim zdążył dotrzeć do wejścia.

Obsługujący klatkę szybową mężczyźni, którzy stali bladzi ze strachu przy zejściu do sztolni, uruchomili już maszyny do wyciągania koszy.

Podczas gdy liny ruszyły, w kopalni doszło do trzeciej eksplozji.

– To nie tu pod nami! – krzyknął jeden z mężczyzn. – To gdzieś dalej na południe…

Tim przytaknął.

– Sztolnia dziewięć… albo to, czym była, bo wiele nie mogło z niej zostać. Mam nadzieję, że ludziom udało się wydostać i nie doszło do wybuchu gazu albo zalania! Muszę się dostać na dół! Proszę mi załatwić lampę. – Obrzucił spojrzeniem mężczyzn przy kołowrocie. Jednym z nich był stary walijski górnik z mocno schorowanymi płucami, który nie jeździł już na dół, drugim młody chłopak. Timowi zdawało się, że widywał go już pod ziemią w kopalni. – Nie pracuje pan normalnie w sztolni siedem? Co pan tu robi na górze? Jest pan chory?

Mężczyzna potrząsnął głową i nie pytając o nic, też zaczął się szykować do zjechania w dół.

– Moja żona spodziewa się dziecka. Myśli, że to będzie dzisiaj. Dlatego sztygar stwierdził, że powinienem pomagać dzisiaj tu, na górze. Prace w sztolni siedem i tak są wstrzymane, bo zakładają tam szalunki. Tak więc miałem zostać bliżej Cerrin, tak mówił sztygar.

Tim zagryzł wargi. Możliwe, że dziecko uratowało swemu ojcu życie. A teraz znów miał je narażać...

– Mimo wszystko musi pan zjechać ze mną. Zanim pojawi się dalsza pomoc, może już być za późno.

Tim wszedł do kosza przed mężczyzną, który miał zostać ojcem. Stary górnik zrobił znak krzyża, a Tim widząc to, przyłapał się na tym, że przyzywa świętą Barbarę. To była poważna sprawa, a im głębiej kosz zjeżdżał do kopalni, tym wydawała mu się poważniejsza. Poza hałasem w klatce szybowej w kopalni zdawała się panować grobowa cisza. Zwykłe dźwięki, jak ciągłe uderzenia kilofów i młotów, turkotanie wózków po szynach, odgłos łopat przerzucających nadkłady, głosy sześćdziesięciu do stu pracujących tu mężczyzn – wszystko zamilkło.

Młody mężczyzna też to zauważył, spojrzał na Tima oczyma szeroko otwartymi ze strachu i wyszeptał:

– Mój Boże...

Pierwsze ciała znaleźli w pomieszczeniu niezbyt daleko od klatki szybowej. Dwóch mężczyzn, których śmierć dogoniła podczas ucieczki. Musieli przed czymś uciekać, ale było już za późno, by przywołać kosz windy.

– Gaz – wyszeptał Tim ochrypłym głosem. – Pewnie się już ulotnił, na tym obszarze wentylacja jeszcze funkcjonuje. Ale musieli się go już za dużo nawdychać.

– To mogła też być fala uderzeniowa – podsunął młody mężczyzna. – Co teraz robimy, sir? Idziemy dalej?

Tim wiedział, że górnik najchętniej od razu wyjechałby na powierzchnię. I prawdopodobnie miał nawet rację. Skoro znaleźli ciała już tutaj, było mało prawdopodobne, żeby przeżył ktoś głębiej w kopalni. A jeśli jednak? Jeśli zostały jakieś obszary z tlenem?

Tim zagryzł wargę.

– Przyjrzę się temu dokładniej – powiedział cicho. – Ale jeśli pan chce, może pan wracać.

Mężczyzna potrząsnął głową.

– Idę z panem. Tam na dole są przecież moi kumple.

Tim skinął głową.

– Jak się pan nazywa? – zapytał, gdy szli absolutnie ciemnym, pogrążonym w całkowitej ciszy szybem. Ze światła lamp na ich hełmach wynurzało się bezpośrednie otoczenie w bladym, upiornym świetle.

– Joe Patterson. Niech pan spojrzy, tam są... tam są jeszcze dwaj.

– Trzej... – szepnął Tim.

Dwóch mężczyzn najwyraźniej próbowało pomóc rannemu.

– Joe, musimy się rozdzielić, już choćby po to, żeby jak najszybciej mieć to za sobą. Niech pan idzie do szybu siódmego, ja wezmę dziewiątkę.

Sztolnie w tym miejscu się rozgałęziały. Tim zastanawiał się, czy mężczyźni dotarli tu z prawej, czy z lewej strony. W końcu skręcił w prawo. Joe z widoczną niechęcią – najwyraźniej samotna wędrówka zdawała mu się zbyt straszna – skręcił w lewo. W siódmym szybie nie mógł natrafić na zbyt wielu ludzi. Tim dziękował niebiosom za opóźnienia w dostawie desek.

W szybie dziewiątym szybko znalazł kolejne ciała, a potem pierwsze zawały. Wyraźnie zbliżał się do miejsca eksplozji, której fala uderzeniowa przemieściła gaz i gruz po całej kopalni. Wciąż panowała cisza. W pewnym momencie Tim nie mógł już tego znieść i zaczął krzyczeć.

– Jest tu ktoś? Czy ktoś pozostał przy życiu?

I nagle rozległ się jakiś młody głos, jeszcze dziecinny i pełen strachu.

– Jestem tutaj! Pomocy! Proszę! Jestem tutaj...

Krzyk przeszedł w szloch.

Tim znów poczuł nadzieję. A więc ktoś przeżył!

– Pomoc nadchodzi, tylko spokojnie! – krzyknął w mrok przed sobą. Szyb dziewiąty jeszcze przed eksplozją nie był zbyt łatwy do ogarnięcia. Chłopak mógł być nie wiadomo gdzie. – Gdzie dokładnie jesteś? Jesteś ranny?

– Tu jest tak ciemno... – Głos chłopaka brzmiał histerycznie. Tim ruszył w stronę, z której dobiegał dźwięk, coraz dalej w ślepy korytarz, licząc na to, że chłopak nie jest zasypany. W pośpiechu Joe i on nie zabrali żadnych narzędzi do kopania. Głos nie był przytłumiony i zdawał się rozlegać teraz bliżej.

– Zostań tam, gdzie jesteś, chłopcze, ale mów coś! – krzyknął Tim. – Wyciągnę cię...

Chwilę później w ciemnościach szybu zobaczył trzynastolatka o wielkich oczach. Roly O'Brien – Tim przypomniał sobie, że kilka dni temu Matt przedstawiał mu tego chłopaka. Roly uczył się dopiero pracy w kopalni. Jego ojciec pracował w niej jednak od lat. Tim poczuł zimny dreszcz na plecach. Gdzie był Frank O'Brien?

Roly szlochał z ulgi, i niemal rzucił się Timowi na szyję.

– Coś walnęło – opowiadał drżącym głosem. – Byłem tutaj, w środku... wysłali mnie tu, bo miałem poćwiczyć jeszcze trochę walenie kilofem. W głównych szybach tylko opóźniałem ich pracę, mówił mój ojciec, ale tutaj, przy ścianie, mogłem zbierać resztki urobku...

Ten boczny szyb, co prawda połączony z innymi, ale położony trochę na uboczu, był już w gruncie rzeczy wyeksploatowany. Ludzie nigdy go nie lubili. Ponieważ leżał głębiej od pozostałych szybów, powietrze było tu zawsze nieświeże. Ale właśnie to prawdopodobnie uratowało dziś Roly'emu życie. Najwyraźniej gaz nie przedostał się do tego tunelu, a zawalić też się nie zawalił. Roly nie odniósł żadnych obrażeń, ale był na wpół żywy ze strachu. Ponieważ po wybuchu zgasły wszystkie lampy, nie potrafił się zorientować, jak wracać, więc drżał skulony w kącie, póki nie usłyszał wołania Tima.

– Wszystko będzie dobrze, Roly, uspokój się. – Tim nie był pewien, czy uspokajał w ten sposób samego siebie, czy dygoczącego chłopaka. – Opowiedz mi teraz. Byłeś tu sam? Gdzie byli pozostali? Gdzie nastąpił wybuch? Czy potem coś jeszcze słyszałeś?

– Mój ojciec i sztygar się kłócili – opowiadał Roly. – Ten nowy sztygar, nie Mr Matt. Może... może to dlatego mnie tutaj odesłali. Mr Josh... eee... Kennedy był dość wściekły. I mój ojciec też. Mr Josh chciał, żeby poszerzali szyb. Materiałem wybuchowym. Mój ojciec uważał jednak, że tam może być pusta przestrzeń, był tego całkiem pewien, i że nie wolno tak po prostu wysadzać albo walić kilofem, że konieczne są te... te...

– Próbne odwierty – westchnął Tim. – Co potem?

Roly pociągnął nosem.

– Potem ojciec powiedział, że wobec tego niech Mr Josh sam to zrobi, a mnie odesłał tutaj. Wydaje mi się, że poszedł do innego szybu, tego po drugiej stronie. I... i coś słyszałem, sir. Na pewno. Kiedy byłem tu sam...

Tim myślał gorączkowo. Czy ktoś jeszcze mógł być przysypany? Wejście do szybu zawaliło się przy wybuchu, zauważył to, idąc tutaj. Pytanie tylko, czy przed pojawieniem się gazu czy później?

– Co słyszałeś, Roly?

Chłopak wzruszył ramionami.

– Stukanie... głosy... – Jego głos zdradzał, że nie był pewien. Mogło mu się coś wydawać. Mimo to Tim sięgnął po kilof i narzędzia, które miał z sobą Roly. Chłopak znów zaczął szlochać, gdy zobaczył zasypane wejście do szybu.

– Tam jest mój tata. Na pewno...

Tim odgarnął na próbę trochę nadkładu, który był dość luźny, tak że mógł zacząć kopać. Może w ten sposób dotrze do tych tajemniczych sygnałów. Właściwie nie wierzył, że ktoś mógł przeżyć. Szyby nie leżały co prawda daleko od siebie, ale oddzielała je solidna skała. Było mało prawdopodobne, żeby Roly rzeczywiście mógł słyszeć pukanie z sąsiedniego szybu. Z drugiej strony, w tej grobowej ciszy...

Roly zajął teraz miejsce obok niego i chwycił za kilof. Był zadziwiająco silny na swój wiek i drobną sylwetkę. Wkrótce udało mu się odgarnąć więcej niż Timowi. Dźwięki, które wydobywały się spod kilofa, stały się teraz bardziej głuche. Najwyraźniej nie zawaliła się cała sztolnia.

– Ostrożnie, Roly – upomniał go Tim, gdy chłopak pracował coraz bardziej rozpaczliwie. – Jeśli ktoś jest zasypany, możesz go w ten sposób zranić. A poza tym... – Tima wciąż jeszcze dręczyły wątpliwości. Co będzie, jeśli uwolnią pęcherz gazowy? Musieli działać powoli, lepiej wyjechać na górę, sprowadzić dalszą pomoc, przeprowadzić próbny odwiert. Do diabła, może w którejś z okolicznych kopalń, gdzie nie próbowano oszczędzać każdego centa, były jakieś maski przeciwgazowe!

Gdy zamierzał nakazać Roly'emu, żeby przerwał kopanie, z ust chłopaka wydobył się krzyk.

– Człowiek!... Tu ktoś jest, jakiś człowiek!... – Chłopak drżącymi palcami odgarniał kamienie i ziemię z ciała zasypanego. Tim nie miał jednak żadnych złudzeń. Mężczyznę trafiło, gdy kopalnia się zawaliła. Jeśli nie zginął od razu, to do tej pory musiał się udusić pod zwałami kamieni. Roly jednak zdawał się koncentrować całą energię na wykopaniu tego człowieka. Uwolnił jego ramiona, wziął go pod pachy i ciągnął... ciągnął, sprawiając, że kamienie na jego ciele się poruszyły.

– Uciekaj, chłopcze! Szyb zaraz się zawali! – Tim chciał odciągnąć chłopaka i myślał najpierw tylko o osuwisku. Ale potem poczuł też, a przynajmniej wydawało mu się, że poczuł, jak oddycha mu się coraz trudniej.

– Roly... – Timowi udało się jeszcze odwrócić plecami do powstającego otworu. A potem usłyszał eksplozję, poczuł, jak jego ciało unosi się w powietrze. Upadł na twardy grunt, uniósł się na kolana. Roly dyszał obok niego, Tim wciąż ciągnął go za koszulę.

– Szybko, gaz! – Powracający koszmar, ale teraz Tim był w tym koszmarze. Słyszał głuchy grzmot walących się skał i zobaczył za sobą buchające płomienie, już nie z bezpiecznej odległości; teraz uciekał równie rozpaczliwie, jak musieli to robić mężczyźni, których ciała odkrył wcześniej.

Dotarcie do klatki szybowej było niemożliwe, gaz uchodził głównymi szybami... Miał nadzieję, że nie dosięgnie Joego Pattersona, miał nadzieję, że ten zdążył już wrócić na górę. Tim modlił się o to.

Ciągnął za sobą Roly'ego przez szyby, szukając jakiegoś bocznego korytarza podobnego do tego, w którym wcześniej znalazł chłopaka... ale żadnego nie było, zostawał tylko nowy szyb wentylacyjny! Znajdował się on w miejscu, w którym Matt i Tim planowali dalszą rozbudowę kopalni. Jeśli będą mieli szczęście i obliczenia Tima się zgadzają, powinno tam być świeże powietrze.

Roly potykał się, Tim biegł jednak teraz z większą pewnością tego, dokąd zmierza. Za ich plecami doszło do kolejnej eksplozji. Roly chciał uciekać na wprost, w stronę klatki szybowej, ale Tim pociągnął go w kierunku nowych szybów. Widział już szyb wentylacyjny, rzucił się w jego stronę i wciągnął świeże powietrze. Natychmiast poczuł ulgę.

A potem świat nad nim się zawalił.

# 2

Wieści o wybuchach w kopalni Lambert rozniosły się błyskawicznie. Matt Gawain usłyszał o tym w Greymouth i natychmiast zaczął organizować pomoc. Będą potrzebowali lekarza, grupy do odkopywania zasypanych i pomocy właścicieli innych kopalń. W takim przypadku nie było mowy o żadnej rywalizacji. Każdy wyśle ludzi i udostępni materiał, żeby odkopać zasypanych górników. Co do rozmiarów katastrofy Matt nie robił sobie żadnych złudzeń. Nie zawalił się po prostu jeden z szybów. Skoro wybuchy rzeczywiście było słychać nawet na powierzchni, to musieli być ciężko ranni i zabici – być może dziesiątki. Matt poinformował lekarza w Greymouth i kazał wysłać posłańców do kopalń Biller i Blackburn. Poinformował też właściciela składu drewna. Może będą potrzebne podpory, nieważne za jaką cenę.

Gdy w końcu dotarł do kopalni, roiło się tam już od mężczyzn, sprawiali jednak wrażenie oszołomionych i pozbawionych przywódcy.

– Tim Lambert i Joe Patterson zeszli prawie godzinę temu – wyjaśnił starszy, odpowiedzialny za klatkę szybową górnik. – A dziesięć minut temu mieliśmy kolejny wybuch. Nie wyślę tam teraz nikogo na dół, Mr Matt, o tym musi już pan zdecydować. Albo Mr Lambert, ale on zupełnie nad sobą nie panuje. Wrzeszczał jedynie, co to za szaleństwo ze strony jego syna, by zjeżdżać tam na dół. Ale nie wygląda na to, żeby zamierzał wydawać komuś polecenia.

Matt kiwnął głową.

– Sprawdzimy najpierw szyby wentylacyjne, czy wciąż są otwarte i czy wydobywa się z nich gaz. Potem zobaczymy. Mam nadzieję, że przynajmniej Blackburn ma kilka masek przeciwgazowych. To wielka kopalnia i powinna być nowocześnie wyposażona, skoro my nie jesteśmy. Mają w każdym razie nowe lampy górnicze, od których nie zapala się gaz i które ostrzegają przed obecnością metanu. Biller też je ma,

Caleb ostatnio o tym wspominał. Kiedy już je dostaniemy, zjeżdżam na dół. Niech pan zbiera ochotników i odpowiednio ich wyposaży. A ludzie, którzy tu biegają, niech pokażą, że jest z nich jakiś pożytek, i opróżnią szopy, będziemy potrzebować miejsca dla rannych i zabitych. Potrzebujemy też koców i noszy. Niech ktoś weźmie konia i pojedzie po pastora, jego też będziemy potrzebować. I to jego kółko gospodyń domowych. I dziewczyny od madame Clarisse. O Boże, Tim jest tam na dole, co na to powie Lainie? Czy ktoś powiadomił już jego matkę? – Matt próbował myśleć trzeźwo i wkrótce rzeczywiście udało mu się zapanować nad chaosem przed kopalnią i wdrożyć sensowne działania. Pojawili się pierwsi pomocnicy z innych kopalń, przede wszystkim Caleb Biller z wozem pełnym górników z lampami górniczymi, linami i noszami. Szacunek Matta dla tego młodego człowieka wzrósł. Może nie bardzo znał się na górnictwie, ale przynajmniej zależało mu na ludziach. A może i stary Biller był też rozsądniejszy od swego konkurenta?

Matt chętnie podzieliłby odpowiedzialność za akcję ratunkową z Calebem, ten jednak przerażony odmówił, gdy tylko sztygar o tym wspomniał.

– Nie mam pojęcia o górnictwie, Mr Gawain. I szczerze mówiąc, nawet nie chcę za bardzo wiedzieć, co się tam na dole stało. W każdym razie nie schodzę pod ziemię. Ja się boję nawet takiej kopalni, w której jeszcze nie było wypadku. Może mógłbym być pożyteczny w jakiś inny sposób…

Gry na pianinie też nie potrzebujemy, pomyślał Matt lekceważąco. Ale to nic nie dawało – przecież nie zmieni Caleba Billera. Poza tym na górze ten młody mężczyzna może rzeczywiście się na coś przyda.

– Wobec tego niech pan zadba o zorganizowanie szpitala polowego, nim pojawi się lekarz – zaproponował w końcu Matt. – Niech pan zobaczy, który budynek najlepiej by się do tego nadawał.

– Biura – powiedział Caleb, nie namyślając się długo. – Szopy są nieogrzewane, tam możemy co najwyżej… To znaczy, będą jakieś ofiary, prawda?

Matt przytaknął znużony.

– Obawiam się, że tak. No dobrze, porozmawiam ze starym Lambertem. I tak musi mi przekazać kierowanie akcją. I świetnie wie, co o tym myślę. Mogę go przy okazji od razu wywalić z biura. Nie chodzi już o to, że…

\* \* \*

Marvin Lambert chodził po biurze bez celu; najwyraźniej próbował utopić swoje lęki w whisky. Gdy Matt wszedł do środka, wyglądało na to, że chce się na niego rzucić.

– To pan! Gdyby pan tu był, mój syn nie podjąłby się tego szaleństwa! Ale pan musiał się rzucać, musiał się pan samowolnie oddalić z kopalni… Jest pan… jest pan zwolniony!

Matt westchnął.

– Może mnie pan zwolnić jutro – stwierdził. – Ale teraz zamierzam spróbować uratować pańskiego syna. I innych tam na dole, o ile jeszcze żyją. Powinien się pan pokazać ludziom. Przyszli, żeby pomagać swoim kumplom, w tym również ci, którzy właściwie są chorzy. Potrzebują kilku słów otuchy, a przynajmniej mógłby im pan okazać wdzięczność.

– Wdzięczność? – Marvin Lambert się zachwiał. – Za to, że ta leniwa banda zawiodła mnie dziś rano i…

W Matcie narastała wściekłość.

– Niech się pan cieszy z każdego, kto dziś rano nie zjechał na dół, Mr Lambert. Wliczając mnie. Aż strach pomyśleć, co by się działo, gdyby teraz na górze w ogóle nie było nikogo, kto miałby jakieś rozeznanie, jak wygląda tam na dole. Ale skoro nie ma pan ochoty do nich przemówić… też dobrze. Niech pan wreszcie przestanie wlewać w siebie tę whisky. Poza tym młody Biller chce urządzić w pomieszczeniach biurowych szpital. Tak więc…

Matt nie słuchał, gdy Lambert zaczął lamentować, że Caleb Biller z pewnością chce jedynie wykorzystać okazję, żeby zajrzeć w jego księgi handlowe. Ktoś zdążył już poinformować o wszystkim jego żonę. Może matka Tima okaże się trochę bardziej dorosła do tej sytuacji.

Caleb wchodził właśnie do kantoru, gdy Matt go opuszczał. Za nim szło dwóch silnych mężczyzn. Młody Biller rozejrzał się fachowo po pomieszczeniu.

– Każę wnieść łóżka, ale najpierw zróbmy trochę miejsca. Za dużo go tu nie ma…

Matt przytaknął. Niech Caleb sam się teraz wykłóca z Lambertem. A co do liczby łóżek: jeśli wybuch gazu rzeczywiście był silny, to prawdopodobnie nie będą ich potrzebować zbyt wiele.

Na podwórze dotarł już lekarz z wozem pełnym koców, materiałów opatrunkowych i leków. Matt przywitał go z ulgą. Dr Leroy był weteranem wojny krymskiej i prowizoryczny szpital prawdopodobnie go nie przerazi. Przywiózł też z sobą żonę, która również miała okazję sprawdzić się w czasach wojny. Berta Leroy zdobyła wykształcenie pielęgniarskie jeszcze przed legendarną Florence Nightingale. Pracowała na froncie i tam poznała swego męża. W poszukiwaniu spokojnego miejsca wywędrowali w końcu do Nowej Zelandii i wspólnie prowadzili praktykę w Greymouth. Zwłaszcza miejscowe kobiety uważały, że Mrs Leroy jest co najmniej równie doświadczona jak jej mąż. W każdym razie nie miała też zahamowań. Przywiozła z sobą madame Clarisse i trzy dziewczyny od niej. Charlene spontanicznie przytuliła się do Matta.

– Cieszę się, że żyjesz – powiedziała cicho. – Myślałam, że...

– To szczęśliwy przypadek, Miss Charlene, za który w stosownym czasie będzie pani mogła dostatecznie podziękować Bogu – stwierdziła Berta Leroy. – Ale teraz mamy co innego do roboty. Jak sądzę, w pani zawodzie potrafi pani ścielić łóżka...

Mrs Leroy zagoniła Charlene i dwie pozostałe dziewczyny do kantoru. Dr Leroy uśmiechnął się do Matta niemal przepraszająco.

– Moja żona woli przyuczać dziewczyny z Lucky Horse niż poważane damy. Znacznie lepiej znają się na anatomii mężczyzn... To jej słowa, nie moje.

Matt niemal wyszczerzył zęby w uśmiechu.

– Jak źle to wygląda, Mr Matt? – zapytała madame Clarisse, nim ruszyła za lekarzem i jego energiczną małżonką. – Czy to prawda, że szukacie Timothy'ego Lamberta?

Matt skinął głową.

– Tim Lambert pierwszy ruszył z pomocą. Ale później były dalsze eksplozje. Nie wiemy jeszcze, czy znaleźli jego i drugiego pomocnika, jak dotąd nie mamy od nich znaku życia. Dopiero zaczynamy akcję ratunkową. Niech nam pani życzy szczęścia, madame Clarisse. A tak nawiasem mówiąc, gdzie jest Miss Lainie? Czy ona...?

Madame Clarisse potrząsnęła głową.

– Wysłałyśmy ją do pastora, gdy tylko usłyszeliśmy o tym wypadku. Razem z koniem i moim wozem. Wtedy nic jeszcze nie wiedzieliśmy o Mr Timie. Wkrótce musi się tu pojawić. Powiem jej to jakoś delikatnie...

Matt zastanawiał się, jak można przekazać taką wiadomość delikatnie. Na placu przed kopalnią zebrało się już więcej kobiet, których mężowie byli pod ziemią. Jedna z nich, drobna Cerrin Patterson, już wkrótce została pierwszą pacjentką w szpitalu doktora Leroya. Gdy usłyszała o wypadku, zaczęły się bóle porodowe. Za sprawą ironii losu w tym miejscu śmierci najpierw miało się narodzić dziecko.

Pojawiła się też Nellie Lambert, aleby mogła się okazać w jakiś sposób pomocna, najpierw sama potrzebowała lekarza. Już teraz histerycznie szlochała. Matt odesłał ją do męża. Niech tym problemem też zajmie się ktoś inny.

I wtedy wreszcie nadeszły pierwsze wieści z kopalni.

– Mr Matt, sprawdziliśmy wszystkie szyby wentylacyjne – zameldował mu stary górnik. – Te w obszarze od jeden do siedem są nienaruszone, a w obszarze osiem i dziewięć dwa się zawaliły, ale jeden jest nietknięty. I ten nowy też jest w porządku… ale może sam pan powinien tam zajrzeć. Jeden z chłopaków, którzy je sprawdzali, twierdzi, że słyszał stamtąd stukanie.

Elaine prowadziła powóz madame Clarisse, zmierzając do kopalni; za nią jechał własnym wozem pastor. Wiózł cztery poważane pomocnice z kółka gospodyń domowych i dwie dalsze dziewczyny z domu publicznego. Rozdzielenie ich na dwa wozy wymagało nieskończonych dyplomatycznych wysiłków pastora, bo z jednej strony wspólna jazda z dziewczynami od madame Clarisse narażała ich nieśmiertelne dusze, z drugiej jednak powóz tejże był znacznie wygodniejszy od furgonu pastora. W końcu jednak, narzekając, wszystkie wsiadły do skrzyni ładunkowej wozu pastora, Elaine zaś i dziewczynom powierzyły transport potężnych ilości szybko zgromadzonego prowiantu. Mrs Carey, żona piekarza, przyniosła kosze pełne chleba i pasztetów; w końcu wszyscy pomocnicy też muszą coś jeść. Tego dnia nikt nie będzie patrzył, kiedy kończy się jego zmiana, by pójść do domu. Trzeba było również zadbać o bliskich ofiar i możliwych rannych – przy czym pomocne były dary przekazane przez madame Clarisse i Paddy'ego Hollowaya: oboje dołożyli po parę butelek whisky.

Elaine poganiała Banshee i dziękowała niebu za poprawiony stan dróg prowadzących z Greymouth do kopalni. Była zdenerwowana i martwiła się o mężczyzn, których znała. Naturalnie jej myśli krążyły przede wszystkim wokół Tima Lamberta. Tak właściwie to nie był on górnikiem; z pewną dozą pewności można było zakładać, że był w biurze, kiedy w kopalni nastąpił wybuch. Ale prawdziwą ulgę poczuje dopiero wtedy, gdy zobaczy go przed sobą całego i zdrowego. Wyobraziła sobie nawet, że rzuca mu się w ramiona, ale natychmiast zabroniła sobie myśli o tym. Już się więcej nie zakocha. Ani w Timie, ani w nikim innym. To było zbyt niebezpieczne i nie wchodziło w rachubę.

Na terenie kopalni panował ożywiony ruch. Żony i dziewczyny zasypanych mężczyzn zebrały się w jednym rogu placu, w milczeniu i przerażeniu wpatrując się w wejście do kopalni, gdzie ekipa ratownicza przygotowywała się do zjechania na dół. Kilka kobiet przesuwało między palcami paciorki różańca, inne stały, trzymając się w objęciach. Na niektórych twarzach widać było rezygnację, na innych rozpaczliwą nadzieję.

Pastor od razu się nimi zajął, a dzielna Mrs Carey przydzieliła swoje dziewczyny do gotowania herbaty.

– Niech się pani dowie, gdzie tu można zorganizować kuchnię, żeby ugotować zupę – zwróciła się do jednej z pomocnic, rozmyślnie pomijając dziewczyny od madame Clarisse. Te zajmowały się rozładowywaniem powozu Elaine. Sama Elaine nie potrafiła się teraz na tym skupić. Wciąż jeszcze rozglądała się za Timem i jak dotąd zobaczyła jedynie Fellowa, który stał uwiązany przed budynkiem biura. A więc Tim musiał tu być. Z pewnością jest w środku – a może prowadzi grupę ratunkową?

Elaine skierowała się w stronę mężczyzn czekających na klatkę szybową, którzy nakładali na siebie skórzane ubrania ochronne oraz kaski i zapoznawali się z działaniem nowych dla nich lamp górniczych z kopalni Biller.

– Szukam Tima Lamberta – wyjaśniła, rumieniąc się przy tym. Jeśli mężczyźni mu o tym opowiedzą, znów będzie się z nią droczył...

Górnik, do którego się zwróciła, potrząsnął jednak poważnie głową.

– Jeszcze nie wiemy, Miss Lainie. Tylko tyle, że po pierwszej eksplozji zjechał na dół razem z Joem Pattersonem...

Elaine nagle poczuła, jak przenika ją lodowaty chłód, który stawał się coraz silniejszy i zdawał się ją paraliżować. Był na dole, w kopalni...

Świat wokół niej zawirował. Próbując się czegoś uchwycić, złapała żelazną poręcz i patrzyła nieobecnym wzrokiem, jak klatka windy, klekocząc, podjeżdża w górę. Wbrew oczekiwaniom nie była pusta; mężczyźni wywieźli na górę pierwsze ciała.

– Leżeli zaraz przy wejściu... Gaz – wyjaśnił pomocnik sztygara, który pojawił się z noszami. – Następnym transportem wyjedzie kolejnych trzech. Innych będziemy musieli odkopać.

Elaine patrzyła na wykrzywione twarze mężczyzn, których wynoszono teraz z windy. Znała dwóch z nich – i Joego Pattersona.

– Czy nie mówił pan... że Joe był z Timem Lambertem... razem? – Elaine wyjąkała to pytanie, choć dokładnie wiedziała, co powiedział górnik.

Pomocnik sztygara przytaknął.

– Tak, Miss Lainie. Cholera, a jego żona akurat rodzi dziecko. Specjalnie dali mu wolne. A teraz to... – Przesunął ręką po pokrytej węglowym pyłem twarzy młodego kumpla.

– Ale niech pani jeszcze nie traci nadziei, mała – powiedział inny ratownik, znów wchodząc do kosza windy. – Ktoś słyszał w szybie wentylacyjnym jakieś stukanie. Tak przynajmniej sądził. A więc może jednak ktoś przeżył. Dziecinko, jesteś blada jak ściana... Niech ktoś weźmie stąd tę dziewczynę, i tak stoi za blisko kopalni. Kobiety w kopalni przynoszą nieszczęście!

Nim kosz, klekocząc, znów zaczął zjeżdżać w dół, ktoś wyprowadził Elaine, łagodnie i z szacunkiem – podczas gdy w jej głowie wciąż krążyło tylko jedno pytanie: jak wiele nieszczęścia mogła tu jeszcze przynieść.

Przy wejściu do szpitala, gdzie ciągle nie było nic do roboty, zajęła się nią madame Clarisse.

Mrs Leroy troszczyła się o rodzącą Cerrin Patterson. Pomagała jej w tym Charlene, która najwyraźniej znała budowę nie tylko męskiego ciała.

– Pomagałam już mojej matce przy narodzinach latorośli numer dziewięć do dwanaście, gdy byłam jeszcze małą dziewczynką. I tak nikt do nas nie chciał przyjść – powiedziała chłodno.

Doktor Leroy jak dotąd musiał się zajmować jedynie nielicznymi zasłabnięciami wśród bliskich zasypanych górników. Spojrzał krótko na Elaine, ale zaaplikował jej tylko whisky i wskazał na kobiety i dzieci przed kopalnią.

– Ci ludzie tam też przez to wszystko przechodzą. Oprócz czekania nic więcej nie można zrobić.

* * *

Do tej pory podano już nazwiska pierwszych ofiar i wśród zastygłych, milczących kobiet dały się słyszeć krzyki bólu i płacz. Bliscy ofiar chcieli zobaczyć swoich zmarłych. Mrs Carey nakazała swoim kobietom, żeby dopuściły ich do ciał i pozwoliły je umyć. Pastor odmawiał modlitwę i starał się pocieszać. Dla większości ludzi z kopalni wciąż jeszcze była nadzieja. Starsze żony górników, które przybyły ze swoimi mężami z Anglii, potrafiły jednak ocenić sytuację realistycznie. Skoro gaz przedostał się do szybów wydobywczych, mężczyźni pracujący niżej w kopalni nie mieli żadnych szans. Niektóre młodsze dziewczyny trzymały się nadziei, że słyszano jakieś stuki.

Elaine też próbowała się tego trzymać. A może rzeczywiście nikt już tam nie został przy życiu? Ale ilu mężczyzn zjechało rano do kopalni? Próbowała się dowiedzieć, z jaką liczbą ofiar w ogóle należało się liczyć, ale jak się okazało, nikt tego nie wiedział.

– Ktoś musiał to przecież notować! – stwierdziła Elaine. – W końcu ci ludzie mają płacone za godzinę! – Po dłuższych poszukiwaniach, które przynajmniej dały jej jakieś zajęcie, złapała jednego z pracowników biura. Mężczyzna ten wskazał jej ojca Tima.

– Dziś notował to Mr Lambert. Jeszcze się denerwował, że było ich tak mało. To jego niech pani zapyta, o ile będzie w stanie udzielić odpowiedzi. Właśnie próbowałem coś z niego wyciągnąć. Ktoś z kierownictwa kopalni musi coś powiedzieć kobietom. Ale Mr Lambert jest kompletnie skołowany.

Marvin Lambert był nie tylko skołowany, lecz również pijany. Wpatrywał się w pustkę i mruczał coś niezrozumiale, podczas gdy jego żona Nellie szlochała i wciąż wykrzykiwała imię Tima. Z żadnym z dwójki Lambertów nie dało się rozmawiać, przynajmniej Lainie nie była w stanie. Trzeba przysłać do nich Mrs Carey albo pastora… ale najpierw musiała znaleźć te listy obecności. Rzeczywiście udało jej się odszukać brulion na biurku Marvina Lamberta.

20 grudnia 1896 – to było to. A zaraz poniżej porządna lista górników, którzy stawili się do pracy. Dziewięćdziesięciu dwóch. I Tim…

Elaine, nie zastanawiając się długo, wzięła zeszyt i poczuła niemal entuzjazm, gdy mówiła o tym Calebowi Billerowi. W całym tym zamieszaniu wokół zawalonej kopalni młody Biller zdawał się kimś nie na miejscu. W przeciwieństwie do mężczyzn, którzy wciąż zjeżdżali i wyjeżdżali z kopalni, był czysty, dobrze ubrany i sprawiał wrażenie niezaangażowanego. Podobnie jak podczas wyścigów; wtedy również wyglądał tak, jakby wolał być gdzie indziej. Zdawał się jednak poinformowany o wszystkich najważniejszych wydarzeniach. Zadanie koordynatora najwyraźniej mu odpowiadało.

– To nieoceniona pomoc, Miss Keefer! – powiedział uprzejmie i przejął od niej listę obecności. – Teraz ratownicy będą przynajmniej wiedzieć, jak długo muszą szukać, nim wszystkich znajdą. Z pewnością jednak nie wszyscy spośród tych dziewięćdziesięciu dwóch zjechali na dół. Niektórzy na pewno pracowali przy klatce szybowej, inni przy załadunku. Spróbuję teraz się tego dowiedzieć.

Elaine spojrzała w stronę wejścia do kopalni, skąd właśnie wynoszono kolejne ofiary.

– Czy ktoś mógł przeżyć, Mr Biller? – zapytała cicho.

Caleb wzruszył ramionami.

– Raczej nie. Ale pewności nigdy nie ma, czasem są jakieś puste przestrzenie, pęcherze powietrza… nawet w przypadku wybuchu gazu. Ale nie wygląda to dobrze.

Krótko potem wiadomo było, że na dół zjechało sześćdziesięciu sześciu mężczyzn, a później Joe i Tim. Dwudziestu martwych już znaleziono, większość z nich w obszarze szybów jeden do siedem, które nie uległy zawaleniu. W rejonie szybów osiem i dziewięć odkopywano zawały, godzina po godzinie.

Elaine nie pamiętała później, jak minął ten dzień. Pomagała przy gotowaniu herbaty i szykowała kanapki, ale przez cały czas była jak nieobecna. W pewnej chwili pastor poprosił ją, żeby pojechała do miasta przywieźć więcej prowiantu. Bliscy ofiar nie byli co prawda w stanie nic przełknąć, ale górnicy zjadali potworne ilości. Do tej pory w kopalni pracowało około stu mężczyzn, którzy wciąż się zmieniali, żeby nie deptać sobie po piętach. Ilości nadkładu były gigantyczne; niektóre obszary sztolni były całkowicie zasypane. Wciąż wywożono na górę ciała.

Lainie zaprzęgła Banshee i przy tym znów natknęła się na Fellowa, który wciąż był osiodłany. Najwyraźniej nikt nie miał odwagi go stąd odprowadzić; widocznie ratownicy obawiali się, że mogłoby to być złą wróżbą. Elaine też walczyła z tą niedorzeczną nadzieją, że skoro Fellow tu stoi, Tim znów może się pojawić i wskoczyć na konia. Ale przemogła się, rozsiodłała wałacha i zaprowadziła go do stajni przy kopalni.

– Tutaj twój pan też cię odnajdzie… – powiedziała szeptem i nagle poczuła napływające do oczu łzy. Płakała cicho, wtulając twarz w grzywę konia. Potem skarciła się w myślach i ruszyła w drogę do miasta.

Greymouth po katastrofie w kopalni Lambert było jak uśpione. Lucky Horse był zamknięty, w Wild Rover panowała cisza. Elaine odebrała zapas żywności. Pozostałe kobiety z kółka gospodyń domowych zajmowały się gotowaniem. Dwie z nich postanowiły się do niej przyłączyć, choć Elaine zastanawiała się, do czego miały być potrzebne dalsze pomocnice. Z początku myślano o opiece nad rannymi, ale jak dotąd doktor Leroy zajmował się jedynie drobnymi zranieniami u ratowników. Zasypani górnicy, których wywożono na górę, byli wszyscy bez wyjątku martwi.

Gdy Elaine przejeżdżała koło Wild Rover, zobaczyła Kurę. Młoda kobieta chciała jak zwykle zacząć pracę przy pianinie, pub jednak był opustoszały i Kura wyglądała tak, jakby się zastanawiała, czy w ogóle wejść do środka. I wtedy dostrzegła Elaine.

– Słyszałam o kopalni – powiedziała Kura. – Jest źle?

Elaine spojrzała na nią i po raz pierwszy nie poczuła przy tym ani wściekłości, ani zazdrości czy podziwu. To, czy była ona kuzynką, czy dokuczliwą obcą kobietą, było Elaine obojętne.

– Zależy od tego, co rozumiesz przez „źle" – powiedziała, ściągając usta.

Kura jak zawsze sprawiała wrażenie niezaangażowanej. Tylko w jej oczach widać było coś jakby lęk. Po raz pierwszy przyszła Elaine do głowy myśl, że Kura potrafi wyrażać swoje uczucia jedynie poprzez śpiew. Może dlatego tak bardzo potrzebowała muzyki.

– Powinnam też pojechać? – zapytała Kura. – Potrzebujecie pomocy? Elaine otworzyła szeroko oczy.

– O ile wiem – powiedziała szorstko – nie dysponujesz żadną z zalet, która przydałaby się teraz w kopalni. W tej chwili nie potrzebujemy nikogo, kto zna się na sztuce uwodzenia i operowym śpiewie.

Kobiety siedzące w wozie Elaine zaczęły wyraźnie nadstawiać uszu. Pojednawczy ton Kury zniknął w jednej chwili.

– Mówi się, że mam na mężczyzn jak najbardziej ożywczy wpływ… – powiedziała swym najmroczniejszym, najbardziej zmysłowym głosem i wdzięcznym gestem odrzuciła włosy do tyłu.

Chełpliwa postawa Kury jeszcze dzień wcześniej sprawiłaby, że Elaine nie wiedziałaby, co powiedzieć. Teraz jednak spojrzała jedynie chłodno na dziewczynę.

– Wobec tego rzeczywiście jak najbardziej się przydasz. Jak dotąd mamy trzydziestu trzech martwych. Jeśli chciałabyś spróbować swych sił…

Elaine cmoknęła na Banshee, która gwałtownie ruszyła. Milcząca Kura pozostała za nimi. Elaine wygrała tę słowną potyczkę, ale uczucie triumfu nie chciało się pojawić. Wręcz przeciwnie, poczuła napływające łzy, gdy prowadziła powóz w stronę kopalni.

Akcja ratownicza trwała do późnej nocy, ale jedyną iskierką nadziei były narodziny dziecka Cerrin Patterson. Zdrowy chłopak, który być może trochę pocieszy matkę po stracie męża. Dotąd nie powiedziano jej nic o śmierci Joego. Gdy Elaine o tym usłyszała, ogarnięta przerażeniem sprawdziła ułożone w rzędach ofiary w jednej z szop. Może znaleźli Tima, tylko trzymali to jeszcze w tajemnicy przed nią i Lambertami. Obawa ta jednak się nie potwierdziła. Elaine była głęboko wstrząśnięta, widząc tylu martwych ludzi. Wśród ofiar rozpoznała Jimmy'ego, który podczas zakrapianych piwem nocy przyznał się przed nią, że każdego dnia bał się zjeżdżać do kopalni. Żona Charliego Murphy'ego histerycznie opłakiwała męża, choć ten tak często ją bił i później gorzko tego żałował. Elaine widziała wśród ofiar młodych, uczących się zawodu chłopaków, którzy po pierwszym dniu pracy dumnie pili swe pierwsze piwo w Lucky Horse, i ambitnego brygadzistę, który na początku usilnie zabiegał o jej względy. Pewnego dnia będę sztygarem, mówił jej dumnie Harry Lehmann. Wtedy będzie mógł jej zaoferować lepsze życie. Teraz leżał ze zmiażdżonymi kończynami, jak wiele spośród wydobytych ofiar. Prace ratunkowe dotarły już do obszarów, gdzie doszło do pierwszych wybuchów. Tutaj górnicy nie zmarli wskutek zatrucia gazem, lecz zostali zasypani albo spłonęli. Niektórych ofiar nie dało się nawet zidentyfikować, ci górnicy jednak pracowali głęboko. Tim nie mógł dotrzeć tak daleko; właściwie powinien być wśród pierwszych wydobytych.

Około jedenastej z kopalni wyjechał wreszcie Matt Gawain. Był całkowicie wyczerpany. Mężczyźni zmusili go w końcu, by zrobił sobie przerwę.

Elaine spotkała go w prowizorycznej kuchni Mrs Carey, gdzie wlewał w siebie herbatę i zajadał się gulaszem, jakby groziła mu śmierć głodowa.

– Mr. Matt! Wciąż nic nie wiadomo o Timie Lambercie?

Matt potrząsnął energicznie głową. Jego twarz była zapadnięta i czarna od węglowego pyłu. Nie umył się. Nie robił tego żaden z kumpli, którzy kręcili się na górze, by się posilić przed kolejnym zjazdem do kopalni.

– Powoli docieramy do obszaru, z którego słychać było stukanie, o ile to rzeczywiście było to. Od wielu godzin niczego nie słyszeliśmy. Ale jeśli ktoś ocalał, to właśnie tam, w pobliżu nowego szybu wentylacyjnego. Tam są nowe sztolnie z oddzielnym systemem wentylacyjnym... a przynajmniej powinny go mieć. Ale jest ciężko. Korytarze są całkowicie zawalone i często jeszcze strasznie gorące po pożarach. Robimy, co możemy, Miss Lainie, ale być może przybędziemy za późno. – Matt przełknął kawałek chleba.

– Ale myśli pan, że Tim... – Elaine niemal broniła się przed tym, by znów poczuć nadzieję.

– Gdybym był na jego miejscu, spróbowałbym tam właśnie uciekać. Ale czy mu się udało? Są jeszcze sztolnie, których nie odkopaliśmy. Teoretycznie może w nich ktoś być. W każdym razie wkrótce dotrzemy do szybu wentylacyjnego. Jeśli tam go nie znajdziemy... – Matt opuścił głowę. – Wkrótce znów zjeżdżam na dół, Miss Lainie. Niech nam pani życzy szczęścia.

Matt faktycznie znów zjechał do kopalni, choć doktor Leroy najchętniej by mu tego zakazał. Zataczał się już ze zmęczenia. Chciał jednak być przy tym do samego końca i w razie potrzeby przeprowadzić próbne odwierty, gdyby pojawiło się podejrzenie jakichś pustych przestrzeni. Niebezpieczeństwo w kopalni wciąż jeszcze nie minęło.

# 3

Elaine snuła się bez celu po terenie kopalni. Bliscy ofiar i wielu pomocników z miasteczka trochę się już uspokoili. Mrs Carey i Mrs Leroy spały na przygotowanych dla rannych noszach. Doktor Leroy drzemał w fotelu Marvina Lamberta. Dla Lambertów kazał przynieść do sąsiedniego pomieszczenia łóżka polowe. Marvin pił tak dużo, aż zasnął, a Mrs Leroy w końcu nie mogła już wytrzymać lamentów Nellie i uśpiła ją, podając jej laudanum. Teraz matka Tima spała błogo obok męża, który rzucał się niespokojnie i nawet przeklinał przez sen.

Większość kobiet i dzieci ofiar odwieziono do domów. Niektórzy czuwali przy zmarłych. Ci, którzy mieli jeszcze nadzieję, wciąż czekali na dziedzińcu. To była ciepła noc; kobiety drżały raczej ze strachu i wyczerpania niż z zimna. Mimo to Mrs Carey rozdała im koce.

Madame Clarisse kazała swoim dziewczynom wracać do domu. Tutaj nie miały już nic do roboty, a niechętnie zostawiała je na noc bez dozoru. Wyczerpani mężczyźni wciąż byli mężczyznami i mogliby patrzeć na dziewczyny z domu uciech jak na łup. Pastor zawiózł je swoim wozem do miasta. Elaine natomiast jedynie potrząsnęła głową, gdy madame Clarisse poprosiła ją, by znów zaprzęgła Banshee.

– Zostanę tutaj aż oni... aż... – Przerwała, bojąc się, że z wyczerpania znów zaleje się łzami. – Mnie nikt nic nie zrobi – powiedziała, odzyskując panowanie nad sobą.

W końcu znalazła sobie miejsce w stajni przy Banshee i Fellowie, wtuliła się w snopek siana i objęła Callie. Wyglądało na to, że taka była jej dola, by za każdym razem znajdować pocieszenie u zwierząt.

A potem, prawie nad ranem, wystraszył ją okrzyk, który wyrwał ją ze snu.

– Znaleźli kogoś! – ogłaszał czyjś radosny głos. – Usłyszeli oznaki życia! Ktoś już przekopuje się do nich przez zwały gruzu!

Elaine wybiegła ze stajni, nie tracąc nawet czasu, żeby wytrząsnąć z włosów źdźbła słomy. Na dziedzińcu natrafiła na młodego górnika, wokół którego, niczym kiść winogron, zebrały się kobiety, które znów nabrały nadziei.

– Kto to jest?

– Czy jest ich więcej?

– Są ranni?

– Czy to mój mąż?

– Czy to mój syn?

Wciąż te same pytania. Czy to Rudy? Czy to Paddy? Czy to Jay? Czy to...

– Czy to Tim? – zapytała Elaine.

– Przecież nie wiem jeszcze! – Młody mężczyzna nie był w stanie obronić się przed tym natarciem. – Jak dotąd to tylko jakieś dźwięki. Ale odgrzebują ich. Może jeszcze godzina...

Elaine drżała, płacząc i modląc się wśród innych kobiet. Wszystkie były już u kresu sił. A to była ostatnia szansa. Więcej ocalałych już na pewno nie znajdą.

Trwało to niemal dwie godziny, nim w końcu wiadomość dotarła na górę.

– Chłopak, Roly O'Brien. Powiedzcie od razu jego matce! Mały jest wykończony, ale nie jest ranny. I...

Kobiety nacierały na wejście do kopalni, patrząc wyczekująco w stronę klatki szybowej.

– Ten drugi to Timothy Lambert. Ale przepuśćcie doktora... szybko, to pilne...

Elaine z niedowierzaniem patrzyła na nosze, na których wyniesiono Tima. Nie poruszał się, był nieprzytomny, ale nie wyglądało to tak, jakby był pogrążony w głębokim śnie. Jego ciało wydawało się całkowicie bezwładne. Elaine miała niemal wrażenie, jakby leżał przed nią manekin, którego ktoś wyrzucił i pozostawił z wykręconymi nogami. Ale musiał żyć, po prostu musiał! Elaine chciała się przecisnąć bliżej. Zdążył jednak pojawić się już doktor Leroy, który zajął się rannym. Elaine patrzyła wystraszona, jak sprawdzał puls, wsłuchiwał się w oddech rannego i ostrożnie badał jego ciało.

W końcu się wyprostował. Elaine próbowała wyczytać coś z jego twarzy, ta jednak była jak skamieniała.

– Doktorze… – spytała z rozpaczą w głosie. – Żyje?

Leroy skinął potakująco.

– Tak. Ale czy to jest w tym przypadku dobra wiadomość… – Leroy zagryzł wargę, gdy dostrzegł przerażenie na twarzy Elaine. – Muszę go jeszcze dokładniej przebadać. – Lekarz próbował nie patrzyć na Elaine. Zamiast tego odwrócił się w stronę mężczyzn przy noszach. – Zanieście go do środka i połóżcie na łóżku… ale ostrożnie, ten człowiek ma połamane prawie wszystkie kości.

– Niech się pani nie doprowadza do szaleństwa, młoda damo! – Berta Leroy, dzielna żona lekarza, zobaczyła, jak dziewczyna się zachwiała, gdy mężczyźni podnieśli nosze z Timem. – Mój szanowny małżonek ma czasem skłonności do przesady. Może wcale nie jest tak źle. Po tak pobieżnym badaniu nie może jeszcze postawić diagnozy. Przyjrzymy mu się teraz dokładniej…

– Ale wyzdrowieje? – Elaine z wdzięcznością wsparła się na ramieniu starszej kobiety. Jej głos był wystraszony. – To znaczy, złamania kości…

– Jakoś to będzie, dziewczyno – uspokajała ją Berta. – Najważniejsze jest to, że żyje. Mrs Carey, zechciałaby się pani o nią zatroszczyć? Znalazłaby się może herbata dla tej młodej damy? Najlepiej z odrobiną koniaku!

Mrs Leroy łagodnym gestem uwolniła swoje rękawy z rąk Elaine. Wyraźnie zamierzała ruszyć za mężem i rannym do kantoru. Elaine skarciła się w myślach i poszła za nią. Nie chciała dopuścić, by ją przegoniono. Z jakiegoś szalonego powodu czuła, że nic nie mogło się Timowi stać, jeśli tylko przy nim będzie.

– Nie, pani nie. – Berta zdecydowanie potrząsnęła głową. – Teraz nie będziemy pani potrzebować tam w środku. Musimy powiadomić jego rodziców, a pani… Proszę mnie dobrze zrozumieć, ale pani nie jest jego oficjalną narzeczoną. A przecież nie chcemy żadnych problemów ze starymi Lambertami!

Elaine pojmowała to rozumem, ale mimo to czuła niepowstrzymaną potrzebę, by walić w drzwi, które się przed nią zamknęły.

Potem dostrzegła Matta Gawaina i kilku innych członków zespołu ratowniczego. Z pewnością mężczyźni wiedzieli coś więcej o akcji ratunkowej. Właśnie wyprowadzili na górę drugiego z ocalałych: Roly O'Brien na własnych nogach wkroczył do prowizorycznego szpitala. Wydawał się co prawda dość słabowity u boku swej wciąż żegnającej się i popłakującej matki, wyglądało jednak na to, że nie odniósł żadnych obrażeń. Sprawiał wrażenie trochę zdezorientowanego, ale na dłuższą metę bez wątpienia będzie się cieszył powszechnym zainteresowaniem. Już teraz ze wszystkich stron padały kierowane do niego pytania.

Matthew z początku próbował chronić przed tym Roly'ego.

– Ten chłopak musi najpierw pilnie napełnić czymś brzuch – powiedział sztygar. – Zadba pani o to, Miss Lainie? A tak przy okazji, faktycznie znaleźliśmy ich obu w pobliżu szybu wentylacyjnego. Udało im się uciec przed gazem, ale niestety, po wybuchu Tima zasypało. Chłopak natomiast bezpiecznie siedział w sztolni. Miał nawet sporo miejsca. W samotności może i straciłby rozum, ale dałby radę przeżyć kilka dni.

– Było tak ciemno… – szeptał Roly. – Tak potwornie ciemno i… nie miałem odwagi się poruszyć. I z początku myślałem też, że Mr Lambert nie żyje i że jestem całkiem sam. Ale potem się przebudził…

– Przebudził? – zapytała Elaine z ożywieniem. – To on stukał, żeby dać znak?

Roly pokręcił głową.

– Nie, to byłem ja. On przecież nie mógł się poruszać. Był aż dotąd zasypany. – Chłopak pokazał ręką pośrodku swej klatki piersiowej. – Próbowałem go wyciągnąć, ale nie szło… I on powiedział, żebym tego nie próbował, że to tylko boli… w ogóle wszystko go bolało. Ale wcale się nie bał… Był pewien, że nas odkopią. Miałem tylko znaleźć szyb wentylacyjny… iść za ruchem powietrza. I kawałkiem skały uderzać o ścianę. Zaraz pod szybem. I to zrobiłem…

– I on przez cały ten czas był świadomy? – Elaine uchwyciła się tego przypuszczenia. Tim nie mógł mieć żadnych ciężkich obrażeń wewnętrznych, skoro cały dzień i pół nocy rozmawiał z tym chłopakiem.

Mrs Carey postawiła tymczasem na stole przed Rolym herbatę i talerz z kanapką. Roly pił, wyraźnie spragniony, i jednocześnie próbował wcisnąć sobie do ust kawałki chleba. Niemal się przy tym zakrztusił i musiał odkaszlnąć.

– Jedz wolniej, mały – mruknął Matt. – Dzisiaj nic się już nad tobą nie zawali. I jeśli nos mnie nie myli, to nasze panie właśnie podgrzewają ci zupę.

Elaine czekała niecierpliwie, aż chłopak przełknie.

– Roly, co było z Mr Lambertem? – naciskała. Najchętniej potrząsnęłaby chłopakiem.

– Od czasu do czasu odzyskiwał przytomność. Z początku na dłuższe okresy, ale potem było z nim coraz gorzej… pojękiwał i wciąż mówił, jak jest ciemno, no i ja też beczałem… Ale potem usłyszałem, że gdzieś w sztolni ktoś się przekopuje, i wtedy pomyślałem, że nas wyciągną, więc krzyczałem i stukałem, ale do Mr Lamberta już nic nie docierało. Jemu też muszą dać coś do picia, koniecznie! – Zdawało się, że dopiero teraz wpadło to Roly'emu do głowy, niemal z poczuciem winy patrzył na swój kubek z herbatą. – Wciąż tylko powtarzał, jak mu się chce pić.

Słowa Roly'ego nie sprawiły, by Elaine zrobiło się lżej na sercu. W dodatku teraz usłyszeli jeszcze z kantoru donośne głosy i płacz. Matt też to usłyszał i spojrzał zaniepokojony.

– Jego serce biło jeszcze mocno – powiedział, próbując pocieszyć Lainie.

Teraz jednak nic nie było w stanie już jej powstrzymać. Zdecydowanie ruszyła w stronę drzwi i przecisnęła się przez nie. Niech doktor Leroy ją wyrzuci, ale najpierw chciała zobaczyć, czy Tim żyje.

Jednak lekarz i jego żona mieli na razie co innego do roboty, i nawet nie zauważyli Elaine. Berta troszczyła się o Nellie Lambert, która okropnie płakała, doktor Leroy zaś próbował uspokoić lamentującego Marvina Lamberta.

– To typowe dla Timothy'ego! Tylko głupoty w głowie! Zawsze mu powtarzałem, że te dranie nie są tego warte, żeby się za nimi wstawiać. Ale nie! On koniecznie wciąż chciał ich przed czymś ratować! Narażając własne zdrowie! Nie mógł prowadzić akcji ratunkowej stąd? Ten sztygar, ten Matt Gawain, był sprytniejszy! On nie rzuca się bezmyślnie w jakąś przygodę, żeby wrócić jako kaleka!

– Matt Gawain już od wielu godzin jest pod ziemią – stwierdził doktor Leroy. – A pański syn nie mógł wiedzieć, że dojdzie do kolejnych wybuchów. Inni ludzie powiedzieliby raczej, że jest bohaterem.

– Ładny mi bohater – drwił Marvin. – Pewnie chciał na własną rękę odkopać wszystkich zasypanych. Teraz widzimy, co z tego ma! – Jego głos brzmiał gorzko, ale Elaine wciąż czuła od niego smród whisky. Pewnie dawał upust nerwom w ten złośliwy sposób.

Elaine podążyła za spojrzeniem starego Lamberta. Tim leżał na łóżku. Dzięki Bogu, wciąż jeszcze nie odzyskał przytomności, więc oszczędzone mu było wysłuchiwanie reakcji rodziców. Jego twarz zdawała się szara, podobnie jak włosy. Ktoś pobieżnie obmył go z węglowego pyłu, ale w porach skóry i zmarszczkach wokół oczu, tak charakterystycznych dla niego, wciąż jeszcze znajdował się tłusty brud. Ku swej uldze Elaine zobaczyła, że jego klatka piersiowa regularnie się unosiła i opadała. A więc żył. I teraz, gdy nakryto go kocem, jego ciało nie wydawało się już tak poskręcane i potłuczone.

Marvin Lambert na chwilę zamknął usta, za to jego żona na nowo rozpoczęła swoją tyradę.

– I teraz będzie sparaliżowany. Mój syn… kaleka! – Nellie szlochała, Berta Leroy natomiast wyglądała tak, jakby zamierzała za chwilę rzucić się na oboje Lambertów.

Nellie teatralnie rzuciła się na łóżko, na którym leżał Tim. Ranny jęknął przez sen.

– Zadaje mu pani ból! – powiedziała Elaine, czując pragnienie, by odepchnąć rozhisteryzowaną kobietę od syna. Zebrała się jednak w sobie i łagodnie odciągnęła Mrs Lambert, nim zdążyła to energiczniej zrobić Berta. Nellie skryła się w ramionach męża.

Elaine spojrzała błagalnie na doktora Leroya.

– Co mu naprawdę jest? – zapytała cicho.

– Skomplikowane złamania nóg – odparła pospiesznie Berta. Najwyraźniej nie chciała, żeby dokładniejsze informacje jej męża doprowadziły kogoś jeszcze do histerii. – I złamane biodro. Kilku żebrom też się dostało…

– Czy jest sparaliżowany? – spytała Elaine. Słowo „kaleka" płonęło w jej głowie. Udało jej się podejść bliżej do łóżka Tima i poczuła potrzebę, by go dotknąć, pogłaskać po czole albo zetrzeć mu brud z policzka. Ale nie odważyła się na to.

Doktor Leroy potrząsnął głową.

– Nie jest sparaliżowany, do tego musiałby sobie złamać kręgosłup, co prawdopodobnie zostało mu oszczędzone. Choć i tu trzeba sobie zadać pytanie, czy to rzeczywiście takie szczęście. Jeśli ktoś jest sparaliżowany, to przynajmniej nie czuje już bólu. A tak...

– Ale przecież złamania kości się goją – rzuciła Lainie. – Mój brat złamał sobie kiedyś rękę i szybko wrócił do zdrowia. A inny z moich braci spadł z drzewa i złamał sobie nogę. Musiał co prawda długo leżeć w łóżku, ale potem...

– Proste złamania goją się bez problemu – przerwał jej Leroy. – Ale u niego kości zostały strzaskane, jest wiele odłamków. Oczywiście możemy założyć mu szyny, ale nawet nie wiem, od czego zacząć. Sprowadzimy specjalistę z Christchurch. Z pewnością jakoś go wyleczą...

– I będzie znów chodził? – zapytała z nadzieją Elaine. – Oczywiście nie od razu, ale za kilka tygodni albo miesięcy...

Leroy westchnął.

– Dziewczyno, będzie pani mogła być szczęśliwa, jeśli za parę miesięcy będzie mógł siedzieć na wózku. Ten złamany staw biodrowy...

– Przestań wreszcie krakać, Christopher! – Berta Leroy nie panowała już nad nerwami. Jej mąż był dobrym lekarzem, ale chronicznym pesymistą. I choć zazwyczaj okazywało się, że miał rację, to przynajmniej w tym momencie nie było powodu, by jeszcze bardziej straszyć bliskich. Ta rudowłosa dziewczyna, która w jakiś sposób należała do dziewczyn madame Clarisse, ale najwyraźniej nie była dziwką, już teraz wyglądała jak liść na wietrze. Gdy Christopher wspomniał o wózku, z jej twarzy odpłynęła cała krew.

Berta energicznie wzięła ją pod ramię.

– A pani niech weźmie głęboki oddech, dziecko! Nie pomoże pani swojemu przyjacielowi, jeśli nam się tu jeszcze pani przewróci. Jak już pani słyszała, przyjedzie specjalista z Christchurch. Dopóki się nie pojawi, nic nie można powiedzieć.

Elaine jako tako odzyskała kontrolę nad sobą. No oczywiście, zachowywała się głupio. Powinna się cieszyć, że Tim żyje. Gdyby tylko nie miała wciąż przed oczyma tych wyścigów konnych... Tim jako rozpromieniony zwycięzca, zsiadający z uśmiechem z konia, z łatwością wchodzący na podium, a potem obejmujący Fellowa i znów wskakujący na siodło. Nie potrafiła sobie wyobrazić tego człowieka na wózku inwalidzkim, skazanego na bezczynność. Może doktor Leroy miał rację, że dla niego było to gorsze niż śmierć.

Ale o tym pomyśli później. Teraz musi zapytać Mrs Leroy, co mogłaby zrobić dla Tima. Czy było coś jeszcze, w czym mogłaby pomóc... Berta zajęta jednak była teraz Nellie Lambert.

– Niech się pani wreszcie weźmie w garść! – syknęła do szlochającej matki Tima. – Tam na zewnątrz są same kobiety, które straciły dziś swoich mężów i synów! I które w dodatku nawet nie wiedzą, skąd wziąć pieniądze, żeby ich pochować! Pani za to ma swojego syna z powrotem. Powinna pani dziękować Bogu, zamiast bezsensownie narzekać! A gdzie tak w ogóle jest pastor? Niech pani zobaczy na zewnątrz, czy znajdzie kogoś, kto mógłby panią zawieźć do domu. Najpierw umyjemy chłopaka, zadbamy o niego i położymy do łóżka, póki jeszcze jest nieprzytomny. Później i tak będzie czuł tyle bólu... Christopher?

Doktor Leroy sprawdzał szyny i opatrunki. Mrs Leroy spojrzała na to z zadowoleniem i od razu zajęła się Elaine.

– Lepiej, dziecinko? Dobrze. Teraz niech pani zobaczy, co u Mrs Carey. Potrzebujemy tutaj każdego, kto jest zdolny pomóc! – Mrs Leroy odwróciła się do leżącego Tima, udając, że poprawia koc.

– Mogę pomóc. – Elaine stanęła obok niej.

Berta Leroy potrząsnęła jednak głową.

– Nie, pani nie. Tego nam tylko jeszcze dziś w nocy brakowało, żeby wysiadywała pani u stóp swego ukochanego i szarpała nam nerwy. Jeszcze mi tu pani padnie.

– To nie jest mój ukochany... – wyszeptała Elaine.

Berta się roześmiała.

– Nie, na pewno nie. Dziecino, jest pani chłodna jak psi nos! Zupełnie niezaangażowana! Została tu pani zupełnie przypadkiem, bo zna pani Tima Lamberta jedynie pobieżnie, tak? Niech to pani opowie swojej babci! Ale najpierw niech pani znów zaprzęgnie swojego konia. Powóz madame Clarisse wciąż tu jest, prawda? Niech pani poszuka kogoś, kto potrafi zdemontować siedzenia. Muszą się do niego zmieścić nosze.

– Chcesz jeszcze dzisiaj zawieźć tego człowieka do domu, Berto? – zapytał poirytowany doktor Leroy. – W tym stanie?

Berta Leroy wzruszyła ramionami.

– Jego stan nie poprawi się wcale w najbliższych tygodniach. Nie wspominając o tym, że jutro może już być przytomny, a wtedy poczuje każdy wybój na drodze. Lepiej będzie, jeśli oszczędzimy mu tych tortur.

Elaine zaczęła zadawać sobie pytanie, które z państwa Leroyów naprawdę pełniło funkcję lekarza w ich praktyce.

– Ale ta rodzina…

Berta przerwała mężowi i energicznie odwróciła się do Elaine.

– Na co pani jeszcze czeka, dziewczyno? Już, do stajni!

Elaine wybiegła. W sumie doszła do wniosku, że doktor Leroy miał rację. Jeśli zabiorą Tima do domu Lambertów, jutro ojciec zasypie go zarzutami, a matka nie będzie panować nad rozpaczą. Do tej pory Elaine zdążyła zrozumieć, dlaczego Tim każdego wieczoru przychodził do baru. Przebywanie ze starszymi Lambertami musiało być prawdziwym piekłem.

Gdy Elaine weszła do stajni, Banshee i Fellow zarżały; zastała tu też kilku górników, którzy po akcji ratowniczej wyczerpani rzucili się na słomę. Wcześniej w ogóle nie zauważyła tych mężczyzn. To niewyobrażalne, że bez strachu spała z nimi w tym samym pomieszczeniu! Ale teraz musiała potrząsnąć kilku z nich, by się obudzili. Sama nie da rady przygotować powozu madame Clarisse do transportu rannego. Zdecydowała się na dwóch starszych spokojnych górników, których znała pobieżnie z baru. Mężczyźni nie byli zachwyceni, ale rozumieli, że to konieczne, i przynieśli narzędzia.

Niestety, nie obeszli się zbyt łagodnie z czerwonym aksamitnym obiciem w powozie madame Clarisse, pozostawiając całą masę brudnych odcisków palców. Lainie będzie musiała to wyczyścić. Westchnęła. Czy ten dzień kiedyś się skończy?

Gdy w końcu zatrzymała przygotowany do transportu chorego powóz przed kantorem, państwo Leroy wciąż jeszcze się kłócili. Teraz chodziło o to, że Berta najchętniej zajmowałaby się rannym w przychodni Leroyów, gdzie mieli też pokój dla chorych z dwoma łóżkami. Lekarz natomiast był zdania, że pielęgniarka, którą mogą zatrudnić Lambertowie, będzie w stanie zapewnić Timowi taką samą opiekę w domu. A Tim będzie potrzebował jej przez wiele miesięcy.

Berta potrząsnęła głową w obliczu tak wielkiej męskiej głupoty.

– Pielęgniarka może go myć i zmieniać mu opatrunki, ale poza tym? Przecież widziałeś przed chwilą Lambertów. Jeśli go tam wyślesz, to sam za tydzień popadniesz w śliczną depresję! I myślisz, że ktoś z jego kumpli odważy się go tam odwiedzić? Może jedynie Matt Gawain, raz na trzy tygodnie i w wyjściowym garniturze. U nas za to zawsze jest ruch. Będą mogli zajrzeć do niego przyjaciele, wszystkie szanowane kobiety w mieście będą wysyłać do niego swoje córki, a dziewczyny od madame Clarisse też zajrzą, nie oglądając się na to całe gadanie o przyzwoitości. – Berta uśmiechnęła się, gdy zobaczyła stojącą w drzwiach Lainie. – A przede wszystkim ta tutaj – dodała. – Ta, która w ogóle nic sobie z niego nie robi…

Elaine się zarumieniła.

Doktor Leroy skapitulował.

– A więc dobrze. Wobec tego do naszego gabinetu. Mamy dwóch mężczyzn do noszy. I potrzebujemy przynajmniej czterech, żeby przełożyć go z łóżka.

Ciało Tima tkwiło teraz w opatrunkach, które kryły jego kształty; jego klatka piersiowa też była zabandażowana. Ręce, zdawało się, nie odniosły ran. Elaine dodało to nadziei. Zbladła jednak, gdy państwo Leroy i pomocnicy podnieśli rannego, przekładając go z łóżka na nosze, na co Tim głośno jęknął.

– Wyłożyłam powóz kocami – powiedziała.

Berta kiwnęła głową i ruszyła za niosącymi nosze do powozu.

– Dobrze, widzę, że pani myśli. Pojadę z panią i spróbuję dopilnować, żeby był spokojny. Do kogo należy ten drugi koń?

Elaine zaprzęgła Banshee, a Fellowa uwiązała z tyłu powozu. Wskazała na Tima.

– To jego. Lambertowie o nim zapomnieli. Ale przecież nie może tu zostać sam…

Berta wyszczerzyła zęby.

– Doprawdy musi pani być jakąś świętą. Martwi się pani o mężczyznę, z którym zupełnie nic pani nie łączy, i potem bierze jeszcze jego konia. Cóż za przykładne zachowanie! Może pastor powinien to pochwalić?

Elaine dbała, żeby Banshee całą drogę szła równym krokiem, jednak w ciemnościach nie udało jej się ominąć wszystkich wybojów. Mimo że Tim był nieprzytomny, pojękiwał cicho za każdym razem i Elaine powoli zaczynała rozumieć, dlaczego Berta Leroy nalegała, żeby przetransportować go jeszcze tej nocy. Na koniec mężczyźni zanieśli

Tima do gabinetu, a Elaine zajęła się końmi. Gdy Banshee i Fellow zadowolone, stojąc obok siebie, skubały siano, ruszyła za Leroyami do domu.

– Mogłabym jeszcze jakoś pomóc?

Berta Leroy spojrzała na drobną dziewczynę w brudnym stroju jeździeckim. Lainie sprawiała wrażenie bladej i śmiertelnie zmęczonej, ale spojrzenie jej oczu mówiło Bercie, że i tak nie zazna snu przez najbliższe godziny. Berta natomiast potrzebowała kilku godzin w łóżku. Będzie spała jak kamień.

– Może pani przy nim zostać, dziecko – powiedziała po chwili zastanowienia. – Ktoś powinien być przy nim, gdy się przebudzi. Nic się nie może stać, jego stan nie zagraża życiu. Gdyby jednak coś się działo, niech nas pani obudzi.

– A co mam robić, jeśli się ocknie? – zapytała z wahaniem Elaine i ruszyła za żoną doktora do pokoju dla chorych.

Tim leżał bez ruchu na jednym z łóżek.

Berta wzruszyła ramionami.

– Rozmawiać z nim. Niech mu pani da coś do picia. A gdyby miał bóle, powinien wziąć to. – Wskazała na kubek z mlecznobiałym płynem, stojący obok karafki z wodą na nocnym stoliku. – Zaraz potem powinien zasnąć, to silny środek. Niech mu pani po prostu doda trochę otuchy.

Elaine przysunęła sobie krzesło do łóżka i zapaliła lampę na nocnym stoliku. Główne światło Mrs Leroy wyłączyła. Elaine nie robiłoby zbytniej różnicy, gdyby siedziała w ciemności. Ale jeśli Tim się obudzi… nie powinno tu być ciemno. W uszach miała jeszcze słowa Roly'ego: *wciąż mówił, jak jest ciemno…*

Elaine siedziała przy łóżku Tima aż do świtu. Czuła się wypalona, ale właściwie nie była zmęczona; po tym strasznym dniu teraz dopiero zaczynała się uspokajać. Tim też wyglądał na wyczerpanego. Elaine dopiero teraz zauważyła, jak zapadnięte były jego policzki, jak mocno miał podkrążone oczy. I wszędzie ten węglowy pył… Elaine wzięła znajdującą się w pokoju miskę do mycia i nalała do niej wody. Potem zmyła pył z kącików jego oczu i delikatnie prowadziła szmatką po wszystkich zmarszczkach, które sprawiały, że jego twarz wyglądała tak psotnie, gdy się śmiał. Dbała przy tym dokładnie o to, żeby dotykać go tylko ręczniczkiem. Odsunęła gwałtownie rękę jak rażona piorunem, gdy jej palec przypadkowo dotknął jego policzka.

Od owych potwornych nocy z Thomasem nie dotykała żadnego mężczyzny i z żadnym nie była też sama. A już tym bardziej w nocy i w ciemnym pokoju. Już nigdy tego nie chciała. Ale teraz niemal śmiała się ze swych obaw. Tim w tej chwili naprawdę nie stanowił żadnego zagrożenia. A dotykanie jego twarzy było przyjemne. Skóra była ciepła, sucha, trochę szorstka... Elaine odłożyła szmatkę i pogłaskała go nieśmiało po czole, po powiekach, policzku. Przesunęła ręką po włosach na czole, zauważając przy tym, jakie są miękkie. W końcu dotknęła jego rąk, które bez ruchu spoczywały na kołdrze. Mocne, silnie opalone ręce, zdolne, by mocno uchwycić. Potem przypomniała sobie również, jak delikatnie potrafiły te ręce prowadzić wodze Fellowa; podczas wyścigu podziwiała go, jak lekko prowadził swego konia. Palce Tima były ciemne od węglowego pyłu, paznokcie połamane. Czy naprawdę próbował odkopywać zasypanych gołymi rękoma?

Głaskała grzbiet jego dłoni, a potem wzięła jego prawą rękę w swoją – i krzyknęła zduszonym głosem, gdy jego palce zacisnęły się na jej palcach. To było szalone, ale sam tylko słaby chwyt rannego wystarczył, żeby przerażona wyrwała rękę i zerwała się na nogi, chcąc znaleźć się poza jego zasięgiem.

Krzyk sprawił, że Tim otworzył oczy.

– Lainie... – powiedział cicho. – Ja śnię... kto to krzyczał, chłopcze? – Tim zdezorientowany rozglądał się wokół.

Elaine złajała się za swoją bezsensowną reakcję. Podeszła bliżej i podkręciła mocniej lampę.

– Nikt nie krzyczał – powiedziała. – A chłopak jest bezpieczny. Pan... jest pan w Greymouth, u Leroyów. Matt Gawain pana odkopał.

Tim się uśmiechnął.

– A pani się o mnie martwiła...

Po tych słowach zamknął oczy. Elaine znowu sięgnęła po jego rękę. Będzie ją tak trzymać, póki się nie obudzi, a potem pewnie się do niego uśmiechnie. Musi przezwyciężyć swój bezsensowny lęk. Musi tylko uważać, żeby znów się nie zakochać.

\* \* \*

Gdy Tim po raz kolejny odzyskał przytomność, był prawie ranek. Elaine nie trzymała już jego ręki; zasnęła w fotelu. Podskoczyła, gdy wymówił jej imię. Męski głos, który wyrywa ją ze snu... Zawsze się tak zaczynało, gdy Thomas... Ale tym razem nie był to twardy, władczy głos Sideblossoma. Głos Tima był czysty, przyjazny i bardzo słaby. Elaine udało się uśmiechnąć do niego. Tim mrugał oczami w półmroku.

– Lainie, czy mogłabyś... czy mogłaby pani odsłonić... światło...

Elaine pokręciła przy knocie lampy.

– Zasłona... – Ręka Tima drgnęła na kołdrze, gdy próbował sam za nią pociągnąć.

– Na zewnątrz jest jeszcze ciemno – powiedziała Lainie. – Ale już jest ranek. Zaraz wstanie słońce.

Podniosła się nerwowo i odsunęła zasłonę. Pierwsze promienie świtu wpadły do pokoju.

Tim zamrugał. Miał zapalenie spojówek od pyłu.

– Myślałem już, że nigdy pani nie zobaczę... słońce. I... Lainie... – Spróbował się poruszyć i skrzywił twarz z bólu. – Co mi jest? – zapytał cicho. – Piekielnie boli.

Elaine znów usiadła i chwyciła jego rękę. Serce biło jej szybko, ale Tim ujął jej palce bardzo ostrożnie.

– Tylko kilka złamanych kości – stwierdziła. – Proszę, gdyby pan... gdyby zechciał pan to wypić... – Sięgnęła po szklankę stojącą na nocnym stoliku. Tim spróbował się unieść i po nią sięgnąć, jednak przy najmniejszym ruchu przez jego ciało przetaczała się fala bólu. Z trudem powstrzymał się od krzyku, ale słabego jęku nie udało mu się stłumić. Elaine widziała krople potu na jego czole.

– Niech pan poczeka, pomogę panu. Musi pan leżeć całkiem spokojnie... – Ostrożnie wsunęła mu rękę pod głowę, uniosła ją lekko i podsunęła szklankę do jego ust. Tim przełykał z trudem.

– Smakuje strasznie – powiedział i spróbował się uśmiechnąć.

– Ale pomaga – stwierdziła Lainie.

Tim leżał teraz całkiem cicho i patrzył za okno. Z łóżka nie mógł zbyt wiele widzieć, co najwyżej zarysy gór, jeden czy dwa dachy domów, wieżę górniczą. Teraz szybko się jednak rozjaśniało.

Elaine otarła mu pot z czoła.

– Zaraz przestanie boleć – pocieszyła go.

Tim przyjrzał jej się badawczo. O czymś mu nie mówiła. Ale była tutaj. Otworzył dłoń, którą przed chwilą zacisnął z bólu, i wyciągnął ją w zapraszającym geście w jej stronę.

– Lainie… nawet jeśli nie jest tak źle, to czuję się potwornie. Mogłaby pani… mogłaby pani może po prostu znów potrzymać mnie za rękę?

Elaine zarumieniła się, położyła jednak dłoń na jego dłoni. A potem obserwowali w milczeniu, jak miasto za oknem tonie najpierw w porannej czerwieni, a potem w jasnych promieniach wschodzącego słońca.

# 4

Słońce wznosiło się nad wstrząśniętym, pogrążonym w żałobie miastem. Mieszkańcy Greymouth, nawet handlarze i rzemieślnicy, którzy nie mieli nic wspólnego z kopalnią, sprawiali wrażenie zmęczonych i pełnych zwątpienia. Wszystko działo się jakby w zwolnionym tempie, jak gdyby ludzie i furmanki poruszali się w gęstej mgle.

Przy tym wszystkim większość prywatnych kopalń nie była tego dnia zamknięta. Nawet ci górnicy, którzy poprzedniego dnia pomagali przy wydobywaniu ofiar, znów musieli zjechać na dół, bo nie chcieli stracić swoich kiepskich zarobków. Wyczerpani i niewyspani meldowali się na swoje zmiany i mogli jedynie mieć nadzieję, że wyrozumiały sztygar znajdzie dla nich jakąś spokojniejszą robotę albo w ogóle przydzieli im pracę na powierzchni.

Czegoś takiego jednak Matt i jego koledzy nie robili zbyt chętnie. Jeśli ludzie zbyt długo nie będą zjeżdżać na dół, w ich umysłach utrwalą się obrazy martwych i rannych i od tej pory będą się bać pracy w kopalni. Dlatego po takich wypadkach zawsze jacyś mężczyźni się zwalniali. Niektórzy codziennie się bali, choć żaden by się do tego nie przyznał. Większość z tych ludzi od pokoleń pracowała w górnictwie. Już ich ojcowie i dziadkowie harowali w kopalniach w Walii, Kornwalii i Yorkshire, a ich synowie zaczynali to robić, mając trzynaście lat. Czegoś innego wszyscy tacy Paddy, Rory i Jamie nie potrafili sobie wyobrazić.

Matt i jego ludzie wydobyli tego dnia ciała ostatnich ofiar. To było ciężkie i przygnębiające zajęcie, ale przed kopalnią wciąż jeszcze kobiety i dzieci czekały na jakiś cud.

Pastor próbował je wspierać, jednocześnie starając się troszczyć o inne oczekujące go zadania związane ze śmiercią sześćdziesięciu sześciu ludzi. Wysłał damy ze swojego kółka gospodyń domowych do rodzin ofiar i uspokajał je potem, gdy po powrocie opowiadały mu przerażone o warunkach panujących w górniczych osiedlach. Cały ten brud, bieda i zaniedbane dzieci – przy czym za warunki te szanowne damy z Greymouth mniej obwiniały złe zarobki górników oraz chciwość właścicieli kopalń, kładąc to raczej na karb nieumiejętnego dbania o gospodarstwa przez żony górników.

– Żadnego poczucia piękna! – burzyła się Mrs Tanner. – A przecież nawet najbiedniejszą chatę można uczynić przytulną, jeśli tylko w kilku miejscach położyć poduszki, powiesić zasłony…

Pastor milczał i dziękował niebu za madame Clarisse. Wciąż aktywnie się udzielała, zajmując się wdowami po górnikach, które kiedyś były dziwkami. Obu takim kobietom pożyczyła pieniądze na pogrzeb, młodszej obiecała, że przyjmie ją ponownie do pracy w barze, a starszej, której skraju sukni uwiesiła się trójka dzieci, zaproponowała robotę w kuchni. Dziewczyny od Clarisse pomagały przy identyfikowaniu zabitych, którzy nie mieli żadnych krewnych. Za blisko połowę ofiar gmina będzie musiała pokryć koszta pogrzebu. Poza tym należało uporządkować ich sprawy i powiadomić o śmierci ich bliskich w Irlandii, Anglii czy Walii. Wszystko to było trudne, mozolne i przygnębiające. Pastor najbardziej jednak obawiał się wizyty u Marvina Lamberta. Czy temu człowiekowi to odpowiada, czy nie, musi wziąć na siebie część odpowiedzialności. Kobiety i dzieci potrzebowały pomocy. Prawdopodobnie jednak Nellie Lambert będzie tylko bez końca lamentować o potwornym wypadku, jaki przytrafił się jej własnej rodzinie. A w końcu stan młodego Lamberta według opinii doktora Leroya nie zagrażał życiu. Pastor nawet specjalnie pojechał do miasta, żeby wypytać o chłopaka.

– Zawsze jeszcze może się coś przytrafić – powiedział mu ze zwykłym pesymizmem lekarz. – Będzie musiał długo leżeć, a to sprzyja zapaleniu płuc. Z drugiej strony to silny, młody mężczyzna…

Pastor nie czekał na dalsze wyjaśnienia, lecz od razu próbował uspokoić Nellie Lambert, że jej synowi jak na te okoliczności wiedzie się dobrze. Jakoś to do niej nie dotarło, co zaś do Marvina Lamberta, to nie okazał się wyrozumiały.

– Poczekajmy najpierw na wyniki ustaleń komisji śledczej – wybąkał. – Na razie nie zamierzam nikomu wypłacać pieniędzy. To by było jak przyznanie się do winy. Później będzie można pomyśleć o jakimś funduszu pomocowym...

Kapłan westchnął i miał nadzieję, że przynajmniej z ofiar na tacę uda się coś uzbierać. Damy z jego wspólnoty parafialnej planowały już pilnie zbiórki i pierwsze bazary oraz pikniki na cel dobroczynny.

Komisja badająca przyczyny wypadku w kopalni pojawiła się dość szybko – właściwie inspektorzy przybyli dokładnie w momencie, gdy Matt po dwóch dniach nieprzerwanej pracy wreszcie chciał pójść do domu i położyć się do łóżka. Zamiast tego oprowadzał tych ludzi po kopalni i nie owijał w bawełnę. Końcowy raport ganił właściciela za niedostateczne środki bezpieczeństwa. Nie złamał jednak w jakiś znaczący sposób przepisów; tu uratował Lamberta nowy szyb wentylacyjny, na który z taką niechęcią zgodził się po namowach Tima, a któremu teraz zawdzięczał również życie swego syna. I tak oto nałożono na niego jedynie niewielką karę pieniężną z powodu niedostatecznego wyposażenia zespołu ratowniczego.

Marvin Lambert wściekał się, gdy to czytał, ponieważ w gruncie rzeczy kontrolerzy nic nie powinni byli o tym wiedzieć. Ktoś musiał coś wygadać, podejrzewał o to Matta Gawaina, i miał mu to oczywiście za złe. Wielokrotnie już groził Mattowi zwolnieniem; zdawał się nie dostrzegać, jak bardzo nie chcą tego pozostali pracownicy.

– Już i tak wielu ludzi wypytuje o robotę w innych kopalniach! – skarżył się Matt, gdy wreszcie się wyspał i odwiedził Tima przed pójściem do pracy. – Do tej pory tego nie dostrzegałem, ale pański ojciec zdaje się żyć w jakimś innym świecie.

Tim skinął potakująco głową. Winą za wypadek Lambert obarczał teraz wszystko i każdego, tylko nie własną obojętność wobec środków bezpieczeństwa w kopalni. Lambert nie był świadomy swej winy i nie zamierzał zmienić postępowania przy zakładaniu nowych szybów.

– Ale tym razem to nie przejdzie – powiedział Matt tonem najgłębszego przekonania. – Musimy zatrudnić przynajmniej sześćdziesięciu nowych ludzi. To i tak będzie trudne, bo mamy w końcu opinię „kopalni śmierci". Jeśli nic z tym nie zrobimy, wkrótce Mr Lambert będzie sam musiał wydobywać sobie węgiel.

Tim nic na to nie powiedział; był dostatecznie zajęty swoją fatalną sytuacją. Wykłócanie się z ojcem przekraczało teraz jego siły. W dodatku Marvin właściwie go nie odwiedzał. Nieszczęście, które przydarzyło się synowi, zdawał się ignorować tak samo, jak odpowiedzialność za bliskich po zmarłych górnikach.

Matt zastanawiał się gorzko, czy Lambert przypadkiem nie wyobraża sobie, że Tim pojawi się znów, zdrowy jak koń, czy też może po prostu skreślił już syna. Ale o tym nie wspominał oczywiście przy ciężko rannym przyjacielu, a jedynie wieczorem w pubie. Upił się razem z Erniem i Jayem. Obaj byli wstrząśnięci stanem, w jakim znajdował się Tim, i zamawiali jedną whisky po drugiej.

Mieli ku temu możliwości. Zarówno Lucky Horse, jak i Wild Rover otworzyły się zaraz następnego dnia po wypadku. Tyle tylko, że było ciszej. Ani Lainie, ani Kura nie grały na pianinie; mężczyźni rozmawiali ściszonymi głosami i pili więcej whisky niż piwa, jakby mieli nadzieję, że to uśmierzy ich lęki.


W następnych dniach pracownicy kopalni wrócili do swej dawnej rutyny. Uroczystej Wigilii w tym roku nie było, z zabawą noworoczną nie będzie inaczej. Nikt nie miał ochoty świętować.

Matt ruszył na poszukiwanie nowych pracowników i narzekał, że nie udało mu się znaleźć żadnych górników z doświadczeniem. Większość pytających o pracę to byli ludzie, którzy począwszy od wielorybnictwa i poszukiwania złota, robili już niemal wszystko; tyle tylko, że nigdy jeszcze nie widzieli kopalni od środka. Tych ludzi trzeba było teraz przyuczyć, co było mozolnym i nudnym zajęciem.

Pastor wyznaczył uroczystości pogrzebowe ku czci ofiar wypadku na następną niedzielę, tak by każdy mógł wziąć w nich udział.

– Właściwie powinni dać ludziom wolne. A przynajmniej Lambert – wyjaśniał Lainie. – Ale zanim znów zacznę się z nim spierać, na razie ustąpię.

Elaine skinęła głową.

– Co mam zagrać? – zapytała i zaczęła szukać nut. Przyszła do kościoła, żeby przekazać duchownemu pieniądze zebrane przez madame Clarisse dla rodzin ofiar. Co zresztą ponownie wywołało dysputy.

Właściwie monopol na zbiórki miało kółko gospodyń domowych i damy dyskutowały gorąco, czy w ogóle można przyjąć „grzeszne pieniądze z burdelu". Sam pastor – podobnie jak praktycznie usposobiona Mrs Carey – był za tym, żeby je przyjąć, zwłaszcza że chodziło o dość pokaźną sumę. Madame Clarisse zebrała niemal trzy razy tyle co szanowne damy.

– Spójrzmy na to po prostu tak – stwierdziła w końcu Mrs Carey i spotkała się z powszechną akceptacją. – Madame Clarisse zrefundowała jedynie kwoty, które zmarli wcześniej zostawili w jej barze. Pozwoli to uwolnić tych mężczyzn od kilku grzeszków, skoro poszli do stwórcy bez spowiedzi...

– A jeśli chodzi o muzykę, to *Amazing Grace* zawsze pasuje – powiedziała Lainie, kartkując liturgię w poszukiwaniu ceremonii pogrzebowej.

Pastor zagryzł wargę.

– Proszę się nie wysilać, Miss Lainie. Mam nadzieję, że nie weźmie mi pani tego za złe, ale... zaplanowałem już uroczystość pogrzebową z Miss Martyn...

Elaine spiorunowała go wzrokiem.

– Z Kurą? To świetnie, że się o tym dowiaduję!

Pastor wił się pod jej spojrzeniem.

– Nie chcieliśmy pani pominąć, Miss Lainie, naprawdę nie. Ale Miss Martyn gra *Requiem* Mozarta tak przejmująco. Nie słyszałem czegoś takiego od czasu, jak opuściłem Anglię. I pomyślałem, że skoro zrobiła pani już tak dużo... i wciąż robi...

Elaine wstała. Była tak wściekła, że wolała wyjść, zanim nakrzyczy na pastora albo przynajmniej zdradzi prawdziwe związki rodzinne ze swoją czarującą kuzynką.

– A co ja niby takiego robię? – zapytała opryskliwie. – Nie zbierałam pieniędzy i nie gotuję na uroczystość pogrzebową, jak te damy z rady parafialnej. Ale oczywiście potrafię dostrzec, że w grze na organach nie dorównuję „Miss Martyn"... skoro już zniża się do tego, żeby swą anielską grą cieszyć prosty lud. Ale niech pan tylko uważa, żeby Mrs Tanner nie fałszowała, bo zazwyczaj konsekwentnie nie trafia w ton. Coś takiego może sprawić, że „Miss Martyn" będzie dość nieprzyjemna.

Po tych słowach Elaine pospiesznie wyszła. Najchętniej rozmówiłaby się od razu z Kurą, ale potem zdecydowała inaczej. Kura rozkoszowałaby się tylko jej wybuchem i prawdopodobnie nie powstrzymałaby się przed kilkoma złośliwymi uwagami o grze na organach swej rywalki. Elaine w końcu świetnie wiedziała, że nie gra doskonale. Kura sprawi, że ceremonia żałobna wypadnie bardziej uroczyście. Już sam jej widok działał ożywczo.

Tak więc Lainie zamiast tego skierowała konia do Leroyów i odwiedziła Tima, jak robiła to ostatnio każdego popołudnia. Wiedziała, że w mieście o tym mówiono – ludzie po części byli zdania, że wypełniała w ten sposób jedynie swój chrześcijański obowiązek, podczas gdy inni szeptali między sobą, że Miss Lainie chce z pewnością upolować syna bogatego właściciela kopalni. Również jako kaleka wciąż był dobrą partią…

Najspokojniej reagowali górnicy. Często widywali Tima w pubie, jak stał przy pianinie, i wielu wiedziało o jego niestrudzonych, ale jak dotąd daremnych staraniach. Teraz codziennie wypytywali Lainie, jak on się czuje.

Elaine zachęcała wówczas mężczyzn, żeby też odwiedzili Tima, co zresztą wielu zrobiło. Plan Mrs Leroy się powiódł. W małym szpitalu nie był przynajmniej tak odcięty od świata, a odwiedziny przyjaciół poprawiały mu nastrój. To było naprawdę konieczne, choć Tim tego po sobie nie okazywał. Czekał na specjalistę z Christchurch, ale ten zdawał się mieć dużo pracy. Przy czym Tim pokładał w nim duże nadzieje.

Pobieżna opinia doktora Leroya zdążyła już tymczasem dotrzeć do jego uszu, choć Lainie – podobnie jak Mrs Leroy – mówiły o tym raczej mgliście, a nawet doktor swoje najgorsze prognozy zachowywał dla siebie. Matka Tima w żadnym razie nie była jednak powściągliwa. Nellie Lambert odwiedzała syna codziennie i uważała chyba za swój obowiązek, by przez całą godzinę nieustannie płakać. Gdy sześćdziesiąt minut mijało, żegnała się szybko, przy czym zazwyczaj niezgrabnie trącała jego łóżko. Tim próbował patrzeć na to z humorem, ale to nie zawsze było łatwe, zwłaszcza że za każdym razem odczuwał straszne bóle, gdy tylko ktoś go choćby lekko dotykał. Później często potrzebował kilku godzin, nim noże tnące jego ciało wreszcie się uspokajały. Mrs Leroy dobrze o tym wiedziała, a ponieważ podczas codziennej opieki w nieunikniony sposób sprawiała mu ból, zaproponowała mu morfinę. Tim jednak konsekwentnie odmawiał.

– Mrs Leroy, może i mam zmiażdżone nogi, ale to przecież jeszcze nie powód, żeby odurzać mi głowę! Wiem, że później w jakimś momencie nie można się już bez niej obyć, a tego nie chcę!

Czasami było jednak tak źle, że potrzebował wszystkich sił, żeby nie krzyczeć. Mrs Leroy podawała mu wtedy laudanum, podczas gdy Lainie spokojnie siedziała obok i po prostu czekała albo trzymała go za rękę. Jej czuły, choć niepewny dotyk Tim znosił najlepiej; nigdy nie chwytała go mocno. Nawet jeśli podawała mu coś do picia albo wycierała spocone czoło po kolejnym ataku bólu, jej dotyk pozostawał lekki jak piórko.

Tego dnia Tim był w dobrym humorze, zwłaszcza że specjalista z Christchurch wreszcie zapowiedział wizytę na dzień po uroczystościach pogrzebowych. Tim cieszył się na to i śmiał się z gniewu Lainie na Kurę i pastora.

– Kiedyś będzie mi pani musiała zdradzić, co pani ma przeciw tej maoryskiej dziewczynie, która gra na pianinie u Paddy'ego Hollowaya! – droczył się z nią, ale natychmiast przestał, gdy twarz Elaine skamieniała. Reagowała tak zawsze, kiedy pytał ją o przeszłość. – Niech pani na to spojrzy inaczej, Lainie, nie musi pani iść na te uroczystości pogrzebowe i płakać, zamiast tego może mi pani dotrzymać towarzystwa. Mrs Leroy na pewno to ucieszy. Już i tak się martwi, że popadnę w depresję, gdy zostawią mnie samego. Z drugiej strony, jako żona lekarza i tak musi pozostawać w pobliżu. Doszło już niemal do tego, że zapytała moją matkę, czy nie chciałaby ze mną zostać. Ale ona z pewnością nie przepuści okazji, żeby pokazać się przytłoczona zgryzotą w swej nowej czarnej sukni z koronek. Już wczoraj, gdy mnie odwiedziła, miała ją na sobie. Miejmy nadzieję, że nie wejdzie jej to w nawyk.

Elaine rzeczywiście została z Timem, z czego matrony z miasteczka natychmiast zrobiły głośną sprawę. Mrs Leroy przyłapała w końcu dwie z tych dam, gdy plotkowały, i rozzłoszczona rozmówiła się z nimi.

– Ten człowiek w ogóle nie może się ruszać! Powinnyście się panie wstydzić, że myślicie o jakichś nieprzyzwoitych zachowaniach!

Mrs Tanner uśmiechnęła się wyrozumiale.

– Mrs Leroy, niektóre rzeczy mężczyźni zawsze mogą – stwierdziła. – A ta dziewczyna wydała mi się podejrzana już wtedy, gdy pojawiła się tutaj taka obszarpana.

Za to Kura w kwestii „dobrej opinii" zbierała punkty. Zarówno Mrs Miller, jak i Paddy Holloway wygrzewali się w jej blasku. Młoda śpiewaczka sprawiła, że uroczystości pogrzebowe były tak poruszające, że nawet zatwardziali towarzysze mieli łzy w oczach. Sama Kura też płakała i ujęła tym wszystkich. Tak więc nikt nie powiedział złego słowa, gdy Caleb Biller po mszy pogratulował jej wspaniałego występu i zaoferował swe towarzystwo podczas pogrzebu. Kura dobrze się prezentowała u jego boku. Nawet jego matka, Mrs Biller, przyglądała jej się raczej z zainteresowaniem niż niełaskawie.

Elaine natomiast siedziała z Timem, który był w wyśmienitym humorze. Po zabiegu, który miał przeprowadzić specjalista z Christchurch, obiecywał sobie prawdziwe cuda. Lekarz miał nastawić kości i nałożyć gips. Prawdopodobnie będzie potrzebował na to wielu godzin, Tim był jednak mocno przekonany, że później leczenie przebiegać będzie szybko.

– Zawsze byłem zdrowy, Lainie. I jako dziecko już kiedyś złamałem sobie rękę. Wszystko było szybko w porządku. Kilka tygodni…
– Elaine wiedziała, że doktor Leroy liczył się raczej z kilkoma miesiącami w gipsowych opatrunkach, ale zachowała to dla siebie. Odłożyła gazetę, którą czytała Timowi, i zasunęła zasłony. Młody mężczyzna zaprotestował. – To niemożliwe, żebym teraz zasnął, Lainie. Jest jeszcze jasne popołudnie, a ja nie jestem przecież małym dzieckiem! No dalej, niech mi pani coś poczyta albo opowie…

Elaine potrząsnęła głową.

– Potrzebuje pan spokoju, Tim. Doktor Leroy mówi, że jutrzejszy dzień będzie dla pana ciężki. – Odgarnęła mu kosmyk włosów z czoła. Tim mógł poruszać rękoma, miał jednak połamane żebra, co sprawiało, że wszelkie ruchy górnych partii ciała były dla niego męczarnią. Elaine chroniła go przed tym, na ile mogła, lecz Tim nienawidził, gdy pomagała mu przy piciu albo jedzeniu. Do pomocy przy nieuniknionych czynnościach bardziej intymnej natury dopuszczał tylko Mrs Leroy, a i wtedy czuł się nader niezręcznie.

Elaine ostrożnie poprawiła koc. Była tak zatroskana i zdenerwowana, że mogłaby się rozpłakać. Nie potrafiła podzielać optymizmu Tima. Poza tym doktor Leroy nie użył słowa „ciężki", lecz „bolesny". Nastawianie kości będzie prawdziwą torturą i było wykluczone, żeby Tim mógł ją wtedy znieść przy sobie. Elaine miała nadzieję, że Bercie Leroy uda się powstrzymać również Nellie Lambert.

Tim uśmiechnął się do niej równie urzekająco jak kiedyś. Elaine znów miała przed oczyma obraz zdrowego Tima podczas wyścigu. Pogłaskała go uspokajająco po czole.

Mrugnął do niej.

– Najlepiej wypoczywam, gdy trzyma mnie pani za rękę – stwierdził. Nagle w jego oczach pojawiły się te iskry, które Elaine tak często widywała u Thomasa Sideblossoma i których nauczyła się bać. – Bo kiedy głaszcze mnie pani tak po czole, raczej mnie to podnieca. Mimo wszystko jestem jeszcze mężczyzną…

Szukał jej dłoni, potem jednak dostrzegł wyraz jej twarzy i chętnie zdzieliłby się w pysk za te słowa.

Łagodny, pełen zaufania wyraz oczu Lainie zastąpiły nieufność i strach. Szarpnęła rękę tak szybko, jakby się oparzyła. Oczywiście zostanie przy nim; w końcu obiecała to Mrs Leroy. Ale z pewnością tego dnia nie położy już ręki na jego dłoni.

Następnego dnia znów jednak przyszła, zastanawiając się ze skruchą, jak mogła czuć tak wielki strach przed Timem i dlaczego w dodatku nie udało jej się tego strachu ukryć. Przez resztę dnia odnosiła się do niego dość chłodno i zdawał się pozbawiony złudzeń, gdy go opuszczała. A przecież mogła mu się przydać każda odrobina optymizmu i pomocy. Elaine przeczuwała katastrofę, zanim go jeszcze zobaczyła. Wcześniej spotkała przecież Nellie Lambert, która siedziała z Bertą Leroy i płakała nad filiżanką herbaty.

– Już nigdy nie będzie zdrowy! – zwróciła się oskarżycielskim tonem do Lainie. Obie kobiety w ostatnich dniach spotykały się czasem w przychodni, jednak Mrs Lambert najwyraźniej nie miała pojęcia o uczuciach Elaine wobec Tima. Zdawała się też w ogóle jej nie dostrzegać; Lainie mogłaby być równie dobrze jakimś wyposażeniem małego szpitala, a nie żywym człowiekiem.

– Doktor z Christchurch ma te same obawy co mój mąż. Nałożył gips, ale to skomplikowane złamania z odłamkami, a niektóre kości są zmiażdżone. I nie można oczywiście zajrzeć do środka, przynajmniej jeszcze nie teraz, choć w Niemczech niejaki Röntgen niedawno wynalazł aparat, który to umożliwia. Doktor Porter był cały podekscytowany z tego powodu. No cóż, Timowi w każdym razie to nie pomoże. Nastawianie złamań to liczenie na szczęście, a prawdopodobieństwo, że wszystko świetnie się zrośnie, jest bliskie zeru. Ale ma nadzieję, że poradził sobie dobrze z biodrami, więc przynajmniej siedzenie powinno być możliwe. Tim był w każdym razie dzielny. Niech pani do niego idzie, Lainie. Ucieszy się.

– Ale niech go pani nie przemęcza! – zażądała Mrs Lambert. – Nie uważam, by ktoś powinien go jeszcze dziś odwiedzać.

Tim leżał w zaciemnionym pokoju i Elaine, gdy tylko weszła, od razu rozsunęła zasłony. Nie było jeszcze późno i trwało lato. Dlaczego, do diabła, ta Mrs Lambert wciąż odczuwa potrzebę, żeby zabierać mu każdy promyk słońca?

Tim spojrzał na nią z wdzięcznością, ale nie dał rady się uśmiechnąć. Jego oczy były szkliste; dziś skorzystał z morfiny. Wydawało się, że nie przynosi mu to zupełnej ulgi, bo sprawiał wrażenie wypalonego i chorego. Nawet bezpośrednio po wypadku nie wydawał się tak chudy i umęczony.

Elaine usiadła przy nim, nie dotknęła go jednak, bo Tim sprawiał wrażenie, jakby dziś to *on* wzdragał się przed jakimkolwiek dotykiem.

– Co powiedział lekarz? – zapytała w końcu Elaine. Nowe gipsowe opatrunki na nogach Tima wyglądały jeszcze straszniej niż szyny doktora Leroya, były jednak przykryte kocem. Tim nie chciałby, żeby je widziała. Postanowiła na razie go o to nie pytać.

– Sporo bzdur… – powiedział Tim ochrypłym głosem. Sprawiał wrażenie sennego i zamroczonego morfiną. – Taki sam stary pesymista jak nasz doktor. Ale nic sobie z tego nie robimy, Lainie. Kiedyś znów będę mógł chodzić. Przecież to nie do pomyślenia, żeby ktoś popychał mnie na wózku w kościele. Chcę przecież… tańczyć na naszym weselu.

Elaine nie odpowiedziała, nawet nie patrzyła na niego. Ale Tim odbierał to niemal jak pocieszenie, w każdym razie znacznie lepiej, niż wyrozumiałe i pełne współczucia spojrzenia innych gości, gdy zaprzeczał prognozom lekarzy. Lainie zdawała się raczej walczyć z własnymi demonami.

– Lainie… – wyszeptał Tim. – Za to wczorajsze… bardzo mi przykro.

Potrząsnęła głową.

– Nie musi panu być przykro. Byłam głupia. – Uniosła rękę, jakby chciała pogłaskać go po czole, ale nie mogła się na to zdobyć.

Tim czekał, aż w końcu nie mógł już tego znieść.

– Lainie, dzisiejszy dzień był… trochę męczący. Moglibyśmy może… spróbować jeszcze raz? To znaczy, chodzi mi o zasypianie.

Bez słowa ujęła go za rękę.

# 5

Kura-maro-tini była poirytowana i mogłaby podać wiele powodów tego stanu. Przede wszystkim w ubiegłym tygodniu nie zarobiła praktycznie ani centa. Madame Clarisse zamierzała nadal płacić swoim dziewczynom, choć w czasie żałoby po wypadku w kopalni ruch w interesie był słaby, ale Paddy Holloway nie płacił. Jeśli Kura nie grała, to nie było pieniędzy. Problem polegał na tym, że Mrs Miller dalej chciała, by płaciła czynsz za wynajem, podobnie jak właściciel stajni. Kura myślała nawet o tym, żeby sprzedać konia, ale przyzwyczaiła się już do tego zwierzęcia.

Była niezdecydowana i niespokojna, ale zadowolona, że uroczystości pogrzebowe wreszcie się skończyły. A przy tym gra na organach jak najbardziej sprawiła jej przyjemność, zwłaszcza że mogła przy okazji utrzeć trochę nosa tej wstrętnej małej Elaine. Ale miło byłoby znów po prostu zagrać dobrą muzykę. I to nawet jeśli jedynie Caleb Biller potrafił prawdziwie docenić jej kunszt.

Być może jej wewnętrzny niepokój związany był też po trosze z Calebem Billerem. Kura była daleka od tego, żeby się w nim zakochać, ale tęskniła za tym człowiekiem! Tak długo, jak była w drodze, zajęta organizowaniem miejsca na nocleg i występy, potrafiła to wypierać. Ostatnio jednak nie było nawet godziny, w której nie myślałaby o Williamie i radościach, jakich doświadczała w jego ramionach. Po tym wszystkim, co przeszła, nawet na Rodericka Barristera patrzyła przychylniejszym okiem. A teraz zainteresowała się tym Calebem Billerem, który zdawał się ją uwielbiać.

Tyle tylko, że facet był dziwny. Z jednej strony podczas ceremonii pogrzebowej zaprezentował się bardzo po rycersku, z drugiej zaś pozostawał zimny jak ryba, nawet gdy wsparła się na nim w pozornej potrzebie pociechy. Podczas podróży z zespołem Kura poznała mężczyzn, o których mówiono, że są „z drugiego brzegu". Ale Caleb nie zachowywał się tak jak oni. Może potrzebował po prostu jeszcze kilku bodźców?

W każdym razie gdy Kura znów zasiadła przy pianinie w Wild Rover, natychmiast się pojawił i ponownie potrzebował dwóch single malt, by zebrać się na odwagę i z nią porozmawiać.

– Miss Kura, jeszcze raz muszę pani podziękować za wprowadzenie w maoryską sztukę gry na flecie. To naprawdę robi wrażenie. I w ogóle uważam, że muzyka… „tubylców" jest fascynująca.

Kura wzruszyła ramionami.

– Nie musi pan przepraszać za to, że Maorysi są „tubylcami" – odparła. – Poza tym to w ogóle nieprawda. Oni również tu przywędrowali. W dwunastym wieku, z jednej z polinezyjskich wysp, którą nazywali Hawaiki. Która to dokładnie była wyspa, nie wiadomo. Za to w przekazach zachowały się nazwy łodzi, na których przypłynęli. Moi przodkowie, na przykład, przybyli do Aotearoa na „Uruau".

– Aotearoa to wasza nazwa Nowej Zelandii, prawda? Oznacza…

– Wielka Biała Chmura – odparła Kura znudzonym głosem. – Pierwszy osadnik tutaj nazywał się Kupe, a jego żona Kura-maro-tini porównała wyspę z chmurą, gdy się do niej zbliżali. Noszę imię po niej, by uprzedzić pańskie kolejne pytanie. Zagrać coś dla pana?

Oczy Caleba Billera błyszczały. Zdawało się, że chodzi mu jednak bardziej o informacje, niż o nią. Ten człowiek był dla Kury zagadką.

– Tak… nie. A więc… tej muzyki pani ludu prawdopodobnie nikt jeszcze nie spisał, prawda?

– W zapisie nutowym? – zapytała Kura. – Nie, z tego co wiem, to nie.

Jej matka, Marama, była jednym z najlepszych muzyków na wyspie, ale nut nie znała. Również Kura śpiewała pieśni swego plemienia, znając je ze słuchu; nigdy nie wpadła na pomysł, żeby je zapisać. Przy czym potrzebne ku temu umiejętności miała dość ograniczone. Potrafiła zapisać nutami prostą melodię, ale większość wielogłosowych wykonań plemiennych pieśni przerastałaby jej możliwości.

– Tak właściwie to chyba szkoda, prawda? – zapytał Caleb. – Co by pani powiedziała na to, żeby zaśpiewać dla mnie na przykład jakąś pieśń wojenną… Jak to się je nazywa? *Haka*, prawda?

– *Haka* to niekoniecznie pieśń wojenna – odparła Kura. – To rodzaj śpiewanej zabawy. Poprzez śpiew i taniec wyraża się uczucia, i często też drobne czyny. Z reguły śpiew jest wielogłosowy.

– Więc musiałaby mi pani zaśpiewać kolejno wszystkie głosy – stwierdził Caleb z zapałem. – Przy czym męskie głosy będą oczywiście trudniejsze. A może istnieją też *haka* tylko dla kobiet?

Kura przytaknęła.

– Istnieją wszelkie możliwe *haka*. Zwykle z podziałem na role. Ta na przykład jest śpiewana podczas pogrzebów. Nie ma jakiejś specjalnej choreografii. Każdy może tańczyć tak, jak chce, a śpiewakami są mężczyźni i kobiety bądź tylko mężczyźni lub tylko kobiety.

Zagrała kilka dźwięków na pianinie i zaczęła śpiewać swym olśniewającym głosem. Melodia dobrze pasowała do dość ponurej w tej chwili atmosfery w pubie; głos Kury tak dobitnie wyrażał smutek, że wkrótce wszystkie rozmowy w Wild Rover ucichły. Gdy skończyła, pewien stary górnik wzniósł szklankę w toaście za ofiary z kopalni Lambert. A potem mężczyźni poprosili o *Danny Boy*.

Caleb cierpliwie czekał, aż ostatni z podpitych Irlandczyków wyraził głosem swój żal. Trwało to godzinami. Kura nie była jednak wcale z tego niezadowolona. Niekończące się pełne smutku piosenki działały jej co prawda na nerwy, ale mężczyźni stawiali jej drinka po drinku. Ten wieczór znów wypełni jej kieszenie.

– Zastanowiła się pani nad tym, Miss Kura? – zapytał w końcu Caleb i niemal lękliwie spojrzał na drzwi.

Silnie zbudowany jasnowłosy mężczyzna w średnim wieku wszedł do lokalu i donośnym głosem przywitał się z Paddym.

– Holloway, ty stary draniu! To smutne wycie słychać było aż na ulicy i pomyślałem sobie, że najlepiej zabiorę stąd syna, zanim popadnie w przygnębienie. To przykre, ta cała sprawa w kopalni Lambert, ale z drugiej strony sami są sobie winni, przecież mogli pracować u mnie. Tak jak wszyscy porządni, rozsądni kopacze w tym barze! Stawiam piwo każdemu z kopalni Biller! – Po tych słowach odwrócił się do pijących w barze ludzi i przyjął oczekiwane owacje. Teraz Kura go rozpoznała: to był Josuah Biller, ojciec Caleba. Widziała go przelotnie na ceremonii pogrzebowej. Sam Caleb nie wydawał się zachwycony jego pojawieniem się. Sprawiał wrażenie, jakby razem ze swoją szklanką whisky chciał się zapaść pod ziemię tam, gdzie stał, przy pianinie.

Biller przepił krótko ze swoimi ludźmi, a potem przyłączył się do Caleba. Wydawał się jednak zachwycony tym, co zobaczył.

– No, no, chłopcze, myślałem, że bierzesz udział w tym wspólnym biadoleniu! Proszę mi wybaczyć, Miss, ale gdy mój syn dotyka klawiszy, brzmi to zawsze jak na jakimś pogrzebie. Pani natomiast przynajmniej ślicznie wygląda i z pewnością potrafi grać także coś weselszego!

Kura skinęła sztywno głową. Mężczyzna należał do tych, którzy prawie zawsze próbowali ją obłapiać i postępowali przy tym na tyle grubiańsko, że nawet dość otwarta kobieta wycofywała się szybko do swej ślimaczej skorupy.

– Oczywiście – powiedziała. – Pański syn i ja rozmawialiśmy o muzyce Maorysów, zwłaszcza o *haka*. Ten utwór, Mr Caleb, to na przykład radosny taniec. Opowiada o uratowaniu wodza Te Rauparaha, który schował się przed wrogami do dziury w ziemi. Z początku spodziewa się, że go znajdą, ale później pojawia się przyjaciel, a w niektórych wykonaniach mowa jest o kobiecie, który mówi mu, że mężczyźni odeszli. Pieśń wyraża najpierw jego obawę, a potem radość.

Kura uderzyła w klawisze i zaczęła śpiewać.

– *Ka mate, ka mate, ka ora, ka ora…*

Caleb słuchał z zachwytem, jego ojciec zaś raczej niecierpliwie.

– Wygląda na to, że nawet Maorysi w swojej poezji nie mówią o niczym innym niż o ciemnych dziurach. Ale twoja mała przyjaciółka jest zachwycająca, Caleb. Zechciałbyś mi ją przedstawić?

Kura nie wierzyła własnym oczom, lecz Caleb faktycznie powstał i formalnie, niczym prawdziwy dżentelmen, przedstawił ją swemu ojcu.

– Kura-maro-tini Martyn.

– Josh Biller – burknął stary. – No proszę, bardzo ładna. Dostanę moją whisky, Paddy?

Josuah Biller wypił spokojnie trzy szklanki szkockiej, nie spuszczając przy tym oka z Kury i swego syna. Caleb zachowywał się nienagannie, Kura natomiast stała się nerwowa. Miała przynajmniej dość do roboty; górnicy chcieli więcej sentymentalnych ludowych piosenek, a Caleb już i tak nie odważył się zapytać o kolejne *haka*. Po godzinie obaj Billerowie oficjalnie się pożegnali, a Josh, wychodząc, jeszcze raz skinął w stronę Kury.

– Bardzo ładna dziewczyna, Cal!

Kura uważała obu tych mężczyzn za dość dziwnych, ale to było nic w porównaniu z zaskoczeniem, jakiego doświadczyła następnego dnia. Długo spała – jak zawsze po tym, gdy grała w barze na pianinie do późna w nocy. Zazwyczaj nie jadała więc śniadania, tylko kilka kanapek w porze lunchu. Tym razem jednak nieśmiała maoryska gosposia od Mrs Miller zapukała do jej drzwi i przekazała zaproszenie.

– Mrs Miller będzie miała gościa i chciałaby zaprosić również panią na herbatę.

Kura spojrzała na wiekowy stojący zegar, który swym zbyt głośnym tykaniem często nie pozwalał jej w nocy zasnąć, i sprawdziła, która jest godzina.

Jedenasta. Idealna pora na grzecznościową wizytę u szanownych dam. Miss Witherspoon wyjaśniała jej, że wcześniej coś takiego byłoby niestosowne, ponieważ dama mogła jeszcze spać. A później odwiedziny mogłyby przeszkodzić w przygotowaniu obiadu.

Kura ubrała się trochę staranniej niż zwykle; jednak wszystkie jej suknie były dość znoszone. Na dłuższą metę będzie musiała zaoszczędzić trochę pieniędzy i kazać sobie uszyć coś nowego. Zeszła na dół, przy czym dziewczyna nie poprowadziła jej do pokoju, gdzie jadano śniadania i w którym zwykle Mrs Miller podejmowała gości, lecz od razu skierowały się do salonu.

Mrs Miller siedziała w fotelu z miną zadowolonej kotki. Na sofie skromnie, lecz bogato ubrana dama balansowała filiżanką z herbatą. Kobieta od razu skojarzyła się Kurze z Calebem Billerem. Ona również miała tę pociągłą, z lekka pozbawioną wyrazu twarz. Jej włosy były jednak brązowe, a nie jasne jak u Caleba i jego ojca.

– Miss Martyn, to jest Mrs Biller. Chciałam ją mieć trochę dla siebie, ale tak właściwie przyszła do pani! – Mrs Miller promieniała przy tym, jakby sprawiała Kurze jakąś wielką radość.

Kura przywitała się, nie uchybiając żadnej regule dobrego wychowania, i wdzięcznie opadła na wskazany jej fotel, po czym z równie wielką gracją jak odwiedzająca ją kobieta ujęła filiżankę z parującą herbatą. Oczywiście niestosowne byłoby od razu pytać o powody wizyty Mrs Biller. A więc najpierw wdała się w konwersację.

Tak, to było straszne, to, co stało się w kopalni Lambert, a zwłaszcza z Timothym Lambertem. Tragedia. Miasto będzie oczywiście potrzebować trochę czasu, by się z tym pogodzić. I czyż ceremonia pogrzebowa pastora nie była wzruszająca?

– Zwłaszcza pani szczególnie wpadła mi w oko, droga Miss Martyn! – Mrs Biller wreszcie przeszła do rzeczy. – Pani przepiękna interpretacja Mozarta... nie mogłam powstrzymać łez. Gdzie się pani tego nauczyła, Miss Martyn?

Kura była czujna, ale opowiadała swoją historię już tak często, że słowa płynące z jej ust były niemal oczywiste.

– Och, wychowałam się na jednej z farm w Canterbury. Trochę na uboczu, ale w bardzo ładnym miejscu. Mój ojciec bardzo interesował się kulturą. Moja matka wcześnie zmarła, a jego druga żona pochodziła z Anglii. Była guwernantką na jednej z większych farm, potem jednak zakochali się w sobie i ona mnie wychowała. Była utalentowaną pianistką. A moja prawdziwa matka do dziś uchodzi wśród Maorysów za swego rodzaju legendę, jeśli chodzi o taniec i śpiew.

Tego ostatniego nie zmyśliła. Jednak pierwsza część tej historii – z jej rzekomo zmarłą matką – wciąż wywoływała w Kurze wyrzuty sumienia.

– Jakież to niezwykłe – stwierdziła Mrs Biller, zdawała się jednak zadowolona. Kura często mogła zauważyć, że na przykład pastorzy albo rady parafialne, do których zwracała się o wynajem sal, interesowali się tym, czy była dzieckiem z małżeńskiego czy też pozamałżeńskiego związku. Mrs Biller zdawała się podchodzić do tego podobnie. Gdy Kura wymawiała słowa „jego druga żona", w jej oczach można było dostrzec ulgę.

– Chciałam zapytać... Miss Martyn, w niedzielę urządzam małą kolację. Nic takiego, tylko najbliższa rodzina... i chciałabym panią zapytać, czy nie zechciałaby pani się zjawić. Mój syn bardzo by się ucieszył. Wciąż mówi o pani z najwyższym szacunkiem.

– Dzięki muzyce mamy wspólne zainteresowania – stwierdziła uprzejmie Kura, próbując tym samym nie wyrazić żadnego dalszego zainteresowania Calebem Billerem.

– A więc mogę na panią liczyć? – upewniała się zadowolona Mrs Biller.

Kura skinęła potakująco głową. Dziwny początek romansu. Ale dobrze, skoro Caleb życzy sobie przedstawienia jej w kręgu najbliższej rodziny... Stwierdziła, że musi coś zrobić w sprawie nowej sukni. Biorąc pod uwagę, co Mrs Miller z pewnością opowie swej najlepszej przyjaciółce i żonie krawca zaraz po tym dobrze rokującym dla stosunków z Billerami spotkaniu, na pewno dostanie kredyt.

Caleb Biller z początku zdawał się zakłopotany tym zaproszeniem. Potem jednak przełamał się i poprosił Kurę, żeby przyszła trochę wcześniej i zabrała z sobą flet.

– Może moglibyśmy zapisać już pierwsze głosy jakiegoś *haka*? – pytał z zapałem. – Podchodzę bardzo poważnie do tego projektu i mam nadzieję, że uda mi się panią do niego przekonać. Może moglibyśmy razem wydać książkę...

Kura pojawiła się więc na kolacji u Billerów w ciemnoczerwonej nowej sukni, wspaniale podkreślającej odcień jej cery. Oczy Josui świeciły jak u dziecka pod świąteczną choinką, gdy witał się z prześliczną dziewczyną. Świeciły się również oczy Caleba. Pożądania Kura jednak nie potrafiła w nich dostrzec, choć obdarzył ją kilkoma kurtuazyjnymi komplementami, podczas gdy jego ojciec zachowywał się dość lubieżnie. Widząc to, Caleb rumienił się bardziej niż Kura i szybko odciągnął ją do fortepianu, by uwolnić od towarzystwa Josui. Na widok instrumentu zaświeciły się również oczy Kury i z żalem pomyślała o prezencie ślubnym, który został w Kiward Station. Jaka szkoda, że na tym wspaniałym fortepianie w salonie nikt już nie grał. A może jej córka zainteresuje się muzyką? Ale Gloria była z pewnością zbyt mała, żeby w ogóle się czegoś uczyć... Do tej pory Kura nadal ani trochę nie interesowała się dzieckiem. Jednak na wspomnienie spłodzenia Glorii przed jej oczyma znów zaczęła się wyłaniać twarz Williama i miała wrażenie, że niemal czuje jego dotyk. Czy ten Caleb nie mógłby być trochę bardziej zmysłowy?

W każdym razie przynajmniej dotyk jego palców, gdy położył je na klawiszach fortepianu i zagrał krótką melodię, zdawał się czuły.

Kura rozpoznała ze zdumieniem główny motyw żałobnego *haka*, które grała mu w barze. Ten człowiek był bez wątpienia bardzo muzykalny, co wprawiło Kurę w jeszcze większy zachwyt, gdy chwilę później zapisał w nutach jej śpiew i grę na flecie. Caleb zapisywał nuty „pod dyktando", tak jak inni ludzie litery. Nim matka zawołała w końcu, że kolacja gotowa, zdążył już zapisać trzy głosy i partię fletu, czyniąc z zapisu swego rodzaju partyturę dla orkiestry.

– To będzie cudowne, Miss Kura! – zachwycał się, prowadząc ją do stołu. – Szkoda tylko, że nie możemy w to włączyć tańca. Chociaż wspominała pani, że przy tym utworze nie ma żadnych ścisłych reguł co do kroków. Szkoda, że nie mamy tu takich możliwości jak wielkie biblioteki w Europie. Z pewnością można by zapisać choreografię. Tylko nie wiem, jak to się robi…

Caleb mówił z ożywieniem o partyturach i kompozycjach, aż matka dyskretnie zwróciła mu uwagę, że nudzi tym całe towarzystwo przy stole. Tyle tylko, że pozostali goście też nie mieli do zaproponowania żadnych ciekawych tematów rozmowy. Oprócz Kury rzeczywiście byli tylko członkowie rodziny i nie mieli sobie nic do powiedzenia. Caleb przedstawił jej swego wuja i jego małżonkę, jak też kuzyna Edmunda, który ożenił się niedawno z niezbyt rozmowną jasnowłosą dziewczyną siedzącą u jego boku. Kura dowiedziała się, że zarówno wuj, jak i kuzyn także pracują w kopalni – wujek w kantorze, a kuzyn, podobnie jak Caleb, w kierownictwie. W przeciwieństwie do Caleba zdawał się jednak interesować swą pracą i razem z Josuą szczegółowo omawiali zaniedbania i geologiczne uwarunkowania, które doprowadziły do wypadku w kopalni Lambert. Dla dam było to równie mało interesujące jak rozważania Caleba o tworzeniu współczesnych oper.

Trzy damy z rodziny Billerów skoncentrowały się więc całkowicie na konwersacji z Kurą, przy czym matka Caleba robiła, co mogła, żeby przedstawić młodą śpiewaczkę w jak najlepszym świetle. Pytania ciotki i żony kuzyna Caleba można by natomiast uznać niemal za docinki.

– To musi być ciekawe, wychowywać się wśród tubylców – powiedziała młoda Mrs Biller, niewinnie trzepocząc rzęsami. – Wie pani, w kręgu naszych znajomych w ogóle nie ma żadnych Maorysów! Słyszałam tylko – zachichotała – że mają dość swobodne obyczaje…

– Tak – odpowiedziała krótko i zwięźle Kura.

– To musiało być trudne dla pani matki dostosować się do życia na angielskiej farmie, prawda? – dopytywała ciotka.

– Nie – odparła Kura.

– Ale pani nie nosi żadnych tradycyjnych strojów, prawda? Nawet podczas występów?

Młoda pani Biller przyglądała się gorsetowi Kury, jakby ta miała zaraz zrzucić go z siebie i z nagimi piersiami zatańczyć *haka*.

– To zależy od charakteru występów – powiedziała spokojnie Kura. – Jako Carmen noszę hiszpańską suknię…

– Miss Kura występowała w operze – wyjaśniła matka Caleba. – Odbywała tournée z międzynarodowym zespołem. Również w Australii i na Wyspie Północnej. Czyż to nie ekscytujące?

Damy zgodziły się z nią, ale mówiły to tak protekcjonalnym tonem, jakby potwierdzały wędrownej prostytutce, że bez wątpienia prowadzi urozmaicone życie.

– Z pewnością poznaje się też interesujących mężczyzn! – zauważyła od razu ciotka.

Kura przytaknęła.

– Tak.

– Nasze Greymouth musi być przy tym na szarym końcu – zachichotała kuzynka.

– Nie – rzekła Kura.

– Co panią tu w ogóle sprowadza, Miss Martyn? – dopytywała się ciotka słodziutkim głosem. – To znaczy, pracy w barze nie da się chyba porównać do wielkiej sztuki na operowej scenie.

– W ogóle – potwierdziła Kura.

– Choć z pewnością i tutaj miała pani okazję poznać interesujących mężczyzn… – powiedziała kuzynka, uśmiechając się, i wymownie spojrzała na Caleba.

– Tak.

Caleb przysłuchiwał się do tej pory w milczeniu i patrzył na Kurę z takim uwielbieniem, jak podczas jej wykonania *Habanery* w barze. Jej talent do zabijania wszelkiej konwersacji wywierał na nim najwyraźniej równie silne wrażenie jak jej muzyczne zdolności.

Teraz jednak uznał, że powinien się wtrącić.

– Miss Kura podróżuje po Wyspie Południowej, żeby zebrać pieśni różnych maoryskich plemion i je skatalogować – wyjaśnił. – To bardzo interesujące i czuję się niezwykle zaszczycony, że pozwala mi brać w tym udział. Może popracowalibyśmy jeszcze nad tym *haka*, Miss Kura? Może kolejną partię fletu? To spodobałoby się także naszym słuchaczom…

Mrugnął do niej, uwalniając ją od dam. Kura sprawiała wrażenie opanowanej jak zwykle.

– To dla mnie wyjątkowo niezręczne, Miss Kura. Moje krewne zdają się uważać panią za… eee… a ja – Caleb się zarumienił.

Kura obdarzyła go swym najbardziej czarującym uśmiechem.

– Mr Caleb, wszystko jedno, co sądzą pańskie krewne, ale małżeństwo z panem jest chyba ostatnią rzeczą, jaką planowałabym w tym życiu.

W zdumionym spojrzeniu Caleba można było dostrzec zarówno ulgę, jak i lekką urazę.

– Uważa pani, że jestem aż tak odpychający?

Kura wybuchła śmiechem. Czy ten człowiek w ogóle nic nie widzi? Jej delikatne zbliżenie podczas uroczystości żałobnych, ich flirty w barze i fakt, że w ogóle dziś tutaj przyszła, powinny właściwie każdego mężczyznę przekonać, że jest nim zainteresowana. Kura uniosła rękę i pogłaskała go powoli i zmysłowo po czole, policzku, musnęła kącik jego ust, zatoczyła tam małe kółko i przesunęła palec ku jego szyi. Williama takie pieszczoty doprowadzały do szaleństwa. Caleb sprawiał wrażenie, jakby nie wiedział, co z tym zrobić.

– W ogóle nie uważam, że jesteś odpychający – wyszeptała Kura. – Ale dla mnie małżeństwo nie wchodzi w grę. Jako artystka…

Caleb gorliwie przytaknął.

– Ależ oczywiście. Tak właśnie sobie myślałem. A więc nie ma pani… tego tutaj… za złe?

Kura wytrzeszczyła oczy. Dotknęła tego faceta, pogłaskała go, spróbowała go podniecić. A on martwi się jedynie o towarzyskie konwenanse!

Gdy później, jak prawdziwy dżentelmen, odprowadzał ją do wyjścia, by grzecznie się z nią pożegnać, spróbowała jeszcze raz. Przysunęła się do niego bliżej, uśmiechnęła z twarzą tuż przy jego twarzy, z na wpół otwartymi ustami.

Caleb zarumienił się, ale nie uczynił najmniejszego gestu świadczącego o tym, że chciałby ją pocałować.

– Może moglibyśmy jutro po południu kontynuować w barze pracę nad *haka*?

Zrezygnowana Kura skinęła głową. Caleb był beznadziejnym przypadkiem. Ale przynajmniej muzykowanie sprawiało mu przyjemność. Uważała, że to fascynujące, patrzeć jak nagle zamienia recytatywy i muzykę Maorysów w coś, co można odczytać, i tym samym czyni to zarówno zrozumiałym, jak i możliwym do zagrania dla innych muzyków. Jeszcze bardziej interesujące mogłoby być połączenie tej muzyki z europejskimi instrumentami i przetworzenie jej. Kura nigdy dotąd nie interesowała się komponowaniem, ale to ją pociągało.

W następnych tygodniach jej dni wypełniała praca nad pieśniami przodków, nocami jednak pozostawała samotna niezależnie od tego, jak bardzo zachęcała Caleba. W końcu nabrała nadziei, gdy ją poprosił, żeby pomogła mu nawiązać kontakt z miejscowym plemieniem Maorysów.

– Potrafię sobie świetnie wyobrazić, jak brzmi takie *haka*. Umie pani przedstawić mi najróżniejsze głosy w doskonały sposób, Miss Kura. Ale kiedyś chętnie posłuchałbym tego w naturze i zobaczył tańce. Czy myśli pani, że jakieś plemiona mogłyby nam pokazać *haka*?

Kura przytaknęła.

– Tak, z pewnością. To należy do rytuału powitalnego, jeśli pojawia się honorowy gość. Nie wiem tylko, gdzie mieszka najbliższe tutejsze plemię. Być może musielibyśmy przez kilka dni być w drodze…

– Jeśli nie stanowiłoby to dla pani kłopotu – stwierdził Caleb. – Jestem pewien, że ojciec dałby mi wolne.

Ojciec Caleba, tyle Kura już wiedziała, był bardzo wspaniałomyślny, jeśli chodziło o czas syna. W każdym razie jeśli chodziło o czas, który spędzał z Kurą. Często zastanawiała się, czy kopalnia rzeczywiście każdego ranka albo popołudnia może sobie pozwolić na brak kierownika. Nad *haka* mogli przecież pracować jedynie wtedy, gdy bar był zamknięty. Mrs Biller zapraszała ją niekiedy na herbatkę – Kura właściwie traciła czas, ale zdecydowanie wolała pracować przy świetnie nastrojonym fortepianie Caleba w salonie Billerów niż w zadymionym barze. Tak więc często umawiała się z Calebem na muzykowanie, a potem piła herbatę z jego matką. Wszystko to miało pewien miły efekt uboczny, mianowicie Mrs Biller serwowała do herbaty wyjątkowe smakołyki. Dla tych chwil Kura w ciągu dnia nie jadła zbyt wiele.

– Lubię, gdy młodzi ludzie mają zdrowy apetyt! – zachwycała się Mrs Biller, gdy Kura wdzięcznymi ruchami jadła swoje sandwicze i ciastka, pochłaniając je jednak w olbrzymich ilościach.

– Dziękuję – powiedziała Kura.

Najbliższe plemię Maorysów znaleźli w pobliżu Punakaiki, malutkiej miejscowości między Greymouth i Westport. W tej okolicy znajdowała się słynna formacja skalna Pancake Rocks, wyjaśnił jej z zachwytem Caleb, gdy Kura wspomniała mu nazwę miejscowości. Choć w ogóle nie interesował się górnictwem, był jednak zapalonym geologiem i zaproponował, żeby przy okazji wizyty u plemienia dokonać również inspekcji terenu. Może też uda się znaleźć w pobliżu jakiś zajazd, w którym będzie można spędzić noc.

– Plemię zaprosi nas, byśmy przenocowali u nich – zauważyła Kura.

Caleb przytaknął, sprawiał jednak wrażenie lekko zdenerwowanego.

– No nie wiem. Czy to… wypada? Nie chciałbym w żadnym wypadku być natarczywy wobec pani.

Kura zaśmiała się i znów próbowała go ośmielić, głaszcząc po włosach i karku.

Ocierała się przy tym o niego biodrami, on jednak sprawiał wrażenie mocno zakłopotanego.

– Caleb, jestem półkrwi Maoryską. Wszystko, co wypada wśród mojego ludu, jest dla mnie do przyjęcia. A pan też będzie musiał się zapoznać ze zwyczajami mojego ludu. Chcemy przecież poprosić to plemię, by przedstawiło nam swoje typowe pieśni i dało nam wgląd w wyjątkowe dla nich *haka*. A to się nie powiedzie, jeśli będzie pan traktował tych ludzi jak egzotyczne zwierzęta.

– Mam największy szacunek dla…

Kura nie słuchała dalej. Może Caleb z szacunku dla obyczajów jej ludu wreszcie pozwoli sobie na więcej swobody. Na razie jednak spędzała noce na pieszczeniu samej siebie i marzeniach o Williamie.

\* \* \*

Podróż do Pancake Rocks w pojeździe Kury i z zaprzężonym do niego jej koniem zabrała im prawie cały dzień. Właściwie liczyła raczej na szybki zaprzęg ze stajni Billerów. Caleb wiedział jednak równie mało o koniach i powożeniu co dziewczyna. Oboje ucieszyli się, słysząc, że Pancake Rocks lepiej przemierzać pieszo, niż poruszać się wozem po trudnych drogach. Zwłaszcza że pogoda była dość burzliwa, co konia Kury zawsze trochę irytowało.

Dla Pancake Rocks taka pogoda była jednak idealna, jak wyjaśniał im właściciel baru w Punakaiki, który oferował też kilka pokoi do wynajęcia.

– Naprawdę spektakularny widok jest tylko przy dużych falach. Wtedy wygląda to tak, jakby na gejzerach smażono naleśniki! – powiedział ze śmiechem mężczyzna, zgarniając pieniądze za dwa jednoosobowe pokoje. Oczywiście był przekonany, że ta młoda para tak naprawdę potrzebowała tylko jednego, a w którym pokoju ta dwójka spędzi noc, było mu wszystko jedno. Nie powstrzymało go to jednak, by kiedy przybyli, z surową twarzą zapytać ich o akt ślubu. Interes, jaki ubił, poprawił mu humor, więc z przyjemnością oferował swoje usługi przewodnika.

Kura i Caleb przechadzali się więc pomiędzy dziwnymi okrągłymi jak naleśniki warstwami skał nad huczącym morzem. Rozpuszczone włosy Kury powiewały na wietrze. Wyglądała zachwycająco. Na Calebie nie robiło to jednak żadnego wrażenia; rozwodził się jedynie z niezwykłym zainteresowaniem nad gęstością skały wapiennej i działaniem morskiej wody.

Uroda Kury przyciągnęła natomiast uwagę dwóch młodych Maorysów, którzy krótko z nimi porozmawiali, a potem zaprosili ich do swej osady. Okazało się przy tym, że słyszeli już o Kurze. Najpóźniej od jej gościnnego występu u plemienia żyjącego w okolicach Blenheim uznawano ją za *tohunga* i młodzi mężczyźni zachowywali się tak, jakby nie mogli się doczekać chwili, gdy usłyszą jej muzykę. Faktycznie jednak ich spojrzenia na piersi i biodra Kury zdawały się mówić co innego. Caleb zauważył to i poczuł się niezręcznie dotknięty. Nalegał, by nie korzystać z zaprosin od razu, ale ruszyć do wioski Maorysów dopiero następnego dnia.

– Ci dwaj chłopcy nie zrobili na mnie wrażenia, jakby można im było ufać – zauważył z troską, gdy wracał z Kurą do gospody. – Kto wie, co by z nami zrobili, gdybyśmy po prostu poszli za nimi w dzicz. Przecież wkrótce będzie ciemno.

Kura się zaśmiała.

– Zupełnie nic by nam nie zrobili, choć z pewnością chętnie zrobiliby coś ze mną. No niech pan tak nie patrzy, Caleb, przecież to mi schlebia! Prawdopodobnie całą drogę pokazywaliby nam jakieś karkołomne sztuczki, żeby może wyciągnąć mnie z pańskiego łóżka i skusić do własnego…

– Kura! – Caleb patrzył na nią z oburzeniem.

Kura parsknęła śmiechem.

– No niech pan nie będzie taki pruderyjny! A może powinnam mówić, że jesteśmy małżeństwem? Wtedy zostawią nas w spokoju…

Caleb wyglądał, jakby przeżywał męczarnie, i Kura już go więcej nie drażniła. Nie dotknął jej co prawda również tego wieczoru, okazał się jednak niezwykle hojny i kulturalny, zapraszając ją na najlepsze jedzenie i wino, jakie miało do zaoferowania Punakaiki. Nie było to niby nic wielkiego, jednak odkąd Kura wiodła życie w drodze, często bez środków do życia, potrafiła docenić również takie drobne gesty.

Następnego ranka Kura, kierując się opisem podanym przez obu Maorysów, dotarła do ich *kainga* i natychmiast znalazła wioskę. Caleb był zaskoczony jej wielkością. Najwyraźniej do tej pory był przekonany, że Maorysi żyją w namiotach, tak jak Indianie w Ameryce. Zdumiała go różnorodność budynków, domów sypialnych, kuchni i spiżarni oraz magazynów.

Kura nie po raz pierwszy zastanawiała się, w jak oderwanych od rzeczywistości warunkach dorastają niektóre dzieci *pakeha*. Wprawdzie w bezpośrednim sąsiedztwie Greymouth nie było żadnej stałej osady Maorysów, ale o ile wiedziała, Caleb bywał w wielu miastach Wyspy Południowej, a nawet w Wellingtonie i w Auckland. Czy nie było tam naprawdę żadnej możliwości, by zapoznać się z kulturą Maorysów? Z drugiej strony, Caleb był wtedy jeszcze dzieckiem. A niemal wszystkie lata swej młodości, podobnie jak Tim Lambert, spędził w angielskich internatach i na uniwersytetach.

Jak można było tego oczekiwać, zostali gościnnie przyjęci i nie musieli nawet prosić mieszkańców wioski, by zaprezentowali im najważniejsze *haka*. Już na powitanie podjęto ich pierwszym wykonaniem.

– Te *haka* mają dziwną historię – wyjaśniała Kura zainteresowanemu Calebowi, podczas gdy mężczyźni i kobiety pokazywali im taniec. – Pierwotnie zostały stworzone przez wrogie plemiona i służyły temu, by szydzić z rywali. Potem jednak te plemiona same je przejęły z dumy, że ktoś czuł przed nimi tyle strachu, by układać takie wojenne pieśni.

Kura posługiwała się oczywiście płynnie maoryskim, ale ku zachwytowi mieszkańców wioski okazało się, że również Caleb podchwycił już parę zwrotów, a przez cały dzień nauczył się kolejnych. Nawet Kura była zaskoczona, z jaką łatwością mu to przychodziło. Ona też była bardzo uzdolniona muzycznie i biorąc lekcje śpiewu, uczyła się wykonywać teksty po niemiecku i francusku. Nigdy jednak nie udało jej się pozbyć akcentu w takim stopniu, jak Calebowi, gdy wymawiał maoryskie słowa.

Później oboje siedzieli w kręgu z całym plemieniem w zdobionym okazałymi rzeźbami i snycerką domu spotkań i wspólnie pili przyniesioną przez nich whisky. Już po niedługim czasie Kura była lekko podchmielona i ostatecznie wybrała sobie silnego młodego tancerza, z którym ku powszechnemu zadowoleniu wyszła na zewnątrz. Caleb znów sprawiał wrażenie, jakby czuł się zakłopotany, ale nie zazdrosny. Kurę troszkę to rozzłościło, maoryskie plemię było zaś raczej zaskoczone.

– Wy nie…?

Kura zdążyła jeszcze zobaczyć, jak siedzący obok Caleba mężczyzna wykonuje obsceniczny gest, a Caleb się rumieni.

– Nie, jesteśmy tylko… przyjaciółmi – wyjąkał.

Młody mężczyzna wypowiedział na to jakąś uwagę, co wywołało głośne wybuchy śmiechu.

– On mówi, my Maorysi też nie robić z wrogami! – przetłumaczyła jedna z kobiet.

Następnego dnia Kura z całkowitą powagą wyjaśniła lekko oburzonemu Calebowi, że chciała jedynie namówić swego towarzysza, by zaśpiewał dla nich pewną szczególną pieśń miłosną. Młody tancerz chętnie spełnił jej pragnienie i zaśpiewał, kiedy już przestał się tarzać ze śmiechu. Pomysł, by śpiewać pieśń miłosną mężczyźnie, wydał mu się widocznie przedziwny. Potem jednak zaśpiewał i zatańczył, wykonując przy tym niemal przesadne gesty. Kura zauważyła, że Caleb w zachwycie zapomniał zapisać nuty. Wreszcie błyszczały mu oczy, co Kurze ostatecznie uzmysłowiło, dlaczego wszelkie jej powaby na nic się dotąd nie zdały. Później nalegał, by przetłumaczyła mu teksty, ale ze względu na dość obsceniczną treść, Kura przedstawiła ją dość ogólnikowo.

Krótko przed wyruszeniem w drogę powrotną do Greymouth Kura odbyła jeszcze jedną rozmowę. Dało jej to więcej do myślenia niż oczywiste skłonności Caleba do płci męskiej.

Małżonka wodza, energiczna, silna kobieta, która niemal zawsze tańczyła *haka* w pierwszym rzędzie, zagadnęła ją, gdy Kura zbierała swoje rzeczy.

– Przybyliście z Greymouth, prawda? Wiesz może, czy taka dziewczyna o ognistych włosach wciąż jeszcze tam jest?

– Rudowłosa dziewczyna? – Kura od razu pomyślała o Elaine, ale nie była pewna.

– Taka drobna, mała istota, nawet trochę podobna do ciebie, jeśli ma się dobre oko! – Żona wodza uśmiechnęła się, widząc niemal przerażoną twarz Kury.

Kura skinęła potakująco głową.

– Elaine? Wciąż jeszcze tam jest. Gra na pianinie w pewnym barze. Dlaczego? Znacie ją?

– Znaleźliśmy ją wtedy i wysłaliśmy do Greymouth. Wiodło jej się dość kiepsko. Przez wiele dni błądziła po górach ze swym małym psem i koniem. Chętnie zatrzymałabym ją u nas, ale mężczyźni uznali, że to zbyt niebezpieczne. I słusznie, bo on wciąż jej szuka. Ale tak długo, jak zostanie tam, gdzie jest, może się czuć bezpieczna.

Kobieta się odwróciła. Kura poskromiła ciekawość i zrezygnowała z pytania, co czyniło Greymouth o tyle bezpieczniejszym od każdej innej dziury na zachodnim wybrzeżu, i w ogóle kto taki szukał Elaine. Prawdopodobnie jej mąż, któremu uciekła. Ale to było dawno temu. Do tego czasu powinien się już pogodzić z tym, że Elaine nigdy nie wróci.

Jeśli chodziło o miłość i sprawy małżeńskie, Kura była całkowicie pod wpływem kultury swojej matki. Dziewczyna wybiera sobie mężczyznę, do którego chce należeć, i jeśli ten nie odpowiada jej wyobrażeniom, bierze sobie innego. Tylko dlaczego u tych *pakeha* zawsze musiało się to wiązać z małżeństwem?! Kura obrzuciła nieprzychylnym spojrzeniem Caleba Billera. Kiedyś jego rodzice zaczną naciskać, żeby się ożenił.

Nawet nie chciała sobie wyobrażać, jak dla ewentualnej przyszłej żony będzie wyglądać noc poślubna.

# 6

William Martyn niemal zalał Wyspę Północną maszynami do szycia. Z początku przydzielono mu mało atrakcyjny rejon na wschodnim wybrzeżu. Jednak wierny naukom geniusza sprzedaży Carla Latimera, który nawet na ubogim w kobiety zachodnim wybrzeżu Wyspy Południowej pozbywał się maszyn do szycia w olbrzymich ilościach, William spokojnie podróżował od farmy do farmy. Od czasu do czasu troszczył się o to, by poznać najważniejsze nowinki, i zawsze miał o czym porozmawiać z panią domu, zanim wypakował swą cudowną maszynę.

Szybko pobudzało to pożądliwość damy. Ale i tutaj Latimer nie przesadził. Dość odległe regiony oferowały co prawda słabsze rynki, ale za to bezpłatne noclegi, niekiedy w miło wygrzanym łóżku. Również pod tym względem William potrafił być przekonujący dla swych gospodyń. Czasem zastanawiał się, czy zwłaszcza te nadziane, ale samotne kobiety w wielkich gospodarstwach nie kupują od niego maszyny tylko po to, by znów móc skorzystać z „obsługi klienta" przy jego następnym pobycie w tych stronach.

Biedniejsze kobiety i dziewczyny kusił raczej argumentem oszczędzania pieniędzy, jeśli szyje się samej, oraz perspektywami dalszego zarobku przy wyrobie ubrań dla kobiet z sąsiedztwa. Liczba jego sprzedaży przekroczyła wszelkie oczekiwania i firma przeniosła go w znacznie atrakcyjniejszy region w okolicach Auckland. Tutaj William zainteresował przemysłowców możliwościami masowej produkcji odzieży. Zamiast zapraszać kobiety na demonstracje, zwracał się w ulotkach do imigrantów, którzy chcieli jakoś ułożyć sobie życie w nowym kraju. Dzięki zakupowi trzech lub czterech maszyn do szycia – jak zapewniał William – możliwa jest hurtowa produkcja każdego rodzaju ubrań i sprzedawanie ich z zyskiem. Przyrzekał klientom, że podczas następnego pobytu w okolicy osobiście przyuczy szwaczki, i tak też robił. Mimo to większość zakładów szybko plajtowała, ponieważ ich właściciele nie znali się na handlu. Kilka drobnych przedsiębiorstw odniosło jednak sukces, a jeden z jego klientów co kilka miesięcy zamawiał nowe maszyny, ponieważ wciąż powiększał swój zakład. Pomysł, by w ten sposób opchnąć jednorazowo większą liczbę maszyn, wywołał małą sensację w kierownictwie firmy. Zaproszono Williama, żeby poprowadził na ten temat wykłady w ośrodku szkoleniowym na Wyspie Północnej, a potem powierzono mu kolejny ciekawy region. Do tego czasu William jeździł już stosownym dla jego stanu powozem zaprzężonym w eleganckiego konia, ubierał się według najnowszej mody i cieszył swym nowym życiem. Cierniem w sercu był dla niego jedynie fakt, że nie udało mu się wytropić Kury i zespołu operowego – choć prawdę mówiąc, nie miał pojęcia, w jaki sposób można by połączyć ich życie. Reklamowanie maszyn do szycia i przedstawienia operowe były po prostu nie do pogodzenia, a Kura z pewnością nie miałaby najmniejszej ochoty znów się pożegnać ze swą karierą. Kierując konia na ruchliwe drogi Wellingtonu i szukając głównej siedziby firmy Singer, William myślał o tym, że śpiewacy są już pewnie dawno w Australii, na Wyspie Południowej, a może nawet w Europie. Czy zabrali Kurę z sobą? William właściwie w to nie wierzył. Szef zespołu nie sprawiał wrażenia, jakby tolerował jakichkolwiek innych bogów oprócz siebie samego. A Kura z pewnością miała możliwości, by stać się w Europie gwiazdą. Nawet gdyby jej talent nie wystarczał dla wielkiej opery – już sam wygląd otwierałby jej drzwi.

William znalazł w końcu budynek biura i miejsce dla konia i wozu w podwórzu na tyłach. Dyrektor sprzedaży osobiście zaprosił go na rozmowę i William był ciekaw, ale nie czuł się zaniepokojony. Znał dane ze swojej sprzedaży i liczył się raczej z premią niż z upomnieniem. Może dostanie jakieś nowe zadania? Przywiązał konia, wziął z wozu teczkę z aktualnymi dokumentami i strzepnął szybko ostatnie pyłki kurzu ze swojego trzyczęściowego garnituru. Prezentował się w nim wyśmienicie. Oczywiście garnitur nie był – jak zawsze twierdził – uszyty w nowych zakładach z maszynami do szycia Singera, tylko został wykonany na zamówienie u najlepszego krawca w Auckland.

Daniel Curbage, dyrektor sprzedaży, przywitał go przyjaźnie.

– Mister Martyn! Nie tylko punktualny co do minuty, ale do tego jeszcze z nowymi umowami sprzedaży pod pachą! – Mężczyzna natychmiast odgadł zawartość teczki Williama. – Nie muszę panu mówić, jak bardzo wciąż nam imponuje pańskie zaangażowanie. Mogę panu coś zaproponować? Kawę, herbatę, drinka?

William zdecydował się na herbatę. Był pewien, że mają tu wyśmienitą whisky, ale nauczył się już dawno temu, że negocjacje wymagają trzeźwej głowy i że wywiera się lepsze wrażenie, nie sięgając od razu po alkohol.

Mr Curbage skinął z zadowoleniem głową i odczekał, aż sekretarka przyniesie herbatę. Dopiero wtedy przeszedł do rzeczy.

– Mr William, sam pan wie, że jest pan jednym z najlepszych w naszej profesji. I podczas szkolenia oczywiście przedstawiono panu wszelkie możliwości awansu w naszej firmie.

William przytaknął, choć niczego takiego sobie nie przypominał. Wtedy skupiał się raczej na szyciu i haftach ażurowych, a nie na planowaniu kariery.

– Może pan awansować na kierownika działu dystrybucji większych regionów, aż… no cóż, aż do mojego stanowiska… – Mr Curbage roześmiał się serdecznie, jakby to ostatnie było zbyt śmiałym sięganiem do gwiazd. – I właściwie wyobrażam sobie pana na kierowniczym stanowisku tutaj, w biurze. – Spojrzał na Williama, oczekując poklasku.

William starał się, by w jego spojrzeniu widać było stosowne zainteresowanie. Tak naprawdę wcale nie palił się do pracy przy biurku. Posada musiałaby być naprawdę dobrze płatna, żeby ściągnąć go ze szlaku.

– Jednakże zarząd w Anglii uważa… wie pan, jacy ci ludzie są… no więc uważają, że z zaledwie rocznym doświadczeniem być może jest pan jeszcze trochę zbyt… cóż, zbyt mało doświadczony do takich zadań. Poza tym, jak się zdaje, ci panowie sądzą, że w okolicach większych miast, takich jak Auckland, maszyny sprzedają się same.

William chciał coś powiedzieć, ale Curbage powstrzymał go uspokajającym gestem.

– Pan wie i ja to wiem, że tak nie jest. Ale obaj mamy w tym praktykę. Panowie z zarządu natomiast… – wyraz twarzy Curbage'a dawał jasno do zrozumienia, co myślał o biurowych ogierach z odległego Londynu. – Cóż, szkoda słów. Dla pana i dla mnie ważne jest tylko, że muszę pana poddać pewnego rodzaju próbie. Proszę nie odbierać tego jako afrontu czy też kary. Wręcz przeciwnie, proszę patrzeć na to jak na odskocznię! Pańskiemu poprzednikowi Carlowi Latimerowi powierzono niedawno prowadzenie centrum szkoleniowego na Wyspie Południowej.

William myślał szybko.

– Carl Latimer? Przecież on jeździł po zachodnim wybrzeżu Wyspy Południowej.

Curbage uśmiechnął się szeroko.

– Ma pan świetną pamięć, Mr Martyn. A może zna go pan? Pan też pochodzi z Wyspy Południowej, prawda? W takim razie może nawet się pan ucieszy, wracając tam…

William zagryzł wargi.

– Mr Curbage, Latimer zarzucił zachodnie wybrzeże maszynami do szycia! – odważył się wtrącić. – Ten facet to geniusz! Praktycznie wcisnął singera każdej ludzkiej istocie, która choć odrobinę miała w sobie coś z kobiety!

Mr Curbage się uśmiechnął.

– Cóż, w takim razie pozostaje panu jeszcze pięćdziesiąt procent w postaci męskiej części ludności – zażartował. – A jak się do tego zabrać, udowodnił pan to już tutaj w Auckland.

William stłumił westchnienie.

– Zna pan zachodnie wybrzeże, Mr Curbage? Prawdopodobnie nie, bo w przeciwnym razie wyżej oceniłby pan liczbę żyjących tam mężczyzn. Myślę, że to jakieś osiemdziesiąt do dziewięćdziesięciu procent ludności. I to są te twardsze typy z kraju kiwi! Myśliwi polujący na foki, wielorybnicy, górnicy, poszukiwacze złota… i gdy tylko mają jakiegoś centa w kieszeni, to idą z nim do najbliższego baru. Na pewno żaden z nich nie wpadnie na pomysł, żeby otwierać zakład krawiecki. Zresztą skąd miałby wziąć szwaczki? Jeśli dziewczyna nie jest zbyt pruderyjna, w pubie zarobi dużo więcej.

– A więc kolejna możliwość dla pana, Williamie, by poszerzyć działalność – stwierdził pompatycznie Curbage, a potem zmienił ton na poufny. – Niech pan ratuje te dziewczyny przed nimi samymi. Niech im pan wytłumaczy, że godne życie szwaczki jest znacznie bardziej warte starań niż życie w grzechu! Poza tym wciąż przybywają nowi górnicy, niektórzy z całymi rodzinami. Ich kobiety powinny się cieszyć, mogąc dodatkowo coś zarobić.

– Tyle tylko, że nie mają stu pięćdziesięciu dolarów na maszynę. Bo tyle ona obecnie kosztuje – zauważył rzeczowo William. – Nie wiem, Mr Curbage…

– Och, proszę mi mówić Daniel. I niech pan nie patrzy na to w takich czarnych kolorach. Gdy tylko pozna pan nowy region, z pewnością przyjdzie panu do głowy jakiś pomysł! I myślę przy tym o nowym systemie spłat, specjalnie dla rodzin górniczych. Niech pan coś zrobi z tym nowym zadaniem, Williamie. Niech pan sprawi, żebym był z pana dumny. To jak, co by pan powiedział na drinka? Mam wyśmienitą whisky.

William był dość przygnębiony, opuszczając biuro. Nowy region nie bardzo go kusił. I będzie musiał zaczynać wszystko od nowa: a nawet gdyby mógł zabrać z sobą na Wyspę Południową konia i wóz, to ogniste zwierzę i mały powóz w ogóle nie nadawały się na błotniste drogi zachodniego wybrzeża. Podobnie zresztą jak jego elegancki miejski garnitur. Znów będzie potrzebował butów z cholewami, skórzanych ubrań i woskowanego płaszcza. Trzysta deszczowych dni w roku i żadnych owczych farm z samotnymi właścicielkami – za to hotele w wygórowanych cenach, często z pokojami wynajmowanymi na godziny. William już się bał pełnych robactwa kwater. Z drugiej strony, musiał myśleć pozytywnie, w przeciwnym razie może zapomnieć o zyskach. W końcu Carl Latimer miał na zachodnim wybrzeżu przyzwoitą sprzedaż, a miasta tam prosperowały. To oznaczało, że wciąż przybywało tam kobiet, a co za tym idzie – klientek Williama.

Młody człowiek wziął się w garść. Jego ambicja została pobudzona. Pewnie nie pozostawią go na zachodnim wybrzeżu dłużej niż rok i wykorzysta ten czas najlepiej jak może, by przebić nawet wyczyny Latimera. A co na przykład z Maorysami? Czy sprzedał ktoś kiedyś jakiegoś singera któremuś z tubylców?

Jeszcze tego samego dnia William dowiedział się, jak wyglądają połączenia promowe do Blenheim. Tydzień później przekazał swój okręg następcy, sprzedając mu od razu konia i powóz. W rejs na Wyspę Południową wybrał się jedynie ze swoją starą maszyną do demonstracji. Nie chciał wymieniać tego urządzenia, choć do tej pory pojawiły się już nowsze modele. Stara maszyna przyniosła mu jednak szczęście. William był zdecydowany podbić Wyspę Południową. Przy okazji zapewne usłyszy coś o Kurze. Tak właściwie mógłby napisać do Gwyneiry McKenzie i zapytać o Glorię. Z pewnością wiedziała coś o miejscu pobytu Kury. I może też nie miała maszyny do szycia...

Gwyneira McKenzie Warden była w stanie myśleć o wszystkim, ale nie o maszynie do szycia. Może nawet by ją to zainteresowało, gdyby w liście Williama była choć najdrobniejsza wzmianka o tym, gdzie mogła się podziewać jej wnuczka Kura. Poza tym ucieszyła się, słysząc znów o ojcu Glorii, i odetchnęła z ulgą, że nie rościł sobie żadnych praw do dziecka. William wiedział o sprawach Kury równie mało co ona. Jedynie tego, że Kura nie popłynęła do Anglii razem z zespołem operowym, mogli być raczej pewni.

– Z moich rachunków wynika, że się nie pojawiła – wyjaśnił George Greenwood. – Barrister z pewnością spróbowałby mnie obciążyć jej kosztami. Był przecież szczwanym lisem. Nie popłynęła też pod własnym nazwiskiem, jak twierdzi przedsiębiorstwo żeglugowe. Ale przecież mogła podać jakieś inne. Aż tak dokładnie tego nie rejestrują.

– Ale dlaczego w ogóle miałaby tak zrobić? – zapytała nerwowo Gwyn. – Może dlatego, że była jeszcze niepełnoletnia?

– Tego w ogóle by nie sprawdzali – stwierdził George, przyrzekł jednak, że postara się, by rozejrzano się za nią w Anglii.

Kilka tygodni później pojawił się u Gwyn z pierwszymi wieściami.

– Nie ma żadnej Kury-maro-tini ani jakiejś innej maoryskiej dziewczyny na liczących się muzycznych scenach Londynu – oświadczył. – Tego Barristera moi ludzie znaleźli w dość kiepskim teatrze przy Cheapside. Sabina Conetti zaś śpiewa w musicalu, to lekka rozrywka, taki rodzaj operetki. Dwie tancerki z zespołu też tam występują. Ale żadnych wieści o Kurze. Z całą pewnością nie ma jej w Anglii. Pozostaje zatem zachodnie wybrzeże, Wyspa Północna, Australia i reszta świata.

Gwyneira westchnęła. George zdawał się podchodzić do tej sprawy spokojnie, ale ona martwiła się o Kurę prawie równie mocno jak o Elaine.

James nie podzielał jej obaw.

477

– Gdyby chodziło o jej cnotę – stwierdził sucho – mógłbym to zrozumieć. Na to nie postawiłbym nawet funta kłaków. Ale jeśli chodzi o samo przeżycie, może nawet w najbardziej dosłownym znaczeniu tego słowa, to w ogóle bym się o Kurę nie martwił. Ta dziewczyna jest niezniszczalna, nawet jeśli sprawia wrażenie tak wątłej i oderwanej od rzeczywistości.

Gwyneira złajała go, że jest bez serca, ale po cichu miała nadzieję, że to on ma rację. Cnota Kury była jej naprawdę obojętna; grunt, żeby możliwie szybko odnalazła się cała i zdrowa.

W końcu to Marama okazała się pierwszą osobą, która natrafiła na jakiś ślad. Matka Kury smuciła się zniknięciem córki, ale nie martwiła się o jej życie.

– Wiedziałabym, gdyby coś jej się przytrafiło – stwierdziła z głębokim przekonaniem. I jej przekonanie się potwierdziło. Wędrowne plemię Maorysów opowiadało o pewnej *tohunga*, która w okolicach Blenheim przez kilka dni mieszkała w ich wsi. Kura pięknie śpiewała i dobrze się bawiła, i opowiadała, że pochodzi z plemienia Maramy. Pomyłka nie wchodziła w rachubę. Ale co robiła poza tym, skąd przybyła i dokąd chciała się udać, o to jej nie pytano. A kiedy dokładnie miało miejsce to spotkanie, tego Maorysi już nie pamiętali.

– Do Blenheim przybija prom z Wyspy Północnej – stwierdziła zrezygnowana Gwyneira. – Być może Kura przeprawiła się na drugą stronę. Ale czego ona tam chce? I dlaczego myśli, że musi komuś coś udowodnić? Mój Boże, mogłaby po prostu tu przyjechać i…

– Ma prawie dziewiętnaście lat – zauważyła Marama. – Jest uparta i jeszcze trochę dziecinna. Chce mieć wszystko, a jeśli coś się nie wychodzi, tupie nogami i krzyczy. A przy tym wciąż udaje dorosłą. Ale kiedyś wszystko zrozumie i wróci. Musi pani tylko czekać, Miss Gwyn.

Czekanie nigdy nie było mocną stroną Gwyneiry. Podczas jednak gdy zaginięcie Kury wystawiało na ciężką próbę tylko jej cierpliwość, to cała rodzina martwiła się poważnie o Elaine. Ruben O'Keefe zlecił pewnemu prywatnemu detektywowi, by poszukał jej na Wyspie Północnej, zachowując najwyższą dyskrecję.

– Nie chcemy przecież wykonać roboty za Sideblossoma albo za policję – westchnął. – Ten stary też jej szuka. W żadnym wypadku nie pozostawi całej sprawy w rękach konstabla, a już zwłaszcza po doświadczeniach z Jamesem.

John Sideblossom życzył sobie znacznie cięższej kary, gdy złapał McKenziego. Ale kara więzienia nie była aż tak surowa, a gubernator zamienił ją na dożywotnie wygnanie. Skończyło się na tym, że James spędził jakiś czas w więzieniu, a potem w Australii, później jednak wrócił i ostatecznie, na prośbę Gwyneiry i O'Keefe'ów, został ułaskawiony. Johna Sideblossoma jeszcze dziś to drażniło. Teraz nie wierzył już w surowość prawa; w przypadku Elaine też najchętniej wziąłby sprawy we własne ręce. Po dziewczynie wciąż jednak nie było żadnego śladu, a Fleurette O'Keefe brakowało tej niezłomnej wiary, jaką miała Marama, w nadprzyrodzony związek matki i dziecka. W swych koszmarach widziała Elaine martwą – a to zagubioną i zamarzniętą w górach, innym razem pobitą i zagrzebaną gdzieś przez Johna Sideblossoma, to znów zgwałconą i zamordowaną w jakimś obozie poszukiwaczy złota na zachodnim wybrzeżu…

„Czasami wolałabym mieć pewność, niż każdej nocy wyobrażać sobie jakieś kolejne okropieństwa" – pisała do Gwyn i Jamesa i tym razem McKenzie się z tym zgadzał. Miał swoje doświadczenia z Sideblossomami, więc potrafił sobie wyobrazić, przed czym uciekła jego wnuczka.

Pierwsza znajoma twarz, którą William Martyn zobaczył na Wyspie Południowej, należała do kogoś, o kim myślał, że już dawno jest w Anglii. Ale nie było żadnych wątpliwości. Młodą kobietą spacerującą nadbrzeżną ulicą w Blenheim i trzymającą za ręce dwoje słodkich dzieci, była Heather Witherspoon. Natychmiast się odwróciła, gdy William, nie zastanawiając się wiele, zawołał za nią.

– Heather? Heather Witherspoon?!

I przynajmniej nie dostrzegł w jej oczach nienawiści, gdy go poznała.

– Redcliff – poprawiła go jednak natychmiast nie bez pewnej dumy. – Heather Redcliff. Wyszłam za mąż.

William miał teraz czas, by dokładnie jej się przyjrzeć, i stwierdził, że małżeństwo jej służyło. Twarz Heather była okrąglejsza i zdawała się łagodniejsza, jej włosy nie były już tak mocno zaczesane do tyłu, a styl ubierania zmienił się całkowicie. Heather nie nosiła już nudnych, szarych albo czarnych spódnic do jedwabnych koszul, i nie sprawiała wrażenia starej panny. Jej strój był dyskretny, lecz modny. Bladoniebieski kostium, pod którym miała bluzkę w kolorze spopielałego róźu, świetnie do niej pasował. Wysokie sznurowane buty miały niewielkie obcasy, dzięki czemu jej krok wydawał się wdzięczniejszy. Do tego nosiła skromną złotą biżuterię.

– Wyglądasz wspaniale – powiedział William. – Ale to niemożliwe, żebyś miała już dwie małe córeczki. Chociaż trochę są do ciebie podobne...

Dzieci faktycznie również miały jasne włosy i niebieskie oczy. Tyle tylko, że starsza dziewczynka zdawała się mieć łagodniejsze rysy twarzy niż Heather, okrągłą zaś dziecinną twarzyczkę młodszej otaczały jedwabiste loki.

Heather się roześmiała.

– Dziękuję, często to słyszę. Ale powiedzcie teraz grzecznie „dzień dobry" Mr Martynowi, Annie i Lucie. Nie patrzcie tak na niego, to nie przystoi damom. Nie, Annie, podaj mu tę dobrą rączkę.

Mała dziewczynka – mogła być w wieku pięciu lat – myliła co prawda prawą i lewą rękę, chętnie się jednak przywitała i po chwili William ściskał jej dłoń. Jej dygnięcie było jeszcze trochę niezgrabne. Lucie, która miała może z osiem lat, przywitała się tak jak należy.

– Te dziewczynki to moje pasierbice. Wspaniałe dzieci. Jesteśmy z nich naprawdę dumni. – Heather pogłaskała młodszą po włosach. – Ale czy nie wolelibyśmy może skryć się pod jakimś dachem? Za chwilę znów będzie padać.

William skinął głową, zgadzając się z nią. Miał za sobą potworny rejs i mógł teraz potwierdzić wszystkie straszne historie, jakie kiedykolwiek słyszał o nieobliczalnym morzu między dwiema wyspami. Jakaś miła herbaciarnia była dobrym pomysłem. Ale dokąd zabierało się tutaj szanowane damy?

Heather miała własne wyobrażenia, gdzie mogą się udać.

– Chodź po prostu z nami, mieszkamy tylko dwie ulice stąd. Szkoda, że nie możesz poznać mojego męża, ale jest w podróży. Zatrzymujesz się na dłużej w mieście?

William opowiedział najpierw trochę o sobie, podążając za Heather i dziewczynkami spokojną uliczką. Rodzina mieszkała w wielkopańskim domu. O opinię Heather William też nie musiał się martwić;

drzwi otworzyła służąca, dygnęła i odebrała od niego płaszcz. Heather z zadowoleniem patrzyła, jak odkładał kartę wizytową na ustawioną w tym celu tacę.

– Przynieś nam do salonu herbatę i ciasto, Sandy – nakazała Heather dziewczynie. – Dzieci wypiją herbatę w swoich pokojach. Możesz ich popilnować, gdy już nas obsłużysz.

Dziewczyna dygnęła. Williamowi wszystko to wydawało się trochę nierzeczywiste.

– To wielka ulga, gdy nie trzeba korzystać z maoryskiego personelu – opowiadała Heather, prowadząc Williama do bogato urządzonego salonu. Mieszkanie było przynajmniej równie luksusowe jak rezydencja w Kiward Station. Tyle tylko, że wystrój nie był dziełem Heather. William znał przecież jej gust z czasów, gdy wspólnie starali się urządzić mieszkanie Kury. Do tego Mr Redcliffa wprowadziła się dosłownie do gotowego gniazda. – Sandy to prosta dziewczyna, pochodzi z górniczej rodziny z Westport, ale przynajmniej można się do niej zwracać po angielsku i nie trzeba jej ciągle przypominać, żeby włożyła buty.

Williamowi maoryski personel w Kiward Station nigdy nie wydawał się jakoś szczególnie niecywilizowany, przytaknął jednak Heather, nie zamierzając się o to spierać. Może opowie wreszcie, jak trafiła do Blenheim.

– Och, po prostu miałam szczęście – wyjaśniła, gdy wreszcie pojawiła się przed nimi herbata, a ona skosztowała ciasteczka. – Po tym, jak nie okazałeś żadnego zainteresowania podróżowaniem ze mną – obrzuciła go zimnym spojrzeniem, a William z poczuciem winy spuścił oczy – zabrałam się powozem z Haldon do Christchurch. Chciałam wracać do Londynu, ale następny statek wypływał dopiero za kilka dni, tak więc najpierw wynajęłam pokój w White Hart. Zagadnął mnie przy śniadaniu… niezwykle uprzejmie, po tym jak poprzez gospodynię poprosił mnie o rozmowę. Julianowi zawsze bardzo zależy, żeby wszystko odbywało się tak, jak trzeba.

Znów wymowne spojrzenie na Williama, który starał się wyglądać na jeszcze bardziej skruszonego. Świetnie zrozumiał przesłanie, że „w przeciwieństwie do niego Mr Redcliff jest dżentelmenem".

– W każdym razie zamierzał mnie poprosić, bym podczas rejsu do Londynu miała oko na jego córki. Miały podróżować same i znaleźć w Anglii internat. – Heather bawiła się włosami, aż jeden kosmyk wysunął się i opadł nad jej prawym uchem.

Wyglądała ślicznie. William odważył się na pełen podziwu uśmiech.

– Te małe dziewczynki? – zapytał z niedowierzaniem.

– To właśnie złamało Mr Redcliffowi serce – wyjaśniła szybko Heather. – Krótko przed tym zmarła jego żona, a on pracuje na kolei.

– Ale chyba nie na torach... – zauważył William, obrzucając spojrzeniem pokój.

Heather uśmiechnęła się dumnie.

– Nie, w kierownictwie budowy. Łączą wschodnie wybrzeże z przeróżnymi kopalniami na zachodzie. To olbrzymi projekt, a Mr Redcliff pracuje na odpowiedzialnym stanowisku. Niestety, musi przy tym sporo podróżować... To absolutnie niemożliwe, by sam mógł wychowywać dzieci.

William zaczynał pojmować.

– Chyba że ma się godną zaufania i cieszącą się dobrą opinią guwernantkę.

Heather przytaknęła z zapałem.

– Był zachwycony, gdy usłyszał o moich referencjach, a ja też wpadłam w zachwyt nad Annie i Lucie. Są...

„Są zupełnie inne niż Kura" – dokończył w myślach William, ale tym razem nie powiedział tego głośno. Sympatia Heather do pasierbic była najwyraźniej szczera.

– Tak więc nie popłynęłyśmy do Anglii, ani dzieci, ani ja. Zamiast tego prowadziłam dom Mr Redcliffowi. To nas do siebie zbliżyło. Po roku żałoby wzięliśmy ślub. – Heather uśmiechnęła się promiennie do Williama, a on odpowiedział jej uśmiechem. Myślał o Mr Redcliffie. Nie mógł być najbardziej namiętnym z mężczyzn, skoro po całym tym czasie nie doprowadził do tego, by własna żona nazywała go po imieniu.

– A więc nie jesteś już na mnie zła? – zapytał w końcu. Ten dom mu się podobał. Przytulny, zapewne z dobrze zaopatrzonym barkiem, a Heather była piękniejsza niż kiedykolwiek dotąd. Może będzie miała ochotę odświeżyć dawną znajomość? William przysunął się do niej trochę bliżej. Heather, bawiąc się upiętymi włosami, uwolniła kolejny kosmyk.

– Dlaczego miałabym być na ciebie zła? – zdziwiła się. O chłodnych spojrzeniach, jakimi obdarzała go jeszcze przed chwilą, zdawała się już nie pamiętać. – W sumie wszystko to okazało się szczęśliwym zrządzeniem losu. Gdybyśmy zostali razem, gdzie bym dziś była? Żona przedstawiciela handlowego… – Brzmiało to trochę pogardliwie, ale William tylko się uśmiechnął. To naturalne, że chwali się swoim nowym bogactwem. Teraz była właścicielką wielkopańskiej rezydencji. Jego status był niższy, nawet gdyby z jeszcze większym sukcesem sprzedawał maszyny do szycia. Prawdopodobnie własnymi siłami nigdy nie dojdzie do tego, by mieć taką posiadłość, nawet jeśli awansuje w hierarchii Singera.

Miał za to inne zalety. William delikatnie położył rękę na dłoni Heather, bawiąc się jej palcami.

– Ale za to byłabyś pierwszą kobietą na Wyspie Południowej, która posiadałaby maszynę do szycia – zażartował. – To małe cudeńka, i inaczej niż gdybyś posługiwała się igłą i nicią, twoje ręce pozostałyby miękkie i delikatne tak jak teraz. – Pogłaskał każdy jej palec z osobna i łagodnym głosem wyliczał, ile ukłuć oszczędzić może nowoczesny singer wypielęgnowanej kobiecej dłoni, a na koniec bardziej konkretnie i już z trochę cięższym oddechem wyjaśnił jej, na jakie inne cudowne rzeczy można wtedy przeznaczyć wolny czas. W efekcie kucharka i służąca Heather dostały nieoczekiwanie wolne na wieczór, dzieciom dodano malutką ilość laudanum do picia przed snem, a William miał zapewnioną niezwykle przyjemną pierwszą noc na Wyspie Południowej. Heather przypomniała sobie wszystko, czego jej nauczył, i sprawiała wrażenie głodnej miłości. Mr Redcliff był bez wątpienia dżentelmenem, ale musiał też być zimny jak ryba.

– Do twoich obowiązków należy też obsługa klienta, prawda? – zapytała Heather, gdy o świcie po raz ostatni uwalniali się ze swych objęć. – Można się do ciebie zwrócić, gdyby coś w tej… eee… maszynie do szycia się zepsuło?

William kiwnął głową i pogłaskał jej wciąż płaski brzuch. Mr Redcliff zdawał się nie oczekiwać kolejnego dziecka, Heather opowiedziała mu jednak, że jak najbardziej się o to starali. Być może po dzisiejszym dniu będą trochę bliżej tego celu…

– U zwykłych klientów pojawiam się w takim przypadku przy następnej okazji – szeptał William, wsuwając głębiej rękę. – Ale jeśli chodzi o specjalnych klientów…

Heather zaśmiała się i wyprężyła pod dotknięciem jego dłoni.

– Potrzebowałabym oczywiście jeszcze dokładniejszego wprowadzenia…

Palce Williama bawiły się miękkimi jasnymi włoskami na jej łonie.

– Wprowadzenia to moja specjalność…

Heather potrzebowała dwóch popołudni w jego pokoju hotelowym, nim całkowicie opanowała technikę. Potem podpisała umowę na zakup maszyny do szycia.

William triumfalnie wysłał ją do Wellingtonu. Jego pobyt na Wyspie Południowej zaczął się wyśmienicie.

# 7

Timothy Lambert od pięciu miesięcy leżał w łóżku w gipsowych opatrunkach. Przetrwał pierwsze miesiące potwornych bólów i dręczącą nudę ostatnich tygodni. Stał się niespokojny i trudny do zniesienia. W kopalni Lambert nic nie działo się tak, jak powinno. Wiele szans na modernizację i zmiany po wypadku nie zostało wykorzystanych podczas remontu. Tim aż się palił, by znów móc się tym zająć. Ale jeżeli już jego ojciec w ogóle się u niego pojawiał, to wyglądało na to, że dla odwagi musiał się najpierw napić, a potem patrzył szklanymi oczami, jakby jego syn był przezroczysty, i na pytania Tima o kopalnię odpowiadał frazesami. Tima doprowadzało to do szału, ale znosił też ignorancję ojca i lamenty matki; w dodatku prawie zawsze udawało mu się uśmiechać, żartować i okazywać optymizm, gdy wieczorem zaglądała do niego Lainie.

Berta z fascynacją zauważyła, że Tim nigdy nie wyładowywał na niej złego humoru, co zdarzało mu się czasem w przypadku innych regularnie odwiedzających go ludzi. Choć w pierwszym okresie czuł się potwornie, był zrozpaczony i czasem z bezsilności wbijał paznokcie w kołdrę, na dłoni Lainie zawsze kładł swoje palce tak ostrożnie jak na lękliwym ptaszku. Lainie zdawała się przez cały dzień nie robić nic innego prócz zbierania historii, które mogłyby dodać Timowi otuchy. Śmiała się z nim i komentowała lokalne plotki w ostrych i trafnych słowach, czytała mu i grała z nim w szachy. Tima zdziwiło, że potrafiła grać, ale w historię o jej pochodzeniu – Lainie wciąż twierdziła, że pochodzi z robotniczej rodziny z Auckland – nie wierzył ani trochę. Wystarczyły dwa pytania o najważniejsze budynki w Auckland. Dziewczyna najwyraźniej nigdy nie widziała tego miasta.

Codzienne odwiedziny Lainie podtrzymywały Tima na duchu, podczas zaś tygodni uciążliwej samotności rosła jego nadzieja na dzień, w którym wreszcie zostanie uwolniony od gipsowych opatrunków. Gdy specjalista z Christchurch w końcu określił datę swojego przyjazdu na połowę lipca, Tim nie posiadał się z radości.

– Nie mogę się już doczekać, by wreszcie znów móc na ciebie patrzeć z oczami na tej samej wysokości – powiedział ze śmiechem, gdy Lainie przyszła do niego po południu. – To okropne, musieć na wszystkich patrzeć z dołu. – Dawno już się spoufalili i mówili sobie na ty. Na szczęście udało mu się to na niej wymusić.

Elaine zmarszczyła czoło.

– Gdybyś był tak niski jak ja, już dawno byś się do tego przyzwyczaił – droczyła się z nim. – Poza tym Napoleon też był podobno dość małym facetem.

– Ale przynajmniej był w stanie dosiadać konia! Co z Fellowem? Cieszy się już na mój powrót?

Po wypadku Elaine zatrzymała wałacha w stajni. Nikt od Lambertów nigdy nie pytał o konia. I tak siwy deresz został po prostu w stajni madame Clarisse. Nie skarżyła się, skoro Elaine troszczyła się o paszę, a rachunki, na polecenie Tima, i tak wysyłano Lambertom. Banshee była zadowolona z towarzystwa, a Elaine jeździła raz na jednym, raz na drugim koniu. Tima cieszyły jej codzienne opowieści. Już choćby to warte było dodatkowego trudu.

– Na pewno – odparła Elaine. – Ale czy myślisz, że naprawdę od razu będziesz mógł jeździć konno?

Elaine chciałaby podzielać optymizm Tima, ale wciąż brzmiały jej w uszach złe rokowania obu lekarzy. Co będzie, jeśli kości nie zrosły się tak dobrze, jak na to liczył? Jeśli nie będzie mógł chodzić, a jeżeli już, to o kulach? Nie chciała przypominać Timowi, co mówił doktor Leroy, miała jednak równie wiele obaw co nadziei, gdy myślała o dniu, w którym miały być zdjęte gipsowe opatrunki.

– Jeśli nie będę mógł więcej jeździć konno, to już nie żyję – powiedział Tim, a Elaine musiała się uśmiechnąć. Znała to powiedzonko od swej babci Gwyn; aż nazbyt chętnie opowiedziałaby Timowi o tej niezniszczalnej starszej damie. Ostrożność kazała jej jednak się przed tym powstrzymać. Lepiej będzie, jeśli nikomu nie zdradzi prawdziwej historii swego życia. A o tym, że dziecko z robotniczej rodziny z Auckland nie mogło mieć za babcię owczej baronowej, wiedział nawet największy głupiec.

– Przecież to nie musi być od razu pierwszego dnia – stwierdziła niejasno.

Kolejne tygodnie Tim spędził wyłącznie na planowaniu czasu, gdy uwolni się już od gipsu i łóżka, Berta Leroy zaś zaglądała do niego z coraz kwaśniejszą miną. W końcu na dzień przed wizytą specjalisty wzięła Elaine na stronę.

– Niech pani koniecznie jutro tu będzie, gdy będą zdejmować opatrunki. Będzie pani potrzebował – stwierdziła ponuro, niemal groźnym tonem.

Elaine patrzyła na nią zmieszana.

– Nie chce, bym przy tym była – powiedziała z lekkim żalem. – Mam przyjść dopiero później...

– Myśli, że będzie mógł ci wyjść naprzeciw z promiennym uśmiechem na twarzy – stwierdziła gorzko Berta i wskazała na parę kul opartych o ścianę przy drzwiach pokoju, w którym leżał Tim. – Przyniósł je wcześniej Matt. Stolarz zrobił je na podstawie ilustracji z odpowiednich katalogów. Doktor Porter nie chciał przywieźć żadnych ze sobą. Nellie Lambert mówiła Timowi, że byłyby zbyt nieporęczne w transporcie. Ale ona przecież nigdy nie potrafiła pogodzić się z prawdą...

– Z jaką prawdą? – Elaine poczuła zimny dreszcz przebiegający jej po plecach. – Przecież nikt nie może dokładnie wiedzieć, jak zagoiły się złamania. A teraz... Tim jest tak pewny siebie, od tygodni nie ma już bólów...

– Dziecinko... – Berta westchnęła i popchnęła Elaine łagodnie w stronę pokoi mieszkalnych. – Myślę, że napijemy się najpierw herbaty... a potem spróbuję pani uświadomić, co go czeka. Tim nie chce tego słuchać, a Nellie...

Elaine zmieszana poszła za żoną lekarza. Wiedziała, że to nie będzie takie proste, jak miał nadzieję Tim. Ale słowa Berty brzmiały znacznie poważniej niż jej najgorsze obawy.

– Lainie – zaczęła w końcu Berta, gdy stały już przed nimi dwie parujące filiżanki z herbatą. – Nawet jeśli Tim ma rację ze swoim optymizmem, czego mu z całego serca życzę...

„...ale w co nie wierzę" – uzupełniła w myślach Lainie.

– ...nawet jeśli wszystko świetnie się zagoiło, jutro i tak nie będzie mógł chodzić. Ani jutro, ani pojutrze, ani nawet za tydzień czy miesiąc... – Berta zamieszała łyżeczką herbatę.

– Ale mój brat mógł przecież po złamaniu nogi wkrótce znów chodzić – sprzeciwiła się Lainie. – Oczywiście trochę kulał, ale...

– Jak długo pani brat leżał w łóżku? Pięć tygodni? Sześć? Pewnie nawet nie tyle, bo chłopaka nie da się utrzymać w domu. Niech zgadnę. Po trzech tygodniach o dwóch kulach i na jednej nodze wesoło sobie znów skakał, prawda?

Lainie się roześmiała.

– Po tygodniu. Tylko moja matka nie mogła się dowiedzieć...

Berta pokiwała głową.

– No i widzi pani. Mój Boże, Lainie, przecież nie może pani być tak naiwna. Ten koń, o którym pani mu wciąż opowiada. Trenuje go pani. Dlaczego pani to robi?

Elaine patrzyła na nią zmieszana.

– Żeby nie stracił kondycji. Jeśli konie tylko stoją, zanikają im mięśnie.

– Widzi pani? – stwierdziła Berta z zadowoleniem. – A jak pani myśli, jak mocno zanikłyby mięśnie takiej szkapie, gdyby wylegiwała się przez pięć miesięcy?!

Lainie się zaśmiała.

– Wtedy już by nie żyła. Konie nie mogą tak długo leżeć... – Nagle dotarło do niej, co Berta chciała przez to powiedzieć, i jej twarz spoważniała. – Sądzi pani, że Tim będzie zbyt słaby, żeby móc się poruszać?

Berta ponownie przytaknęła.

– Jego mięśnie zwiotczały, ścięgna się skurczyły, stawy są zupełnie zesztywniałe. Nim to wszystko wróci do normy, trochę to zajmie. I to się nie zrobi samo. Wobec tego, co czeka Tima w najbliższych miesiącach, jeśli naprawdę będzie chciał się nauczyć chodzić, ostatnie tygodnie były niczym bajka. Będzie potrzebował niesamowicie dużo odwagi i siły, a może też kogoś, kto go, przepraszam za wyrażenie, młoda damo, od czasu do czasu kopnie w tyłek. Z początku wszystko będzie boleć i będzie musiał walczyć o każdy cal, o jaki będzie chciał poruszyć swoje stawy. O pracy czy jeździe konnej na razie nie ma co myśleć. Niech pani tylko tu będzie, gdy to się będzie działo, Lainie, niech pani tylko tu będzie! – W głosie Berty słychać było troskę i najwyższą powagę.

– Ale on przecież chce od razu do domu – stwierdziła Lainie. – Ja...

– Co za pomysł! – prychnęła Berta. – Nawet nie wolno mi o tym myśleć, żeby w takim stanie oddać go w ręce Nellie. Dawno pogodziła się z tym, że zawsze będzie wymagał opieki, i zdaje się, że coraz bardziej jej się to podoba. Nudzi się śmiertelnie w tym wielkim domu. Jeśli już będzie miała kogoś, komu do woli będzie mogła grać na nerwach... to rozkwitnie! Zdążyła nawet zatrudnić pielęgniarkę do mniej przyjemnych prac; przybędzie jutro z doktorem Porterem. I wózek inwalidzki też. Już teraz zaczęła mówić do Tima „bobasku". Lainie, jeśli pozostawimy Tima w ich rękach, to po dwóch tygodniach będzie tylko leżał i starał się oszołomić wszystkim, co mu wpadnie w ręce! Morfiny mu nie dam, ale laudanum Nellie ma w dostatecznych ilościach, chociaż mężczyźni z reguły wolą whisky...

– Ale co mogłabym zrobić? – zapytała Elaine przybita. – Oczywiście mogłabym jeździć do Lambertów, ale...

– Na początek musi być pani jutro tutaj – odparła Berta. – Zobaczymy, co się stanie.

Elaine obserwowała z baru, jak powóz lekarza z Christchurch, a potem dwukółka z Nellie Lambert i pulchną młodą kobietą w stroju pielęgniarki odjeżdżają sprzed budynku małego szpitala. Zaraz potem tam pobiegła. Berta Leroy czekała na nią w przedpokoju. Wielką, mocno zbudowaną kobietę na przemian ogarniały potworna wściekłość i bezdenna rozpacz.

– Niech pani do niego idzie, Lainie – powiedziała głosem bez wyrazu. – Chcą go stąd zabrać dopiero jutro. Zarówno doktor Porter, jak i mój mąż uznali go na razie za niezdolnego do transportu.

– Czy zagoiło się tak źle? – zapytała cicho Lainie.

Berta potrząsnęła głową.

– Ależ skąd. Nawet całkiem dobrze. Jeśli chodzi o biodra, doktor Porter jest zachwycony, choć oczywiście są lekko przesunięte. Ale również co do reszty uważa, że Tim jak najbardziej może sobie robić wszelkie nadzieje. A te najpiękniejsze nadzieje to dwa kroki o kulach między wózkiem a łóżkiem. Tak drastycznie nie wyraziłby tego nawet mój Christopher. Tim jest oczywiście całkiem załamany. A z Nellie jak zwykle mieliśmy koncert jęków. W żadnym razie niech mu pani nie daje do ręki morfiny ani niczego, czym mógłby sobie zrobić krzywdę. Obawiam się, że jest gotów na wszystko.

Elaine walczyła z napływającymi łzami, gdy otwierała drzwi do pokoju Tima. Zdecydowanie jednak sięgnęła po kule i weszła do niego. W pokoju musiała najpierw zamrugać. Tim leżał w półmroku – jak często bywało, gdy opuszczała go Nellie. Zazwyczaj zaraz potem wołał Bertę i prosił, by otworzyła okno. Mógł też sięgnąć do lampy na nocnym stoliku. Nie leżał płasko na łóżku, tak jak zwykle, lecz spoczywał w pozycji półsiedzącej, wsparty na poduszkach. Nie odwrócił głowy, gdy Elaine weszła. Zamiast tego bez ruchu wpatrywał się w ścianę.

– Tim… – Elaine chciała spontanicznie usiąść przy łóżku; potem jednak zobaczyła na jego twarzy dobrze znany wyraz bólu. Usilnie próbował nad sobą panować. Nie zniesie teraz żadnego dotyku. – Tim… – Elaine odstawiła kule przy łóżku i odsunęła zasłony. Twarz Tima była śmiertelnie blada, wyglądał, jakby był nieobecny. Elaine uśmiechnęła się do niego. – To wygląda już całkiem nieźle – powiedziała przyjaźnie. – Prawie jakbyś siedział… i twoje oczy mogą być nawet na tej samej wysokości co moje, jeśli również usiądę.

Przez twarz Tima przemknął słaby uśmiech.

– Ale nic więcej z tego nie będzie – powiedział cicho. – Nigdy już nie będę chodził. – Przynajmniej odwrócił twarz w jej stronę.

Elaine ostrożnie pogłaskała go po czole.

– Tim, jesteś teraz zmęczony i rozczarowany. Ale wcale nie jest tak źle. Miss Berta wyrażała się całkiem optymistycznie… i zobacz, co ci przyniosłam! – Wskazała na kule. – Posłuchaj teraz, za kilka tygodni…

– Nie dam rady, Lainie. Powiedz mi po prostu prawdę! – Tim chciał, by w jego głosie słychać było wściekłość, ale tak naprawdę był on jedynie zduszony. Elaine zobaczyła łzy w jego oczach i dostrzegła też, że były zaczerwienione. Musiał płakać, gdy był sam. Walczyła z pragnieniem, żeby przytulić go jak dziecko. Ale nie wolno jej tak o nim myśleć! Jeśli każdy będzie w nim widział jedynie beznadziejnego kalekę…

– Prawda zależy całkowicie od ciebie! – powiedziała mocnym głosem. – To zależy od tego, jak długo będziesz ćwiczyć, ile zniesiesz… a naprawdę potrafisz znieść sporo! Mam ci teraz pomóc znów się położyć? Boli cię? Dlaczego w ogóle zostawili cię w takiej pozycji?

Timowi udało się słabo uśmiechnąć.

– Wyrzuciłem ich. Nie mogłem ich już znieść, na co obaj doktorzy uznali mnie za niepoczytalnego. Tylko dlatego jeszcze tu jestem.

Inaczej od razu by mnie zapakowali do tego czegoś... – Elaine ogarnęła prawdziwa wściekłość, gdy zobaczyła wózek inwalidzki, który Mrs Lambert i pielęgniarka postawiły w kącie pokoju. Był sporych rozmiarów, z podgłówkiem i kwiecistym obiciem. Elaine wybrałaby coś takiego dla starej damy, którą co najwyżej wożono by z jednego pokoju do drugiego. Poruszanie się na tym samemu, z użyciem rąk, jak widziała to czasem u sparaliżowanych, którzy jeździli po ulicach Queenstown, było niemal niemożliwe. W takim fotelu Tim bardziej by leżał na miękkich poduszkach, niż siedział.

– Mój Boże, nie było jakiegoś innego modelu? – wyrwało jej się. Tim wzruszył ramionami.

– To tutaj najwyraźniej odpowiada gustom mojej matki – odparł gorzko. – Lainie, ja nigdy z tego nie wyjdę! Ale może rzeczywiście teraz byś mi pomogła? Leżąc, przynajmniej nie muszę na to patrzeć.

Elaine podparła mu głowę i spróbowała ostrożnie wyciągnąć spod niego poduszkę, tak by powoli opadł do pozycji leżącej. Nie było to jednak takie łatwe. Górna część ciała była ciężka i w końcu musiała podłożyć całe ramię pod jego głowę, tak że opierał się o nią swym ciężarem. Czuła jego bliskość tak intensywnie jak nigdy wcześniej – i to było przyjemne, tak go trzymać i czuć jego ciepło. Nim pozwoliła mu osunąć się na poduszkę, odwróciła do niego głowę i nieśmiało pocałowała go w czoło.

– Nie jesteś sam – szepnęła. – Jestem tutaj. Mogę cię równie dobrze odwiedzać w domu. W końcu wciąż jeszcze mam dwa konie...

Tim uśmiechnął się z wysiłkiem.

– Stajesz się naprawdę natrętna, Lainie – droczył się z nią i z wyraźną niechęcią uwolnił się z jej objęć. – Co powiedziałaby na to moja cudowna nowa pielęgniarka Elizabeth Toeburton?

Elaine pogłaskała go po policzku.

– Pewnie nic, bo inaczej musiałabym być zazdrosna.

Próbowała mówić tym samym żartobliwym tonem, choć najchętniej by się rozpłakała. Sprawiał wrażenie tak zmęczonego i bezradnego, a mimo to próbował dodać jej otuchy. Chętnie jeszcze raz wzięłaby go w ramiona... I nagle potrafiła sobie wyobrazić, że kiedyś to on mógłby ją obejmować.

Elaine wzięła głęboki oddech.

– A może planujesz ożenić się z Miss Toeburton?

Tim spojrzał na nią i jego twarz nagle spoważniała.

– Lainie, czy to oznacza…? Nie mówisz tego ze współczucia ani tak sobie? Nie zrozumiałem cię źle? I nie cofniesz jutro tych słów?

Potrząsnęła głową.

– Wyjdę za ciebie, Timothy Lambert. Ale tego tam – wskazała głową na wózek inwalidzki – tego nie poślubię nigdy! Więc zadbaj o to, żebyś nigdy go nie potrzebował. Zrozumiałeś?

Zmęczona twarz Tima rozjaśniła się.

– Przecież wiesz, co ci obiecałem – powiedział zachrypniętym głosem. – Że zatańczę na naszym weselu. Ale teraz chciałbym prawdziwego pocałunku. Ale nie w czoło albo w policzek. Musisz mnie pocałować w usta!

Patrzył na nią z wyczekiwaniem, Elaine wahała się jednak. Nagle znów przypomniała sobie pocałunki Williama – zdradziecko słodkie. I to, jak wciskał się w jej usta i wdzierał w jej ciało Thomas. Tim dostrzegł lęk w jej oczach i już chciał cofnąć prośbę, a wtedy nagle się przemogła i jednak go pocałowała, z wahaniem i ostrożnie. Jej usta zaledwie tylko musnęły jego wargi, nim cofnęła się onieśmielona i nagle niemal w panice rozejrzała wokół.

– Callie?

Zmieszany Tim patrzył, jak szuka psa, który skrył się pod łóżkiem, gdy tylko Elaine do niego przyszła. Berta Leroy niezbyt chętnie widziała zwierzę w swoim szpitaliku, a Callie zdawała się to rozumieć. Praktycznie nie dopuszczała, żeby Leroyowie ją dostrzegli, teraz jednak, machając ogonem, pokazała się i podsunęła głowę pod zwisającą rękę Tima. Gdy sięgnął w stronę Lainie, zwierzę krótko warknęło. Z jakiegoś powodu zdawało się to dziewczynę uspokajać. Znów podeszła bliżej i wsunęła swoje palce w jego dłoń.

– Jeszcze wszystko będzie dobrze, Lainie – powiedział czule. – Musimy tylko trochę poćwiczyć taniec i całowanie.

I kiedy tak ją trzymał, widząc jak na małym kawałku nieba za oknem powoli wschodzą gwiazdy, pomyślał, że droga Lainie do tego, by zatańczyć na ich weselu, być może będzie równie długa i ciężka jak jego.

\* \* \*

Gdy następnego dnia Elaine pojawiła się koło południa w lecznicy, nie zastała w niej tak jak zwykle Miss Berty. Drzwi nie były zamknięte, a wiedziała, że przez Tima będzie mile widziana. Na widok, jaki zastała w pokoju, nie była jednak przygotowana. Tim zniknął, podobnie jak jego wózek inwalidzki. Zamiast tego na łóżku leżała Miss Berta wsparta na poduszkach, a Roly O'Brien niezgrabnie ją obejmował. Oparł głowę na jej ramieniu i sięgał do talii…

Elaine w zdumieniu wpatrywała się w starszą pielęgniarkę. Ale zanim przerażona zdążyła zamknąć drzwi, Berta ją zauważyła i głośno się roześmiała.

– Wielki Boże, Lainie, to nie to, co pani myśli! – zachichotała. – Och, powinna pani zobaczyć swoją minę! Nie do wiary! Naprawdę pani myślała, że oddaję się tutaj nieprzyzwoitym przyjemnościom z tym łobuzem?

Elaine strasznie się zarumieniła.

– Dzień dobry, Miss Lainie – pozdrowił ją swobodnie Roly. Najwyraźniej nie uświadamiał sobie dwuznaczności tej sytuacji.

– Mogę cię uspokoić, dziecinko. To tylko kurs pielęgnacji chorych, do którego nie udało się znaleźć żadnego ochotnika jako pacjenta. W dodatku mój mąż wcale nie musiał dziś tak pilnie jechać do Kellych, po prostu chciał się wywinąć! Ale on ma takie samo nastawienie do mężczyzn w roli pielęgniarek jak Nellie Lambert.

– A może Miss Lainie mogłaby… – zapytał pełen nadziei Roly, rzucając pożądliwe spojrzenie na szczupłe ciało Elaine.

Berta skoczyła na równe nogi.

– To by ci pasowało! A potem opowiadałbyś w barze, że Miss Lainie pozwoliła ci się obmacywać! Na razie się stąd wynoś. Będziemy kontynuować później. Za godzinę albo coś koło tego, wtedy mój mąż powinien już być z powrotem i uchroni nas przed podobnymi niespodziankami. – Znów zachichotała, a Elaine zauważyła, że od dawna nie widziała Berty tak rozbawionej. – Aż strach pomyśleć, co by było, gdyby w takiej chwili weszła tu Mrs Carey albo Mrs Tanner… A my teraz pójdziemy sobie i napijemy się herbaty, Lainie. Chciałabym wiedzieć, co takiego zrobiła pani z Timem.

Roly sobie poszedł, a Miss Berta po raz kolejny popchnęła Elaine do pokoi mieszkalnych. Najpierw zamknęła szpitalik.

– Jak ktoś będzie czegoś potrzebował, może zadzwonić. A teraz niech pani opowiada! Jak się to pani udało?

Elaine szumiało w głowie.

– Mężczyzna jako pielęgniarka? – zapytała. – Dla... dla Tima?

Berta przytaknęła i uśmiechnęła się szeroko, jak dziecko pod choinką.

– Tim był dzisiaj jak nowy. Odebrali go z samego rana. Chcieli go przetransportować na noszach, ale nalegał, żeby go posadzili w tym monstrualnym fotelu. Powiedział, że nie po to męczył się tutaj przez pięć miesięcy, by wyniesiono go w taki sam sposób, jak go tu wniesiono. Cóż, a potem na początek od razu zwolnił pielęgniarkę...

Lainie się zaśmiała.

– Bajeczną Miss Toeburton?

Berta się uśmiechnęła.

– Właśnie ją. Powiedziała coś w rodzaju: „A teraz położymy piękną, mięciutką poduszkę pod pańskie biodra, Mr Tim", na co on odparł, że jak dotąd nie pozwolił jej, by zwracała się do niego po imieniu. Wtedy jego okropna matka spojrzała na niego jak na upartego trzylatka i powiedziała dosłownie: „No, bądź teraz grzeczny, bobasku", na co on eksplodował! I mówię pani, że trzęsienie ziemi to przy tym nic. Przez pięć miesięcy wysłuchiwał biadolenia Nellie, ale tego było mu już za wiele. Jego krzyk słychać było aż na ulicy, a ja delektowałam się każdym słowem! Na początek wysłał do diabła tę Miss Toeburton. Wyjeżdża razem ze specjalistą z Christchurch. Najpierw jednak ten cudowny doktor dopasuje Timowi szyny na nogi. Nawet jeśli sądzi, że jest na to jeszcze za wcześnie, albo że to w ogóle nie ma sensu. Mój mąż stanął jednak po stronie Tima. Jeśli doktor Porter nie nałoży mu szyn, powiedział, to on sam to zrobi. A doktor Porter oczywiście nie zaryzykuje, by jakiś wiejski lekarz jak mój Chris zgarnął mu sprzed nosa laury. Poza tym Tim domagał się, żeby jego pielęgniarzem był mężczyzna. Jeśli takiego nie ma, to trzeba będzie kogoś wyszkolić. I to właśnie robiłam wcześniej z Rolym. A teraz niech pani opowiada, co pani takiego zrobiła, Lainie! Aż się gotuję z ciekawości.

Myśli Lainie były jednak wciąż zajęte mężczyzną w roli pielęgniarza.

– Jak pani wpadła na pomysł z Rolym?

Berta niecierpliwie przewróciła oczami.

– Mrs. O'Brien właśnie była w przychodni, gdy wybuchła ta bomba. I jak mówiłam, trudno było nie słyszeć wrzasków Tima, choćby nie wiadomo jak ktoś się starał nie podsłuchiwać. W każdym razie Emma przyszła do mnie i zapytała dość nieśmiało, czy nie mogłabym spróbować z jej Rolym. Od wypadku chłopak właściwie nie jest już w stanie zjeżdżać do kopalni. Można to zrozumieć, ale dla rodziny oznacza to oczywiście problemy finansowe. Ojciec nie żyje, najstarszy syn nie ma żadnej porządnej pracy... Od tego czasu Roly próbuje sobie jakoś radzić jako goniec, ale prawie nic nie zarabia. Nie będzie mu też przeszkadzać, jeśli zaczną się z niego naśmiewać, że został „siostrzyczką". A już na pewno nie u Timothy'ego Lamberta. Przecież wie pani, że on ubóstwia Tima...

Roly był jednym z tych, którzy odwiedzali Tima najczęściej. Chłopak był przekonany, że zawdzięcza mu życie. Zrobiłby dla Tima wszystko.

– A teraz niech pani wreszcie mówi, Lainie! Co zaszło wczoraj między panią a Timem? Została pani do późna, prawda? Musiałam wyjść z Christopherem...

Doktora Leroya wezwano do ciężkiego porodu, a w takich przypadkach Berta zawsze jeździła razem z nim.

– Zostałam z nim, póki nie zasnął – powiedziała Elaine. – Ale to wcale tak długo nie trwało, bo był śmiertelnie zmęczony.

– I nic więcej? – zapytała Berta z niedowierzaniem. – Trzymaliście się troszkę za rączki i znów wszystko było w porządku?

Elaine się zaśmiała.

– Nie całkiem. Przy okazji się... trochę tak jakby... zaręczyliśmy.

# 8

– Musi mi pani pomóc, Kuro. Jest pani jedyną osobą, która może mi pomóc! – Caleb Biller pojawił się w Wild Rover w pewien czwartek na krótko przed północą. Przyszedł znacznie później niż zwykle i był bardzo wzburzony. Był też bardzo elegancko ubrany jak na wizytę w barze. Szary trzyczęściowy garnitur pasował raczej na jakąś oficjalną kolację. Aż nie mógł się doczekać, kiedy Kura skończy grać utwór, ale w tym czasie zdążył wlać w siebie sporo whisky.

– Co się dzieje, Caleb? – zapytała rozbawiona Kura. Zdążyła się już przyzwyczaić do dziwnych reakcji Caleba na mniej czy bardziej niedorzeczne problemy codziennego życia, bo w ostatnich miesiącach miała przecież okazję poznać go bliżej. Od czasu tańca tego młodzieńca w wiosce Maorysów zaprzestała wszelkich wysiłków, by zaspokoić pragnienie fizycznej miłości z Calebem Billerem. Była pewna, że podzielał on skłonności tych członków zespołu Barristera, których pociągała raczej własna płeć. Kura stwierdziła to bez żadnych uprzedzeń, ponieważ dobrze wychowana dziedziczka Wardenów nigdy nie była konfrontowana z resentymentami wobec homoseksualizmu. Ten aspekt ludzkiego dążenia do szczęścia poznała dopiero wśród artystów i uznała go za część normalności. Kura nie rozumiała więc, dlaczego Caleb robi z tego taką tajemnicę, ale do tej pory zdążyła już pojąć swą rolę w domu Billerów: rodzice Caleba byli gotowi zaakceptować nawet maoryską śpiewaczkę z baru, która pojawiła się nie wiadomo skąd, o ile tylko była dziewczyną.

– Chcą, żebym się zaręczył – wyrzucił z siebie Caleb. Właściwie powiedział to trochę za głośno, ale w tygodniu o tej porze w barze niewiele się działo. Górnicy już poszli, a te ostatnie moczymordy przy ladzie miały najwyraźniej dość własnych problemów. Jedynie Paddy Holloway wyszczerzył zęby w ich stronę, Caleb jednak tego nie zauważył. – Poważnie, Kuro, oczywiście nie powiedzieli mi tego w ten sposób, ale te aluzje! I ta dziewczyna… to, jak się zachowywała. Jakby od razu wiedziała, że będzie przyszłą Mrs Biller. Wszystko jest już uzgodnione i…

– Powoli, Caleb. Jaka dziewczyna? – Kura wymieniła spojrzenie z Paddym, który bez słów dawał jej do zrozumienia, że nie będzie miał nic przeciw temu, jeśli skończy na dzisiaj pracę. Zamiast tego postawił dwie szklanki dla Kury i Caleba na stoliku w kącie sali.

– Nazywa się Florence… – Caleb wlał w siebie drugą whisky. – Florence Weber z kopalni Weber w Westport. I naprawdę jest bardzo ładna, naprawdę wykształcona… Można z nią porozmawiać o wszystkim, ale…

Kura przełknęła łyk i z zadowoleniem zauważyła, że Paddy również jej nalał single malt. Najwyraźniej właściciel baru uważał, że może tego potrzebować.

– Jeszcze raz, Caleb. Pańscy rodzice urządzili dzisiaj kolację, tak? – Można to było łatwo wywnioskować po ubraniu Caleba. – Dla tej rodziny Weberów z Westport? I przy okazji przedstawiono panu tę dziewczynę.

– Przedstawiono? Zaprezentowali mi ją jak jakąś debiutantkę. Nawet miała na sobie białą sukienkę… No dobrze, prawie białą, było też trochę zielonego. Takie dodatki przy dekolcie, wie pani…

Kura przewróciła oczami. To też było typowe dla Caleba. Nigdy nie uda mu się skoncentrować na tym, co istotne, zawsze zaczyna mówić o drobiazgach. W przypadku ich wspólnej pracy było to pomocne – a już zwłaszcza Maorysi potrafili to docenić. W ostatnich miesiącach Kura i Caleb częściej odwiedzali wioski, by poznawać *haka*, i Caleb potrafił na całe godziny zatopić się w pracy z którymś z *tohunga* i dyskutować o stylizacji jakiejś paproci w typowych dziełach snycerskich. Błyskawicznie nauczył się maoryskiego języka i zapamiętywał najtrudniejsze pojęcia – robił to nawet szybciej, niż uczył się tak pospolitych słów jak „woda" czy „wioska". Nie pomagało mu to jakoś szczególnie w radzeniu sobie z codziennością i sytuacje takie jak ta doprowadzały czasem jego słuchaczy do szaleństwa.

– Niech pan przejdzie do rzeczy, Caleb – napomniała go Kura.

– W każdym razie… Bez końca mogli rozmawiać o kopalni, o Florence i naszej wspólnej przyszłości. A ona patrzyła na mnie przy tym takim łagodnym wzrokiem… Nawet nie tak jak na targowisku koni, już raczej jakby ktoś ją pokarał sparaliżowaną szkapą. No ale przecież człowiek stara się jak może.

Kura nie mogła się powstrzymać od śmiechu.

– Ale pan z pewnością nie jest sparaliżowaną szkapą – stwierdziła.

– Nie, tylko ciepłym braciszkiem, jak to się mówi – szepnął Caleb i spuścił głowę nad szklanką. – Nie pociągają mnie dziewczyny…

Kura zmarszczyła czoło.

– Nazywają kogoś takiego „ciepłym braciszkiem"? Tego jeszcze nigdy nie słyszałam. Ale poza tym to żadna niespodzianka.

Caleb spojrzał na nią speszony.

– Pani… wiedziała o tym? – Jego pociągła twarz zrobiła się cała czerwona.

Kura znów musiała się roześmiać. To nie do wiary, że ten człowiek nawet nie zauważył jej prób uwiedzenia go! Ale teraz nie było sensu się z nim droczyć. Przytaknęła więc tylko i czekała, aż Caleb złapie powietrze, a jego twarz znów przybierze przynajmniej trochę normalniejszą barwę.

– Jak już mówiłam, nie umknęło mi to – powiedziała w końcu. – Ale co pan sobie właściwie teraz wyobraża? Że powinnam… chce pan, bym dzieliła z panem łoże? To nie działa, mogę to panu powiedzieć od razu. Bernadette, jedna z tancerek w naszym zespole, była zakochana w Jimmym, ale on był… taki jak pan. Bernadette próbowała wszystkiego, zrobiła się na bóstwo, dotykała go, upiła. Nic nie działało. Jedni są po prostu tacy, a inni tacy.

Kura akceptowała to bez kłopotu. Caleb znów obdarzał ją tymi tęsknymi spojrzeniami, jak robił to zawsze, gdy czuł się trochę niezręcznie.

– Nigdy nie próbowałbym się w ten sposób do pani zbliżyć, Kuro – zapewnił ją. – Już sama taka prośba byłaby niestosowna.

Kura nie była w stanie się powstrzymać, by nie parsknąć śmiechem. Miała nadzieję, że Paddy Holloway tego nie słyszał i nie rozpowie później w barze.

– Chodzi tylko o to… Kuro, czy mogłabyś się ze mną zaręczyć?

Wreszcie wydusił to z siebie. Caleb patrzył na nią z wyczekiwaniem, ale pełne nadziei iskierki w jego oczach zgasły, gdy spojrzał jej w twarz.

Kura westchnęła.

– W czym miałoby to pomóc, Caleb? Nie wyjdę za pana za mąż, z całą pewnością. Nawet gdybym mogła... chcę powiedzieć, że nie zrobiłabym tego nawet wtedy, gdybym mogła się oswoić z myślą o zamążpójściu. Wtedy chciałabym coś z tego mieć. Nie jestem stworzona do józefowego małżeństwa. To już lepiej niech pan zapyta Florence. Dziewczyny *pakeha* często są dość... pruderyjnie wychowywane.

– Ale przecież ja jej w ogóle nie znam. – Głos Caleba brzmiał niemal dziecinnie i Kura błyskawicznie uświadomiła sobie, że on boi się śmiertelnie spadkobierczyni Weberów. – No i ja przecież wcale nie miałem na myśli małżeństwa. Chodziło mi tylko o... hmm... zaręczyny. Albo możemy przynajmniej udawać... Dopóki nie przyjdzie mi coś lepszego do głowy.

Kura zastanawiała się, co innego mogłoby Calebowi jeszcze przyjść do głowy; z drugiej strony był bez wątpienia bardzo inteligentny. Może rzeczywiście uda się znaleźć jakieś rozwiązanie, gdy już się uspokoi.

– Proszę, Kuro – powiedział – niech pani chociaż przyjdzie w niedzielę na kolację. Jeśli oficjalnie panią zaproszę, będzie to przecież tak jakby oznaką...

Kura postrzegała to raczej jak wypowiedzenie wojny, ale Florence Weber nie wzbudzała w niej strachu. Pod jej spojrzeniem ta mała pewnie od razu schowa się do pierwszej lepszej mysiej dziury. Kura była świadoma, jak reagują na nią dość przeciętne dziewczyny. Poradzi sobie z Florence Weber tak samo jak z Elaine O'Keefe.

– A więc dobrze, Caleb. Ale skoro już mam odgrywać twoją narzeczoną, musisz przestać nazywać mnie Miss Kura. Mów mi po prostu po imieniu.

Florence okazała się jednak dziewczyną zupełnie innego kalibru niż Elaine. W dodatku nie można było o niej powiedzieć, żeby była piękna. Trzeba było przyjaznego stosunku Caleba do świata i jego braku zainteresowania dla kobiecej atrakcyjności, by móc nazwać tę dziewczynę choćby ładną. Florence była niska i teraz miała dobrą figurę, ale najpóźniej po pierwszym dziecku nabierze wyraźnych krągłości swej matki. Bladoczerwone piegi na jej okrągłej, lekko nalanej twarzy, nie pasowały za bardzo do gęstych brązowych włosów. Ciemne loki były równie nieposkromione jak grzywa Elaine, nie otaczały jednak jej twarzy, lecz zdawały się ją raczej przygniatać. W dodatku dziewczyna była krótkowzroczna – może to było jednym z powodów, dla których widok Kury nie wytrącił jej całkowicie z równowagi już na samym początku.

– A więc pani jest... przyjaciółką Caleba – stwierdziła krótko Florence, witając się z Kurą. – Słyszałam, że pani śpiewa. – Mówiąc to, Florence wyraźnie zaakcentowała słowa „przyjaciółka" i „śpiewa", jakby chciała tym samym wyrazić, że to coś wyjątkowo nieprzyzwoitego. Jednak fakt, że Caleb utrzymywał stosunki z barową śpiewaczką, zdawał się jej nie szokować. Kura doszła do wniosku, że niełatwo jest wywołać szok u Florence Weber.

– Florence oczywiście też odebrała trochę lekcji muzyki – wtrąciła wysokim głosem Mrs Biller. Podczas ostatnich kolacji podkreślała jeszcze zalety Kury, teraz jednak była absolutnie zdecydowana, by wychwalać dziedziczkę Weberów. – W Anglii, nieprawdaż, Florence?

Florence skinęła głową, wstydliwie spuszczając oczy.

– Ale tylko dla zabawy – powiedziała z uśmiechem. – Operą albo koncertem kameralnym można się rozkoszować znacznie bardziej, jeśli ma się jakieś pojęcie, jak ciężka praca i długie studia są konieczne, by je stworzyć. Nie sądzi pan, Calebie?

Caleb mógł się z tym jedynie zgodzić.

– Pani jednak tak naprawdę nie studiowała śpiewu, Miss Martyn?

Pozornie Kura była nadal spokojna, złościło ją to jednak. Ta dziewczyna nie ma przed nią ani odrobiny respektu czy strachu i nie można jej zbyć po prostu zwykłym „tak" lub „nie". Florence zdawała się znać tę sztuczkę i zadawała tylko takie pytania, na które można było odpowiedzieć jedynie całym zdaniem lub dłuższą wypowiedzią.

– Pobierałam prywatne lekcje – odparła zwięźle Kura.

Na to Mrs Biller, Mrs Weber i Florence wskazały na niezaprzeczalne zalety szkoły z internatem.

Caleb słuchał tego z miną cierpiętnika. Jemu edukacja w internacie w Anglii pomogła przynajmniej wcześnie poznać swoje skłonności.

Przyznał się do tego Kurze jeszcze w czwartek, w barze, ale tutaj nie mógł oczywiście wykorzystać tego argumentu. Dziś wieczorem starał się natomiast do tego stopnia wiarygodnie odgrywać zakochanego w Kurze, że było to niemal niezręczne. Dżentelmen nigdy nie odsłoniłby aż tak swych uczuć, ale w tym wypadku Calebowi zabrakło jego zwykłej wrażliwości i wyczucia tego, co stosowne. Kura doszła do wniosku, że każda inna dziewczyna uciekłaby z krzykiem, gdyby tylko przedstawiono jej takiego kandydata na męża. Florence Weber przyglądała się jednak temu przedstawieniu ze stoickim uśmiechem i z widocznym spokojem. Z uczuciem dyskutowała o muzyce i sztuce i bez trudu udawało jej się sprawiać, że Caleb wyglądał na zakochanego dzieciaka, Kura zaś jak Jezabel we własnej osobie.

– Rozumiem, że szczególnie lubi pani Carmen, Miss Martyn? Na pewno daje pani tej roli wiarygodną... twarz. Nie, nie sądzę, by Don José był naprawdę przeklęty, skoro grzech przybrał aż tak uwodzicielskie szaty, jak w przypadku tej Cyganki! A jednak na końcu jakoś sobie z nią radzi! Choć za pomocą... no cóż, trochę drastycznych środków... – Uśmiechała się przy tym, jakby w każdej chwili była gotowa naostrzyć sztylet dla Caleba, by wreszcie mógł go wbić między żebra Kury.

Kura była szczęśliwa, gdy wreszcie mogła się wymknąć, Caleb zaś został rzucony na pastwę czarującej Florence. Weberowie byli gośćmi Billerów i rozglądali się za jakimś domem dla siebie w Greymouth. Mr Weber nabył udziały w nowej linii kolejowej i zamierzał uregulować kilka spraw. Było całkiem możliwe, że Weberowie zatrzymają się u Billerów na kilka tygodni, nim wrócą do Westport. Jeśli chodzi o Florence i Caleba, to mieli nadzieję, że w tym czasie zbliżą do siebie te owieczki.

W poniedziałek wieczorem młody człowiek pojawił się przygnębiony w barze, by opowiedzieć Kurze o swej krzywdzie. Matka zaraz po kolacji robiła mu wyrzuty, ale ojciec podszedł do tego subtelniej. Następnego ranka wezwał go do kantoru i jak mężczyzna z mężczyzną zamienił z nim kilka poważnych słów.

– Chłopcze, to naturalne, że ta Kura cię pociąga. Jest bez wątpienia najśliczniejszym stworzeniem, jakie można sobie wyobrazić. Ale musimy też myśleć o naszej przyszłości. Zrób tej Florence jedno czy dwójkę dzieci, wtedy będzie miała się czym zająć, a ty znajdziesz sobie jakąś śliczną kochankę.

Caleb robił wrażenie tak zrozpaczonego, że nawet Paddy to dostrzegł i dał znak Kurze, że może odejść od pianina.

– Rozpogódź trochę tego chłopaka, dziewczyno, nie mogę na to patrzeć… A przy tym sprzedaj mu co najmniej całą butelkę malta, zrozumiałaś? Bo w przeciwnym wypadku nici z dzisiejszego zarobku.

– Kura przewróciła oczami. Paddy potrafił być rzeczywiście niezwykle subtelny. A przy tym pewnie już przyjmował zakłady, czy takiemu mięczakowi jak Caleb Biller kiedykolwiek uda się zrobić dziecko Florence Weber.

– Ona jest straszna – burknął pod nosem Caleb. Sprawiał wrażenie, jakby na samą myśl o tej dziewczynie dostawał dreszczy. – Ona mnie przytłoczy…

– To całkiem możliwe – stwierdziła sucho Kura, myśląc przy tym o obfitości kształtów Florence, jakiej można było w przyszłości oczekiwać. – Ale przecież nie musisz się żenić. Nikt nie może cię zmusić. Słuchaj, Caleb, myślałam o tym.

Rzeczywiście myślała. Po raz pierwszy w życiu zastanawiała się nad problemami innych ludzi! Kura nie mogła tego w ogóle pojąć; z drugiej strony wynik tych wysiłków mógł także jej wyjść na zdrowie. Postawiła przed Calebem wielką szklankę whisky i wyłożyła mu swoje przemyślenia.

– Tutaj, w Greymouth, nigdy, przenigdy nie będziesz mógł żyć z innym mężczyzną – powiedziała. – Ludzie będą o tobie mówić, a twoi rodzice będą ściągać do domu jedną Florence Weber po drugiej. I w końcu kiedyś cię złamią, Caleb. Nie tędy droga. Tak więc pozostaje ci jedynie życie kawalera. Ale jesteś przecież artystą. Grasz bardzo dobrze na fortepianie, komponujesz, aranżujesz. I nie ma żadnego powodu, dla którego miałbyś to prezentować publiczności tylko wtedy, jak już upijesz się ze mną w barze.

– No przestań, Kura! Widziałaś mnie kiedyś pijanego? – Caleb wyglądał na oburzonego, ale nalał sobie trzecią szklankę whisky.

– Pijanego może nie, ale podpitego tak – odparła Kura. – Artysta potrzebuje jednak odwagi, by zasiąść przy fortepianie również bez whisky. Chcę przez to powiedzieć… Moglibyśmy razem przygotować przedstawienie, Caleb. Ty zaaranżujesz kilka *haka* oraz pieśni, które zebraliśmy, na fortepian i głos. Albo na dwa fortepiany i akompaniament wokalny, albo na cztery ręce. Im więcej głosów, tym lepiej to wyjdzie. Możemy wypróbować nasz program tutaj i w Westport, a później ruszymy na tournée. Najpierw na Wyspę Południową, później na Wyspę Północną. A potem do Australii, Anglii…

– Anglii? – Caleb spojrzał na nią z nadzieją. Najwyraźniej wciąż marzył o swoich przyjaciołach z internatu. – Myślisz, że moglibyśmy odnieść aż taki sukces?

– Dlaczego nie? – odparła z przekonaniem Kura. – Mnie się podobają twoje aranżacje, a mówi się, że londyńczycy lubią egzotykę. Warto spróbować. Musisz sobie tylko zaufać, Caleb. Twój ojciec…

Caleb zagryzł wargę.

– Mój ojciec nie będzie zachwycony. Ale przecież na początek możemy występować w ramach działalności dobroczynnej. Moja matka jest w to zaangażowana i Mrs Weber…

Kura zaśmiała się ponuro.

– Przede wszystkim Miss Weber będzie z pewnością zachwycona. A więc jak, robimy to? Jeśli chcesz, możemy ćwiczyć każdego wieczoru. Po zamknięciu kopalni, a przed otwarciem baru.

Jak można było tego oczekiwać, Florence Weber robiła dobrą minę do złej gry i zachowywała się tak, jakby naprawdę zachwycała ją maoryska muzyka. Na szczęście tymczasem Weberowie wynajęli w Greymouth dom i Florence oraz jej matka spędzały większość czasu na jego urządzaniu. Mrs Biller codziennie zachwalała Calebowi, jak wiele gustu i zdolności Florence przy tym wykazuje, podczas gdy sama Florence umyślnie prosiła go o rady w sprawach takich jak kolory tapet czy obicia foteli.

Kura z rozbawieniem zauważyła, że nawet go to wciągało. Caleb był estetą i w każdym działaniu, które choćby w najmniejszym stopniu miało coś wspólnego ze sztuką, potrafił dostrzec coś dla siebie, choć jego główne zainteresowania związane były z muzyką. Florence natomiast z poważną miną studiowała partytury Caleba, choć Kura wątpiła, czy dziewczyna w ogóle potrafi czytać nuty. Miss Weber obdarzona była praktyczną naturą i wkrótce weszło jej w nawyk, by towarzyszyć Calebowi podczas jego ćwiczeń z Kurą. To wywołało oczywiście plotki i Caleb przechodził piekło. Kura podchodziła do tego raczej spokojnie. Jej nowy partner i tak będzie musiał się przyzwyczaić do grania przed publicznością. Mógł więc na samym wstępie zdać najtrudniejszy egzamin, a tym właśnie była Florence Weber. Bez żadnych oporów go krytykowała i zazwyczaj miała nawet rację. Kura skorzystała z wielu jej uwag, choć krytyka w zamyśle raczej nie miała być konstruktywna, tylko złośliwa.

– Czy tej pieśni nie powinna pani podkreślić… jak by to wyrazić… jakimiś odpowiednimi gestami? – pytała po tym, jak Kura zaśpiewała pieśń miłosną z ich wyjazdu do Pancake Rocks. Stała się ona ulubioną kompozycją zarówno Kury, jak i Caleba. Aranżacje Caleba brzmiały bogato i fantazyjnie, stanowiąc tym samym przeciwwagę dla jednoznacznych słów. Caleb do tej pory oczywiście zdążył je zrozumieć, ale naturalnie nigdy nie przetłumaczył ich Florence. Głos Kury był jednak pełen swobody, a raz burzliwe, raz jakby przymilne partie grane przez Caleba wprowadziły w końcu Florence na właściwy trop. Caleb cały się zarumienił, gdy z niewinną miną go o to spytała, Kura jednak zaśmiała się tylko i zaśpiewała pieśń jeszcze raz, kołysząc przy tym i poruszając biodrami w taki sposób, że Paddy'emu Hollowayowi niemal oczy wyszły na wierzch, a co dopiero Florence Weber.

– Oczywiście u pastora zachowam się troszeczkę bardziej wstrzemięźliwie – powiedziała na koniec Kura, a Florence wyjątkowo znikła, czerwona jak burak. Pierwszy termin ich koncertu w Greymouth był już ustalony. Mieli przedstawić swój program podczas parafialnego pikniku; zyski miały być przeznaczone dla bliskich ofiar wypadku w kopalni Lambert. Poza tym, dzięki pośrednictwu Mrs Biller, zaplanowany był też koncert w jednym z hoteli przy nabrzeżu. Kura cieszyła się na te występy; Caleb natomiast prawie umierał ze zdenerwowania.

– No już przestań się tak zachowywać, ty artysto! – podrażniła go w końcu Kura. – Pomyśl lepiej o przepięknym ciele naszego maoryskiego przyjaciela, i jakby to było miło, gdyby mógł tu być i zatańczyć do twojej pieśni. Tylko nie zacznij przy tym ruszać biodrami, bo wywrócisz fortepian!

William Martyn postanowił zignorować większe miejscowości na zachodnim wybrzeżu. Wychodził z założenia, że Latimer sprzedał tam już każdej choćby w połowie zainteresowanej i zdolnej do płacenia kobiecie maszynę do szycia. Pozostawały więc tylko żony górników, a z nich pewnie nic nie dałoby się wyciągnąć. Zamiast tego William skoncentrował się na małych osadach i nieoczekiwanie odnosił sukcesy w maoryskich wioskach. Gwyneira McKenzie powiedziała mu kiedyś, że tubylcy w Nowej Zelandii niezwykle szybko przystosowywali się do obyczajów *pakeha*. Już teraz niemal wszyscy Maorysi nosili zachodnie ubrania; dlaczego więc kobiety nie miałyby się nauczyć samodzielnie szyć? Oczywiście i w tym wypadku problemem były pieniądze. Niemożliwością byłoby wyjaśnienie Maorysom systemu spłat ratalnych. Jednakże plemiona, dzięki sprzedaży ziemi, były w posiadaniu środków, którymi zazwyczaj zarządzał wódz.

William szybko wymyślił na to sposób. Wyjaśniał wodzom plemion, że zyskają szacunek *pakeha*, a w dodatku ich notowania u dam błyskawicznie wzrosną, jeśli nie będą się zamykać przed błogosławieństwami współczesnego świata. Kiedy pokazywał swojego singera, zazwyczaj całe plemię jak zaczarowane stało wokół niego i patrzyło na błyskawicznie uszyte dziecięce ubranka, jakby William wyczarował je z powietrza. Kobiety szybko uczyły się obchodzić z maszyną i potrafiły cieszyć się tym jak dzieci. Tym samym singer naturalnie stał się od razu symbolem statusu. Rzadko się zdarzało, żeby William opuszczał jakieś plemię bez umowy sprzedaży; a na dodatek Maorysi byli gościnni i otwarci. Odpadały koszta wyżywienia i noclegów. Czasami William przeklinał jedynie brak znajomości ich języka. Gdyby go znał, łatwiej mógłby pytać o Kurę i podjąć trop, który podczas poszukiwań Gwyneiry kończył się u Maorysów z okolic Blenheim. A tak mógł pytać jedynie po angielsku. Większość Maorysów posługiwała się językiem *pakeha*, choć była to łamana angielszczyzna, i rozumieli niemal wszystko. William miał jednak często wrażenie, że ci ludzie nie wszystko mu mówili, a nawet robili się nieufni, gdy jakiś obcy wypytywał o kobietę z ich plemienia.

Rzucało się to szczególnie w oczy u pewnego plemienia mieszkającego między Greymouth a Westport. Ludzie praktycznie natychmiast zamykali się w sobie, gdy William swym kiepskim maoryskim zapytał o pewną dziewczynę, która uciekła od męża *pakeha* i zajmowała się muzyką. Kiedy o tym mówił, w innych plemionach głośno się śmiano, tu jednak, gdy tylko wspomniał o ucieczce Kury i małżeństwie, ludzie natychmiast zrobili się nerwowi i milczący. Dopiero żona wodza wyjaśniła całą sprawę.

– On niczego nie chce od tej ognistowłosej dziewczyny. On pyta o *tohunga* – wyjaśniła swoim. – Ty szukać Kura? Kura-maro-tini? Uciekła ten mężczyzna, który nie lubi…

Ludzie wybuchnęli śmiechem, widząc jej gesty; jedynie William patrzył na nią zmieszany i trochę urażony.

– Tak powiedziała? – dopytywał się. – Ale my…

– Była tutaj. Z wielki jasnowłosy mężczyzna. Bardzo mądry, robić też muzyka, też *tohunga*. Ale nieśmiały!

Inni znów zachichotali, lecz najwyraźniej nie zamierzali zdradzić nic więcej o wizycie Kury. Williamowi przychodziły do głowy różne myśli. A więc Kura znów była z jakimś mężczyzną! Tyle tylko, że nie z Roderickiem Barristerem. Rzuciła go równie szybko jak jego, Williama, którego zostawiła dla operowej sceny. A teraz jakiś nieśmiały jasnowłosy muzyk…

Pragnienie Williama, by odnaleźć żonę – i porządnie zmyć jej głowę, zanim weźmie ją w ramiona i przekona do własnych niezaprzeczalnych zalet – rosło z każdym dniem.

# 9

Elaine martwiła się o Tima. Podczas każdych jej odwiedzin sprawiał wrażenie coraz bardziej wychudzonego, zaciętego i wyczerpanego. Jego wesołe zmarszczki wokół ust ustąpiły miejsca głębokim bruzdom, jakie wielu górników miało od ciągłego nadmiernego wysiłku i przemęczenia. Oczywiście wciąż tak jak wcześniej cieszył się, widząc Lainie, ale trudniej niż kiedyś przychodziło mu się uśmiechać i żartować. Mogło to też wynikać z pewnego rodzaju alienacji. Dawna poufałość, jaka istniała między nimi dwojgiem, topniała z każdym dniem, w którym się nie widzieli. A dni te zdarzały się coraz częściej, choć nie wynikało to z tego, że Lainie nie próbowała. Odległość nie stanowiła żadnego problemu; dom Lambertów położony był zaledwie dwie mile od centrum miasta, a Banshee i Fellow pokonywały ten odcinek kłusem w dwadzieścia minut. Potem jednak Elaine musiała przejść obok Nellie Lambert, a to była znacznie trudniejsza przeszkoda.

Czasami Nellie w ogóle nie otwierała, gdy Elaine stukała ciężką mosiężną kołatką u drzwi. Roly i Tim zdawali się tego nie słyszeć; dźwięk dochodził jedynie do westybulu i co najwyżej do salonu. Właściwie powinna tam być zawsze służąca albo sama Nellie, Elaine sądziła jednak, że po prostu nie chciano jej słyszeć. Poza tym Nellie wynajdywała tysiące usprawiedliwień na to, by trzymać „przyjaciółkę" jej syna – słowo narzeczona nie przechodziło jej przez gardło, choć Timothy wcale nie krył się ze swymi zamiarami co do ślubu – z dala od niego: Timothy śpi, Timothy nie czuje się dobrze, Roly zabrał Timothy'ego na spacer, a ona nie ma pojęcia, kiedy wrócą. Raz wystraszyła Lainie niemal śmiertelnie, mówiąc, że Tim z ciężkim kaszlem leży w łóżku i nie może jej przyjąć. Elaine popędziła z powrotem do miasta i w panice zaczęła wylewać żale przed Bertą Leroy.

Ta mogła jednak rozwiać obawy Elaine.

– Ach co tam, Lainie. Pani Tim nie dostanie zapalenia płuc wcześniej od pani czy ode mnie. Był co prawda zagrożony, dopóki leżał w łóżku, ale według tego, co słyszałam, to rusza się więcej niż my wszyscy razem wzięci. Wkrótce zresztą dowiemy się tego z pierwszej ręki: Christopher jest właśnie u Lambertów. Jego Nellie też doprowadziła do szaleństwa. Podobno Tim miał bóle przy kaszlu, więc Christopher musiał do niego zajrzeć. Mam nadzieję, że sam się nie rozchoruje na śmierć przy tym deszczu…

Rzeczywiście na zewnątrz strasznie padało i również Elaine po szybkiej jeździe na koniu była przemoczona do suchej nitki. Berta wytarła jej włosy i wskazała miejsce przy kominku, a sama zajęła się przyrządzaniem herbaty. Mimo to Elaine wciąż jeszcze drżała, gdy doktor Leroy w końcu wściekły wrócił do domu.

– Za to policzę tej damie podwójne honorarium, Berta, tyle ci mogę powiedzieć! – huknął i nalał sobie do herbaty odrobinę koniaku. – Cztery mile w tej burzy z powodu drobnego przeziębienia!

– Ale… – Elaine chciała coś wtrącić, lecz doktor Leroy tylko potrząsnął głową.

– Jeśli tego chłopaka przy kaszlu wszystko boli, to dlatego, że jego mięśnie są całkowicie napięte od zbyt forsownego treningu. Kiedy tam przyszedłem, właśnie podnosił ciężary…

– A to po co? – zapytała Elaine.

– Wie pani, ile ważą same szyny na nogach, które musi podnosić przy każdym kroku? – Doktor Leroy nalał sobie kolejną filiżankę herbaty i tym razem dolał koniaku również do filiżanki Elaine. – A tak poważnie, dziewczyno, jeszcze nigdy nie widziałem człowieka pracującego tak ciężko i z taką dyscypliną jak Timothy Lambert. Teraz nie mam już żadnych wątpliwości, że faktycznie na własnych nogach zaprowadzi panią do ołtarza. To, co mi dzisiaj pokazał, mimo tego kaszlu i kataru, jest godne szacunku! Mimo to odesłałem go teraz na dwa dni do łóżka, żeby wyleczył przeziębienie i potworne zakwasy mięśni. Ale czy będzie tego przestrzegał? W każdym razie poinformowałem go, że jutro przyjdzie go pani skontrolować. I to przy tej smoczycy, która zwie się jego matką; więc tym razem nie będzie mogła pani odprawić!

\* \* \*

Dla Nellie byłoby najlepiej, gdyby Lainie pojawiała się w domu Lambertów tylko przy szczególnych okazjach i na jej osobiste zaproszenia. Mniej więcej co dwa tygodnie podejmowała dziewczynę herbatą – strasznie sztywne imprezy, których Lainie nienawidziła. Również dlatego, że Lambertowie oczywiście ją przy tym wypytywali. O jej rzekome dzieciństwo w Auckland, o krewnych, o pochodzenie z Anglii – Elaine wikłała się coraz bardziej w budowli z kłamstw, których szczegóły wciąż zapominała. W takich wypadkach musiała improwizować i wiła się nie tylko pod niełaskawymi spojrzeniami Mrs Lambert, lecz również przy mrugającym do niej z rozbawieniem Timie. Tim przejrzał jej krętactwa i Elaine obawiała się, że odbierał to jako przejaw niedostatecznego zaufania. Wciąż liczyła się z tym, że ją o to zapyta; z tego powodu była nerwowa i spięta, gdy zostawała z nim sama. Tim ze swej strony nienawidził tego, że siedział naprzeciw Lainie w wózku inwalidzkim albo wręcz to ona go popychała. Jego trening z hantlami przynosił wyraźne owoce; potrafił nawet o własnych siłach przesunąć o parę metrów to prawdziwe monstrum. Ale skręcanie, a nawet zwykłe omijanie mebli były dla niego bardzo ciężką pracą. Do tego Tim nie cierpiał, by postrzegano go jako „kalekę". Jeśli Elaine odwiedzała go w jego pokojach, Roly zazwyczaj pomagał mu usiąść na normalnym krześle. Ale krzesła stojące wokół jadalnego stołu w salonie były niewygodne, a fotele i sofy zbyt niskie. Tim siedząc w swoim wózku, był więc nerwowy i spięty. Normalna rozmowa w ogóle nie miała wtedy miejsca. Czasami po czymś takim Elaine, rozczarowana i bezradna, płakała, chowając twarz w grzywie Banshee albo Fellowa, podczas gdy Tim wyładowywał wściekłość w swoim pokoju na hantlach i kulach, i jeszcze zacieklej ćwiczył.

Tak więc oboje byli przerażeni przed uroczystym wigilijnym posiłkiem, na który Mrs Lambert oficjalnie zaprosiła Elaine.

– W niewielkim gronie, Miss Lainie. Mam nadzieję, że ma pani coś stosownego do włożenia na tę okazję…

Elaine natychmiast wpadła w panikę, ponieważ oczywiście nie miała żadnego stroju wieczorowego. Poza tym bardzo późno dostała zaproszenie. Nawet gdyby starczyło jej na to pieniędzy, nie zdążyłaby już zlecić uszycia czegoś.

Rozpaczliwie przymierzała jedną suknię po drugiej, aż w końcu Charlene zastała ją we łzach.

– Wszyscy będą na mnie krzywo patrzeć – narzekała Elaine. –
Nellie Lambert zechce pokazać całemu światu, że jestem tylko dziewczyną z baru bez żadnych manier. To będzie straszne!

– Nie doprowadzaj się do szaleństwa – pocieszała ją Charlene.
– Przecież to nawet nie jest zaproszenie na wystawną kolację, tylko
na skromny lunch. Poza tym nie przychodzi tam w końcu cały świat.
Mnie na przykład nie zaproszono.

Elaine uniosła głowę.

– Dlaczego miałaby ciebie…

– Jako oficjalną narzeczoną Mr Matthew Gawaina! – Charlene
spojrzała na nią, promieniejąc ze szczęścia, i z dumą obróciła się przed
lustrem. – Popatrz na mnie, Lainie Keefer, stoi przed tobą szanowa-
na młoda dama! Z madame Clarisse wszystko już jest uzgodnione: od
dziś obsługuję jeszcze w barze, ale nie biorę już facetów na górę! Obawiam się, że Matt coś za to płaci, ale nawet nie chcę tego wiedzieć.
W każdym razie w styczniu będzie ślub! Czy to nie jest niespodzianka?

Elaine zapomniała o swych troskach i objęła przyjaciółkę.

– Myślałam, że wcale nie chcesz wychodzić za mąż – droczyła się
z dziewczyną.

Charlene poprawiła swoje ciemne włosy i na próbę zawiązała je
w ciasny węzeł, podobny do fryzury Berty Leroy.

– Nie chcę za wszelką cenę być szanowaną kobietą. Ale Matt jest
sztygarem. Kiedyś razem z Timem będzie kierował kopalnią, uzgodnili
to już między sobą. Więc nie czeka mnie żałosne życie w jakiejś chacie,
z dziesiątką dzieci uczepionych skraju sukni, lecz prawdziwy awans.
Czekaj tylko, Lainie, za kilka lat to my będziemy stały z bazarkami,
prowadząc akcję dobroczynną przed kościołem! A poza tym kocham
Matta, a z takiego powodu i inne zmieniały już zdanie. Prawda, Lainie?

Elaine zaśmiała się i zarumieniła.

– Jak dotąd jednak stary Lambert jakoś nie może znieść mojego
widoku – ciągnęła Charlene, przeglądając kolekcję sukni Elaine. – Dlatego też Matt nie jest u niego mile widziany i nie został zaproszony na
uroczystość. Ach, jak mu przykro… – Wyszczerzyła zęby. – Włożysz tę
tutaj! – Podniosła jasnoniebieską letnią sukienkę, którą madame Clarisse dała uszyć, gdy Lainie się wprowadzała. – I do tego moją nową
biżuterię. Popatrz tylko, to prezent zaręczynowy od Matta! – Charlene

z dumą uniosła szkatułkę na biżuterię z misternie wycyzelowanym srebrnym naszyjnikiem z kamieniami lapis-lazuli. – Lepiej pasowałby ci akwamaryn, ale i tak wygląda to strasznie cnotliwie, choć może dekolt jest odrobinę za głęboki. Ale przecież w końcu jest lato, więc co tam!

Serce Elaine biło jak szalone. Zawstydzona uniosła wzrok, gdy 25 grudnia wyciągała dłoń do państwa Lambertów, życząc im wesołych świąt. Stosownie chłodno i powściągliwie wypadł też jej pocałunek dla Tima, który cały nieszczęśliwy siedział na wózku inwalidzkim. Już teraz pocił się w trzyczęściowym garniturze, bo mimo wysokich temperatur w środku lata etykieta najwyraźniej przewidywała ten strój na taką okazję. W dodatku jego matka nalegała, żeby schował nogi pod kraciastym kocem – jakby były czymś nieprzyzwoitym, co należało ukryć przed oczami gości.

Elaine chętnie pocieszyłaby Tima i jakimś poufnym gestem pokazała mu, że nie jest sam. Znów jednak była jak sparaliżowana – a cóż dopiero, gdy przedstawiono ją innym gościom. Marvin i Nellie Lambertowie zaprosili Weberów, ponadto też Billerów, ponieważ obie rodziny się przyjaźniły i było to właściwie nie do uniknięcia. Ani Marvin Lambert, ani Josuah Biller nie byli chyba tym zachwyceni. Obaj wypili już wcześniej dla kurażu, ich żony zaś zamierzały cały dzień spędzić na tym, by nie wchodzić sobie w drogę i nie wywołać kłótni z powodu jakiejś błahostki.

Weberowie sprawiali wrażenie opanowanych i dystyngowanych. Matka i córka patrzyły równie poirytowane na niezbyt stosowną suknię Lainie. W końcu szepnęły parę słów na ten temat Mrs Biller, co skutkowało kolejnymi nieżyczliwymi spojrzeniami. Nieodpowiednie ubranie Elaine poszło jednak natychmiast w niepamięć, gdy prawdziwy skandal wywołał Caleb Biller. Mrs Lambert wyznaczyła mu na towarzyszkę przy stole Florence Weber, on jednak zjawił się ze swą rzekomą „narzeczoną", Kurą-maro-tini Martyn.

Elaine mało nie zachłysnęła się szampanem, który właśnie podała jej służąca.

– Tylko siedź cicho! – syknęła Kura, gdy je sobie przedstawiano, a obie kuzynki niezbyt czule uścisnęły sobie dłonie. – Jeśli ci na tym zależy, mogę ci to wszystko kiedyś wytłumaczyć, ale dzisiaj po prostu udawaj. Już i tak siedzę na beczce prochu!

Lainie natychmiast też pojęła, kto trzyma lont. Lodowatego chłodu pomiędzy Kurą a Florence Weber nie można było przeoczyć, przy czym niechęć Florence szybko objęła również Elaine. Ponieważ obie dziewczyny były barowymi pianistkami, z góry założyła, że się przyjaźnią, więc przyjaciółka Kury stała się dla niej naturalnym wrogiem. W dodatku ataki te spadły na Lainie zupełnie nieoczekiwanie. Była bliska tego, by znów chować się za swymi włosami, rumienić i popaść w dawne odrętwienie, potem jednak spojrzała na rozzłoszczoną twarz Kury i przypomniała sobie o innych strategiach.

– A więc pani również ma operowe ambicje, Miss Lainie? – zapytała Florence słodziutkim głosem.

– Nie – odparła Lainie.

– Ale przecież pani też płacą za grę na pianinie. A czy Lucky Horse nie jest też dodatkowo... jak by to wyrazić? „Hotelem"?

– Tak – potwierdziła Lainie.

– Nigdy jeszcze nie byłam w takim lokalu. Ale... – Florence rzuciła wstydliwe spojrzenie na matkę, jakby chciała się upewnić, że ta jej nie słyszy. – Jestem oczywiście ciekawa! Czy mężczyźni są bardzo natarczywi? Oczywiście wiem, że pani sama nigdy... ale...

– Nie – powiedziała Lainie.

Kura patrzyła na nią zza stołu i nagle obie dziewczyny nie mogły się powstrzymać od uśmiechu. Elaine trudno było w to uwierzyć, ale czuła się niemal wspólniczką swojej dawnej rywalki.

Rozmowy innych gości też toczyły się raczej ciężko. Mr Weber wypytywał Marvina o remont kopalni po wypadku – a gdy odpowiedział mu Tim, spojrzał na niego, jakby był zaskoczony, że niepełnosprawny syn Lamberta może jeszcze mówić. Sam Marvin Lambert, po licznych szklankach whisky, szampanie i winie, był raczej małomówny, za to Nellie, Mrs Biller i Mrs Weber starały się podtrzymać rozmowę. Damy mówiły o pomysłach na urządzenie domu i angielskich meblach – i patrzyły na Caleba jak na jakieś dziwadło, gdy spokojnie wtrącił się do rozmowy. Mężczyzna, który znał słowo „tapeta", pasował równie dobrze do gabinetu osobliwości jak inżynier górnictwa do wózka inwalidzkiego. Elaine współczuła Timowi. Jego mina zdradzała znużenie i wyczerpanie. Kurze natomiast Caleb wydawał się zabawny. Wyglądał jak złajane dziecko.

Nad wszystkim tym górowała Florence Weber, która z tym samym opanowaniem rozmawiała o abażurach, nowych technikach związanych z elektrycznością i o wydajności szybów wentylacyjnych w kopalniach. To ostatnie zdawało się ją interesować najbardziej, na co panowie protekcjonalnie się uśmiechali, a oburzone damy milczały.

– Muszę się stąd wydostać – szepnął Tim, gdy po posiłku Lainie przewiozła go na wózku do salonu dla panów. Nellie prosiła o to właściwie swego męża, ale Mr Lambert by sobie z tym nie poradził, nie zderzając się z meblami. Tim spojrzał przy tym szybko na Elaine tak błagalnym wzrokiem, że od razu do niego przyskoczyła. Wypadki na takim wózku mogły być bolesne i niebezpieczne. Zaledwie kilka tygodni temu doktor Leroy musiał się zająć Timem, po tym jak jego matce udało się wywrócić ten niestabilny mebel razem z synem.

– A co mam niby zrobić? – zapytała rozpaczliwie Lainie. Z trudem popychała wózek do przodu na grubych dywanach Lambertów. – Możemy powiedzieć, że wychodzimy do ogrodu, ale za nic w świecie nie uda mi się tego tam znieść! Gdzie się podziewa Roly?

– Ma dziś wolne – odparł Tim, zgrzytając zębami. – Jest przecież Boże Narodzenie. Był tu rano i mi pomógł, a ma przyjść jeszcze raz wieczorem. To wierny chłopak, szczery jak złoto, ale przecież też ma rodzinę…

Wypowiadając ostatnie słowa, Tim patrzył w taki sposób, jakby uważał, że rodzina jest czymś nie lepszym od bólu zębów. Zamilkł, gdy podszedł do nich Caleb.

– Mógłbym pani pomóc, Miss Lainie? – zapytał uprzejmie młody człowiek bez jakichkolwiek oznak zakłopotania. – Myślę, że po obiedzie spacer po ogrodzie to dobry pomysł. Jeśli więc to państwu odpowiada, Tim…

Caleb w naturalny sposób złapał uchwyty wózka i popchnął Tima, któremu wcale nie zależało, żeby z dusznego pokoju przenieść się w ostre słońce letniego dnia. Elaine zauważyła, że Caleb robił to z dużą troską. Ostrożnie zjechał wózkiem po schodach i omijał nierówności na ogrodowej ścieżce.

Kura szła za mężczyznami, rzucając przy tym nerwowe spojrzenia przez ramię.

– No i udało się wymknąć! – stwierdziła w końcu. – Udało nam się szczęśliwie uciec przed Florence Weber. Zapewne tylko na kilka sekund, ale i za drobiazgi trzeba być wdzięcznym losowi. – Odrzuciła do tyłu swe imponujące czarne włosy, których prowokacyjnie dzisiaj nie związała. Dekolt Kury też był zbyt głęboki, a ciemnoczerwona suknia zbyt wyzywająca jak dla damy. Jej widok zapierał jednak dech w piersiach.

– Teraz przynajmniej wiem, czemu ta dziewczyna sobie to robi – stwierdziła Kura, i swobodnie ruszyła dalej, idąc obok Lainie. – Całymi tygodniami się zastanawiałam, co takiego widzi w Calebie. Przecież musiała zauważyć, że on traktuje ją jak powietrze. Ale ona chce jego kopalni. Za wszelką cenę! Pewnie oddałaby życie za to, żeby móc dziedziczyć po ojcu, ale jest przecież „tylko dziewczyną". Caleb natomiast byłby w jej rękach niczym wosk. Jeśli zaciągnie go przed ołtarz, będzie miała kopalnię Billera. Tim Lambert oczywiście też mógłby ją interesować. Lepiej nie zostawiaj jej z nim samego!

Taka rada z ust Kury brzmiała dla Elaine trochę niezwykle. Dziwne, ale zamiast poczuć się zranioną na wspomnienie Williama, miała ochotę raczej się roześmiać.

– Ty tu jesteś ekspertką – zauważyła kąśliwie i ze zdumieniem stwierdziła, że Kura poczuła się zakłopotana. Wyglądało, jakby miała łzy w oczach. Elaine postanowiła, że kiedyś z nią porozmawia. Do tej pory zawsze zakładała, że to Kura opuściła Williama. Czy było może odwrotnie?

Zrobiło się już późne popołudnie, gdy goście wreszcie się rozeszli. Nellie Lambert natychmiast poświęciła się obowiązkom gospodyni i doglądała prac przy sprzątaniu. Marvin z ostatnim drinkiem wycofał się do salonu dla panów.

Elaine była niezdecydowana. Z jednej strony z pewnością oczekiwano od niej, że również się pożegna. Z drugiej strony Tim wyglądał w swoim fotelu na wymęczonego do tego stopnia, że nie potrafiła go zostawić w takim stanie. Wcześniej, w ogrodzie, ożywił się, rozmawiając z Calebem o kopalni Billera, lecz w ciągu ostatnich godzin właściwie się nie odzywał, jakby skupiał wszystkie siły, żeby siedzieć prosto. Tyle tylko, że Lambertowie, Billerowie i Weberowie i tak nie zwracali na niego uwagi. Nie przyszło im nawet do głowy, by zaproponować mu szklankę whisky albo cygaro, którymi sami się delektowali. Obsługiwała go za to Florence, która ruszyła do salonu za mężczyznami. Najwyraźniej nie mogła już znieść dyskusji o zasłonach i wyposażeniu łazienki. Znacznie bardziej pociągały ją towarzyskie rozmowy na temat sprzedaży węgla.

Elaine zazdrośnie zaglądała przez otwarte drzwi do pokoju dla panów i zauważyła, że Florence zamieniła kilka słów z Timem – prawdopodobnie dlatego, że reszta tę dwójkę ignorowała. Tim zachowywał się jednak, jakby był nieobecny. Lainie z troską dostrzegła, jak nie panuje nad rękoma wspartymi na poręczach wózka. Wciąż próbował poprawić swą pozycję na zbyt miękkich poduszkach, a gdy mu się to nie udawało, jego twarz wykrzywiał grymas bólu. Teraz siedział przy oknie, z szarą twarzą wpatrywał się w park i zdawał się rozpaczliwie czekać, aż słońce wreszcie zajdzie.

Elaine przysunęła sobie do niego krzesło i nieśmiało wsunęła palce w jego dłoń.

– Tim…

Cofnął rękę i zaczął odpinać guziki marynarki.

– Pozwolisz? – zapytała uprzejmie.

Elaine wstała, żeby mu pomóc, on jednak opryskliwie się przed tym bronił.

– Zostaw, ręce mam zdrowe…

Zniechęcona wycofała się i spróbowała rozmowy, on zaś niezgrabnie odpinał guzik po guziku, co dawało mu przynajmniej trochę ochłody.

– Caleb Biller to miły facet…

Tim zebrał się w sobie i przytaknął.

– Tak, ale obie te kobiety są dla niego przynajmniej o numer za duże. – Uśmiechnął się z trudem. – Przepraszam, Lainie. Nie chciałem cię tak potraktować. Ale nie czuję się dobrze.

Elaine pogłaskała go łagodnie po ramieniu, a potem szybko odpięła jeszcze guziki jego kamizelki. Dziękowała przy tym niebiosom za swoją lekką letnią sukienkę – przy tych temperaturach oficjalny męski strój był prawdziwą torturą. Pozostali mężczyźni po obiedzie zrzucili z siebie marynarki. Timowi potrzebna byłaby przy tym pomoc, ale wolałby umrzeć, niż kogoś o to poprosić.

– To był długi dzień. A ci ludzie byli straszni – powiedziała cicho.

– Mogę coś dla ciebie zrobić?

– Może mogłabyś... może mogłabyś pojechać konno do O'Brie-nów i poprosić Roly'ego, żeby przyszedł trochę wcześniej? Ja... – Znów próbował zmienić pozycję, ale była to beznadziejna walka z zapadającą się pod nim poduszką.

– Może ja mogłabym ci pomóc? – zapytała Lainie i zarumieniła się. Tim nie powinien przecież pomyśleć, że chce go rozebrać i położyć do łóżka! Ale może przynajmniej pozwoli, żeby jakoś pomogła mu się wydostać z tego przeklętego fotela. – Oczywiście nie dam rady cię podnieść, ale...

Tim uśmiechnął się i po raz pierwszy tego dnia zobaczyła wesołość i tryumfalne iskierki w jego oczach.

– Och, wcale nie musiałabyś mnie podnosić! Mogę to robić nie-mal sam, jedynie wstawanie z tego diabelstwa jest trudne. Przede wszystkim jednak nie widzę żadnej możliwości, żeby się dostać do mojego pokoju.

Popychanie wózka rzeczywiście okazało się najtrudniejsze. Łatwiej było, gdy już opuścili salon, a tym samym zeszli z puszystych dywa-nów. Tim mieszkał wcześniej na piętrze, gdzie sypialnię mieli również jego rodzice. Teraz urządzono dla niego dawną kwaterę dla służby mię-dzy kuchnią a stajnią. Nellie znów wypłakiwała sobie z tego powodu oczy, ale Tim uważał, że to wcale nie takie złe, jeśli od czasu do czasu czuć było zapach siana. Elaine przepchnęła go do jego małego salonu, w którym zazwyczaj ją podejmował, gdy go odwiedzała.

– Gdybyś tylko mogła pomóc mi przesiąść się na sofę – poprosił zmęczonym głosem.

Elaine skinęła głową.

– Co mam robić? – zapytała, uwalniając go przy tym ze zniena-widzonego koca. – Masz na nogach szyny – zauważyła zdziwiona. Po raz pierwszy widziała stalową konstrukcję na nogach Tima i koniecz-ność ćwiczeń z hantlami błyskawicznie stała się dla niej jasna. – Czy to nie jest niewygodne?

Tim uśmiechnął się z udręką.

– Chciałem zostawić sobie możliwość ucieczki. Niestety, nie liczy-łem się przy tym z moją matką... – Wskazał na kule oparte o ścianę.

Elaine znów poczuła narastającą w niej wściekłość na Nellie Lambert. Nawet jeśli Tim dawał radę zrobić zaledwie jeden czy dwa kroki, to przecież czułby się o wiele lepiej, gdyby przynajmniej mógł przywitać się z gośćmi, stojąc.

– Gdybyś zechciała mi je podać… – Tim wcisnął kule pod ramiona i próbował unieść się z wózka, lecz prawa kula się obsunęła i szukając podparcia, chwycił Elaine za rękę. Elaine złapała go pod ramię i podpierała, aż udało mu się stanąć na nogach. I wtedy stanął obok niej, po raz pierwszy od roku – wsparty o nią, ale wyraźnie wyższy. Gdy Tim sobie to uświadomił, upuścił też lewą kulę. Elaine wciąż go trzymała, ale on po prostu wziął ją w ramiona.

– Tim, ty możesz stać! To cud! – Elaine patrzyła na niego rozpromieniona. Nie miała czasu się martwić, że obejmował ją mężczyzna. To było po prostu piękne, mieć znów obok siebie wyprostowanego Tima i widzieć na jego twarzy uśmiech, taki sam jak wtedy, podczas wyścigów.

Tim czuł ją w swych ramionach i nie mógł się powstrzymać. Pochylił nad nią twarz i pocałował ją. Najpierw łagodnie, w czoło, a potem, nabierając odwagi, w usta. I wtedy naprawdę wydarzył się cud. Elaine rozchyliła wargi. Całkiem spokojnie, naturalnie, pozwalała się całować i nawet nieśmiało odwzajemniała pocałunek.

– To było cudowne – powiedział Tim zachrypniętym głosem. – Lainie…

Pocałował ją jeszcze raz, nim się schyliła, by podać mu kule. Na to on pokazał jej, że bez trudu potrafi zrobić te dwa kroki do sofy.

– Mój rekord to jedenaście – powiedział ze śmiechem, a potem, biorąc głęboki oddech, opadł na sofę. – Ale od jednego końca kościoła do drugiego jest dwadzieścia osiem. Roly to dla mnie sprawdził. Muszę więc jeszcze trochę poćwiczyć.

– Ja też – wyszeptała Elaine. – To znaczy całowanie. I według mnie możemy z tym zacząć od razu…

# 10

Gdy następnego dnia Roly O'Brien przyszedł do pracy, Tima aż rozpierała energia do działania.

– Dziś zaczniemy od zwykłych ćwiczeń – wyjaśnił zdziwionemu chłopcu, który właściwie liczył na spokojny poranek. Poprzedniego wieczoru Tim wyglądał na zadowolonego, ale potwornie wyczerpanego. Roly był zdania, że powinien wypocząć. – A potem przyprowadzisz mi tu Fellowa od Miss Lainie.

– To... eee... koń, Mr Tim? – Głos Roly'ego brzmiał niepewnie. Konie wydawały mu się straszne; jako dziecko z górniczej rodziny nigdy nie miał do czynienia ze zwierzętami, które byłyby większe od kozy czy kury.

– Właśnie. Mojego konia. Lainie pewnie będzie ciężko się z nim rozstać, ale trudno. Powoli radzę sobie z chodzeniem, Roly. Od dzisiaj ruszymy z jazdą konną!

– Ale...

– Żadnych ale, Roly! Fellow nic ci nie zrobi, jest bardzo posłuszny. A ja muszę koniecznie znaleźć jakąś możliwość, żeby się stąd wydostać. Zamierzam mieć kiedyś Lainie dla siebie, coś z nią wspólnie zrobić. Chcę być z nią sam! – Tim uniósł się niecierpliwie. Nie mógł się już doczekać, by zaskoczony Roly wreszcie pomógł mu wstać z łóżka.

– Może najpierw spróbowałby pan jazdy powozem? – zapytał strachliwie Roly.

Tim potrząsnął głową.

– Wtedy od razu mógłbym ciebie poprosić, byś popchał mnie w wózku na spacer! Nie, żadnych sprzeciwów. Pojadę po tę damę i zabiorę ją na przejażdżkę, jak prawdziwy dżentelmen. Nie zamierzam już czekać, aż przyjdzie mnie odwiedzić albo aż moja matka ją przepuści.

Roly zrezygnowany przewrócił oczami. Uważał Lainie za całkiem atrakcyjną, ale wysiłków, jakie Mr Tim dla niej podejmował, nie potrafił pojąć. Zwłaszcza że jego szef mógłby przecież po prostu zamówić sobie wizytę jednej z dziewczyn od madame Clarisse i dać się trochę pouwodzić... Ostatnio wokół takich właśnie spraw kręciły się myśli Roly'ego. Ale pewnie minie całe lato, nim uda mu się zaoszczędzić potrzebne na to pieniądze. Zresztą tańsze mogły się okazać starania o względy Mary Flaherty z sąsiedztwa...

Lainie kręciła głową, gdy Roly pojawił się u niej, by zabrać Fellowa.

– To szaleństwo, bez oparcia Tim jak dotąd nie może nawet siedzieć – zaprotestowała.

Roly wzruszył ramionami.

– Robię tylko, co mi kazał, Miss Lainie – bronił się. – Skoro chce jeździć konno, to niech jeździ.

Elaine najchętniej przyłączyłaby się do chłopaka, żeby nadzorować te niebezpieczne jeździeckie próby. Aż za dobrze potrafiła sobie jednak wyobrazić reakcję Tima. Nie ruszyła się więc z miejsca, ale znów się martwiła.

I nie bez racji. Pierwsza próba Tima, by usiąść w siodle, była katastrofą. Już samo wsiadanie na konia z prowizorycznej rampy, którą Roly zbudował mu z desek i bali słomy, okazało się trudne. A kiedy poirytowany koń zrobił kilka kroków w bok, gdy Tim próbował utrzymać się w siodle, skończyło się tym, że poleciał do przodu przez jego szyję i jęknął z bólu. Jeszcze nigdy nie obciążył tak bardzo dopiero co wyleczonych bioder, a nagle naciągnięte mięśnie i ścięgna ostro protestowały.

– Mam panu pomóc usiąść, Mr Tim? – Roly niemal równie mocno bał się zbliżyć do konia, co tego, że jego pan może upaść i znów sobie coś złamać.

– Nie, ja... Jeszcze kilka minut... – Tim, pojękując, próbował siąść prosto, ale to były beznadziejne wysiłki. W końcu uległ namowom Roly'ego, i nawet się nie bronił, gdy ten natychmiast go zmusił, aby położył się do łóżka i wypoczął. Wkrótce jednak znów usiadł i sięgnął po ołówek i papier.

Gdy Roly wrócił ze stajni, gdzie w śmiertelnym strachu zdjął z Fellowa siodło i uprząż, Tim wyciągał w jego stronę gotowy szkic.

– Patrz! Zaniesiesz to jeszcze dziś do Ernesta Gasta, no wiesz, tego siodlarza. Zapytaj, czy mógłby dla mnie zrobić takie siodło. I to możliwie szybko. Aha, a Jay Hankins niech zobaczy, czy mógłby wykuć takie koszykowe strzemiona.

Roly sceptycznie przyglądał się rysunkom.

– Śmiesznie to wygląda, Mr Tim. Takiego siodła nigdy jeszcze nie widziałem.

Siodło na rysunku miało raczej kształt fotela niż prawdziwego siodła. Przedni i tylny łęk miały podpierać jeźdźca i trzymać go w pozycji siedzącej. W dodatku nie miało praktycznie poduszek kolanowych. Nogi Tima zwisałyby w dół, podparte w strzemionach.

– A ja tak – odparł Tim. – Na południu Europy takie siodła to praktycznie standard. W średniowieczu też takich używano. Rycerze, no wiesz.

Roly nigdy nie słyszał jeszcze o pojedynkach rycerskich, ale grzecznie przytaknął.

Tim nie mógł się doczekać, aż Roly wróci następnego dnia z odpowiedzią od Erniego.

– Mr Ernest uważa, że może coś takiego zrobić, ale że to nie jest dobry pomysł. Mówi, że będzie trzymać pana sztywno jak w imadle, prawie jak damskie siodło. I że jeśli pański koń kiedyś upadnie, a pan nie zeskoczy, to złamie pan sobie na tym kark. – Wskazał na oparcie przy siodle.

Tim westchnął.

– Świetnie. Powiedz mu zatem, że Fellow się nie potyka i że poza tym każda angielska lady jeździ w damskim siodle. A mimo to najważniejsze rody jakoś nie wyginęły. Tak więc ryzyko nie może być aż tak duże. Jeśli zaś chodzi o złamanie karku, to dwóch lekarzy zapewniało mnie, że w takim wypadku przynajmniej nic już człowieka nie boli. Dziś uważam to niemal za coś wartego starań…

Po pierwszych jeździeckich próbach biodro potwornie Tima bolało, ale po południu znów zmusił Roly'ego, żeby udali się do stajni i wszystko powtórzyli. Tym razem przynajmniej Fellow zachowywał się spokojnie i grzecznie stawał przy rampie.

Specjalne siodło nie sprawiło cudu, jednak upór Tima zwyciężył w końcu nad bólem i ograniczeniami jego ciała. Sześć tygodni po pierwszej próbie, by dosiąść konia, dumnie wyjechał na grzbiecie Fellowa z podwórza – choć wciąż jeszcze odczuwał ból. O poruszaniu się szybciej niż stępa na razie nie było co myśleć, ale przynajmniej jechał wyprostowany i w miarę bezpiecznie.

Przejechanie miasta na grzbiecie wierzchowca wymagało prawdziwego wysiłku. Po południu nie było co prawda wielu ludzi na ulicach, wszyscy jednak, którzy znali Tima, uśmiechali się i cieszyli na jego widok. Mrs Tanner i Mrs Carey się przeżegnały, a Berta Leroy zwyzywała go od lekkomyślnych, choć w jej oczach dostrzec można było wesołe iskry.

– A teraz ktoś powinien tylko powiedzieć księżniczce, że przyjechał jej rycerz – rzuciła. – Bo ze zsiadaniem pewnie jeszcze nie daje rady…

Tim musiał to przyznać. Na koniu nie potrzebował szyn na nogach, ale przy wsiadaniu i zsiadaniu były mu potrzebne, toteż Roly mu je przypinał lub odpinał.

Zanim Tim zdążył zawrócić konia przed szpitalem, Elaine wyszła już na ulicę i czekała na niego przed barem. Wieści o jego wyczynie rozeszły się szybciej, niż mogły je ponieść kopyta Fellowa.

Elaine patrzyła na niego zdumiona. Nie był w stanie się pochylić, by ją pocałować, ale ujęła jego ręce w swe dłonie i przytuliła się do jego nogi i zdrowego biodra.

– Jesteś beznadziejnym przypadkiem! – zganiła go. – Jak mogłeś…

Tim się zaśmiał.

– Pamiętasz jeszcze? Jeśli nie można już jeździć konno, jest się martwym. Czy mógłbym moją niezwykle żywą, przepiękną lady zaprosić na przejażdżkę?

Lainie przyciągnęła jego rękę do policzka i nieśmiało ją pocałowała.

– W takim razie idę po Banshee – powiedziała ze śmiechem. – Ale nie wolno ci mnie uwodzić, gdy wychodzę z tobą bez przyzwoitki!

Tim patrzył na nią z udawaną powagą.

– Nie chcesz wziąć przyzwoitki? Uważam, że to niestosowne. Chodź, zapytamy Florence Weber. Na pewno będzie chciała wybrać się z nami!

Elaine zaśmiała się beztrosko. Nie wysilała się, żeby siodłać Banshee, lecz z pomocą stojaka przed hotelem madame Clarisse zwinnie wskoczyła na jej nagi grzbiet. Ludzie wesoło bili jej brawo.

Elaine machała do nich ręką, gdy jechała na Banshee po Main Street. Jeszcze rok temu bała się jechać u boku Timothy'ego Lamberta choćby z kościoła do miasteczka. Teraz rozkoszowała się, gdy Banshee spokojnie maszerowała obok niego i patrzyła na mężczyznę o brązowych włosach, który promieniał takim szczęściem, jak wtedy podczas wyścigów. Gdy opuszczali miasteczko, trzymała go za rękę i uśmiechała się do niego. To było jak w bajce. Księżniczka i jej rycerz.

– Nie wiedziałam nawet, że masz takie romantyczne skłonności – droczyła się z nim. – Następnym razem pojedziemy nad rzekę i urządzimy sobie piknik.

Tim się skrzywił.

– Obawiam się, że będę musiał jeść w siodle – zauważył. Elaine dopiero teraz pojęła jego sytuację i zaczerwieniła się.

– Już coś wymyślę – przyrzekła, gdy żegnała się z nim przed domem Lambertów. – W następną niedzielę.

Niedziela była jedynym dniem wolnym od pracy w barze i odkąd funkcję organistki w kościele oddała bez walki Kurze, nie miała poza tym żadnych obowiązków. Tego dnia po raz pierwszy jej to nie denerwowało. Niech Kura gra sobie na organach, a Elaine woli w tym czasie robić coś z mężczyzną, którego kocha. Nagle poczuła się cudownie wolna i nieskrępowana. Skierowała Banshee bliżej Fellowa i pocałowała Tima długo i czule, tak jak to ćwiczyli w Boże Narodzenie.

Tim był szczęśliwy, widząc, jak Lainie rozkwita, odetchnął jednak, gdy nie przyjęła zaproszenia, by wejść jeszcze na herbatę. Nie musiała widzieć, z jakim trudem zsiadał z konia. Nadal była to dość poniżająca procedura. Tim pracował już nad tym, żeby rozwiązać i ten problem. Jay Hankins budował rampę, z której wsiadanie i zsiadanie miało być łatwiejsze.

Elaine uważała, że to za wcześnie, by Tim dosiadał już konia, ale idea, z którą się to wiązało, wydawała się rozsądna. Musieli znaleźć możliwość, żeby móc się widywać poza domem Lambertów; fluidy Nellie miały przytłaczający wpływ.

Na niedzielną wyprawę wypożyczyła lekki dwukołowy powóz. Pojazd nie był może idealny; nie miał w ogóle resorów, ale za to był niski.

Tim powinien być w stanie bez wielkiej pomocy wsiąść i wysiąść. Poza tym będą mogli wygodnie siedzieć obok siebie; nie było tu żadnego podziału na kozioł i część dla pasażerów, jak w zwykłych powozach.

Tim uśmiechnął się z uznaniem, gdy zatrzymała powozik przed jego domem.

– Mała dwukółka! Gdyby moja matka o tym wiedziała! – Zaśmiał się i próbował obronić przed Callie, która skakała na niego z radości. Jeszcze niedawno przy czymś takim by się zatoczył, ale teraz panował nad swymi kulami naprawdę dobrze. – I jakie to praktyczne, że matka wciąż jeszcze rezygnuje z mojego towarzystwa w drodze do kościoła! – Do tej pory było to dla niego raczej przykre. Potrafił co prawda przeżyć tydzień bez błogosławieństwa pastora, ale nienawidził być wykluczanym tylko dlatego, że Nellie uważała, że jest za słaby.

– Cóż, niestety nie udało mi się też namówić Florence Weber na wspólną przejażdżkę. Również wybierała się do kościoła – parsknęła Elaine. – A przecież byłoby to jedynie spełnieniem chrześcijańskiego obowiązku, gdyby troszczyła się o przyzwoitość bliźniego. Ale Bóg wybaczy jej ten grzech, jestem tego pewna, tak jak bez wątpienia przymyka oko na różne grzechy niejakiej Kury-maro-tini Martyn…

Tim chętnie by zapytał, co takiego – według Lainie – Kura ma na sumieniu, ale się powstrzymał. Lainie pewnie wyrwało się to niechcący. Jeśli zacznie ją pytać, całkiem możliwe, że znów schowa się jak ślimak w skorupie.

– My też powinniśmy iść do spowiedzi, bo coś ukradłem – powiedział zamiast tego. – Masz, weź ode mnie tę torbę, ale ostrożnie. W środku jest wino mojego ojca.

Lainie przelotnie pomyślała o tym, jak kiedyś podkradała wino z zapasów ojca, żeby delektować się nim z Williamem. Ale teraz chciała o tym zapomnieć.

– Ja też jakieś mam, i to nawet kupione. Nie było jednak zbyt drogie – przyznała. – Prawdopodobnie jest okropne.

Tim się roześmiał.

– Módlmy się zatem za duszę winiarza.

Banshee stała grzecznie, w czasie gdy Tim przeciskał się na siedzenie powoziku. Poszło to dość sprawnie. Lainie była całkiem zadowolona z tego pomysłu, gdy szczęśliwy usiadł obok niej.

– Dokąd mnie porywasz? – zapytał Tim, gdy cmoknęła na konia. Próbował się rozluźnić, ale kiepsko resorowany pojazd dawał tylko odrobinę więcej wygody niż dosiadanie Fellowa.

– Nad rzekę, powyżej waszej kopalni. To niedaleko, a drogi są dość przyzwoite. Znalazłam przypadkiem prześliczne miejsce…

Tak naprawdę szukała go przez cały tydzień, ale cichy zakątek leżący w bok od głównej drogi prowadzącej z kopalni do linii kolejowej był naprawdę idealny. Elaine dojechała tam w kilka minut i pomogła Timowi wysiąść i stanąć na nogi.

– Mogłabym dojechać do samego końca, ale wtedy byłoby wyboiście. Pomyślałam więc, że wrócimy się po Banshee i powóz. Do rzeki możemy iść pieszo. Prosta droga między drzewami to dokładnie jedenaście kroków.

Tim roześmiał się na tę troskliwość, ale naprawdę potrafił już bez większego wysiłku zrobić piętnaście do dwudziestu kroków. Tutaj jednak było to trochę trudniejsze i idąc o kulach po leśnym podszyciu, potknął się kilka razy. Miejsce na piknik okazało się jednak urocze. Malutka plaża nad rzeką, przed nią porośnięta trawą niewielka polanka na skraju paprociowego lasu. Zieleń wielkich jak drzewa paproci zwieszała się niczym parasol nad obozowiskiem i rzeką. Cienie o dziwnych kształtach tańczyły w świetle słońca nad trawą i wodą przy brzegu, gdy lekki wiatr poruszał wielkimi roślinami.

– Jak tu pięknie! – powiedział nabożnie Tim.

Lainie przytaknęła i szybko rozłożyła koc.

– Tutaj… usiądź i czekaj, przyprowadzę Banshee oraz powóz. Nie musi ich przecież widzieć każdy, kto będzie tędy przejeżdżał.

Przy niedzieli pewnie nie byłoby to zbyt wielu ludzi, ale Elaine wolała mieć pewność. Kurze na pewno nie przyszłoby to na myśl, ale Florence jak najbardziej mogła zmusić Caleba do pikniku nad rzeką. A Charlene rozpływała się w zachwytach nad takimi przygodami z Mattem.

Tim się zaczerwienił.

– Nie wiem, czy uda mi się wstać bez pomocy, jeśli…

– Możesz się wtedy podeprzeć na tym kamieniu. Wszystko zaplanowałam, Tim. A w najgorszym wypadku podciągnie cię w górę Banshee. Mój dziadek opowiadał mi kiedyś, jak koń wyciągnął go z bagna.

Po prostu chwycił się jego ogona, a koń wspiął się na górę. Ćwiczyłam to też z Banshee, gdy ją ujeżdżałam. Tak, wiem, jestem dziecinna… – Uśmiechnęła się zawstydzona.

Tim nie myślał jednak wcale o tym, czy była dziecinna, tylko o jej żądnym przygód dziadku. Robotnik budowlany z Auckland być może i mógłby wpaść w bagno, ale z pewnością nie miałby konia, który by go z niego wyciągnął…

Tim nie poruszył tej sprawy. Opadł na koc i od razu poczuł się lepiej. Odkręciwszy szyny przy nogach, podrapał Callie za uchem, podczas gdy Lainie zgrabnie wprowadziła powóz na łączkę i wyprzęgła swego kuca.

– Banshee jest na ciebie bardzo zła, bo ukradłeś jej Fellowa – powiedziała Elaine, gdy usiadła obok niego i postawiła między nimi kosz. – Czuje się samotna, taka sama w stajni madame Clarisse.

– Wkrótce dostanie go z powrotem. Gdy weźmiemy ślub, wprowadzisz się do nas i weźmiesz ją z sobą – stwierdził Tim.

Elaine westchnęła.

– Nie mógłbyś raczej przeprowadzić się do madame Clarisse? – Myśl o mieszkaniu w jednym domu z Nellie Lambert napełniała ją prawie takim samym strachem jak małżeństwo.

Tim zaśmiał się i ujął jej twarz w dłonie.

– Nie, to byłoby trochę niestosowne. – Pocałował ją. – Ale mogę sobie wyobrazić nasz własny, mały domek. Może trochę bliżej kopalni. W przeciwnym razie droga do niej byłaby dla mnie dość długa, gdy znów zacznę pracować. O czym mój ojciec jak na razie w ogóle nie chce słyszeć… Ach, pomówmy lepiej o czymś przyjemniejszym! Najpierw tanie wino czy kradzione?

Tańsze wypili do jedzenia; potem Tim nalegał, żeby otworzyć butelkę z tym lepszym. Nie za bardzo pasowało do szklanek do whisky, które Elaine zabrała z baru, ale stwierdzili, że to nawet zabawne. W końcu położyli się obok siebie, gdy już poćwiczyli trochę pocałunki. Elaine oparła się na łokciu i ukradkiem głaskała jego pierś.

– Masz całkiem silne mięśnie…

Tim wyszczerzył zęby.

– Przecież podnoszę codziennie ciężary. – Ruchem ręki wskazał na szyny do nóg.

Elaine obserwowała grę mięśni pod jego lekką jedwabną koszulą. Jednak w chwili, gdy chciał ją objąć i przyciągnąć do siebie, nagle znów zobaczyła przed oczami silne ramiona Thomasa, prawdziwą górę mięśni, w którą czasami bezradnie uderzała lub przepełniona bólem wbijała paznokcie. A Thomas tylko się śmiał.

Tim zauważył cień niepokoju w jej oczach – a potem to dobrze znane lękliwe cofanie się przed jego dotykiem.

Westchnął i podparł się na kamieniu, by trochę się unieść.

– Lainie – powiedział cierpliwie. – Nie wiem, co takiego strasznego uczynił ci kiedyś mężczyzna. Ale ostatnia rzecz, jakiej bym chciał, to zrobić ci jakąkolwiek krzywdę. Wiesz, że cię kocham. Poza tym jestem dość bezbronny. Jeśli mi potem nie pomożesz znów przypiąć tych rzeczy, nie będę mógł nawet wstać. Choćbym miał najgorsze zamiary, nie byłbym w stanie nic ci zrobić. Nie mogłabyś chociaż zaufać temu, skoro już myślisz o mnie tak źle?

– Ja w ogóle nie myślę. – Elaine się zarumieniła. – To się po prostu dzieje. Wiem, jestem głupia. – Wtuliła twarz w jego ramię.

Tim ją pogłaskał.

– Nie jesteś głupia. Tobie po prostu przytrafiło się kiedyś coś strasznego. Nie zaprzeczaj, tego nie da się inaczej wytłumaczyć. Bo przecież kochasz mnie, Lainie. A może nie?

Lainie uniosła głowę i spojrzała mu w oczy.

– Bardzo cię kocham. Tak myślę…

Tim uśmiechnął się i popchnął ją łagodnie na plecy. Potem całował jej twarz, usta, szyję, dekolt. Rozpiął ostrożnie jej bluzkę, dotknął piersi. Elaine natychmiast się usztywniła, ale później uświadomiła sobie, że nie zadaje jej bólu, a jedynie ją pieści, delikatnie całując skórę i szepcząc czułe słowa.

Elaine musiała mu pomóc poluzować gorset i oboje śmiali się przy tym nieśmiało. A potem leżała przy nim, jej oddech stał się szybszy, a on obrysowywał palcem kontury jej ciała. Tim mówił jej, jaka jest piękna i delikatna, głaskał ją i całował, aż w końcu poczuła unoszące się w niej błogie ciepło, o którym prawie zapomniała. Elaine znów poczuła, jak robi się wilgotna i odrobinę się wycofała. Tim zauważył to i przerwał.

– Nie musimy robić nic więcej – szepnął ochrypłym głosem. – Możemy… poczekać do nocy poślubnej.

– Nie! – Elaine niemal krzyknęła. Znowu leżeć w jakiejś nowej nocnej koszuli i czekać na mężczyznę? Drżeć w obawie, co być może za chwilę z nią zrobi? Być bezradnie zdaną na jego łaskę? Na samą myśl o tym wszystko się w niej skurczyło.

– Co nie? – zapytał czule Tim i znów zaczął ją delikatnie pieścić.

– Żadnej nocy poślubnej – wyrzuciła z siebie Lainie. – To znaczy, żadnej takiej. Lepiej, jeśli zrobimy to od razu…

Tim ją pocałował.

– To brzmi tak, jakbym chciał ci wyrwać ząb – zażartował łagodnie. – Jesteś jeszcze dziewicą, Lainie?

Jakoś nie potrafił sobie tego wyobrazić, choć była bardziej nieśmiała od wszystkich dziewczyn, z jakimi się kiedykolwiek kochał. Wszystkie inne były trochę bojaźliwe, ale też ciekawe. W Lainie był tylko jeden wielki lęk.

Potrząsnęła głową.

Tim pocałował ją jeszcze raz, znów głaskał i pieścił jej piersi, brzuch i biodra, a potem dotykał kręconych rudych włosów między jej nogami. Lainie nie poruszała się, ale nie była też całkowicie spięta. Tim dalej starał się ją podniecić czułym dotykiem palców i pocałunkami. Dopiero gdy zadrżała, a jej ciało się rozluźniło, wszedł w nią powoli i ostrożnie. Zatrzymał się na chwilę, a potem zaczął poruszać się delikatnie aż do chwili, gdy nie był w stanie już się powstrzymać. Po gwałtownym wybuchu pożądania i namiętności wyczerpany opadł obok niej.

Elaine słuchała, jak dyszy, i lękliwie głaskała jego plecy.

– Co tobie? Boli cię?

Tim się roześmiał.

– Nie, Lainie, dziś nie. Dziś jestem tylko szczęśliwy. To było cudowne. A jakie było dla ciebie?

– W ogóle mnie nie bolało – powiedziała Lainie poważnie. Brzmiało to tak, jakby była zaskoczona, niemal z niedowierzaniem.

Tim przyciągnął ją do siebie i głaskał jej włosy.

– Lainie, to nie powinno boleć. Troszkę tylko za pierwszym razem, ale potem powinno być piękne, dla ciebie i dla mnie… tak jakby całe piękno, które kiedykolwiek przeżyłaś, spłynęło na ciebie naraz… jakby zamieniło się w fajerwerki.

Elaine zmarszczyła czoło. Fajerwerki? Cóż, ona poczuła coś jakby mrowienie...

– Może trzeba po prostu trochę więcej poćwiczyć?

Tim się zaśmiał.

– O tak, trzeba. A na poważnie, to trochę tak jak ze sztuką. Powoli dać się ponieść, trochę bardziej mi zaufać. Nie możesz się już bać.

Trzymał ją w ramionach i kołysał, aż jego oddech się wyrównał, a silnie bijące serce uspokoiło. Lainie sprawiała teraz wrażenie całkowicie rozluźnionej i pełnej zaufania. Zastanawiał się, czy nie spróbować jeszcze raz jej podniecić, postanowił jednak wkroczyć na jeszcze cieńszy lód.

– Chcesz mi o tym opowiedzieć, Lainie?

Ciało wyczerpanej dziewczyny napięło się w jego ramionach.

– Co opowiedzieć? – zapytała bez tchu.

Tim głaskał ją dalej.

– O tym, co ci się przytrafiło, Lainie. O tym, co cię tak strasznie przeraziło... i co takiego nosisz w sobie jak jakiś ciężar. Nikomu nie powiem. Na pewno. Ale kiedyś będziesz musiała to komuś opowiedzieć, nim cię to zniszczy.

Lainie uwolniła się lekko z jego objęć, ale nie odsunęła się całkiem. Najwyraźniej to, co miała do powiedzenia, było tak ważne, że nie można było o tym tak po prostu mówić, wygrzewając się na słońcu i leżąc sobie ramię w ramię. Tim zrozumiał to i też się trochę uniósł. Myślał, że usiądzie naprzeciw niego, ale ona oparła głowę o jego ramię i nie patrzyła mu w twarz. Jej postawa wskazywała też, że nie była już tak rozluźniona i pełna zaufania. Wyrażała raczej rezygnację.

Lainie głęboko wciągnęła powietrze.

– Nie jestem Lainie Keefer z Auckland, tylko Elaine O'Keefe z Queenstown w Otago. Byłam żoną Thomasa Sideblossoma z Lionel Station. I zastrzeliłam mojego męża.

# GŁOSY DUCHÓW
## GREYMOUTH, OTAGO, BLENHEIM, CHRISTCHURCH
## 1898

# 1

– Ależ to była obrona konieczna, Lainie! Za coś takiego nikt by cię nie skazał! – Tim Lambert spokojnie wysłuchał historii Elaine, bez oznak odrazy czy przerażenia wobec jej aktu przemocy. Osuszył jej łzy i głaskał ją, starając się ją pocieszyć, gdy ona, opisując mu swe najgorsze przeżycia, mimowolnie drżała na całym ciele. Potem leżała przytulona do niego, wyczerpana i wypalona, obejmując ręką jego ramię. Drugą tuliła do siebie Callie. Mała suczka przybiegła do niej od razu, skomląc, gdy tylko Elaine zaczęła swoją opowieść.

– To nie była żadna obrona konieczna – upierała się Lainie. – Nie w świetle prawa. Tego dnia Thomas tylko ze mną rozmawiał, nawet mnie nie dotknął. Gdy strzeliłam, stał przynajmniej dwa metry ode mnie. To można sprawdzić, Tim. Po czymś takim żaden sędzia nie puści mnie wolno.

– Ale ten człowiek wcześniej wciąż ci groził i cię ranił! I wiedziałaś, że dalej będzie to robił! Nie ma nikogo, kto mógłby to potwierdzić? Nikogo, kto wiedziałby o tym wszystkim?

Tim okrył Lainie kocem. Robiło się chłodno; wczesną jesienią słońce nie grzało długo.

– Dwie maoryskie dziewczyny. – Odpowiedź Elaine przyszła tak szybko, jakby prowadziła w głowie tę rozmowę już tysiące razy. – Jedna z nich w ogóle nie mówi po angielsku i pracuje dla Sideblossoma jako niewolnica, ponieważ wcześniej przyłapał ich plemię na kradzieży owiec. Wspaniali świadkowie, nawet gdyby odważyły się zeznawać! Dwóch zaś stajennych mogłoby opowiedzieć, że mój mąż zabraniał mi samej jeździć konno. To nie powód, żeby kogoś zastrzelić.

– Ale to było ograniczenie swobody! – Tim nie dawał tak łatwo za wygraną. – Ten drań praktycznie zamknął cię na tej farmie. Nie można komuś robić zarzutów, że stamtąd uciekł, i przy tym… no cóż, że ktoś poniósł przy tym szkodę.

– Coś takiego musiałabym udowodnić, a bez świadków to przecież niemożliwe. A Zoé ani John Sideblossom na pewno tego nie potwierdzą. Poza tym nie zostałam przecież porwana. Byłam żoną Thomasa. To pewnie nawet nie jest zabronione, żeby swoją żonę zamykać… – Elaine z ponurą miną sprawiała wrażenie, jakby jeszcze raz chciała przemyśleć obietnicę ślubu daną Timowi.

– A ten Paddy? Woźnica twojego ojca? On przecież widział, jak cię traktował Sideblossom.

Tim starał się przemyśleć tę sprawę z każdej strony. To niemożliwe, żeby Elaine była całkowicie bezradna.

– Nie, on też nie widział, jak Thomas mnie bił. Nie wspominając już o tym… W chwili, gdy do niego strzeliłam, nie byłam bezpośrednio zagrożona. Oczywiście, później Thomas by mnie zabił. Ale przecież nie ma czegoś takiego jak „zapobiegawcza obrona konieczna". Nie wysilaj się, Tim. Myślałam o tym całymi nocami. Jeśli się zgłoszę i sędzia uwierzy przynajmniej w część mojej historii, to może nie skończę na szubienicy. Ale z całą pewnością resztę życia spędzę w więzieniu, a nie pali mi się do tego.

Tim westchnął i spróbował ułożyć swoje nogi w innej pozycji, nie przeszkadzając przy tym Elaine. Powoli na polance robiło się nieprzytulnie. Lainie też to zauważyła. Pocałowała Tima przelotnie, wywijając się z jego ramion, i zaczęła zbierać rzeczy, które wzięli na piknik.

Tim zastanawiał się, czy powinien głośno powiedzieć, co myśli. Z pewnością wystraszy tym Elaine. Ale jednak zaczął mówić.

– Jeśli dalej będziemy chcieli utrzymać tę sprawę w tajemnicy, doprowadzi to do komplikacji w naszym życiu. – Tim mówił spokojnym głosem, ale oczywiście wywołał prawdziwy wybuch.

Elaine zawirowała, odwracając się w jego stronę. Jej twarz się wykrzywiła, w ręce trzymała pustą butelkę i wyglądała tak, jakby chciała nią w niego rzucić.

– Nie musisz się ze mną żenić! – wyrzuciła z siebie. – Może to nawet dobrze, że nie mówiliśmy o tym wcześniej…

Tim skulił się i wyciągnął rękę w pojednawczym geście.

– Hej! Tylko nie krzycz na mnie od razu! Oczywiście, że chcę się z tobą ożenić. Chcę tego bardziej niż czegokolwiek innego na świecie! Mówię tylko, że tutaj nigdy nie będziesz mogła czuć się bezpieczna. Możesz skryć się przed całym światem jako pianistka w barze, ale nie jako Mrs Lambert. Jesteśmy przedsiębiorcami, Lainie, prowadzimy otwarty dom. Gazety piszą o kopalni Lambert, będziesz musiała się zaangażować w działalność charytatywną. A z każdym publicznym pojawieniem się będzie rosło ryzyko, że ktoś cię rozpozna! I co zamierzałaś zrobić ze swoimi rodzicami? Nigdy się już z nimi nie kontaktować?

Elaine gwałtownie potrząsnęła głową.

– Myślałam, że poczekam jeszcze rok, a potem do nich napiszę. A teraz, ponieważ chcemy wziąć ślub…

– Teraz, kiedy *weźmiemy* ślub – poprawił ją Tim.

– …chciałam napisać do nich zaraz po weselu. Nadawca: Mrs Lambert. Wtedy nic nie mogłoby się stać… – Elaine ruszyła w stronę pasącego się konia i wzięła do ręki kantar.

– A więc liczysz się też z tym, że sprawdzana jest poczta twoich rodziców – stwierdził Tim. – Żyjesz na beczce prochu, Lainie!

– A co mam robić? – zapytała głosem, w którym nie było słychać nadziei. – Nie chcę trafić do więzienia…

– Ale może potrafiłabyś sobie wyobrazić życie ze mną gdzieś indziej? – Ten pomysł przyszedł Timowi do głowy dopiero w tej chwili, lecz im dłużej o tym myślał, tym bardziej wydawało mu się to kuszące. – Na przykład w Anglii? Jest tam wiele kopalń. Mógłbym znaleźć pracę. Jeśli nie w kopalni, to może na jakimś uniwersytecie. Jestem bardzo dobrym inżynierem.

Wzruszona Elaine usiadła obok niego i odepchnęła Banshee, która natychmiast pomyślała, że najlepsza trawa musi być pod kocem.

– Naprawdę zostawiłbyś dla mnie wszystko? Kraj, kopalnię…?

– No tak, moja kopalnia. Sama mogłaś zobaczyć w Boże Narodzenie, co mój ojciec o mnie myśli. No i ten niezwykły Mr Weber. Mógłbym tu jeszcze dwadzieścia lat siedzieć w wózku inwalidzkim i patrzeć, jak ojciec doprowadza kopalnię do ruiny. To wszystko wygląda kiepsko, tak twierdzi Matt. Od wypadku ponosimy straty.

– Ale Weber i Biller tak samo reagują na Caleba – podsunęła Lainie. – I na Florence, gdyby się wtrąciła…

Na twarzy Tima pojawił się zmęczony uśmiech.

– Wtrąciła? Florence Weber wypowiada się w sprawach górnictwa bardziej fachowo niż mój ojciec i stary Biller razem wzięci. Ta dziewczyna rzeczywiście potrafi grać na nerwach, ale rozumie całkiem sporo, jeśli chodzi o prowadzenie kopalni. Jeżeli wszystko to wyczytała jedynie z książek, to naprawdę należy jej się szacunek! Ale jej sytuacji nie da się porównać z moją. Caleb nie ma o tym pojęcia, a Florence nikt nie traktuje poważnie, bo jest kobietą. Sytuacja zmieni się jednak z chwilą, gdy Caleb się ożeni, a ona dyskretnie przejmie wodze! Jeśli Caleb nagle zacznie wtedy proponować sensowne rzeczy, stary będzie go słuchać, możesz być tego pewna. Ale ja zawsze będę sparaliżowany, Lainie. Mój ojciec wiecznie będzie we mnie widział inwalidę, dopóki słońce nie zgaśnie. Całkiem dobrze potrafię sobie wyobrazić życie w Europie. Co byś powiedziała na Walię? Tak samo deszczowo jak tutaj, dużo kopalń, dużo owiec. – Pogłaskał Lainie.

– Dużo ogierów rasy cob – odparła ze śmiechem Lainie. – Banshee by się podobało! Moja babcia stamtąd pochodzi. Gwyneira Silkham z...

– Babcia od tego dziadka, którego koń wyciągnął z bagna? – spytał Tim. Zaciekle walczył z szynami przy nogach.

Lainie skinęła potakująco i podprowadziła Banshee, ustawiając ją zadem przed Timem. Zaśmiali się, gdy chwycił klacz za ogon.

– Właśnie ta.

To było piękne, nie musieć więcej kłamać. To było piękne, opowiadać o Gwyneirze, Jamesie i ich wielkiej miłości, o Fleurette i Rubenie oraz ich ucieczce do Queenstown. To było dobre, nie być więcej samotną.

Tim chciał wyznaczyć datę ślubu na dzień w środku zimy, jego matka jednak się sprzeciwiła. Dotarło już do niej, że nie uda jej się zapobiec małżeństwu Tima z tą dziewczyną z baru, ale skoro już musiało tak być, to przynajmniej niech się z tym tak nie spieszą.

– Inaczej będzie to wyglądać, jakbyście *musieli* się pobrać! – stwierdziła, surowo patrząc na płaski brzuch Elaine.

Przed ślubem, pouczyła swego syna, są jeszcze zaręczyny. Z balem i prezentami, i wszystkim, co się z tym wiąże. O ślubie można było myśleć kilka miesięcy później. Najlepiej latem, a wtedy uroczystość będzie też znacznie piękniejsza.

– A dlaczego nie od razu w rocznicę wypadku w kopalni? – mruczał ze złością Tim, gdy został już sam z Elaine. – To niemożliwe, byśmy świętowali w przyszłym roku o tej porze. Ale w takich sprawach moja matka w ogóle nie ma wyczucia. O górnikach, którzy zginęli, już dawno zdążyła zapomnieć.

– Jeżeli o mnie chodzi, spokojnie możemy się najpierw zaręczyć – stwierdziła Elaine. Właściwie było jej wszystko jedno. Im później przyjdzie jej dzielić dom z Nellie Lambert, tym lepiej. A na razie i tak podobało jej się życie z Timem, takie jakie było. Młody mężczyzna wciąż jeszcze podejmował wszelkie możliwe wysiłki, żeby jak najszybciej zacząć chodzić i jeździć konno, ale nie był w tym już tak zaciekły jak kiedyś. Gdy kończył swój poranny trening, po południu dawał sobie z tym spokój i starał się raczej przyjemnie spędzać czas. Z reguły zaczynało się od tego, że Elaine dla niego gotowała. Na nowo odkryła w sobie talent gospodyni domowej, coś co wcześniej na krótko obudził w niej William. Po obiedzie razem lądowali w łóżku Lainie, niby to na popołudniową drzemkę, ale nie odmawiali sobie również innych przyjemności.

Timowi służyło to rozpieszczanie. Przybrał na wadze, a jego twarz straciła ten ciągle napięty wyraz. Zmarszczki, które się pojawiały, gdy się uśmiechał, znów powróciły, a w oczach miał te same figlarne iskierki co kiedyś. Z tańcem jeszcze mu nie szło, ale na koniu radził sobie coraz pewniej. Tymczasem również w stajni madame Clarisse stanęła specjalna rampa do wsiadania i zsiadania – Jay Hankins, kowal, myślał za nich. Często Lainie odbierała jednak Tima małą dwukółką, nie zważając na to, z jak kwaśną miną patrzyła na to Nellie. W ostatnim czasie powożenia uczył się też Roly. Zazwyczaj chłopakowi spieszyło się tak samo jak koniowi; do powożenia Fellow był właściwie zbyt krewkim koniem. Kiedy czternastolatek nie znajdował się zbyt blisko budzących w nim lęk kopyt i zębów konia, coraz bardziej podobało mu się nieustraszone kierowanie powozem. Dwukółka, którą udało im się znaleźć w powozowni Lambertów, podskakiwała wtedy z zawrotną szybkością na wszystkich możliwych wybojach, Tim zaś pojawiał się u Lainie, wyglądając jak z krzyża zdjęty.

– Równie dobrze mógłbym tę drogę przejechać galopem na koniu – postękiwał i masował sobie obolałe biodra. – Ale Roly ma z tego prawdziwą uciechę. No i musi czasem trochę odreagować. Jako „męska pielęgniarka" naprawdę nasłucha się dość dowcipów na swój temat.

Tim znów zaczął uczestniczyć w życiu miasteczka. Przyjaciele powitali go okrzykami przy ich stałym stole w barze. Madame Clarisse zrobiła z tego wielką sprawę i twarde krzesła wokół stołu w rogu wymieniła na fotele.

– Specjalne usługi dla naszych najwierniejszych klientów – powiedziała. – Normalnie należą się tylko tym panom, którzy czekają na towarzystwo naszych dam… – Fotele pochodziły z poczekalni na piętrze. – Czujcie się tutaj jak w domu.

Ernie, Matt i Jay uczestniczyli w tej zabawie; z wielką pompą i jeszcze większymi cygarami oraz szklankami whisky zasiedli wygodnie w tym specjalnym „salonie dla panów". Tim był naprawdę wdzięczny. Ze swoimi kulami i tak już rzucał się w oczy. Nie sposób było przejść przez miasto, albo choćby przez sam bar, żeby ktoś go nie zagadnął.

W przeciwieństwie do jego statusu wśród właścicieli kopalń, szacunek górników dla niego powszechnie wzrósł. Wszyscy śledzili długą walkę Tima o powrót do zdrowia pod pilnym okiem Berty Leroy, a każdy z nowych górników od razu poznawał historię, jak to syn właściciela kopalni pierwszy zjechał w miejsce wypadku i własnymi rękoma, z narażeniem życia, próbował odkopać ludzi. Od tamtego czasu Tim był jednym z nich. Jednym z tych, którzy wiedzieli, jak niebezpieczne jest ich życie, jak wiele strachu i niepewności przeżywają każdego dnia. Witali się więc z nim z szacunkiem albo prosili o radę bądź o dobre słowo u sztygara czy w kierownictwie kopalni. Jeśli chodziło o to ostatnie, musiał im niestety odmawiać. Wpływ Tima na ojca był tak jak dawniej właściwie żaden, więc jeśli chodziło o jakieś ulgi w kopalni Lambert, to sprawy przedstawiały się raczej kiepsko. Matt coraz częściej pojawiał się w barze z zasępioną miną i opowiadał Timowi o katastrofalnej sytuacji finansowej przedsiębiorstwa.

– Zaczyna się od tego, że nie dostajemy żadnych nowych ludzi. Lambert płaci źle, a w kopalni jest niebezpiecznie – to pierwsze, co słyszy tutaj każdy z nowych robotników. I to się też nie zmieni. Pański ojciec ma u ludzi kiepską opinię. Pomoc dla bliskich ofiar wypadku to był jakiś żart! Nie starczało nawet na pokrycie kosztów pogrzebu i od tamtej pory kobiety i dzieci skazane są na pomoc dobroczynną. A do

tego całkowity brak decyzji. Musimy rozbudować kopalnię, inwesto-
wać pieniądze, wymienić wszystko aż do ostatniej górniczej lampy.
Ale nic się nie dzieje. Pański ojciec uważa, że najpierw musi się wydostać z kłopotów finansowych, a dopiero wtedy będzie mógł pomyśleć
o inwestycjach. Ale nie tędy droga...

– Zwłaszcza jeśli do tego czasu więcej pieniędzy będzie inwesto-
wał w whisky. – Tim westchnął. Wiedział, że nie powinien tak poufale
rozmawiać z podwładnymi, ale Matt tak samo jak on musiał wyczuwać
zapach alkoholu od swego szefa. – Gdy w południe wraca do domu,
zazwyczaj jest już podpity. A po południu pije dalej. W jaki niby sposób miałby podejmować rozsądne decyzje?

– Jedyne słuszne wyjście, to gdyby jak najszybciej przekazał panu
prowadzenie kopalni – stwierdził Matt. – Wtedy aż nie moglibyśmy
się opędzić od nowych pracowników. A i kredyt z banku pewnie też
nie stanowiłby problemu...

– Wygląda to tak źle, że potrzebujemy już kredytów z banku? – zapytał zdumiony Tim. – Myślałem, że mój ojciec ma jakieś oszczędności.

– O ile wiem, zainwestował je w linię kolejową, która jak dotąd
tonie w błocie... – mruknął Matt. – Ale tego nie jestem pewien. Aż
tak dokładnie mnie o swoich sprawach nie informuje.

Tim sprawdził to i był poważnie wystraszony. Oczywiście, że inwestycje Lambertów w budowę kolei kiedyś przyniosą pieniądze. Kolej
to była pewna sprawa. Ale do tego czasu mogą być już bez środków;
odnowienie najważniejszych urządzeń w kopalni faktycznie musiałoby zostać sfinansowane z kredytów. Właściwie nie stanowiło to niby
żadnego problemu, bo mieli przecież wystarczające zabezpieczenia.
Ale czy bankierzy w Greymouth udzielali jeszcze Marvinowi Lambertowi kredytu?

Gdy zapytał o to ojca, ponownie doszło do ostrej kłótni. Tim był
niemal gotów od razu zarezerwować rejs do Londynu.

– A potem do Cardiff, Lainie! Zaoszczędzimy sobie całego tego
teatru z zaręczynami i czym tam jeszcze i weźmiemy ślub w Walii!
Mam tam znajomych. Moglibyśmy się nawet tam zatrzymać, jeśli
Silkhamowie nie otworzą przed nami wrót swoich zamków! I tylko
wyobraź sobie to zaskoczenie, gdy wyślesz babci Gwyn kartkę pocz-
tową z jej starej ojczyzny.

Elaine śmiała się tylko z tego, ale Tim podchodził do sprawy śmiertelnie poważnie. Nie chodziło już tylko o kopalnię i kłótnie z ojcem, które nie dawały mu spać; martwił się też o Lainie. Do tej pory szczegółowo opowiedziała mu już o swojej rodzinie i ogarniał go strach, gdy tylko o tym myślał. Owczy baronowie z Canterbury, dom handlowy i hotel w Otago, powiązania z najważniejszymi rodzinami na Wyspie Południowej... I do tego jeszcze ta dziwna historia z jej kuzynką Kurą, którą los musiał przygnać akurat tutaj, do Greymouth! Kiedyś ktoś rozpozna Elaine... zwłaszcza jeżeli jej matka i babcia rzeczywiście były do niej tak podobne, jak mówiła. Pianistce z baru być może nikt się tak uważnie nie przygląda, jeśli jednak zostanie panią Lambert, to przy ich kontaktach z najważniejszymi rodzinami w kraju było to jak najbardziej możliwe. Ktoś zwróci uwagę na podobieństwo i zapyta o to Elaine, może nawet podczas tej nieszczęsnej uroczystości zaręczynowej! Tim pragnął jak najszybciej wyruszyć z Lainie do Cardiff. Miał wrażenie, jakby słyszał tykającą bombę...

– Wciąż żadnych wieści z Westport?

John Sideblossom nie zaproponował swojemu informatorowi whisky, sam jednak pił podczas tej rozmowy już drugą szklankę. Nie był głupi, ale najwyraźniej czas na zachodnim wybrzeżu zdawał się stać w miejscu. Jego inwestycje w linie kolejowe nie okazały się dochodowe i nikt też nie słyszał o jego zbiegłej synowej. Wysoki, już niemal całkiem siwy mężczyzna ze złością uderzył pięścią w stół.

– Cholera! Byłem pewien, że pojawi się gdzieś na zachodnim wybrzeżu. Dunedin jest zbyt blisko Queenstown, w Christchurch świetnie ją znają, a w okolicy Blenheim... właściwie wciąż obserwuję ten obszar. Kazałem też sprawdzać promy pływające na Wyspę Północną. Naprawdę nie powinna się wymknąć!

– Przecież nie kontroluje pan każdego zakątka na tej wyspie – powiedział niemłody już mężczyzna. Był typowym mieszkańcem wybrzeża, w znoszonych skórzanych spodniach i woskowanym płaszczu, który towarzyszył mu zapewne już podczas wypraw wielorybniczych, polowań na foki i poszukiwania złota. Jego rysy były surowe, twarz ogorzała od wiatru, a oczy jasnoniebieskie i uważne. Sideblossom wie-

dział, dlaczego mu płaci. Temu człowiekowi nic łatwo nie umykało.
– Może być na jakiejś farmie albo u Maorysów...
– Farmy sprawdziłem – odparł chłodno Sideblossom. Nie znosił, gdy podważano jego kompetencje. – Chyba że ukrywają to ścierwo w Kiward Station. Ale tego jakoś nie mogę sobie wyobrazić, wtedy nie szukałby jej także George Greenwood. Wardenowie poruszają się równie po omacku jak ja. A Maorysi... coś mi mówi, że nie włóczyłaby się z nimi od dwóch lat. Oni zawsze wracają do swoich wiosek. Oczywiście mogliby tę diablicę przekazywać z jednego plemienia do drugiego... Ale to nie pasuje, to wykracza poza ich horyzonty. Nie, przysiągłbym, że skryła się w jakimś obozie poszukiwaczy złota albo w górniczej norze. Pewniej w jakimś barze. Westport, Greymouth...
– A skoro wspomina pan akurat o Greymouth... – Mężczyzna zaczął szukać czegoś w kieszeniach płaszcza. – Wiem, że ma pan tam swojego człowieka. Ale to tutaj ukazało się kilka dni temu w gazecie. Pewnie nie ma nic wspólnego z tą małą, ale wydaje mi się jednak dziwne. Nazwiska są takie podobne...

*Państwo Marvin i Nellie Lambertowie, posiadłość Lambertów w Greymouth, ogłaszają zaręczyny swego syna Timothy'ego Lamberta z Lainie Keefer z Auckland...*

John Sideblossom czytał ze zmarszczonym czołem.
– Marvin Lambert... Znam go trochę, jeszcze z dawnych dni na zachodnim wybrzeżu...
Z tych dzikich czasów znał też siedzącego naprzeciw mężczyznę. W przeciwieństwie jednak do Sideblossoma i Lamberta los nie obszedł się z nim łaskawie. Sideblossom, tak jakby wspomnienie tych czasów miało być dla jego rozmówcy bolesne, przesunął butelkę i jednak zaproponował mu whisky. Zamyślił się, a w jego oczach pojawił się niemal gorączkowy blask.
– Lainie... – mruknął. – To by pasowało. Jej rodzina tak ją nazywała. „Keefer"... hmmm... w każdym razie to interesujący ślad. Sprawdzę to. – Sideblossom uśmiechnął się ponuro. – Zobaczymy. Może pojawię się niespodzianie na tych uroczystych zaręczynach...

Zadowolony ponownie napełnił szklanki, nim wypłacił mężczyźnie nagrodę. Zastanawiał się, czy nie powinien dołożyć jakiejś premii, uznał jednak, że drobny gest powinien wystarczyć.

– Niech pan weźmie z sobą butelkę – powiedział i popchnął ją po blacie w stronę gościa. – Myślę, że zobaczymy się na zachodnim wybrzeżu.

Gdy mężczyzna wyszedł, Sideblossom jeszcze raz przeczytał ogłoszenie o zaręczynach.

„Lainie Keefer". To było możliwe... Tak, to było nawet więcej niż prawdopodobne. Sideblossom zastanawiał się, czy nie ruszyć od razu w drogę do Greymouth. Czuł palący zapał łowcy, prawie tak jak wtedy, gdy ścigał Jamesa McKenziego. Ale tutaj trzeba było zachować chłodną głowę. Ten ptaszek nie mógł odfrunąć, na to czuł się zbyt bezpiecznie w swoim gniazdku.

*Państwo Marvin i Nellie Lambertowie, posiadłość Lambertów w Greymouth, ogłaszają zaręczyny swego syna...*

Stary wyga zazgrzytał zębami. Elaine musiała czuć się bardzo pewnie, skoro dopuściła do ukazania się takiego ogłoszenia. Ale złapie ją i wyrwie ptaszka z gniazda! A wtedy...

Sideblossom zacisnął pięść na wycinku z gazety. Zgniótł go, a potem rozerwał na drobne strzępy.

# 2

William Martyn miał dość Maorysów. Nie żeby ich nie lubił, wręcz przeciwnie. Byli gościnni, zazwyczaj w dobrych humorach i naprawdę starali się nie zachowywać wobec szlachetnego *pakeha* w sposób, który za sprawą ich zbyt odmiennych zwyczajów mógłby go irytować – bo William na zachodnim wybrzeżu nadal podkreślał swą powagę eleganckim ubraniem. Starali się – na ile mogli – jak najwięcej rozmawiać z nim po angielsku, naśladowali jego gesty i wyrażenia, i aż nie mogli się doczekać, żeby znów spróbować sił przy jego maszynach do szycia. Po dwóch tygodniach podróży po osadach różnych plemion William miał już dość ich *haka* – długich, wzbogacanych bogatą gestykulacją historii, których sens nie do końca rozumiał – oraz smacznego, ale zawsze jednakowego jedzenia: po batatach z rybą podawano rybę z batatami. Tęsknił za porządnym stekiem, kilkoma whisky w towarzystwie podpitych Anglików i w miarę porządnym łóżkiem w hotelu z pokojami zamykanymi na klucz. Następnego dnia mógłby zorganizować demonstrację w jakimś barze albo na plebanii. Greymouth wydawało mu się do tego dostatecznie dużą miejscowością, i w dodatku był w niej zarówno bar, jak i hotel. Być może nawet taki hotel, który byłby go godzien, a pokoje nie były wynajmowane jedynie na godziny.

Gdy dotarł do Greymouth, padał deszcz. Miasteczko faktycznie okazało się średniej wielkości, i mogło się nawet pochwalić bogatszą dzielnicą. Jeden z przechodniów, którego William zagadnął przed hotelem, zdawał się chwiać na nogach.

– Pewnie chodzi panu o coś lepszego, co? Z portierem i tak dalej? A może po prostu o bar?

William wzruszył ramionami.

– Coś porządnego, ale w przystępnych cenach.

Mężczyzna też wzruszył ramionami.

– W takim razie najlepszy byłby chyba hotel madame Clarisse – stwierdził. – Ale czy uda się tam panu zostać na całą noc...

William ruszył we wskazanym kierunku i wkrótce zobaczył przed sobą szyld z napisem HOTEL, jednak barwy, w jakie był pomalowany, i przylegający do niego bar Lucky Horse nie obiecywały spokojnej nocy. Może dostanie tu przynajmniej stek...

William zatrzymał się niezdecydowany; potem jednak przegoniły go głosy dobiegające z baru. Ludzie śpiewający *Auld Long Syne* do przeciętnego akompaniamentu na pianinie byli wyraźnie pijani. Jasne, była sobota, więc czas na to odpowiedni. William mógłby następnego ranka od razu pójść na mszę i porozmawiać z pastorem o możliwości skorzystania z pomieszczeń parafialnych.

Na razie jednak popędził konia. Może znajdzie jeszcze jakiś inny bar, w którym będzie spokojniej.

Kilka ulic dalej rzeczywiście dostrzegł kolejną knajpę, Wild Rover. Stąd również słychać było na ulicy muzykę. Ale było tu jakoś dziwnie... William zatrzymał wóz, przywiązał konia i narzucił mu derkę na grzbiet. Nasłuchiwał przy tym niezwykłych dźwięków dobiegających z baru. Pianino, na którym ktoś grał z wirtuozerią, i do tego flet. Maoryski instrument. Ta muzyka była jednak inna od dość prymitywnych *haka*, których w ciągu ostatnich tygodni William miał okazję tak wiele wysłuchać. Poznawał podobieństwa, ale tutaj ktoś doszlifował melodię i styl. Oba instrumenty brzmiały na przemian żwawo, to znów czule.

William natychmiast rozpoznał *pecorino*, a grający na flecie wydobywał z niego teraz żeńskie głosy. Wysoko i żądająco, to znów gniewnie, ale też przyciągając do siebie, i bez wątpienia erotycznie. Pianino odpowiadało mrocznie – męski głos w tej konwersacji. Instrumenty zdawały się z sobą flirtować, drażnić się, nim połączyły się we wspólnym końcowym tonie, po którym flet gwałtownie przestał grać, by zamilknąć, pianista zaś w mistrzowsko zagranej partii przeszedł na wyższe tony. A potem znów odpowiedziało *pecorino*. Znów dialog, tym razem kłótnia. Długie wyjaśnienia, krótkie opryskliwe odpowiedzi, zbliżanie się i oddalanie – i na koniec zerwanie. Skarżące się, zamierające dźwięki pianina, podczas gdy flet milczał, a potem znów gwałtowna wspólna gra.

William słuchał zafascynowany. Głos duchów. Wiele razy o nim słyszał, ale nigdy dotąd nie natrafił na plemię, w którym muzyk wiedziałby, jak wydobyć z instrumentu ten trzeci głos. A teraz te dźwięki unosiły się nad jakimś kiepskim barem w Greymouth... William zaciekawiony podszedł bliżej. Głos ducha zdawał się nie wydobywać z fletu, był jakby wyczarowany gdzieś z głębi przestrzeni. Brzmiał pusto, eterycznie. Można było pomyśleć, że słyszy się dźwięki z jakichś mitycznych, bajecznych czasów, że to szept przodków, bicie fal o zapomniany brzeg Hawaiki...

William wszedł do baru i obrzucił wzrokiem zadymione pomieszczenie. Goście właśnie bili brawo. Niektórzy wstawali przy tym; dziwna pieśń ujęła nawet tych prostych ludzi. A potem William dostrzegł jasnowłosego, bladego pianistę. W sztywnym ukłonie wskazywał na dziewczynę, która najwidoczniej grała na flecie.

– Kura!

Kura spojrzała w tę stronę. Jej oczy zrobiły się wielkie, gdy zobaczyła Williama. Na ile mógł to dostrzec w słabym świetle baru, odniósł wrażenie, że pobladła.

– William... to niemożliwe... – podeszła bliżej, patrząc na niego z takim wyrazem twarzy, jakby wciąż jeszcze była za bardzo pochłonięta światem swej magicznej muzyki, żeby móc pojąć rzeczywistość. – Gdy aranżowaliśmy tę pieśń – odezwała się w końcu – myślałam o nas. O tym, co nas połączyło... i rozdzieliło. A potem prosiłam duchy, żeby cię do mnie z powrotem przywiodły. Ale to przecież nie może być prawda! To tylko pieśń... – Stała jak skamieniała z fletem w ręce.

William się uśmiechnął.

– Nigdy nie należy nie doceniać duchów – powiedział i pocałował ją przyjacielsko w policzek. Potem jednak dotyk jej skóry i jej zapach tak bardzo nim zawładnęły, że nie mógł się już powstrzymać. Przycisnął usta do jej ust.

Mężczyźni wokół piali z zachwytu i bili brawo.

– Jeszcze raz!

William nie miał nic przeciwko temu, ale tymczasem podniósł się już pianista. Był wysoki i szczupły, miał pociągłą twarz bez wyrazu. Jej kochanek?

– Kura? – zapytał zmieszany Caleb. – Nie zechciałabyś nas... sobie przedstawić?

Dżentelmen. William niemal się roześmiał.

Kura sprawiała wrażenie nieobecnej. Odpowiedziała na pocałunek Williama, ale sytuacja była do tego stopnia nierzeczywista…

– Przepraszam cię bardzo, Caleb – powiedziała. – To William Martyn. Mój mąż.

Pianista patrzył na Williama skonsternowany, a potem opanował się i wyciągnął do niego dłoń.

– Caleb Biller.

– Narzeczony Miss Kury! – zauważył Paddy Holloway.

– To nie jest to, co myślisz – szepnęła Kura, gdy zapadło niezręczne milczenie.

William postanowił działać. Cokolwiek się tu działo, nie powinno się to odbywać na oczach wszystkich. I na pewno można to było odłożyć na później…

– To może poczekać, słodka – odparł szeptem i przycisnął ją do siebie jeszcze mocniej, niż kiedy ją całował. – Ale najpierw musimy załatwić tę niezwykłą sprawę…

Uśmiechając się, uwolnił się od niej i odwrócił do Caleba.

– Miło było pana poznać. I chętnie porozmawiałbym z panem dłużej. Ale duchy wzywają, pan rozumie? Najlepiej, jeśli zostanie pan tutaj godzinkę czy dwie… – William wyłuskał z kieszeni dwa dolarowe banknoty i położył je na pianinie. – Może się pan też napić whisky na mój rachunek. Ale moją żonę muszę panu, niestety, na trochę porwać. Jak już mówiłem, duchy… Nie wolno wzbraniać się zbyt długo przed ich wezwaniem…

William chwycił za rękę zmieszaną Kurę i zostawił za plecami całkiem osłupiałego Caleba. W drodze do drzwi wcisnął jeszcze banknot w rękę Paddy'ego.

– Masz, chłopie. Najlepiej postaw temu chłopakowi od razu całą butelkę. Robił wrażenie trochę bladego. Zobaczymy się później.

Kura chichotała histerycznie, gdy wyciągał ją z baru.

– William, jesteś straszny!

Śmiał się.

– W niczym ci nie ustępuję. Mogę ci przypomnieć, jak się wtedy zachowywałaś? Myślę choćby o tym pocałunku na środku parkietu w Kiward Station. Myślałem, że za chwilę zerwiesz ze mnie ubranie.

– Byłam tego bliska. – Kura przycisnęła do niego ciało i myślała gorączkowo. To było niemożliwe, by zabrała go do Mrs Miller. Odwiedziny mężczyzn były kategorycznie zabronione; zapewne nie pomogłoby nawet, gdyby miała przy sobie akt ślubu. Stajnie? Nie, równie dobrze mogłaby mu się oddać na środku ulicy. Ostatecznie Kura pociągnęła swego męża w stronę Lucky Horse. Stajnie madame Clarisse! O ile Kura wiedziała, stał tam tylko kuc Lainie. A Elaine jeszcze przynajmniej przez dwie godziny będzie grała na pianinie…

Kura i William chichotali jak dzieci, gdy dziewczyna szukała drzwi do stajni madame Clarisse, a potem nimi szarpnęła. Przy drugiej próbie zamek ustąpił i oboje wśliznęli się na suchą słomę. William ustami zdjął z nosa Kury kroplę deszczu. Sam był jeszcze suchy, nie ściągnął nawet do tej pory woskowanego płaszcza.

W stajni stało więcej koni, a nie tylko siwek Lainie. Pewnie należały do gości. Do Lucky Horse chodzili nie tylko górnicy, ale też rzemieślnicy i handlowcy, którzy posiadali konie pod siodło. Kura zastanawiała się chwilę, czy mimo tego powinna podjąć ryzyko, ale William całował już jej ramiona i zaczynał zdejmować z niej ubranie.

Kurze udało się jeszcze zaciągnąć ich do jednego z boksów, który służył za magazyn siana, nim uległa pożądaniu. William zrzucił z siebie płaszcz i odpiął jej gorset. A potem Kura zapomniała o całym świecie, mogła jedynie czuć i płonąć, i kochać…

Roly O'Brien słuchał pojękiwań i śmiechów i patrzył w zdumieniu na parkę na sianie. Matt Gawain wysłał chłopaka do stajni, żeby przyniósł z torby przy jego siodle kilka dokumentów. A teraz… Roly wycofał się cicho, jednak nie na tyle daleko, by nie móc się nadal przyglądać. Oczywiście jako dziecko z górniczej rodziny dorastał w ubogiej chacie, w której rodzice i piątka dzieci dzielili jedno pomieszczenie. Nie był całkowicie zaskoczony tym, na co patrzył. Ale pełna fantazji gra tej dwójki miała niewiele wspólnego z szybką, wstydliwą miłością jego rodziców, których często podsłuchiwał w nocy. Roly próbował rozpoznać kochanków. Długie atramentowoczarne włosy… nie, to nie była żadna z dziewczyn od madame Clarisse, która świadczyła tutaj swoje usługi. A ten mężczyzna… był blondynem, ale wiele więcej Roly nie był w stanie zobaczyć. Wreszcie poznał twarz dziewczyny. Miss Kura! Pianistka z Wild Rover.

Roly nie wiedział, jak długo pozostawał w ukryciu i przypatrywał się zafascynowany tym dwojgu. W końcu jednak przypomniał sobie, że Mr Tim i Mr Matt dość pilnie potrzebowali tych dokumentów z torby przy siodle Gawaina. Jeśli wkrótce się nie pojawi, wyślą kogoś za nim... Roly z żalem opuścił kryjówkę i starając się zachowywać po cichu, ruszył po omacku w stronę koni. Kasztankę Matta można było łatwo rozpoznać również bez światła latarni. Żeby nie robić hałasu, Roly nie szukał dokumentów, tylko szybko odpiął skórzany pasek i wziął całą torbę z sobą. Udało mu się w niezauważony sposób wyślizgnąć na dwór. Uśmiechał się od ucha do ucha, wchodząc do baru.

– Dlaczego trwało to tak długo? – zapytał opryskliwie Matt Gawain, gdy Roly położył torbę przed nim na stole. – Nie mogłeś znaleźć planów?

Zawstydzony Roly spuścił wzrok, ale na jego ustach wciąż pozostał uśmiech.

– Nie, mister... eee... Matt. – Nadal z trudem przychodziło mu zwracanie się do sztygara po imieniu. – Tyle tylko, że... nie byłem sam w stajni.

Tim Lambert przewrócił oczami.

– To kto tam jeszcze był? Musiałeś przeprowadzić dłuższą rozmowę z Fellowem? Albo z Banshee?

Roly parsknął.

– Nie, Mr Tim. Ale nie chciałem przeszkadzać... bo w stajni pianistka z Rover zabawia się z jakimś blondynem. I naprawdę nieźle to robią!

Mężczyźni przy stole popatrzyli po sobie, a potem się roześmiali.

– Niniejszym stwierdzamy – zauważył Ernie Gast – że najwyraźniej nie docenialiśmy Caleba Billera!

Elaine była wystraszona i wstrząśnięta, gdy znów zobaczyła Williama – ale nie dotknęło jej to tak bardzo, jak się tego wcześniej obawiała. Być może pomógł jej w tym fakt, że jechała konno, kiedy on szedł pieszo po Main Street. A na pewno pomocne było to, że Timothy Lambert jechał obok niej. W dodatku nie była na to nieprzygotowana. Historia o nagłym pojawieniu się męża Kury Martyn oczywiście lotem błyskawicy obiegła całą okolicę. Matt usłyszał ją rano od Jaya Hankinsa, który dostarczył do kopalni żelazne elementy, a Tim poznał ją w południe od Matta. Rzucił wszystko i poprosił Roly'ego, żeby osiodłał

Fellowa. Musi koniecznie dotrzeć do Elaine, zanim ona spotka Williama. Okazało się, że musi ją obudzić, ponieważ poprzedniego wieczoru bar był czynny do późna w nocy. Lainie ucieszyła się na widok Tima, ale słysząc te wieści, pobladła.

– Kiedyś musiało się coś takiego stać, przecież powtarzam ci to od tygodni! – Tim wyciągnął się na łóżku obok niej. Udało mu się przez prawie połowę dystansu jechać na Fellowie galopem, a potem bez niczyjej pomocy zsiąść z konia i stanąć na nogach. Nabrał nawyku, by wozić kule z sobą, przytroczone za siodłem. Sprawa z Williamem zajmowała go tak bardzo, że w tej chwili nie czuł nawet wielkiego bólu ani dumy z tego, czego dokonał. – Teraz mamy jeszcze kogoś, kto o wszystkim wie, i nie wiadomo, czy ten facet potrafi milczeć.

– Był w irlandzkim Bractwie Republikańskim, z irlandzkimi terrorystami. To oczywiste, że potrafi milczeć...

Elaine zajmowały zupełnie inne sprawy. Jak zareaguje, gdy znów zobaczy Williama? Czy serce będzie jej walić, a ona nie będzie w stanie wykrztusić z siebie słowa i będzie tylko na przemian rumienić się i blednąć? Nienawidziła się za to, że nie potrafiła ukryć swych uczuć. A jak zareaguje William? Musiał wiedzieć, że zabiła Thomasa Sideblossoma. Czy będzie ją za to osądzał? Może nawet naciskał, żeby się zgłosiła na policję?

– No, miejmy nadzieję, że sam ma dość brudu na własnym kołnierzu – stwierdził Tim. – Ale to jest początek końca! Jeśli ta dwójka się tutaj osiedli, to nawiążą kontakt z twoją rodziną. A już zwłaszcza wtedy, gdy dalej będą robić te występy.

Kura i Caleb do tej pory z sukcesem przedstawiali już swój program muzyczny *Pecorino spotyka fortepian* w Greymouth, Punakaiki i Westport, zawsze w ramach akcji dobroczynnych. Gazety jeszcze o nich nie pisały. Zresztą na zachodnim wybrzeżu nie było żadnych wielkich gazet. Ale oboje byli pierwszorzędnymi muzykami, a ich program był czymś zupełnie odmiennym, czymś nowym. Kura wspominała Elaine, że w dalszych planach przewidują tournée po Nowej Zelandii, Australii i Anglii. Do kolejnych występów jak na razie nie doszło ze względu na brak kontaktów, i być może też z powodu tremy Caleba. Niemal umierał ze strachu i symptomy tego były wyraźnie widoczne. Prawie przed każdym występem Caleb chorował.

– Jeśli tak dalej pójdzie, będzie miał wrzody żołądka, zanim dotrzemy choćby do Auckland – skarżyła się Kura. Nie brała Caleba zbyt poważnie. Jednak Mrs Biller i obie panie Weber, na których kontakty z organizacjami dobroczynnymi Kura i Caleb byli na razie skazani, zauważyły jego dyskomfort i na razie nie planowały żadnych dalszych koncertów.

– Jeśli Caleb i Kura rzeczywiście wyruszą na tournée, to przecież ich tu nie będzie – zasugerowała Elaine i pogłaskała Tima. – Za bardzo się martwisz. Zobacz, jestem tu ponad dwa lata i nic się nie stało.

– Co mnie naprawdę dziwi – mruknął Tim, zostawił jednak na razie ten temat i pocałował Lainie. Zrobi, co tylko będzie mógł, żeby zatrzeć jej wspomnienia o Williamie Martynie.

W końcu Elaine odwiozła Tima do domu. Po drodze natknęli się na Williama. Wynajął właśnie pokój u Mrs Miller, poznał jej najlepszą przyjaciółkę i jej męża krawca, i od razu sprzedał mu maszynę do szycia. Ale pewnie upłynie wieczność, nim Mr Mortimer przyuczy się do jej używania; sprawiał wrażenie męsko-damskiego krawca starej szkoły. William wyjaśnił mu, że również w swojej branży musi iść z duchem czasu; przecież nie chciał chyba pozostać w tyle za konkurencją. W dodatku Mr Mortimer zupełnie zapomniał, że stąd aż do Westport nie miał właściwie żadnej konkurencji… Ale William zamierzał to z czasem zmienić. Teraz naprawdę się ucieszył, widząc znów Elaine O'Keefe – „Lainie Keefer". William przywołał się do porządku. Każdy ma jakieś tajemnice…

– Lainie! – William uśmiechnął się do dziewczyny, ufając sprawdzonemu przepraszającemu działaniu swego uśmiechu. Oczywiście nie rozstali się jak przyjaciele, ale Elaine naprawdę nie mogła już brać mu tego za złe. – Kura mówiła mi, że jesteś tutaj, ale nie mogłem w to uwierzyć! Dobrze wyglądasz! – William spontanicznie wyciągnął rękę w jej stronę. Gdyby nie siedziała akurat na koniu, prawdopodobnie na powitanie pocałowałby ją w policzek.

Elaine zauważyła ze zdziwieniem, że William nie robi na niej wrażenia, podobnie jak jego uśmiech. Wciąż jeszcze widziała w nim przystojnego mężczyznę, ale jego widok już jej nie poruszał. Wręcz przeciwnie, dostrzegła w jego oczach błysk lekkomyślności, powierzchowność i egoizm. Wcześniej uważałaby to wszystko za żądzę przygód;

byłoby to niezwykle ekscytujące i trochę niebezpieczne. Ale igranie z ogniem już jej nie pociągało. I tak właściwie nigdy też jej nie zaspokoił. Elaine pragnęła, żeby ktoś ją kochał i o nią dbał. Potrzebowała poczucia bezpieczeństwa.

Uścisnęła dłoń Williama, ale jej uśmiech przeznaczony był dla Tima.

– Mogłabym ci przedstawić Timothy'ego Lamberta? To mój narzeczony.

Tylko jej się wydawało, czy też dostrzegła w oczach Williama zdziwienie, a może nawet dezaprobatę? Czy możliwe, żeby mu nie odpowiadało, że ta mała Elaine ma jak najbardziej godnego pokazania narzeczonego? Żadnego obszarpanego poszukiwacza złota, lecz potencjalnego dziedzica kopalni węgla? Elaine natychmiast wysunęła pazury, Tim zaś uprzejmie skinął Williamowi głową. Być może wyglądało to trochę arogancko, ale Tim wciąż jeszcze nie był w stanie pochylić się na koniu w stronę pieszego.

William cofnął niemal wyprostowaną już rękę.

– Wobec tego wypada pogratulować – powiedział sztywno.

– Wypada! – stwierdziła Lainie słodkim jak miód głosikiem. – Zaręczyny odbędą się szesnastego sierpnia. W posiadłości Lambertów. Jesteście oczywiście zaproszeni, Kura i ty. Przekaż jej to, proszę. Nie wysłaliśmy jej jak dotąd oficjalnego zaproszenia... Myśleliśmy przecież, że przyjdzie z Calebem. – Po tych słowach uśmiechnęła się do niego promiennie i popędziła Banshee. – Do następnego spotkania, William!

Tim zaśmiał się, gdy zniknęli Williamowi z oczu.

– Zamieniasz się w prawdziwą czarownicę, Lainie! Będę musiał uważać, gdy już zostanę twoim mężem. Gdzie tak właściwie jest ten pistolet?

# 3

Kura ze zdziwieniem wysłuchała historii Williama o jego karierze przedstawiciela firmy handlującej maszynami do szycia. Teraz przypatrywała się jego demonstracji w salce parafialnej. Wszystko z tego powodu trochę ucierpiało, ponieważ obojgu z trudem przychodziło choć przez chwilę nie trzymać w objęciach drugiego. William musiał wysilać się znacznie bardziej niż zwykle, by usidlić swą żeńską publiczność. Mimo to udało mu się sprzedać dwie maszyny gospodyniom domowym, a całkiem duży interes zrobił dzięki temu, że przekonał pastora, by otworzyć warsztat krawiecki, który miał zatrudniać wdowy po ofiarach wypadku w kopalni.

– Niech pan posłucha, przyuczę te damy znacznie dokładniej, niż zwykle to robię. Zostanę przecież przez jakiś czas z moją żoną w tej okolicy. Wtedy powinny być w stanie zapewnić swoim rodzinom utrzymanie z własnych pieniędzy. Jeśli chodzi o organizację tego wszystkiego, to musi się pan oczywiście porozumieć z pańskim komitetem dobroczynnym... – William kiwnął głową w stronę Mrs Carey, która dopiero co kupiła jedną z maszyn. – To, czy zatrudni pan te damy na stałe czy też, że tak powiem, przekaże im maszyny w komis... Nie, z mniej niż trzema maszynami nie warto zaczynać. A za pięć mógłbym panu zaproponować odpowiedni upust...

– Nie można ci się oprzeć – dziwiła się Kura, gdy oboje jechali z powrotem do Greymouth, splatając ręce i rozglądając się za jakąś możliwością, by zjechać z drogi i kochać się gdzieś na łonie natury. – Ludzie naprawdę jedzą ci z ręki. Myślisz, że Mrs Carey rzeczywiście nauczy się radzić sobie z tą komiczną maszyną?

William wzruszył ramionami.

– Czasem pojawiają się znaki i dzieją się cuda. Zresztą wszystko mi jedno. Skoro za to zapłaciła, może na tym szyć albo czyścić sobie tą maszyną buty. Najważniejsze, że dostanę za to prowizję. A damy chyba nie sprawiały wrażenia nieszczęśliwych, prawda? – Wyszczerzył zęby.

Kura się zaśmiała.

– Zawsze wiedziałeś, jak uszczęśliwić kobiety – powiedziała i pocałowała go.

William nie był w stanie dłużej wytrzymać. Zjechał na boczną drogę i wciągnął Kurę pod plandekę. Nie było tam zbyt wygodnie, ale można się było wyciągnąć, a na zewnątrz o tej porze roku panował już zbyt wielki chłód. Podczas podróży zdarzało mu się już sypiać w wozie.

Jeśli chodziło o wspólny pokój, sytuacja przedstawiała się beznadziejnie. Ani Mrs Tanner, ani Mrs Miller nie chciały być posądzone o stręczycielstwo, a apartament w wytwornym hotelu przy nabrzeżu był zbyt drogi. William zastanawiał się już nad tym, by wynajmować na godziny pokój w Lucky Horse, ale stosunki Kury z domem uciech madame Clarisse były trochę napięte.

– A co się stało z twoim zapałem do owiec? – Kura podrapała Williama po karku.

– Najwyraźniej to był błędny wybór – stwierdził. – Moja rodzina już od bardzo dawna zajmuje się hodowlą. Byłem przekonany, że coś takiego musi mi odpowiadać. Ale w rzeczywistości…

– W rzeczywistości to wasi dzierżawcy zajmowali się hodowlą, ty zaś przekonałeś się, że owcze łajno śmierdzi, i straciłeś na to ochotę. – Kura odzywała się rzadko, ale jeśli już to robiła, trafnie ujmowała rzeczy w słowa.

– Można to tak nazwać – przyznał William. – A co się stało z twoją namiętnością do opery?

Kura wzruszyła ramionami. Potem opowiedziała mu o Barristerze i jej nieudanych wysiłkach, by samej stanąć na nogi jako śpiewaczka.

– To niewłaściwy kraj – westchnęła. – Niewłaściwy kraj, niewłaściwy czas… Bo ja wiem. Nowa Zelandia widocznie nie potrzebuje Carmen. Powinnam była przyjąć propozycję Miss Gwyn. Ale wtedy tego jeszcze nie rozumiałam.

– Pewnie przede wszystkim jeszcze wierzyłaś, że dzięki Rodericowi Barristerowi cały świat legnie u twych stóp. – William się skrzywił.

– Można to tak wyrazić – odparła Kura i zamknęła mu usta pocałunkiem.

* * *

Kochali się z pasją, a potem Kura opowiedziała Williamowi o jej wspólnym projekcie z Calebem Billerem. William śmiał się głośno, słuchając o ich „zaręczynach".

– To znaczy, że wkrótce musimy wynieść tego chłopaka do stanu „artysty", żeby ludzie nie szeptali między sobą, że złamałaś mu serce. Albo też ożeni się z tą bajeczną Florence Weber. Takiej też bałbym się śmiertelnie! – Florence była obecna podczas demonstracji maszyny do szycia i zadawała szczegółowe pytania.

– Och, Caleb jest prawdziwym artystą. Przecież słyszałeś go w sobotę. Jest najlepszym pianistą, jakiego znam, i ma słuch absolutny… – Kura nie dała powiedzieć o Calebie złego słowa.

– Ale jeśli przychodzi mu grać przed więcej niż trojgiem ludzi, to robi w spodnie. Wspaniale! A w sobotę słuchałem przede wszystkim ciebie, moja najpiękniejsza. Myślę, że dziś wieczorem nie uda mi się uniknąć spotkania z Calebem Billerem. Chcielibyśmy teraz jeszcze raz… oddać hołd bogom?

Caleb Biller i William Martyn rozumieli się zadziwiająco dobrze. Kura martwiła się z początku, że William będzie kpić z jej partnera i naśmiewać się z niego. W rzeczywistości jednak poznał się szybko na potencjale Caleba. W poniedziałek w barze właściwie nic się nie działo. Nieliczne moczymordy nie miały żadnych muzycznych życzeń; mężczyźni przepijali po cichu swoje wygrane na zakładach z weekendu albo próbowali utopić w whisky żal po przegranej. Tak więc Kura i Caleb mieli czas i błogosławieństwo Paddy'ego, by zaprezentować Williamowi cały program. Kura śpiewała i grała na *pecorino* oraz *koauau*, bogato zdobionym flecie wielkości dłoni, w który dmuchano nosem. Caleb akompaniował jej i od czasu do czasu gubił takt, ponieważ doświadczony słuchacz trochę go deprymował. I to nie jego gra na pianinie przekonała Williama. Może i potrafił grać lepiej, ale w gruncie rzeczy pianistę takiego jak Caleb można było znaleźć w każdej lepszej szkole muzycznej. Jeśli jednak chodziło o aranżację utworów, to Caleb był bez wątpienia liderem tego duetu. Połączenie prostych melodii *haka* ze skomplikowanymi partiami fortepianowymi, dialog tak bardzo różnych instrumentów, muzyczny most łączący kultury, wszystko to wyłaniało się z kreatywnego ducha Caleba Billera. Kura była wybitnie utalentowaną wykonawczynią; w doskonały sposób potrafiłaby ucieleśnić ducha każdej muzyki. Jednak kształtowanie duszy, wypracowanie tego w taki sposób, by trafiało również do uszu laików, do tego trzeba było czegoś więcej niż głos i siła wyrazu. Caleb Biller był bez wątpienia artystą, choć pożeranym przez tremę.

– Musi pan sobie z tym poradzić – powiedział William, po tym jak dał już wyraz swemu zachwytowi. – Ostatnim razem, gdy słuchałem z zewnątrz, było o wiele lepiej. Nie ma pan przecież żadnego powodu, żeby się denerwować! To, co pan robi, jest wspaniałe. Z tym może pan zrobić furorę nie tylko tutaj, ale i podbić Europę.

Kura spojrzała na niego z niedowierzaniem.

– Do tego nie wystarczy być wspaniałym – powiedziała. – Nawet jeśli wcześniej tak myślałam. Ale organizowanie koncertów... to nie jest takie proste. Trzeba wynająć pomieszczenia, zrobić reklamę i uzgodnić dobre warunki. Potrzeba impresario, takiego, jakim był Roderick Barrister – westchnęła.

William przewrócił oczami.

– Słodziutka, zapomnij o swoim Rodericku Barristerze! On w ogóle niczego nie zrobił poza tym, że zwerbował kilku trzeciorzędnych śpiewaków i parę ślicznych tancerek. Ale nie wystarczy rozdać po prostu kilka ulotek. Trzeba rozmawiać z prasą; trzeba pozyskać mecenasów, namówić do przyjścia na koncert właściwych ludzi, w waszym wypadku być może zachęcić miejscowe maoryskie plemiona, żeby się do was przyłączyły. Cała organizacja spoczywała w rękach George'a Greenwooda. To dlatego odnieśliście sukces. Potrzebujecie u swego boku biznesmena, Kura, a nie przodownika chóru. I żadnych dam z organizacji charytatywnych ani pastorów. Za czymś takim zawsze ciągnie się reputacja, że „chcą, ale nie potrafią". Potrzebujecie wielkich sal, hoteli, centrów kongresowych. Przecież robiąc to wszystko, chcecie chyba też coś zarobić.

– Brzmi to tak, jakby miał pan o tym jakieś pojęcie – zauważył z wahaniem Caleb. – Robił pan już coś takiego?

William potrząsnął głową.

– Nie. Ale sprzedaję maszyny do szycia. W pewnym sensie to również jest show. A podczas szkoleń widywałem już ludzi, którzy mieli prawdziwą tremę. Zdradzę panu później kilka sztuczek, Caleb. W każdym razie to nic nie kosztuje. Można oczywiście wkomponować w to jakiś aspekt socjalny...

– Tak jak tutaj, z tą manufakturą dla rodzin ofiar wypadku? – zapytał Caleb, uśmiechając się pod nosem.

William skinął poważnie głową.

– Tak, ale na pierwszym planie jest zamiar sprzedaży. Potrzebuję dogodnego pomieszczenia, by móc przeprowadzić demonstrację, niedrogich noclegów dla mnie i dla konia... I przy tym wszystko nie może sprawiać wrażenia zbyt nędznego. Po jakimś czasie nabiera się wyczucia. Potrafię od razu wyczuć, w jakim barze mogę przeprowadzić demonstrację i sprzedaż, a do jakiego nie wejdzie żadna szanująca się kobieta. Wam, na przykład, nigdy nie pozwoliłbym występować w Wild Rover. Do tej szopy nikt przecież nie zabrałby swej ukochanej, żeby rozkoszować się sztuką. W Lucky Horse oczywiście też nie. Tutaj, w Greymouth, w grę wchodzą jedynie duże hotele. Ale w sumie idzie o to, że to nie jest odpowiednie miasto... – Ostatnie słowa William wypowiedział niemal rozmarzonym głosem. Zdawał się już planować tournée, robić przegląd miejsc, które znał i które były do tego odpowiednie.

Kura i Caleb spojrzeli po sobie.

– Dlaczego dla odmiany nie miałbyś sprzedawać nas? – zapytała w końcu Kura. – Pokaż nam, jak to się robi! Zorganizuj duży koncert w porządnej sali, w jakimś dużym mieście...

– No cóż, na Wyspie Południowej nie ma za bardzo dużych miast – stwierdził William. – I oczywiście nie mam takich kontaktów jak George Greenwood. Ale dobrze, zaczniemy w... – Zmarszczył czoło; a potem jego twarz zaczęła się rozjaśniać. – Zaczniemy w Blenheim. Znam tam pewną damę... Właściwie to oboje znamy tam pewną damę, Kuro. I ona pilnie potrzebuje jakiegoś zajęcia...

*Tak więc myślę, że Ty, droga Heather, mogłabyś znaleźć wielkie zadowolenie w takim zadaniu. Ponadto powinnaś też pomyśleć o tym, że pozycja Twego małżonka na dłuższą metę zmusza Cię do zaangażowania się w życie kulturalne i społeczne. A przy tym prestiż podziwianej mecenas sztuki z pewnością przewyższa zwykłe członkostwo w radzie miejscowego sierocińca. Przecież Ty i Twe niezwykłe wykształcenie predestynują Cię do działalności, która znacznie wykracza poza ramy zwykłych wysiłków na cele dobroczynne. W dodatku prezentacja projektu* Szepty duchów – haka spotyka fortepian *może być naprawdę wspaniałym wydarzeniem, do którego w znacznej mierze przyczyniłaś się dzięki Twemu osobistemu zaangażowaniu w rozwój muzyczny i kształtowanie artystycznej osobowości Kury-maro-tini. Jestem pewien, że Twój małżonek zgodziłby się ze mną. Pozostając Twym uniżonym sługą, ślę pozdrowienia.*

*Twój William Martyn*

– No i jak to brzmi? – William spojrzał na Kurę i Caleba, jakby czekał na oklaski. Młody Biller zdążył zamówić już trzecią whisky. Mąż Kury naprawdę potrafił wzbudzić zapał i trudno się było oprzeć jego słowom. Caleb miał jednak uczucie, jakby wciągał go jakiś wir, w którym niechybnie utonie…

– *Whaikorero*, sztuka pięknego mówienia! – stwierdziła Kura. – Opanowałeś ją, to pewne. Czy Heather Witherspoon rzeczywiście wyszła za mąż za bogatego pracownika kolei i prowadzi w Blenheim duży dom?

– Wyroki duchów – powiedział William teatralnym głosem. – A więc jak, powinienem to wysłać? Ale wtedy nie będzie się pan mógł mi już wycofać, Caleb! Jeśli Heather wykona dobrze swoją pracę, a zrobi to, w to nie wątpię, będzie pan grał przed setką albo dwoma setkami ludzi. Da pan radę?

„Nie" – pomyślał Caleb, ale oczywiście powiedział:

– Tak.

Wobec tego Kura zamówiła dla wszystkich kolejną whisky. Tego dnia ona również miała ochotę się napić. Może to rzeczywiście początek jej kariery!

William sceptycznie przyglądał się Calebowi. Ten człowiek był zbyt nerwowy, zbyt blady, zbyt euforyczny. Na dłuższą metę trzeba go będzie zastąpić. W żadnym razie nie wytrzymałby tournée po Europie. Na razie jednak muszą zacząć z Calebem Billerem. Potrzebny był dobry start, duży sukces.

William pocałował żonę w rękę i poszedł po kolejne drinki. Wkrótce to już nie będzie whisky. Jeśli wszystko dobrze się potoczy, Kura niedługo będzie piła szampana. William wreszcie był gotów dotrzymać przyrzeczenia, które dał Kurze na ich weselu. Chciał do Europy. Z nią.

Heather Redcliff odpisała niemal natychmiast. Wyraziła radość, że William odnalazł Kurę, i uważała, że pomysł, by pomóc swej byłej uczennicy w drodze do sukcesu, jest fascynujący. Przecież zawsze wierzyła w Kurę i chętnie też opowie o tym miejscowej prasie. Właściwie już nawet o tym wspomniała podczas ostatniego przyjęcia z okazji uroczystego otwarcia nowego skrzydła szpitala. Heather od dłuższego czasu była zaangażowana w sprawy socjalne. Sztuka jednak bardziej odpowiadała jej naturze; tu William miał rację! I oczywiście scena kulturalna w Blenheim z niecierpliwością czekała, żeby móc poznać Kurę-maro-tini. A przy tym Heather nie posiadała się z radości, że znów będzie miała okazję zobaczyć się z Williamem…

William się roześmiał. Odczytując list Kurze, przemilczał ostatnie zdanie. W każdym razie przedsiębiorcza przyszła mecenas sztuki natychmiast zarezerwowała salę koncertową. W najlepszym hotelu w mieście, ze stu pięćdziesięcioma miejscami dla widzów. Wraz z przyjęciem dla zaproszonych gości. W wieczór zaś przed koncertem państwo Redcliffowie będą mieli zaszczyt osobiście przedstawić artystom elitę Blenheim. Niedziela 2 września to chyba odpowiedni termin…?

– No widzisz, Kuro. Teraz musisz jeszcze tylko zaśpiewać! – stwierdził William.

Iskry w oczach Kury były nieziemskie. William od ich ślubu nie widział, żeby jej oczy tak błyszczały. I nigdy też nie całowała go z poczuciem takiego szczęścia i tak szczerze. William z ulgą odwzajemnił jej pocałunek. Wiedział, że w tej chwili Kura wszystko mu wybaczyła. Kłamstwa i zwodzenie jej przed ślubem, niechcianą ciążę, która ostatecznie miała ją związać z Kiward Station, a nawet zdradę z Heather Witherspoon. William i Kura zaczynali od nowa, i tym razem będzie bajecznie, tak jak Kura zawsze tego pragnęła. Gdyby tylko nie ten Caleb. Siedział obok nich; gdy William czytał list od Heather, nie uśmiechnął się, lecz pobladł.

W ogóle w ostatnim czasie Caleb nie za bardzo podobał się Williamowi. Stawał się coraz bardziej chaotyczny i mylił się przy pianinie tak często, że nawet Kura go objechała. Właściwie Caleb sprawiał wrażenie trochę rozluźnionego dopiero po tym, jak wypił pierwsze dwie whisky, i było jasne, że tego dnia William nie otrzyma żadnych pełnych nadziei wieści od ich mecenasa z Blenheim. Teraz jednak dotarł list od Heather. Sprawa robiła się poważna. Caleb, przepraszając, powiedział, że musi iść do wychodka. Wciąż jeszcze kiepsko wyglądał, gdy do nich wrócił.

– Tam jest sto pięćdziesiąt miejsc… W życiu nie sprzedadzą ich wszystkich, prawda? – zapytał, bawiąc się pustą już szklanką.

William zastanawiał się, czy powinien skłamać, ale to nie miało żadnego sensu. Caleb musiał sprostać zadaniu.

– Blenheim aspiruje do statusu rozwijającego się miasta, Caleb. Ale tak między nami, to wciąż jeszcze zadupie. Trochę większe niż Greymouth i trochę bardziej rozwinięte. Ale to nie Londyn. Trudno powiedzieć, żeby Blenheim cierpiało na nadmiar wydarzeń kulturalnych. Jeśli już ktoś z elity tego miasta przedstawia kilku artystów… Ludzie będą się bić o bilety na ten koncert! Prawdopodobnie następnego dnia będziecie mogli dać kolejny.

– Ale…

– Ach, zacznij się wreszcie cieszyć, Caleb! – krzyknęła Kura. – A skoro już ze strachu nie możesz się cieszyć, to pomyśl o tym, co będzie później. Staniesz się znanym artystą! Będziesz mógł żyć tak, jak chcesz, Caleb! Pomyśl o alternatywie…

– Tak – powiedział słabo Caleb. – Będę mógł żyć tak, jak chcę… – Faktycznie zdawał się nad tym myśleć, ale William poczuł nagle tę samą bezradność, jaką dało się słyszeć w głosie Caleba.

Dzień zaręczyn Tima i Lainie zbliżał się coraz bardziej i Elaine miała wrażenie, jakby była spokojnym okiem cyklonu pośrodku wiru pełnego niepokoju. Nellie Lambert od tygodni była kłębkiem nerwów i spędzała dni na planowaniu dekoracji sali i kolejności potraw. A może lepiej zorganizować bufet? Zamówiła kapelę, która miała grać do tańca, choć uważała, że to trochę niestosowne, bo Tim i Lainie oczywiście nie będą mogli zatańczyć pierwszego tańca. Tim zaciekle ćwiczył, żeby jednak móc to zrobić. Biedny Roly oprócz roli męskiej pielęgniarki musiał jeszcze pełnić funkcję partnerki do tańca.

Tim niemal dostał ataku paniki, gdy czytał we wszystkich gazetach zachodniego wybrzeża ogłoszenia o ich zaręczynach. Najchętniej w ogóle nie spuszczałby Lainie z oczu; każdy obcy w mieście przepełniał go strachem. Tim całkiem poważnie planował wyemigrować. Choć jak najbardziej był w stanie pracować każdego dnia kilka godzin w biurze, ojciec nadal blokował wszelkie próby w tym kierunku. Tim nie sądził już teraz, że chodziło o jego kalectwo: Marvin Lambert starał się coś ukryć. Prawdopodobnie bilanse były jeszcze gorsze, niż dawał mu to do zrozumienia Matt. Kopalnia przynosiła straty, a budowa kolei tej deszczowej zimy w ogóle nie posunęła się naprzód. Na szybkie zyski z inwestycji Lambertów nie można było liczyć – Nellie zaś szastała pieniędzmi, żeby chełpić się uroczystością zaręczyn. Jeśli tak dalej pójdzie, niczego nie da się uratować. Tim liczył się z tym, że kopalnię trzeba będzie zamknąć, i to jeszcze w czasie wykonywania najważniejszych prac naprawczych. A to oznaczało kolejne bardzo wysokie straty. Trzeba to będzie wytłumaczyć bankowi, lecz ojciec Tima nie czynił żadnych starań, by złożyć wniosek o pilnie potrzebny kredyt. Do tego dochodziło ciągłe niebezpieczeństwo, które groziło Lainie.

Tim miał już dość. Chciał się stąd wynieść, najlepiej jeszcze przed weselem. Albo po skromnym, potajemnym ślubie i małej uczcie z przyjaciółmi w barze. Rejs i zorganizowanie nowego życia w Anglii albo Walii – wszystko to byłoby prostsze, gdyby byli już po ślubie.

Elaine gorączkowała się jednak na razie zaręczynami. Nic nie mogła poradzić, że cieszyła się na tę uroczystość, również dlatego, że Nellie Lambert wreszcie zaczęła traktować poważnie przyszłą synową, choć ich wzajemne kontakty nie ocipliły się jakoś szczególnie. Już przy kwestii sukni dla Lainie na tę uroczystość miały inne zdania. Nellie chciała zlecić jej uszycie Mortimerowi albo jeszcze lepiej zamówić w Christchurch horrendalnie drogą suknię marzenie z tiulu i jedwabiu. Lainie natomiast powierzyła jej wykonanie Mrs O'Brien i jej nowej manufakturze; to było dla nich pierwsze wielkie zlecenie. Tu również w ciągu ostatnich tygodni nie działo się najlepiej. Maszyny do szycia co prawda już dotarły i William, tak jak obiecał, przyuczał do ich używania kobiety z górniczego osiedla. Jednak gdy przyszło do decyzji, kto będzie kierował przedsiębiorstwem, jak najbardziej zdolna Mrs Carey pokłóciła się z nie mniej zdolną Mrs O'Brien. Matka Roly'ego była utalentowaną krawcową i miała nosa do interesów. Toteż od razu zaczęła produkować ubranka dla dzieci w tak korzystnej cenie, że nawet najuboższym kobietom z górniczych rodzin nie opłacało się szyć ich samodzielnie. Mrs Carey była jednak za tym, żeby najpierw zakończyć szkolenie krawcowych i w pomieszczenia, gdzie mieściła się manufaktura – na którą Lambert niechętnie przeznaczył i udostępnił stare szopy przy kopalni – „tchnąć trochę ducha", jak to wyraziła.

– Przecież nie będę przez całe tygodnie szyła zasłon do tych szop! – skarżyła się pastorowi Mrs O'Brien. – A ścian też nie musimy malować, a już na pewno nie na „ciepły kremowy róż". Jeśli już, to pobielimy je wapnem! Potrzebuję pieniędzy, pastorze! Ducha to ja już mam!

Mrs O'Brien postawiła w końcu na swoim. Mrs Carey czuła się obrażona i mówiła o „braku wdzięczności". Kobiety w manufakturze patrzyły na to ze spokojem. Interes rozwijał się dobrze. Jeśli dalej tak pójdzie, będą mogły za rok czy dwa spłacić radzie parafialnej maszyny do szycia.

Tak więc Mrs O'Brien zmierzyła Lainie i wyraziła zachwyt dla błękitnego jedwabiu, który dziewczyna wybrała na suknię na zaręczyny.

– Jest piękna, a i później będę mogła ją nosić – uzasadniała Elaine Timowi swój wybór. – W przeciwieństwie do tych trzepoczących fatałaszków z Christchurch.

– Na przykład na naszym weselu – powiedział Tim. – Przemyśl sobie, czy nie powinniśmy stąd uciekać, Lainie. Mam jakieś złe przeczucia w związku z tymi zaręczynami…

Złe przeczucia miał też William Martyn, gdy w niedzielę przed uroczystością zaręczyn zobaczył w kościele Caleba Billera. Mężczyzna wyglądał jeszcze mizerniej i na bardziej zdenerwowanego niż zwykle. Od pomysłu z koncertem w Blenheim sprawiał wrażenie, jakby coraz bardziej chudł i bladł. Caleb prowadził pod ramię Florence Weber. Dziewczyna była zadowolona i spokojna, Caleb natomiast wydawał się raczej przygnębiony. Państwo Billerowie i Weberowie dumnie podążali za tą parą. William przeczuwał najgorsze.

Kura obserwowała wejście Caleba, siedząc przy organach. Aż się paliła, żeby po mszy wysłuchać plotek. Trochę się tego wstydziła sama przed sobą, bo zawsze się przecież szczyciła, że jest ponad takimi sprawami. Ale teraz sytuacja była dziwna i działała jej na nerwy. Przecież poprzedniej niedzieli Caleb jakoś wymknął się Florence…

Gdy pastor zakończył już mszę i ludzie zaczęli wychodzić z kościoła, Kura przyłączyła się do Lainie, Williama i Tima. Tim czekał na Roly'ego i cała trójka rozmawiała o ostatnich wydarzeniach. Roly flirtował jeszcze na cmentarzu z małą Mary Flaherty. Tim patrzył na to spokojnie. Zajął już miejsce w powozie, uśmiechał się do Lainie i aż promieniał z dumy. Dzisiejsza niedzielna msza była próbą generalną i Timowi bez trudu udało się przejść przez kościół na własnych nogach.

– Jeszcze tylko kilka tanecznych kroków, Lainie, i mogę iść do ołtarza. Nie zastanawiaj się za długo! Piętnastego września wypływa parowiec do Londynu. Najpóźniej po sześciu tygodniach moglibyśmy być w Anglii.

Elaine nic na to nie powiedziała. Patrzyła na Caleba Billera i Florence Weber.

– Co tam się dzieje z tą dwójką? – spytała Kura. – Nie mogę tego rozszyfrować, ale wygląda to strasznie oficjalnie!

Wzrok Williama podążył za spojrzeniami jego żony i Lainie.

– Wygląda to niebezpiecznie. No patrzcie, idzie tutaj. Gdyby były jakieś wątpliwości, nie wtrącaj się, Kuro. Cokolwiek byś zrobiła, w mieście potraktują to jako wybuch zazdrości…

Caleb Biller rzeczywiście uwolnił się od Florence i ze spuszczonym wzrokiem podchodził do ich grupki. Może specjalnie wybrał taką sytuację, żeby nie zostać z Kurą i Williamem sam na sam. Florence patrzyła za nim z lekką troską, lecz przede wszystkim z triumfem w oczach.

– Kura, William, Lainie… jak leci, Tim?

Tim się uśmiechnął.

– Powiedziałbym, że lepiej niż panu. Z tego, co widziałem, pańska Florence Weber ciągnęła pana przez cały kościół.

– Od kiedy to niby „jego Florence"? – spytała Kura.

Caleb się zarumienił.

– No więc, jak by to powiedzieć… więc Florence i ja wczoraj się zaręczyliśmy.

Dla Williama nie było to wielkim zaskoczeniem. Tym bardziej dla Tima. Dziewczyny patrzyły natomiast na Caleba skonsternowane.

– To jest tak, Kura, że z nią porozmawiałem. – Caleb przerwał kłopotliwe milczenie. – Rozmówiliśmy się, że tak powiem. I to jej zupełnie nie przeszkadza.

– Co jej zupełnie nie przeszkadza? To, że jesteś ciepłym…?

– Kuro, proszę! – wszedł jej w słowo William.

– Florence twierdzi, że w małżeństwie da mi całkowitą swobodę, jeśli za to ja… no cóż, jeśli pozwolę jej brać trochę większy udział w kierowaniu kopalnią, niż ma to normalnie miejsce w przypadku kobiet…

– Bez wątpienia znakomicie sobie z tym poradzi – powiedział przyjaźnie Tim. – Można jedynie pogratulować kopalni Biller. Pan sam nie wygląda jednak na zbyt szczęśliwego.

– Cóż, tak to już jest… – odparł niejasno Caleb. – Ale będę mógł się poświęcić wszystkim moim… zainteresowaniom. Muzyce, sztuce, maoryskiej kulturze. Bo mnie interesuje nie tylko muzyka, wiesz Kuro? Zostanę takim… badaczem samoukiem…

– No to wspaniale – William zdecydowanie przerwał dukanie Caleba. – Rozmawialiśmy o tym ostatnio. Każdy powinien żyć tak, jak by tego chciał. Może będzie pan chciał pisać dalej aranżacje pieśni dla Kury. Wszystkiego najlepszego. Ale chyba nie zostawi nas pan na lodzie z tym koncertem w Blenheim, Caleb? Polegamy na panu, a tak szybko nie znajdziemy żadnego zastępstwa.

Caleb zagryzł wargi. Wyraźnie walczył z sobą, ale potem tylko potrząsnął głową.

– Przykro mi… Kuro, Wiliamie. Nie mogę. Próbowałem, naprawdę, ale sami słyszeliście, że naprawdę fałszuję. Nerwy mnie zżerają. Nie jestem do tego stworzony. A Florence też uważa…

– Spokojnie zrzuć winę na Florence! – powiedziała gniewnie Kura. – Wtedy nie będziesz musiał przyznawać, że jesteś nie tylko ciepłym braciszkiem, ale do tego jeszcze tchórzem. Przede wszystkim tchórzem! Zresztą to pierwsze może wcale nie jest takie złe.

Elaine przysunęła się bliżej Tima.

– Kto to jest „ciepły braciszek"? – szepnęła.

Tim próbował powstrzymać się od śmiechu, Kura zaś daremnie walczyła z napływającymi jej do oczu łzami. Po raz pierwszy, odkąd

Lainie ją znała, rozpłakała się, i do tego jeszcze na oczach wszystkich. Szlochała gwałtownie i w nieopanowany sposób. Ta zwykle chłodna, pewna siebie dziewczyna była teraz nie do poznania.

– Niszczysz mi życie, Caleb, wiesz o tym? Jeśli teraz odwołamy koncert… taka szansa nigdy się już nie powtórzy! Do diabła, zaplanowałam to wszystko dla ciebie! Cały program był tak wymyślony, żeby zrobić z ciebie artystę! Ja cię nie zawiodłam, gdy koniecznie chciałeś odgrywać „narzeczonego Kury"! A ty…

– Przykro mi, Kuro – powiedział Caleb boleśnie poruszony. – Naprawdę bardzo mi przykro.

Po tych słowach się odwrócił. Sprawiał wrażenie, jakby spadł z niego jakiś ciężar, kiedy wrócił do swojej rodziny. Florence ujęła go pod ramię i okazała przynajmniej tyle przyzwoitości, by nie patrzeć na Kurę.

– Naprawdę nie uda wam się znaleźć żadnego zastępstwa? – zapytał Tim. Niewiele robił sobie z Kury, ale patrzenie na tak rozpaczliwie płaczącą dziewczynę…

– W ciągu trzech tygodni? Na zachodnim wybrzeżu? Być może w Blenheim, gdybyśmy natychmiast tam wyruszyli. Ale wtedy stracimy powab czegoś nowego. Jeśli pojawimy się tam bez porządnej wizji, z jakimś miejscowym naprędce przyuczonym pianistą… – William zwiesił głowę.

– Miss Heather mogłaby zagrać – powiedziała z nadzieją Kura.

– Ale tego nie zrobi. Dopiero co wmówiliśmy jej, jak smakowita może być kariera mecenasa sztuki. Przecież nie wyjdzie w takiej sytuacji na scenę! Co powiedziałby na to jej mąż? Zapomnij o tym, Kuro! – William wziął żonę w ramiona.

Elaine przygryzła wargę.

– Jeszcze nigdy nie słyszałam, co tam robicie… – odezwała się. – Ale czy to naprawdę jest takie trudne? To znaczy, partie na pianinie…

Kura spojrzała na nią i Elaine dostrzegła w jej oczach iskierkę nadziei.

– Nie jakoś ekstremalnie trudne. Czasami trochę niekonwencjonalne, dość szybkie pasaże. Na pewno potrzeba doświadczenia kilku lat gry na fortepianie.

– Cóż, gram na fortepianie od dziesięciu lat. Oczywiście nie na twoim poziomie, jak to kiedyś byłaś mi łaskawa uświadomić. Ale jeśli poćwiczę trzy tygodnie… – Uśmiech na twarzy Elaine pozbawił jej słowa ostrości.

– Grasz teraz o wiele lepiej – stwierdziła Kura. – Ale poważnie, Lainie, zrobiłabyś to? Pojechałabyś do Blenheim i akompaniowała mi?

– Jeśli poradzę sobie ze stopniem trudności…

Kura wyglądała tak, jakby chciała się rzucić swej kuzynce na szyję.

– I do tego jest też bardzo ładna – zauważył William. – Będzie się znacznie ładniej prezentować niż Caleb.

Elaine spojrzała na niego z powątpiewaniem. Powiedział „ładna"? Trzy lata temu jej serce tańczyłoby jeszcze po takich słowach, ale tego dnia jej spojrzenie powędrowało tylko od chłopięcych rysów Williama w stronę twarzy Tima – która teraz nie wyglądała jednak przyjaźnie i wesoło, lecz wykrzywił ją umęczony grymas.

– Lainie, nie możesz tego zrobić, choćbyś naprawdę chciała pomóc Kurze. Oczywiście zagrałabyś dwadzieścia razy lepiej niż Caleb Biller i piękniej niż wszystkie pianistki tego świata, ale Blenheim…? Podróż, duże miasto, ryzyko…

– Odkąd to jest pan taki strachliwy? – zapytał William. – W porównaniu z ryzykiem, jakie wiąże się z waszym ślubem…

– A co jest takiego niebezpiecznego w ślubie? – podchwyciła Lainie. – Już ostatnio dziwnie na mnie patrzyłeś!

William przewrócił oczami.

– No cóż, jesteście zapewne świadomi, że popełniacie w ten sposób przestępstwo. I nawet jeśli jest wam to obojętne… to znaczy, prawdopodobnie będziecie kiedyś chcieli mieć dzieci.

Lainie zaśmiała się, choć w trochę wymuszony sposób.

– Mój Boże, Williamie! Moim dzieciom będzie przecież wszystko jedno, czy panieńskie nazwisko jej matki brzmiało O'Keefe czy Keefer. Coś takiego można nawet przedstawić jako błąd w pisowni!

William zmarszczył czoło i patrzył na nią niemal z niedowierzaniem.

– Ale dzieciom z pewnością nie będzie wszystko jedno, jeśli kiedyś stwierdzą, że nazywają się Sideblossom, a nie Lambert, i że dziedziczą farmę w Otago, podczas gdy kopalnia przejdzie w ręce jakichś dalszych krewnych. To małżeństwo będzie nieważne, przecież musicie być tego świadomi!

Elaine pobladła. Jej źrenice się rozszerzyły.

Tim potrząsnął głową.

– Ale Thomas Sideblossom nie żyje – powiedział spokojnie.

– Tak? – zapytał William. – Od kiedy? Może życzy sobie tego każdego dnia, ale o ile wiem, jest równie żywy jak pan czy ja. – Spojrzenie Williama wędrowało od jednego do drugiego. Czy Lainie i Tim coś przed nim odgrywali? Ale ze zdumieniem odkrył, że przynajmniej na twarzy Elaine przerażenie było prawdziwe.

– Ja… ja strzeliłam mu w twarz…

William przytaknął.

– Trudno to przeoczyć. Strzeliłaś w to miejsce. – Wskazał na swój lewy policzek. – Kula przeszła dość płytko przez nos i dalej w głowę. Strzelałaś z dołu do góry. Prawdopodobnie celowałaś w pierś, ale nie liczyłaś się z odrzutem. W każdym razie udało ci się go skutecznie unieruchomić. Prawa strona jest sparaliżowana, jest ślepy na prawe oko, a na lewe też prawie nie widzi. Kula tkwi w głowie i zapewne uciska nerw wzrokowy. Ale nie jest martwy. Uwierz mi, Lainie…

Elaine zasłoniła oczy rękomą.

– To straszne, Williamie. Dlaczego nie powiedziałeś mi tego wcześniej?

– Myślałem, że wiesz – odparł William. – Ty chyba też Kuro, prawda?

Kura przytaknęła.

– Szczegółów nie znałam, ale wiedziałam, że żyje.

– I pozwoliłaś na to, bym się zaręczyła? – Elaine chciała, żeby w jej głosie zabrzmiała wściekłość. Nie była w stanie tego ogarnąć, ale poczuła też ulgę i nadzieję. – Przez dwa i pół roku śmiertelnie się bałam!

Kura wzruszyła ramionami.

– Przepraszam Lainie, ale tak szczegółowo nikt mnie nie wprowadził w twoje sprawy. Trochę się dziwiłam… ale mogłaś być przecież rozwiedziona. Albo ten Sideblossom mógł umrzeć do tego czasu. Czy on nie jest przypadkiem psychicznie chory? – Zwróciła się do Williama.

– O ile wiem, to nie. Choć z całych sił stara się piciem zabić w sobie wszelki rozum, nie wspominając już o morfinie. Wciąż ma bóle głowy i halucynacje. Ale przy takiej ilości morfiny i whisky sam pewnie też bym je miał.

– Widziałeś go? – Elaine trzymała kurczowo rękę Tima, patrząc z przerażeniem na Williama. – Jesteś pewien? – Jej twarz była śmiertelnie blada; oczy wydawały się olbrzymie i wyglądały tak, jakby składały się jedynie ze źrenic.

– Wielki Boże, Lainie, nie patrz tak na mnie! Oczywiście, że jestem pewien. Byłem w Lionel Station przez dwa albo trzy tygodnie i raz czy dwa go widziałem. Rzadko udaje im się go namówić, żeby wyszedł z domu. Podobno nie może znieść światła słonecznego. Ale trudno go nie słyszeć! Wrzeszczy na cały personel, krzyczy, żeby dać mu whisky albo jego lekarstwo… Dość nieprzyjemny pacjent, gdyby ktoś pytał mnie o zdanie. Ale nie jest szalony, a przede wszystkim z całą pewnością nie jest martwy.

– To oczywiście wszystko zmienia – stwierdził spokojnie Tim i przyciągnął Elaine do siebie. Drżała teraz i płakała, nie panując nad sobą. – Tak długo, jak jesteś oficjalnie Mrs Sideblossom, nie możemy wziąć ślubu. Ale nie popełniłaś żadnego morderstwa. Najpierw się uspokój! W gruncie rzeczy to są dobre wieści! Stawisz się i przyznasz do wszystkiego. Możesz powiedzieć, że to był przypadek. Broń po prostu wypaliła. Porozmawiamy z adwokatami o tym, co jest sensowniejsze, czy opowiedzieć całą historię, czy też udawać skruchę. W każdym razie nie powieszą cię za to. Będziesz się mogła rozwieść i żyć ze mną całkowicie legalnie. Tutaj albo w Walii, czy gdziekolwiek indziej.

– Wolałabym w Walii – szepnęła Elaine. Nagle poczuła silne pragnienie, by od Lionel Station dzieliło ją jak najwięcej mil. Jakaś jej część poczuła ulgę, że nie jest morderczynią. Ale mimo wszystko czuła się pewniej, gdy błędnie sądziła, że Thomas Sideblossom nie żyje… – Nie moglibyśmy po prostu uciec, tak żebym nie musiała się zgłaszać?

Tim potrząsnął głową.

– Nie, Lainie. William ma rację. Nie możemy dopuścić, żeby nasze dzieci oficjalnie dorastały jako potomstwo Thomasa Sideblossoma, wszystko jedno gdzie. Przejdziemy przez to, Lainie. Ty i ja. Nie obawiaj się!

– Ale dopiero po zaręczynach. Tak, Tim? Proszę! Nie wytrzymam tego, jeśli teraz wszystko się rozpadnie. Twoja matka… całe miasto będzie o nas mówić… – Elaine nie mogła pohamować płaczu. Tego wszystkiego było za wiele.

Tim głaskał ją i kołysał w ramionach.

– A więc dobrze. Jak dla mnie, może być po zaręczynach. Choć nie podoba mi się to. Mam pewne obawy co do tej uroczystości.

– Ale przecież odbędzie się w Greymouth! – wtrąciła nagle Kura.

– A tak długo, jak Elaine jest w Greymouth, nic nie może jej się stać.

Trzy pary zdziwionych oczu gapiły się na nią.

– Duchy ci to mówią czy co? – spróbował zażartować William.

Kura potrząsnęła głową.

– Powiedziała mi to pewna maoryska kobieta kilka tygodni temu. Wciąż szukają Lainie, mówiła, ale tutaj, w Greymouth, jest bezpieczna...

# 4

Elaine uchwyciła się tych słów żony maoryskiego wodza. Tima jednak raczej one zaniepokoiły. „Wciąż szukają Lainie"... a 16 sierpnia Lambertowie zaprezentują dziewczynę połowie zachodniego wybrzeża jako jego narzeczoną. Tim starał się przynajmniej nie tracić Elaine z oczu. Choć jego matkę to denerwowało, zostawał na noc u Lainie i próbował ją przekonać, żeby opuszczała pokój tak rzadko, jak tylko możliwe.

Oczywiście to było niewykonalne. Elaine musiała pójść do krawcowej na ostatnie przymiarki swojej sukni; Nellie oczekiwała też, że pomoże przy dekorowaniu pomieszczeń. Miasto powoli zapełniało się obcymi, których zaprosił Marvin Lambert. Wszystkie pokoje w Greymouth były już dawno zajęte. Niektórzy z gości szukali noclegu w Punakaiki, a nawet w Westport. Było niemożliwe, żeby podczas uroczystości mieć ich wszystkich na oku. Tim zobaczy gości dopiero wtedy, gdy przedefilują przed młodą parą, i wielu z nich dopiero wówczas pozna. Lambert zaprosił całe mnóstwo starych znajomych, których jego syn nigdy nie miał okazji spotkać. Wszystko to bardzo męczyło Tima. Przewrażliwiony ze zdenerwowania, stoczył jeszcze ze swoją matką ostatnią bitwę przed uroczystością. Nellie z całą powagą domagała się, żeby dla lepszego wrażenia zrezygnował z szyn na nogach i kul i podjął gości na wózku inwalidzkim.

– Przecież to żaden wstyd, chłopcze, że nie możesz chodzić...

– Mogę chodzić! – zdenerwował się Tim. – Mój Boże, matko, przecież stoję przed tobą! Czy wy wszyscy nie możecie pojąć, że chcę jedynie być normalny? – Tim, utykając, wyszedł z pokoju i marzył o tym, by być w stanie zatrzasnąć za sobą drzwi. Przez kilka sekund zastanawiał się, czy nie poprosić o to zakłopotanego Roly'ego, potem jednak uświadomił sobie śmieszność tego pomysłu i uśmiechnął się ponuro.

– Przygotuj dla mnie Fellowa, Roly, uciekam do baru… albo nie, zaprzęgnij go. Wyglądasz, jakbyś sam potrzebował piwa. Przez cały dzień pomagałeś tu w domu, prawda? Ile girland powiesiłeś?

– Za dużo, Mr Tim. – Roly wyszczerzył zęby. – Przestałem liczyć, gdy Mrs Lambert po raz piąty postanowiła je poprzewieszać. A tak przy okazji, pański garnitur na jutro jest dość szeroki, Mr Tim. W gruncie rzeczy mógłby pan nosić szyny pod spodniami…

– Tego już za wiele – jęknął Tim. – W jednej sprawie moja matka rzeczywiście ma rację. Nie ma nic, czego musiałbym się wstydzić…

Oprócz przygotowań do zaręczyn Elaine spędzała sporo czasu przy pianinie, co z jednej strony Tima uspokajało, z drugiej jednak również go denerwowało. Namówił madame Clarisse, by pozwoliła Kurze i Lainie ćwiczyć na jej instrumencie, gdy bar był zamknięty, i dzięki temu udawało mu się trzymać Elaine przez kilka godzin w ciągu dnia z dala od ulicy. O występie w Blenheim nawet nie ważył się myśleć, jednak do tego czasu najgorsze będą już mieli za sobą. Lainie przyrzekła w końcu, że zaraz po zaręczynach odda się w ręce władz. Może wtedy konstabl w ogóle jej nie puści. Elaine i Kura zdawały się nie dostrzegać niebezpieczeństwa. Całkiem pochłonęła je praca nad partyturami Caleba. Lainie z ulgą stwierdziła przy tym, że partie fortepianu nie były wcale takie trudne. Po kilku dniach grała je płynnie z nut, a wkrótce też z pamięci. Niestety, w jej grze brakowało jakiejkolwiek wirtuozerii. Choć w gruncie rzeczy Elaine była bardziej sentymentalną z obu dziewczyn, nie miała najmniejszego wyczucia potrzebnego, by nadać muzyce to specjalne brzmienie. Nie czuła ducha utworów, nie interpretowała, tylko po prostu je grała. Tam, gdzie Caleb stawiał akcenty drobnymi wariacjami, jakby poprzez niemal niesłyszalne wibrowanie jakiejś nuty bądź lekkie wahanie w odpowiedzi fortepianu na głos fletu, Elaine po prostu wygrywała dźwięki. Kura niemal traciła wiarę, próbując jej to wyjaśnić.

– Pauzę? Nie mam grać od razu, tylko na chwilę się wstrzymać? Jak długo? Ćwierć taktu?

– Na jedno bicie serca – westchnęła Kura. – Tchnienie wiatru…

Elaine patrzyła na nią zdziwionym wzrokiem.

– Spróbuję o jedną ósmą.

Kura w końcu się poddała. Jej występ nie będzie perfekcyjny. Ale przynajmniej Lainie nie okazywała żadnej tremy i z całą pewnością nie będzie fałszować. A publiczność w Blenheim nie była wybredna. Od większości arii operowych, które Roderick ze swym zespołem zszargali na hotelowych scenach, gra Lainie i tak była lepsza.

W końcu suknia Elaine była gotowa. Wyglądała w niej prześlicznie. Mrs O'Brien zrobiła dla niej dodatkowo opaskę do włosów z tego samego lazurowego jedwabiu. Elaine miała nosić rozpuszczone włosy przewiązane tylko opaską, by nie opadały jej na twarz.

– Wygląda pani jak elf, Miss Lainie – powiedziała nabożnie Mrs O'Brien. – Ma pani cudownie miękkie włosy. Otaczają pani twarz, jakby wciąż muskało panią tchnienie wiatru. U nas, w Irlandii, każdego roku wybieraliśmy królową wiosny, i zawsze wyobrażałam sobie wtedy dziewczynę taką jak pani! – Mrs O'Brien była dumna z panny młodej w pięknej, uszytej przez nią sukni, zupełnie jakby Elaine była jej własną córką.

– No nie wiem, elfy są takie bezbronne – mruknęła pod nosem Lainie, której natychmiast przyszło do głowy jej pierwsze spotkanie z Williamem. – Myślę, że chyba wolałabym być czarownicą. Ale suknia jest fantastyczna, Mrs O'Brien! Wkrótce z pewnością każda kobieta będzie chciała, żeby to pani dla niej szyła. Mr Mortimer będzie wściekły.

Mrs O'Brien prychnęła.

– Mr Mortimer nie musi żywić piątki dzieci! Ma piękny dom w mieście i nie przymiera głodem. Moje współczucie ma pewne granice.

Gdy dzień uroczystości w końcu nadszedł, Roly przyjechał po Elaine dwukółką Tima, żeby ją odebrać z Lucky Horse. Ku jej zdumieniu towarzyszył mu Tim dosiadający Fellowa. Miał już na sobie strój wieczorowy i sprawiał wrażenie zdenerwowanego.

– Wiem, że powinienem nad sobą panować, zwłaszcza przy takiej okazji, ale właśnie pokłóciłem się z ojcem – zdradził Elaine. – Pije dziś już od rana i nie wiedziałem dlaczego. W końcu powiedziałem mu, że zrobi to bardzo złe wrażenie na gościach, jeśli będzie pijany… No tak, i wtedy przyznał mi się, akurat dziś, że poszukuje inwestorów dla kopalni! Udziałowców, rozumiesz? Tym samym ostatecznie mnie wyrzuca. A skoro już mój własny ojciec uważa, że jestem nieudacznikiem, to tym bardziej nie zatrudni mnie nikt obcy. – Tim sprawiał wrażenie nieszczęśliwego i zranionego. – W każdym razie jestem teraz całkowicie zdecydowany. Wyjaśnimy tę sprawę z twoim rozwodem, Lainie, a potem znikamy stąd. Mam tego wszystkiego dość!

Fellow tańczył pod niecierpliwym jeźdźcem, jakby najchętniej sam od razu chciał wyruszyć w podróż. Jeśli tak dalej pójdzie, Tim będzie całkiem wyczerpany, nim jeszcze zacznie się uroczystość. Nawet na spokojnym koniu jazda w siodle wciąż była dla niego sporym wysiłkiem.

Elaine podeszła do niego, uspokoiła Fellowa i delikatnie ujęła zaciśniętą na wodzach dłoń Tima.

– Najpierw zsiądź z konia. Twoja matka wpadnie w szał, jeśli twój świetny garnitur będzie czuć stajnią. Roly może zabrać Fellowa do domu, a ty weźmiesz mnie powozem. To będzie cudownie romantyczne! I w dodatku mamy pełnię. Możemy się gdzieś zatrzymać po drodze i poćwiczyć jeszcze zaręczynowy pocałunek...

Tim uśmiechnął się lekko, a Elaine delikatnie pocałowała go w rękę.

– Wytrzymajmy najpierw ten wieczór. Wszystko inne potem się wyjaśni. – Zajęła miejsce w powozie, drapując przy tym na siedzeniu malowniczo szerokie fałdy sukni. Tim podjechał tymczasem do swojej rampy w stajni, podejmując się karkołomnej sztuki zsiadania z konia, następnie odpiął szyny od siodła i zaczął je zakładać, by wrócić do Elaine.

– Słyszałeś, Roly! – powiedział Tim do lekko zdumionego służącego. – Lady życzy sobie, byś pojechał na Fellowie do domu, a ja mam powozić. Naprawdę chcesz wziąć Callie z sobą, Lainie, czy też Roly ma ją odprowadzić do stajni?

Mała suczka tańczyła zachwycona wokół powozu i najwyraźniej cieszyła się na wyjazd. Tim pogłaskał ją, gdy skoczyła na niego.

– Mnie ona nie będzie przeszkadzać, ale znasz moją matkę...

– Będzie musiała z nią żyć. Przecież wiesz, Callie jest probierzem prawdziwej miłości. Jeśli w decydującym momencie zacznie szczekać, nie wyjdę za ciebie. – Elaine zaśmiała się nerwowo. – Co jest, Roly?

Odwróciła się do chłopaka, który z nieszczęśliwą miną stał obok powozu.

– Przecież ja nie umiem jeździć konno! – Widok Roly'ego wywoływał współczucie. – Będę musiał całą drogę iść pieszo!

Jego kwaśna mina rozweseliła nawet Tima.

– Roly, jeśli człowiek nie potrafi jeździć konno, to jest martwy – powiedział, posługując się przy tym trochę zmodyfikowanym ulubionym powiedzonkiem Lainie. – Ja na twoim miejscu byłbym szczęśliwy i wdzięczny, gdybym mógł się przejść dwie mile. Zabierz więc konia do domu. Kto kogo będzie niósł albo prowadził, jest mi obojętne.

Roly nie odważył się usiąść w siodle, lecz rzeczywiście szedł pieszo dwie mile w lekkim deszczu. Pod koniec drogi był już zły. Jego nowy garnitur przemókł. No i spóźnił się też na spotkanie z Mary Flaherty, z którą chciał się zobaczyć przy kuchennych drzwiach i kilkoma smakołykami z bufetu skłonić ją, by się zgodziła na parę pocałunków. Potem przywołał go stajenny Weberów, którego trochę znał. Młody mężczyzna machał w jego stronę butelką whisky.

– Chodź, Roly, poświętujmy trochę! Dziś w nocy twój Mr Tim nie będzie potrzebował żadnej pielęgniarki!

Roly zwykle nie zapominał o obowiązkach, lecz tego wieczoru pozostawił osiodłanego Fellowa przed domem. Najpierw oczywiście myślał, że później po niego wróci. Potem jednak o nim zapomniał. Siwek cierpliwie czekał. Ktoś kiedyś musiał w końcu po niego przyjść; do tego czasu drzemał sobie w siąpiącym deszczu. Fellow nie zwracał niczyjej uwagi, dopóki – znacznie później – nie pozyskał towarzystwa.

Gdy przed młodą parą przeszedł już sześćdziesiąty czy siedemdziesiąty gość, zamieniając z nią kilka słów na powitanie, Tim niemal zaczął tęsknić za swoim wózkiem. Kto wpadł na pomysł, żeby godzinami stać przy wejściu do salonu i uściskiem ręki witać każdego z gości? „Defilada", tak nazwała to jego matka. Elaine do tej pory sądziła, że coś takiego zdarza się jedynie na królewskich dworach. Czy naprawdę marzyła kiedyś o tym, żeby być księżniczką? Teraz dla niej było to tylko nudne, lecz z Tima zdawało się wysysać wszystkie siły. Rzucał niemal zazdrosne spojrzenia na Callie, która zwinęła się w kłębek na dywanie i głęboko, smacznie spała.

– Ilu ich w sumie jest? – zapytała Lainie i przysunęła się do niego odrobinę bliżej. Może mógłby się o nią trochę oprzeć, choć właściwie była na to za mała i zbyt drobna.

– Prawie stu pięćdziesięciu. To czysty obłęd – szepnął Tim i z wysiłkiem uśmiechnął się do rodziny Weberów. Florence wisiała u ramienia Caleba, a Caleb w wielu słowach dziękował Elaine. Mówił coś o olbrzymim głazie, który spadł mu z serca, gdy usłyszał, że zastąpi go na koncercie Kury.

– Nigdy nie zdejmuj geologowi kamienia z serca… – Tim próbował być zabawny, gdy para wreszcie poszła do środka. – Będzie analizował jak najdokładniej, z czego on się składa, dlaczego spada i na ile części się rozpadnie.

Następnymi gośćmi byli szczęśliwie Matt i Charlene – ta ostatnia w zachwycającej zielonej sukni, również spod ręki Mrs O'Brien. Razem z nimi pojawili się Kura i William. Wszyscy na szczęście głodni, a nie rozmowni.

– Gdzie jest bufet? – zapytała Kura. Czas, który spędziła w drodze, nauczył ją, że nie należy gardzić darmową kolacją. William przyniósł jej szampana, a Lainie i Tim zwrócili się ku kolejnym gościom. Dobrze, że nie wszyscy pojawili się punktualnie. Pomieszczenie, w którym witano nowo przybyłych, przez kilka minut było puste, i Tim postanowił zakończyć tę torturę. Głośno wypuszczając powietrze, usiadł na fotelu w westybulu.

– Przed tańcem muszę trochę dojść do siebie – mruknął i potarmosił Callie, Elaine zaś rozejrzała się za szampanem.

Lainie przecisnęła się przez tłum gości do bufetu w pokoju dla panów, porozmawiała z Charlene i Kurą i dziękowała za komplementy, którymi ją obdarowywano. Wszystko zdawało się w porządku; czuła jednak jakiś niejasny niepokój. Może wszystko to, myślała, jest zbyt baśniowe? Dobrze wiedziała, że następnego ranka, gdy stawi się przed konstablem, znów wróci do rzeczywistości. Uśmiechnęła się do oficera policji i sędziego pokoju. Pozdrawiali ją wesoło. Na razie…

W końcu Lainie ze zdobytymi chwilę wcześniej kieliszkami szampana ruszyła, lawirując między gośćmi, w stronę Tima. I wtedy zobaczyła wielkiego siwowłosego mężczyznę, który właśnie wkroczył do salonu z Marvinem Lambertem. Jego widok sprawił, że skamieniała.

Wszystko w niej popychało ją do ucieczki. Ale nie, musi się mylić. To nie może być… W żadnym wypadku nie powinna w panice uciekać. Musi podejść bliżej i upewnić się, że to na pewno nie jest John Sideblossom…

Elaine zmusiła się, by ruszyć z miejsca. W salonie akurat w tej chwili zaczęła grać kapela. Ludzie napływali do głównej sali i zasłonili Elaine widok na nowego gościa. Jej serce uspokoiło się, dała się ponieść tłumowi ludzi. To była z pewnością pomyłka. W końcu udało jej się dotrzeć do Tima, który właśnie się męczył, by stanąć na nogach.

– A więc, moja piękna! Zechcesz ze mną zatańczyć?

Elaine chciała coś odpowiedzieć, ale wydawało jej się, że poczuła lodowate tchnienie na karku. Nerwowo rozejrzała się wokół i zapraszający uśmiech Tima zamarł, gdy dostrzegł wyraz paniki na jej twarzy. Elaine zdawała się nie pragnąć niczego prócz ucieczki – a jednocześnie wyglądała tak, jakby była niezdolna ruszyć się choćby o cal z miejsca. W ciągu kilku sekund cała krew odpłynęła jej z twarzy.

– Lainie, co ci jest?

– Tam jest… tam jest…

– Ach, tu mamy tych dwoje! – zabrzmiał dudniący głos Marvina Lamberta. – Mogę wam przedstawić niespodziewanego gościa? To stary przyjaciel… jak długośmy się nie widzieli, John? Oto John Sideblossom!

Elaine wyciągnęła machinalnie dłoń. Może to wszystko było tylko złym snem. Może miała halucynacje.

– Moja przyszła synowa, Lainie, mój syn, Tim.

Elaine poczuła, jakby sala zaczęła wirować wokół niej. Może to nie był najgorszy pomysł, żeby teraz zemdleć… Potem jednak Sideblossom chwycił jej rękę, a paniczny strach, który ogarnął Elaine, sprawił, że odzyskała kontrolę nad sobą.

– Moja przepiękna Elaine – powiedział Sideblossom. Jego głos brzmiał ochryple. – Wiedziałem, że cię odnajdę. Kiedyś… i to w tak miłym otoczeniu. Mr Lambert. – Odwrócił się do Tima z drapieżnym uśmiechem na twarzy. – Cóż za zachwycająca zdobycz. Szkoda tylko, że znajdą się tu jeszcze obrońcy. Nie powinien pan wywieszać flag na fortecy, Mr Lambert, zanim nie zostanie zburzona…

Elaine nie rozumiała tych słów, ale wyczuła w nich groźbę. A potem nie mogła już tego wytrzymać. Chciała wykrztusić jakieś przeprosiny, ale wydobył się z niej jedynie zduszony dźwięk. Wybiegła w panice, myląc najpierw kierunki. Niemal wpadła do pokoju dla panów, z którego nie było żadnego innego wyjścia. Elaine rozglądała się, tracąc głowę – i zderzyła się ze swoją kuzynką, która właśnie wchodziła do salonu z dwoma kieliszkami szampana. Napój wylał się na suknię. Kura chciała zakląć, ale potem dostrzegła przerażenie na twarzy Elaine i powstrzymała się.

– Lainie, co z tobą? Pokłóciłaś się z Timem? – Kura przyjrzała jej się badawczo. Nie, to nie mogło być to. Nawet wtedy, na ulicy w Queenstown, gdy Elaine przyłapała Kurę z Williamem, jej twarz nie była tak blada i tak wykrzywiona, a jej oczy tak wielkie. Oczy zwierzęcia w pułapce.

– John Sideblossom. On… on… – Elaine zająknęła się, a potem się wyrwała i pobiegła dalej, z salonu przez westybul. Potrzebowała powietrza. Dysząc, dotarła do jasno oświetlonego wejścia, wybiegła na zewnątrz, poza krąg światła, zobaczyła Fellowa i dwa inne konie przywiązane od jakiegoś wozu. Callie szczekała. Elaine w ogóle nie zauważyła, że suczka wybiegła za nią. Pochyliła się odruchowo, by ją pogłaskać… i usłyszała kroki za plecami. Sideblossom! Ale potem zobaczyła, że Callie merda ogonem, i natychmiast rozpoznała dźwięk stawianych kul i typowy powłóczysty krok Tima.

– Lainie, tu jesteś. – Tim oparł się o belkę do wiązania koni i wziął ją w ramiona. – Mój Boże, ty drżysz, jakbyś się miała zaraz całkiem załamać! Uspokój się najpierw…

– Nie mogę się uspokoić. – Elaine poczuła teraz chłód; pot wysychał na jej ciele. – To John Sideblossom… on… on…

Tim się przeraził, ale miał zdolność, by w krytycznych momentach szybko oceniać sytuację i sobie z nią radzić. W kopalni coś takiego mogło decydować o życiu. Teraz głaskał Lainie i mówił do niej uspokajającym głosem:

– Lainie, on nic nie może zrobić. W najgorszym wypadku może zepsuć uroczystość. Ale gdyby chciał wywołać skandal, zacząłby zupełnie inaczej. Prawdopodobnie zaatakuje dopiero jutro albo jeszcze porozmawia z moim ojcem…

– On powiadomi konstabla, a potem mnie aresztują – szepnęła Elaine. I nagle zauważyła, że w ogóle się tego nie boi. Nie bała się nocy w celi, wręcz przeciwnie. Tam czułaby się bezpiecznie.

– Słuchaj, Lainie, konstabl jest wśród gości, przecież witaliśmy się z nim wcześniej. Sędzia pokoju też. Jeśli chcesz, mogę ich tu zawołać. Pójdziemy wtedy dyskretnie do moich pokoi i złożysz zeznania...

– Teraz? – zapytała Elaine. – Od razu? – Czuła na przemian strach i nadzieję.

– W ten sposób przynajmniej na pewno bylibyśmy o krok przed Sideblossomem. A jutro rano złożysz pozew o rozwód i wtedy już nic nie może ci się stać... Uspokój się wreszcie, Callie.

Tim odwrócił się niecierpliwie do suczki, która nagle zaczęła dziko ujadać. Elaine uwolniła się z jego objęć, gdy usłyszała, jak Callie szczeka. I znów miała na twarzy ten wyraz kompletnej bezradności, gdy spojrzała nad ramieniem Tima na jedną ze ścieżek prowadzących do domu.

– A jeśli mój syn nie życzy sobie w ogóle rozwodu, Mr Lambert?

John Sideblossom wysunął się z cienia. Musiał użyć bocznych drzwi. Miał na sobie ciepły płaszcz narzucony na wieczorowy strój. A więc zamierzał wyjść. Tim odetchnął. Callie ujadała.

– A jeśli, przeciwnie, liczy na to, że rodzina znów się zejdzie? Tak naprawdę jego największym życzeniem jest, żeby Lainie po tym fatalnym wypadku...

Elaine nie była w stanie wydusić z siebie słowa. Cofnęła się przerażona, gdy Sideblossom się do nich zbliżył.

– Ale Elaine życzy sobie rozwodu, Mr Sideblossom – powiedział spokojnie Tim. – Proszę, niech pan będzie rozsądny. Lainie bardzo żałuje tego, co zrobiła, ale pański syn bez wątpienia dał jej ku temu powody. Proszę, niech nas pan teraz zostawi w spokoju...

– Pana nikt nie pytał – warknął do niego Sideblossom, a potem znów zaczął mówić do Lainie swym ochrypłym, hipnotyzującym głosem. – Musisz naprawić wyrządzoną mu krzywdę, Elaine. Ale od tej chwili będziesz mu posłuszną żoną. Thomas był trochę... hmmm... miękki. Teraz ja będę na ciebie uważać.

Wyciągnął rękę po Elaine, ona jednak się wywinęła. Callie skoczyła między nich i zaczęła histerycznie szczekać.

Tim wysunął się przed Elaine.

– Co to, to nie, Mr Sideblossom! – powiedział zdecydowanym głosem. – Niech pan się stąd wynosi!

Sideblossom wyszczerzył zęby.

– Albo co? Chce mnie pan powstrzymać przed tym, bym zabrał naszą własność?

Uderzył znienacka. Pięść trafiła Tima w podbródek z pełną siłą i odrzuciła go na bok. Tim, który w żaden sposób nie był na to przygotowany, padł ciężko na ziemię. Gdy jego chore biodro się z nią zderzyło, nie mógł powstrzymać okrzyku bólu. Sideblossom kopnął Callie, która wciąż jeszcze ujadała.

– Tim! – Elaine zapomniała o całym strachu. Przyklękła obok niego.

Sideblossom natychmiast wykorzystał sytuację. Co więcej, wyglądało na to, że ją wykalkulował. Wyszarpnął ręce Elaine do tyłu i związał ją. A potem wcisnął jej knebel między zęby – nie mogła nawet krzyczeć.

Tim wił się na ziemi, rozpaczliwie próbował znaleźć jakieś oparcie, i musiał bezradnie patrzeć, jak Sideblossom podrywa Elaine na nogi, unosi ją i wrzuca na wóz.

– Po prostu o niej zapomnij – rzucił szyderczo Sideblossom, odwiązując konie.

Tim próbował się przetoczyć, zagrodzić mu drogę i zatrzymać konie, choć Sideblossom z pewnością nie miałby żadnych skrupułów, by po nim przejechać. Starzec kopnął go w żebra.

– Chyba nie chcesz się naprawdę bić? – zaśmiał się i zdawał się zastanawiać, czy nie uderzyć Tima jeszcze raz. Zostawił go jednak tak, jak leżał. Nie będzie bił kaleki. W każdym razie nie częściej niż trzeba.

To był lekki wóz dostawczy. Z małą powierzchnią ładunkową i wysokim kozłem z przodu. Elaine leżała z tyłu i nie ruszała się. Sideblossom podejrzewał, że ją zranił, rzucając na wóz. Cóż, o to może się zatroszczyć później. Najważniejsze, że na razie była cicho. Spokojnie zawrócił zaprzęg. Po co wzbudzać sensację? Gdyby tylko ten cholerny pies przestał wreszcie ujadać! Sideblossom poszukał po omacku broni. Ale jeśli teraz zastrzeli tę bestię, ludzie w domu usłyszą strzał. Lepiej będzie zostawić tego kundla w tyle. Popędził konie do galopu.

Kura szukała Elaine i Tima, znalazła jednak tylko Williama, który gawędził z kimś przy barze. Wzięła go na bok.

– Lainie zupełnie nad sobą nie panuje! Twierdzi, że widziała Sideblossoma. I Tima też nigdzie nie mogę znaleźć.

– Nooo, Tim nie może ci przecież uciec... – William nie był zbyt trzeźwy.

– William, to poważna sprawa! Elaine była oszalała ze strachu. Bóg wie, dokąd poszła...

– Niech zgadnę: siedzi przy pianinie u madame Clarisse. Elaine zawsze ucieka, gdy się czegoś boi, wiesz przecież o tym. I skąd miałby się tu pojawić Sideblossom? Jest sparaliżowany i prawie ślepy...

Kura potrząsnęła nim.

– Nie ten młody Sideblossom! Stary! No dalej, Williamie, musimy ją znaleźć! Jeśli to fałszywy alarm, tym lepiej. Ale mówię ci, Elaine kogoś zobaczyła. I jeśli to nie był John Sideblossom, to musiał to być wcielony diabeł.

William zebrał się w sobie. Wciąż jeszcze uważał za nieprawdopodobne, żeby John Sideblossom mógł się tutaj pojawić. Z drugiej strony ten drań był starym wygą, tak samo jak Marvin Lambert. Nie można było wykluczyć, że się znali.

Ale bieganie bez sensu w kółko, tak jak chciała to robić Kura, byłoby absurdalne. William pomyślał chwilę. To, co powiedział o Lainie, było prawdą. Nie mierzyła się z problemami, tylko uciekała. Jeśli rzeczywiście zobaczyła Johna Sideblossoma, to była już w drodze. Tylko dokąd? Do madame Clarisse? A może gdzieś daleko stąd? William ruszył w stronę wyjścia. A potem usłyszał ujadającą Callie. Niezbyt głośno, to było raczej szczekanie gdzieś daleko. William rzucił się biegiem.

– Tutaj, na pomoc!

William usłyszał krzyki Tima, gdy stał przy wejściu i próbował się zorientować w sytuacji. Na lewo od oświetlonego podjazdu, przy palach do wiązania koni. Tim rozpaczliwie próbował wstać, chwytając się ich. Wyglądało na to, jakby w ogóle nie mógł ruszać lewą nogą.

– Niech pan poczeka, pomogę panu... – William chciał podnieść kule, nagle jednak przyszło mu do głowy okropne podejrzenie. Gdyby Tim się przewrócił, kule miałby przy sobie...

– Niech mnie pan zostawi! – Tim bronił się gwałtownie, gdy William chciał pomóc mu wstać. – Niech pan szuka Lainie! Ten drań ją porwał. Wóz dostawczy, dwa konie, w stronę Westport. Dogoni go pan, niech pan bierze mojego konia!

– Ale pan…

– Żadnych ale, dam sobie radę! No, niech pan wreszcie jedzie! –
Tim jęknął. W jego biodro zdawał się wbijać ognisty nóż. Nie było
żadnych szans, żeby na własną rękę mógł dogonić Sideblossoma, nawet
gdyby w jakiś sposób udało mu się wsiąść na konia. – Niech pan rusza!
William wsunął stopę w nietypowe strzemię.

– Ale w stronę Westport? Czy nie ruszyłby raczej na południe…?

– Na Boga, widziałem, jak odjeżdża! I skąd mogę wiedzieć, czego on chce w Westport. Może ma tam wspólników. Albo w Pukaiki.
Niech pan się tego dowie! No jedź pan!

Ręce Tima zsunęły się z belki i znów opadł na ziemię, William
jednak wreszcie wskoczył w siodło. Wbił obcasy w Fellowa i koń parsknął poirytowany. Ciężkie koszykowe strzemiona boleśnie uderzyły
w jego boki. Fellow rzucił się do przodu i pognał pełnym galopem.
William z początku w ogóle nie był w stanie nim kierować. Błyska-
wiczny start całkowicie wytrącił go z równowagi, ale wypadnięcie
z tego specjalnego siodła było praktycznie niemożliwe. Tim przelotnie
pomyślał o wątpliwościach Ernesta przy wykonywaniu tych pomocy.
Byle tylko Fellow się nie potknął…

Fellow się nie potknął. Gdy minął ostatnie domy Greymouth, William
usadowił się wreszcie porządnie na jego grzbiecie. Siodło nie dawało
właściwie żadnej swobody ruchów, za to strzemiona zapewniały naprawdę solidne oparcie. Fellow pędził jak gnany przez Furie, pozwolił się jednak łatwo kontrolować, gdy Williamowi udało się wreszcie
dojść do ładu z wodzami. Droga była na razie wygodna i dobrze wy-
remontowana, ale to się miało wkrótce zmienić. Trasa wiodła wzdłuż
wybrzeża w stronę Pukaiki; był to piękny odcinek z zapierającymi dech
widokami na morze, droga była jednak kręta i nierówna. A w dodatku śliska po deszczu. William poczuł się niepewnie, ale Fellowowi to
nie przeszkadzało. Nie zwolnił tempa, gdy dotarli do nieutwardzonej
drogi, i szybko zmniejszał dystans. Żaden zaprzęg z wozem dostaw-
czym nie mógł poruszać się tak szybko jak ten ognisty deresz. Prawdopodobieństwo zaś, że Sideblossom gdzieś skręcił, można było z dużą
dozą pewności wykluczyć. Widoczność w świetle księżyca była w miarę dobra, a droga mokra od deszczu. William zobaczył ślady kół. Poza

tym słyszał teraz szczekanie Callie, które stawało się coraz głośniejsze. A więc był coraz bliżej.

Gdy koń w zawrotnym tempie wszedł w zakręt, za którym szlak wiódł dalej w dół, William mógł zobaczyć przed sobą większy odcinek drogi. Dostrzegł nieoświetlony wóz ciągnięty przez dwa konie, a za nim biegł mały czarny cień, ujadając, ile się tylko dało. William w kilka minut powinien ich dogonić. Fellow w każdym razie dawał z siebie wszystko. Możliwość ścigania się z innymi końmi popędzała go do szalonego tempa. William uchwycił się siodła i rozmyślał teraz nad strategią. To było szaleństwo, tak po prostu ścigać Sideblossoma! Ten człowiek był z pewnością uzbrojony i nie będzie miał żadnych skrupułów, żeby strzelić do Williama. Albo do Fellowa. Upadku konia przy tej prędkości nie przeżyłby żaden jeździec.

Z drugiej strony, z pewnością było niemożliwe, żeby przy tym tempie i na nierównej drodze mógł porządnie wycelować. Sideblossom powinien mieć i tak dość roboty ze swoim zaprzęgiem. Gdyby nie omijał wybojów, ryzykowałby złamanie osi. Jedyna szansa Williama polegała na tym, by wyprzedzić wóz, zatrzymać konie i obezwładnić tego człowieka, zanim zdąży wycelować broń. A przy tym element zaskoczenia z pewnością działał na jego korzyść. Callie wciąż jeszcze szczekała jak szalona; Sideblossom nie mógł więc słyszeć uderzeń kopyt jadącego za nim konia. Fellow nadrobił dystans i galopował teraz obok wozu. William wystraszył się, gdy zauważył, że w świetle księżyca rzucają razem z koniem długi cień, który prowadzący powóz zapewne wkrótce zauważy.

Jego obawy okazały się słuszne. Sideblossom odwrócił się gwałtownie i zobaczył zbliżającego się jeźdźca. William mógł go teraz wyraźnie rozpoznać. Jego przeciwnik nie trzymał w ręku żadnej broni, tylko bat. Zaczął nim smagać Williama.

Elaine obudziło ujadanie Callie i to, że jej ciało, rzucane z jednej strony na drugą, wciąż uderzało o twardą podłogę wozu. Leżało tam co prawda kilka koców, ale Sideblossom wziął je raczej po to, by ją ukryć, niż żeby poprawić jej położenie. Bolała ją głowa; musiała się o coś uderzyć i na krótko stracić przytomność. Postanowiła to teraz zignorować. Musi pomyśleć, coś zrobić! Może uda jej się w jakiś sposób poluzować więzy. Gdyby zdołała uwolnić ręce, być może odważyłaby się zeskoczyć z wozu. Oczywiście przy tej prędkości i na tak nierównej drodze mogła się przy tym zabić. Wszystko było jednak lepsze niż znów być zdaną na łaskę Thomasa Sideblossoma.

Elaine poruszała związanymi rękoma. Sznur mocno wbijał się w ciało, ale szybko udało jej się go poluzować. Najwyraźniej w pośpiechu Sideblossom nie związał jej porządnie. Elaine pocierała drobne ręce, próbowała je wyprostować i niczym zaklinacz węży wydostać się z pęt. I wtedy zobaczyła cień konia z jeźdźcem, wynurzający się obok wozu.

Rozpoznała szlachetną głowę Fellowa. Tim? Nie, to było niemożliwe. John pobił Tima. Miała głęboką nadzieję, że nie stało mu się nic złego, że znów sobie czegoś nie złamał. Elaine próbowała rozpoznać jeźdźca. William! Teraz wyprzedzał już wóz, był na wysokości kozła i...

William nie mógł się bronić. Nie miał pejcza, żeby oddawać uderzenia, a siodło nie pozwalało mu unikać ciosów. Fellow zaś raczej zwalniał, zamiast przyspieszać. Smagnięcia bata trafiały go w głowę i w szyję. Płoszył się i próbował zwolnić. William go popędzał, ale koń stawał się przez to tylko bardziej zdezorientowany tymi sprzecznymi sygnałami. W rozpaczliwym wysiłku William pokierował Fellowa tak, by znaleźć się jak najbliżej kozła i złapać bat, nim Sideblossom znów zdąży wziąć zamach. Mógł teraz zobaczyć twarz przeciwnika: rysy Johna Sideblossoma były wykrzywione z wściekłości. Puścił lejce, wstał i wkładał teraz całą siłę w uderzenia, chłoszcząc Williama i najwyraźniej licząc na to, że uda mu się go wysadzić z siodła. William jednak nabrał teraz odwagi. Z zimną uwagą wpatrywał się w spadający na niego bat i chwycił go. Poczuł na ręku rzemień i owinął go instynktownie wokół dłoni, by już go nie puścić. Jeśli uda mu się teraz włożyć dość siły w to, by pociągnąć bat do siebie...

I w tym momencie zareagował Fellow. Siwek wystraszył się, widząc nad sobą tańczący cień bata, i uskoczył w bok. William poczuł potworne napięcie rzemienia, który trzymał w ręce. W innej sytuacji wyrzuciłoby go to z siodła, ale specjalne siodło Tima przytrzymało go. Sideblossom będzie musiał ustąpić, bat wypadnie mu z ręki...

Faktycznie, napięcie nagle ustąpiło, a potem wszystko działo się już jednocześnie. Dał się słyszeć krzyk, a chwilę później głośne dudnienie. William chciał się obejrzeć, ale całkowicie spłoszony Fellow znowu przyspieszył, żeby uniknąć skórzanego rzemienia. Williamowi i tym razem udało się utrzymać w siodle dzięki specjalnej konstrukcji Tima. Odzyskał kontrolę nad koniem dopiero wtedy, gdy uwolnił rękę od bata. Pejcz spadł na ziemię, a Fellow od razu się uspokoił. Serce biło Williamowi jak szalone, ale teraz wreszcie mógł się odwrócić.

Konie Sideblossoma pędziły za nim w zawrotnym tempie, lecz kozioł był pusty. Sideblossom musiał stracić równowagę i spaść z wozu. Bóg wie, co mu się mogło stać…

William pozwolił sobie na chwilę odetchnąć. Po chwili zrozumiał, że niebezpieczeństwo grożące Elaine wcale nie minęło. Zaprzęg z wozem pędził zupełnie bez kontroli, a kręta droga wiodła stromo w dół. William próbował tak pokierować Fellowem, żeby zatrzymać konie, ale to też było ryzykowne. Droga była zbyt wąska, by mógł jechać obok wozu. Jeśli siwek się teraz zatrzyma, a pociągowe konie nie zahamują… albo nie będą mogły się zatrzymać, bo pęd ciężkiego wozu za nimi będzie zbyt duży… William widział już oczami wyobraźni, jak wóz porywa go, przetacza się po nim albo zrzuca go z nadbrzeżnych skał.

Elaine walczyła z więzami. Widziała, jak Sideblossom spada, i wiedziała, w jakim znalazła się niebezpieczeństwie. Nie była w stanie dostrzec stromej, krętej drogi przed sobą, ale nawet na zwykłej nieutwardzonej drodze niekierowany przez nikogo zaprzęg był niebezpieczny. Poza tym coś było nie tak z wozem. Coś zdawało się blokować lewe przednie koło. Gdyby oś się złamała…

Ale wtedy zupełnie nagle więzy ustąpiły. Poluzowały się na tyle, by Elaine mogła wysunąć z nich prawą rękę. Bez namysłu wyszarpnęła z ust knebel. Uniosła się na podłodze i spróbowała wdrapać na kozioł. Dojrzała wiszący luźno jeden koniec lejców, zaczęła wołać na konie… w końcu udało jej się złapać także drugi koniec. Klęczała na podłodze wozu, porządkując je, a potem dała koniom pierwsze sygnały, by zwolniły. Gdyby tylko droga nie była taka stroma! Elaine resztkami sił wspięła się na kozioł i zaciągnęła hamulce. Wóz wpadł w lekki poślizg, konie były jednak dobrze wyszkolone. Teraz, gdy wóz już na nie tak nie napierał, reagowały na polecenia Elaine. Przeszły w kłus, a potem do stępa. Jadący przed nimi na Fellowie William również zwolnił, aż w końcu się zatrzymał.

Nagle zapanowała absolutna cisza; nawet Callie przestała ujadać. Słychać było tylko, jak dyszy, gdy ich doganiała, a potem wskoczyła na kozioł do Elaine i zaczęła lizać ją po twarzy.

– Mój Boże, Lainie… – William czuł, jak wali mu serce. Myślał, że dopiero teraz jest w stanie ocenić, jak niewiele dzieliło ich od śmierci, a przynajmniej od ciężkiego wypadku. Elaine uwalniała się z ostatnich więzów, śmiejąc się i płacząc jednocześnie. Nie była nawet w stanie bronić się przed Callie.

– Dobra Callie, dobry piesek. Zostaw już, starczy, masz mnie znowu…

William przypatrywał jej się z troską. Elaine sprawiała wrażenie nienaturalnie rozluźnionej, prawie tak, jakby chodziło tu tylko o jakiś drobny wypadek, który mógłby wynikać z uszkodzenia wozu.

– Zechciałbyś zobaczyć, co jest z moim lewym przednim kołem? Coś je blokuje.

– Mój Boże, Lainie… – William powtórzył słowa, które dopiero co wypowiedział, teraz jednak jego głos brzmiał bardziej ochryple, a on odrętwiały patrzył na wóz. Przednie koło…

Elaine przymierzała się, żeby zejść z wozu i zobaczyć, co się stało.

– Nie, nie patrz tam, nie rób sobie tego! – William dyszał, ale musiał oszczędzić jej przynajmniej tego.

W szprychach koła, trzymane razem strzępami długiego woskowanego płaszcza, zwisały szczątki Johna Sideblossoma. William raczej spadł z konia niż z niego zsiadł. Zatoczył się na skraj drogi, żeby zwymiotować.

Elaine posłusznie pozostała na koźle. Wyczytała jednak z oczu Williama, co zobaczył. Widziała, jak Sideblossom spadał; musiała wiedzieć, co się stało. Nagle uświadomiła sobie też wszystko inne i zaczęła drżeć, nie panując nad tym. William podniósł ją z kozła i odprowadził na bok.

– Na wozie są koce. Powinieneś przykryć konie… – Elaine szczękała zębami, starała się jednak trzymać tego, czego ją nauczono. Jeśli dalej będzie myśleć tylko o tym, jak zadbać o konie, to oszaleje. William już teraz patrzył na nią tak, jakby była niespełna rozumu. Wziął koce, jednym z nich przykrył Elaine, a drugi położył na zwłokach. Ktoś będzie je musiał usunąć, zanim wóz znów będzie mógł ruszyć. William pomyślał, że to jego zadanie, ale nie potrafił tego zrobić.

– Proszę, mógłbyś przykryć konie? – powiedziała Elaine, patrząc nieruchomo przed siebie.

Właściwie mógł to zrobić. Przede wszystkim musiał jednak te konie do czegoś przywiązać. Aż strach pomyśleć, co mogłoby się stać, gdyby wóz znów ruszył bez kontroli, wlokąc za sobą zwłoki. Kilka jardów dalej stały drzewa, ale do nich trzeba by było konie podprowadzić. Może mógłby je wyprząc... William zajął się niezgrabnie uprzężą.

Na szczęście zwierzęta nie sprawiały wrażenia, jakby chciały ruszyć z miejsca, stały tylko, dysząc i drżąc. Fellow poczłapał powoli ku Elaine. Chwyciła jego wodze. William zajmował się pozostałymi końmi. Pracował machinalnie... tylko za dużo nie rozważać, nie myśleć o tym, co się stało...

– Tim... – powiedziała Elaine – ...czy ty...

– Rozmawiałem z nim, Lainie, jest w porządku.

Albo i nie. William pomyślał o wykrzywionej z bólu twarzy Tima. Tylko nie myśleć... Objął Elaine ramieniem. Callie zaczęła szczekać.

Lainie owinęła się szczelniej kocem.

Nagle Fellow nadstawił uszu i nawet konie z zaprzęgu się poruszyły.

– Tętent kopyt – szepnęła Elaine. Zadrżała mocno. – Myślisz, że on...

– Elaine, John Sideblossom nie żyje. Nic ci już nie może zrobić. Sądzę, że to Tim wysłał do nas ludzi... Mogłabyś uspokoić tego psa? Dlaczego on zawsze szczeka, kiedy dotyka cię jakiś mężczyzna?

William wstał.

– Ona nie szczeka na każdego – szepnęła Elaine.

# 5

Jay Hankins, kowal, na swej długonogiej klaczy był pierwszym, który do nich dotarł. Wkrótce po nim pojawili się konstabl, sędzia pokoju oraz Ernie i Matt.

– Wielkie nieba, Mr Martyn! Jak się panu w ogóle udało zatrzymać ten wóz? – Hankins patrzył na bardzo stromą drogę. – I gdzie jest ten drań, który...

William wskazał na przesiąknięty już krwią koc.

– To był wypadek. A wóz zatrzymała Lainie...

Elaine patrzyła na niego zdumiona. Gdzie się podział ten pyszałkowaty William, który niemal sam wyzwolił Irlandię od angielskich okupantów?

– Mimo wszystko wykazał pan sporo odwagi, Mr Martyn. Ten człowiek z pewnością miał broń... Wszystko z panią w porządku, Lainie? – Matt pomógł jej wstać; znów drżała. Callie tym razem nie szczekała.

– Myślę, że trzeba jeszcze będzie co nieco wyjaśnić – stwierdził konstabl. Uniósł koc i skrzywił twarz. – Ale najpierw musimy te... to wszystko tutaj posprzątać. Mamy tu dwóch mężczyzn o mocnych żołądkach? I jak zabierzemy dziewczynę do domu?

Elaine oparła się o Matta Gawaina.

– Tim? – zapytała ponownie.

Matt wzruszył ramionami.

– Nie wiem, Lainie. Lekarz się nim zajmuje. Ale był przytomny i rozmawiał. Opowiedział nam, co się stało. Wyślemy teraz Hankinsa na jego wyścigowym koniu, żeby sprowadził powóz. Wkrótce znów będzie pani przy Timie. Może Jay dowie się też czegoś nowego...

Elaine energicznie potrząsnęła głową. Potwornie marzła i widać było, że wciąż się boi. Ale jej stan się nie poprawi, jeśli spędzi tu kolejną godzinę.

– Sama mam wyścigowego konia – powiedziała, wskazując na Fellowa. – Na pewno da radę jeszcze raz przejechać tę drogę.

– Chce pani jechać konno, Miss Lainie? – zapytał konstabl. – W tym stanie?

Elaine przyjrzała się sobie. Jej suknia była brudna i podarta, na nadgarstkach miała ślady po więzach, a sądząc po tym, jak bolała ją głowa, musiała mieć guzy i otarcia na twarzy. Ale chciała do Tima...

I wtedy przypomniała jej się babcia. Elaine spróbowała się uśmiechnąć, ale jej słowa zabrzmiały mimo to dość poważnie:

– Jeśli nie można już jeździć konno, to jest się martwym.

Elaine najchętniej popędziłaby galopem, jednak ze względu na Fellowa ograniczyła się do lekkiego kłusa. Matt i Jay, którzy jej towarzyszyli, i tak kręcili głowami, widząc tempo, jakie narzuciła.

– Przecież nie może mu pani pomóc, Miss Lainie – zauważył Jay.

Elaine obrzuciła go morderczym spojrzeniem, ale nic nie odpowiedziała. Była zbyt zmęczona i przemarznięta, żeby rozmawiać. Najchętniej by się teraz rozpłakała. Z żelazną wolą panowała jednak nad sobą i zamierzała nawet odprowadzić Fellowa do stajni, gdy wreszcie dotarli do domu Lambertów. Matt odebrał od niej wierzchowca.

– No, niech już pani idzie...

Elaine, potykając się, pobiegła przez westybul, salon... wciąż jeszcze byli tu goście, którzy rozmawiali z sobą podnieconymi głosami, ale w ogóle ich nie dostrzegała, gdy się do niej zwracali. W końcu dotarła do korytarzy przy pomieszczeniach kuchennych i do pokoi Tima...

Elaine załamała się dopiero wtedy, gdy zobaczyła Tima leżącego w łóżku. Był tak samo cichy i blady jak pierwszego dnia po wypadku. Tylko nie to! Nie po tym wszystkim! Szlochała histerycznie i nie była w stanie ustać na nogach.

Berta Leroy ją podtrzymała.

– No, no, Lainie... chyba nie zamierza się pani teraz rozkleić! Roly? Macie tu whisky?

– Lainie! – Głos Tima.

Elaine wyrwała się Bercie i zataczając się, podeszła do jego łóżka. Uniósł się trochę, gdy opadła przy nim na kolana.

– Ten beznadziejny William naprawdę tego dokonał? O Boże, myślałem, że będę musiał kulami zapędzić go na konia! A potem jeszcze chciał dyskutować, w którą stronę jechać!

– Tim, ty… – Elaine przysunęła twarz do jego rąk, dotykała ciała… żadnych opatrunków… choć trochę się wzdrygnął, gdy dotknęła jego lewego boku.

– Dość poważne stłuczenia – wyjaśniła Berta Leroy i podała Elaine szklankę. – Ale nic nie jest złamane, niech się pani nie martwi.

Elaine znów zaczęła płakać, tym razem z ulgi. Małymi łykami popijała ze szklanki.

– To nie jest whisky…

– Nie, to laudanum. – Berta zmusiła ją, żeby wypiła do końca. – Zastanawiałam się, czy wódka nie byłaby lepsza. Ale od tego zrobilibyście się tylko rozmowniejsi, nie wspominając o tym, że także bardziej czuli. Zamiast tego będziecie spać. Pan też, Tim! W przeciwnym razie wezmę męża na słówko i naprawdę nie pozwolę panu pójść na to przesłuchanie!

Grupka, która następnego dnia spotkała się w biurze konstabla, wyglądała na dość niewyspaną.

Elaine mimo zażycia laudanum obudziła się rano z koszmarnych snów i odkryła, że leży w łóżku z Timem. Tim, który mimo morfiny nie spał i rozmyślał, chętnie zrobił jej miejsce; trzymał ją w objęciach, ona zaś, jąkając się i popłakując, opowiedziała mu dość bezładną wersję wydarzeń, które doprowadziły do śmierci Sideblossoma. W końcu zasnęła z głową na jego ramieniu. Nie odważył się poruszyć, tak więc przez całą noc nie mógł zmienić pozycji na wygodniejszą, dlatego nad ranem wszystko go bolało.

Elaine po przebudzeniu wciąż bolała głowa i raz po raz spazmatycznie płakała. Po jej opanowaniu z poprzedniego dnia nie zostało ani śladu. Już na widok swej całkowicie zniszczonej sukni zalała się po raz pierwszy łzami, a chwilę później znów płakała ze wzruszenia, gdy Charlene pojawiła się z ubraniem na zmianę.

– No już nie płacz! Mrs O'Brien uszyje ci nową suknię – przyrzekała bezradnie Charlene. – Jeśli się pospieszy, to zdąży nawet jeszcze przed tym koncertem w Blenheim. Przecież chciałaś ją tam włożyć…

– O ile nie będę wtedy w więzieniu – szlochała Lainie.

Charlene próbowała namówić ją przynajmniej na skromne śniadanie. Nie można jej jednak było uspokoić i zapanowała nad sobą znów dopiero wtedy, gdy nadeszła pora, żeby ruszać. Przeszła za kulejącym Timem przez salon, mijając lodowato milczącą Nellie Lambert. Marvin Lambert się nie pokazał. Poszedł do pracy lub był pijany – już albo jeszcze.

William sam fakt, że udało mu się pozostać przy życiu, świętował przez całą noc z Kurą. Po karkołomnej jeździe i dalszych trudach dowodzenia Kurze w każdy możliwy sposób swojej witalności poruszał się teraz prawie równie ociężale jak Tim.

Konstabl też nie wydawał się zbyt wyspany. Pół nocy spędził wraz z pomocnikami na wydobywaniu i transporcie ciała, a potem na sprawdzaniu pierwszych zeznań. Doktor Leroy po przebadaniu zwłok Sideblossoma również wyglądał na dość zmęczonego. W każdym razie nie znalazł niczego, co przeczyłoby opisowi wydarzeń podanemu przez Williama.

– Możemy więc założyć – podsumował badanie przyczyn zgonu sędzia pokoju, rozsądny i przyjazny człowiek, który w cywilnym życiu zajmował się prowadzeniem miejscowej stacji telegraficznej – że John Sideblossom w pełnym galopie, stojąc na koźle swego wozu, próbował, szarpiąc za bicz jak podczas przeciągania liny, wyrzucić z siodła jadącego obok niego Williama Martyna. Nieoczekiwany ruch w bok wytrącił go z równowagi. Podczas upadku jego płaszcz zaczepił się o uchwyt przy koźle i mężczyzna był wleczony po ziemi ze skutkiem śmiertelnym. Jakieś obiekcje?

Pozostali potrząsnęli głowami.

– Niezbyt piękna śmierć – zauważył konstabl – ale też niezbyt przyjemny typ... Przejdźmy do pani, Miss Lainie Keefer. A może raczej Elaine Sideblossom, jeżeli dobrze zrozumiałem dziś w nocy. Co to było z tą strzelaniną? Dlaczego żyła pani pod fałszywym nazwiskiem? Dlaczego jedynie Greymouth było „bezpieczne" i dlaczego Sideblossom nie mógł się po prostu z panią rozmówić, tylko musiał panią porywać?

Elaine wzięła głęboki oddech. A potem zaczęła opowiadać cichym, pozbawionym wyrazu głosem, ze wzrokiem wbitym w podłogę.

– Czy aresztuje mnie pan teraz? – zapytała, skończywszy swą relację. Więzienie przylegało bezpośrednio do biura konstabla. Było w tej chwili puste, ale dość obszerne. Pod koniec tygodnia każdy kąt tutaj był potrzebny jako izba wytrzeźwień.

Konstabl się uśmiechnął.

– Nie sądzę. Gdyby chciała pani uciec, już by tu pani nie było. Poza tym najpierw muszę to wszystko sprawdzić. Ta sprawa wciąż wydaje mi się dosyć zagmatwana. Przede wszystkim uważam za dziwne, że nigdy o niej nie słyszałem. Owszem, Lionel Station leży na końcu świata, ale młoda kobieta na liście poszukiwanych, w dodatku za tak spektakularne przestępstwo… Myślę, że to zwróciłoby moją uwagę. O emigracji w każdym razie nie powinna pani teraz myśleć, Miss…

– Lainie – szepnęła Elaine.

– W żadnym razie nie chce się nadal nazywać Sideblossom – zinterpretował to sędzia pokoju. – To jak najbardziej zrozumiałe, jeśli te historie są zgodne z prawdą. I przy uwzględnieniu faktu, że właśnie się z kimś zaręczyła. Mam nadzieję, że nie myślała pani poważnie o tym, żeby po raz drugi wyjść za mąż, Miss Lainie! Sprawą rozwodu powinna się pani koniecznie zająć jeszcze dziś.

Tim skinął głową.

– W Westport jest prawnik, o ile wiem. Może moglibyśmy do niego zatelegrafować… – Zamierzał wstać, podczas gdy konstabl podał Elaine przez stół protokół do podpisania.

– Ale musimy jeszcze porozmawiać o Blenheim – dodał William. – Rozumiem, że w tej chwili masz inne zmartwienia, Lainie…

– Chyba pan nie sądzi, że po tym wszystkim pojedzie jeszcze do Blenheim! – obruszył się Tim. Piekielnie bolał go lewy bok i chciał już zakończyć tę rozmowę. Elaine uspokajającym gestem położyła rękę na jego dłoni.

– Oczywiście, że pojadę do Blenheim – powiedziała zmęczonym głosem. – O ile mi wolno. – Spojrzała lękliwie na konstabla. Tim natomiast oczekiwał z nadzieją jego decyzji.

Zmieszany policjant wodził wzrokiem od jednego do drugiego.

– A co jest znowu w tym Blenheim?

William wyjaśnił mu to, a przy tym wagę występu Elaine i Kury przedstawił w taki sposób, jakby chodziło o ratowanie Wyspy Południowej przed najazdem barbarzyńców. Tim przewracał oczami.

– Mój Boże, William, przecież to tylko koncert…

– Dla Kury to coś więcej – sprzeciwiła się Lainie. – I z pewnością nie ucieknę, panie konstablu.

Konstabl potrząsnął głową i zagryzł wargę. To był nawyk, jaki miała też Lainie. Uśmiechnęła się do niego.

– O to najmniej się boję – powiedział w końcu. – Obawiam się raczej o pani bezpieczeństwo. Ten Thomas Sideblossom najpóźniej jutro dowie się o śmierci ojca. Jest pani pewna, że nie planuje żadnej zemsty? Byłby do tego zdolny?

Elaine zrobiła się najpierw blada, a potem czerwona.

– Thomas byłby zdolny do wszystkiego – wyszeptała.

– Może kiedyś taki był – wtrącił William. – Ale po tym incydencie z pistoletem...

Tim z niechętnym podziwem zauważył, jak ostrożnie wyraził to William. Być może ten człowiek był kiepskim jeźdźcem, ale jako adwokat potrafiłby się wić jak węgorz.

– Prawie w ogóle nie wychodzi z domu i wciąż jest zdany na pomoc. Panie konstablu, on jest właściwie ślepy.

– Ale do zaplanowania zamachu byłby zdolny? – upierał się konstabl.

– Po prostu nie będziemy spuszczać Lainie z oczu! – zadeklarował William.

Konstabl obrzucił gości sceptycznym spojrzeniem. Wyczerpany Tim o kulach i William, któremu na widok zwłok robiło się niedobrze. Jako ochroniarzy by ich nie zatrudnił.

– Sama pani powinna wiedzieć najlepiej, Miss Lainie – powiedział w końcu. – Ale proszę wziąć pod uwagę, że przynajmniej duchy Maorysów nie będą już pani chronić, jeśli opuści pani Greymouth. – Uśmiechnął się z trudem.

– Wczoraj też nie były zbyt pomocne – zauważyła Elaine.

William i Tim zaczęli się od razu kłócić, gdy tylko wyszli z biura sędziego pokoju i ruszyli w stronę urzędu telegraficznego. Elaine czuła się dziwnie lekko, jakby unosiła się nad wszystkim. Ale była jeszcze...

– Mr Farrier... moi rodzice w Queenstown. Czy moglibyśmy do nich zatelegrafować? Skoro teraz i tak wszystko się wyda...

Zobaczyła jeszcze, że sędzia pokoju coś jej odpowiada, ale widziała jedynie ruch jego warg. Jakimś sposobem słowa do niej nie docierały.

Wszystko zaczęło nagle wirować, podobnie jak poprzedniego dnia, teraz jednak Elaine nie potrafiła wrócić do rzeczywistości, zagubiła się w jakiejś chmurze. Nie było to nieprzyjemne, ale była daleko, daleko stąd…

Słyszała głosy jakby z oddali, gdy zaczęła powracać do siebie.

– Tego było dla niej trochę za wiele…

– Rana głowy…

– Żeby tylko nic się jej nie stało…

Ostatni głos należał do Tima. Był pusty, rozpaczliwy i zmęczony.

Elaine otworzyła oczy i zobaczyła nad sobą doktora Leroya, który badał jej puls.

Tima ani pozostałych nie było w pokoju… Najwidoczniej przeniesiono ją do małego szpitalika. Za doktorem krzątała się Berta.

– Czy… czy dolega mi coś poważnego? – zapytała cicho.

Doktor Leroy się uśmiechnął.

– Coś bardzo poważnego, Miss Lainie! W najbliższym czasie koniecznie będzie pani musiała porządnie jeść i nie sznurować się tak mocno… – Elaine zauważyła teraz, że ktoś poluzował jej kaftanik i gorset. I zarumieniła się zawstydzona. – …A przede wszystkim musi pani uregulować swoje sprawy osobiste z rozwodem i małżeństwem. Jest pani w ciąży, Miss Lainie! A gdy już odbiorę to dziecko, wolałbym zwracać się do pani „Misses".

– Kiedy dziecko przyjdzie na świat, będziemy już dawno w Walii! – powiedział czule Tim. Berta Leroy przekazała mu wiadomość i wpuściła do Elaine. Młodej kobiecie pozwolono wstać dopiero pod warunkiem, że zje najpierw porządne śniadanie. Roly był już w drodze do piekarza, a co za tym idzie, wieści rozeszły się w Greymouth szybciej, niż mógłby to sprawić jakikolwiek telegraf. – Zostawimy to wszystko za nami. Nie chcę już się więcej obawiać tego Sideblossoma.

– Może będę w więzieniu, gdy dziecko przyjdzie na świat – mruknęła pod nosem Elaine. – Będzie jeszcze proces, Tim. Nie możesz po prostu chować głowy w piasek… albo w walijski pył węglowy. I tak się cieszę, że mogę w ogóle pojechać do Blenheim.

– Chyba nie zamierzasz usiąść w Blenheim do fortepianu? I to teraz, w twoim stanie! – Tim patrzył na nią skonsternowany.

Elaine pogłaskała go po policzku.

– Nie jestem chora, najdroższy – odparła czule. – A Kura powiedziałaby zapewne: „Jeśli człowiek nie może więcej grać na fortepianie, to już nie żyje".

Kura czekała na Elaine i Tima, gdy wreszcie wyszli z przychodni.

– William powiedział mi o dziecku – powiedziała zduszonym głosem. – Chyba... się cieszysz?

Elaine się roześmiała.

– Oczywiście, że się cieszę! To najcudowniejsza rzecz, jaka mi się w życiu przydarzyła. Ale nie martw się, pojadę mimo to do Blenheim. Od jutra znów ćwiczymy, dobrze? Dziś czuję się trochę osłabiona. No i chciałam zatelegrafować do...

– William już mi o tym wspomniał – stwierdziła Kura, wciąż jeszcze mówiąc nienaturalnie stłumionym głosem. – To znaczy, o Blenheim i o telegrafowaniu... Elaine, wiem, że proszę o wiele. Ale czy nie mogłabyś trochę poczekać? Jeśli powiadomisz teraz rodziców, to będą tu za dwa dni.

– No tak, dwa dni to dość krótko, ale... – Elaine popatrzyła zdziwiona na kuzynkę. Nie rozumiała, o co Kurze chodzi, ale wyglądało na to, że to coś bardzo ważnego.

– Elaine, jeśli znajdą ciebie, to znajdą i mnie. Następny telegram dotrze do Haldon, a ja... Zrozum, Lainie, nie chcę, żeby mnie postrzegali jako pianistkę z baru! Jeśli ten koncert w Blenheim okaże się sukcesem, będę śpiewaczką z własnym programem, z zaplanowanym tournée. Wtedy będę mogła pokazać wycinki z gazet. Będę mogła powiedzieć, że wyjeżdżamy do Londynu... – Oczy Kury zabłysły na samą myśl o sukcesach, w jej głosie słychać było jednak zwątpienie i niemal błagalny ton. – Ale jeśli twoi rodzice usłyszą mnie, jak śpiewam w Wild Rover, jeśli się dowiedzą, że przez cały rok występowałam po barach... proszę, Lainie!

Elaine się wahała. A potem skinęła głową.

– Jeden tydzień nie zrobi różnicy – powiedziała w końcu. – Mam tylko nadzieję, że to rzeczywiście okaże się takim sukcesem. Jakoś nigdy nie widziałam się w roli artystki...

Kura się zaśmiała.

– Może dziecko będzie artystą. Albo artystką. W każdym razie, gdy się urodzi, podaruję mu w prezencie wspaniały fortepian.

# 6

Elaine nie odczuła podróży do Blenheim jako męczącej. Wręcz przeciwnie, siedząc w powozie, cieszyła się widokami zapierających dech w piersiach skalnych formacji Alp, a później winnic wznoszących się nad Blenheim. Kura zdawała się tego wszystkiego nie dostrzegać. Z kamienną twarzą patrzyła przed siebie, jakby wsłuchana w melodie, które docierały tylko do niej. W swej własnej wieczności przeżywała na przemian piekło niepowodzenia i szczęście szalonego aplauzu.

William widział jedynie Kurę. Zdawał się równie jak ona rozgorączkowany tym występem – i oczywiście również dla niego był to nowy początek. Jeśli Kura odniesie sukces, zamierzał porzucić interes z maszynami do szycia i całkowicie poświęcić się zadaniu uczynienia swej żony znaną i sławną.

Oboje wydawali się traktować ten koncert jako decydujący punkt zwrotny w ich życiu – a Elaine chwilami czuła, że ten ciężar ją przygniata. Martwiła się też o Tima, dla którego trzydniowa jazda powozem była uciążliwa. Elaine bardzo nalegała, żeby podzielić ją na etapy. Poruszali się niemal równie powoli jak podczas tej nieszczęsnej podróży z Queenstown do Lionel Station. Tyle tylko, że drogi były odcinkami nierówne i w kiepskim stanie. Po drugim etapie Kura również narzekała, że wszystko ją boli. Tim nic nie mówił, ale wyglądał tak, jakby czuł się tak samo. Próbował udawać, że jest w dobrym humorze, Elaine zauważyła jednak, że jest spięty, i dostrzegła ciemne cienie pod jego oczami. Słyszała, jak pojękuje przez sen, jeżeli w ogóle udawało mu się zasnąć. Gdy nocą przemykała się do jego hotelowego pokoju, zazwyczaj nie spał i spędzał czas zagłębiony w lekturze, by odwrócić uwagę od bolącego biodra. Wszystko to dawało dość kiepskie widoki na emigrację, o której wciąż wspominał.

Elaine mocno się obawiała takiej sześciotygodniowej morskiej podróży. Wyobrażała sobie statek jako nieustannie kołyszącą się łajbę, na której pokładzie Tim wciąż będzie musiał walczyć, żeby nie stracić równowagi. A potem jeszcze podróż z Londynu do Walii, zapewne konno, i może też rozczarowanie, jeśli wszystko nie będzie takie, jak na to liczył Tim.

Elaine już od dawna nie patrzyła na tę sprawę tak optymistycznie jak jej narzeczony. Oczywiście wierzyła mu, że wcześniej nie mógł się opędzić od ofert pracy. Ale czy właściciele kopalni wciąż jeszcze będą chcieli go zatrudnić? Inżynier górnictwa, który w przypadku terenów pod ziemią będzie musiał polegać na oczach i uszach innych? Który tylko w ograniczonym stopniu będzie mógł nadzorować budowę kopalni na dole? Tutaj, w Greymouth, miał Matta Gawaina, którego praktyczne doświadczenie świetnie się uzupełniało z techniczną wiedzą Tima i który informował go o wszystkim szczerze i kompetentnie. Miał Roly'ego, który załatwiał za niego drobne sprawy codziennego życia bez pytania, traktując to jako coś oczywistego. Czy on w ogóle poradzi sobie bez Roly'ego? Chłopak prawie zawsze był przy nim, nawet wtedy, gdy jego pomoc w ogóle nie rzucała się w oczy. Ale co się stanie, gdy Roly'ego już przy nim nie będzie? Kiedy nikt nie będzie uważał, że to coś oczywistego, by osiodłać konia Tima i wyprowadzić go, nosić jego torby albo załatwiać za niego wszelkie drobne sprawy? W domu większość z tych rzeczy będzie mogła robić za niego Elaine. Ale w innych miejscach? Timowi też musiało to chodzić po głowie, zwłaszcza teraz, podczas podróży, gdy widoczna stawała się jego niedostateczna wytrzymałość. Być może to też było powodem, dla którego stawał się coraz cichszy, niemal ponury, nim wreszcie dotarli do celu podróży. W gruncie rzeczy nie mógł tego tłumaczyć niepokój, że Thomas Sideblossom może coś planować. Sędzia pokoju na krótko przed wyjazdem poinformował ich, że jak dotąd nie udało się powiadomić Sideblossomów o śmierci Johna. Wysłano co prawda posłańca do Lionel Station, ale Zoé ani Thomasa Sideblossoma nie było na farmie.

– Podobno mieli pojechać do jakiegoś lekarza, na północ – powiedział Mr Carrington. – Ponoć może usunąć kulę z głowy Mr Sideblossoma, tak w każdym razie zrozumieli to Maorysi na farmie. Nie mieli jednak żadnego adresu kontaktowego, trzeba więc będzie poczekać, aż wrócą, co miejmy nadzieję, nie potrwa zbyt długo. Chętnie wysłalibyśmy już ciało do Otago, bo jeśli wkrótce nie dojdzie do jakichś konkretnych uzgodnień, będziemy musieli pochować je tutaj.

Elaine była pewna, że Maorysi z Lionel Station świetnie rozumieli powód podróży Thomasa Sideblossoma. Dzięki jego specjalnej polityce doboru personelu miał przecież doskonale wyszkolonych służących, jak Arama czy Pai, nie wspominając już o Emere. Ta z pewnością znała plany Johna. Czy jest teraz po nim w żałobie? I czy wydawałoby się jej dziwne, gdyby to młoda Zoé Sideblossom go pochowała, po tym jak Emere przez tyle lat dzieliła z nim łoże i rodziła mu dzieci?

Sama Zoé Sideblossom dzieci nie miała. William wiedział, że pierwsze zmarło podczas porodu i że potem raz poroniła, o czym opowiedział Elaine; w każdym razie poza Thomasem nie było żadnych dalszych prawowitych spadkobierców. Dziwne, że Zoé troszczyła się teraz o Thomasa... Ale może po prostu cieszyła się tylko, mogąc z jakiegokolwiek powodu opuścić farmę.

W każdym razie – jak wszyscy sądzili – nie snuła żadnych mrocznych planów zwróconych przeciw Elaine, dlatego też mężczyźni nie traktowali zbyt poważnie swojego zamiaru, żeby nie tracić Lainie z oczu. Gdy w końcu dotarli do Blenheim, Tim natychmiast wycofał się do swego pokoju w hotelu – była to oznaka słabości, która musiała go bardzo boleć. Elaine wysłała do niego Roly'ego.

– Przypilnuj, żeby trochę wypoczął. Przyjęcie dziś wieczorem u tej Mrs Redcliff też będzie męczące.

Roly właściwie nie potrzebował, by mu o tym mówić. Pretekst, że ma wnieść bagaże Tima, wystarczył mu, żeby się zatroszczył o swego pacjenta.

William pożegnał się z niezbyt przekonującą wymówką, którą Kura z pewnością by przejrzała, gdyby potrafiła choćby w najmniejszym stopniu zainteresować się czymś innym niż koncert, który miał się odbyć następnego wieczoru. William wiedział, co był dłużny Heather Redcliff, z domu Witherspoon. Co prawda była zajęta przygotowaniami do wieczornego przyjęcia, ale jej słowa „William, to naprawdę nie jest najlepsza chwila" brzmiały tak zapraszająco, że przybrał skruszoną minę, ale nie zrobił nic, żeby natychmiast opuścić jej dom.

Faktycznie wkrótce pojawiła się też możliwość, by pozwolić służącej przez jakiś czas zająć się wszystkim samej. Kucharka i tak była szczęśliwa, jeśli nikt nie zaglądał jej wciąż w garnki, dzieci zaś ze względu na wieczorne przyjęcie umieszczono na ten czas u przyjaciół.

– Aż się nie mogę doczekać, żeby znów zobaczyć Kurę! – powiedziała na koniec Heather i doprowadziła do porządku włosy, William zaś ruszył za nią z pokoju.

– A ja się cieszę, że będę mógł osobiście poznać niezwykłego Mr Redcliffa! – odparł ze śmiechem. – Przyjdziemy o ósmej.

Popołudnie Kura i Elaine spędziły na oglądaniu sali koncertowej w hotelu i jeszcze jednej próbie. Z początku Elaine była onieśmielona wielkością i elegancją pomieszczeń. W ogóle hotel jej imponował. Był znacznie nowocześniejszy niż White Hart w Christchurch i absolutnie nie dało się go porównać z pensjonatem jej babci.

– Akustyka jest wyśmienita – powiedziała Kura, która gościła już kiedyś w tym mieście z zespołem Barristera. – I tym razem będziemy miały scenę tylko dla siebie, tylko i wyłącznie dla nas. Żadnych innych śpiewaków i tancerzy, ludzie będą słuchać wyłącznie nas! Czy to nie wspaniałe uczucie? Jak szampan... – Zawirowała na scenie. Elaine wszystko to raczej trochę zatrważało. Czuła, jak bije jej serce, nie miała jednak skłonności do takich stanów lękowych jak Caleb. Trema doda jej raczej siły, przepych zaś wokół doda blasku jej grze. Kura nie myślała o tym. Widziała już tancerzy z zespołu, którzy drżeli każdego wieczoru przed występem, a potem stawali się coraz lepsi. Lainie też była takim typem. Na pewno wykona dobrze to, co ma do zrobienia.

Elaine już teraz, podczas próby generalnej, grała lepiej niż w Greymouth; być może jednak była to zasługa nienagannie nastrojonego, bardzo kosztownego fortepianu, który hotel oddał im do dyspozycji. Elaine przyglądała się instrumentowi niemal z czcią i grała na nim z wyraźną radością.

Obie dziewczyny były w najlepszych nastrojach, gdy w końcu poszły do swych pokoi, żeby się przebrać na wieczorne przyjęcie. Mrs O'Brien faktycznie udała się nie lada sztuka, by w ciągu zaledwie tygodnia uszyć nową suknię. Tym razem jedwab był ciemniejszy; nie tak szybko można było znów znaleźć lazurowy materiał. Ale nowa suknia też wyglądała cudownie. Ciemnoniebieska tkanina jeszcze bardziej podkreślała ognistą barwę włosów Elaine i jej bardzo jasną cerę. Wyglądała w niej poważniej i mniej dziewczęco.

Kura nie miała żadnej nowej sukni. Oszczędności jej i Williama zostały całkowicie wyczerpane na podróż i zapowiedzi koncertu, a William musiał spasować, gdy go poprosiła, żeby sam uszył jej suknię.

– Najsłodsza, potrafię obsługiwać tę cudowną maszynę jedynie w ograniczonym zakresie. I gdybyś mnie zapytała, jedynie nieliczne kobiety zwróciłyby się z taką prośbą także do Mrs O'Brien. Szczerze mówiąc, nawet nie sądziłem, że to możliwe, nim ręka tej damy po raz pierwszy dotknęła singera. Ona ma naturalny talent. Zastanawiałem się już nawet, czy nie wykorzystać jej do szkolenia przedstawicieli handlowych… Ale jeśli osiągniemy sukces tu, w Blenheim, to i tak maszyny Singera nie będą nas już obchodzić. Wtedy będziesz mogła kupować sobie garderobę w Londynie…

Tak więc Kura miała występować w swej bordowej sukni, ale i tak mogła pozostawić w cieniu wszystkie inne kobiety wokół siebie. Również w domu Redcliffów podążały za nią pełne podziwu spojrzenia, zanim jeszcze w ogóle została przedstawiona jako gość honorowy wieczoru. Heather Redcliff powitała ją wylewnie i Kura pozwoliła się nawet objąć.

– Wyglądasz olśniewająco, Kuro, jak zawsze! – zachwycała się Heather. – Dorosłaś i prezentujesz się wspaniale! Aż się nie mogę doczekać, by móc usłyszeć, jak śpiewasz!

Kura mogła odpowiedzieć jedynie komplementem. Heather wyglądała na bardziej zadbaną, delikatniejszą – a dziś aż promieniała wewnętrznym blaskiem. William Martyn też musiał się do tego przyczynić.

Mr Redcliff okazał się ociężałym, dość korpulentnym mężczyzną w średnim wieku, o zaczerwienionej twarzy, ale wynikało to raczej z tego, że często wystawiał ją na wiatr i zmienną pogodę, niż z konsumpcji whisky. Miał rzadkie włosy, uważne brązowe oczy i silny uścisk dłoni. William czuł się tak, jakby Redcliff go oceniał. Timowi od razu wydał się sympatyczny. To ostatnie spotkało się zresztą z wzajemnością. Wkrótce obaj byli pogrążeni w rozmowie o budowie kolei i różnych trudnościach przy kładzeniu torów przez Alpy.

– Napijemy się czegoś później razem w pokoju dla panów – powiedział Redcliff niemal konspiracyjnym tonem, gdy zauważył, że Timowi z trudem przychodzi stanie na nogach. – Mam fantastyczną whisky. Najpierw jednak wypada mi się przywitać ze wszystkimi. Moja żona zaprosiła niemal każdego z Blenheim, kogo znam, a niekoniecznie lubię. Niech pan sobie znajdzie jakieś miejsce i coś zje. Po tym, co kosztował cały ten szwadron kucharzy, którzy przez cały dzień działali nam na nerwy, bufet musi być prawdziwym cudem.

Heather spędziła cały wieczór na podsuwaniu różnych potraw Kurze i Elaine. Elaine nie była w stanie niemal niczego przełknąć. Kura nieustannie wszystkich oczarowywała i przekonywała do siebie każdego, komu była przedstawiana. Niektórzy przy tym zachwycali się już samym tylko jej wyglądem, ci zaś naprawdę zainteresowani muzyką podziwiali bogato zdobiony flet *pecorino*, który za namową Williama zabrała z sobą. Dla wielu gości było przeżyciem, że mogli zobaczyć z bliska ten maoryski instrument, a nawet go dotknąć.

– Naprawdę można nim przywoływać duchy? – zapytała z zainteresowaniem jedna z młodych kobiet. – Czytałam coś takiego. Z tego fletu można wydobywać trzy różne rodzaje głosów, ale tylko nielicznym dane jest budzić duchy, jak mówią.

Kura chciała właśnie wyjaśnić, że głos duchów wydobywany z *pecorino* jest raczej kwestią techniki oddychania, a nie duchowości, lecz William wszedł jej w słowo i znów pozwolił sobie zostać prawdziwym *whaikorero*.

– Jedynie wybrani, nazywa się ich *tohunga*, potrafią zagrać na tym flecie zupełnie niezwykłą muzykę. Jeśli usłyszy pani te tony, nie myśli już pani więcej o przesądach. Być może polega to na technice oddechu, ale te głosy poruszają człowieka do samej głębi. Zadają pytania i udzielają odpowiedzi. Czasem spełniają najskrytsze i najgłębsze życzenia... – Mrugnął do Kury.

– Niech pani to zrobi! – powiedział lekko już podpity młodzian towarzyszący młodej kobiecie. – Niech pani przywoła kilka duchów!

Kura sprawiała wrażenie niezręcznie zakłopotanej, a przynajmniej tak się zachowywała.

– Tego się nie robi – mruknęła pod nosem. – Nie jestem czarodziejką, a poza tym... duchy to nie są przecież jakieś cyrkowe kucyki, którym można kazać przybiec na zawołanie.

– Och, jaka szkoda, tak chętnie zobaczyłbym prawdziwego ducha – zażartował mężczyzna. – Ale może uda się to jutro podczas koncertu.

– Duchy dotykają człowieka wtedy, gdy się tego najmniej spodziewa! – powiedział poważnie William. A potem uśmiechnął się bezczelnie do Kury, gdy parka już sobie poszła. – Tak to się robi, słodka. Musisz się przedstawiać w trochę bardziej tajemniczy sposób. Habanerę potrafi śpiewać wielu. Ale zaklinanie duchów to coś szczególnego. Twoi przodkowie nie wezmą ci przecież tego za złe.

– Jak tak dalej pójdzie, to następnym razem będziesz musiała jeszcze przepowiadać przyszłość – droczyła się z kuzynką Elaine.

Kura przewróciła oczami.

– On już wpadł na pomysł, że powinnyśmy się przynajmniej zastanowić nad tym, czy nie występować w tradycyjnych maoryskich strojach.

– Dasz się wytatuować i… wyjdziesz na scenę z odsłoniętym biustem? – zachichotała Lainie.

– To pierwsze pewnie nie, ale o tym drugim na pewno myślał. Naprawdę mówił już o sukienkach z łyka. Nawet nie wiem, co to takiego! – zaśmiała się Kura. Od dawna nie traktowała Williama całkiem poważnie.

– Kura? Miss Keefer? Ach, tu panie są! Proszę ze mną, muszę panie komuś przedstawić! – Heather Redcliff znów wirowała w ich kierunku. Tym razem prowadziła w ich stronę korpulentnego mężczyznę i nie mniej krągłą kobietę. Za tą dwójką szła dość dziwna para, która potrzebowała więcej czasu, żeby przemierzyć salę. Mężczyzna wspierał się ciężko na kobiecie i lasce; był wysoki, ale zdawał się jakby przygarbiony. Jego twarz zasłaniały wielkie ciemne okulary.

– Profesor doktor Mattershine i Louisa Mattershine. Profesor jest chirurgiem w naszym nowym szpitalu. Prawdziwy skarb! A jego małżonka…

Do Elaine nie docierało nic z tego, co mówiła Heather. Jak zahipnotyzowana patrzyła na kobietę, która powoli, drobnymi krokami wyłaniała się zza Mattershine'ów. Szczupła, proporcjonalna i klasycznie piękna twarz. Miękkie złociste włosy związane w węzeł i opadające na kark. Przepiękne brązowe oczy, w fascynujący sposób kontrastujące z jasną cerą.

Zoé Sideblossom. Elaine zaschło w ustach. Patrzyła na ciemnowłosego mężczyznę u jej boku. Kiedyś z pewnością był szczupły i muskularny, dziś sprawiał wrażenie przygiętego i schorowanego. Ciało i twarz miał jakby nalane i nabrzmiałe, ale surowe linie przy jego ustach nie znikły... Zmarszczka między oczami, która zdradzała koncentrację, gdy z Elaine...Poczuła ogarniający ją chłód. Chciała uciekać, ale nie była w stanie. Tak jak jej się to często zdarzało w Lionel Station...

– To nasi goście, Zoé i Thomas Sideblossomowie – dokonała prezentacji żona lekarza. Zdawała się nad wyraz przyjazna i troskliwa, ale uwielbiała też rozpowiadać plotki. Mówiła więc bez ustanku dalej, aż Zoé i Thomas dotarli do ich grupki i usłyszeli jej słowa.

– Zabraliśmy ich z sobą, żeby dodać im trochę otuchy. Ten młody mężczyzna miał wypadek z bronią i uległ ciężkiemu zranieniu. Teraz jest tylko cieniem samego siebie. A ona jest jego... hmmm... macochą, późna miłość jego ojca. No tak, i w dodatku wczoraj dowiedziała się, że jej mąż... Cóż za ciężki los! Niech pani tu podejdzie, Zoé, moja droga, to są artystki...

Zoé i Elaine wpatrywały się w siebie. Zoé ubrana była na czarno, więc faktycznie musiała już wiedzieć... Oczywiście, telegraf! Elaine od początku nie wierzyła, że personel Sideblossomów nie był w stanie jej odnaleźć.

– Ty... – Głos Zoé brzmiał bezbarwnie. Zdawało się, jakby trochę odsuwała od siebie Thomasa. Zapewne liczyła na to, że skoncentruje swą uwagę na Mrs Mattershine, co pozwoli jej zamienić kilka słów na osobności z Lainie. – Podziwiałam cię wtedy, wiesz? Ale ty... my... o Boże, powinniśmy stąd wyjść!

Zoé była ogarnięta bodaj taką samą paniką jak Elaine. Żadna z nich nie widziała jednak wyjścia z sytuacji.

– Miss Kura-maro... Jak to się wymawia, moja droga? I Miss Elaine Keefer...

Być może Thomas nie słuchałby uważnie, gdyby żona jego lekarza nie wymówiła przypadkiem imienia Elaine we właściwy sposób. Przyjaciele zgadzali się co do tego, że Elaine tym razem powinna się jeszcze przedstawiać jako Lainie Keefer, lecz dla Mrs Mattershine „Lainie" widocznie brzmiało zbyt egzotycznie. A może było to coś w jej aurze... tej aurze strachu, tak dobrze znanej Thomasowi, która teraz zdradziła Elaine.

– Elaine? – To był ten sam głos. Dotknął ją do żywego, zdawał się zgniatać jej serce. – Moja... Elaine?

Mężczyzna zacisnął dłoń na lasce.

Elaine patrzyła na niego z rozszerzonymi z przerażenia oczami, nie będąc w stanie się odsunąć.

– Thomas, ja…

– Thomas, powinniśmy już iść! – odezwała się spokojnie Zoé Sideblossom. – Zgodziliśmy się przecież, żeby zostawić przeszłość w spokoju. Wszyscy żałujemy tego, co się stało…

– Być może *ty* chciałaś pozostawić przeszłość w spokoju, Zoé, moja piękna! – Ostatnie słowa brzmiały jak groźba. Thomas Sideblossom starał się wyprostować na tyle, na ile mógł. U większości ludzi ten widok pewnie nie wzbudzałby lęku, Elaine jednak zrobiła krok do tyłu, a jej ręce trafiły w próżnię. To było tak, jakby nigdy nie było Tima i czasu spędzonego w Greymouth. To był Thomas, a ona należała do niego…

– I ty! – powiedział w stronę Elaine, jakby widział ją przed sobą tak wyraźnie jak kiedyś. – Ale ja nic nie zostawię w spokoju, moja ukochana Elaine. Mój ojciec cię szuka, wiesz… albo szukał, bo ponoć nie żyje. Masz z tym może coś wspólnego, ty wiedźmo?

W tym momencie ludzie wokół Elaine, Zoé i Thomasa patrzyli na jego wybuch gniewu. Widzieli bladą jak śmierć dziewczynę przed nim i młodą kobietę, która rozpaczliwie próbowała go odciągnąć.

– Thomas, chodź już.

– Ale na koniec cię znalazł, Lainie…

Ostatnie słowo spłynęło z jego ust, jakby miał apetyt na więcej. Zrobił niepewny krok w jej stronę.

– I zabiorę cię. Nie dziś, nie jutro, Lainie, tylko wtedy, kiedy mi będzie pasować. Oczekuj mnie, Lainie… tak jak wtedy, pamiętasz jeszcze? Twoja biała suknia… tak słodka, tak niewinna… ale już wtedy się opierałaś. Zawsze się opierałaś.

Elaine drżała na całym ciele. Strach całkowicie ją paraliżował. Jeśli teraz będzie ją chciał, pójdzie za nim… albo jeszcze raz wypali z broni. Ale nie miała broni. Elaine bezbronnie uniosła ręce.

I wtedy głuchy ton mozolnie materializującej się muzyki, jakby z innego świata, przerwał pełną napięcia ciszę, która zawisła w powietrzu. Nad szepty i pojękiwania wzniósł się dźwięk. Głośny, ochrypły, grożący…

Elaine nigdy wcześniej nie słyszała tej melodii. Ale oczywiście rozpoznała instrument. Głos duchów *pecorino*.

Kura grała w skupieniu, najpierw długimi oskarżycielskimi tonami, które były coraz szybsze, coraz mroczniejsze. Według ludzkiego odczucia tony powinny przy tym brzmieć bardziej przenikliwie, stawały się jednak jakby bardziej głuche, zatrważające. I otaczały Kurę niczym jakaś upiorna aura. Elaine stanęła obok Kury, a potem pomiędzy nią a Thomasem Sideblossomem.

Mężczyzna zastygł w pozycji do ataku już w chwili, gdy dotarły do niego pierwsze dźwięki. Jego ciało traciło stopniowo napięcie, a groźny grymas zamieniał się w paniczny strach. W końcu spadły mu okulary, odsłaniając wszystkim zniszczoną twarz – wykrzywioną, zaciętą twarz, która w dźwiękach muzyki zdawała się jakby tracić wszelkie kontury. Pod twardymi, złośliwymi rysami Thomasa Sideblossoma ukazywało się oblicze wstrząśniętego dziecka.

– Nie… proszę, nie… – Mężczyzna cofnął się, stracił równowagę, upadł… A potem zaczął krzyczeć, próbował schować głowę w ramionach, i w końcu odwrócił się twarzą ku podłodze.

Elaine nie rozumiała tego, co widziała i słyszała, podobnie jak inni patrzący. Czuła jednak, jak wszyscy stojący wokół Kury i Thomasa się odsuwają… I sama niemal uwierzyłaby w magię fletu, gdyby nie widziała, że Kura patrzy na kulącego się przed nią mężczyznę tak samo nie rozumiejąc, co się dzieje.

Thomas Sideblossom pojękiwał już tylko, gdy Kura w końcu przestała grać. Sprawiała wrażenie, jakby nie była pewna, co powinna zrobić, ale rzuciła w jego stronę jeszcze kilka maoryskich słów, które jakby ostatecznie nim wstrząsnęły. Elaine czuła, że musi coś dodać. Wypowiedziała szybko, ochrypłym głosem, pierwsze lepsze zdanie po maorysku, jakie przyszło jej do głowy.

A potem wycofała się, robiąc kilka kroków wstecz, tak samo onieśmielona jak inni ludzie w pomieszczeniu. Kura natomiast dalej odgrywała swą rolę. Odwróciła się do Sideblossoma plecami i wyszła z sali z wysoko uniesioną głową, pozostając w każdym calu zwyciężczynią.

– Lekarza! Potrzebujemy lekarza! – Elaine usłyszała Zoé Sideblossom, a potem głos Heather Redcliff, który dobiegał do niej jak przez mgłę. Zastanawiała się przez moment, gdzie mógł zniknąć doktor Mattershine, ale było jej to obojętne. Wybiegła i odszukała Tima

Lamberta w pokoju dla panów, pogrążonego w swobodnej rozmowie z Mr Redcliffem. Przypadła do niego i skryła głowę na jego kolanach.

– Lainie? Co ci jest, Lainie?

Jakiś gość, który w pośpiechu podbiegł do drzwi, krzyknął:

– Ta maoryska czarownica zabiła człowieka!

– Ach co tam, on wcale nie jest martwy. – William podpierał całkowicie zdezorientowaną Kurę. Utrzymałaby się na nogach i bez jego pomocy, miał jednak wrażenie, że musi zaoferować jakieś oparcie jej nienaturalnie sztywnemu, wyprostowanemu ciału, gdy czar, czy cokolwiek to było, od Kury odejdzie. – Przeżył jedynie szok. Ale jak do tego doszło...

– Wyjaśnijcie to już państwo między sobą – stwierdził Julian Redcliff, który w oczach Tima zyskiwał coraz więcej szacunku. Najpierw zaprowadził całkowicie rozstrojoną Lainie i wstrząśniętą Kurę oraz jej towarzysza w bezpieczne zacisze swej sypialni. Od razu zyskał też w oczach Williama, zostawiając im butelkę whisky. Przyglądając się z podziwem fletowi w rękach Kury, sam też wypił spory łyk, nim ich zostawił. – Wyjdę tam teraz i uspokoję tych histeryków. A przede wszystkim moją żonę. Może później wyjaśnią mi państwo, jak za pomocą fletu można posłać na deski dorosłego mężczyznę. Szczerze mówiąc, to pierwszy raz, kiedy sztuka mi zaimponowała.

– Ja też tego nie wiem... – Kura sięgnęła po butelkę. – Nie mam pojęcia. Kiedy ten drań zaczął grozić Lainie, a ona robiła wrażenie, jakby zaraz miała paść martwa, po prostu zagrałam. Tak właściwie w nadziei, że zwabię Williama. On przecież nie potrafi się oprzeć głosowi duchów... Pomyślałam, że jeśli wykonam taką próbkę tej sztuki, przyjdzie do nas i znów zacznie opowiadać ludziom niestworzone historie... – Kura zaśmiała się nerwowo. – Ale wtedy ten drań dziwnie zareagował. Flet bez wątpienia napędził mu strachu. Więc grałam oczywiście dalej.

– Co to w ogóle była za pieśń? – zapytał William. – Jakieś zaklęcie?

– Teraz stajesz się już śmieszny, Williamie! – Kura potrząsnęła głową. – To było opłakiwanie zmarłych. Z pewnego *haka*, które zapisał Caleb. Uważaliśmy jednak, że do tego programu byłoby zbyt smutne, i jest zresztą dość trudne do zagrania. Siła dźwięku wystarczy na pokój, ale nie wypełni żadnej sali...

– Ten Sideblossom wpadł w totalną histerię, ponieważ usłyszał... coś jakby... hm... chorał? – spytał z niedowierzaniem Tim. Kura przytaknęła.

– Można by tak powiedzieć. To było mniej więcej tak, jakby Maorys się załamał, gdyby jakiś *pakeha* grał *Amazing Grace*.

– A klątwa? – dopytywał się Tim. – Podobno potem jeszcze coś powiedziałyście...

Kura zrobiła się czerwona.

– Tego nie mogę przetłumaczyć. Ale to jest... no cóż, *makutu*. Mogę jednak zapewnić, że coś takiego każdego dnia mówią zazdrośni smarkacze i nie ma to żadnych skutków... może poza takim, że jeden drugiemu rozwali później nos.

– A co ty powiedziałaś? – zwrócił się Tim do Lainie. – Na koniec ty przecież też coś powiedziałaś!

– Ja? – Lainie aż podskoczyła, jakby ktoś ją wyrwał z najmroczniejszych snów. – Ja przecież w ogóle nie znam maoryskiego. Powiedziałam pierwsze, co mi akurat przyszło do głowy. Coś w rodzaju „dziękuję, ma pan naprawdę bardzo ładnego psa".

– To by oczywiście wszystko wyjaśniało – stwierdził William.

– Ale ta Maoryska, która prowadzi gospodarstwo Sideblossomów, również miała *pecorino*... – Elaine jak zawsze, gdy wspominała czas spędzony w Lionel Station, mówiła bezbarwnym głosem. – I nienawidziłam jej, ponieważ... zawsze gdy grała, Thomas wydawał się wściekły. I wtedy był gorszy niż zwykle. Ale nie wiem, czy grała głosem duchów. Tak uważnie się nie wsłuchiwałam.

– Najprawdopodobniej nawet by nie umiała – powiedziała Kura. – To nie takie łatwe. Mnie nauczyła tego moja matka. I nigdy nie uważałam, żeby to wzbudzało strach. Marama grała dla mnie głosem duchów, gdy nie mogłam zasnąć. Mówiła wtedy, że duchy śpiewają mi do snu.

– Emere była nianią Thomasa. Może robiła to inaczej niż twoja matka – zastanawiała się Lainie. – Może starała się go w ten sposób zastraszyć?

Tim wzruszył ramionami.

– Jakkolwiek było, pewnie i tak się tego nigdy nie dowiemy. Może się po prostu wystraszył, że Lainie poszczuje go Callie. Zasłużył na to. Ale i tak będę szczęśliwy, jeśli tego szaleńca i nas będzie dzielić kilka tysięcy mil. Nawet jeśli rzeczywiście jest teraz przerażony. Przykro mi tylko z powodu waszego koncertu, Kuro. Po tej historii pewnie nikt nie będzie chciał przyjść.

William wyszczerzył zęby.

– Na to wcale bym nie liczył!

# 7

Około dziesiątej następnego ranka pojawił się kierownik hotelu z pilną prośbą, żeby zgodzili się na dostawienie pięćdziesięciu dalszych miejsc siedzących w sali koncertowej.

– Być może zaszkodzi to akustyce, a tłok z pewnością też nie jest dobry dla pani koncentracji, ale ludzie walą drzwiami i oknami! Dziś rano było jeszcze kilka biletów, ale pięć po dziewiątej wszystkie zostały wyprzedane. Teraz ludzie stoją tam w kolejce, a my nie mamy żadnych wolnych miejsc.

Kura oczywiście łaskawie wyraziła zgodę. Elaine było to zupełnie obojętne. William aż promieniał, a Tim nie mógł zrozumieć świata.

Około dwunastej mężczyzna znów się pojawił, przynosząc butelkę szampana i propozycję, żeby spędzili następną noc w hotelu za darmo, o ile artystki zgodziłyby się dać w poniedziałek kolejny koncert.

– Na tę chwilę mamy zarezerwowane już wszystkie pokoje w hotelu. Ludzie mają nadzieję, że nawet w nich będą mogli coś poczuć. Za pokoje w pobliżu wielkiej sali licytują wręcz ceny! Nie mam pojęcia, co się stało wczoraj wieczorem na przyjęciu, ale całe miasto oszalało na punkcie pani koncertu.

William obiecał, że się nad tym zastanowi, a potem wyruszył z będącą w świetnym nastroju Kurą, by zwiedzić miasto i rozeznać się w sytuacji. Kura nie okazywała żadnych oznak tremy, była w swoim żywiole. Zdenerwowanie Lainie też trzymało się w rozsądnych granicach. Miała zupełnie inne zmartwienia. Przecież zdążyła się już dowiedzieć, że Sideblossomowie mieszkają w tym samym hotelu, i był to fakt, który ją całkowicie paraliżował. Nie można jej było namówić, żeby choć na chwilę opuściła pokój, zanim będzie to nieuniknione. Okopała się w łóżku Tima i kuliła się przy każdym dźwięku – najchętniej postawiłaby Roly'ego na warcie przy drzwiach. Tutaj jednak wtrącił się

Tim. Roly już ostatnią noc spędził w pokoju przy swoim panu. Teraz aż się palił, żeby zobaczyć miasto, a przede wszystkim słynną zatokę i być może nawet wieloryby. Tim okazał się wyrozumiały i wcisnął mu w rękę kilka dolarów na przejażdżkę łodzią.

– Z brzegu nic przecież nie widać. – Roly podziękował wylewnie i dał słowo, że wróci punktualnie na koncert.

– Czy Sideblossomowie nie chcieli przypadkiem dzisiaj wyjechać? – zapytał ponuro Tim, Lainie zaś skryła się pod kołdrą. – Na Boga, mają chyba coś innego do roboty po tym śmiertelnym wypadku w rodzinie, zamiast siedzieć tutaj i napędzać ci stracha!

– Thomas nie może podróżować, przecież słyszałeś. – Elaine uzyskała informację o Sideblossomach podczas długiej rozmowy z kierownikiem, który skarżył się bez końca, że mógłby już trzy razy wynająć apartament Zoé i Thomasa Sideblossomów. Chory przeżył jednak załamanie i Zoé musiała przedłużyć pobyt. „A przecież nie można ludzi wyrzucać z ich pokoi, pani rozumie…".

– Nie pojmuję w ogóle, dlaczego nadal tak się go boisz! – stwierdziła niecierpliwie Kura. Martynowie wrócili późnym popołudniem i aż się palili do tego, by opowiedzieć nowinki. Oboje przewracali oczami, gdy zamiast tego zastali Lainie drżącą i czekającą na nich z informacją o Sideblossomie. – W najgorszym wypadku dam ci flet, dmuchniesz w niego i powiesz mu następny komplement o jego miłym piesku, a wtedy on znów się od razu przewróci. Ten człowiek jest szalony, ale w ogóle nie jest niebezpieczny. Sama mówiłaś, że jest zbyt chory, żeby choćby wyjść z pokoju. Ale powinnaś usłyszeć, co ludzie wygadują na mieście! Jak się na mnie gapią! Nawet Miss Heather wydaje się trochę… zabobonna.

– Część ludzi mówi, że muzyka Kury ma moc rzucania klątwy, inni mówią o cudownych uzdrowieniach – cieszył się William. – W każdym razie każdy chce ją zobaczyć, ale gdy już się naprawdę pokazuje, obchodzą ją pełnym szacunku szerokim łukiem. Nie do wiary! Czy nie chcieliśmy się teraz przebrać, kochanie? Zapewne wkrótce zaczną się schodzić pierwsi goście, a musimy przecież jeszcze coś wymyślić na to przyjęcie po koncercie.

Martynowie byli w siódmym niebie. Duchy były bez wątpienia po ich stronie.

Tim rzucił Elaine umęczone spojrzenie.

– Lainie, czy to dla ciebie bardzo ważne, żebym dziś wieczorem był przy tobie na sali? Wiem, że będziesz pięknie grać i cudownie wyglądać, ale po tej całej historii z cudownym uzdrowieniem ludzie będą się na mnie gapić, jakbym był dwugłowym cielakiem.

Elaine po raz pierwszy tego dnia zapomniała o swoim lęku i dostrzegła szczupłą, napiętą twarz ukochanego. Tim w ostatnich dniach znów stracił na wadze. Nerwy, ponowne zranienie i męcząca podróż wyczerpały jego siły. Wyglądał, jakby nie mógł już znieść żadnego kolejnego upokorzenia, żadnego następnego szoku.

Elaine go pocałowała.

– Jeśli o mnie chodzi, możesz tu zostać. Zaraz po wszystkim przyjdę od razu tutaj. Bankiet sobie podaruję, Kura już sobie poradzi. A jeśli chodzi o tremę, to jest całkowicie obojętne, czy obok Kury ktoś dzisiaj będzie grał na fortepianie, czy też foka będzie wykonywać akrobacje z piłką. Ludzie przyjdą tylko po to, żeby mieć szansę zobaczyć ewentualny cud.

Tim się zaśmiał.

– W takim wypadku foka byłaby nawet lepsza. Kura mogłaby ją kontrolować za pomocą fletu, tak jak zaklinacze węży. Stąd zresztą też będę mógł was całkiem dobrze słyszeć. Roly i ja mieliśmy wczoraj tę przyjemność podczas próby generalnej. Tylko pamiętaj, nie jesteś sama!

Kierownikowi hotelu udała się sztuka ściśnięcia w sali koncertowej dwustu pięćdziesięciu gości. Zanim Kura i Elaine wyszły na scenę, William obawiał się, że hałas z widowni będzie zagłuszał muzykę. Ale gdy dziewczyny się pokazały i Kura powiedziała kilka wprowadzających słów, zapanowała cisza jak makiem zasiał.

Nie sprawdziły się również obawy, że ludzie stracą zainteresowanie, jeśli najpóźniej po pierwszych utworach nie wydarzy się jakiś cud. Wręcz przeciwnie, Kura przykuła uwagę publiczności. Dawała występ swego życia i w połowie koncertu nikt już nie myślał o zaklęciach i cudach, lecz poddawał się czarowi, jaki Kura chciała wywołać. Porwała swym zaangażowaniem także Elaine. Dziewczyna po raz pierwszy zdawała się pojmować znaczenie jej muzyki. Wreszcie wkładała w grę duszę i ani trochę nie ustępowała Kurze. Różnicę dostrzegł nawet Tim, który przecież znał na pamięć cały program aż do ostatniego dźwięku. Stał teraz na balkonie, pozwalając się ponieść hipnotycznym zaklęciom, i rozkoszował się zapierającym dech w piersiach widokiem zatoki i świateł Blenheim. Wzruszyła go melancholia jednego z *haka*, który Kura wykonywała w połowie koncertu. Tim był zmęczony i przygnębiony; tęsknił za tym, by być daleko stąd, ale czuł też strach przed niepowodzeniem. Stawi czoła wyzwaniom, ale co zrobi, jeśli w Europie nie będą go potrzebować, tak samo jak nie potrzebują go tutaj? W Greymouth mógłby w najgorszym wypadku ukryć się w domu rodziców, podążyć za przykładem Caleba i znaleźć sobie jakieś zajęcie, żeby mieć chociaż wrażenie, że nadaje swemu życiu jakiś sens. Ale w Walii – bez zarobków, za to z dopiero co założoną rodziną?

Roly wyszedł na balkon i dostrzegł jego melancholijny nastrój.

– Co z panem, Mr Tim? – zapytał nieśmiało. – Boli coś pana?

– To tylko troski, Roly – powiedział cicho Tim. – Jak ci minął dzień? Widziałeś wieloryby?

Roly przytaknął ochoczo.

– To jest niesamowite, Mr Tim! Jakie są potężne! I do tego zupełnie łagodne. Ale na śmierć wystraszyłem się dopiero wtedy, gdy jeden z nich podpłynął do naszej malutkiej łodzi.

Tim się zaśmiał.

– Podobno są bardzo podobne do ludzi. Mówi się, że śpiewają…

– Mam nadzieję, że to nie taka kocia muzyka jak Miss Kury… Och, przepraszam pana, sir. – Roly nie był wielbicielem opery. – Czy zobaczymy delfiny, gdy będziemy płynąć do Anglii, Mr Tim? Człowiek w łodzi mówił o nich, że są mniejsze i że czasem płyną za wielkim parowcem.

– Chciałbyś popłynąć do Anglii? – zapytał Tim ze zdziwieniem. – A co z twoją matką?

– Ach, ona mnie już nie potrzebuje, zarabia teraz dość pieniędzy w tym zakładzie krawieckim! – zaśmiał się Roly. – Ale pan, pan mnie przecież potrzebuje! Prawda, Mr Tim…?

Chłopak patrzył na niego niemal z lękiem. Tim zagryzł wargi.

– Być może nie będzie mnie stać, żeby ci płacić…

Roly zmarszczył czoło i zastanawiał się, podczas gdy w sali poniżej głos duchów wydobywany z *pecorino* zaklinał powrót miłości. A potem jego twarz się rozjaśniła.

– Ale przecież nie potrzebuje mnie pan przez cały dzień. Wtedy będę mógł znaleźć sobie inną pracę i nie będę dla pana ciężarem. Nie mam tylko pieniędzy na rejs statkiem… – Twarz Roly'ego się zasępiła.

Tim poczuł głębokie wzruszenie, ale zmusił się do uśmiechu.

– Z tym już sobie poradzimy, Roly!

Roly się rozpromienił.

– Poradzimy sobie!

Obaj pocieszali się poczuciem bezpieczeństwa przy pieśni duchów. Potem jednak z tego nastroju wyrwały ich stłumione hałasy i krzyki. W pokoju nad nimi albo na drugim końcu korytarza zdawała się toczyć jakaś walka. Dźwięki były takie, jakby wywracano meble. Jakiś mężczyzna krzyczał coś niezrozumiale, a potem jego głos zamarł. Jakaś kobieta krzyczała histerycznie. Coś zdawało się staczać po klatce schodowej.

– Wyjdź i zobacz, co się stało – nakazał Roly'emu Tim. – Skąd to w ogóle słychać? – Ruszył za Rolym na korytarz, wychodząc ze swego pokoju, ale najwyraźniej nie tu było centrum wydarzeń. Pokojówki i inni pracownicy hotelu pospiesznie biegli w kierunku, skąd dobiegał hałas. Roly z ciekawości chciał pójść za nimi, Tim jednak go powstrzymał.

– Poczekaj, zastanowiłem się. Cokolwiek tam się stało, wkrótce zbiegnie się tam dość ludzi, którzy i tak nie będą w stanie pomóc. Lepiej pomóż mi się ubrać. Szybko, chcę pójść do Lainie. Pójdziemy po nią, mam jakieś złe przeczucie…

Tim i Roly dotarli do sali dokładnie na koniec koncertu, podczas gdy przed hotel zajechały ambulanse, a na korytarzach zapanował hałas. Tim skorzystał z windy, co najwyraźniej zabronione było pracownikom hotelu. Podekscytowany mały windziarz był w stanie udzielić im pierwszych informacji.

– Ktoś tam się strasznie awanturował, myślę, że to ten śmieszny facet z apartamentu numer trzy. Zawsze napędzał mi strachu! Madeleine mówi, że jest cały we krwi, a kobieta wygląda strasznie…

Roly najchętniej przekonałby się o tym wszystkim osobiście, Tim jednak naciskał, żeby się pospieszyli.

– To mi jakoś cholernie pasuje do tego Sideblossoma. O Boże, a co Lainie mówiła wcześniej o jego pokoju? Kierownik hotelu wspominał, że mogliby go już trzy razy wynająć komuś innemu, bo jest bezpośrednio nad salą! A nawet w naszym pokoju słychać było każdy dźwięk… Ten facet musiał oszaleć, gdy Kura zaczęła grać na *pecorino*.

Kura i Elaine kłaniały się jeszcze rozpromienione przed publicznością. William stał na skraju pierwszego rzędu i bił brawo, ale w tylnych rzędach zapanowało już zamieszanie. Kierownik hotelu rozmawiał z Heather. Doktor Mattershine został wywołany z sali.

Tim i Roly wzięli pod opiekę Elaine, gdy zeszła ze sceny.

– Jednak przyszedłeś! – Uśmiechnęła się radośnie do Tima. – Czy to nie było cudowne? Mogłabym się niemal do tego przyzwyczaić! W każdym razie teraz rozumiem, co takiego widzi w tym Kura. Wszyscy ci ludzie…

Elaine objęła go i wtedy poznała po jego poważnym spojrzeniu, że coś było nie tak.

Zdenerwowana Heather Redcliff rozmawiała z Williamem, który po chwili próbował coś wyjaśniać kierownikowi hotelu.

Julian Redcliff przyłączył się do Tima i Lainie.

– Próbują znaleźć inne pomieszczenia na przyjęcie po koncercie. W foyer nie może się odbyć, tam jest teraz piekło. Ten facet z wczoraj, Thomas Sideblossom, właśnie próbował zabić tę młodą kobietę i samego siebie.

– Nagle oszalał – opowiadała bez tchu Heather – i zaatakował tę kobietę. Swoją teściową, prawda? Dziwne relacje. Udało jej się uciec, ale spadła przy tym ze schodów… a potem on próbował podciąć sobie żyły. Kierownik hotelu jest w szoku. Tamten pokój wygląda teraz jak rzeźnia…

– Nie żyje? – zapytała Elaine bezbarwnym głosem.

– Nie, oboje żyją – odpowiedział Redcliff. – Ale on nie oszalał jakoś nagle. Dopiero gdy…

– Jego pokój był dokładnie nad salą – powiedziała cicho Lainie. – Usłyszał głos duchów…

Elaine w żadnym wypadku nie chciała już dawać kolejnego koncertu, tylko jak najszybciej pojechać do domu, do Queenstown. Timowi jedynie z trudem udało się ją przekonać, że musi pilnie wracać do Greymouth, żeby nie ryzykować aresztowania. Ale i on pragnął jak najszybciej opuścić Blenheim, Sideblossomów i wszelkie możliwe duchy.

William i Kura na razie woleli jednak zostać. W Blenheim łatwiej niż na zachodnim wybrzeżu przyjdzie im znaleźć nowego pianistę; tymczasem Kura chciała dać kilka mniejszych koncertów.

– W tej chwili to wszystko jedno, czy gra na fortepianie, śpiewa, tańczy czy tresuje foki, ludzie chcą Kury! – podsumował sprawę szczęśliwy William. – Przecież mówiłem, że koncert będzie sukcesem. I byłby taki także bez tego… no cóż, spotkania. Ale tak okazał się sensacją! – Wyglądał tak, jakby chciał dodatkowo wycałować Lainie za to, że kiedyś najpierw poślubiła Thomasa Sideblossoma, a potem do niego strzeliła.

Tim zaplanował, że wyruszą następnego ranka, ale trochę się to przeciągnęło, ponieważ pojawił się Julian Redcliff, który kazał zamówić do pokoju Tima olbrzymie śniadanie, żeby przy herbacie i tostach opowiedzieć o ostatnich nowinkach.

– Pomyślałem, że chętnie byście się dowiedzieli, jak to się wszystko wczoraj zakończyło – powiedział i rozsiadł się wygodnie, podczas gdy wciąż wyglądający na niewyspanego Tim był jeszcze w łóżku, Lainie zaś wyszła blada z łazienki. Prawie każdego ranka miała teraz mdłości, Kura zapewniała ją jednak, że to zupełnie normalne.

– Mogę ci natomiast zdradzić, jak temu zapobiec – powiedziała rozbawiona. Zmęczona Elaine machnęła tylko ręką. O liczeniu dni i płukance octowej nie chciała już nic słyszeć.

Redcliff przysunął stolik ze śniadaniem do łóżka Tima i obsługiwał go, jakby to było coś oczywistego, a potem zaczął opowiadać.

– Sideblossomowie są jeszcze oboje w szpitalu, ale w gruncie rzeczy nie było z nimi aż tak źle. Ta młoda kobieta ma trochę siniaków i podbite oko. No i oczywiście jest w szoku. Dziś rano jednak dało się z nią już rozmawiać, twierdzi doktor Mattershine. Co zaś do mężczyzny, to w gruncie rzeczy mogliby go od razu wypuścić. Stracił tak niewiele krwi, że nawet nie ma o czym mówić. Ale jest obłąkany. Dali mu środki uspokajające. Gdy tylko leki przestają działać, znów zaczyna się miotać. Jeszcze dziś trafi do zakładu, który specjalizuje się w takich przypadkach. Kobieta pewnie pojedzie do domu; ma jakieś nieprzyjemne sprawy do załatwienia, jeżeli dobrze zrozumiałem doktora Mattershine'a. Ale aż umieram z ciekawości! Dlaczego ci ludzie tak panią dręczą, Miss Keefer?

Elaine milczała, a Tim przedstawił mu w ogólnych zarysach jej historię.

– Nigdy byśmy nie pomyśleli, że natrafimy tutaj na Sideblosso-mów. Ale coś takiego nazywa się zrządzeniem losu.

Redcliff się zaśmiał.

– Duchy tak chciały! I zemściły się za panią, Miss Lainie, jeśli mogę to tak określić. Przynajmniej nie musi się pani już więcej oba-wiać tego człowieka. Gdy ktoś trafi do takiego zakładu, tak łatwo z niego nie wychodzi. A jeżeli już go wypuszczają, to jest raczej tylko pustą skorupą. Mieliśmy kiedyś taki przypadek w rodzinie. Jeśli trafi pani w ręce lekarzy od wariatów, może pani od razu zapomnieć o ży-ciu. To gorsze niż więzienie!

„Zobaczymy" – pomyślała Elaine. Kochała Tima, ale w tej chwi-li pragnęła tylko powrócić do Queenstown, w ramiona swej matki Fleurette, do porządku panującego w pensjonacie babci Helen i do radosnego chaosu posiadłości Nugget. Koszmar oddzielenia od rodzi-ny wreszcie się skończył. Gdy tylko znajdą się w Greymouth, zatele-grafuje do rodziców.

# 8

Elaine pochyliła się ze zmarszczonym czołem nad maszyną do szycia i próbowała poprowadzić nić skomplikowaną drogą od szpulki do igły. Nić właśnie zerwała się po raz trzeci i Lainie powoli dochodziła do wniosku, że nie ma żadnych uzdolnień, żeby zostać krawcową. Dzieliła to jednak z większością dziewczyn madame Clarisse. W ostatnich dniach wszystkie próbowały się zmierzyć z nowym nabytkiem ich przedsiębiorczej stręczycielki. Do ostatnich handlowych sukcesów Williama w Greymouth należało odstąpienie madame Clarisse za niezwykle korzystną cenę maszyny, która służyła mu do demonstracji.

– To może pomóc dziewczynom powrócić do uczciwego życia – mówił pompatycznie. Madame Clarisse wypróbowała urządzenie i doszła do wniosku, że nic bardziej nie zatrzyma dziewczyn w bagnie grzechu niż perspektywa życia z singerem.

Elaine zerwała kolejną nić i zaklęła.

– Nie możesz mi pokazać, jak to się robi? – odwróciła się do Tima. – Jesteś przecież technikiem.

Tim opierał się o pianino i ćwiczył grę w darta. To nie było łatwe, utrzymać równowagę bez kul, ale nie podchodził do tego zbyt ambitnie. Większość lotek nie trafiała w tarczę.

– Kochanie, przecież już próbowałem – powiedział dobrodusznie. – Ale nie daję sobie z tym czymś rady. Z drugiej strony, mógłbym zbudować jej kopię.

Od dłuższego czasu Tim poświęciłby niejedno, żeby w ogóle móc coś budować. Tęsknił za jakimś zadaniem, które wymagałoby więcej umysłowego wysiłku niż codzienne trenowanie nóg. W dodatku to ostatnie wpędzało go w rozpacz, bo w ogóle nie czynił postępów. Miał nadzieję, że pewnego dnia będzie w stanie chodzić bez szyn, ale nigdy nie obędzie się bez kul ani nie pokona dystansu dłuższego niż kilkaset metrów. Świadomość, że codziennie zderzał się z własnymi ograniczeniami, odbierała mu chęć do dalszych ćwiczeń.

– Wtedy miałybyśmy dwie takie maszyny! Tylko nie to! Myślę, że raczej będę wolała kupować ubranka dla dziecka. A może ten kombinezonik można zrobić na drutach? – Elaine zdawała się popadać w kolejną z następujących okresowo faz entuzjazmu do prac gospodyni domowej. W każdym razie rozpaczliwie starała się znaleźć jakieś zajęcie, które uwolniłoby ją od lęków i rozmyślania.

Tim dał sobie spokój z dartem i wziął ją w ramiona.

– Chciałbym, żeby wreszcie coś się stało – westchnął. – To czekanie doprowadza mnie do szaleństwa. Muszą przecież tam w Otago w końcu coś ustalić. Gdyby miało dojść do procesu... A z kopalnią też nic się nie posuwa. Jest ponoć jakiś zainteresowany udziałami, jak twierdzi Matt, ale to wszystko ciągnie się bez końca.

– Za to innym aż się pali do ślubu – zauważyła Elaine i wyciągnęła spod maszyny do szycia zaproszenia. – Zobacz. Florence Weber przyniosła je wczoraj osobiście. Dwudziestego piątego października bierze za męża Caleba Billera. Właśnie tak to wyraziła. *Ona* bierze jego za męża. Ona go pożre, i to ze skórą i włosami.

Podczas gdy Tim myślał, co na to odpowiedzieć, drzwi od ulicy się otworzyły i w szparze pokazała się głowa Roly'ego.

– Do konstabla przyjechało właśnie kilku ludzi. Z Otago. I od razu chcą z panią porozmawiać, Miss Lainie. Wszystko wygląda bardzo urzędowo... Jakiś inny konstabl i jakiś pan w garniturze. Pomyślałem, że lepiej przyjdę to powiedzieć, zanim konstabl osobiście...

– W porządku, Roly – powiedziała cicho Lainie. – Bardzo dziękuję. – Sięgnęła po pelerynę. – Idziesz ze mną, Tim?

Elaine bała się tej chwili, ale teraz była zadziwiająco opanowana. Jakkolwiek się to skończy, przynajmniej będzie wiedzieć, na czym stoi.

Tim objął ją ramieniem.

– Co za pytanie! Przejdziemy przez to, Lainie. Dawaliśmy już radę gorszym rzeczom.

Elaine po raz pierwszy poczuła zniecierpliwienie z powodu kalectwa Tima. Wydawało się, że trwa to wieczność, zanim zdążył włożyć marynarkę i nim pokonali te kilka kroków ulicą. Przed biurem konstabla stały konie przybyszów: kościsty siwek i przysadzisty karosz, który wydał się Elaine w jakiś sposób znajomy.

Najchętniej od razu by pobiegła. Tim natomiast wolałby jeszcze opóźnić rozstrzygnięcie. Dotąd wciąż się niecierpliwił i był gotów stawić temu wszystkiemu czoła. Teraz jednak poczuł, że może już nie znieść kolejnego ciosu. Proces, być może więzienie...

Elaine otworzyła drzwi do biura konstabla. Tim zobaczył policjanta z Greymouth rozmawiającego z jakimś kolegą w podobnym mundurze. Mężczyzna ubrany po cywilnemu, szczupły i w średnim wieku, który siedział za stołem, sprawiał wrażenie zniecierpliwionego.

Elaine weszła ze spuszczoną głową. Nagle usłyszała skowyczącą Callie. Suczka przecisnęła się obok Tima i wpadła do środka. Elaine spojrzała speszona i zobaczyła Callie, która szczekając z zachwytu, obskakiwała kogoś. Machając ogonem i ujadając, suczka witała się z Rubenem O'Keefe'em.

– Tato. Tatusiu! – pierwsze słowo Elaine wypowiedziała jeszcze szeptem, drugie jednak już wykrzyknęła i rzuciła się w ramiona ojca.

– Twoja matka i ja graliśmy w pokera o to, kto będzie towarzyszył konstablowi. I ja wygrałem – powiedział z uśmiechem Ruben. – Przyznaję jednak, że oszukiwałem. Och, Lainie, byliśmy tacy szczęśliwi, gdy usłyszeliśmy o tobie. Myśleliśmy już, że nie żyjesz!

– Szukaliście mnie? – zapytała cicho Lainie. – Nie wiedziałam... myślałam, że byliście na mnie źli.

Ruben jeszcze raz przyciągnął ją do siebie.

– Głuptasku, oczywiście, że cię szukaliśmy. Tylko robiliśmy to bardzo ostrożnie, bo John Sideblossom też cię ścigał. Ale nawet wujkowi George'owi nie udało się nic dowiedzieć...

– To zresztą żaden cud – wtrącił konstabl. – Moglibyśmy przejść teraz do rzeczy? To bardzo interesująca sprawa, ale mam też inne, drobniejsze zadania.

W to ostatnie nikt nie wierzył, tylko jego kolega zdawał się słuchać go z uwagą. Był to młody mężczyzna, sprawiający wrażenie ambitnego, a jego mundur – mimo konnej jazdy – wyglądał jak świeżo wyprasowany.

– Jefferson Allbridge – przedstawił się. – Pani jest Elaine Sideblossom?

Elaine przełknęła ślinę. Od tak dawna nie słyszała już tego nazwiska. Nerwowo szukała po omacku ręki Tima, ale ponieważ nikt nie poprosił go do środka, został pod drzwiami.

Konstabl w końcu o nim pomyślał.

– Niech pan wejdzie, Tim. Proszę usiąść. Jeff, to jest Mr Timothy Lambert. Narzeczony Miss Lainie.

Ruben O'Keefe obrzucił zdziwionym spojrzeniem córkę, a potem przeniósł wzrok na Tima. Miał spokojne szare oczy, kręcone brązowe włosy i wąsy, które sprawiały, że wyglądał starzej. Tim odłożył kule i z wysiłkiem usiadł na jednym z krzeseł. Na oczach O'Keefe'a było to dla niego jak bieg przez rózgi. Obawiał się odrzucenia, lecz ojciec Elaine spokojnie podsunął mu krzesło.

– Usiądź, Lainie – powiedział przyjaźnie. Lainie była jedyną osobą, która jeszcze stała, tak jakby chciała przyjąć wyrok wyprostowana i na stojąco.

– A więc, Miss Lainie… – Konstabl otworzył postępowanie z poważną miną, Tim jednak dostrzegł w jego oczach wesołe iskry. – Po pierwsze, chciałbym panią prosić, żeby wycofała pani ten bezsensowny donos na samą siebie, z którym mnie pani ostatnio skonfrontowała. Nie biorę pani tego za złe, bo po tym uprowadzeniu była pani w wyjątkowym stanie umysłu, a doktor zapewnił mnie, że pani również poza tym… Ale to wszystko może powinna pani wyjaśnić ojcu. W każdym razie nie podejmiemy żadnych dalszych kroków przeciwko pani w związku z tym fałszywym zeznaniem…

Elaine najpierw się zarumieniła, a potem zbladła.

– Fałszywe zeznanie? Ale dlaczego…

– To oczywiste, że nie strzelała pani do swego męża Thomasa Sideblossoma – zauważył Jeff Allbridge. – Naturalnie pojawiły się jakieś plotki, ale mój… eee… poprzednik sprawdził tę sprawę i zarówno Mr John Sideblossom, jak i Mr Thomas, gdy w końcu był w stanie pozwalającym, żeby go przesłuchać, zeznali, że to był wypadek. Mr Sideblossom czyścił broń. Cóż, takie rzeczy się zdarzają.

– Ja…

– Nigdy nie złożono doniesienia, Elaine – powiedział Ruben O'Keefe. – My też nie wiedzieliśmy o tym, bo w przeciwnym wypadku szukalibyśmy intensywniej. Ale Sideblossom najwyraźniej od początku zamierzał załatwić tę sprawę, że tak powiem, prywatnie.

– Ale przecież każdy to wiedział… William, Kura…

– Gdzie spotkałaś tego Williama Martyna? – zapytał osłupiały Ruben. – A Kura-maro-tini? Ach, nieważne, porozmawiamy o tym później. W każdym razie wszyscy o tym wiedzieli, włącznie z konstablem. Proszę przez chwilę nie słuchać, Jefferson! Takich rzeczy nie da się utrzymać w tajemnicy w domu pełnym służących, a cóż dopiero, gdy świadkami było dwudziestu postrzygaczy. Jeden z nich znalazł Thomasa, no i była jeszcze przy tym położna. Prawdopodobnie zawdzięcza tej kobiecie, że przeżył; sprawiła się bardzo dzielnie. Ale oczywiście każdy potrafił się domyślić, co się stało. Konstabl mógł przycisnąć Sideblossomów, w grę wchodziły jednak różne kontakty i powiązania.

– Ostatniego lata odwołano go z urzędu – wtrącił Allbridge. Brzmiało to niemal, jakby przepraszał.

– Jak się później okazało, było to szczęśliwe zrządzenie losu – zauważył Ruben.

– W każdym razie zbadałem teraz porządnie tę sprawę – kontynuował ociężale Allbridge. – Przede wszystkim tę historię z porwaniem. Wygląda na to, że John Sideblossom nie zgłosił strzelaniny, ale sam bardzo intensywnie pani poszukiwał, pani… pani… panno…

– Po prostu Lainie – wyszeptała Elaine.

– Według tego, co znalazłem w jego zapiskach, miał informatorów praktycznie w każdym większym mieście na Wyspie Południowej… Ten facet z Westport dał mu prawdopodobnie decydującą wskazówkę. Ale jego człowiek tutaj w Greymouth, Miss Lainie, panią krył.

– On mnie… ale dlaczego? – Wszystko wokół Lainie znów zaczęło wirować. Tim chwycił ją za rękę.

– Chodzi o pewnego pracownika z kopalni Blackburn – powiedział konstabl. – Ten człowiek jest Maorysem.

– I synem tej Emere, gospodyni od Sideblossomów – uzupełnił Allbridge. – To dlatego Sideblossom myślał, że jest lojalny. Tyle tylko, że chłopak był też związany z pewną dziewczyną, która była pani pokojówką, Miss Elaine.

Pai? A może Rahera? Ale przecież Pai była zakochana w Picie. Elaine miała trudności, żeby to wszystko poukładać w głowie.

– Ta zaś dziewczyna należała z kolei do plemienia, z którym Mr Sideblossom miał pewne problemy, że tak delikatnie to ujmę…

– Rahera! – krzyknęła Elaine. – Mr John przyłapał ich plemię na kradzieży owiec i w związku z tym trzymał Raherę jako niewolnicę. Strasznie się bała policji. W dodatku zawsze jej powtarzałam, że lepiej byłoby się zgłosić…

– Z tej rady sama powinna pani była skorzystać – mruknął konstabl.

Allbridge spojrzał na niego karcąco, jakby mu się paliło, żeby zakończyć swą opowieść.

– W każdym razie ten młody mężczyzna musiał wybierać między lojalnością wobec swych krewnych a lojalnością wobec ukochanej i gdy uciekając, natrafiła pani na plemię, z którego on pochodził, Miss Lainie, i które bardzo przyjaźnie panią przyjęło, sprawa była rozstrzygnięta.

– To dlatego żona wodza uważała, że w Greymouth jestem bezpieczna – wybąkała Elaine.

Konstabl skinął głową.

– I to by tłumaczyło tę niezwykłą tajemnicę. Zastanawiałem się godzinami, dlaczego moje miasto stało się idealnym azylem dla mniej czy bardziej upadłych dziewczyn!

– Wasze ogłoszenie o zaręczynach mogło panią zniszczyć – kontynuował nieprzyjemnym tonem Allbridge. Najwyraźniej nie cierpiał, gdy mu przerywano.

Elaine się zarumieniła. Ojciec znów patrzył na przemian to na nią, to na Tima.

– Moi rodzice koniecznie chcieli, żeby te zaręczyny się odbyły. Najchętniej bym je odwołał, kiedy się dowiedziałem, że Sideblossom żyje. – Tim miał wrażenie, że powinien się usprawiedliwić.

– A ja zaraz potem zamierzałam się zgłosić – zapewniła Elaine.

– Gdyby zrobiła to pani wcześniej, być może Sideblossom byłby jeszcze przy życiu – stwierdził surowo konstabl.

– I nadal by cię ścigał – zauważył Ruben O'Keefe. – On by nigdy nie odpuścił. Gdybyś się zgłosiła do nas, Lainie, wysłalibyśmy cię za granicę. Tutaj nikt nie byłby w stanie cię chronić.

Tim mu przytaknął.

– Mieliśmy ten sam pomysł – powiedział cicho. – My…

– Jak widać, śmierć Johna Sideblossoma nie wywołuje u nikogo jakiegoś wielkiego żalu – zauważył sarkastycznie Allbridge. – U niego w domu zresztą też nie. Pracownicy sprawiali wrażenie, jakby im wręcz ulżyło. Zwłaszcza ta Emere, którą właściwie uważałem za dość lojalną. Ale opowiadała coś o jakichś duchach, które się zemściły. Zoé Sideblossom też przyjęła to spokojnie. Dopiero co przybyła z północy, co trochę przeciągnęło całą sprawę. Co zaś do syna, to zdążył już do końca zwariować. Według informacji od niej przebywa teraz w zakładzie w Blenheim. Ponoć nie da się z nim na razie porozmawiać. No tak, to by były te najważniejsze sprawy. Jeszcze jakieś pytania?

– Jestem… jestem wolna? – zapytała głucho Elaine.

Allbridge wzruszył ramionami.

– To zależy, co pani przez to rozumie. Według prawa nigdy nie było przeciw pani żadnego oskarżenia. Oczywiście jednak wciąż jest pani mężatką…

– Czy mimo to mógłbyś mnie, proszę, przytulić? – szepnęła Elaine i przysunęła się z krzesłem bliżej Tima.

Tim przygarnął ją do siebie.

Ruben pożegnał się oficjalnie z dwójką konstabli i podziękował przede wszystkim Allbridge'owi.

– Dziękuję również w imieniu mojej zajętej chwilowo czymś innym córki – powiedział. – Tę sprawę z małżeństwem wyjaśnimy… I z tymi zaręczynami też. Gdzie mógłbym tu wynająć jakiś pokój na kilka dni?

– I tym razem to jest ten właściwy? – zapytał surowo Ruben. Odbył długą rozmowę z Timem i teraz postanowił porozmawiać poważnie z córką. Tim pojechał do domu. Kucharka w jego rodzinie miała w zwyczaju przechowywać żywność dla całego regimentu, ale chciał przygotować rodziców na to, że zaprosił na kolację ojca swej przyszłej żony. „Cóż – myślał Tim – przynajmniej Nellie ten spokojny, dystyngowany i całkiem majętny Mr O'Keefe przypadnie do gustu. W przypadku Marvina będzie to zależało od tego, o której godzinie zaczął dziś pić…".

– Tym razem to jest ten właściwy! – potwierdziła Elaine z promiennym uśmiechem. – Potrzebowałam dość dużo czasu, żeby się tego dowiedzieć. Ale jestem tego pewna.

Ruben uniósł brwi.

– Zobaczymy, co powie na to twoja matka. Po dotychczasowych doświadczeniach nie ufałbym już szczególnie ani moim, ani twoim instynktom…

Elaine się zaśmiała.

– William z tym pytaniem zwróciłby się raczej do Callie! – zachichotała swobodnie i poczochrała psa.

Ruben się skrzywił. Sprawa z Williamem i Kurą, w których Elaine nagle zdawała się widzieć dobrych przyjaciół, wciąż jeszcze go dziwiła. Na razie jednak ważniejsze były inne pytania. Jednego z nich bał się zadać.

– A co jest z twoim… eee… stanem? To znaczy, ten mężczyzna jest sympatyczny i zdaje się ma głowę na karku. Ale bez wątpienia jest przecież… inwalidą. Czy on w ogóle może…

Ruben cały się wił.

Elaine ze śmiechem pogłaskała się po wciąż jeszcze dość płaskim brzuchu.

– O tak, tatusiu! Może!

Kura i William przyjechali na wesele Caleba Billera. Zrobili to choćby po to, żeby pokazać, że nie mają do niego żalu. Dla Kury było to ważne z powodów osobistych, dla Williama z biznesowych. Muzyczne aranżacje Caleba doskonale odpowiadały gustom publiczności; były idealną mieszanką sztuki i rozrywki, współczesnej kompozycji i folkloru. Jeśli miałby się pojawić program będący kontynuacją *Szeptów duchów*, to ponowna współpraca była bardzo pożądana. Żeby ją zapewnić, William omotał również Florence Weber. Było dla niego jasne, kto w przyszłości będzie trzymał wodze. W dniu ślubu Florence nie ściągała ich jeszcze zbyt mocno. Spokojnie patrzyła na to, jak Caleb prowadzi ożywioną rozmowę z młodą pianistką, którą William i Kura przywieźli z sobą z Blenheim. Dziewczyna miała bardzo jasną cerę, jasne blond włosy i była niemal eterycznie piękna, jakby postrzegała rzeczywistość jedynie poprzez harmonię i nuty. O przyziemnych sprawach rozmawiało się z nią równie trudno jak z Kurą, przy czym Marisa Clerk nie odpowiadała po prostu „tak" lub „nie", lecz nie słyszała nawet samego pytania. Elaine uważała, że jest dość nudna, ale z fortepianu Billerów potrafiła wydobywać niemal nieziemskie dźwięki.

Jej dialog na pianinie z *pecorino* Kury nabierał zupełnie nowego wymiaru. Muzyka zauroczyła nawet Florence Weber, na której łaskawą prośbę artystka pokazała próbkę swych możliwości.

W ogóle podczas wesela Florence nie była nastawiona zbyt krytycznie. Przez całą uroczystość jakby się unosiła, a promieniująca od niej błogość sprawiała, że wyglądała niemal pięknie. Do tego miała na sobie zbyt kosztowną i przesadnie zdobioną suknię ślubną, z mnóstwem falbanek i kokardek, naszytych pereł i koronek, które jednak niespecjalnie podkreślały jej walory. Florence zamówiła tę suknię w Christchurch; odpowiadała ona gustom pani Weber i pani Biller. Wydawało się, że gdy Caleb wchodził do kościoła, przeszył go dreszcz, potem jednak przykładnie panował nad sobą. Oboje partnerzy stawiali na harmonię – tak to przynajmniej wyglądało podczas oficjalnej części uroczystości.

Caleb, jak nakazywał obowiązek, pocałował w kościele pannę młodą, a potem zrobił to jeszcze raz przed zgromadzonymi pracownikami kopalni. Wcześniej zatańczył też pierwszy taniec z Florence, która naprawdę starała się nie prowadzić. Później każde z nich wycofało się do własnych znajomych. Caleb gawędził z Marisą o muzyce, a Florence z dyrektorem zarządzającym kopalni Blackburn o technikach wydobycia. Z Timothym Lambertem już nie rozmawiała. Teraz, gdy już jej nie ignorowano, przejęła zachowania innych szefów kopalń, traktując go pobłażliwie i przyjaźnie, jak jakieś dziecko, które nie potrafi zrozumieć, dlaczego nie pozwalają mu się bawić razem z nimi.

Tim wylądował w końcu gdzieś na uboczu, sam ze szklanką whisky. Z zimowego ogrodu domu Weberów obserwował ożywionych ludzi. Elaine tańczyła beztrosko ze swym bratem Stephenem, który pojawił się znienacka dwa dni temu, żeby zaskoczyć zaginioną siostrę. Od czasu do czasu machała Timowi, potem jednak znów odchodziła do swej rodziny. Tim nie mógł jej mieć tego za złe. Lubił O'Keefe'ów i chętnie z nimi rozmawiał. Dziś jednak Ruben pogrążony był w dyskusji z sędzią pokoju z Greymouth, a Tim nie chciał im przeszkadzać. Może to nie miało sensu i mężczyźni chętnie przyjęliby go do towarzystwa, ale teraz nie miał już właściwie odwagi przyłączać się do żadnej grupy – zbyt często powodowało to jedynie zakłopotane spojrzenia na jego nogi i kule. Kobiety były jeszcze gorsze niż mężczyźni. Okazywały raczej współczucie niż pogardę i traktowały go jak chore dziecko.

Tim powoli musiał się pogodzić z gorzką prawdą: dla ludzi, którzy znaczyli coś w Greymouth, jako dziedzic Lambertów umarł 20 grudnia w swojej kopalni. Jego wciąż jeszcze żywy cień górnicy być może czcili jak świętego, a i lepsze towarzystwo było gotowe w pewnym sensie tolerować jego status męczennika. Ale ani męczennikom, ani świętym nikt nie dawał pracy.

W końcu przysiedli się do niego Kura i William, oboje rozgrzani tańcem i szukający zacisznego kąta, gdzie mogliby się trochę popieścić. Od czasu Blenheim byli w sobie zakochani bardziej niż kiedykolwiek dotąd. Nawet Ruben O'Keefe, któremu William wtedy naprawdę mocno się naraził i który wciąż jeszcze chłodno odnosił się do Kury, nie mógł nie zauważyć emanującego od nich małżeńskiego szczęścia i zadowolenia.

– Co tu robisz? – zapytała Kura i poklepała Tima po ramieniu. – Siedzisz i zadręczasz się na śmierć?

Tim się zaśmiał. Kura miała na sobie nową suknię – jedwab w różnych odcieniach błękitu, prosto z zakładu nadzwyczaj utalentowanej Mrs O'Brien – i kwiaty we włosach jak jakaś południowa piękność. Odkąd stała się znaną artystką, ubierała się wytwornie, a mając dobry gust, wiedziała, jak jeszcze bardziej podkreślić swą urodę.

– Siedzę tu i próbuję nie zazdrościć za bardzo Florence Weber-Biller. – Tim starał się, żeby zabrzmiało to dowcipnie, ale w jego głosie słychać było gorycz. – Od jutra przejmie kopalnię Biller. Pewnie nie od razu, ale najpóźniej za miesiąc będzie tam miała swoje biuro. Ja zaś muszę patrzeć, jak obcy inwestorzy przejmują władzę w Lambert Enterprise i podsuwają mi pod nos jakichś obcych inżynierów, którzy nie są ode mnie w niczym lepsi, no chyba że w bieganiu…

– Twój ojciec znalazł już jakiegoś kupca? – dopytywał się William. – Nic o tym nie słyszałem.

Tim wzruszył ramionami.

– Prawdopodobnie dowiem się tego ostatni. Na pewno później niż Florence Weber-Biller.

Kura się roześmiała.

– Trochę późno z tym wyskakujesz – droczyła się z nim. – Gdybyś wcześniej okazał zainteresowanie tym stanowiskiem i się zgłosił, Caleb z pewnością wolałby wybrać ciebie niż tę słodką Florence!

# 9

– Chcesz jechać do miasta? W takim razie mógłbym cię podwieźć.

Matthew Gawain do tej pory stał się już dobrym przyjacielem Tima, który zaproponował mu, żeby mówili sobie po imieniu. Obserwował teraz, jak ten męczy się w stajni ze swoim Fellowem. W tym samym czasie stajenny Lambertów zaprzęgał eleganckiego konia pociągowego do powoziku Nellie Lambert. Był chłodny deszczowy wiosenny poranek i Matt doszedł do wniosku, że kryty powóz będzie przy takiej pogodzie znacznie lepszy niż jazda w siodle.

Tim potrząsnął jednak ponuro głową.

– Nie jeżdżę konno dla zabawy, tylko dla odbudowania mięśni. Wiedziałeś, że podczas zwykłej jazdy stępa ćwiczonych jest pięćdziesiąt sześć mięśni?

Matt wzruszył ramionami.

– A iloma porusza koń? – zapytał, nie okazując właściwie zainteresowania.

Tim pozostawił pytanie bez odpowiedzi, spojrzał jednak zdziwiony na elegancki pojazd, do którego Matt właśnie wsiadał.

– Jakim cudem spotkał cię zaszczyt jeżdżenia prywatną karocą mojej matki? Przejażdżka z Charlene? W dodatku w środę?

– Chyba nie wierzysz, że twoja matka pożyczyłaby mi powóz na przejażdżkę z Charlene! Nie, to raczej randka z inwestorem. Mam odebrać tego pana z dworca i przywieźć go tutaj, nim Weberowie złapią go w swoje ręce. Stary Weber pośredniczył jakoś w tym kontakcie, ale pertraktacje twój ojciec chce przeprowadzić sam. Jak do tej pory jest nawet trzeźwy. – Matt sięgnął po lejce. Tim ruszył obok powozu.

– To znamienne, że nie wspomniał mi o tym ani słowem. Mam już tego serdecznie dość i chciałbym jak najszybciej stąd zniknąć. W następnym tygodniu wypływa nawet statek do Londynu. Ale znów bez nas.

Tim popuścił wodze i szybko przekonał się boleśnie, że Fellow przeszedł w kłus, tak jak koń ciągnący powóz. Matt, dostrzegłszy jego wykrzywioną twarz, wstrzymał kasztana, żeby zaczął iść stępa.

– Na dłuższą metę powinieneś kupić sobie konia z większym chodem – zauważył. – W Europie i tak będziesz potrzebował nowego. Tim wzruszył ramionami.

– Wytłumacz to jeszcze Lainie. Koniecznie chce zabrać z sobą nasze konie. Wtedy będzie taka jak babcia Gwyneira, jak mówi. Nowy kraj, zgoda, ale tylko z jej koniem i psem. Nie mam pojęcia, jak miałbym to sfinansować.

– Myślę, że jej rodzina ma pieniądze – stwierdził Matt, pozwalając człapać swemu koniowi. Wyruszył znacznie przed czasem, a pod daszkiem deszcz na niego nie padał. Tim natomiast wyglądał tak, jakby marzł, i Matt widywał go już w siodle bardziej rozluźnionego.

– Tylko czy będą chcieli wydać te pieniądze na to, żeby wysłać za ocean wreszcie odnalezioną córkę? – wyraził swoje wątpliwości Tim. – Wcześniej chce koniecznie pojechać do Queenstown i na Canterbury Plains, żeby jeszcze raz zobaczyć całą rodzinę, zanim się pożegna…

– Myślę, że twoja Lainie wcale nie chce opuścić Nowej Zelandii – powiedział Matt. Właściwie był tego nawet pewien, ale być może trzeba było to uświadomić Timowi w łagodniejszy sposób.

Tim westchnął.

– Wiem – mruknął. – Ale co mi pozostaje? W moim zawodzie nie mam tu żadnych perspektyw. A co innego miałbym robić? Ruben O'Keefe złożył mi propozycję, żebym pracował dla niego. Wkrótce otwierają nowy sklep w Westport. Już dzisiaj tam wszyscy pojechali, by wynająć pomieszczenia. Ale ja nie jestem handlowcem, Matt. Nie mam do tego talentu… I mówiąc szczerze, nie mam też na to najmniejszej ochoty.

– Ale Lainie… – Matt wiedział od Charlene o tej propozycji i próbował ostrożnie poruszyć ten drażliwy temat.

Tim machnął ręką.

– Tak, wiem. Lainie od dziecka pomagała swemu ojcu w sklepie. Mogłaby prowadzić sklep, a ja w najlepszym wypadku budowałbym karmniki dla ptaków…

– To by było tak jak u Florence i Caleba Billerów – zauważył Matt.

Tim skinął głową.

– Z tą małą różnicą, że Calebowi takie życie odpowiada. Woli badać kulturę Maorysów niż zajmować się kamieniami. A na dłuższą metę może nawet pozwoli mu to zarabiać pieniądze. Właściwie już teraz to robi. William i Kura dość hojnie podzielili się z nim zyskami z koncertów. Ja natomiast... A poza tym nie należę do tych, którym łatwo przychodzi życie na koszt żony albo dzięki wspaniałomyślności teścia.

– A coś innego? Coś poza górnictwem? – Matt pogonił trochę konia, bo czas mijał, a nie mógł się spóźnić.

– Myślałem o budowie kolei – powiedział Tim. W rzeczywistości już od tygodni nie zajmował się niczym innym niż znalezienie sobie jakiegoś zatrudnienia. – Mr Redcliff z Blenheim coś o tym napomykał. Ale... nie mam ochoty sobie niczego wmawiać, Matt! Przy budowie kolei nie ma się żadnego stałego biura, podczas inspekcji obiektów trzeba podróżować, śpi się w namiotach albo w tymczasowych kwaterach. Jest mokro i zimno. Nie dam rady.

Tim zrezygnowany spuścił głowę. Nigdy tego jeszcze nie mówił i nigdy też nie będzie się skarżył, jak bardzo dała mu się we znaki już sama pierwsza zima po wypadku. Ale sytuacja się nie poprawi, jak mu to brutalnie uświadomił doktor Leroy. Będzie raczej coraz gorzej.

– Walia też nie jest raczej znana z suchego i ciepłego klimatu – zauważył Matt.

Tim zagryzł wargi.

– To nie musi być przecież Walia czy Anglia. Na południu Europy też są kopalnie...

„...w których tylko czekają na kogoś, kto chodzi o kulach i nawet nie zna ich języka". – Obaj mężczyźni dzielili te same ponure myśli, ale żaden nie wypowiedział ich na głos.

W tym czasie dotarli już do miasta i Matt zatrzymał zaprzęg przed dworcem. Pociąg właśnie przyjechał i Matt zobaczył, jak wysiada z niego wysoki, starszy, ale bardzo szczupły i wytwornie ubrany mężczyzna.

Zapewne inwestor.

– No to idę zaprosić tego człowieka – westchnął Matt. – A tym samym pewnie załatwiam sobie utratę stanowiska. Na pewno posadzi mi przed nosem jakiegoś wyuczonego po studiach, a ja znów będę mógł łykać węglowy pył.

W ostatnich miesiącach to Matthew tak naprawdę prowadził kopalnię. Marvin Lambert co prawda codziennie pojawiał się w biurze, ale raczej przeszkadzał w decyzjach, niż je podejmował.

– Zobaczymy się później w barze?

Tim potrząsnął głową.

– Raczej nie. Będę co prawda na kolacji w mieście, ale to rodzinne spotkanie w najbardziej eleganckim hotelu na nabrzeżu. Zaproszenie od Rubena O'Keefe'a. Oczekują jakiegoś wujka z Canterbury. Tym razem to pewnie jakiś owczy baron… – Tim robił wrażenie, jakby go to nie interesowało. W gruncie rzeczy przerażała go ta rodzina, która trzymała Elaine na Wyspie Południowej.

Matt machnął mu ręką na pożegnanie.

– No to baw się dobrze! I życz mi szczęścia! Jutro ci opowiem, jak było.

Tim patrzył za przyjacielem, jak nonszalancko przeskakuje przez barierkę, żeby szybciej przejść na peron. Matt uprzejmie zagadnął starszego pana, a potem z uśmiechem wziął od niego walizkę. Młody sztygar miał przynajmniej szansę, żeby podczas obchodu kopalni móc przekonać nowego inwestora do swej fachowej wiedzy. Tim naprawdę życzył mu szczęścia. Ale jeszcze bardziej mu zazdrościł.

Elaine wyglądała uroczo, gdy przywitała Tima przed wejściem do najlepszego hotelu w mieście. Ubrana w ciemnoniebieską suknię, głaskała konia, na którym przyjechał jej ojciec i który stał teraz obok Banshee. Dla koni też było to rodzinne spotkanie. Karosz był źrebakiem Banshee; Elaine zostawiła go w Queenstown po swoim ślubie. Tim miał nadzieję, że teraz nie będzie chciała i jego wziąć za ocean…

Tego wieczoru Tim chciał, żeby Roly zawiózł go powozem. Poranna przejażdżka mu wystarczyła; żeby odreagować swą bezradną wściekłość, wydłużył ją tym razem tak, że trwała ponad dwie godziny. Poza tym miał na sobie strój wieczorowy. Ten wujek był pewnie jakąś ważną osobistością, a Elaine wspominała, że będzie też co świętować.

– Nic mi nie powiedzieli, ale wujek George telegrafował wczoraj do ojca, a później był w świetnym humorze i uzgadniał z hotelem dzisiejszą kolację. Z szampanem!

Elaine cieszyła się na ten wieczór, natomiast entuzjazm Tima trzymał się w pewnych granicach. Zaczął się raczej obawiać spotkań z nowymi ludźmi niż za nimi tęsknić. Zbyt często odnosił wrażenie, że czują się zakłopotani już choćby wtedy, gdy go komuś przedstawiano. Wytężali się później, by znaleźć jakiś temat do rozmowy, który nie naruszałby żadnych tabu, i wyraźnie było im nieprzyjemnie, gdy w obecności Tima musieli wstawać lub chodzić. Jeśli tak dalej pójdzie, to zostanie pustelnikiem!

Tim przywołał na twarz uśmiech i wziął Elaine pod rękę. Była wesoła i zadowolona, przywitała go od razu wieściami o nowym sklepie w Westport. Położenie było podobno idealne, w samym centrum miasta. Jeśli zaś chodzi o miasto, to było co najmniej tak duże jak Greymouth, pełne życia i atrakcyjne. Elaine najwidoczniej potrafiła sobie świetnie wyobrazić, że mogłaby tam żyć i prowadzić sklep. Tim był bliski tego, by ustąpić. To nie mogło być aż takie złe: sprzedawać artykuły gospodarstwa domowego i ubrania.

Oboje przeszli przez hotelowy hol – i Tim musiał się bardzo starać, by pozostać uprzejmym, gdy portier zaczął mu nadskakiwać, jakby za napiwek gotów był nawet zanieść go do pokoju. Nie wolno mu być tak przewrażliwionym i odbierać każdego publicznego wyjścia jak biegu przez rózgi. Tim był jednak zadowolony, że stołu dla Rubena O'Keefe'a i jego gości nie zastawiono w luksusowej sali jadalnej hotelu, lecz w nie mniej eleganckim bocznym pomieszczeniu. Ojciec Elaine, jej brat Stephen i zapowiedziany wujek George stali już z drinkami w rękach przy oknie z widokiem na nabrzeże i na wzburzone tego dnia morze.

Wszyscy trzej patrzyli za okno i odwrócili się dopiero wtedy, gdy Tim i Elaine się do nich zbliżyli. Tim przywitał się z Rubenem i Steve'em, a potem spojrzał ze zdziwieniem w badawcze brązowe oczy mężczyzny, którego Matt rano odbierał z dworca. Przy powitaniu uprzedziła go jednak Lainie, która rzuciła się w ramiona tego niby-wujka. Starszy pan wyściskał ją porządnie, zanim ze śmiechem się od niej uwolnił.

– No to nareszcie znów cię mamy, Lainie! – stwierdził. – Wyrazy uznania, mała, nigdy bym nie pomyślał, że ktoś na tej wyspie jest w stanie się przede mną ukryć!

Lainie uśmiechnęła się zawstydzona i przyjęła od swego ojca kieliszek szampana.

Tim wykorzystał tę chwilę, żeby wreszcie podać rękę „wujkowi George'owi".

– George Greenwood – przedstawił się wysoki starszy pan. Uścisk jego dłoni był mocny, spojrzenie wyrażało pewność siebie. Kul i szyn na nogach Tima zdawał się w ogóle nie zauważać.

– Nie widziałem przypadkiem pana dziś rano na dworcu? – spytał, nim Tim zdążył podać mu swoje nazwisko. – Był pan razem z tym Mr Gawainem, który pokazywał mi kopalnię Lambert.

– No i? Podoba się panu? – wyrwało się Timowi. Już chwilę później uświadomił sobie swoje *faux pas*. – Proszę mi wybaczyć, powinienem się najpierw przedstawić. Timothy Lambert.

– Narzeczony Elaine – dopowiedział Ruben i zaśmiał się. – Ponoć ostatecznie ten właściwy. Mr Greenwood ma wieści związane z rozwodem, Tim. Dobre wieści!

Elaine wyglądała tak, jakby aż się paliła, żeby usłyszeć nowiny, Tim jednak był w stanie myśleć tylko o kopalni. Jak zaprezentował się Matt? A ojciec? Jak przebiegają rozmowy i czy były już jakieś ich wyniki?

– Lambert? – zapytał Greenwood i przyjrzał się Timowi badawczo. – W jakiś sposób spokrewniony z tymi Lambertami od kopalni?

Tim przytaknął.

– Syn – powiedział z rezygnacją.

Greenwood zmarszczył czoło.

– Ale to przecież niemożliwe…

Tim spiorunował go wzrokiem. Nagle wezbrała w nim cała wściekłość i frustracja i nie potrafił się powstrzymać.

– Mr Greenwood, mam swoje problemy, ale co do mojego pochodzenia potrafię jeszcze udzielić dość dokładnych informacji!

Greenwood nie wyglądał na urażonego. Uśmiechnął się.

– Nikt w to nie wątpi, Mr Lambert. Byłem tylko trochę zdziwiony. Tutaj… – Sięgnął po papiery, które wcześniej od niechcenia rzucił na stół. – To informacje w opisie projektu. Ale niech pan sam przeczyta.

Tim sięgnął po dokumenty i szybko przejrzał rozdział pod tytułem „spadkobiercy".

*Jedyny syn Marvina Lamberta jest ciężko chory i według wszelkiego prawdopodobieństwa nigdy nie będzie zdolny prowadzić przedsiębiorstwa.*

*Życzeniem rodziny jest, by przynajmniej część kopalni przyniosła szybko pieniądze, i wynikać ono może również z konieczności zapewnienia stałych środków do życia dla chorego…*

Tim zbladł.

– Przykro mi, Mr Lambert – powiedział Greenwood. – Ale według tego raportu oczekiwałbym raczej syna tej rodziny w jakimś sanatorium w Szwajcarii, a nie jeżdżącego konno na dworzec w Greymouth.

Tim wciągnął głęboko powietrze. Musi się najpierw uspokoić, przetrwać jakoś ten wieczór…

– Proszę mi wybaczyć, Mr Greenwood, ale nie mogłem przecież wiedzieć… Komu zawdzięczam ten opis mojego stanu zdrowia? Mojemu ojcu czy Mr Weberowi?

– Wie pan o pośrednictwie Mr Webera? – zapytał Greenwood.

– Tak ćwierkają wróble na dachach – odparł Tim. – A Florence Weber byłaby bez wątpienia zachwycona, mogąc połączyć administrowanie kopalni Biller i kopalni Lambert. Wtedy miałaby dwie kopalnie. – Odwrócił się. – Może powinienem był posłuchać rady Kury!

– Rady Kury? – zapytała zazdrośnie Elaine.

– To był kiepski żart – odparł zmęczonym głosem Tim.

– A dlaczego właściwie nie chce pan kierować kopalnią? – zapytał Greenwood. – Ma pan jakieś inne zainteresowania? Ruben wspominał, że być może przejmie pan interesy w Westport.

Tim zesztywniał.

– Sir, jestem inżynierem górnictwa. Posiadam dyplomy dwóch europejskich uniwersytetów i praktyczne doświadczenie z kopalń w sześciu krajach. Nie ma tu mowy o mojej niechęci. Ale mój ojciec i ja mamy różne opinie odnośnie do kilku ważnych spraw dotyczących zarządzania kopalnią.

Uważne spojrzenie Greenwooda powędrowało po ciele Tima.

– Czy pański stan jest skutkiem tej… różnicy zdań? Może pan mówić zupełnie szczerze, wiem o eksplozjach w kopalni i w znacznym stopniu skrywanych tego przyczynach. I o dwóch ludziach z kierownictwa kopalni, którzy natychmiast po wypadku zjechali na dół. Jeden nie żyje…

– Dla mego ojca ten drugi też nie żyje – powiedział Tim ochrypłym głosem.

– No to powiesz nam teraz wreszcie o tej sprawie z rozwodem, wujku George? – przerwała im Elaine. Przed chwilą wygłupiała się z bratem i nie była świadoma powagi rozmowy toczonej przez Tima i Greenwooda. – O kopalni możecie przecież pomówić później. Poza tym jestem głodna!

Tim nie był głodny. Spojrzał George'owi Greenwoodowi w oczy.

– Porozmawiamy o tym jutro z samego rana – stwierdził Greenwood. – W cztery oczy. Niech pan przyjdzie o dziewiątej do mojego apartamentu i weźmie z sobą dyplomy. Ale myślę, że szybko dojdziemy do porozumienia. A tak przy okazji, kupiłem sześćdziesiąt procent udziałów w pańskiej kopalni, Mr Lambert. Kto jest w niej martwy, decyduję ja.

George Greenwood dał sobie czas na opowiedzenie nowych wieści. Dopiero gdy stanęło przed nim pierwsze danie, rozsiadł się wygodnie, by odpowiedzieć na uporczywe pytania Elaine.

– Thomas Sideblossom zgodzi się na rozwód – powiedział w końcu. – Jeden z naszych adwokatów rozmawiał już z wdową po Johnie. W obecnej chwili przebywa w Lionel Station, ale wróci do Blenheim i z nim porozmawia, gdy tylko ureguluje sprawy w Otago.

– Mówić to ona sobie może – powątpiewała Elaine. – Ale co upoważnia pana do przypuszczenia, że Thomas jej posłucha?

– Och, według tego, co mówi Mrs Sideblossom, rozwód jest w jego własnym interesie – powiedział George, uśmiechając się z zadowoleniem. – Gdy tylko skończy się żałoba, ma zamiar poślubić swoją byłą teściową.

– Co?! – Elaine wyrzuciła z siebie to pytanie z taką gwałtownością, że niemal zachłysnęła się koktajlem z krabów w sosie cytrynowym i musiała odkaszlnąć. Gdy znów doszła do siebie, w jej oczach widać było panikę.

– Ona nie może tego zrobić – wyszeptała. – Znaczy, Zoé… Ona…

– Pytałem ją o to dwa razy – powiedział George – zanim pojąłem, o co może chodzić.

– Tak? – zapytał zdziwiony Stephen, który bawił się jedzeniem na swoim talerzu. Nie przepadał za owocami morza i próbował niepostrzeżenie oddzielić kawałki krabów od pozostałych składników koktajlu. – Ale to jest przecież oczywiste. Ta dama nie ma właściwie innego wyboru. – Stephenowi udało się zrzucić pod stół kawałek kraba, który natychmiast łapczywie złapała Callie.

– Ale Thomas jest... on jest straszny... muszę jej powiedzieć... – Elaine jąkała się i odłożyła na bok sztućce, jakby miała zamiar od razu wstać i natychmiast nawiązać kontakt z Zoé.

– Thomas jest w zakładzie dla umysłowo chorych – przypomniał jej łagodnie Tim, kładąc rękę na jej dłoni. – Nie może już nikomu nic więcej zrobić.

– Właśnie – kontynuował spokojnie Stephen. – Ale wciąż jest dziedzicem Lionel Station. I na tyle, na ile mogę ocenić Johna Side-blossoma, to nie pozostawił on żadnego testamentu z instrukcjami, z których wynikałoby, że coś jej zapisał. Tak jak to w tej chwili wygląda, ta kobieta jest prawie bez środków do życia. Wolno jej jednak nadal mieszkać w Lionel Station. Ale nawet tam Elaine mogłaby jej robić kłopoty...

– Ja? – zapytała zdumiona Elaine. Zdawała się znów panować nad sobą.

– Oczywiście, że ty – powiedział jej ojciec. – Jako jego małżonka jesteś jak dotąd najbliższą krewną Thomasa. Masz prawo dysponować jego dobrami, a w przypadku gdyby umarł, jesteś jedyną spadkobierczynią.

Elaine ponownie pobladła.

– Będzie jeszcze lepiej – ciągnął z rozkoszą Stephen. – Jeżeli na przykład lekarzom w tym szpitalu dla obłąkanych uda się dobremu Thomasowi przepędzić resztki rozsądku, a nie będą na to potrzebowali więcej niż rok czy dwa, to możesz go ubezwłasnowolnić. I tak oto już na stałe będziesz panią ślicznej farmy i dwunastu tysięcy owiec. Czy nie tego sobie zawsze życzyłaś? – Stephen wyszczerzył zęby.

Drżące ręce Elaine przesunęły się po obrusie.

– Powinnaś też myśleć o potrzebach Callie! – dodał Stephen z poważną miną. Mała suczka zaczęła machać ogonem, gdy usłyszała swe imię. Spojrzała z uwielbieniem na Stephena i domagała się kolejnych smakołyków. – To przecież pies pasterski. Potrzebuje kilku owiec.

Elaine dopiero teraz zrozumiała, że jej brat żartuje, i podjęła żałosną próbę, by się uśmiechnąć.

– Całkiem poważnie, Elaine. Jeśli chodzi o stronę finansową, to powinnaś sobie jeszcze raz dobrze przemyśleć ten rozwód – stwierdził George Greenwood. – Jesteśmy w doskonałej sytuacji do pertraktacji. Być może Mrs Sideblossom zgodziłaby się na płacenie jakiejś stałej pensji.

Elaine mocno potrząsnęła głową.

– Nie chcę od nich żadnych pieniędzy – wyszeptała. – Może je mieć Zoé! Najważniejsze, żebym go już nigdy nie widziała.

– To też da się zrobić bez żadnych dodatkowych uzgodnień – powiedział Greenwood. – Według mojego adwokata Zoé planuje wyjechać i zamieszkać w Londynie. Natychmiast, gdy jej przyszły mąż będzie w stanie znieść podróż i zostanie zawarte małżeństwo. Znalazła już odpowiednie sanatorium w Lancashire, w którym zamkną go skutecznie w miłej atmosferze. Ponoć takie zakłady są w Anglii nowocześniejsze i dają większe szanse na wyzdrowienie…

Stephen się zaśmiał.

– Ale przede wszystkim Londyn jest znacznie atrakcyjniejszy dla młodej wdowy niż koniec świata nad jeziorem Pukaki.

– Mam nadzieję, że będzie szczęśliwa – powiedziała poważnie Elaine. – Nie była dla mnie zbyt miła, ale myślę, że sama sporo przeszła. Jeśli teraz znajdzie w Anglii to, czego szuka, to jej się to należy. Jak długo według adwokata może to jeszcze potrwać, wujku George?

– A więc znów możesz zacząć ćwiczyć taniec – powiedziała czule Elaine. Było to znacznie później tego wieczoru i trochę pod wpływem szampana oraz perspektywy, że wreszcie będzie wolna. Tim całował ją przed stajnią hotelu, podczas gdy Roly zaprzęgał Fellowa do powozu. – I jeśli dobrze zrozumiałam wujka George'a, to nawet nie będziemy musieli wyjeżdżać do Walii.

– A jeśli ja dobrze zrozumiałem wujka George'a, dam sobie na razie spokój z tańcem. Florence Weber jeszcze się zdziwi, ile życia zostało w kopalni Lambert! – zaśmiał się ponuro. – Przykro mi tylko z powodu tych licznych owieczek, które przepadły Callie. – Suczka usłyszała swoje imię i skoczyła na niego. – Moglibyśmy sprowadzić kilka i wypasać je na terenach kopalni.

Elaine zaśmiała się i pogłaskała suczkę.

– Ach, co tam, wkrótce powinna pilnować dzieci!

# 10

Tim Lambert przejął w posiadanie swoje nowe biuro. Było trochę mniejsze niż biuro jego ojca, choćby po to, żeby zachować pozory. Oficjalnie Marvin Lambert wciąż jeszcze kierował swoją kopalnią. Tim miał jednak obszerniejsze pomieszczenie niż jego zastępca Matt Gawain. Ich biura sąsiadowały z sobą. Oba pokoje znajdowały się na parterze, były jasne i dawały szeroki widok na najważniejsze instalacje kopalni. Tim widział wieżę wyciągową, widział ludzi przychodzących na zmianę, a wkrótce będzie mógł od siebie zobaczyć tory, którymi wydobywany węgiel będzie transportowany bezpośrednio do głównej linii kolejowej. Ale już teraz panował tu ożywiony ruch; zwożono nowe lampy górnicze i nowoczesne kaski ochronne, dostarczano lory do transportu węgla pod ziemią, a Matt Gawain przemawiał właśnie do grupy nowych górników. Niektórzy przybyli wprost z górniczych rejonów Anglii i Walii. George Greenwood nakazał werbować nowych imigrantów z fachową wiedzą w portach Lyttelton i Dunedin.

Tim odetchnął głęboko, nie miał jednak czasu, żeby rozejrzeć się porządnie po swoim nowym królestwie, ponieważ pojawił się Lester Harding, sekretarz jego ojca, by go przywitać. Nadmierna służalczość tego człowieka natychmiast pozbawiła Tima dobrego humoru.

– Mam panu przynieść fotel, Mr Lambert? Będzie panu wtedy trochę wygodniej. Życzyłby pan sobie szklankę wody?

Tim właściwie nie chciał się denerwować, ale jeśli od razu nie pokaże temu człowiekowi, gdzie jego miejsce, każdego dnia będzie mu działał na nerwy. Oszacował więc wzrokiem z pewnością wygodny, ale niski skórzany fotel, stojący w rogu biura przy małym stoliku i skromnym barku.

– Nie wiem jak pan, ale ja zwykle pracuję przy biurku, a nie tam – wyjaśnił Tim lodowatym tonem. – A ponieważ moje ciało jest nor-

633

malnych rozmiarów, krzesło przy biurku powinno w zupełności wystarczyć. Po... – spojrzał na zegarek – niecałej minucie, odkąd przebywam w biurze, nie potrzebuję jeszcze nic na orzeźwienie. Później, gdy wróci Mr Gawain, może nam pan jednak podać herbatę. – Tim uśmiechnął się, by trochę pozbawić swe słowa ostrości. – Do tego czasu proszę mi przynieść bilanse z dwóch ostatnich miesięcy i katalogi naszych najważniejszych dostawców materiałów budowlanych.

Harding zniknął z obrażoną miną.

Tim już o nim zapomniał. Czas pokaże, czy będzie mógł pracować z tym człowiekiem. Jeśli nie, znajdzie jakiegoś innego sekretarza. Nie musiał się z tym spieszyć. Urządzi biuro i będzie prowadzić kopalnię według własnego uznania.

Florence Weber weszła do swego nowego biura. Było – choćby dla zachowania pozorów – trochę mniejsze od biura jej męża i łączyło się z nim. Pokój Caleba był z kolei znacznie mniejszy od biura jego ojca, ale ten już wyraził zamiar, by w najbliższym czasie coraz bardziej wycofywać się z przedsiębiorstwa. Przecież w końcu był tu jego syn i pilnie pracował. Również dzisiaj Caleb już od prawie dwóch godzin siedział przy swoim biurku. Florence nawet nie zauważyła, kiedy wyszedł z domu. Przechodząc, niemal z czułością spojrzała na jego blond grzywę; siedział z głową pochyloną nad książkami i jakimiś papierami, które jednak nie miały nic wspólnego z górnictwem, czy choćby z węglem. Caleb pracował nad rozprawą o geologicznym pokrewieństwie maoryskich nefrytów i jadeitów – czyli *pounamu* – z chińskimi i południowoamerykańskimi jadeitami, jak też ich mitologicznym znaczeniem w kulturze Maorysów i Azteków. Temat ten niezwykle go fascynował. Wczoraj wieczorem zrobił Florence długi wykład o stosunku jadeitu i nefrytu w różnych złożach. Jako dobra żona z poświęceniem go wysłuchała, ale podczas godzin pracy nie będzie jej się z tym naprzykrzać. Florence zamknęła cicho drzwi oddzielające ich pokoje.

Jej biuro! Było jasne, przytulne i dawało wspaniały widok na budynki kopalni. Kantory kopalni Biller znajdowały się na drugim piętrze budynku magazynowego, toteż z okien Florence można było zobaczyć wieżę wyciągową, wejście do kopalni i tory zapewniające szybki transport wydobywanego węgla do głównej linii kolejowej. Najnowocześniejszy obiekt w całej okolicy. Florence aż nie mogła się na to napatrzyć, ale teraz obserwację przerwało jej pojawienie się sekretarza.

Bill Holland, przypomniała sobie. Mężczyzna jeszcze dość młody, ale już od dawna pracujący dla Billera.

– Czy wszystko jest tak, jak sobie pani tego życzyła, madame? – dopytywał się służalczo.

Florence przyjrzała się wyposażeniu biura. Regały, biurko, mała sofa i fotele w rogu oraz kuchenka do robienia herbaty. Zmarszczyła czoło.

– Bardzo ładnie, panie Holland. Ale czy byłby pan tak miły i zabrał, proszę, kuchenkę do robienia herbaty i naczynia do swego biura? Będzie mi się trudno skoncentrować, jeśli zacznie się pan tu przy tym krzątać. Może pan to zabrać w czasie południowej przerwy... albo nie, niech pan to zrobi od razu. – Temu człowiekowi trzeba było pokazać, gdzie jego miejsce. Florence pomyślała o Calebie, który dziś rano na pewno zapomniał o śniadaniu. Uśmiechnęła się. – A potem niech pan zaniesie mojemu mężowi filiżankę herbaty i kilka sandwiczy. Najpierw jednak proszę przynieść mi bilanse z ostatnich dwóch miesięcy i katalogi naszych najważniejszych dostawców materiałów budowlanych.

Holland zniknął z obrażoną miną. Florence patrzyła za nim. Z czasem się okaże, czy będzie mogła z nim pracować. Właściwie szkoda byłoby go zwalniać. Nie wyglądał na głupiego, a prezentował się też wyjątkowo dobrze. Jeśli okaże się dyskretny, z łatwością może się znaleźć w kręgu wybrańców. Kiedyś przecież będzie musiała się zdecydować, który z oddanych współpracowników godzien będzie spłodzić dziedziców Caleba Billera...

Florence przygładziła wąską ciemną spódnicę i poprawiła dekolt swej schludnej białej bluzki z falbankami. Będzie potrzebowała lustra! Przecież nie musiała się wstydzić swojej kobiecości, nawet jeśli w najbliższych latach niektórzy będą się dziwić kierownictwu kopalni Biller. Florence miała czas. Urządzi biuro i będzie prowadzić kopalnię według własnego uznania.

Emere przemierzała pomieszczenia w Lionel Station. Stara Maoryska szła powoli i zaciskała przy tym ręce na flecie *pecorino*, tak jakby potrzebowała jakiegoś oparcia. Lionel Station. Jej dom i jej dzieci. Ten dom, do którego zabrał ją wtedy John – dawno, dawno temu, kiedy jeszcze była księżniczką, córką wodza i dzieckiem wychowywanym przez czarownicę, która zastępowała jej matkę. Wtedy kochała Johna Sideblossoma – dostateczny powód, by opuścić swe plemię po tym, jak położył się przy niej w domu sypialnym jej rodziny. Emere uważała się za jego żonę, dopóki nie wrócił z tą dziewczyną, z tą jasnowłosą *pakeha*. Gdy Emere zgłosiła swoje roszczenia, wyśmiał ją. Ich związek się nie liczy, i dziecko, które wtedy nosiła pod sercem, też nie. Sideblossom chciał białych dziedziców…

Emere przesuwała palcem po nowych intarsjowanych meblach, które Zoé kupiła po ślubie. Druga jasnowłosa dziewczyna. Ponad dwadzieścia lat po tym, jak zmarła pierwsza. Zresztą nie bez udziału Emere. Była zręczną położną i mogła uratować pierwszą żonę Johna. Ale wtedy miała jeszcze nadzieję, że może być tak jak kiedyś.

A teraz ta Zoé była spadkobierczynią. A przynajmniej doprowadzi do tego, żeby nią zostać. Emere darzyła Zoé swego rodzaju szacunkiem. Wydawała się taka krucha i delikatna, ale przeżyła wszystko – to, co John rozumiał jako „miłość", a nawet porody, przy których Emere ją „wspierała".

Do tej pory stara Maoryska już dawno zawarła z nią pokój. Niech zatrzyma plony z farmy! Arama to ureguluje, co do grosza! Emere nie chciała żadnych pieniędzy. Ale domu i ziemi chciała, a tym z kolei nie była zainteresowana Zoé.

Przeszła do następnego pokoju i zerwała zasłony. Nikt nie powinien tu więcej zasłaniać słońca! Gdy otworzyła już okno, wciągnęła głęboko powietrze. Jej dzieci były wolne; żadnego więcej Johna Sideblossoma, który najpierw je odsyłał, a potem robił z nich niewolników. Emere czekała niecierpliwie na to, aż Pai wróci z ostatnim z dzieci. Wysłała dziewczynę do Dunedin, żeby odebrała z sierocińca jej najmłodszego syna. Dziecko, które urodziło się kilka miesięcy po odejściu tej ognistowłosej dziewczyny. Dziewczyny, poprzez którą spełniła się klątwa, jaką rzuciła wtedy na potomków Johna Sideblossoma. Wtedy, gdy ten jedyny raz zażądała czegoś dla swoich dzieci. Trochę ziemi przepisanej na jej pierworodnego. Ale Sideblossom znów tylko się śmiał – i tego dnia Emere nauczyła się nienawidzić jego śmiech.

Może się cieszyć, powiedział Sideblossom, że w ogóle zostawia przy życiu jej bękarty. Dziedziczyć z całą pewnością nie będą!

Tej nocy musiał po raz pierwszy zmuszać Emere w łóżku – i zdawał się tym rozkoszować. Od tamtego czasu nienawidziła wszystkiego w Sideblossomie i do dziś nie wiedziała, dlaczego mimo to została. Przeklinała się za to tysiące razy, za tę fascynację, którą aż do końca w niej wyzwalał, za to niegodne życie między pożądaniem a nienawiścią. A jeszcze bardziej przeklinała się za to, że zostawiła przy życiu syna z tej białej kobiety. Wtedy jednak Emere miała jeszcze skrupuły, żeby zabić bezbronne dziecko. W przypadku dzieci Zoé już od dawna nie. Własnego pierworodnego zaniosła do swojego plemienia. Tamati, jedyne jej dziecko, które nie było podobne do Johna Sideblossoma. I które wypełniło swoje przeznaczenie, chroniąc ognistowłosą dziewczynę.

Emere uniosła flet *pecorino* i oddała cześć duchom. Miała czas. Zoé Sideblossom była młoda. Dopóki ona żyła, a Lionel Station wysyłało pieniądze, Emere była bezpieczna. Nikt nie będzie mógł położyć ręki na domu i ziemi. A potem? Rewi, trzecie z jej dzieci, był mądry. John dopiero niedawno sprowadził go na farmę, ale Emere myślała o tym, żeby odesłać go z powrotem do Dunedin. Mógł dalej chodzić do szkoły i być może zdobyć zawód tego mężczyzny, który ostatnio rozmawiał z Zoé. Prawnik… Emere wymówiła powoli to słowo. Ktoś, kto pomaga innym, żeby mieli swoje prawa.

Być może Rewi wywalczy kiedyś swoje dziedzictwo. Emere się zaśmiała. Duchy o to zadbają.

# 11

Tim Lambert rzeczywiście zatańczył na swoim weselu. Co prawda był to tylko krótki walc i ciężko opierał się o pannę młodą, widzowie jednak entuzjastycznie ich oklaskiwali. Górnicy rzucali w górę czapki i wiwatowali na jego cześć jak podczas wyścigów, a Berta Leroy miała łzy w oczach.

Tim i Lainie wzięli ślub w dniu świętej Barbary, dokładnie dwa lata po legendarnych „Lambert Derby". Na terenach kopalni znów odbyła się wielka uroczystość. George Greenwood zaprezentował się jako nowy udziałowiec i przedstawił wszystkim siebie oraz Tima Lamberta, zapraszając całą załogę i połowę miasta Greymouth na darmowe piwo, barbecue, zakłady i tańce. Tylko wyścigów konnych tym razem nie było.

– Po prostu nie chcemy ryzykować, że moja panna młoda ucieknie mi na koniu – powiedział Tim w entuzjastycznie przyjętej przemowie i pocałował Lainie przed zgromadzoną załogą. Znów wszyscy zaryczeli; tylko Lainie trochę się zarumieniła. W końcu wśród widzów były też jej matka i babcia. Fleurette i Helen machały jednak do niej wesoło. Obie lubiły Tima. Również słynne instynkty Fleurette nie wnosiły żadnych sprzeciwów.

Pastor tym razem nie miał ochoty budzić wyrzutów sumienia związanych z hazardowymi namiętnościami swych owieczek. Miał natomiast problem z kościelnym ślubem rozwiedzionej panny młodej. Elaine nie była przynajmniej ubrana na biało, lecz miała na sobie jasnoniebieską suknię przyozdobioną ciemniejszymi lamówkami – oczywiście znów z zakładu krawieckiego Mrs O'Brien. Zrezygnowała też z welonu na rzecz wianka ze świeżych kwiatów.

– Musi być z siedmiu kwiatów! – stwierdziła i wywołała tym samym prawdziwy ból głowy u swych przyjaciółek. – Wtedy będę mogła w noc poślubną położyć go pod poduszkę…

– Tylko ani mi się waż śnić o kimś innym! – droczył się z nią Tim, przypominając jej dawną historię z nocy świętego Jana.

Pastor wybrnął z tego lekko nieprzyzwoitego ślubu, podpierając się historią świętej Barbary, w którą zresztą jako metodysta nadal nie wierzył. Poprowadził po prostu mszę pod gołym niebem i na koniec udzielił ogólnego błogosławieństwa miastu i wszystkim zebranym. Tima i Elaine odesłał przy tym do pierwszego rzędu, a brat Elaine, Stephen, zagrał *Amazing Grace*.

Kura-maro-tini z pewnością wzbogaciłaby tę uroczystość bardziej skomplikowanymi rytmami, była jednak nieobecna. Tim i Elaine mieli ją spotkać podczas podróży poślubnej. Elaine chciała też znów zobaczyć nie tylko Queenstown, ale i Kiward Station, a Helen szczerze interesowała się muzycznym programem Kury. Dlatego też wszyscy oprócz Rubena, który znów musiał się zająć interesami, mieli po weselu pojechać do Christchurch, żeby wysłuchać głośno zapowiadanego, ostatniego pożegnalnego koncertu Kury i Marisy na Wyspie Południowej. Zaraz potem artystki i William zamierzali wyjechać do Anglii. Terminy koncertów w Londynie i różnych innych miastach w Anglii były już ustalone. William wyszukał znaną agencję zajmującą się organizacją koncertów, która zaplanowała ich tournée.

– A więc Kura dostanie wreszcie to, czego zawsze chciała – powiedziała z dezaprobatą Fleurette O'Keefe. Nie miała okazji spotkać Kury w Greymouth i wciąż jeszcze nie miała o niej dobrego zdania. Co prawda William jako zięć odpowiadałby jej znacznie mniej niż Tim Lambert, do którego szybko poczuła sympatię. Jednak Kura i William skrzywdzili jej córkę, a matka nie zapomina o czymś takim zbyt szybko.

– Co teraz zrobią z tą małą dziewczynką? – Fleurette zainteresowała się Glorią. – Zabiorą ją do Europy?

– O ile wiem, to nie – odpowiedziała Helen. Jej gorsze stosunki z Gwyneirą McKenzie-Warden nie trwały długo. Kobiety były zbyt bliskimi przyjaciółkami, żeby coś takiego mogło je rozdzielić. Stąd też wkrótce po ślubie Kury znów zaczęły z sobą korespondować, a w ostatnich latach dzieliły zmartwienia związane z zaginięciem Elaine. – Mała zostanie w Kiward Station. Przynajmniej na razie. Z Kurą nigdy nie wiadomo, co jej wpadnie do głowy. Ale jak dotąd ani ojciec, ani matka nawet w najmniejszym stopniu nie zainteresowali się Glorią. Dlaczego miałoby się to teraz zmienić? A ciągnąć ze sobą trzyipółletnie dziecko przez pół Europy to byłby prawdziwy nonsens.

– I tym samym mama dostanie dokładnie to, czego chce – uśmiechnęła się Fleurette. – Drugą szansę, żeby wychować dziedziczkę Kiward Station według własnego uznania. A Tonga już ostrzy noże…

Helen się roześmiała.

– Tak źle przecież nie będzie. Z Kurą też próbował raczej poprzez miłość. Skąd mógł wiedzieć, że znajdzie się ktoś, kto potrafi być jeszcze lepszym *whaikorero*?

Linia kolejowa z zachodniego wybrzeża do Canterbury Plains była już otwarta i Elaine z napięciem oczekiwała swej pierwszej podróży pociągiem. Tim liczył na to, że podróż będzie mniej uciążliwa niż w przypadku wyjazdu do Blenheim, i się nie zawiódł. Ich podróż poślubna była prawdziwym luksusem, zwłaszcza że George Greenwood dysponował prywatnym wagonem salonką. Wspaniałomyślnie oddał go do dyspozycji młodej parze, i tak oto Tim i Lainie kochali się na podskakującym łóżku, rozlewając ze śmiechem szampana.

– Do czegoś takiego naprawdę mogłabym się przyzwyczaić – powiedziała zachwycona Elaine.

Tim się uśmiechnął.

– Wtedy musiałabyś zostać z Kurą i być jej pianistką. Wciąż mówi tylko o prywatnym wagonie swej idolki. Jak się nazywa ta kobieta…?

– Nie wiem, jakaś operowa diwa… Adelina Patti! Czy nie podróżuje przypadkiem nawet własnym pociągiem? Może powinieneś jednak zacząć pracować w tej firmie Mr Redcliffa. Jako pracownik kolei mógłbyś pewnie kupić taniej pociąg. – Elaine szczęśliwa wtuliła się w ramiona Tima.

Państwo McKenzie czekali na podróżnych na dworcu w Christchurch, a wzruszona Gwyneira wzięła Elaine w ramiona. W przeciwieństwie do Helen, której twarz w ostatnich latach stała się chudsza i bardziej surowa, Gwyn sprawiała wrażenie, jakby się w ogóle nie postarzała.

– Bo niby jak, w domu pełnym dzieci! – stwierdziła wesoło, gdy Helen obdarzyła ją komplementem. – Jack i Glory… a Jennifer też jest jeszcze bardzo młoda i jest taką słodką dziewczyną. Zobacz tylko!

Jennifer Greenwood, która nadal uczyła dzieci w Kiward Station, pozdrowiła rumieniącego się właśnie Stephena O'Keefe'a. Oboje dyskutowali właśnie, posługując się nienaganną prawniczą argumentacją, czy wolno się całować publicznie, czy też nie, po czym zrobili to pod osłoną parasolki Jenny.

– To będzie następny ślub. Po studiach Stephen zaczyna pracę jako adwokat w firmie Greenwooda.

Helen przytaknęła.

– Ku wielkiemu niezadowoleniu swego ojca. Ruben wolałby go widzieć w roli sędziego. Ale tam gdzie miłość, tam... A ta tutaj jest naprawdę szczególnie wielka. – Wskazała ze śmiechem na Jacka i małą Glorię. Jack miał już osiemnaście lat, był wyrośniętym młodym mężczyzną z dzikimi ciemnorudymi lokami, dzięki którym tak bardzo przypominał Helen młodego Jamesa. Choć wyglądał jak tyczka, poruszał się niezwykle zręcznie i bezpiecznie prowadził swą malutką towarzyszkę przez tłum na dworcu.

– Kolej – paplała Gloria bez wielkiego zainteresowania, pokazując Jackowi świecącego kolosa. – Pies, chodź! – powiedziała w końcu z wyraźnie większym entuzjazmem i wyciągnęła ręce do Callie. Elaine gwizdnęła na suczkę i pokazała jej, żeby podała dziewczynce łapę. Callie wolała się jednak rozglądać za czymś innym; zainteresowała się przede wszystkim psem idącym przy Jacku.

Elaine wzięła Glorię w ramiona.

– Jaka ona słodka! – powiedziała. – Ale ani trochę nie przypomina Kury.

To była prawda. Gloria nie przypominała ani Kury, ani Williama; jej włosy nie były ani lśniąco czarne, ani też jasne i złociste, lecz szatynowe z lekkim rudym odcieniem. Oczy miały porcelanowoniebieski kolor i były osadzone troszkę zbyt blisko siebie, co nadawało twarzy jakiś szczególny wyraz. Jej rysy były jeszcze dziecinnie zaokrąglone; później z pewnością staną się trochę zbyt ostre, by mogła wyrosnąć na piękność.

– I dzięki Bogu! – stwierdził Jack. – Co zaś do psa, jest dość niedbale ułożony, Lainie. To nie uchodzi, żeby jakiś kiward collie biegał sobie po peronie i pozwalał się głaskać zupełnie obcym ludziom. To zwierzę potrzebuje owiec.

– No przecież zostaniemy tu kilka dni – odparła ze śmiechem Lainie.

Koncert Kury był prawdziwym triumfem. Nie oczekiwała zresztą niczego innego. Tak właściwie od sensacyjnego występu w Blenheim unosiła się na fali kolejnych wielkich sukcesów – przy czym Kura i Marisa ich źródła dopatrywały się w swoich muzycznych zdolnościach, William zaś widział je w sławie Kury jako zaklinaczki duchów. Niemal w każdym wywiadzie pozwalał sobie na dość niejasne aluzje, a Kura obawiała się, że podobnymi historiami karmił również agencje w Anglii. Nie rozmawiała z nim jednak o tym. Powód, dla którego ludzie przychodzili, był jej obojętny. Grunt, by bili brawo i płacili za bilety. Kura rozkoszowała się ponownym bogactwem. A tym razem dokonała tego własnymi siłami.

Marama i ludzie z jej plemienia nie mogli sobie odmówić przyjemności, by przyjść na koncert Kury, a nawet wzbogacili go wykonaniem dwóch własnych *haka*. To ostatnie stało się na wyraźne życzenie Williama. Marama rozumiała to jako prośbę o wybaczenie za afront, jaki ich spotkał podczas wesela, i chętnie się zgodziła. Była osobą bezkonfliktową i łatwo przychodziło jej wybaczać. I gdy teraz jej wysoki niczym pędzony chmurami głos splatał się z mocnym, mrocznym brzmieniem Kury, William najchętniej zatrudniłby ją na całe tournée.

W ogóle sala w White Hart robiła znacznie bardziej egzotyczne wrażenie niż zwykle. Tonga przybył do Christchurch z połową plemienia, żeby złożyć hołd dziedziczce Kiward Station i jednocześnie na zawsze się z nią pożegnać. A przy tym większość Maorysów w ogóle nie rzucała się w oczy. Niemal wszyscy nosili zachodnie ubrania, choć zwykle dość niezręcznie dobrane. Tonga pojawił się jednak w tradycyjnym stroju, a jego tatuaże – nosił je praktycznie jako jedyny ze swego pokolenia – nadawały mu wojowniczy wygląd. Większość gości sądziła z początku, że jest jednym z tancerzy. Gdy zasiadł wśród publiczności, zaniepokojeni ludzie odsuwali się od niego.

Tonga był też jedynym, który marszczył czoło, słuchając występu Kury. Wolałby zachować maoryskie pieśni w ich autentycznym brzmieniu, zamiast udziwniać je zachodnimi instrumentami.

– Kura zostanie w Anglii – zwrócił się do Rongo Rongo, szamanki z ich plemienia. – Śpiewa nasze słowa, ale nie mówi naszym językiem, nigdy tego nie robiła.

Rongo Rongo wzruszyła ramionami.

– Nigdy też nie mówiła językiem *pakeha*. Nie należy do żadnego z naszych światów. To dobrze, że szuka własnego.

Tonga obrzucił wymownym spojrzeniem małą Glorię.

– Ale pozostawia Wardenom dziecko.

– Pozostawia *nam* dziecko – poprawiła go Rongo Rongo. – Dziecko należy do ziemi Kai Tahu. To, ku któremu plemieniu się zwróci...

Gloria siedziała z Jackiem w drugim rzędzie, co było z jego strony wielkim poświęceniem. Z własnej woli chłopak nigdy nawet nie zbliżyłby się do sali koncertowej, w której występowała Kura-maro-tini.

– Mogę świetnie zrozumieć, dlaczego ten facet w Blenheim zwariował – powiedział matce. – Być może po czymś takim ja też wyląduję w jakimś zakładzie!

Gwyneira wyjaśniła mu, że nie podziela jego obaw, jednak ani groźby, ani żadne obietnice nie mogły go przekonać. Potem jednak Kura zaczęła nalegać na obecność córki i Jack nagle zmienił zdanie.

– Gloria znów tylko będzie krzyczeć! Albo jeszcze gorzej, nie będzie krzyczeć, a wtedy Kura nagle wpadnie na pomysł, że jest uzdolniona i musi pojechać z nimi do Anglii. Nie, nie, w takim razie już pójdę i będę na nią uważał.

Gloria tym razem nie krzyczała, bawiła się jednak znudzona drewnianym konikiem, którego Jack dla niej zabrał. Gdy Kura przyzywała ze sceny duchy, pomknęła między rzędami krzeseł do wyjścia prowadzącego za scenę, gdzie czekali Maorysi i Tonga, który z groźnym spojrzeniem opierał się o ścianę. Jack nie ruszył za dziewczynką, obserwował ją jednak kątem oka. Nic dziwnego, że Gloria uciekła przed tą kocią muzyką i wolała się pobawić z innymi dziećmi. On też był zadowolony, gdy koncert wreszcie się skończył. Opuścił salę razem z rodzicami, zgarniając po drodze Glorię. James mrugnął do niego z wyraźną ulgą.

Dziewczynka bawiła się razem z trochę starszym maoryskim chłopcem, który ku zdziwieniu Gwyneiry nie nosił ani spodenek, ani koszuli, lecz jedynie tradycyjną przepaskę biodrową. Chłopak miał też na sobie typowe dla dziecka z szanowanego rodu amulety i naszyjniki, a w dodatku pierwsze tatuaże. Wielu *pakeha* coś takiego odpychało, Glorii jednak to nie przeszkadzało.

Dzieci bawiły się drewnianymi klockami.

– Wioska! – powiedział chłopak i pokazał na ogrodzoną osadę, w której Gloria ustawiała właśnie kolejny dom.

– *Marae*! – wyjaśniła Gloria, wskazując na największy z domków. Obok domu spotkań zaplanowała też spiżarnię i kuchnię: – Tutaj *pataka*, tutaj *hanga*, a tu mieszkam ja!

Jej wymarzony dom stał na wymalowanym na podłodze kredą jeziorze.

– I ja! – krzyknął pewny siebie chłopak. – Ja wódz!

Tonga pojawił się za Gwyneirą, która przysłuchiwała się roześmianym dzieciom.

– Mrs Warden… – Tonga skłonił się formalnie. Zawdzięczał Helen O'Keefe wykształcenie typowe dla *pakeha*. – Kura-maro-tini zrobiła na nas wrażenie. Szkoda, że nas opuszcza. Ale pani pozostaje jeszcze dziedziczka… – Wskazał na Glorię. – A tak przy okazji: to jest mój dziedzic. Wiremu, mój syn.

Helen stanęła za nimi.

– Śliczny chłopak, Tonga – stwierdziła.

Tonga skinął głową i patrzył w zamyśleniu na bawiące się dzieci.

– Piękna para. Nie sądzi pani, Miss Gwyn?

Wiremu właśnie podawał Glorii muszlę. Gloria dała mu za to drewnianego konika.

Gwyneira zgromiła wodza spojrzeniem. Potem jednak zapanowała nad sobą i starała się patrzeć na niego raczej kpiąco.

– To są dzieci – zauważyła.

Tonga się uśmiechnął.

# POSŁOWIE

Życie codzienne w nowozelandzkiej osadzie górniczej pod koniec XIX wieku zostało przedstawione w tej powieści możliwie szczegółowo. Opisy pracy w kopalni, niemal niemożliwych do zniesienia warunków życia górników, ich potrzeba, by wieczorami szukać pocieszenia w alkoholu, jak też przedstawienie miejscowego burdelu jako „drugiej ojczyzny" są równie mocno udokumentowane historycznie, jak często pełna pogardy chciwość właścicieli kopalni. Mimo to *Pieśń Maorysów* jest tylko w ograniczonym sensie powieścią historyczną. Historia społeczna została szczegółowo zbadana, jednak wiele ważnych z historycznego punktu widzenia wydarzeń zostało zmienionych bądź też są czystą fikcją. I tak w okolicach Greymouth od roku 1864 aż do czasów obecnych istniało około stu trzydziestu kopalń węgla – prywatnych, spółdzielczych bądź państwowych – żadna jednak nie należała do rodziny Lambertów czy Billerów i żaden z ówczesnych właścicieli kopalni nie miał podobnej rodzinnej historii.

Szczegóły przedstawionego wypadku w kopalni – takie jak liczba ofiar, pierwsze próby akcji ratunkowej i przyczyna wypadku – opierają się jednak na faktach związanych z katastrofą w kopalni Brunner w roku 1896. Jedyna różnica w stosunku do prawdziwych wydarzeń polega na tym, że w tej powieści dwóm ludziom udaje się przeżyć. W rzeczywistości zginęło sześćdziesięciu czterech górników i dwaj pierwsi ratownicy. Wszystko to jest udokumentowane; istnieją nawet nagrania ze wspomnieniami naocznych świadków. Przy odpowiednich badaniach byłam nawet w stanie poznać nazwiska ofiar i członków ich rodzin. Właśnie ta szczegółowa dokumentacja historii Nowej Zelandii sprawiła, że osadzenie w tym kraju akcji powieści *historycznej* w ścisłym znaczeniu tego słowa wydało mi się trudne, jak też wątpliwe z etycznego punktu widzenia – przy czym przez powieść historyczną rozumiem taką, w której kilka fikcyjnych postaci operuje w rzeczywistym, dobrze zbadanym świecie i w faktycznie istniejących miejscach. Akcja nie powinna wydawać się zmyślona, lecz w wyraźny sposób oparta na prawdziwych wydarzeniach.

Nową Zelandię odkrył w roku 1642 holenderski żeglarz Abel Janszoon Tasman, a pewne jej obszary zostały opracowane kartograficznie w roku 1769 przez kapitana Cooka. Biali zaczęli kolonizować Wyspę Północną dopiero od roku 1790; pierwsze czterdzieści lat może być ciekawe z narracyjnego punktu widzenia tylko wtedy, jeżeli ktoś interesuje się czysto przygodowymi historiami związanymi z polowaniem na wieloryby i foki. Rzeczywiste osadnictwo rozpoczęło się dopiero około 1830 roku. Historia Nowej Zelandii jest więc dość krótka, ale za to dokładnie udokumentowana. Praktycznie każde miasteczko ma swoje archiwum, w którym znaleźć można nazwiska pierwszych osadników, nazwy ich farm, a często nawet szczegóły z ich życia.

Teoretycznie więc autor może się tym do woli posłużyć, by w rzeczywistą historię tchnąć nowe życie. W praktyce jednak nie mamy tu do czynienia z ludźmi ze średniowiecza, po których ślad poprzez stulecia zaginął, lecz po części z potomkami ludzi, którzy wciąż żyją w Nowej Zelandii. Co zrozumiałe, mogliby mieć za złe, gdyby jakiś obcy przywłaszczył sobie historię ich pradziadków, przypisując im zmyślone charaktery, zwłaszcza gdyby postaci te były tak niesympatyczne, jak na przykład Sideblossomowie.

Ponieważ kraj nie jest tak rozległy jak choćby Australia, nie można bez problemu dowolnie wymyślać lokalizacji i farm wśród rzeczywiście istniejących miejsc akcji. Dlatego też zrezygnowałam z „przyjemności", by spełnić życzenie moich czytelników i pozwolić im podążać śladami bohaterów mojej powieści. Krajobrazy i miejsca akcji – na przykład otoczenie i architektura farm, takich jak Kiward i Lionel Station – zostały zmienione, a historycznym postaciom dałam nowe nazwiska.

Mimo to niektóre informacje z łatwością można zweryfikować. I tak na przykład nazwisko hodowcy owiec, który pojmał historycznego Jamesa McKenziego, znaleźć można w Internecie po kilku kliknięciach myszką. Zapewniam jednak, że ma on równie mało wspólnego z moim Johnem Sideblossomem, jak prawdziwy McKenzie z jego odpowiednikiem w tej powieści. James McKenzie jest zresztą jedynym, którego nazwisko nie jest fikcyjne, ponieważ jego los rzeczywiście ginie w mrokach historii. Dwa lata po swym procesie został ułaskawiony i wszelki ślad zaginął po nim gdzieś w Australii.

Gdyby mimo to przytrafiły się jakieś podobieństwa z rzeczywistymi farmami lub postaciami, to wynikają one z czystego przypadku.

Ponadto chciałabym podziękować wszystkim, którzy przyczynili się do powstania tej powieści, a zwłaszcza moim redaktorkom: Melanie Blank-Schröder, Sabine Cramer i Margit von Cossart, które naprawdę zadbały o poprawność każdego szczegółu. Mój agent cudotwórca Bastian Schlück też oczywiście nie może pozostać niewspomniany. Klara Decker jak zawsze czytała rękopis i pomagała w poszukiwaniach w Internecie – wciąż na nowo wzbudza to mój szacunek, jeśli ktoś trzema kliknięciami myszki wydobywa z sieci nazwisko Głównego Sekretarza Irlandii z roku 1896. Coby – i oczywiście również inne konie – nie zrzuciły mnie z grzbietu, gdy jadąc na nich, popadałam w sny na jawie o miłości i cierpieniu w Nowej Zelandii, a moi przyjaciele cierpliwie czekali, gdy ze słowami „wtedy będę w Nowej Zelandii…" znikałam na całe weekendy.

Inspiracją i przykładem dla Callie była znów moja suczka border collie, która niezmiennie nazywa się Cleo. Gdy ukaże się ta powieść, będzie już starsza od swej imienniczki z powieści *W krainie białych obłoków*. Ta rasa jest faktycznie długowieczna. Mimo to dziękuję wszystkim, którzy wyliczyli wiek Cleo i dopytywali się, czy pies rzeczywiście może żyć dwadzieścia lat. Nie ma nic lepszego niż krytyczni Czytelnicy!